KB200311

신의 가면 II

동양 신화

조지프 캠벨 지음

이진구 옮김

Joseph Campbell Foundation

THE MASKS OF GOD Vol. II : ORIENTAL MYTHOLOGY

by Joseph Campbell

역자 이진구(李進龜)
서울대학교 종교학과를 졸업하고(1984), 동대학원에서 석사 학위(1988)와 박사 학위(1996)를 취득하였다. 뉴욕 주립대학교(스토니 부룩) 객원 연구원(1997-1998)으로 재임하였으며, 현재 서울대학교에 출강하고 있다.
연구 논문으로는 「한국 개신교의 타종교 의식」, 「천도교 교단조직의 변천과정에 관한 연구」, 「종교자유에 대한 한국 개신교의 이해에 관한 연구」, 「미국 개신교 근본주의에 관한 연구」 등이 있으며, 저서로는『한국 개신교 주요 교파 연구』(1998, 공저),『북한 교회사』(1996, 공저)가 있고, 역서로는『세계의 종교』(세르게이 토카레프 저, 공역),『동양의 종교』(조지프 키타가와 저, 공역),『현대 종교학과 사회과학』(프랭크 훼일링 편, 공역),『신의 가면 : 원시 신화』(조지프 캠벨 저)가 있다.

신의 가면 II : 동양 신화

저자 / 조지프 캠벨
역자 / 이진구
발행처 / 까치글방
발행인 / 박후영
주소 / 서울시 용산구 서빙고로 67, 파크타워 103동 1003호
전화 / 02 · 735 · 8998, 736 · 7768
팩시밀리 / 02 · 723 · 4591
홈페이지 / www.kachibooks.co.kr
전자우편 / kachibooks@gmail.com
등록번호 / 1-528
등록일 / 1977. 8. 5
초판 1쇄 발행일 / 1999. 9. 15
    8쇄 발행일 / 2023. 2. 27

값 / 뒤표지에 쓰여 있음

ISBN 89-7291-242-5 04210
      89-7291-240-9 04210(전4권)

신의 가면 II

동양 신화

일러두기

1. 원서의 이탤릭체 강조는 고딕체로 하였으나, 단지 영어 이외의 언어를 나타내기 위하여 이탤릭체로 한 것은 일반 문장과 똑같이 다루었다.

2. 본문 내의 성서 내용은 공동 번역 성서를 참조한 것이다.

3. 본문 내의 중국 문헌 인용에는 독자의 참고를 위하여 한자 원문을 같이 수록하였다.

차례

제1부 동양과 서양의 분리

제2부 인도의 신화

제3부 극동의 신화

제1부 동양과 서양의 분리

제1장 위대한 네 문명의 서명†

1. 동양 신화와 서양 신화의 대화

동양인의 삶을 근본적으로 규정하는 영원 회귀의 신화는 끊임없이 반복되는 일정한 형식의 질서를 보여준다. 태양의 일주, 달의 차고 이지러짐, 연(年) 단위의 주기, 그리고 유기체의 출생, 죽음, 재생의 리듬은 우주의 본성을 이루는 영원한 생성의 기적을 표상한다. 금, 은, 동, 철의 네 시대로 이루어진 고대 신화는 잘 알려져 있다. 거기에서는 세계가 점차 쇠퇴하고 악화되는 것으로 묘사되고 있다. 그렇지만 이 신화 속의 세계는 혼돈 속에서 일시적으로 해체되었다가 꽃처럼 신선하게 다시 피어나서 그 자체의 필연적인 과정을 새롭게 시작한다. 시간이 존재하지 않은 때는 없었으며, 시간 안에서 작용하는 이러한 요지경 같은 영원성의 놀이가 중단되는 경우도 결코 없을 것이다.

이러한 신화 속에서는 우주나 개인이 개별적인 독창성이나 노력을 통하여 새롭게 얻을 수 있는 것은 아무 것도 없다. 소멸할 수밖에 없는 신체 및 감정과 그들 자신을 동일시하는 사람들은 만사가 고통임을 반드시

---

† '서명'은 'signature'를 옮긴 것인데, 이것은 각 문명의 독특한 양식을 의미하는 저자의 용어이다.

발견하게 될 것이다. 그들의 모든 것은 종말을 고하기 때문이다. 그러나 만물의 회전축을 이루는 고요한 영원성의 지점을 발견한 사람들은 만사를 있는 그대로 받아들일 수 있다. 심지어는 만사를 영광스럽고 경이로운 것으로 경험할 수 있다. 따라서 개인의 첫번째 의무는 그에게 주어진 역할 ── 태양과 달, 여러 가지 동물과 식물의 종, 물, 바위, 별들처럼 ── 을 아무런 저항이나 오점 없이 그대로 수행하는 것이다. 가능하다면 자신의 의식과 내재적인 전체성의 원리(inhabiting principle of the whole)를 동일화시키기 위해서 자신의 마음을 조절해야 한다.

이러한 명상적이고 형이상학적인 것을 지향하는 전통에서는 세계 창조라는 우주적인 그림자놀이 속에서 빛과 어둠이 함께 춤을 춘다. 그리고 여기에 등장하는 꿈의 시대(dreamlike spell)는 오늘날까지도 계산 불가능한 시대라는 이미지를 만들고 있다. 이것의 원시적인 형태는 아프리카에서 시작하여 동쪽으로 인도, 동남아시아, 오세아니아, 브라질에 이르는 광대한 적도 지역의 정글 마을에 널리 확산되어 있다. 이 지역들의 근본 신화는 죽음도 태어남도 없는 최초의 꿈의 시대에 관한 것이다. 그러나 이러한 꿈의 시대는 살해 행위가 나타남으로써 끝나게 된다. 즉 희생자의 몸이 찢겨져 매장되고, 매장된 시신의 각 부분으로부터 공동체의 생계 수단이 되는 식용 식물들이 자라나고, 그 과실들을 먹은 사람들에게 생식 기관이 생겨났다. 이렇게 살해 행위를 통해 세상에 나타난 죽음은 그것과 반대인 발생(generation)과 대립하게 되었으며, 생명을 먹고 사는 자기 소비적인 생명은 그 자체의 끝없는 과정에 접어들었다.

청록색의 정글 지대는 무서운 야수들의 무대일 뿐만 아니라 거기에서는 가공할 만한 인신 공희도 많이 행해지고 있다. 인신공희는 원초적 충격의 힘을 가지고 살해 장면, 성행위, 그리고 최초의 축제 음식을 극적으로 재현한다. 이 최초의 시간에는 하나로 존재하였던 삶과 죽음이 둘로 분화되고, 하나로 존재하였던 성(性)도 둘로 나뉘게 된다. 이 과정에서 생물이 출현하고 이들은 다른 생물의 죽음을 먹고 산다. 그러나 이들도 결국 죽어서 다른 생물의 먹이가 된다. 이러한 시간의 변화 속에 신화적 시초의 무시간적 원형이 존속한다. 이때 개별적인 것들은 떨어진 잎사귀에 불과하다. 심리학적으로 볼 때, 그러한 의례를 행하는 것은 마음의 초점을 (사멸하는) 개인으로부터 영속적인 집단으로 옮기는 효과가 있다. 주술적인 측면에서 보면, 이것은 모든 생명체 속에 존재하는 영원한 생명력을 강화시키는 것이다. 이 생명체들은 다양한 것 같지만 실제로는 하나이다. 이렇게 하여 얌, 코코넛, 돼지, 달, 빵나무 열매가 활기차게 자라게 되며, 인간 공동체의 성장도 활기를 띠게 된다.

제임스 프레이저 경은 『황금가지(*The Golden Bough*)』에서 근동 중심부 — 이곳으로부터 이 세상의 모든 고등 문명이 나왔다 — 의 초기 도시 국가들에서 신-왕들(god-kings)이 이러한 정글 의례의 방식으로 희생되었음을 보여주었다.[1] 우르(Ur) 지역의 왕릉을 발굴한 레오나드 울리 경에 의하면 수메르에서도 왕궁 전체가 의식에 따라 산 채로 매장되는 등, 그러한 행위들이 기원전 2350년경까지 지속되었다고 한다.[2] 더구나 기원후 16세기의 인도에서는 왕이 그 자신의 몸을 자르는 의식을 행하였다. 검은 여신 칼리는 "접근하기 어렵다(durgā)"라는 뜻을 지닌 많은 이름들 중의 하나로서 매우 무시무시한 신이다. 그녀의 위(胃)는 텅 비어 있고 결코 만족할 줄 모른다. 그녀의 자궁은 영원토록 모든 것을 낳고 있다. 그녀의 사원에서는 제물로 바친 잘린 머리로부터 수천 년 동안 피가 강물처럼 계속 흘러왔다. 이 피는 신성한 근원으로 돌아가도록 조각한 순환 통로를 통하여 용솟음치며 흐르고 있다.

오늘날에도 캘커타에 있는 그 여신의 주요 신전인 칼리가트에서는 가을 축제인 두르가 푸자(예배/역주)가 행해지는 동안 700-800마리의 염소를 3일에 걸쳐 도살한다. 잘려진 염소 머리는 신상 앞에 쌓아놓고, 몸통은 신도들의 몫이다. 명상 예배 동안 신도들이 그 고기를 먹는다. 이 여신 예배에서는 물소, 양, 돼지, 가금 등을 엄청난 양으로 바친다. 1835년 인신공희가 금지되기 전까지 그 여신은 그 지역 전체에서 더욱 많은 제물을 받아왔다. 탄조레에 있는 하늘로 치솟은 시바 신전에서는 매주 금요일 황혼 무렵의 성스러운 시간에 남자 어린이 1명의 목을 여신의 제단에 바친다. 1830년에는 그 여신의 은총을 받고 싶어하는 바스타르의 소군주가 한꺼번에 25명을 단테슈바리(Danteshvari)에 있는 제단에 바쳤다. 16세기에는 같은 장소에서 쿠츠 베하르(Cooch Behar)의 왕이 150명을 희생 제물로 바쳤다.[3]

아삼 지역의 자인티아 언덕에서는 왕실의 관습에 따라 매년 두르가 푸자 동안 한 사람을 희생 제물로 바쳤다. 희생 제물이 되는 사람은 목욕하여 스스로를 정화한 다음 새 옷으로 갈아입는다. 그의 몸은 자단(紫檀)과 단사(丹砂)로 칠해지고 화환으로 장식된다. 이렇게 치장된 다음 신상 앞의 단으로 옮기어지고, 거기서 얼마 동안 성스러운 소리를 반복하면서 명상에 잠긴다. 준비가 완료되면 손가락 신호를 한다. 그러면 처형 집행인이 성스러운 소리를 내면서 칼을 높이 치켜들고 그 사람의 목을 내리친다. 즉시 그의 목은 황금판 위의 여신에게 바쳐진다. 그후 요리된 허파는 요기들이 먹고, 왕실 가족들은 희생자의 피로 적신 약간의 쌀을 먹는다. 이 희생제의에 바쳐진 사람들은 대체로 자원자들이었다. 자원자가 없을 때에는 그 조그만 나라의 외부에서 납치해 온다. 1832년 영국 통치 하에 있는 한 지역에서 네 사람이 사라지는 사건이 발생하였는데, 그중 한 사람이 도망쳐서 사실을 폭로하였다. 1년 뒤 그 왕국은 영국에 의해 병합되고 그 관습은 사라졌다.[4]

기원후 10세기 무렵의 힌두 경전인 『칼리카 푸라나(Kalika Purana)』에는 "1명의 희생물을 적절한 의식에 따라 바치면 그 여신은 천 년 동안 만족해 한다"고 쓰여 있다. "3명을 바치면 10만 년 동안 만족해 한다. 그 여신의 배우자로서 무시무시한 모습을 하고 있는 시바는 인간의 육신을 제물로 받으면 3천 년 동안 만족해 한다. 곧바로 성화된 피는 신찬(神饌)이 되기 때문이다. 머리와 몸통은 신을 몹시 기쁘게 한다. 따라서 그 여신 숭배에서는 반드시 바쳐야 한다. 현자라면 털이 뽑힌 살점을 제물에 추가할 것이다."[5]

그러한 의례들을 완벽하게 행할 수 있는 순수의 동산에서는 희생자와 희생제의를 주관하는 사제가 그들의 의식과 실재를 내재적인 전체성의 원리와 동일시할 수 있다. 그들은 『바가바드 기타(Bhagavad Gita)』에 나오는 다음과 같은 말을 진정 말할 수 있고 느낄 수 있다. "낡은 옷을 벗고 새로운 옷을 입듯이, 몸안의 거주자는 낡은 몸을 벗어버리고 새로운 다른 몸을 입는다."[6]

그러나 서양에서는 에고를 버리고(egoless) 개체성의 탄생에 선행하는 영혼의 상태로 회귀할 수 있다는 사고 방식이 오래전에 사라졌다. 첫번째 중요한 분기점은 근동 중심부에서 일어났다. 그 지역에서는 오랫동안 신-왕들과 그들의 궁정을 의식에 따라 매장해왔다. 그러다가 수메르에서 신의 영역과 인간의 영역을 분리하는 새로운 의식이 기원전 2350년경의 신화와 의례에서 나타나기 시작하였다. 이때 왕은 더 이상 신이 아니라 신의 봉사자이자 소작인이었다. 즉 왕은 신에 봉사하기 위해 창조된 인간 노예들을 감독하기 위해 끊임없이 땀을 흘리는 감독관에 불과하였다. 따라서 신과 인간의 동일성은 더 이상 관심의 대상이 되지 않았고, 신과 인간 사이의 관계가 최고의 관심으로 대두하였다. 인간은 신이 되기 위하여 만들어진 것이 아니라 신을 알고, 경외하고, 봉사하기 위해서 만들어진 것이다. 초기의 신화적 사고에서는 왕이 지상에서 신의 최고의 현현이었지만, 이제는 단지 유일신의 시중을 들면서 희생물을 바치는 사제에 불과하였다. 그러한 사제는 희생제의를 통하여 신 자신으로 돌아가는 신이 아니었다.

그후 몇 세기가 지나면서 새로운 분리 의식은 회귀에 대한 반대 욕구를 불러일으켰다. 그러나 이는 동일성으로의 회귀가 아니었다. 그러한 동일성은 더 이상 생각될 수 없는 것이었다(창조주와 피조물은 동일하지 않았다). 그것은 상실된 신의 임재와 비전으로의 회귀였다. 어느 시점에 도달하자 주기적 회귀에 대한 초기의 정적인 견해로부터 새로운 신화가 발전하여 나왔다. 최초의 시간에 단번에 이루어진 창조, 그후의 타락, 그리고 아직도 지속되는 회복의 과정으로 이루어진, 발전적이고도 시간 지향적인 신화가 탄생한 것이다. 이제 세계는 더 이상 영원성의 패러다임이 시간 안에 단순히 출현한 것이 아니라 빛과 어둠이라고 하는 두 세력 사이의 유례없는 우주적 투쟁의 무대로 인식되어 갔다.

이러한 우주 회복 신화의 최초의 예언자는 페르시아의 조로아스터임에 틀림없다. 그가 활동한 연대는 확실하게 입증되지 않았다. 기원전 1200년경에서 550년경 사이의 여러 연대가 제시되어 왔다.[7] 따라서 그도 호머

(조로아스터와 거의 동일한 시기에 속한다)처럼 특정한 인물이라기 보다는 어떤 하나의 전통을 상징하는 것으로 보아야 할지도 모른다. 그의 이름과 관련된 사상 체계는 현명한 군주인 아후라 마즈다(Ahura Mazda)와 독립적인 악의 원리인 앙그라 마이뉴(Angra Mainyu) 사이의 투쟁 관념에 기초해 있다. 아후라 마즈다는 "정의로운 질서의 최초의 아버지로서 태양과 별들에게 길을 제시해주었으며",[8] 앙그라 마이뉴는 거짓의 원리이자 사기꾼으로서 모든 존재가 만들어질 당시 모든 존재의 미립자 속으로 침투하여 들어갔다. 따라서 세계는 그 안에서 선과 악, 빛과 어둠, 지혜와 폭력이 서로 승리를 위하여 싸우는 복합체이다. 그러므로 각 사람 — 그 자체 피조물의 하나로서 선과 악의 복합물인 — 의 특권과 의무는 빛을 위하여 자발적으로 일어나 투쟁에 참여하는 것이다. 세계 창조 후 1만 2천 년이 지나 조로아스터가 출생하면서부터 그 투쟁은 선의 세력에 유리한 방향으로 결정적으로 선회하였다. 또 다른 1만 2천 년이 지나면 그가 메시아 사오샨트(Saoshyant)의 모습으로 돌아오게 되고, 그때 최종적인 전투와 우주적 대화재가 일어나면서 악과 거짓의 원리는 소멸할 것이다. 그후 모든 것은 빛의 세력이 되고, 역사는 더 이상 진행하지 않으며, 신(아후라 마즈다)의 왕국이 순수한 형태로 영원히 세워질 것이다.

인간 정신의 재정립을 위한 강력한 신화적 정식(mythical formula)이 여기에 제시되어 있다. 이 정식에 의하면 인간 정신은 시간의 길을 따라서 가야 하고, 인간은 신의 이름으로 우주의 혁신을 위한 자율적 책임을 떠맡아야 한다. 이는 새롭고 강력한 성전(聖戰)의 정치(결코 명상적이 아닌) 철학을 확립시킨다. 페르시아의 한 기도문에는 이러한 말이 있다. "저희로 하여금 혁신을 일으키고 이 세계를 발전시키도록 하고 마침내 그것을 완성시킬 수 있는 사람이 되게 하옵소서".[9]

이러한 새로운 신화적 사고의 힘이 역사상 최초로 출현한 것은 퀴로스 대왕(기원전 529년 사망)과 다리우스 1세(재위 기간 기원전 521년-486년)가 통치한 아케메니드 제국 시대이다. 두 왕은 수십 년 동안 인도에서부터 그리스 지역까지 영토를 확장하였으며, 이들의 보호 아래 바빌론 유수기 이후의 히브리인들은 자신들의 성전을 재건하고(에스라 1 : 1-11)

전통적 유산을 재정리하였다. 히브리인들이 조로아스터의 보편적 메시지를 자신들의 역사에 적용함으로써 역사상 두번째의 그러한 신화적 사고가 등장하였다. 그 다음은 기독교의 세계 선교에서 나타났으며, 네번째는 이슬람에서 나타났다.

"천막 칠 자리를 넓혀라. 천막 휘장을 한껏 펴라. 줄을 길게 늘이고 말뚝을 단단히 박아라. 네가 좌우로 퍼져 나가리라. 네 후손은 뭇 민족을 거느리고 무너졌던 도시들을 재건하리라."(이사야 54 : 2-3 ; 기원전 546년-536년경).

"이 하늘나라의 복음이 온 세상에 전파되어 모든 백성에게 밝히 알려질 것이다. 그리고 나서야 끝이 올 것이다."(마태 24 : 14 ; 기원후 90년경).

"그들을 잡은 곳이 어디든지 간에 그들을 살해하라. 너희들이 추방당한 곳으로부터 그들을 추방하라. 박해는 살해보다 더 악한 것이기 때문이다. …… 더 이상 박해가 없을 때까지 그들과 싸워라. 그러면 정의와 알라에 대한 신앙이 지배하게 될 것이다. 만일 그들이 중지한다면 적의를 버려라. 물론 억압을 행하는 자는 여기서 제외되지만."(쿠란 2 : 191, 193 ; 기원후 632년경).

이렇게 하여 인간의 운명과 덕에 관한 2개의 완전히 대립하는 신화가 현대 세계에 함께 등장하게 된 것이다. 이 2가지 신화는 새로이 형성되는 사회가 어떤 형태이든 그 사회에 서로 다른 방식으로 기여하고 있다. 날씨가 선선할 때 신이 산책하는 동산에 한 나무가 자라고 있었다. 이란의 서쪽에 있는 현자들은 그 나무로부터 선과 악을 알게 하는 과실을 따먹었다. 그 문화적 경계선의 반대편에 있는 인도와 극동의 현자들은 단지 영생의 과실만을 맛보았다. 그러나 두 가지는 정원의 한가운데서 서로 만나며, 하나의 뿌리로 되어 있으며, 어느 정도 높이에 이르렀을 때 비로소 서로 갈라진다.[10] 이처럼 두 신화는 근동에 있는 하나의 뿌리로부터 나온 것이다. 만일 사람이 두 과실을 다 맛보게 되면 신 자신처럼 된다(「창세기」 3 : 22). 이것이 바로 오늘날 동양과 서양의 만남이 우리 모두에게 제공하는 축복인 것이다.

2. 둘이 된 일자 신화의 공유

동양의 신화와 서양의 신화 및 심리학이 근동 문명의 여명기와 상호 재발견의 시대인 오늘날을 사이에 두고 어느 정도 달라졌는가? 이는 최초의 존재에 대하여 그들이 공유하던 신화적 이미지가 서로 대립하는 해석으로 변화된 과정에서 잘 나타나고 있다. 이들 신화에서 최초의 존재는 원래 하나였으나 둘로 분화되었다.

기원전 700년경의 『브리하다란야카 우파니샤드(*Brihadaranyaka Upanishad*)』에는 인도의 예가 나오고 있다.

처음에는 인간의 모습을 한 아트만만이 있었다. 그가 주위를 둘러보니 그가 아닌 다른 존재는 있지를 않았다. 그래서 그가 '아함 아스미(내가 있다)'라고 말하였는데 아함(나)이라는 말은 이렇게 해서 생기게 된 것이다. 이렇게 해서 지금까지도 우리는 스스로를 지칭할 때 '아함 아함(이것은 나)' 하고 나서 이름을 말하는 것이다.

그는 두려웠다. 그의 이 두려움 때문에 지금도 우리는 '혼자'가 되는 것을 두려워한다. 그는 생각하였다. 나 이외에 아무도 없는데 도대체 누구를 두려워하는가. 그리하여 그의 두려움이 점차 사라져갔다. 두려움이 있을 이유가 무엇인가. 두려움이란 다른 존재에 대해서 생기는 것이다.

그는 전혀 즐겁지 않았다. 그가 이때 즐겁지 않았기 때문에 지금도 우리는 혼자가 되는 것을 즐거워하지 않는다. 그는 다른 존재를 원하였다. 그는 여자와 남자가 서로 부둥켜안고 있는 것과 같은 크기가 되었다. 그 자신을 둘로 떨어지게 하였다. 거기에서 남편과 아내가 생겨났다. 성자 야쟈발키야도 몸은 과일(배)을 두 쪽으로 나눈 것같이 절반이라 하였다. 나머지 절반은 대공(大空)인 여자로 채워지는 것이니 그는 여자와 하나가 되었으며, 거기에서 인간이 나게 되었다.

그 (태어난) 여자는 생각하였다. '그가 어떻게 자기 자신에게서 생겨난 나와 결합할 수 있겠는가?' 그녀는 다른 모습을 취하여 모습을 숨기로 하였다. 그녀는 암소가 되었다. 그는 수소가 되어 그녀와 결합하였으니 거기에서 소가 나왔다. 다시 하나가 암말이 되자, 다른 하나는 수말이 되어 그녀와

결합하였다. 하나가 암당나귀가 되자, 다른 하나는 수당나귀가 되었으며 그
녀와 결합하여 그로부터 뿔 하나 달린 짐승들이 태어났다. 하나가 암염소가
되자 다른 하나는 숫염소가 되었다. 하나가 암양이 되자 다른 하나는 숫양
이 되어 그녀와 결합하였다. 그로부터 염소와 양들이 생겨났다. 이렇게 해서
그는 개미에서부터 모든 생물에 이르기까지 모두 양성(兩性)의 성교를 통
하여 만들었다.

　　그는 이 모든 것을 창조하였으니, '내가 바로 창조'임을 그는 알았다. 그
리하여 '창조'가 생겼다. 이러한 사실을 아는 사람은 이 창조된 것들 중에
창조자라.[11]

　　최초의 존재에 관한 이러한 이미지를 보여주고 있는 가장 잘 알려진
서양의 예는 물론 「창세기」 제2장이다. 거기서도 최초의 존재가 둘로 나
뉘어져 있어서 둘로 보이지만 실제로는 하나이다. 그렇지만 거기서는 이
것이 다른 의미로 전화되고 있다. 「창세기」 제2장에서는 인간보다 더 우
월한 존재에 의해서 1쌍의 인간이 분리되기 때문이다. 그 우월한 존재는
남자를 깊은 잠에 떨어지게 한 후 그의 갈비뼈 하나를 취하였다.[12] 인도
의 경우에는 신 자신이 분화되어 인간만이 아니라 모든 피조물이 된다.
그러므로 만물은 하나의 본래적인 신적 실체의 현현이다. 그 외에는 어
떤 것도 존재하지 않는다. 반면에 성서에서는 처음부터 신과 인간이 구
별되어 있다. 인간은 신의 형상으로 만들어졌고, 신의 숨이 인간의 코 속
으로 불어넣어졌다. 그러나 인간의 존재와 인간의 자아는 신의 그것이
아니며, 그것은 우주와도 같지 않다. 세계와 동물과 아담(그가 후에 아담
과 이브로 되었다)의 주조는 신성의 영역 안에서 이루어진 것이 아니라
그것의 바깥에서 이루어진 것이다. 따라서 신과 인간 사이에는 단지 형
식적 분리가 아니라 본질적 분리가 존재한다. 지식의 목표는 지금 여기
서 만물 안에 존재하는 신을 보는 것이 아니다. 신은 사물 안에 존재하
지 않기 때문이다. 신은 초월적이다. 신은 단지 죽은 자에 의해서만 보여
질 수 있다. 따라서 지식의 목표는 신과 그의 피조물, 보다 정확하게 말
하면, 신과 인간의 관계를 인식하는 것이고, 신의 은총에 의해서 주어진

지식을 통하여 자기 자신의 의지와 창조주의 의지를 다시 연결시키는 것이다.

더구나 이 신화에 대한 성서적 해석에 따르면 인간이 타락한 것은 창조 이후이지만, 인도의 경우에는 창조 자체가 하나의 타락, 곧 신의 파편화이다. 그렇지만 그 신은 비난받지 않는다. 오히려 그의 창조, 다시 말해서 그의 "쏟아 냄"은 그 이상의 것이 되려고 하는 자발적이고 역동적인 행위로 묘사된다. 이러한 행위는 창조에 선행한 것이며, 따라서 문자적, 역사적 의미가 아니라 형이상학적, 상징적 의미를 지니고 있다. 아담과 이브의 타락은 이미 창조된 시공간 구조 안에서의 한 사건이며 일어나지 말았어야 할 하나의 사고였다. 이와 달리 인간의 형태 — 주위를 돌아 보고, 자기 자신 이외에는 어떤 것도 보지 못하자, "나"라고 말하고, 두려움을 느끼고, 둘이 되고자 하는 욕망을 가진 — 를 한 자아의 신화는 존재의 다양성 속에서 방황하는 요소가 아니라 본질적 요소에 대해서 말하고 있다. 그 요소를 수정하거나 폐기하는 것은 창조를 향상시키는 것이 아니라 창조를 해체하게 된다. 인도적 시각은 형이상학적이고 시적이다. 반면 성서적 시각은 윤리적이고 역사적이다.

그러므로 에덴 동산에서의 아담의 타락과 추방은 결코 신적 실체가 그 자신으로부터 형이상학적으로 이탈한 것이 아니라 오로지 인간의 역사 혹은 이전 역사 안에서 일어난 하나의 사건이다. 피조 세계 안에서 일어난 이 사건은 성서의 나머지 부분에서도 계속 이어지고 있다. 이는 신과의 관계를 회복하려는 인간의 기록과 그 실패의 기록으로 나타나고 있다. 여기서 다시 역사적 사고 방식이 지속되고 있다. 뒤에서 보게 되듯이, 신 자신은 특정한 역사적 시점에 그 자신의 의지로 인간에게 다가가 특정한 민족과의 계약을 통해서 새로운 율법을 제정하였다. 그로 인하여 이 사람들은 전세계적으로 독특한 사제 민족이 되었다. 신은 한때 자신의 창조 사역을 후회하기도 하였지만(「창세기」 6 : 6), 신과 인간의 화해는 이 특수한 공동체에 의해서만 성취되도록 되어 있다. 이것은 때가 되었을 때 이루어질 것이다. 때가 되면 지상에 신의 왕국이 건설되고, 이교도 왕들은 망하고 이스라엘은 구원될 것이며, 사람들은 "그 동안 숭배해왔던 금과 은으로 된 우상들을 두더지와 박쥐에게 던져버릴 것이다."[13]

민족들아, 너희는 결국 실패할 줄 알아라.
먼데 있는 나라들도 모두 귀를 기울여라.
허리를 동이고 나서 보아라, 결국은 실패하리라.
허리를 동이고 나서 보아라, 결국은 실패하리라.
아무리 모의를 해 보아도 되지 않을 일.
아무리 결의해 보아도 이루지 못할 일.
하느님께서 우리와 함께 계신다.[14]

이와 반대로 인도적 시각에서는 여기서 신적인 것은 저기서도 신적인 것이다. 어느 누구도 "주의 날"을 기다리거나 그것에 대해서 희망을 가질 필요가 없다. 상실된 것은 단지 사람들이 찾아주기를 바라면서 각자의 자아(아트만[ātman]) 안에, 바로 지금 이곳에 존재하고 있기 때문이다. 혹은 그들이 말하듯이, "사람들이 한 조각의 가죽처럼 우주를 말아올릴 때에만 슬픔은 사라질 것이다. 신을 아는 것은 별도의 문제이다."[15]

성서가 지배하는 세계에서는 특권을 부여받은 공동체의 정체성에 대한 물음이 제기된다. 이 역시 역사적인 물음이다. 여기에는 잘 알려진 3가지의 주장이 있다. 유대교, 기독교, 이슬람교가 그것이다. 이들은 각각 자신들이 특수한 계시에 의해서 권위를 부여받았다고 생각한다. 신은 역사 밖에 있으며 그 자신이 역사의 실체가 아니라고 간주되면서도(즉 내재적이 아니라 초월적), 계약, 성례전, 계시서를 통하여 타락한 인간을 회복시키는 사업 —— 다가올 총체적인 공동체적 완성을 위하여 —— 에 기적적으로 관여하는 것으로 간주된다. 세상은 타락했고 인간은 죄인이다. 그러나 개인은 권위를 부여받은 유일한 공동체의 운명 안에서 신과 함께 다가 올 의(義)의 왕국의 영광에 참여한다. "그때 주의 영광이 나타나고 모든 사람은 그것을 볼 것이다."[16]

이와 달리 인도의 경험과 시각에서는 성스러운 신비와 힘이 초월적인 것("알려진 것과는 다르다. 더우기 알려진 것을 넘어선다")[17]으로 이해되

면서도, 그것은 동시에 내재적("면도날 상자 안에 있는 면도날처럼, 부싯
깃 안에 있는 불처럼")[18]이다. 신적인 것이 모든 곳(everywhere)에 존재
하는 것이 아니라, 그것은 모든 것(everything) 자체이다. 우리는 신적인
것으로 돌아가기 위하여 어떤 외적 준거, 계시, 성례전, 또는 권위 있는
공동체를 필요로 하지 않는다. 우리는 단지 자신의 심리학적 정향을 변
화시키고 자신의 내부에 있는 것을 깨닫기만 하면 된다. 이러한 깨달음
을 결여할 때 우리는 산스크리트로 마야(māyā), 즉 "환영"(동사의 어근
mā는 "측정하다, 형성하다, 세우다"의 뜻을 지니고 있다. 마야는 첫째 환
상적 효과를 낳고 형태를 변화시키고 기만적인 가면을 쓰고 나타나는 신
과 악마의 힘을 의미한다. 두번째는 "주술", 환상의 생산, 그리고 전쟁시
의 위장과 기만 전술을 의미한다. 마지막으로 철학적 담론에서는 무지의
결과로 실재에 부과된 환상을 의미한다)이라고 불리는 지적 근시로 인해
자신의 실재로부터 벗어나게 된다. 그러므로 지리적, 역사적으로 생각되
는 동산 — 그곳의 날씨가 선선할 때 신이 산책하는[19] — 으로부터의 성
서적 추방 대신에, 우리는 이미 기원전 700년경(「모세 오경」이 편집되기
약 300년 전이다)의 인도에서 그 위대한 주제에 대한 **심리학적 독해**를
발견하게 된다.

　이처럼 동양과 서양이 공유하고 있는 원초적 양성구유(兩性具有)의
신화는 두 전통에서 모두 동일한 과제에 적용되고 있다. 그 신화는 일상
의 세속적 생활 안에서 인간이 신적 알파와 오메가로부터 떨어져 있는
것을 설명하기 위한 것이다. 그러나 그 신화의 논증들은 근본적으로 다
르며, 근본적으로 다른 두 문명을 지지하고 있다. 만일 인간이 역사적 사
건을 통하여 신에게서 벗어났다면 그를 신에게로 되돌릴 수 있는 것 또
한 역사적 사건일 것이며, 이와 달리 인간이 어떤 심리학적 전치(轉置)
에 의해서 신으로 향하는 길이 막혔다면 심리학이 그를 되돌아가게 하는
운반자가 될 것이기 때문이다. 그러므로 인도에서는 최종적 관심의 초점
이 공동체(뒤에서 보겠지만 성스러운 공동체의 관념이 규율적 힘으로서
매우 중요한 역할을 하고 있더라도)가 아니라 요가이다.

3. 에고에 대한 2가지 견해

인도어의 요가(yoga)라는 말은 "연결하다, 참여하다, 통일하다"라는 뜻을 지닌 산스크리트의 어근 yuj에서 파생한 용어이며, 어원적으로는 황소의 고삐를 의미하는 "yoke"와 관련되어 있다. 이 용어는 의미상으로는 "다시 연결하다, 묶다"를 뜻하는 "종교"(라틴 어로는 re-ligio)라는 말과 유사하다. 피조물인 인간은 종교에 의해 다시 신과 관계를 맺게 된다. 그러나 종교는 계약, 성사(聖事), 또는 쿠란을 통하여 역사적으로 조건지워지는 연결을 지칭하는 반면, 요가는 마음을 그보다 상위의 원리에 심리학적으로 연결시킨다. "마음은 이 원리에 따라 인식한다".[20] 더구나 요가에서는 궁극적으로 자아가 그 자체와 연결되고 의식은 의식과 연결된다. 마야를 통해서는 2가지로 보이는 것이 실제로는 그렇지 않기 때문이다. 이와 달리 종교에서는 신과 인간이 연결되며, 이 둘은 서로 동일한 것이 아니다.

물론 동양의 민간 종교 전통에서는 신들을 봉헌자의 외부에 존재하는 것으로 여기면서 숭배하며, 신과 인간 사이의 계약 관계에 근거한 모든 규칙과 의례도 준수하고 있다. 그럼에도 불구하고 성인들이 찬미하는 궁극적 깨달음의 상태에서는, 외부에 존재하듯이 숭배되는 신이 실제로는 자기 자신과 동일한 신비의 반영으로 간주된다. 그러나 에고에 대한 환상이 남아 있는 한, 분리되어 있는 신에 대한 환상도 똑같이 존재할 것이다. 이와 마찬가지로 분리된 신 관념이 유지되는 한, 사랑, 두려움, 숭배, 추방, 혹은 속죄 속에서 그 신과 연결된 에고에 대한 환상도 존속할 것이다. 이원성에 대한 이러한 환상은 마야의 속임수에 불과하다. "당신은 그것이다"(tat tvam asi)[21]라는 사상은 지혜에 도달하기 위한 적절한 첫걸음이다.

앞에서 보았듯이 태초에는 자아만이 존재하였다. 그러나 그것은 "나"(산스크리트로는 아함[aham])라고 말한 후 곧 두려움을 느꼈고, 그 다음에는 욕망을 느꼈다.

창조의 순간을 이렇게 보는 관점(창조하는 존재 자체의 심리 영역 내부로부터 제시된)에는 현대의 주도적인 심층심리학 학파가 인간의 심리에 대해 제시한 것과 동일한 2가지 근본적인 모티브, 즉 공격과 욕망의 동기가 나타나고 있음을 주목해야 할 것이다. 카를 융은 『정상심리학과 병리심리학에서의 무의식(*The Unconsciousness in Normal and Pathological Psychology*)』(1916)[22]이라는 초기 저술에서 2가지의 심리학적 유형인 두려움에 시달리는 내향형과 욕망에 시달리는 외향형에 관해서 서술하였다. 프로이트도 『쾌락 원칙을 넘어서(*Beyond the Pleasure Principle*)』(1920)[23]에서 "죽음에의 욕구"와 "삶에의 욕구"에 대해서 기술하였다. 인간에게는 폭력으로 향하는 의지와 그것에 대한 두려움(타나토스[thanatos], 데스투르도[desturdo])이 있는 반면, 다른 한편으로는 사랑하고 사랑받으려는 욕구와 욕망(에로스[eros], 리비도[libido])이 있다는 것이다. 이 2가지는 심리 에너지의 깊고 어두운 근원인 이드(id)로부터 동시적으로 튀어나오므로 자아 중심적인 "쾌락 원칙"에 의해서 행사된다. 따라서 나는 원한다. 그러나 나는 두렵다. 이를 인도 신화와 비교하면, 인도 신화에서는 자아가 "나"(아함)를 말하자마자 먼저 두려움을 인식하게 되고, 그 다음 욕망을 인식하게 되었다.

바로 여기에 영혼 계발에 관한 동서양의 접근 방식의 근본적 차이를 해명하는 데에 결정적으로 중요한 점이 있다. 인도 신화에서는 에고, 즉 "나"의 원칙이 쾌락 원칙과 완전히 동일시되는 반면, 프로이트와 융의 심리학에서는 에고의 고유한 기능이 외적 실재(프로이트의 "현실 원칙")를 인식하고 그것과 관련을 맺는다. 이때 외적 실재는 형이상학적 실재가 아니라 시간과 공간으로 이루어진 물리적, 경험적 영역의 실재이다. 다른 말로 하면, 현대 서양에서 이해하는 영적 성숙은 이드로부터 에고의 분화를 요구하는 반면, 동양 —— 최소한 인도에서 나온 모든 가르침의 역사를 통하여 볼 때 —— 에서는 에고(아함-카라[aham̐-kāra] : "'나'라는 소리의 형성")를 리비도적 기만 원칙으로 간주하여 비난하며, 궁극적으로 해체되어야 할 것으로 본다.

붓다가 "깨달음의 나무"인 보리수 아래에서 모든 목표 중의 목표를 성취하는 놀라운 이야기를 살펴보자.

그 축복받은 자(the Blessed One)는 목표를 달성하겠다는 일념 하에, 꽃들이 잠들어 있는 황혼 무렵, 사자처럼 홀로 일어나 신들이 깃발을 내걸고 있는 길을 따라서 보리수나무로 당당하게 걸어갔다. 뱀, 땅의 신령, 새, 음악을 연주하는 신들, 그리고 그 밖의 여러 존재들이 향수, 꽃, 그 외의 여러 예물을 가지고 그를 경배하였으며, 천상의 합창단은 음악을 내려보냈다. 온 세상은 즐거운 향기, 화환, 환호 소리로 가득 찼다.

바로 그때 반대 방향에서 풀단을 지고 있는 소티야라고 하는 풀베는 사람이 걸어오고 있었다. 그는 그 위대한 존재를 보자마자 성인임을 알아채고 그에게 여덟 주먹의 풀을 주었으며, 붓다가 될 그 사람은 보리수의 남쪽으로 가서 북쪽을 향하여 섰다. 그러자 곧 세상의 반에 해당하는 남쪽 부분은 가장 낮은 곳에 있는 지옥에 맞닿을 때까지 가라앉았으며, 북쪽은 가장 높은 곳에 있는 천상으로 올라갔다.

그때 미래의 붓다는 "이곳은 최고의 지혜를 얻을 수 있는 지점이 못 되는 것 같다"고 말하였다. 그는 다시 나무를 향하여 안쪽으로 돌아서 나무의 서쪽에서 멈추어 동쪽을 향하였다. 그러자 곧 세상의 반인 서쪽 부분은 가장 낮은 곳에 있는 지옥에 맞닿을 때까지 가라앉았으며, 동쪽은 가장 높은 곳에 있는 천상으로 올라갔다. 축복받은 자가 서 있는 곳은 어디든지 광대한 땅이 올라가고 내려갔다. 이는 마치 바퀴통 위에 놓여 있는 거대한 수레바퀴의 테두리를 어떤 사람이 밟고 있는 모습과 같았다.

미래의 붓다는 "이곳 역시 최고의 지혜를 얻을 수 있는 지점이 못 되는 것 같다"고 말하였다. 그는 다시 나무를 향해 안쪽으로 돌아서 나무의 북쪽에 멈추어 남쪽을 향하였다. 그러자 곧 세상의 반인 북쪽 부분은 가장 낮은 곳에 있는 지옥에 맞닿을 때까지 가라앉았으며, 남쪽은 가장 높은 곳에 있는 천상으로 올라갔다.

미래의 붓다는 "이곳 역시 최고의 지혜를 얻을 수 있는 지점이 못 되는 것 같다"고 말하였다. 그는 다시 나무를 향해 안쪽으로 돌아서 나무의 동쪽에 멈추어 서쪽을 향하였다.

모든 붓다가 앉아서 가부좌를 틀고 있어도 조금도 흔들리거나 진동하지 않는 곳은 바로 이 보리수의 동쪽이다.

그때 위대한 존재는 "이곳은 모든 붓다가 성취한 부동지(不動地)이다. 그리고 이곳은 욕망의 그물을 해체할 수 있는 곳이다"라고 말하면서 풀단의 한끝을 잡고 흔들었다. 그러자 그 풀잎들은 즉시 14큐빗(완척〔腕尺〕, 46-56cm/역주) 크기의 자리로 변화되었다. 이 자리는 가장 훌륭한 화가나 조각가도 생각해낼 수 없는 완벽한 대칭 형태를 이루고 있었다.

미래의 붓다는 보리수를 뒤로 하고 동쪽을 바라보면서 "나의 피부와 근육과 뼈가 마를지라도 나는 마다하지 않을 것이다. 내 몸의 모든 살과 피가 마를지라도, 최고의 절대적 지혜를 얻기까지는 이 자리에서 결코 움직이지 않을 것이다!"라며 굳은 결심을 하고는 확고한 자세로 가부좌를 틀고 그 자리에 앉았다. 아무리 내려치는 벼락도 그를 움직이게 할 수 없을 만한 그런 모습이었다.[24]

왕자 고타마 샤카무니(석가모니/역주)는 모든 존재를 고통으로부터 해방시키는 지식을 찾기 위해 몇 년 전 왕궁과 아내, 그리고 자식을 떠났다. 드디어 그는 우주의 중심에 도달하였다. 이 이야기는 우주의 중심이 지상의 어느 곳에 있는 물리적 장소로 간주되지 않도록 하기 위해서 신화적 용어로 기술되어 있다. 이 이야기 속의 우주의 중심은 심리학적 위치를 지니고 있으며, 그곳은 우주를 완전히 파악할 수 있는 마음의 균형점이다. 모든 존재가 그 주위를 돌고 있는 해방의 지점이다. 세속적 관점에서 보면 모든 사물은 시간 안에서 움직이며, 궁극적으로는 구체적 특성들을 지니고 있다. 나는 여기 있고 당신은 거기 있다. 오른쪽과 왼쪽, 위와 아래, 생과 사의 어느 쪽에 우리는 존재하고 있는 것이다. 이러한 대립의 쌍은 무한하며, 세계의 바퀴와 시간의 바퀴는 계속해서 돈다. 우리의 삶은 이러한 수레바퀴의 회전 속에 존재한다. 그러나 바퀴의 살과 같은 모든 대립물이 텅 빔 속에서 함께 수렴되는 바퀴통, 즉 모든 것을 떠받치는 중심이 존재하고 있다. 동쪽(새로운 시대의 세계의 방향)을 향한 바로 그곳이 과거, 현재, 미래의 붓다들 — 이들은 시간의 양식 속에서는 연속적으로 나타나지만 실제로는 동일한 하나의 붓다이다 — 이 절대적 깨달음을 경험하였다고 전해지는 곳이다.

왕자 고타마 샤카무니가 그곳에서 존재의 마지막 신비를 파헤치려고 결심하였을 때 삶의 환상을 관장하는 주의 공격을 받게 된다. 이 주는 다름 아니라 인간의 형상을 한 동일한 자아이다. 그는 이 세상에 시간이 출현하기 전, 주위를 둘러보고 단지 그 자신을 발견하고는 "나"라고 말한 자이며, 곧 두려움을 느끼고 욕망을 느낀 자이다. 모든 존재들의 존재인 이 동일한 자는 미래의 붓다 앞에 신화적 표상으로 나타나고 있다. 처음에는 꽃무늬 활을 가진 왕자로서 에로스, 곧 욕망(산스크리트로는 카마〔kāma〕)의 배역을 맡고 나타난다. 다음에는 울부짖는 전쟁용 코끼리를 타고 돌격하는 무시무시한 악마 대왕으로서 나타나는데, 이때 그는 타나토스의 왕(산스크리트로는 마라〔māra〕), 곧 죽음의 왕이다.

붓다의 생애에 관한 유명한 산스크리트 문헌에는 "욕망의 주라고 불리는 자"가 나타나고 있다. 이 문헌은 소위 '시적(카브야〔kāvya〕)' 양식의 문학적 재능을 지닌 최초의 전문가에 의해서 쓰여졌다. 그는 불교 교단으로 개종한 아슈바고샤(Ashvaghosha, 마명〔馬鳴〕, 기원후 100년경에 활약)라고 하는 이름을 가진 현명한 브라만이었다.

죽음의 주라고도 불리는 욕망의 주는 꽃으로 장식한 화살대를 가지고 있으며 영적 해방의 마지막 적이다. 그는 3명의 매혹적인 아들인 정신적 혼돈, 환락, 자만심, 그리고 3명의 관능적인 딸인 탐욕, 환희, 갈망을 불러서, 그들 모두를 축복받은 자 앞으로 보냈다. 욕망의 주는 꽃으로 장식한 활과 5개의 황홀한 화살 —— 욕망의 발작을 일으키는 자, 기쁘게 하는 자, 남을 홀리는 자, 남의 속을 볶는 자, 죽음의 운반자라는 이름을 지닌 —— 을 가지고 그의 자식들을 따라서 위대한 존재가 앉아 있는 나무 밑으로 갔다. 화살을 가지고 장난치면서 나타난 그 신은, 거기에 앉아 존재의 바다의 먼 해안으로 항해하고 있던 그 조용한 구도자에게 말하였다.

"일어나라! 일어나라! 고귀한 왕자여!" 그는 신적 권위를 지닌 목소리로 명령하였다. "그대가 지닌 카스트의 의무를 명심하고 해방을 위한 이러한 방탕한 욕구를 포기하라. 탁발 생활은 고귀한 가문에서 태어난 사람에게는 어울리지 않는다. 차라리 그대가 지닌 카스트의 의무를 다함으로써 훌륭한 사회 질서에 봉사할 수 있고, 계시 종교의 규범을 유지할 수 있고, 그럼으로 써 그대는 최고의 하늘에서 신으로 태어날 수 있을 것이다."

그러나 축복받은 자는 움직이지 않았다.

그러자 신이 "그대는 일어나지 않을 것인가?"라고 말했다. 그 신은 화살을 활에 꽂았다. "그대가 목을 꼿꼿이 세우고 완고하게 결심을 고수하고자 한다면, 활 시위에 매고 있는 이 화살 ─ 이미 태양 자체를 불타오르게 만든 ─ 이 날아갈 것이다. 이 화살은 이미 뱀처럼 혀를 내밀고 그대를 향해 날아가고 있다." 그 신은 위협적으로 화살을 쏘았지만 성과가 없었다. 아무 성과도 거두지 못하였다.

축복받은 자는 무수한 생을 통하여 무한한 공덕을 베풂으로써 그의 마음 안에서 "나(아함)"라고 하는 개념을 부수어 버렸고, 어떠한 "너(트밤 [tvam])"와의 관계적 경험도 없애버렸다. 나와 너만이 아니라 삶과 죽음, 선과 악의 대립쌍들을 넘어선 지식의 나무 아래에 있는 부동지의 텅 빔 속에서 그가 "나"에 대하여 많이 생각하였다면, 그는 "그들"에 대해서도 어떤 감정을 느꼈을 것이다. 그리고 그의 앞에서 매혹적 동작을 보여준 신의 관능적 딸들을 주체의 자리에서 하나의 대상으로 파악하였다면, 그는 적어도 스스로를 통제하는 것이 필요하였을 것이다. 그러나 그의 마음에는 어떠한 "나"도 존재하지 않았기 때문에 거기에는 어떠한 "그들"도 존재하지 않았다. 그는 모든 붓다들처럼 결코 정복될 수 없는 (심리학적) 자세로 부동지에서 확고하게 움직이지 않고 있었다. 아니 그 자신이 거기에 결코 존재한 것이 아니었기 때문에, 축복받은 자는 날카로운 화살에 아무런 영향을 받지 않았던 것이다.

꽃화살의 공격이 실패하였음을 안 그 신은 혼자 중얼거렸다. "그는 태양을 불태운 화살에 대해서조차 개의치 않는다. 그는 감각이 없는 것일까? 그는 꽃화살로도 나의 딸들로도 동요되지 않는다. 이제 나의 군대를 파견해 보자."

욕망의 주로서 지니고 있던 매혹적인 측면을 즉시 벗어버리고 그 위대한 신은 죽음의 주로 변신하였다. 그러자 그의 주위에는 악마적 모습을 한 군대가 나타났다. 무시무시한 모습을 하고 있는 그들은 손에 화살과 활, 던지는 화살(다트), 곤봉, 검, 나무, 심지어 불타오르는 산을 가지고 있었다. 얼굴은 수퇘지, 물고기, 말, 낙타, 당나귀, 호랑이, 곰, 사자, 코끼리의 모습이었다. 애꾸눈을 가진 자, 얼굴이 여러 개인 자, 머리가 3개인 자, 얼룩덜룩한 올챙이 배를 가진 자도 있었다. 발톱과 엄니를 가지고 있는 어떤 자들은 머리 없는 몸통을 손에 쥐고 있었으며, 반쪽이 절단된 얼굴과 괴물의 입, 혹이 달린 무릎을 가진 채로 염소 냄새를 풍기는 자들도 많았다. 적동광 색깔을 한 자들은 가죽 옷을 입고 있었고, 불꽃 혹은 연기 빛의 머리카락을 가진 자들은 아무 옷도 입지 않고 있었다. 길게 늘어진 귀와 반쪽만 하얀 얼굴을 가진 자도 있었고, 몸통의 반쪽만 녹색으로 된 자들도 있었다. 붉은 빛과 연기 빛을 띠는 자도 있고, 노란색과 검은색으로 된 자도 있었다. 팔은 뱀보다 더 길었고, 속옷에서는 짤랑짤랑 종소리가 났다. 종려나무 잎사귀만한 자들은 칼을 차고 있었고, 이빨이 돋아난 어린이만한 자들도 있었다. 몸은 새이고 얼굴은 양인 자, 몸은 사람이고 얼굴은 고양이인 자들도 있었다. 머리카락을 길게 늘어뜨린 자도 있고, 상투 머리를 한 자도 있고, 반(半)대머리인 자도 있었다. 얼굴을 찌푸리거나 승리에 찬 얼굴을 하면서 자신의 힘을 낭비하거나 자신의 마음을 황홀하게 만드는 자도 있었다. 하늘에서 장난치는 자가 있는가 하면, 나무 위로 올라가는 자도 있었다. 춤을 추며 땅 위에서 거칠게 뛰어오르는 자들도 많았다. 어떤 자는 춤을 추면서 삼지창을 흔들고 있었고, 어떤 자는 자신의 곤봉을 부수뜨렸다. 기쁨으로 날뛰는 자가 있는가 하면, 머리카락에서 불꽃을 뿜어내는 자도 있었다. 축 늘어진 여러 개의 혀, 여러 개의 입, 날카롭고 뾰족한 이빨, 대못처럼 똑바르게 선 귀, 그리고 태양반(盤)처럼 생긴 눈을 가진 자들이 옆에서 미래의 붓다를 위협하고 있었다. 하늘로 뛰어오르고 있는 자들은 바위, 나무, 도끼, 불타고 있는 산봉우리만큼 거대한 짚더미, 잿더미, 불의 뱀, 돌무더기 등을 내던지고 있었다. 그리고 손에 해골을 쥔 채 벌거벗고 있는 어떤 여자는 경전에서 마음이 떠난 학생처럼 어디에도 정착하지 못하고 줄곧 훨훨 떠다니고 있었다.

그러나, 보시라! 이러한 모든 공포, 광경, 소리, 냄새의 와중에서도 이 축복받은 자의 마음은 까마귀들에 에워싸여 있는 황금 깃털을 가진 태양새 가루다의 지혜처럼 조금도 흔들리지 않았다. 그때 천상으로부터 어떤 소리가 들려왔다. "오, 마라여! 이러한 헛되고 피곤한 일에 관여하지 말라! 너의 사악함을 물리치고 평화를 향해 진군하라! 언젠가 불은 그 뜨거움을 잃고 물은 그 흐름을 잃고 땅은 그 단단함을 잃고 말겠지만, 억겁의 세월 동안 수많은 생애를 거쳐오면서 마침내 이 나무에 도달하는 공덕을 쌓은 이 위대한 존재는 결코 결심을 포기하지 않을 것이기 때문이다."

그러자 마라는 어쩔 줄을 모르면서 군대와 함께 사라지고 말았다. 그때 보름달빛을 내던 천상(天上)은 소녀의 미소처럼 빛나면서 이슬에 젖은 꽃, 꽃잎, 꽃다발을 이 축복받은 자의 몸 위에 던져주었다. 축복받은 자는 그 경이로운 밤의 첫번째 경(更)에 전생의 지식을 얻었으며, 두번째 경에 신의 눈을 얻었고, 마지막 경에 연기(緣起) 법칙을 깨달았으며, 해가 뜰 무렵에는 전지(全知)의 능력을 획득하였다.

그때 지상은 흥분한 여자처럼 즐거움으로 크게 흔들렸다. 축복받은 자, 이제 깨달은 자, 즉 붓다가 된 그를 경배하기 위하여 신들이 사방에서 내려왔다. "오, 그대에게 영광! 인간 중의 찬란한 영웅!"이라고 노래하면서 그들은 그의 주위를 시계 방향으로 걸으며 경배하였다. 지상의 악마들, 심지어 마라의 아들과 딸들, 그리고 천상과 지상을 배회하던 모든 신들이 몰려왔다. 각자의 처지에 맞는 형식으로 이 승리자를 경배한 후, 새로운 환희감에 취해 각자의 거소로 돌아갔다.[25]

요약하면 다음과 같다. "나"의 의식을 해소한 붓다는 의식 속에서 창조의 욕구에 끌리지 않고 그것을 무시해버렸다. 이는 그가 삶을 포기하였다는 것을 의미하는 것은 아니다. 사실 그는 시간과 공간의 세계에서 반 세기 이상이나 더 살아야 하였다. 역설적이게도, 그는 그것이 허상이라는 것을 알면서도 이러한 다양하고 외관적인 이원성의 텅 빈 속에 참여하여, 타인들 —— 실제로는 다르지 않지만 —— 에게 가르칠 수 없는 것을 자애롭게 가르쳤던 것이다. 어떤 경험, 적어도 유비에 의하여 가리킬 수 있는 그와 유사한 어떤 경험을 이미 가지고 있지 않은 사람들에게는, 자신의 경험을 말로 전달할 수 있는 방법이 없기 때문이다. 더구나 에고 가 존재하지 않는 곳에는 두려움, 욕망, 그리고 가르침의 대상이 되는 "타자"가 존재하지 않는다.

고전기(期) 인도에서는 인간이 살아가면서 추구해야 할 4가지의 목적 을 제시하는 교리가 있었다. 그 목적들은 카마라고 불리는 사랑과 쾌락, 아르타(artha)라고 불리는 권력과 성공, 다르마라고 불리는 법적 질서와 도덕적 덕목, 마지막으로 목샤(mokṣa)라고 불리는 미몽으로부터의 해방 이다. 앞의 2가지는 프로이트가 "쾌락 원칙"이라고 부른 것이며, 인간의 자연적인 근원적 욕구이다. "나는 원한다"라는 말 속에 이러한 욕구가 압축되어 있다. 동양적 관점에 따르면 성인의 경우에는 이러한 욕구들이 다르마 원칙에 의해서 억압되고 통제되어야 하고, 고전기 인도의 경우에 는 이러한 원칙들이 각자의 카스트 규율에 의해서 개인적으로 내면화된 다. "나는 원한다"라는 유아적 욕구는 "당신은 해야 한다"는 사회적으로 적용되는(개인적으로 결정되는 것이 아닌) 원칙에 종속되어야 한다. 이 러한 사회적 원칙은 불변하는 우주 질서의 한 부분일 뿐만 아니라 태양 의 운행 주기 그 자체이기도 하다.

앞에서 서술한 붓다의 유혹에 관한 이야기에 등장하는 적대자는 방금 언급한 인간의 3가지 목표(트리바르가[trivarga]라고 불리는 것으로서 "3 가지의 총량"을 가리킴)를 나타내고 있다. 욕망의 주로 등장하는 자는 첫번째 목표를 인격화한 것이고, 죽음의 주로 등장하는 자는 두번째 목 표의 공격적 힘을 인격화한 것이다. 이와 달리 명상하는 현자로 하여금 일어나서 사회적 지위가 부여하는 의무로 복귀할 것을 명한 자는 세번째 목표를 인격화한 것이다. 사실 이 우주를 쏟아내었을 뿐만 아니라 그것 을 영원히 유지하고 있는 자아의 현현은 이러한 목적들의 본래적 육화이 다. 실제로 이러한 목적들이 세계를 유지하고 있는 것이기 때문이다. 대 부분의 종교 의례에서는 이러한 삼중적 신이 이러저러한 측면에서 찬미 되는 유일신이라고 할 수 있다.

그러나 "깨달음을 얻은 자"라는 뜻을 지닌 붓다의 이름과 그의 성취에서 인생의 네번째 목표인 미몽으로부터의 해방이 선언되고 있다. 이러한 목표를 달성하는 데에는 그 밖의 모든 것들이 장애물이 된다. 그것들은 제거하기 힘들지만 정복 불가능한 것은 아니다. 붓다는 세계의 배꼽에 앉아서 그 자신의 존재 안으로 그리고 그 자신의 존재를 통해서 밀려오는 용솟음치는 창조의 힘을 억누르면서 텅 빈 심연 속으로 들어갔다. 그러나 역설적이게도 우주는 즉각 꽃으로 피어났다. 그러한 자기 무화의 행위는 개인적인 노력에 속한다. 이것은 전혀 의심할 수 없는 사실이다. 그러나 서양인의 눈으로는 4가지 목표로 이루어진 이러한 인도 사상의 체계 — 자연적 유기체의 근원적 욕망인 앞의 2가지 것이나 사회에 의해서 부과된 세번째 것, 그리고 해방을 추구하는 네번째 것 — 어디에서도 다음과 같은 요구나 기대를 찾아볼 수 없다. 즉 주위를 둘러싸고 있는 시공의 세계에 대한 지성적이고 참신하고 개인적인 적응을 통한 인격의 성숙, 미지의 가능성에 근거한 창조적 실험, 그리고 사회 질서의 맥락 안에서 수행된 예기치 않은 행동에 대해 개인적 책임을 지는 것 등을 찾아볼 수 없다. 인도 전통에서는 모든 것이 영원 전부터 완벽하게 질서지워져 있다. 성인들이 옛부터 가르쳐 온 것 이외에는 어떤 것도 새로울 수 없으며 새로 배워야 할 어떤 것도 없다. 결국 "당신은 해야 한다"에 대항하여 "나는 원한다"라고 외치는 유아적 지평의 지루함이 더 이상 참을 수 없는 지경에 이르렀을 때, 마침내 제공되는 것은 네번째이자 마지막 목표인 유아적 에고의 전면적 소멸이다. 요컨대 "나"와 "당신" 모두로부터의 해방(목샤)이다.

서구 유럽에서는 의지의 자유라고 하는 기본 교리가 각 개인을 타자로부터만이 아니라 자연 속의 의지와 신의 의지로부터도 본질적으로 분리시킨다. 거기서는 각 개인이 그 자신의 경험과 의지에 의해서 전체성, 공(空), 여여(如如), 절대, 또는 그 용어가 어떻게 표현되든 그 용어를 초월하여 존재하는 것과 어떤 종류의 관계 — 동일시나 그 안에서의 소멸이 아니라 — 를 지성적으로 맺을 책임이 요구된다. 세속적 영역에서도 교육 받은 에고는 쾌락과 복종의 원칙이라는 단순하고 유치한 양극으로부터 벗어나 경험적 실재와 인격적이고 자율적이고 민감한 관계를 맺고,

예측 불가능한 것에 대해서 어떤 모험적 태도를 지니며, 결정 과정에서 인격적 책임 의식을 발전시켜야 한다. 훌륭한 군인의 삶이 아니라 진보적이고 독립적인 개인의 삶이 이상으로 간주된다. 동양에서 이와 비교할 만한 것을 찾고자 한다면 그러한 시도는 헛된 일이 될 것이다. 동양의 이상은 에고의 발달이 아니라 에고의 억제이다. 이렇게 서양과 반대되는 정식이 동양의 문헌에서는 매 줄마다 등장하며, 조직적이고 지속적인 두들김(drumming)으로 "나" 원칙을 평가 절하하고 있다. 따라서 현실 원칙은 발전하지 않은 채로 남아 있게 되고, 그 결과 동양은 전적으로 무비판적인 신화적 동일시의 포로가 될 위험에 광범위하게 노출되어 있다.

4. 인도와 극동의 2가지 길

인도에서 극동으로 눈을 돌리면 "길(道)의 덕 혹은 힘(德)의 책(經)"을 의미하는 『도덕경』의 첫머리에서 다음과 같은 문구를 만나게 된다.

> '도'라고 할 수 있는 '도'는 영원한 '도'가 아닙니다.
> 이름 지을 수 있는 이름은 영원한 이름이 아닙니다.
>
> 이름 붙일 수 없는 그 무엇이 하늘과 땅의 시원.
> 이름 붙일 수 있는 것은 온갖 것의 어머니.
>
> 그러므로 언제나 욕심이 없으면 그 신비함을 볼 수 있고
> 언제나 욕심이 있으면 그 나타남을 볼 수 있습니다.[26]
> (道可道 非常道 名可名 非常名, 無名天地之始 有名萬物之母 故常無欲
> 而觀其妙 常有欲而觀其徼)

"길"을 의미하는 "도"라고 하는 말은 법, 진리, 우주 질서를 가리키는 다르마와 잘 부합하는 개념이다. 도는 모든 존재의 법이자 진리요, 질서

이자 길이다. 아서 웨일리는 말한다. "도는 길을 의미한다. 따라서 도는
어떤 것을 행하는 길, 즉 방법, 원칙, 교의이다. 예를 들면 천도(天道)는
무정하다. 가을이 오면 '아무리 아름다운 꽃잎도 떨어지게 마련이며, 아
무리 향기로운 꽃도 지기 마련이다'. 사람의 도(人道)는 무엇보다도 생식
을 의미한다. 따라서 내시는 '사람의 도에서 멀리 벗어난' 사람으로 간주
되며, 치도(治道)는 '군주가 되는 길', 곧 통치의 기술이다. 철학 학파는
각기 자체의 도, 다시 말해서 삶을 질서짓는 방법에 대한 교의를 지니고
있다. 도가라고 불리는 특정한 철학 학파에서는 도가 마침내 '우주가 작
용하는 길'을 의미하게 되었다. 이 용어가 보다 추상적이고 철학적인 의
미를 띠게 되면 결국 신(God)과 매우 유사하게 된다."27)

이에 해당하는 산스크리트는 다르마임에 틀림없다. 다르마의 어근 dhṛ
는 유지하다, 지탱하다, 휴대하다, 지니다 등의 의미를 가지고 있다. 다르
마는 우주와 우주 안에 있는 모든 존재를 유지하는 질서이다. 『도덕경』
이 도에 대하여 말하듯이 인도인들은 다르마에 대하여 말한다. 다르마의
저편은 정의할 수 없고, 다르마의 이편은 만물의 어머니이자 토대이고
운반자이다.

도를 상징적으로 나타내는 중국의 도형은 두 원리의 상호 작용을 기하
학적으로 표상하고 있다. 그것은 밝음, 남성성, 활동성, 더움, 건조함, 선
함, 긍정적임을 가리키는 양의 원리와 어두움, 여성성, 수동성, 차가움,
습함, 사악함, 부정적임을 가리키는 음의 원리의 상호 작용을 나타낸다.
이 두 원리는 하나의 원 안에서 서로 반쪽(1/2)의 영역을 차지하면서 만

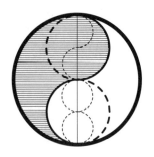

물을 발생시키는 (영원의) 순간을 표상하고 있다. 마르셀 그라네 교수는 이렇게 지적하였다. "큰 원을 나누고 있는 뱀 모양의 분리선은 2개의 반원주로 되어 있는데, 각 반원주의 지름은 큰 원의 반지름과 같다. 그러므로 이 뱀 모양의 분리선은 큰 원의 반원주와 길이가 같다. 음의 영역을 나타내는 외곽선은 양의 외곽선처럼 주원(主圓)의 길이와 같다. 음과 양의 분리선 대신에 지름이 주원의 지름의 반으로 줄어든 4개의 반원주로 이루어진 선을 긋는다면, 이것 역시 주원의 반원주의 길이와 같을 것이다. 이러한 작업을 계속하면 항상 같은 결과가 나올 것이며, 곡선은 점점 더 지름과 같아질 것이다. …… 송대(1127-1279년)에는 이 도형이 달의 위상 기호로 간주되었다."[28]

　이 도형이 기하학적으로 표상하고 있는 것은 하나의 원주가 둘이 되고 마침내는 만물을 낳게 되는 신비이다. 이러한 신비의 또 다른 측면인 이름지을 수 없고 말로 표현할 수 없는 측면은 원으로 표상될 뿐이다.

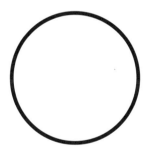

　만물에는 양과 음이 깃들어 있다. 음과 양은 서로 분리될 수 없으며 도덕적 측면에서 선이나 악으로 규정될 수 없다. 이 둘은 영속적인 상호 작용을 통하여 함께 기능하며, 상황에 따라 그중 어느 하나가 우위를 차지하게 된다. 남자에게는 양이 더 우세하게 나타나고 여자에게는 음이 더 우세하게 나타나지만, 남녀 모두에 음과 양이 깃들어 있다. 음과 양의 상호 작용이 바로 "만물"의 세계를 이루는 것이다. 『도덕경』에는 이런 말이 나온다.

둘 다 근원은 같은 것.
이름이 다를 뿐 둘 다 신비스러운 것입니다.
신비 중의 신비요, 모든 신비의 문입니다.[29]
(此兩者 同出而異名 同謂之玄 玄之又玄 衆妙之門)

　이름을 초월하여 존재하는 중국적 일자 개념은 둘로 분화되어 만물을 낳으며, 만물의 존재 법칙 —— 도, 길, 의미, 질서, 실체 —— 으로서 내재한다. 따라서 이러한 중국적 일자 개념은 둘로 분화되어 있는 성서적 일자 개념보다는 인도적 일자 개념에 확실히 더 가깝다. 도의 상징은 이브가 분리되기 이전에 아담이 지닌 이중적인 이미지를 제공한다. 그러나 도는 성서적 표상과는 대조적이며 둘로 분리된 자아에 대한 인도적 표상과 조화를 이룬다. 도는 초월적일 뿐만 아니라 내재적이다. 도는 만물의 비밀스러운 본질이며 가장 심오한 신비이다.

　인도만이 아니라 극동에서도 신비를 인식하기 위한 하나의 방법으로서 오래전부터 명상을 행해왔다. 웨일리는 이렇게 말한다.

　기원전 4세기와 3세기의 중국에는 많은 정숙주의 학파가 존재하였다. 그 문헌 중에 약간의 것이 남아 있다. 그중에서 가장 오래된 것은 내가 기(氣) 학파라고 부르는 학파의 것이다. 그 학파의 교의는 "마음의 기술(The Art of the Mind)"을 의미하는 심술(心術)이다. 여기서의 "마음"은 두뇌나 심장이 아니라 "마음 안의 마음(a mind within the mind)"이며, 태양이 하늘과 맺고 있는 것과 같은 관계를 인간의 신체와 맺고 있다.[30] 마음은 신체의 주인이고 신체의 각 부분은 마음의 대리인이다.[31] 마음은 옥좌에 앉아 있는 군주처럼 침착하고 움직이지 않는 채로 있어야 한다. 모든 것을 말끔히 쓸고 곱게 장식한 그 거소를 차지하게 되는 것은 오로지 신(神)일 뿐이다. 인간이 신을 위하여 마련해야 하는 장소는 신의 사원, 즉 궁(宮)이라고 불린다. "문을 열고 자기 자신을 옆으로 물리고 조용히 기다려라. 그러면 신령의 빛이 안으로 들어와 자신이 집을 만들 것이다."[32] 잠시 뒤 "모든 것이 깨끗이 청소된 곳에만 신령이 거할 것이다. 사람들은 모두 알고 싶어하나 자신들이 무엇에 의해서 인식하는가를 탐구하지 않는다." 다시 말하자면, "인간이 알

고 싶어하는 것은 그것(외적 세계)이다. 그러나 그의 인식 수단은 이것(그
자신)이다. 어떻게 그가 그것을 알겠는가? 자신의 완성에 의해서만 세계를
알 수 있을 것이다."[33]

이렇게 하여 우리는 인도 신화의 대응물 —— 즉 둘로 분화된 일자만이
아니라 그 일자와 재통합하기 위해서 마음이 취하는 방법에 관한 신화
—— 을 중국의 토착 전통에서 발견하게 된다. 그러나 기원후 1세기에 불
교가 중국에 전래됨으로써 극동의 신화와 의례가 전면적으로 재편성되었
음에도 불구하고, 태평양의 두 문명 —— 중국만이 아니라 일본 —— 에는
항상 인도 스승의 것과는 매우 다른 문화적, 영적 태도가 엄존하였다. 앞
에서 보았듯이 인도의 스승들은 보리수 아래에서 정복당할 수 없는 자세
로 가부좌를 틀고 "지붕의 들보를 깨부수고 의식 속에서 공의 심연으로
침잠한다."[34]

요가의 기본 원리에 관한 인도의 고전은 『요가 수트라(*Yoga Sutra*)』이
다. "요가로 안내하는 실"이라는 뜻을 가지고 있는 이 저작은 전설적 성
인 파탄잘리(Pantanjali)에 의해서 쓰여졌다. 파탄잘리는 작은 뱀의 형상
을 한 채로 하늘에서 또 다른 성인 파니니(Panini)의 손으로 떨어졌다
(pata)고 한다. 그런데 그 모습이 마치 경배(anjali)의 자세를 취하려고
두 손바닥을 모은 것과 같았다.[35] "실"을 의미하는 수트라라는 말은 어원
적으로는 영어의 "suture(외과에서의 봉합술/역주)"와 관련이 있으며, 동
양에서는 수행이나 교리의 기본 원리를 요약한 매우 간결한 일종의 소책
자를 의미한다. 후대의 작가들이 그것에 대한 수많은 해석서를 썼다. 『요
가 수트라』의 핵심은 195개의 간결한 문장으로 된 매우 짧은 이야기이
다. 이것은 엄청난 양의 주석서의 토대가 된다. 주석서 중에 가장 중요한
것은 다음 2가지이다. 첫번째는 "요가의 해석(Yoga-bhāṣya)"이다. 이 책
은 『마하바라타(*Mahabharata*)』의 저자로 알려진 시인 뱌사(Vyasa)가 선
사 시대에 지은 것으로 추정된다. 그러나, 뱌사의 출생과 삶에 관한 기적
이야기는 뒤에서 살펴보겠지만, 이 책은 기원후 350-650년경 혹은 그 이
후에 쓰여졌을 가능성이 더 크다.[36] 두번째 책은 기원후 850년경에 번성

하였던 바차스파티미슈라(Vachaspatimishra) 종파에 속한 사람이 쓴 "실재의 과학(Tattva-vaiśrādi)"이다.[37] 현대 학자들의 추정에 의하면, 짧으면서도 탄탄한 구성을 가진 이 글은 기원전 2세기[38]로부터 기원후 5세기[39] 사이에 쓰여졌다. 그 책에 성문화되어 있는 규율들은 붓다와 자이나교의 창시자인 마하비라도 알고 있었고 심지어 아리안의 침입 이전에도 존재하였던 것 같다.* 따라서 논란의 여지가 많은 이 문헌의 성립 연대가 어떻든, 이 문헌의 목적과 수단들은 특정 연대로 제한할 수 없을 것이다.

요가 기술의 핵심은 그 책 서두의 비유에 잘 나타나 있다. "요가는 마음의 자발적인 활동을 의도적으로 중지하는 것이다(yogas cittavriti-nirodhyah)."[40] 이 정의에 내재한 고대의 심리학적 이론에 의하면, 두뇌와 신체의 거친 물질(gross matter) 안에는 극히 일시적이면서도 지속적으로 활동하는 미세한 실체(subtle substance)가 존재한다. 이 실체는 감각에 의해서 주어지는 어떠한 형태도 취하며, 이 미세 물질의 변형에 의해서 우리는 외부 세계의 형태, 소리, 맛, 냄새, 압력 등을 알게 된다. 더구나 마음은 지속적으로 변화하는 파도를 타고 있다. 요가 훈련 없이 단 일분 동안 만이라도 마음을 하나의 상이나 관념에 고정시키려고 해보라. 그러면 마음은 즉시 초점을 벗어나 사유와 감정의 복잡한 — 심지어 멀리 떨어진 — 흐름 속으로 뛰어들 것이다. 마음은 이러한 힘을 지니고 있다. 그러므로 요가의 일차적인 목적은 이러한 자발적 흐름을 통제하고, 늦추고, 마침내 정지시키는 것이다.

이는 바람에 의하여 출렁이는 연못의 표면에 비유할 수 있다. 연못의 수면 위에 비친 상들은 깨어지고 파편화되고 계속 나불거린다. 그러나 바람이 멈추어 표면이 고요하게 되면 — 즉 니르바나(nirvana : 바람(vana)을 넘어서거나 그것이 없는(nir) 상태) — 깨어진 상이 아니라 천상의 완벽한 반영, 연못가에 늘어선 나무, 연못 자체의 깊이, 아름다운 모래 바닥, 그리고 물고기들이 보인다. 이전에는 깨어진 모든 상들이 그저 스쳐 지나가듯이 지각되었지만 이제는 그것들이 이러한 참되고 지속적인

---

* 196-198쪽 참조.

형상의 파편 — 이제 선명하고도 지속적으로 파악되는 — 임을 알게 된
다. 이제는 근본적 형상을 즐기기 위하여 연못을 고요하게 할 수도 있고,
변형의 유희(lila)를 즐기기 위하여 바람을 불게 하고 파도가 치게 할 수
도 있게 된다. 이것이 오고 저것이 가도, 자기 자신처럼 보이는 형상이
사라지더라도, 이제는 두렵지 않다. 하나는 만물이고, 만물을 초월하는
동시에 만물 안에 내재하고 있기 때문이다. 『요가 수트라』와 거의 동시
대에 속하는 한 중국 문헌에는 아래와 같은 말이 있다.

  옛날의 진인(眞人)은 삶을 즐겁다 할 줄도 모르고 죽음을 싫다 할 줄도
몰랐습니다. 태어남을 기뻐하지도 않고 죽음을 거역하지도 않았습니다. 의연
히 갔다가 의연히 돌아올 뿐이었습니다. 그 시원을 잊어버리지 않고 그 끝
을 알려고 하지 않았습니다. 삶을 그대로 받아들여 살다가 잊어버린 채로
되돌아갔습니다. 이를 일러 마음으로 도를 해치는 일이 없고 사람의 일로
하늘이 하는 일에 간섭하려 하지 않음이라고 합니다. 이런 사람이 바로 진
인입니다. 이런 사람은 마음이 비고 모습이 잔잔하고 이마가 넓습니다. 그
시원하기가 가을과 같고 훈훈하기가 봄과 같습니다. 기쁨과 노여움이 계절
의 흐름같이 자연스럽고 모든 사물과 어울리므로 그 끝을 알 수 없습니다.[41]
  (古之眞人 不知說生 不知惡死 其出不訢 其入不距 翛然而往 翛然而來
而已矣 不忘其所始 不求其所終 受而喜之 忘而復之 是之謂不以心捐道 不
以人助天 是之謂眞人 若然者 其心志 其容寂 其顙頯 淒然似秋 煖然似春
喜怒通四時 與物有宜 而莫知其極)

  일상적인 인도인의 관점과 목표는 항상 고요한 물의 상태를 경험하려
는 요기의 그것이었던 반면, 중국인과 일본인은 파도와 함께 움직이는
경향이 있었다. 서구의 근본적인 신학적 혹은 과학적 체계와 비교하면,
인도와 극동의 이 2가지 관점은 분명 동일한 것에 속할 것이다. 그러나
이 2가지 관점을 비교하면 그들 사이에는 서로 대조되는 점이 보인다.
인도인은 존재의 껍질을 깨고 초월적이고 내재적인 영원성의 텅 빔 속에
황홀하게 남아 있으려고 한다. 이와 달리 중국인이나 일본인은 "위대한
텅 빔"이 바로 만물의 "운동자"라는 사실에 만족하면서 사물의 움직임을

허용한다. 그리고 두려움이나 욕망 없이 그 자신의 삶이 사물과 함께 움직이면서 도의 리듬에 참여하는 것을 허용한다.

> 그것은 크므로 어디에나 번져나가고
> 어디에나 번져나가므로 안 가는 곳 없이 멀리 가고
> 멀리 가므로 결국은 되돌아오게 마련입니다.
> 그러므로 도는 위대하고 하늘도 위대하고
> 땅도 위대하고 성왕도 위대합니다.
> 사람은 땅을 법도로 삼고 땅은 하늘을 법도로 삼습니다.
> 하늘은 도를 법도로 삼지만,
> 도는 자연을 따라 스스로 그렇게 된 것입니다.[42]
> (大曰逝 逝曰遠
> 遠曰返 故道大
> 天大地大王亦大
> 人法地 地法天
> 天法道 道法自然)

극동의 현자들은 만물을 정지시키려고 하는 대신, 각각의 사물이 나름의 방식대로 움직이는 것을 허용한다. 사실은 만물과 함께 춤을 추면서 "행동 없는 행동"을 한다. 이와 달리 인도인은 텅 빔의 강직증(强直症)을 즐기는 경향이 있다.

> 나 자신의 영광 속에 머무는 나에게
> 과거는 어디에 있으며, 미래는 어디에 있는지,
> 현재는 어디에 있고,
> 공간은 어디에 있는지,
> 아니 영원성마저 어디에 있는지?[43]

이러한 것들이 동양의 중요한 두 지역의 성격을 보여주는 서명(signature)이다. 뒤에서 보겠지만, 인도가 환희의 날을 파도의 물결 안에서 즐겼고 극동이 심연의 노래 소리에 귀를 곤추세우기도 하였다. 그렇지만 이 두 지역은 각각 "모든 것은 환상이다. 그러므로 모든 것을 가게 하라"와 "모든 것은 질서 속에 있다. 그러므로 모든 것을 오게 하라"로 특징지어진다. 인도의 깨달음은 눈을 감은 깨달음(사마디〔samādhi〕)이고, 일본의 깨달음은 눈을 뜬 깨달음(사토리)이다. 이처럼 해방을 의미하는 목샤라는 말은 두 지역에 모두 적용되었지만 서로 같은 것은 아니다.

5. 유럽과 레반트의 두 충성

이제 우리의 눈을 잠시 서양으로 돌려보자. 동양에서 붓다의 교의가 극동인의 의식에 접목된 것처럼, 서양에서는 레반트에서 나온 신학이 유럽인의 의식에 접목되었다. 이러한 접목 과정에도 금이 가지 않을 수 없었다. 처음부터 분명히 존재하였던 이러한 금은 완전하고도 생생한 틈으로 확대되었다. 이러한 틈은 둘이 된 최초 존재의 신화적 이미지가 변이되는 과정에서 이미 준비되고 있었다. 플라톤의 『향연(*Symposium*)』 속에 이미 준비되고 있었던 것이다.

독자들은 최초의 인간 존재들에 관한 익살맞게 변형된 비유적 일화를 기억할 것이다. 아리스토파네스(Aristophanes)의 것으로 간주되는 이 일화에 의하면 최초의 인간 존재들은 현재의 인간보다 2배나 컸다. 그들은 4개의 손과 발을 가졌으며, 등과 옆구리는 하나의 원을 이루고 있었고, 머리에는 2개의 얼굴이 달렸으며, 2개의 생식 기관을 가졌고, 나머지 부분들도 이처럼 2배로 되어 있었다. 이들의 힘을 두려워한 제우스 신과 아폴로 신은 그들을 둘로 나누어 버렸다. 피클을 만들기 위해 사과를 반으로 쪼개거나 머리카락으로 달걀을 반쪽 내는 것과 같았다. 이렇게 분리된 두 부분들은 서로를 갈망하면서 포용하였다. 신들이 그들을 서로 떼어놓지 않았다면 배가 고파 서로를 삼켜버렸을 것이다. 이 일화의 교훈은 다음과 같다. "인간의 본성은 원래 하나였고 우리는 하나의 전체였다. 이러한 전체의 갈망과 추구는 사랑이라고 불린다. …… 우리가 신의 친구로서 신과 화해한다면 우리 자신의 진정한 사랑을 발견할 것이다. 비록 지상에서는 이러한 일이 좀처럼 일어나지 않지만 말이다. 이와 달리 신들에게 복종하지 않는다면 우리는 다시 분리되어 얕은 돋을새김 안에서 돌아다닐 위험성이 있다."[44]

성서적 해석에서처럼 여기서도 둘로 분열된 존재는 궁극적 신성 자체는 아니다. 따라서 우리는 다시 서양에 확고하게 서 있는 셈이다. 서양에서는 신과 인간이 분리되어 있고 서양에서 문제가 되는 것은 둘 사이의 관계이다. 그러나 그리스와 히브리의 신화적 강조점 사이에는 많은 차이가 있다. 콘포드가 지적하듯이 "그리스 신학은 사제나 예언자에 의해서가 아니라 예술가, 시인, 철학자에 의해서 형성되었다. …… 그리스에는 신성한 책 속에 새겨져온 성스러운 전통을 혁신적 영향으로부터 보호할 어떠한 사제 계급도 존재하지 않으며, 확고한 권위의 요새에서 신앙의 용어를 성공적으로 명령할 수 있는 어떤 성직자도 존재하지 않는다."[45] 따라서 신화는 시처럼 유동적인 것으로 존재하게 되며, 신들은 에덴 동산의 야훼처럼 사실적으로 구체화되는 것이 아니라 그들 자체로 알려질 뿐이다. 즉 그리스의 신들은 인간의 창조적 상상력의 산물로서 인격화되어 있다. 그들은 외부 세계와 내부 세계인 대우주와 소우주의 힘들을 표상하는 정도만큼만 실재이다. 그러나 신들이 마음의 표상에 의하여 알려지는 만큼, 그들은 그 매개물의 결점을 지니게 된다. 이러한 사실은 모든 시인이 알고 있듯이 그리스의 시인들도 잘 알고 있다(비록 사제나 예언자들에게는 알려져 있지 않지만). 그리스 신화들은 유쾌하고 익살스러우며, 이미지를 드러내면서 동시에 던져버린다. 이는 경외감으로 이미지에 고정된 마음이 그 이미지들을 지나 실재 —— 궁극적으로 미지이며 부분적으로만 감지될 수 있는, 그리고 이미지가 반영하고 있는 —— 에 도달하도록 하기 위한 것이다.

『향연』에 나타난 둘로 분화된 일자의 신화를 해석해보면 신들이 최초의 인간들을 두려워했음을 알 수 있다. 최초의 인간들은 매우 엄청난 힘을 가지고 있었고 그들의 생각도 위대하였다. 신들을 공격하고 감히 저

울질하기도 하며 심지어는 상처를 입히기도 하였다. 그러자 신들은 혼란에 빠졌다. 인간들을 천둥으로 제거하면 좋겠지만, 만일 그렇게 하면 희생 제물이 사라지게 되고, 신에 대한 숭배가 사라지고, 결국 신들 자체가 소멸할 것이기 때문이었다.

이러한 천상적 우유 부단의 계기가 주는 역설적 교훈은 각각 인식 대상과 인식 주체가 되는 신과 인간의 상호 의존성이다. 이러한 관계에서는 모든 주도권과 창조성이 어느 한편에 속하지 않는다. 레반트의 종교는 숭배자의 욕구, 능력, 적극적 예배에 대하여 신 관념이 지니고 있는 이 같은 상대성을 결코 이해하지 못한다. 만일 이해되었다면 그것은 양보에 의한 것이다. 왜냐하면 레반트 지역의 신은 어떻게 지각되든지 — 아후라 마즈다, 야훼, 삼위 일체, 알라 — 항상 그러한 특별한 성격을 지닌 절대자로서 존재하며, 그는 만물에 대한 정의로운 유일신이기 때문이다. 이와 달리 전성기의 그리스 인은 그러한 문자주의와 뻔뻔스러움을 결코 상상할 수 없었다.

더구나 신들의 형상으로 상징화된 비인간적인 우주적 힘과 영웅 안에 재현된 인간성의 최고 원리 사이에 가치 갈등이 일어날 경우, 그리스인의 충성과 공감은 언제나 인간의 편을 향하였다. 인간 정신의 가장 대담하고 위대한 사유는 언제나 우주적 힘에 대항하여 등장하기 때문이다. 따라서 그러한 사유는 반으로 축소될 위험성을 항상 지니고 있다. 그러므로 우리는 얕은 돋을새김 안으로 들어가지 않기 위하여 신중해야 한다. 그렇지만 그리스에서는 인간적 신념(human cause)에 대한 근본적인 배반 — 레반트에서는 당연하고 심지어 요구되는 — 을 결코 들을 수 없다. "온전하고 진실한" 욥이 "이유 없이 그를 없애려고 한" 신 때문에 몹시 고통당하면서도 신에게 한 말은[46] 그 지역의 모든 위대한 종교들이 지닌 경건하고 복종적인 사제적 이상을 잘 보여주고 있다. "아, 제 입이 너무 가벼웠습니다. …… 손으로 입을 막을 도리밖에 없사옵니다. …… 알았습니다. 당신께서는 못하실 일이 없으십니다. …… 제 말이 잘못되었음을 깨닫고 티끌과 잿더미에 앉아 뉘우치옵니다."[47] 이와 대조적으로 리바이던의 머리를 작살로 찌를 수 있는 힘을 지닌 신이 혹독한 고통을 프로

44

메테우스에게 부과하면서 항복하라는 명령을 내렸을 때, 그는 이러한 고통의 원인이 되는 자신의 인간적 판단을 고수하면서 이렇게 외치고 있다. "나는 제우스에 대해서 전혀 개의치 않는다. 그가 하고 싶은 대로 내버려 두어라."[48]

한편에는 자비, 정의, 선, 사랑과 같은 한갓 인간적인 모든 범주를 부수뜨리는 위대한 신의 힘이 존재하며, 다른 한편에는 천상의 불을 훔치고 그 자신의 결정에 대해 스스로 책임지려고 하는 용기 있는, "인간의 도시(City of Man)"의 강력한 건축자가 있다. 이 둘은 서양의 정통적 신화 구조의 서로 다른 위대한 주제이다. 즉 이 둘은 자연으로부터 분리되어 그 자신의 가치 — 주어진 세계의 것이 아닌 — 를 성숙시키는 에고의 경험의 두 극이다. 그러나 이들은 우주에 신인 동형적 부성의 개념을 투사하고 있다. 마치 그것이 그 자체로 혹은 형이상학적 근거에서 인간의 가치, 지각력, 지능, 존엄, 고귀함을 지녔었거나 지니게 될 것처럼!

이와 달리 인도와 극동으로 이루어진 위대한 동양에서는 신과 인간이 서로 분리되어 있기는 하지만 둘 사이의 그러한 갈등은 허황된 것으로 간주한다. 동양에서는 우리가 "신(God)"이라고 번역하는 용어가 경전에서 정의되거나 명상하는 정신 속에 나타나는 단순한 가면이 아니라, 인간 존재의 궁극적 심층, 존재의 의식, 그리고 그 안에 있는 환희의 신비 — 내재적이고 초월적인 — 이기 때문이다.

6. 비교의 시대

기원후 1500년경 서양의 대담한 가로돛 장선이 선체에 새롭고 강력한 시대의 씨앗을 담고 돛을 활대 끝에 내린 채 아메리카만이 아니라 인도와 중국의 해안에 있는 항구들에 나타났다. 이때 유럽과 레반트, 인도와 극동의 네 선진 문명으로 이루어진 구세계의 각 문명은 스스로를 하늘 아래에서 유일한 권위를 지닌 영성과 가치의 중심이라고 자부하면서 꽃

을 피우고 있었다. 오늘날 이러한 신화는 사라졌거나 적어도 사라질 위
험에 처해 있다. 각 문명의 신화는 자신의 지평 안에서 자기 만족에 취
해 있거나, 새롭게 출현하고 있는 새로운 사회 질서 안에서 자신의 신들
과 함께 해체되고 있다. 니체가 "자유 정신(Free Spirit)"을 위하여 헌정
한 책에서 예언하였듯이, 새로운 사회 질서 안에서는 "다양한 세계관, 풍
습, 문화가 나란히 비교되고 경험되어야 한다. 이러한 비교는 각 문화의
지방화된 영향력이 그 자신의 예술적 양식의 시공간적 뿌리와 일치하던
과거에는 불가능하였다. 그러나 이제는 하나의 강력한 미적 감각이 스스
로를 드러내는 수많은 형식을 비교하여 결정할 것이다. 따라서 대다수의
형식은 소멸하고 말 것이다. 높은 수준의 도덕적 형식과 관행에서도 선
택이 일어나고 있고 열등한 체계들은 몰락하고 말 것이다. 지금은 비교
의 시대이다! 이것은 자랑스러운 일이다. 그러나 이는 또한 슬픔의 시대
이기도 하다. 그러나 이러한 슬픔을 두려워하지말자!"[49]

　　인간 이성과 책임적 개인, 초자연적 계시와 신이 지배하는 하나의 참
된 공동체, 위대한 내재적 텅 빔 상태에서의 요가적 통제, 천지의 도와
자발적으로 일치하는 것, 이러한 4가지 전통을 각기 대표하는 프로메테
우스, 욥, 눈을 감고 앉은 붓다, 눈을 뜨고 소요하는 현자를 네 방향으로
부터 함께 모아보았다. 이제 이러한 4가지 전통을 각각의 장엄함의 측면
만이 아니라 유치함의 측면에서, 그리고 몰입이나 경멸의 태도 없이, 아
주 냉정하게 살펴볼 차례이다. 니체가 선언하듯이, 삶은 "기만당하기 원
하고·또한 기만으로 살아가지만"[50] 때로는 진리의 순간이 필요하기 때문
이다.

제2장 신의 도시

1. 경이의 시대

세계의 신화와 종교에는 2가지의 강력한 모티브가 지속적으로 흐르고 있다. 이 2가지 모티브는 같은 것이 아니라 서로 다른 역사를 지니고 있다. 이중 역사적으로 먼저 나타난 첫번째 모티브는 경이(*wonder*)라고 이름 붙일 수 있다. 이는 설명할 수 없는 어떤 것을 관조하는 과정에서 나타나는 당황스러움으로부터, 악마적 공포나 신비적 경외에 사로잡히는 것에 이르기까지, 다양한 형태로 표출된다. 두번째 모티브는 자기 구원(*self-salvation*)으로서, 이는 빛 바랜 세계로부터의 해방이다.

루돌프 오토는 그의 주저인 『성스러움의 의미(*The Idea of the Holy*)』[1]에서 종교 경험이 지닌 본질적인 비합리적 요소에 대해서 서술하고 있다. 그에 의하면, 종교 경험은 신학자들이 전통적으로 사용해온 지고의 힘, 신령(Spirit), 이성, 의도, 선의지, 자기애, 통일성 등과 같은 용어로는 도저히 특징지을 수 없다고 한다. 오히려 그러한 합리적 용어들로 구성된 신조는 종교 경험을 낳기보다는 배제하는 경향이 있다고 한다. 따라서 그러한 개념들과 그 개념들의 진화만을 다루는 종교 연구나 신화 연구는 주제의 본질을 놓쳐버린다고 본다. 오토는 그 이유를 이렇게 쓰고 있다.

　만일 우리에게 특수하고 독특한, 그 자체로 특이한, 어떤 것을 제공하는 인간 경험의 한 영역이 있다면, 그것은 종교적 삶의 영역임에 틀림없다. 사실 이러한 맥락에서는 종교의 챔피언이나 중립적이고 공평한 직업적 이론가들보다는 종교의 반대자가 더 날카로운 전망을 종종 보여주었다. 종교의 반대자들은 전적인 "신비적 불안"이 "이성" 및 "합리성"과는 전혀 관계가 없음을 잘 알고 있기 때문이다.

　그러므로 우리는 종교가 어떤 일련의 "합리적" 명제에 전적으로 포함될 수 없음을 주의하는 것이 좋을 것이다. 그리고 종교의 다양한 "계기(moments)"의 상호 관계를 명확히 하는 것은 가치 있을 것이다. 그래야 종교의 본성이 분명하게 드러날 것이다.[2]

　나는 이 명제를 이 책의 좌우명이자 과제로 삼을 것이다. 중동의 중심부에서 동서양의 공통 분모가 발전한 이후, 고등 문화의 역사 속에서 동양과 서양이 분리되고, 성스러움을 경험하는 "계기"("심리학적 단계"라고도 부를 수 있는)들도 분리되었음을 덧붙이고 싶을 뿐이다. 더구나 내가 위대한 반전(*the great reversal*)이라고 이름 붙인 중요한 시점 —— 이때 서양만이 아니라 동양에서도 많은 사람들이 성스러움의 의미를 우주와 자신의 본성에 대한 경험으로부터 찾았으며, 견딜 수 없는 죄, 추방, 또는 기만 상태로부터 벗어나려고 열망하였다 —— 이후, 두 세계에서 등장한 자기 구원의 방식은 전적으로 달라졌다. 앞장에서 지적하였듯이 서양에서는 인간과 신의 분리를 강조하기 때문에, 신으로부터의 분리를 고통으로 해석한다. 이때 고통은 대체로 죄의식, 처벌, 속죄 등의 용어로 나타난다. 이와 대조적으로 만물 안에 신성이 내재하고 있다는 의식이 강하게 남아 있는 동양에서는, 잘못된 판단으로 인하여 독해가 차단되기도 하지만, 독해의 방법은 심리학적이다. 따라서 동양에서의 해방의 방식과 이미지는 초자연적 부친의 권위적 명령보다는 대안적 치료의 성격을 지닌다. 그러나 두 경우 모두 아이러니가 작용하고 있다. 가장 열렬하게 구원을 추구하는 사람들이 바로 자신의 욕망에 구속되어 있다. 그들에게 고통을 주는 것이 바로 자기 추구이기 때문이다. 붓다가 스스로 에고를 소멸시켰을 때 세계가 꽃으로 변화하는 것을 우리는 바로 앞 장에서 보왔다. 그러나 이러한 일은 구원보다도 경이가 종교인 사람에게는 언제나 일어났다.

2. 신화의 발생

중동 중심부의 고고학 지층에서 출토된 기원전 4500년경의 화려한 여성상들은 최초의 신석기 시대의 농경 및 목축 공동체가 지닌 경이감의 첫번째 단서를 제공해준다. 그 여성상들은 뼈, 진흙, 돌, 상아 등으로 만들어 졌으며, 좌상이나 입상의 형태를 취하고 있다. 벌거벗은 모습이 대부분이며 임신한 모습을 한 경우도 있고, 어린이를 데리고 있거나 젖을 먹이고 있는 경우도 있다. 이와 연관된 상징들이 같은 고고학 지층에서 발굴된 채색 토기의 표면에도 나타나고 있다. 이들 중에서 지배적인 모티브(예를들면 시리아-실리시아 지방의 이른바 할라프 토기에서)[3]로 등장하는 것은 길고 구부러진 뿔을 가진 황소 머리 — 전면을 향하고 있는 — 이다. 이는 죽었다가 부활하는 달-황소가 지모신을 수태시키는, 널리 알려진 신화가 이미 발전하고 있었음을 암시한다. 이 신화에서 나온 낯익은 것들로는 유로파(제우스의 사랑을 받은 페니키아의 왕녀/역주)와 제우스의 황소, 파시페와 포세이돈의 황소, 암소로 변한 이오, 그리고 미노타우루스의 살해에 관한 후기 고전 시대의 전설들이 있다. 더구나 세계 최초의 사원 지대이자 근동 최초의 사원 지대에서는 황소-신과 여신-암소가 그 시기의 주도적인 다산의 상징이었음이 확고하게 증명되고 있다. 메소포타미아의 남쪽에 위치한 오베이드,[4] 우룩,[5] 에리두[6]에서 기원전 4000년-3500년경의 것으로 추정되는 3개의 원시 사원 지대가 발굴되었다. 바그다드의 북쪽과 남쪽에 각각 위치한 카파자[7]와 우카이르[8]에서도 2개의 사원 지대가 발견되었다. 이들 지역으로부터 상당히 멀리 떨어진 시리아 동북부의 카부르 계곡[9]에 있는 텔 부락에서 발굴된 여섯번째의 사원 지대는 시리아-실리시아(소위 타우레안) 지방에서 나온 그러한 공통적 형식이 광범위하게 확산되어 있음을 암시하고 있다. 이 6개의 지대 중에서 2개는 여신에게 봉헌된 것으로 알려지고 있다. 오베이드 지역의 사원은 닌후르사그 여신, 카파자 지역의 사원은 이난나 여신에게 봉헌되었다. 다른 사원에 있는 신들의 이름은 아직 알려지지 않고 있다. 오베이드, 카파자, 우카이르에 있는 3개의 사원 지대는 각기 높은 이중 벽으로 에워싸여 있으며, 달걀 모양을 하고 있다. 이것들은 여성의 성기를 암시하고 있음에 틀림없다(〈그림 1〉).[10]

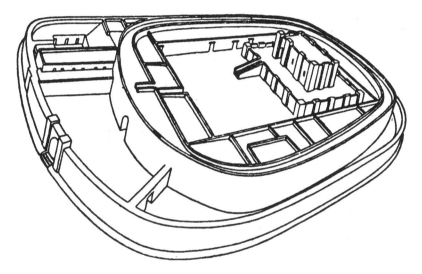

〈그림 1〉 초기 사원 지대, 달걀형 : 이라크, 기원전 4000-3500년경.

지모신을 모신 인도 사원의 내부에 있는 사당이 여성의 성기를 상징하고 있듯이, 이 사원들도 출산하고 양육하는 여성의 힘과 유비되면서 자연의 발생력을 상징하고 있다.

　각 지대 안에 있는 중심 건물은 진흙으로 된 연단 위에 세워져 있는데, 높이는 10-12피트 정도이고 계단을 통해 올라가게 되어 있다. 모든 건물은 벽돌로 되어 있다. 벽돌은 잘 정돈된 상자 모양을 하고 있으며, 어느 정도 "근대적" 양식으로 되어 있다. 건물의 모서리는 각기 네 방향을 향하고 있으며, 다양한 색깔의 타일을 가지고 있고 다채롭게 도금되어 있다. 달걀 모양의 지대 안에 있는 다른 구조물들은 사제의 거주지, 의식 거행 장소, 부엌 등이며, 특히 눈에 뜨이는 것은 외양간이다. 오베이드의 폐허 위에서 발견된 다채로운 색깔을 지닌 모자이크에는 일군의 사제들이 성스러운 소의 젖을 짜서 거르고 보관하는 일, 즉 신성한 역할을 수행하는 모습이 보이고 있다. 후대의 수많은 문헌에 의하면, 그 사원에서 추앙되는 여신 닌후르사그는 우주와 인류, 신, 동물의 어머니이며, 특히 왕의 수호 여신이자 보호자이다. 그녀는 자신의 축복으로 가득찬 우유로 왕들을 키우며, 지상에서는 동물의 우유를 먹으면서 스스로 활동한다.

오늘날까지 인도에서는 여신의 신전을 방문하는 모든 사람들에게 우유죽이나 우유로 만든 음식을 제공한다. 이는 의례의 과정에서 여신의 "하사품(프라사드〔prasad〕)"으로 주어지는 것이다. 더구나 남인도의 닐기리 언덕에는 토다 족이라고 하는 정체 불명의 부족이 살고 있는데, 이들은 이웃 부족들과 아무런 인종적 관련을 맺고 있지 않다. 그들의 작은 신전 지대는 우유를 짜는 곳이며, 거기서 그들은 자신들이 숭배하는 소들을 키우고 있다. 그리고 주요한 희생제의 — 희생물은 어머니의 상징적 아들인 1마리의 송아지이다 — 를 행할 때는 닌쿠르샤그(Ninkurshag)라는 자신들도 해석하지 못하는 말을 포함한 기도를 여신 토고르시에게 하고 있다.[11] 이란의 동쪽에서 농경-목축 문명의 첫단계가 출현하기 꼭 1천5백 년 전, 오베이드의 닌후르사그 여신과 카파자의 이난나 여신의 왕실 외양간에서는 종, 흔들리는 불빛, 기도, 찬송, 그리고 희생물로 바쳐지는 소들의 울음소리로 이루어진 위대한 의례 교향곡의 서막이 나타나고 있었던 것이다. 이러한 교향곡이 수 세기를 거쳐 인도의 여신에게 나타났다.

　　오, 어머니! 세계의 원인이 되시는 어머니!
　　당신은 근원적 하나이고,
　　만물의 어머니이고,
　　신들의 모태입니다. 심지어 창조주 브라만, 보존자 비슈누, 그리고 파괴자 시바의 어머니시여!

오, 어머니! 당신을 찬양하면서 나의 언어를 정화시킵니다.

달이 홀로 백야의 연꽃을 기쁘게 하듯이,
태양이 홀로 대낮의 연꽃을 기쁘게 하듯이,
하나의 사물이 홀로 다른 사물을 기쁘게 하듯이,
어머니 당신만이 당신의 눈짓으로 우주를 기쁘게 합니다.[12]

초기 수메르 시대인 기원전 3500년경(우룩 시대의 A 단계 : 문자술이
발명되기 직전의 시대)의 것으로 추정되는 원통형 석인(石印)에는 2마리
의 야생 양이 새겨져 있다. 이 2마리는 흙더미를 사이에 두고 서로 마주
보고 있으며, 그 가운데 머리가 2개 달린 뱀이 금방이라도 그 양들을 물
것처럼 목을 쳐들고 있다(〈그림 2〉).

〈그림 2〉 자기를 먹는 힘 : 수메르, 기원전 3500년경.

그 양들의 코 위에는 한 송이 꽃이 새겨져 있으며, 원통의 반대편에서
독수리 1마리가 2마리 양의 둔부를 동시에 잡아채고 있다. 헨리 프랑크
포르트 교수에 의하면, 이 조각에 나오는 모든 요소들은 후대의 예술과
제의에서 등장하는 죽었다가 부활한 탐무즈(Tammuz, 수메르에서는 두무
지[Dumuzi]) 신화와 관련되어 있다. 탐무즈 신은 고대 그리스의 아도니
스의 원형이며, 이난나, 닌후르사그, 이슈타르, 아스타르테, 아르테미스,
데메테르, 아프로디테, 비너스 등의 다양한 이름을 가진 지모신의 아들

—— 처녀 출생에 의한 —— 일 뿐만 아니라 배우자이기도 하다.[13] 고대 세계에서는 이 석인의 중앙에 있는 흙더미는 여신을 상징하였다. 이것은 고대 그리스의 옴팔로스(델피의 아폴로 신전에 있는 반원형의 돌/역주)나 초기 불교의 사리탑(스투파)과 같은 종류의 것이다. 이것이 확대되면 신들의 산(그리스의 올림푸스 산, 인도의 메루 산)이 되는데, 그 산 위에는 신들의 찬란한 도시가 있으며, 아래에는 물의 심연이 있고, 그 가운데에는 생명의 산맥이 있다. 지모신이 이들 모두를 떠받치고 있다. 그녀는 씨뿌려진 지상에서만이 아니라 별들로 수 놓은 천상에서도 보이며, 석인에서는 흙더미만이 아니라 평지, 그리고 맨 위와 맨 아래 부분 —— 흙더미와 연결되는 —— 에서도 보이고 있다.

이 흙더미로부터 위로 올라오고 있는 뱀은 2마리의 양을 물려고 하고 있으며, 양들은 꽃을 따먹으려고 하고 있다. 반대면에는 먹이에게 달려드는 맹금(猛禽)이 보인다. 이는 서로 죽이기를 통한 생명의 순환을 나타낸다. 그리고 모든 상들은 동일한 신의 힘을 나타내고 있으므로 여기에 표상된 신화적 주제는 자기를 먹고, 영원히 죽고, 영원히 사는 발생적 에너지를 나타낸 것이다. 이 에너지는 만물에 내재한 생명과 죽음의 에너지이다.

기원전 3500년경의 것으로 추정되는 수메르의 두번째 석인에는 신을 상징하는 한 사제가 가슴에 나무를 안고 있는데, 그 나무의 두 줄기가 네 방향으로 향하고 있다(〈그림 3〉).

〈그림 3〉 생명의 주 : 수메르, 기원전 3500년경.

동물들이 그 나무의 꽃을 뜯어먹고 있으며, 반대면에는 2개의 커다란 갈대 묶음 사이에 송아지 1마리가 있다. 이러한 예술에서는 갈대 묶음이 항상 여신 사원의 내부로 향하는 문을 상징한다. 여기서 송아지는 희생제물로 존재하지만 여신의 자궁 내에 안전하게 거하고 있는 셈이다. 우리는 이와 비교할 수 있는 출생-죽음의 합성물을 기독교적 관념 속에서 발견할 수 있다. 동정녀 마리아의 자궁 속에서 이미 실제적으로 십자가형을 받은 이새 나무의 열매이자 희생양인 그리스도가 바로 그것이다.

최초의 여성상이 만들어진 것으로 추정되는 기원전 4500년경의 시기와 〈그림 2〉와 〈그림 3〉의 석인이 만들어진 시기 사이에는 약 천 년의 간격이 존재한다. 이 천 년 동안 황소에 의해서 비옥하게 된 경작지를 숭배하는 모습이 고고학적 증거들을 통해 끊임없이 나타나고 있다. 이 황소는 최근에 발굴된 성스러운 외양간에 있었던 가장 고귀하고 가장 힘센 동물이다. 이 황소는 우유를 만들어 내는 암소들의 종우(種牛)일 뿐만 아니라 쟁기를 끌기도 하였다. 초기에는 쟁기가 땅을 가는 동시에 씨를 뿌리기도 하였다. 더구나 월경 주기의 주이고 비와 이슬의 주이기도 한 뿔 달린 달은 유비를 통하여 황소와 동일시되었다. 이렇게 하여 그 동물은 들판과 천지의 법칙을 통합하는 우주적 상징이 되었다. 그러므로 존재의 모든 신비는 암소, 황소, 그리고 송아지의 메타포를 통하여 시적으로 표현되었으며, 그 신비는 우주의 여신인 암소 자체의 자궁을 상징하는 초기 사원 지대의 내부에서 행해지는 의식에 의해서 연출되었다.

다음 천 년 동안은 원시적 마을 문화(basic village culture)가 꽃을 피우게 되고, 이는 특히 유프라테스 강과 티그리스 강 하류의 메소포타미아 지역에서 도시 국가 문명으로 발전하였다. 제임스 프레이저 경이 『황금가지』에서 잘 보여주었듯이, 우주적 희생을 나타내는 시적 의식이 이제는 주로 왕을 대상으로 행해졌다. 왕들은 정기적으로 살해되고 때로는 왕궁도 함께 파괴되었다. 이제 가장 새롭고 가장 인상적인 삶의 확장을 표상하는 곳은 착유장(搾乳場)이 아니라 궁정이기 때문이다. 문자의 사용은 기원전 3200년경(우룩 시대의 B 단계)에 시작되었다. 마을은 이제 사원 도시에 의하여 확실하게 대체되었고, 전문적 사제 계급이 문명의

54

수호자가 되었다. 천체 관측을 통해 5개의 가시적인 행성(수성, 금성, 화성, 목성, 토성)이 밝혀졌으며, 이 별들은 항성들 사이에 있는 달과 태양(모두 합하면 7명의 항해자)에 의해 이미 표시된 길을 따라 운행한다. 그렇게 밝혀진 천상의 법칙에 따라 도시 국가의 삶의 절기를 규제하기 위해서 수학적 정확성을 지닌 달력이 발명되었다. 많은 자료를 통해서 알 수 있듯이 국가 질서의 개념은 이러한 천상적 법칙과 상당한 정도로 동일시되었다. 달의 죽음과 부활, 일년의 주기, 그리고 수학적으로 예측된 보다 위대한 우주적 에온(eons : 무한한 시간/역주)의 주기가 궁정 의례에서 거의 그대로 모방되었다. 따라서 우주적 질서와 사회적 질서는 하나가 되어야만 하였다.

기원전 2300년경의 것으로 추정되는 2개의 석인은 상징적 궁정의 새로운 질서를 잘 보여주고 있다. 라가시 시의 폐허에서 출토된 첫번째 석인(〈그림 4〉)에서는 벌거벗은 여자가 반듯하게 누워 있는 남자의 위에 쪼그리고 앉아 있으며, 그 옆에 있는 두번째 남자는 그녀의 팔을 잡고 곤봉 혹은 단검을 가지고 그녀를 위협하고 있다.

이 광경의 바로 오른쪽에는 두 줄이 손상된 비문이 적혀 있다. 그러나

〈그림 4〉 희생제의 : 수메르, 기원전 2300년경.

다음 줄에는 "기스갈라의 왕(King of Ghisgalla)"이라고 적혀 있다. 에르네스트 드 사르제크가 지적하였듯이 이 글자는 다른 텍스트에서는 "그 지역의 '왕-신' 혹은 '신-왕'이라는 용어로 나타나는 신"[14]을 가리킨다. 기스갈라에는 우주의 여신을 모신 사원이 있었는데, 이 장면은 여사제와 왕에게 부과된 성관계를 통한 희생제의이다.[15]

두번째 석인(〈그림 5〉)도 앞의 주제와 비슷한데, 여기서도 여상 남하의 체위가 보이고 있다.

〈그림 5〉 의례용 침대 : 수메르, 기원전 2300년경.

헨리 프랑크포르트 교수는 이렇게 말하고 있다.

이것은 혼례를 나타낸다. 다양한 텍스트에 의하면, 이 의례는 신년 축제 동안 남신과 여신의 결합으로 절정에 달하게 되며, 곧이어 또 다른 축제가 이어진다. 이 후속 축제에서는 모든 사람이 혼례의 완성에 의해서 확실하게 보장되는 풍요를 누리게 된다. …… 이 두 인물을 떠받치고 있는 침상의 다리는 동물의 다리 형태를 하고 있으며, 황소의 발굽과 사자의 발톱을 하고 있다. 침상 바로 밑에 있는 전갈은 사랑의 여신 이스하라(Ishara)를 상징하는 것 같으며,[16] 침상의 발 아래에 있는 인물은 …… 이딘 다간(Idin Dagan : 이신[Isin]의 왕, 기원전 1916-1896년경)[17]의 시대에 의식을 집전하는 사제로서 서로 결합하는 남신과 여신을 미리 정화하는 자로 묘사되고

있다. ······

이 장면은 ······ 왕 또는 그의 대리자와 여사제가 행하는 의례의 한 부분
을 이루고 있는 것 같다. 이 의례는 신의 죽음과 부활을 나타내며, 그와 여
사제의 재결합이 이어지고 있다. 이 축제를 묘사하고 있는 구데아(Gudea)의
기술에 의하면, 결혼식이 끝난 후 신들, 통치자, 그리고 그 도시의 모든 사
람들이 함께 참가하는 축제가 벌어진다.[18] (그리고 바로 왼쪽의 석인에 있
는) 툭 튀어나온 마개를 가진 단지가 침상 옆에 놓여 있으며, 결혼식은 그
침상에서 절정에 이른다.[19]

이러한 연회 장면을 묘사하고 있는 석인은 매우 많다. "그 축연에 참
석한 사람들 — 자웅 동체의 인간이 포함되어 있는 경우도 종종 있다
— 은 단지의 한쪽에서 서로 마주 보고 있으며, 튜브를 통해서 단지 안
에 있는 것을 마시고 있다. 이는 고대 근동 지역에서 맥주를 마시는 일
반적인 풍습이었던 것으로 보인다."[20] 우르 지역의 왕릉에서 발굴된 해골
들 옆에서도 그러한 석인이 많이 나타난다. 거기에는 〈그림 4〉와 〈그림
5〉가 제작된 시기에 사랑-죽음 의례가 행해졌음을 보여주는 증거들이 매
우 많다. 이 놀라운 무덤에 대해서는 이 책의 시리즈 제1권 『신의 가
면 : 원시 신화』에서 설명하였기 때문에[21] 반복하여 설명할 필요는 없지만,
간단하게 요약하자면 이렇다. 1920년대초 레오나드 울리 경은 달의 신이
통치하던 그 도시의 사원 지대에서 16개의 매장지를 연속하여 발굴하였
는데, 이것들은 완전한 궁궐로 판명되었다. 그중에서 가장 인상적인 것은
슈브-아드(Shub-ad)라는 이름을 가진 여자와 그녀의 주인인 아-바르-기
(A-bar-gi)의 이중 무덤이었다. 아-바르-기가 묻힌 곳에는 각각 3마리의
황소가 끄는 2대의 마차와 65명의 수행원이 함께 매장되어 있었으며, 이
무덤 아래에는 엄청난 장식을 한 여왕 혹은 여사제의 무덤이 있었다. 그
녀는 25명의 시종과 2마리의 나귀가 끄는 썰매를 동반한 채 주인을 따라
지하 세계로 향하고 있었다. 이는 죽은 신 두무지를 부활시키기 위해서
그를 따라 지하 세계로 간 여신의 신화를 완성하고 있다.

슈브-아드의 해골은 둥그런 벽돌 묘실 안에 있는 목재 관대(棺臺) 위

에 놓여 있으며, 그녀의 손은 황금 잔을 잡고 있다. 아마 그 잔으로 소량의 사약을 마셨을 것이다. 바로 그 옆에는 군청색 구슬과 부드럽고 흰 가죽 조각으로 만든 머리띠가 놓여 있었다. 그 앞에는 황금으로 된 정교한 동물 형상들이 한 줄로 늘어서 있었다. 수사슴, 영양, 황소, 염소가 늘어서 있었고, 그 동물들 사이에는 3개의 석류 송이와 어떤 나뭇가지의 열매들이 있었으며, 중간중간에 황금으로 된 장미 매듭이 있었다. 이것은 〈그림 2〉의 석인과 분명한 유비 관계를 보여준다. 은으로 된 황소 머리는 마루 위에 놓여 있고, 그 밑에 있는 구덩이에는 자신의 주인을 수행하고 있는 여자 악사들의 뼈가 있었고, 그 뼈 주위에서 2개의 아름다운 하프가 발견되었다. 하나는 구리, 다른 하나는 금으로 된 이 하프들은 황소 머리로 장식되어 있는데, 거기에는 군청색 뿔, 눈, 수염이 달려 있다.

슈브-아드의 방에 있는 은으로 된 암소와 아-바르-기의 무덤에 있는 황금 수염을 가진 황소는 꼭 2천 년 전에 존재하던 목축 사원을 가리키고 있다. 앞에서 보았듯이 그 사원에는 우주 여신인 암소, 초기의 여성상들, 그리고 긴 곡선형 뿔이 달린 신화적 달-황소 머리를 보여주는 채색 토기들이 갖추어져 있었다. 안톤 무어트가트 교수는 이와 같은 2천 년간의 문명 탄생의 과정을 조사하면서 다음과 같이 말하였다. "농경 문화 최초의 가시적이고 중요하고 영적인 표현인 지모신과 신성한 황소는 수천 년간 근동에서 그 형태를 유지할 수 있었던 어떤 사상을 표현하고 있다."[22] 물론 근동에서만 그러한 것이 나타났다고 할 수는 없다. 문명 창조자들의 경이감을 이러한 최초의 상징들을 통하여 회화적으로 나타낸 모티브들은 어느 정도는 현대 동양과 서양의 최신 신학들에서도 잔존하고 있기 때문이다. 지금은 세계 문명 여명기의 한 위대한 지역이 되어버렸지만 그들의 노래가 신화적 과거를 통하여 메아리 치는 것을 들을 수 있다. 그들의 음악은 이러한 최초의 신석기적 형태로 소박하게 나타났으나, 성당 예술과 사원 예술의 완전한 합주를 통하여 기원후 500년에서 1500년경 사이에 아일랜드에서 일본에 이르는 지역에서 아주 위대하고 풍부한 결실을 맺었다.

3. 문화 단계와 문화 양식

루돌프 오토를 따라, 나는 종교만이 아니라 신화의 뿌리는 누미누스
(the numinous, 종교 경험의 원초적 형태이며, 성스러움에 압도되는 감정
/역주)에 대한 감지라고 가정하고자 한다.

　이러한 정신적 상태는 전적으로 독특한 것으로서 어떤 다른 것으로 환원
될 수 없다. 그러므로 그것은 논의될 수는 있지만, 엄격하게 정의될 수 없는
절대적으로 근원적이고 원초적인 모든 자료와 같다. 그것의 이해를 돕는 단
1가지 방법이 있다. 그것을 이해하려고 하는 자는 자신의 마음을 따라 그
문제를 고려하고 논의하여야만 한다. 자신의 안에 있는 "누미누스"가 어쩔
수 없이 요동하기 시작하여 그의 삶과 의식 속으로 들어가는 시점에 도달할
때까지는 그래야만 한다. 이때 우리 마음의 여타 영역에서 발견될 수 있으
며, 이미 알려지고 친숙한 점, 그리고 지금 우리가 밝히려고 하는 특수한 경
험과 유사하거나 그와 특별히 대조되는 점을 주목하면 도움이 된다. 그 경
우에 다음의 사실을 덧붙여야만 한다. "우리의 이러한 X는 이러한 경험 자
체가 아니라 이것과 유사하거나 다른 어떤 것과 반대되는 것이다. 당신은
지금 그것이 무엇인지 스스로 깨달을 수 없는가?" 엄격하게 말하자면, 우리
의 X는 가르쳐질 수는 없고 단지 마음 안에서 환기되고 깨우쳐질 수 있을
뿐이다. "정신으로부터" 나오는 모든 것이 깨우쳐져야만 하듯이.[23]

　이러한 의미에서 사원의 상징과 신화의 분위기는 누미누스의 촉매이
며, 거기에 그것들이 지닌 힘의 비밀이 놓여 있다. 그러나 상징의 특성들
과 신화의 요소들은 누미누스 자체에 대한 접근을 차단시킬 수 있는 그
들 나름의 연합(association)을 통하여 자신의 힘을 획득하려는 경향이
있다. 교리적 신조의 경우처럼, 이미지 그 자체가 최종적 용어라고 주장
할 때 누미누스에 대한 접근은 어려워진다.
　융이 잘 지적하였듯이, 그러한 공식화는 "우리가 경망스럽게 스스로를
드러내지 않는 한, 신에 대한 직접적인 경험으로부터 우리를 보호한다.
그러나 우리가 집과 가정을 떠나 아주 오랫동안 홀로 살며 어두운 거울

을 아주 깊게 응시하는 순간, 만남이라고 하는 두려운 사건이 우리에게 닥쳐올 것이다. 그러나 그때에도 수 세기를 통하여 꽃피워진 전통적 상징은 치유의 바람처럼 작용하여 살아 있는 신성의 최종적 침입을 교회의 성스러운 공간으로 바꾸어버릴 것이다."[24]

인류의 문화가 수렵 단계로부터 농경과 목축의 단계로 전환됨으로써 관심의 초점이 급격하게 변화되었고, 결과적으로 낡은 신화적 메타포는 힘을 잃게 되었다. 행성의 빛에 의해서는 거의 지각될 수 없었던 우주 질서가 기원전 3500년경에 수학적으로 계산 가능해짐에 따라 직접적이고 신선한 경이감이 경험되었다. 이러한 경험은 불가피한 것이었다. 이것에 수반되는 사로잡힘의 힘(the force of the attendant seizure)은 그 시대의 의례의 성격에서 판단할 수 있다. 프레이저는 『황금가지』에서 국왕 살해 의례를 합리적으로 해석하였다. 그는 그 의례가 토양을 주술적으로 기름 지게 하기 위한 실천적 행위였다고 해석하였다. 그 의례가 그러한 목적을 위하여 행해졌다는 것에는 의심의 여지가 없다. 이는 마치 모든 종교 의례에서 신으로부터 복을 받기 위해 기도가 보편적으로 행해지는 것과 같다. 그러나 그러한 주술과 기도가 누미누스 체험의 독특성 — 프레이 저보다 문제의 핵심에 보다 가까이 있는 권위자들이 종교에서 보편적으로 인정하는 — 을 대표하는 것은 아니다. 우리는 다음과 같이 가정할 수는 없다. 즉 우리들보다 누미누스로부터 덜 보호되고 있던 초기 인류는 누미누스에 어느 정도 면역되어 있는 심성을 가지고 있었고, 따라서 그것을 방어할 수 없음에도 불구하고, 그들은 누미누스적 압도감의 진정한 주체라기보다 일종의 원시적 사회과학자였다고 가정할 수 없는 것이다. 오토 교수는 이렇게 말했다. "자신의 청소년기의 감정, 소화 불량의 불편함 또는 사회적 감정을 기억할 수 있으면서도, 어떤 고유한 종교적 감정을 회상할 수 없는 사람과는 종교 심리학의 문제를 토론하는 것이 쉽지 않다."[25] 나의 독자들은 그처럼 강한 입장을 가지고 있다고는 생각하지 않기 때문에 더 이상 이러한 논의를 진행시키지는 않겠다. 그러나 기원전 4500년에서 2500년경에는 진기하고 신성한 별자리 — 성스러운 행위와 사물 — 의 출현이 콩을 재배하는 방법에 관한 새로운 이론이 아니라 "두려운 신비(mysterium tremendum)"에 관한 심층적 차원의 실제적 경험을 가리키고 있었음을 확실히 해두고 싶다. 그러한 경험은 그처럼 놀라운 가면을 쓰고 있지 않았다면 지금이라도 우리 모두에게 들이닥칠 수 있는 성질을 지니고 있다.

위대한 수메르 사원 지대의 내부에 존재하는 새로운 예술과 관념 체계는 기원전 2800년경에 이집트, 기원전 2600년경에 크레테와 인더스, 기원전 1600년경에 중국, 그리고 다음 천 년 동안에는 아메리카로 흘러 들어갔다. 그러나 종교적 경험 자체 ─ 문명의 새로운 요소들이 그 주위에 배치되어 있는 ─ 는 전파되지 않았으며 전파될 수도 없었다. 압도감 자체가 아니라 그것에 대한 예배와 그것과 연관된 예술만이 바람에 따라 흘러갔다. 이러한 예배와 예술들은 새로운 목적에 적용되었고, 새로운 지역에 적응하였으며, 의례에 의해서 희생되는 신-왕의 것과는 매우 다른 심리적 구조에 적용하였다.

이집트 신화에서 한가지 예를 들어 보자. 이집트 신화는 기원전 2800년경에서 1800년경 사이의 것들로서 전세계에서 가장 잘 보존되어 있다. 프레이저에 의하면, 죽었다가 부활한 신 오시리스의 신화는 탐무즈, 아도니스, 그리고 디오니소스의 신화와 사실상 동일한 신화라고 말할 수 있을 만큼 몹시 닮았다. 그는 이들 신화가 모두 선사 시대에 형성되었으며, 살해되었다가 다시 소생한 신성 왕의 의례와 관련되어 있음을 보여주었다. 더구나 최근의 고고학적 발굴에 의하면 신성 왕에 의해서 다스려지는 국가 관념이 최초로 형성된 진원지는 메소포타미아이다. 그러므로 오시리스와 그의 누이이자 신부인 여신 이시스의 신화는 후기 신석기-초기 청동기 시대에 보편적으로 존재한 신화적 주제의 이집트 판으로 보아야 한다.

왈리스 버지 박사는 이집트 종교에 관한 많은 저작에서 오시리스 신화가 아프리카에 기원을 두고 있음을 주장하였다.[26] 보다 최근에는 존 윌슨 교수가 "양쪽 모두를 분명히 새롭게 하였을 외부 접촉"을 입증하면서 이집트 신화와 문명의 형성 과정에 나일 강 원주민의 "장기적이며 점진적인 문화 변동"의 힘이 작용하였다고 주장하고 있다.[27] 그러나 외적 요인

에 의한 성장에 반대하면서 토착적 요인을 주장하는 논리는 2가지 문제
— 오히려 한 문제의 두 측면이라고 할 수 있다 — 가 의문시 될 때
무너지게 된다. 그 분야에 대한 거시적 조망을 하면 곧바로 드러나듯이,
잘 정립된 모든 문화 영역에서는 새로운 사상과 문명의 체계가 유입될
때 그것들을 관성적으로가 아니라 창조적으로 수용한다. 민감하고 복합
적인 선택, 적응, 발전의 과정은 새로운 형식들을 토착 전통 내부에 있는
그와 유사하거나 동일한 것과 접촉시키며, 어떤 경우 — 주로 이집트, 크
레테, 인더스 계곡, 그리고 이들보다 약간 후기의 극동 — 에는 토착적
생산성(indigenous productivity)이 지닌 거대한 힘이 토착 양식(*style*)으로
분출되지만 이는 새로운 단계(*stage*)에서의 분출이다. 다른 말로 하면, 어
떤 특정 시기의 문화 단계가 외적 영향의 결과로서 나타날 수 있지만,
각 위대한 문명의 독특한 양식은 분명히 토착적일 수 있다. 주로 토착적
형식에 관심있는 학자들은 지방적 양식의 독특성을 논의하는 경향이 있
음에 반하여, 광범위하게 확산된 기술, 물품, 신화적 모티브의 증거에 주
목하는 학자들은 인류의 단일 문화사를 포착하는 데에 관심을 가지는 경
향이 있을 것이다. 인류 문화사는 잘 정의된 지방적 양식에 의해서 표현
되기도 하지만 잘 정의된 일반적 단계들에 의해서도 특징지어진다. 고등
문명의 근본적인 신화적 유산의 기원과 전파를 분석하는 것과 다양한 지
역의 신화적 양식의 발생, 성숙, 쇠퇴를 살펴보는 것은 별개의 일이다.
그리고 단일한 인류사의 맥락 속에서 각 지역적 양식의 힘을 측정하는
것은 또 다른 작업이다. 총체적 신화학은 이 3가지 측면을 가능한 한 모
두 고려해야 한다.

4. 사제 국가

이집트의 독특한 양식을 보여주는 가장 오래된 예술 작품은 정복하고
있는 파라오의 모습을 양쪽에서 보여주고 있는 돌로 조각된 봉헌도이다

(〈그림 7〉, 〈그림 8〉). 이것이 발견된 장소는 상(上)이집트(나일 강 상류의 이집트/역주)에 있는 히에라콘폴리스(Hierakonpolis)인데, 이곳은 태양의 매인 호루스(Horus)에게 헌신하는 일련의 왕들의 대관식이 행해진 본래의 장소였던 곳으로 보인다. 기원전 2850년경 이 왕들은 북(北)이집트로 이동하였는데, 그곳에서 두 이집트 지역을 통일하여 제1왕조를 세웠다. 그곳에서 발견된 두번째 것은 벽돌로 만든 지하 무덤의 방이다. 석고로 된 이 방의 한쪽 벽은 사냥, 항해, 그리고 전쟁 장면으로 되어 있으며, 신석기 후기의 비교적 유치한 토기 양식을 보여주고 있다(〈그림 6〉).[28] 이 무덤은 이집트학(Egyptology)에 최초로 알려진 벽화로 유명할 뿐 아니라 그 당시 메소포타미아의 진흙땅으로부터 유입된 새로운 관념을 보여주는 벽돌로도 유명하다.

〈그림 6〉 히에라콘폴리스의 무덤 벽화 : 이집트, 기원전 2900년경?

이집트 무덤은 이전에는 단순한 "노천굴"의 형태를 하고 있었으며, 외곽은 둥근 모서리를 지닌 직사각형으로 되어 있었다. 작은 무덤은 달걀 모양이었다. 시신은 짐승 가죽이나 몇 겹의 헐렁한 헝겊 혹은 그 2가지를 함께 사용하여 싸고, 웅크린 모습으로 왼쪽에 안치한다. 이때 얼굴은 서쪽을 향하고 머리는 남쪽을 향하여 놓는다. 집안에서 쓰는 사기그릇들을 시신의 양쪽 옆에 가득 놓은 후 구덩이를 덮는다. 덮고 남은 흙은 둥그런 봉분을 만들어 제물을 바치는 장소로 사용한다.[29] 그러나 벽돌을 사용하면서부터 지면 아래에 있는 노천굴(하부 구조)에 흙을 사용하지 않고 방을 만들 수 있게 되었다. 또한 지상에 있는 봉분의 높이도 올라가고, 심지어 벽돌로 된 거대한 마스타바(상부 구조)로 확대되었다. 이러한 마스타바는 지하에 매장된 인물의 기념비로 사용되기도 하고 그의 죽음을 기념하는 예배당으로 사용될 수도 있었다. 그러나 그러한 상부 구조들은 돌처럼 내구성을 지니고 있지 못하였다. 조지 라이스너 교수는 이집트 무덤에 대한 자신의 기초적인 연구에서 다음과 같이 말하였다. "이러한 종류의 거대한 구조물은 마지막 반 세기의 몇 년 사이에 분명히 사라졌다."[30] 마침내 마스타바도 사라지고, 왕들이 영원히 잠자고 있는 지하의 방들도 약탈되었다. 그리고 부서진 지붕을 통해 모래들이 쏟아졌다.

히에라콘폴리스에 있는 방은 매우 컸다. 길이 15피트, 넓이 6½피트, 깊이 5피트의 이 방은 낮은 칸막이에 의하여 똑같은 크기의 방으로 양분되어 있다. 바닥과 벽은 불에 굽지 않은 벽돌로 되어 있으며, 벽돌의 크기는 평균 9인치로서 가로 4½인치, 세로 3½인치이다. 벽돌과 벽돌 사이는 노란색으로 도금된 진흙 모르타르로 칠했다. 벽의 윗부분은 사막의 표면처럼 붉은색을 띠고 있으며 거기에 있던 내용물은 사라졌다.[31] 그렇지만 그림은 남아 있다. 그 그림에 있는 높은 선체를 지닌 배들은 인상적인데 모두 메소포타미아 양식의 배에 속한다. 그 많은 그림들 중에서 뒷발로 균형을 잡고 일어선 동물을 움켜쥐고 있는 사람(왼쪽 아래로부터 4번째의 그림)이 눈에 뜨인다. 그의 어깨 위쪽에는 5마리의 영양으로 만든 회전 목마가 있다. 긴 배의 오른쪽 끝에는 2마리의 영양이 서로 반대 방향(위와 아래 방향)을 응시하면서 다리를 결합하고 있다. 이러한 모든 모티브들은 서남아시아로부터 이집트로 유입된 것이다. 서남아시아에서는 이러한 모티브들이 이미 기원전 4500년경부터 채색 토기(사마라 도기) 위에 흔하게 나타났다.

메소포타미아로부터 흘러 나오는 문화적 발견의 물결에 의해서 분명히 영향받았지만,[32] 나르메르 팔레트(Narmer palette)가 만들어진 시기의 이집트 예술은 갑작스럽게도 — 우리가 아는 한 유례가 없는 — 돌 조각 양식과 방법의 우아함만이 아니라 그 자체의 특징을 지닌 확고하게 정립된 신화를 보여주고 있다. 그 팔레트에 나오는 군주는 요즈음 많은 학자들이 메네스(Menes)와 동일시하는 파라오 나르메르이다.[33] 메네스는 기원전 2850년경 상이집트 왕국과 하이집트 왕국을 통일한 군주이다.[34] 그리고 거기에 나타난 기념 행사는 그의 북왕국 정복을 기념하는 것으로 보인다.

〈그림 7〉 나르메르 팔레트(앞면) : 이집트, 기원전 2850년경.

역사학의 아버지 헤로도투스(기원전 484-425년)는 이렇게 기록하였다. "사제들에 의하면, 이집트의 첫번째 왕은 메네스이고 나일 강의 범람으로부터 멤피스를 막기 위하여 제방을 쌓은 자는 바로 그 왕이다. 그의 시대 전에는 리비아 쪽에서 이집트에 접하고 있는 모래 언덕을 따라서 나일 강이 완전히 범람하였다. 그러나 그는 멤피스 남쪽으로 약 100펄롱 (1펄롱은 1/8마일) 정도의 굴곡을 가진 강에 제방을 쌓아서 옛날의 수로를 마르게 하는 한편, 두 언덕의 중간쯤에 새로운 수로를 팠다. …… 이처럼 첫번째 왕인 메네스는 강의 수로를 변경하여 마른 땅으로 된 넓은 지대를 마련하였으며, 그곳에 지금 멤피스라 불리는 도시를 건설하려고 하였다. 멤피스는 이집트의 좁은 지대에 위치하고 있다. 그후 그는 도시의 바깥 북쪽과 서쪽으로 하나의 호수를 팠는데, 이는 그 자체가 동쪽의 경계선 역할을 하는 강과 서로 연락하기 위한 것이었다."[35]

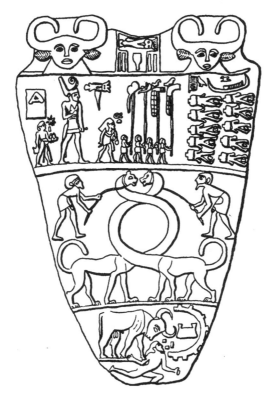

〈그림 8〉 나르메르 팔레트(뒷면) : 이집트, 기원전 2850년경.

나르메르 팔레트의 맨 윗부분에는 2개의 육중한 뿔이 달린 암소-여신 하토르(Hathor)의 머리가 좌우로 새겨져 있는데, 그녀는 모서리에서 주재자의 자격으로 있다. 앞뒤 양면에 새겨져 있으므로 모두 4개의 머리가 있는 셈이다. 4는 하늘의 네 방향을 나타내는 수이며, 이처럼 4번 그려진 여신은 지평선을 한정하는 존재로 간주되었음에 틀림없다. 그녀는 지평선의 하토르로 알려졌으며, 그녀를 표상하는 동물은 암소였다. 이 암소는 수메르의 목축의 여신 닌후르사그 숭배에서처럼 길들여진 암소가 아니라, 늪지에서 살고 있는 야생 암소이다.[36] 여기에서 지역적 차이가 분명하게 드러난다. 학문적으로 검토하면 이 2가지 의례는 같지 않지만, 통찰력을 가지고 살펴보면 양자는 사실상 동일하다. 두 의례는 모두 신석기 시대의 우주 여신인 암소에 대한 의례이기 때문이다. 하토르는 네 다리로 지상에 서 있으며 각각 네 방향의 기둥을 표상하고 있다. 그녀의 배꼽은 창공이다. 더구나 태양인 동시에 황금 태양의 매이기도 한 호루스 신은 동쪽에서 서쪽으로 날고 있으며, 다음날 새벽에 다시 태어나기 위하여 매일 저녁 그녀의 입 속으로 들어갔다. 따라서 호루스는 "그의 어머니의 황소"로서 사실은 그 자신의 아버지였다. 그러므로 "호루스의 집"을 의미하는 "하토르"라는 이름을 지닌 이 우주 여신은 스스로를 낳는 그 신의 배우자이자 어머니가 된다. 이 남신은 맹금(猛禽)의 측면도 지니고 있다.[37] 강력한 황소인 아버지의 측면에서 보면, 이 신은 오시리스이며, 살아있는 파라오의 죽은 아버지와 동일시된다. 매이자 호루스인 아들의 측면에서 보면, 이 신은 지금 왕관을 쓰고 있는 살아 있는 파라오이다. 그러나 본질적으로 보면, 살아 있는 파라오와 죽은 파라오, 즉 호루스와 오시리스는 동일한 존재이다.

프랑크포르트 교수에 의하면 이집트 어에서는 "'집', '마을', '나라'가 '어머니'를 상징한다."[38] 그러므로 암소-여신 하토르, 즉 "호루스의 집"은 우주의 틀일 뿐 아니라 이집트의 땅이자 왕궁이고 살아 있는 파라오의 어머니이기도 하다. 한편, 앞에서 살펴보았듯이, 집안의 거주자로서 자기 자신을 낳기도 하는 그는 그 자신일 뿐만 아니라 그의 아버지이기도 하다.

이 모든 것들은 약간 혼동스럽게 보일 것이다. 우리가 파라오를 어떠어떠한 시기에 태어나고 어떠어떠한 행동으로 알려지고 기원전 어떠어떠한 때에 매장된 유한한 존재로 생각한다면 물론 그럴 것이다. 그러나 그렇게 기술되는 파라오는 신화에서 다루는 파라오가 아니다. 그것은 그 자신의 어머니의 황소가 되는 매가 아니다. 파라오의 원칙, 즉 대문자 P로 쓰여지는 파라오(Pharaoh)는 유한한 존재가 아니라 영원한 존재이다. 그러므로 신화학과 상징론에서 다루는 것은 항상 그러한 파라오였으며, 이 파라오가 연대, 왕조, 그리고 다른 역사적 관심사를 결정할 때 쓰이는 유한한 파라오들로 육화한 것이다.

불멸의 속성을 유한한 인간에게 귀속시킨 이러한 행위는 정말 대담한 시도이다. 그러나 당시에는 연극에서처럼 인간이 아니라 분장과 의상에 주목함으로써 광기를 비켜 나갈 수 있었다. 직책을 맡고 있는 자는 "경전이 완성될 수 있도록" 그의 의지가 아니라 그의 역할에 따라 행동하였다. 언젠가 토마스 만이 "신화를 사는(lived myth)" 현상에 관한 논의에서 잘 설명한 것처럼 "고대인의 에고와 자의식은 우리의 그것과는 달리 덜 배타적이고 덜 날카로운 구별 능력을 지닌다. 사실상 그들의 의식은 뒤로 열려 있다. 그들은 과거로부터 많은 것을 받아들이며 그것을 반복함으로써 다시 그것에 현재성을 부여한다." 그리고 그처럼 부정확하게 분화되는 에고 의식에서는 "'모방'이 오늘날 그 말이 지니는 의미보다 더 많은 것을 의미하였다. 그것은 신화적 동일시(mythical indentification)였다. …… 삶 혹은 의미 있는 삶은 피와 살로 이루어진 신화의 재구성이었다. 삶은 신화를 언급하였고 신화에 호소하였다. 신화를 통해서만, 그리고 과거를 언급함으로써만, 삶은 그 자체를 진실되고 의미있는 것으로 받아들였다." 이러한 신화로서의 삶과 인용으로서의 삶이라는 숭고한 놀이를 행한 결과, 시간이 폐기되고 삶은 축제가 되고 가면이 되었다. 죽었다가 부활한 오시리스의 삶과 고통에서처럼, 사제들이 신의 원형의 행위자로서 나타나는 연극적 재생산이 이루어졌다.[39]

그러므로 나르메르 팔레트 위의 파라오는 특정한 시간과 공간, 즉 어떤 시점의 이집트 땅에서 역사적 행위를 한 자로서 나타나지만, 그는 단지 성공한 전사 왕으로 묘사되는 것이 아니라 영원한 형상의 역사적 현현으로 그려진다. 이러한 형상은 "진리" 혹은 "올바른 질서(마트[maat])"로 알려져 있으며, 왕의 행위 속에서 실현되는 동시에 왕을 지탱한다.

진리, 마트, 올바른 질서는 그 자체가 암소-여신 하토르로 신화적으로 인격화되어 나타난 원리이다. 그녀는 영원히 존재하면서 세계를 지탱하는 원리이자 세계의 틀이며 그 안에서 작동하는 모성적 힘이다. 그녀는 실현된 신을 낳으며 그와 동시에 그 신의 행위에 의하여 그녀의 생산성 안에서 열매를 맺는다. 그 신이 자신의 어머니의 황소라고 불리는 것은 바로 이 때문이다. 그리고 나르메르 팔레트에서 신화화된 역사적 사건이 여신 하토르의 네 얼굴에 의해서 틀 지어지는 것도 바로 그 때문이다.

프랑크포르트 교수는 말한다. "정복이 끝나자, 이집트의 통일을 투쟁하는 야심적인 세력간의 잠정적 결과가 아니라 미리 예정된 질서의 계시로 보는 것이 가능해졌다. 그러므로 왕권은 이집트 역사를 통하여, …… 사실상 신적 질서의 정당화로 간주되어 왔다."[40] 그러므로 신-왕에 의해 수행되는 전쟁과 그 잔인함은 자연에 대한 폭력이 아니라 영원한 도덕적 규범인 마트의 실현으로 간주되었다. 그리고 철퇴를 든 왕은 지상적 힘이자 계시였다. 그러한 왕에 대해서는 이렇게 말한다. "권위있는 말(후[hu])은 당신의 입에 있으며, 이해심(시아[sia])은 당신의 가슴에 있으며, 당신의 연설은 올바른 질서(마트)의 사당이다."[41]

왕의 신성한 의식용 복장과 고도의 양식화를 보여주는 나르메르 팔레트의 기술은 우리의 관심을 신화적 초점으로 이끈다. 거기에는 그 사건을 지지하는 신들이 출현하고 있다. 한편에는 길고 하얀 상이집트 왕국의 왕관을 쓰고 철봉을 든 채(호루스의 자세) 델타 늪지대의 추장을 살해하는 파라오가 보인다. 이 불행한 인간(여기서 이 사람은 흑암의 적대자, 즉 호루스에 의하여 살해된 오시리스의 적, 다시 말해서 세스[Seth]신의 역할을 하고 있다)의 머리 뒤에는 하이집트의 제7놈(nome : 고대 이집트의 행정 구역의 하나/역주)의 상징인 작살이 호수 위에 수평으로 놓여 있다. 이것은 어로 민족의 문장(紋章)으로서 이들의 고대 수도는 서델타의 성스러운 도시 부토였다. 이들의 주신(主神)인 코브라-여신 와드제트(Wadjet)는 (마트라고 하는 우주적 지모신이 지닌 일반적인 힘의 특수한 현현에 불과한 각 지역 여신들의 경우처럼) 이제 승리자의 후견인이자 보호자가 되었으며, 보다 빈번하게 등장하게 되었다. 파라오의 뒤에는 그의 샌들을 가지고 있는 사람이 보인다. 그의 앞에 있는 희생자의 머리 위에는 매 1마리(호루스, 작동 중에 있는 힘)가 있는데, 그 매는 어떤 사람의 코를 관통하고 있는 밧줄을 쥐고 있다. 이 밧줄은 마치 파피루스 늪지에서 올라오는 듯한 모양을 하고 있다. 한 비문에는 "6천 명의 적"이라고 쓰여 있다. 팔레트의 가장 낮은 부분에는 두 사람의 시체가 떠 있다.

반대쪽 면에도 이와 똑같은 나르메르 왕이 새겨져 있다. 이번에는 그가 정복한 하이집트 왕조의 평평하고 붉은 왕관을 쓰고 있는데, 거기에는 상징적인 고리가 달려 있다. 그리고 이번에도 그의 샌들을 가지고 있는 자가 뒤를 따르고 있으며, 4개의 상징적 군기(軍旗)가 그의 앞에서 인도하고 있다. 이 승리자는 목이 잘린 10명의 적을 향해 나아가고 있는데, 그 적들의 머리는 그들의 발 사이에 놓여 있다. 팔레트의 맨 밑에는 성채를 파괴하고 있는 힘센 황소가 있다. 이 황소는 하토르의 배우자 역할을 하고 있는 파라오이다. 가운데에는 뱀의 목을 한 사자 혹은 표범이 있는데 이는 두 왕조의 통일을 뜻하는 놀라운 상징물이다. 이러한 상징물은 메소포타미아에서 온 것으로 보이는데 메소포타미아에서는 기원전 3500년경에 이와 똑같이 목을 서로 얽고 있는 예들이 보이기 때문이다.[42] 메소포타미아에서처럼 이집트에서도 서로 얽힌 형태는 통일을 의미하는 반대 쌍의 합일을 상징한다. 그러한 것은 영웅적으로 결합한 두 이집트를 나타내는 개념이다.

왕의 표상들을 자세히 살펴보면 그의 치마 앞부분 윗쪽에 4개의 패널(panel : 긴 네모꼴의 그림/역주)이 달려 있다. 그 패널의 꼭대기는 하토르의 머리로 장식되어 있다. 하토르가 네 방향을 암시하면서 다시 4번 나타나고 있는 것이다. 이 왕의 허리띠는 수평선을 상징하며 파라오가 신의 대역으로서 수평선 역할을 하고 있는 것이다. 이 허리띠에는 꼬리와 같은 것도 달려 있다. 그의 앞에서 나아가고 있는 4개의 깃발 위에 그려진 그림을 왼쪽으로부터 오른쪽으로 살펴보면 다음과 같다. 첫번째 것은 왕의 태반(胎盤)이고, 두번째 것은 셰드셰드(shedshed)라고 알려진 형상 위에 서 있는 늑대신 우프와우트(Upwaut)이다. 셰드셰드는 길을 여는 자로서 승리의 왕 앞에서 나아간다. 세번째 것은 태양의 매이고, 네번째 것은 제2의 태양의 매이다. 여기에서 나타나는 숫자도 4임을 알 수 있다. 이 4개의 깃발은 왕실 제사의 역사에서 두드러지게 나타나고 있다. 이것들은 호루스의 집에 거주하는 자의 다양한 측면을 나타낸다. 이 거주자는 "세계 왕"인 이 파라오 안에 현현한 것이며, 파라오의 지지와 힘이 네 방향으로 뻗어가는 것이다.

여기에 나타난 보편적 군주의 개념은 왕권 자체의 개념 및 제도와 함께 후기 게르지안(Gerzean) 시기의 이집트에 출현하였고, 이와 동일한 개념이 몇 세기 후의 인도, 그리고 더욱 후기의 중국과 일본에서도 분명히 출현하였지만, 각 지역에서의 특수한 적응 양식은 그 자체의 독특성을 지니고 있다. 더구나 각 지역의 새로운 양식은 어떤 전조도 없이 갑작스럽게 출현한 것 같다. 슈펭글러는 『서구의 몰락(Decline of the West)』에서 역사가들이 거의 다루지 않은 이 문제를 언급하였다. 그는 그러한 문화 양식들이 어떤 위기의 시대에 제한된 지평 안에서 갑자기 출현하고, 또 그러한 것들이 수 세기 동안 많은 발전 단계와 변동을 거쳐 지속되어 간다는 사실을 지적하였다. 나르메르 팔레트는 이미 이집트의 것이다. 그러나 이보다 약간 빠른 시기에 만들어진 색채가 거의 없는 무덤은 아직 이집트의 것이 아니다. 나르메르 팔레트 위에 새겨진 서로 얽힌 짐승의 목은 무덤 내부를 논하면서 언급한 모티브처럼 메소포타미아에서 유래한 것이다. 그러나 나르메르 팔레트 위에서 그것들은 하나의 힘의 장(場) 속으로 끌려들었다. 그 힘의 장은 그것들을 우주 안에서의 인간의 위치와 운명에 관한 이집트의 신화시적 독해(mythopoetic reading)의 과제로 변형시켰다. 그렇지만 무덤 벽 위의 것들은 아직 그렇게 관련되지 못하였다. 그것들은 정리되지 못한 잡다한 형태로 거기에 남아 있었다. 그것들은 어떤 이야기를 말하는 것 같기도 하고 말하지 않는 것 같기도 하다. 우리는 그것을 잘 모른다. 어떻든 그것들은 그후 3천 년 동안 이집트의 위대한 신화가 된 그러한 특별한 이야기 — 다양한 강조점을 지니면서도 여전히 동일성을 유지하는 — 를 말하지 못하고 있었다.

인도와 극동에서도 이와 유사한 계기들, 즉 그 지역 문화의 성격이 확립될 당시에 특정한 계기들이 존재하였음을 인정해야 할 것이다. 그 계기들 안에서는 우주에 대한 새로운 독해가 사회적으로 시작된다. 그러한 계기들은 처음에는 광범위한 장을 통해서가 아니라 특정한 초점 안에서만 형태를 취하지만, 후에는 힘의 중심으로 된다. 그리고 처음에는 엘리트를 형성하다가 점차 보다 광범위하게 공유되고 담지되는 문명의 구조를 형성하게 된다. 반면 일반 대중들은 본질적으로 문자 이전의 신석기 시대의 수준, 다시 말해서 높은 수준의 역사의 주체이자 창조적 생명력으로 존재하기보다는 그러한 역사의 대상과 원자료로서 존재한다.

예기치 않았던 문화 양식의 갑작스러운 출현의 계기가 지닌 심리학적 비밀이 무엇인지에 대해서 우리는 아직 들어본 적이 없다. 적어도 내가 아는 한 그렇다. 슈펭글러는 유한성에 대한 새로운 의식과 경험 ─ 즉 죽음에 대한 새로운 공포와 세계에 대한 새로운 두려움 ─ 이 촉매 역할을 하였다고 서술하였다. "죽음에 대한 인식 속에서, 짐승이 아니라 인간으로서 우리가 소유하는 그러한 세계관이 형성되었다"[43]라고 그는 선언하였다.

슈펭글러는 계속 말하였다. "어린이는 생명력을 상실한 시체, 다시 말해서 전적으로 물체와 공간이 되어버린 어떤 것을 어느 순간 갑자기 이해하려고 한다. 그와 동시에 그는 낯설고 광활한 세계 안에서 자기 자신을 개별적 존재로서 느끼게 된다. '다섯 살의 어린 시절부터 지금의 나 자신에 도달하는 데에는 단지 한걸음이면 족하다. 그러나 신생아로부터 다섯 살 어린이 사이의 거리는 엄청나게 멀다'고 토인비는 말한 적이 있다. 바로 이러한 결정적인 실존의 순간에 인간은 처음으로 인간이 되고 우주 안에서 그의 무한한 고독감을 깨닫게 된다. 그리고 세계에 대한 공포가 처음으로 그 자체를 본질적으로 인간적인 두려움, 즉 죽음, 빛의 세계의 한계, 냉혹한 공간의 현존에 직면한 인간적 공포로 드러난다. 바로 여기서 죽음에 대한 사색이라는 높은 수준의 사상이 출현하는 것이다."[44]

그후에 "그것을 파악하는 형식이 어떤 것 ─ '영혼'과 '세계', 또는 삶과 현실성, 또는 역사와 자연, 또는 법과 감정, 운명 혹은 신, 과거와 미래, 또는 현재와 영원 ─ 이건 간에, 우리가 의식하는 모든 것은 우리에게 보다 깊은 의미, 곧 최종적인 의미를 지니게 되었다. 이러한 이해 불가능한 것을 이해 가능하도록 만드는 유일한 수단은, '그 무엇이건 간에 모든 것'을 하나의 상징(*symbol*)으로서 의미를 지니는 것으로 간주하는 일종의 형이상학임에 틀림없다."[45]

나르메르 팔레트의 출현은 이집트 역사에서 결정적인 계기를 이루고 있다. 말하자면 이때 문화 유기체가 다섯 살의 나이에 도달한 것이다. 어떤 일이 분명히 일어났던 것이다. 보다 깊고, 보다 인간적이고, 보다 우주적이고, 6천 명의 적에 대한 정치적 도살이나 새로운 제국의 출현보다 더 가치 있는 일이 일어났다. 새로운 예술 양식의 출현 — 사실상 이집트의 예술 양식, 그리고 파라오가 그 안에서 이미 그의 역할을 완벽하게 담당하고 있는 통합적인 신화시적 소우주-대우주의 전망을 지닌 예술 양식 — 은 새로운 정치적 질서나 경제적 위기가 하나의 문명에 새로운 관념을 가져왔음을 가리키는 것이 아니라 정확히 그 반대를 가리키는 것으로 보인다. 나르메르 팔레트 안에 이미 **존재하고 있는** 관념은 수천 년간에 걸친 새롭고도 오래된, 친숙하고도 낯선, 불리하고도 유리한 정치적, 경제적 위기 속에서도 효과적인 문화 형성 및 문화 유지의 힘으로서 존속할 수 있었다. 그러나 그것은 로마 시대의 새로운 군대나 경제에 의해서가 아니라 그 시기의 새로운 신화에 의하여 대체되고 청산되어야 할 운명을 지니고 있었다.

5. 신화적 동일시

지난 세기의 마지막 몇 년 동안 상이집트의 아비도스 외곽 지대에 있는 모래 속에서 일련의 이상한 무덤들이 발굴되었다. 그 무덤들 안에 있던 물품들이 철저히 도굴되었지만, 신화의 성격을 파악하기에 충분한 증거들이 단편적으로나마 남아 있다.[46] 그중 가장 오래된 2개의 방은 왕국 시대 이전에 해당하는 기원전 2900년경의 것으로서 히에라콘폴리스의 방보다 크지만 그 내부에 석고와 그림이 없다. 각 방의 크기는 길이 20피트, 넓이 10피트, 깊이 10피트 정도이며, 벽의 두께는 벽돌 하나의 길이에 해당하는 11인치도 안 된다. 그 옆의 무덤은 새로 지은 것으로 엄청나게 크다. 가로가 26피트이고 세로는 16피트이며, 벽의 두께는 5피트에서 7피트에 이른다. 그 무덤 양편으로 5개의 목재 기둥이 1줄로 서 있으며, 끝에 있는 양편의 기둥은 내부의 목재 판을 지탱하고 있다. 이 거대한 방의 보조물도 발견되었다. 80야드 정도 북동쪽으로 달리고 있는 이 보조물은 새로 지은 것으로 약간 섬뜩한 모습이다. 33개의 작은 무덤들로 이루어진 이 지하 부동산 단지의 보조 무덤들은 벽돌로 되어 있으며, 앞에서 언급한 세 무덤은 각각 11개의 이 보조 무덤들과 연결되어 있다. 그리고 멀리 떨어진 끝 쪽에 아주 큰 무덤이 하나 있고, 그보다 가까운 쪽에 약간 큰 무덤 2개가 더 있다. 따라서 모두 36개의 보조 무덤이 있는 셈이다. 여기에는 무슨 일이 일어났음에 틀림없다. 우리는 그것이 무엇인지 알고 있다. 그것은 나르메르 왕의 무덤이자 대규모 공동 묘지였다.[47] 그 옆에 있는 스마(Sma) 왕의 무덤은 그와 같은 크기이지만 부속 공동 묘지가 없다. 그 옆에 있는 다른 무덤은 이와 동일한 크기이면서 뒤에 2개의 매우 커다란 보조 무덤을 가지고 있다. 어떤 권위 있는 학자들은 그 파라오의 이름인 아하-메나(Aha-Mena)를 메네스와 동일시하였다.[48] 그러므로 이 3가지 무덤 중 어느 것이 상이집트와 하이집트를 통일한 첫번째 파라오의 무덤인가 하는 물음이 생긴다. 그러나 이 지하 부동산의 보조 거주지에 매장된 사람들이 누구인가에 대해서는 물어볼 필요도 없다.

이집트 고왕국 시기(기원전 2850-2190년)의 국왕 장례식에서 행해진 의례의 성격을 보여주는 확고한 증거가 얼마 전에 나타났다. 이 증거들은 1913년에서 1916년 사이에 나타났다. 당시 라이스너 교수는 상대적으로 훼손되지 않은 이집트 묘지를 발굴하였는데, 약 200에이커의 넓이를 지닌 이 묘지는 나일 강의 상류인 누비아 지방에 있다. 기원전 2000-1700년경에 상당히 번성한 이집트의 한 지방 정부인 누비아는 북쪽으로 향하는 무역 통로, 특히 금의 공급 통로를 장악하였다. 이 시기는 이집트 중왕국 시대(기원전 2052-1610년)에 해당하며, (우리가 아는 한) 이 시기에는 이러한 종류의 의례가 이집트 문명의 중심부에서는 더 이상 행해지지 않았다. 그러나 당시에는 지금과 마찬가지로 대도시의 사악함으로부터 멀리 떨어져 있는 주변부의 사람들은 선하고 고풍스러운 방식을 지닌 그러한 종교를 선호하고 아끼는 경향이 있었다.

문제의 그 무덤은 거대한 공동 묘지로서 약 300년 동안 이용되어 왔다. 그 공동 묘지에는 조그마한 무덤들이 상당히 많았으며 거대한 무덤들도 인상적으로 많았는데, 그중에는 직경이 약 100야드가 넘는 것도 있었다. 발굴된 것은 예외 없이 인간, 특히 여성을 희생물로 바친 무덤들이었다. 죽은 자의 부인이 희생 제물이었으며, 보다 화려한 무덤의 경우에는 죽은 자에게 속한 모든 여성(하렘〔harem〕)과 시종이 함께 희생물로 바쳐졌다.

주인의 시신 —— 항상 남성이다 —— 은 언제나 무덤 남쪽의 오른쪽에 놓이며 대체로 머리 받침이 있는 침대 위에 안치된다. 머리는 동쪽에 두고 얼굴은 북쪽(이집트 쪽)을 향하고 있다. 무릎을 약간 구부리고 있으며, 오른손은 뺨 밑에, 왼손은 오른쪽 팔꿈치 위나 옆에 두고 있다. 따라서 마치 잠자는 모습과 같다. 그의 옆에는 일상적인 무기와 장신구, 화장실 용품과 청동제 도구, 타조 털 부채, 한 켤레의 날가죽 샌들 등이 놓여 있다. 하나의 가죽(대체로 황소 가죽)으로 시신 전체를 덮었으며 침대의 다리는 황소 다리 모양을 하고 있다. 시신은 리넨 옷을 입고 있으며 벽 주위에는 커다란 토기들이 많이 늘어서 있다.

여기서 매우 흥미롭고 중요한 것은 가죽 덮개와 황소 다리 모양이다. 플린더스 페트리 경은 스스로 발굴한 아비도스 사막 지역의 약탈당한 무덤들을 설명하면서, 그 무덤들 속에 들어 있는 산산이 부서진 부장품들 중에는 황소 다리를 연상시키는 다리를 가진 가구들(의자, 침대, 작은 상자 등)이 많다고 보고하였다.[49] 그러나 제5왕조의 말엽(기원전 2350년경)으로 갈수록 사자 다리가 황소 다리를 대체하기 시작하였다. 그 무렵에는 왕의 무덤에서 행한 인신 공희의 관습도 폐지되었다. 더구나 무덤들도 벽돌이 아니라 돌로 만들어졌으며, 지성소도 새로운 태양-신 레(Re)를 위하여 건립되었다. 파라오 자신이 지하의 무덤이 아니라 천상에 있는 그의 아버지에게 하듯이 레에게 제사를 드렸다. 그때부터 파라오는 "선한 신"으로 알려졌다. 이와 달리 제1왕조에서 제4왕조 시대의 파라오는 어느 누구에게도 제사를 드리지 않는 "위대한 신"이었으며, 우주 최고의 신의 현현으로 존재하였다.[50] 그러므로 제1왕조 창립의 해인 기원전 2850년경과 제5왕조 몰락의 해인 기원전 2350년경 사이의 이 기념비적인 500년 동안, 강력한 황소에 대한 파라오의 숭배가 절정에 달하였고 또 그것의 변형이 일어났던 것으로 보인다. 이러한 과정은 어떤 문헌에도 기록되어 있지 않으며, 죽었지만 계속해서 살아 있는 파라오의 무덤과 매장지의 무언의 형식과 부장품 속에 존재할 뿐이다.

　누비아 공동 묘지의 무덤들에서 발견된 주인의 시신과 가구는 전체 발굴품의 일부에 지나지 않았다. 나머지는 다른 사람들의 시신이었는데, 작은 무덤들에서는 1구에서 12구 정도, 큰 무덤들에서는 50구에서 400구 내지 500구의 시신이 발견되었다. 앞에서 언급한 직경 1백 야드가 넘는 거대한 무덤에는 동쪽에서 서쪽으로 달리면서 중앙을 통과하는 긴 복도가 있는데, 그곳으로부터 벽돌벽 — 사실은 해골로 가득 찬 — 으로 된 하나의 묻혀버린 도시가 외곽으로 펼쳐지고 있다. 무덤에서는 거세하지 않은 숫양들의 유해도 많이 발견되었다. 그리고 주인의 시신은 항상 온화한 자세를 취하고 있음에 반하여 다른 시신들은 아무런 규칙 없이 방치되어 있다. 대부분의 시신은 오른쪽에 놓여 있으며 그들의 머리는 동쪽을 향하고 있지만, 그들의 자세는 취할 수 있는 모든 자세를 다 취하고 있다. 반쯤 펼쳐진 주인의 자세에서부터 가장 극단적으로 접혀 있는 자세에 이르기까지 매우 다양하다. 손은 대체로 얼굴 위나 목구멍에 놓고 있지만, 두 손을 꽉 쥐거나 머리카락을 잡고 있는 경우도 있다. 라이스너 교수는 "나는 이러한 나머지 시신들을 희생 제물이라고 부른다"[51]라고 썼다.

　작은 무덤이건 커다란 무덤이건 간에 시신의 대부분이 여성이었음은 확실하다. 그중의 한 시신은 보석과 무덤 장신구로 잘 장식한 채 짐승 가죽 밑에 있는 침대 바로 앞 혹은 침대 바로 위에 항상 놓여 있었다. 오랜 기간에 걸친 신중한 발굴 작업과 이러한 무덤에 대한 연구 끝에 라이스너 교수는 "그 집단은 가족 구성원 전체를 반드시 포함하는 것은 아니지만, 한 가족의 구성원들로 이루어진 가족 집단을 나타낸다"라고 선언하였다. 시신의 숫자가 비문의 크기에 거의 비례하는 커다란 무덤들의 경우, 함께 매장된 400-500명의 수행원의 숫자도 수단 총독인 이집트인의 하렘을 대표하기에는 그렇게 많은 숫자가 아니었을 것이다. 그 수행원들 중에는 상당히 많은 수의 여성과 어린이만이 아니라 남성 경호원과 하렘 시종들도 포함되었을 것이다. 그리고 확증할 수는 없지만 그 남성들 중 일부는 환관이었을 것이다.

(라이스너 교수가 우리에게 알려주는) 그 사람은 주요 무역로와 이집트의 금 공급을 장악한 한 지역의 총독이었다. 그는 테베와 멤피스에서 출발하여 여러 날이 걸리는 곳에서 거의 독립적인 지위를 누리면서도 이집트의 왕에게 조공을 바치는 태수의 위치에 있었음에 틀림없다. 그러한 상황에서는 하인, 종, 그리고 그의 잡다한 자식들로 이루어진 하렘이 — 동양에서는 — 500명 이상 되는 것이 어렵지 않았다. 그러므로 작은 무덤의 시신들에 관하여 언급한 내용은 큰 무덤의 시신들에 대해서도 그대로 적용된다. 이러한 거대한 무덤들은 같은 날에 만들어진 가족 매장지들의 표본이 되며, 가족 매장지의 규모는 가장의 지위와 힘에 비례하였다.

매장지는 주인과 시종, 여성, 어린이를 포함한 하나의 가족 집단을 상징하고 있고, 그들은 모두 같은 날, 같은 무덤에 함께 매장되었다. 어느 하나의 무덤에서만이 아니라 거대한 공동 묘지에 있는 모든 무덤에서 이러한 일이 일어났다. 이집트 지역에서만 이러한 것이 거의 400여 개나 되고, 이러한 관행이 수백 년간에 걸쳐 행해졌음에 틀림없다고 결론짓는다면, 이때 어떠한 인간 경험의 조건 하에서 그러한 관습이 존속할 수 있었는가 하는 물음이 생긴다. 이를 전쟁으로 설명하는 것은 터무니 없는 짓이다. 범죄자에 대한 처형이나 정치적 보복에 의하여 수많은 가족을 계속하여 제거시켰다고 보는 해석도 진지한 고려의 대상이 될 수 없다. 수많은 세대에 걸쳐 수많은 가족을 동시적으로 무덤에 보낼 정도로 그렇게 사악하고 편리하게 작동할 수 있는 세균의 존재는 아직 현대 과학에 알려진 적이 없다. 현대의 지식을 총동원하여 볼 때, 가족이나 그 일부의 구성원을 주인과 함께 저세상으로 보내는 하나의 관습만이 알려져 있다. 그것은 광범위하게 행하여져 왔지만 사티(satī) 혹은 수티(suttee)라고 불리는 힌두적 형태로 가장 잘 드러난다. 이러한 힌두 관습에서는 죽은 자의 아내가 남편을 화장하는 장작불 위에 자신의 몸을 던진다(혹은 던져진다). 이와 같은 관습은 케르마(Kerma)의 무덤에 기록되어 있는 사실들을 완벽하게 설명한다. 수 년간 심사숙고하여 보았지만, 이러한 사실들을 부분적으로나마 설명할 수 있는 어떤 다른 관습 ── 알려지거나 가능한 ── 도 나는 생각할 수 없다.[52]

이제 우리는 재미있는 하나의 수수께끼에 도달하게 된다. 이 수수께끼는 이집트의 고대와 인도 및 극동의 고대를 진지하게 비교하는 사람들의 마음에 확실하게 나타난다. 모든 국면에서 지속적으로 나타나는 수많은 유사성의 수수께끼가 바로 그것이다.

예를 들면 나르메르 팔레트의 신화에서 암소의 상은 물론 분명하게 드러난다. 인도의 문학과 삶 전체에 나타난 암소의 종교적, 정서적 지시물의 범위는 엄청나게 넓다. 그러나 인도에서는 암소가 항상 온화하고 사랑스러운 모성적 이미지, 간디의 표현을 빌면, "연민의 시(poem of pity)"의 방식으로 나타난다.[53] 이미 『리그 베다(*Rig Veda*)』(기원전 1500-1000년경)에서는 신들의 어머니인 여신 아디티(Aditi)가 암소의 모습을 하고 있다.[54] 제의에서는 그녀의 이름이 암소로 불린다.[55] 그녀는 "피조물의 후원자"[56]이고, "광범위하게 확장되어 있고",[57] 태양신 미트라의 어머니이고, 진리와 우주 질서의 수호자인 바루나의 어머니이다.[58] 또한 그녀는 인드라의 어머니이기도 한데, 인드라는 계속해서 황소로 언급되고 있는 신들의 왕이자 세계 군주의 원형이다.[59] 탄트라와 푸라나 시대(약 500-1500년)에 해당하는 후기 힌두교에서는 비슈누와 시바의 의례 및 신화가 만개하였는데, 이때 시바는 황소와 동일시되고 비슈누는 사자와 동일시되었다. 시바를 태우고 있는 동물은 흰 황소 난디인데, 그의 온화한 모습은 그의 모든 신전에서 눈에 뜨이게 나타난다. 그중에서 가장 유명한 것은 마드라스(700-720년경의 쇼어 사원)[60] 근처의 마말라푸람(Mamallapuram)에 있는 난디의 상이다. 그 사원을 둘러싸고 있는 일종의 울타리 형태를 취한 난디는 여러 번에 걸쳐 다양한 모습으로 나타나고 있다. 더구나 시

78

바의 배우자이자 사랑과 충성에 미쳐 그녀 자신을 파멸시킨 여신 사티(수티로 발음된다)는 인도의 이상적인 아내의 모델이다. 마지막으로 우주적 왕(카크라바르틴〔cakravartin〕)에 관한 인도적인 이미지와 이상이 있는데, 그가 통치하는 영역은 지평선이다. 그가 나아가기 전에 태양-바퀴(카크라, cakra)가 신적 권위의 현현이자 사방으로 길을 여는 자로서 회전(바르타티, vartati)한다. 그는 32개의 위대한 징표(三十二相)와 수많은 보조 징표를 가지고 태어났으며, 죽었을 때에는 그의 유해 위에 거대한 사리탑(스투파)이 세워졌다.[61] 그는 고대 이집트 파라오의 이미지 및 이상과 완벽하게 대응하고 있다.

이러한 평행 현상들은 우연한 연관성을 맺고 있는 것이 아니라 서로 깊은 의미를 가지고 관련되어 있으며, 문화를 구조화하는 신화적 증후군(culture-structuring mythological syndroms)이다. 이러한 증후군은 모든 진정한 비교문화학, 비교신화학, 비교종교학, 비교예술, 비교철학이 지닌 핵심적 문제를 드러내고 있다.

그러므로 우리는 오늘날의 인도에서처럼 고대 이집트에서도 이처럼 가공할 만하고, 명백하게 지각이 없으며, 매우 잔인한 수티 의식을 발견하게 된다. 이는 상고대의 중국에서도 발견된다. 메소포타미아의 우르 왕릉에서도 발견되며, 유럽에도 그러한 증거들이 있다. 가장 위대한 문명이 최초로 만개하려는 순간에 인간이 자신의 인간성과 상식(살려고 하는 가장 근본적이고도 생물학적인 욕구라고 표현할 수 있는)을 꿈의 제단에 던져야 했던 것은 무엇을 의미하는가?

이 사람들은 자발적인 희생물이었는가, 아니면 잠자고 있는 도시에서 습격당하여 강제로 희생된 것인가?

라이스너 교수는 이렇게 말하였다. "만일 그 희생물로 바쳐진 사람들이 무덤에 들어가기 전에 죽었다면 그들은 모두 똑같은 자세를 하고 있었을 것이다. 즉 오른쪽에 가지런히 배열되어 머리는 동쪽을 향하고 오른손은 뺨 밑에, 왼손은 오른쪽 팔꿈치 위나 근처에 놓여졌을 것이다." 그러나 몇 사람은 그것과 비슷한 자세를 취했지만, 대다수는 다른 태도를 취하고 있었다. 라이스너 교수의 말을 인용하자면, 그것은 "오직 두려움, 고통, 고통을 당할 것이라는 예상의 결과이거나, 혹은 질식에 의해서 의식적으로 죽음의 고통을 당해야 하였던 아주 정상적인 사람들의 몸에서 자연스럽게 나타날 수 있는 어떤 움직임의 결과이다."

가장 흔하게 발견되는 모습은 두 손으로 얼굴을 가리거나, 한 손은 얼굴에 놓고 다른 손은 허벅지 사이에 끼운 자세이다. 가슴 앞에서 팔을 꺾어 자신의 뒷목을 잡고 있는 사람도 3명이나 있었다. 어떤 해골은 팔꿈치 사이에 머리를 들이박고 있었다. 라이스너 교수는 이러한 마지막 자세야말로 "흙으로 덮이는 순간의 인간의 마음 상태를 가장 잘 드러낸다"고 보고 있다. 오른쪽에 또 하나의 해골이 있었는데 머리가 서쪽을 향하고 있었다. 그의 오른쪽 어깨는 등 쪽으로 젖히어져 있었으며, 오른손에 타조 털 부채를 쥐고 있었다. 가슴 쪽으로 구부린 얼굴이 그 부채를 누르고 있었다. 왼팔은 앞쪽에서 오른쪽 팔뚝을 잡고 있었다. 쾌락을 위해 서로 이마를 맞대고 있는 2개의 해골도 발굴되었다. 구슬로 엮은 머리 장식을 오른손 손가락 사이에 꽉 쥐고 있는 해골도 있었는데, 이러한 모습은 그리 드물지 않았다. 그중에 어떤 무덤에서 발견된 중요한 희생물(prinicipal sacrifice)은 여자였는데, 그녀는 쇠가죽 침대 위에 돌아누워 있었다. 그 여자는 다리를 넓게 벌린 채, 왼손으로는 가슴을 꽉 쥐고 오른손으로는 골반뼈를 꽉 잡고 있었으며, 그녀의 머리는 왼쪽 어깨 위로 젖히어져 있었다. 또 다른 무덤에서는 침대 밑을 기어가다가 서서히 질식하여 죽은 가엾은 자도 발견되었다. 다리 자세를 보건대, 그녀는 원래 자신의 오른쪽에서 동쪽으로 머리를 향하고 있었으나, 갑자기 위장이 뒤집히고 머리가 심하게 뒤틀리면서 왼쪽 뺨에 머리가 놓여지게 되었다. 따라서 그녀는 북쪽 대신 남쪽을 향하게 되었다. 그녀의 팔은 아래로 축 늘어져 왼쪽 손이 엉덩이 위에 놓여지고 오른손은 분명히 왼쪽 발을 잡고 있었다. 침대가 낮기 때문에 그녀가 돌아눕기 위해서는 다리를 뻗어야만 하였다. 그렇지만 이것은 불가능하였다. 그녀의 다리는 침대 밑을 지나 뻗어나가야 하였지만 거기에 있던 흙담 때문에 그렇게 할 수 없었다. 또 중요한 희생물인 다른 여자가 발견되었는데, 그녀는 쇠가죽 침대의 다리 밑에 누워 있었다. 등을 돌린 채 오른손으로 오른쪽 다리를 잡

고 있는 그녀는 왼손으로 그녀의 흉부를 잡은 채 괴로워하고 있었다.[62]

질식의 고통이라는 현실적 상황에서 나타나는 이러한 괴로움 혹은 공포의 표지들에도 불구하고, 이러한 개인들의 정신적 상태와 경험을 우리 자신의 관점에서 해석해서는 안 된다. 그러한 운명에 대한 우리 자신의 상상에 근거한 반응 모델에 입각하여 판단해서는 안 되는 것이다. 이 희생물들은 본래부터 개인들이 아니기 때문이다. 그들은 개인적 삶의 방식을 운영하는 데에 필요한 개인적 운명과 책임에 대한 의식과 깨달음을 가지고 어떤 계급이나 집단으로부터 스스로를 구별하는 개별적 존재들이 아니다. 그들은 보다 큰 전체의 부분일 따름이다. 그들이 조금이라도 의미를 지니는 것은 불변하는 범주적 명령에 대한 그들 자신의 절대적 복종에 의해서일 뿐이다.

인도 사회에서 사용되는 수티(사티)라는 용어의 본래적 의미는 이처럼 특정한 역할과 완전히 동일시되는 마음과 정서의 어떤 특성을 나타낸다. 이 용어는 "존재하다(to be)"를 뜻하는 산스크리트의 동사 어근 sat에서 나온 말이다. 그것의 명사형은 satya로서, 이는 "진리, 즉 실현되고 완성되었다는 의미만이 아니라 실제의, 진정한, 진실한, 충실한, 덕망 있는, 순수한, 좋은"이라는 의미도 지니고 있다. 이 용어의 반대어인 a-sat는 "비실제적이고 비진리적인"이라는 뜻을 지니며 "잘못되고 사악한"이라는 의미도 지니고 있다. 그리고 이 용어의 여성분사인 a-sati는 "충실하지 못하고 정조가 없는 아내"라는 의미를 지닌다. 그러므로 sat의 여성분사인 sati는 진실로 어떤 중요한 여성이다. 그녀는 참으로 적절하게 여성의 배역을 행하는 자이기 때문이다. 그녀는 윤리적 의미에서만 선하고 참된 것이 아니라 존재론적으로도 참되고 진실하다. 자신의 충성스러운 죽음에서 그녀는 자신의 참된 존재와 하나가 되는 것이다.

동양의 고대 영혼의 깊고 고요한 우물은 자신의 실재를 초월하는 이러한 의식으로 가득 차 있는데, 이에 대한 약간 두려우면서도 직관적인 통찰이 최근 인도의 순장에 관한 거의 믿을 수 없는 보고서에서 나타나고 있다. 이 사건은 1813년 3월 18일에 일어났으며, 살아 있는 희생물을 직접 목격한 어떤 영국 배의 선장 켐프(Kemp)가 인도에서 활동한 초기 선

교사 윌리암 워드(William Ward) 목사에게 보고한 내용이다. 그 선장 밑
에서 일하는 젊고 유능한 선원의 하나인 비슈바나타(Vishvanatha)라는
사람이 잠시 병에 걸렸다. 어떤 점성술사가 그에게 죽음이 다가왔다고
말하자, 그는 죽음을 맞이하기 위해서 갠지스 강가로 옮기어졌다. 진흙으
로 덮인 강 가운데로 옮기어져 얼마 동안 물속에 있었지만 그가 죽지 못
하자 다시 강둑으로 옮기어졌다. 다시 뙤약볕에 의해서 태워지도록 방치
되었다. 그러나 이번에도 실패하자 다시 강으로 옮기어졌고 또다시 실패
하자 강둑과 강 한복판을 거의 36시간 동안이나 반복하여 왔다갔다 하였
다. 선장의 보고에 의하면, 마침내 그가 화장되자, 16살 정도 된 젊고 건
강한 그의 아내가 남편이 죽었음을 알고 "그 시체와 함께 산 채로 매장
될 필사적 결심을 하였다"고 한다. 그 영국 관리는 이런 종류의 결심이
미친 짓임을 그녀에게, 나중에는 그녀의 어머니에게 설득하려고 하였으
나 아무런 소용이 없었다. 그는 그들의 결심에서 추호의 망설임이나 후
회의 감정을 엿볼 수 없었다. 그 젊은 과부는 친구들과 함께 시체가 놓
여 있는 강가로 갔으며, 작은 망고나뭇가지가 그녀에게 주어졌다. 그녀가
그 나뭇가지를 집음으로써 그녀의 결심이 확인되었다.

　　오후 8시, 자신의 목숨을 바친 희생물과 함께 남편의 시체가 우리의 마당
아래 쪽으로 옮기어왔다. 나는 그곳에서 어떤 인간도 행할 수 없다고 생각
한 범죄 행위를 보기 위해 배를 고치고 있었다. 둘레가 15피트, 깊이가 5
내지 6피트 되는 둥그런 무덤이 마련될 때까지 시체는 강가의 흙 위에 놓여
있었다. (어떤 주문이 낭송된 후) 시체는 무덤 밑으로 운반되었으며, 얼굴을
북쪽으로 향한 채 앉아 있는 자세를 취하였다. 가장 가까운 친척 한 사람이
불붙은 짚 한 다발을 시체의 머리 위에 던졌다. 그때 그 젊은 과부가 앞으
로 나와서 "후레 불! 후레 불!"*이라고 외치면서 무덤을 7번 돌자 거기에
모인 사람들도 이에 동참하였다. 이때 그녀가 무덤으로 뛰어내렸다. 나는 그
때 그녀의 얼굴에 어떤 주저함이 있는가 또는 그녀의 친척들의 얼굴에 어떤
슬픔이 깃들어 있는가를 관찰하기 위하여 무덤 밑으로 가까이 다가갔다. 그

---

* "하리(비슈누) 만세! 하리 만세!", 인도의 여자에게는 그녀의 남편이 신의 현현으로
간주된다.

녀는 앉은 자세로 남편의 등에 얼굴을 묻고, 왼팔로 시체를 껴안았으며, 남편의 어깨 위에 머리를 기대었다. 그리고 오른손을 머리에 올리고는 집게손가락을 세운 채 둥글게 회전시켰다. 그러자 흙이 그 두 사람 주위에 뿌려지기 시작하였고, 밖의 두 사람이 무덤 안으로 들어와 아직 살아 있는 사람과 이미 죽은 사람 주위의 흙을 밟기 시작하였다. 그들은 마치 정원사가 새로 심은 식물 주위의 흙을 밟듯이 하였으며, 마침내 흙이 지표면과 같은 높이 혹은 묻힌 사람의 머리 위로 2-3피트 정도 덮이었다. 그녀의 오른손 집게손가락이 덮이기 직전 그녀의 머리에 흙이 덮였을 때, 그녀의 얼굴에서 어떤 후회의 표정이 나타나는가를 관찰할 기회를 가졌다. 그러나 흙이 완전히 덮일 때까지 그녀의 손가락은 처음과 같은 방향으로 계속 돌았다. 군중들이 사라질 때까지 그녀의 어떤 친척도 이별의 눈물을 보이지 않았다. 마지막으로 아무런 슬픔도 보이지 않는 일상적인 곡(哭)과 애도가 시작되었다.[63]

이러한 순장은 케르마에 있는 누비아 공동 묘지의 가장 큰 무덤 속에 있는 위대한 총독 헤프제파(Hepzefa) 왕자의 장례식과 비교될 수 있다. 이 장례식은 라이스너 교수가 재구성한 것이다. 그의 계산에 의하면, 이 의식은 기원전 1940년에서 1880년 사이의 어떤 시점에 행해진 것이 확실하다.[64] 장례 행렬은 거대한 직사각형 건물에서 시작하였을 것이다. 그 건물의 흔적이 거대한 무덤에서 약 35야드 떨어진 곳에서 발굴되었다.

　(그는 이렇게 서술하고 있다.) 나는 장례식장에서 줄을 지어 나오는 행렬을 상상해본다. 그들은 길다란 무덤 복도의 서쪽 입구로 향하는 단축로를 따라 행진한다. 푸른 윤이 나는 규암 침대, 그 위에 리넨 천으로 덮여 있는 헤프제파의 시체. 그의 허벅지 사이에 있는 왕자의 검, 제자리에 놓여 있는 그의 베개, 부채, 샌들. 설화 석고(雪花石膏)로 된 연고 단지, 화장 도구와 놀이 도구를 담은 상자들, 선원들을 제자리에 탑승시킨 범선이 그려진 푸른 색의 커다란 파양스 도자기, 아름다운 장식의 파양스 도자기 그릇들, 왕자가 일상 생활에서 사용하던 정교한 도자기류. 썰매 위에 실린 2개의 커다란 상(像) ― 이전에 이미 무덤으로 옮기어졌을지라도 ― 을 묶고 있는 밧줄을 잡아당기고 있는 짐꾼들. 이보다 가벼운 작은 조상(彫像)들을 운반하고 있는 사람들. 가장 아끼는 옷으로 치장한 하렘의 여성들과 시종들(이들 중 상

당수가 일상 용구와 용기를 휴대하고 있다). 그들은 우리의 장례식처럼 침묵의 의식이 아니라 나일 강 사람들의 "울부짖음"과 통곡을 동반하면서 행진하고 있다. 시신을 실은 침대는 커다란 방, 세공품은 그 방과 옆의 방, 도기류는 복도에 설치된 상과 조상들 사이에 놓는다. 방문이 닫히고 밀폐된다. 사제들과 관리들은 철수한다. 여자들과 시종들은 좁다란 복도에서 각자의 자리를 차지하려고 서로 밀치고 있으며, 이들은 아직도 날카로운 비명을 지르거나 자리를 선택하는 데에 필요한 말만을 하고 있는 듯하다. 갑자기 모든 소리와 움직임이 중단된다. 누군가 신호를 한다. 그러자 축연을 위하여 모인 사람들이 각자의 바구니에 담아두었던 흙을 마루 위의 조용한 — 그러나 아직도 살아 있는 — 희생 제물들 위에 던진다. 더 많은 흙을 가져오기 위해서 달려 나가는 사람들도 있다. 죽은 왕자를 수행하는 사람들의 광기 어린 혼란과 서두름을 상상하는 것은 어렵지 않다. 그러나 그 희생 제물들의 감정은 우리 자신에 의하여 과장되었을지도 모른다. 그들은 자신들의 종교적 신념으로 강력하게 지탱되고 있으며, 아무런 의심 없이 자신들의 자리를 자발적으로 택하였다. 그러나 마지막 순간에 한줌의 공포감이 그들을 스쳐 지나갔으며 어떤 경우에는 육체적 고통의 경련이 있었음을, 죽기 직전의 그들의 자세에서 엿볼 수 있다.

복도는 순식간에 흙으로 메꾸어졌다. 흙이 충분히 준비되어 있었다면 수백 명의 사람들이 15분 내에 그 일을 마칠 수 있었을 것이다. 수천 명의 사람들이 바구니에 흙을 담고 있었다면 몇 분 내에 끝났을 것이다. 그 일이 끝난 직후 거기에 모인 군중들은 거대한 축연을 위하여 발걸음을 돌렸을 것이다. 의식에 따라 황소들을 도살하고 황소의 영혼을 왕자의 영혼과 함께 보냈다. 사람들은 황소 고기를 먹었음에 틀림없다. 재와 붉게 구운 흙 — 무덤의 서쪽과 남쪽으로 향하는 들판에 점점이 박혀 있는 — 으로 만든 난로에 대한 나의 해석이 옳다면, 군중들은 각자의 몫으로 받은 고기를 요리하기 위하여 가족별 혹은 마을별로 가까운 마당 위에 그 고기들을 흩뜨려놓았을 것이다. 곡과 축연은 경기와 춤을 동반하면서 몇 일간 계속되었음에 틀림없다. 날마다 연기가 남쪽으로 흘러 가면서. ······[65]

이 두 의례는 규모가 이처럼 다르지만 동일한 영적 믿음의 영역에 놓여 있음이 분명하다. 순장 신화와 의례는 인도를 방문한 초기 서구인들에게 엄청난 충격을 주었으며, 그들의 도덕 감각에 근본적인 분노감을 불러일으켰다. 순장 제도는 일반적으로 인도의 브라만 전통에 속하며 1829년에 금지될 때까지 그 전통에 의하여 유지되어 왔지만, 사실은 그 전통보다 훨씬 오래되었다. 『신의 가면 : 원시 신화』에서 우리는 사랑-죽음 의례의 신화를 자세하게 살펴보았다. 이 의례는 적도 지대 ── 수단에서 시작하여 동쪽으로 인도네시아와 태평양을 건너 신대륙에 이르기까지 ── 의 원시 농경 마을 공동체 문화에서는 오늘날까지 행해지고 있다. 그리고 근동 지역 최초의 사제 국가의 왕실 의례에서 이러한 신화와 의례가 상당히 세련된 형태로 나타났다. 이 지역으로부터 무시무시한 정기적인 국왕 살해의 풍습이 왕권 제도 자체와 함께 이집트, 내륙 아프리카, 인도, 그리고 유럽과 중국에까지 전파되었다.[66] 여기서 이에 관한 논의를 반복하지는 않을 것이다. 레오나드 울리 경이 발굴한 수메르의 우르에 있는 왕릉에 대해서만 다시 한번 언급하겠다. 그곳에서는 왕가의 한 인물이 죽었을 때(혹은 의례에 따라 살해되었을 때) 왕실에 속한 사람들 ── 최소한 여자들과 몸종들 ── 이 화려한 예복을 입고 관대(棺臺)와 함께 무덤으로 들어가 산 채로 매장되었다.[67] 우르에 있는 왕의 방에서는 2개의 모형 보트가 발견되었는데, 하나는 은으로, 다른 하나는 구리로 만들어져 있었다. 이 보트들의 선수(船首)와 선미(船尾)는 높이 위치하고 있었으며, 노는 잎사귀 모양을 하고 있었다. 그러므로 케르마의 왕자 무덤에서 발굴된 푸른 빛의 파양스 모형 보트는 단순한 장난감이나 일시적인 기분으로 만든 물건이 아니라 저승의 상징물이다. 그것은 저승사자의 보트이다. 케르마 남쪽에 있는 누비아 사막에서 발굴된 암각화에는 하나의 보트가 새겨져 있다. 그 보트는 돛과 사공으로만 이루어져 있으며 더구나 황소의 등 위에 놓여 있어, 보트와 질주하는 동물이 하나로 되어 있다(〈그림 9〉). 대영 박물관에 있는 한 관 위에도 사자를 지하 세계로 운반하는 오시리스가 그려져 있는데, 그는 초승달 뿔을 달고 질주하는 황소의 모습을 하고 있다.[68] 그러면 이제 황소 다리처럼 생긴 다리를 가진 장례용 침대와 죽은 자 위에 덮여 있는 황소 가죽을 상기해보자. 우리는 이미 황소 다리를 암시하는 다리를 가진 마차 위의 부부를 보여주는 메소포타미아의 원통형 석인에 대하여 살펴보았다.[69] 인도의 복합 문화가 멀리까지 영향을 미친 인도네시아의 발리에서도 부자의 시신들이 불태워지기를 기다리면서 황소 모양의 석관 안에 놓여 있다.

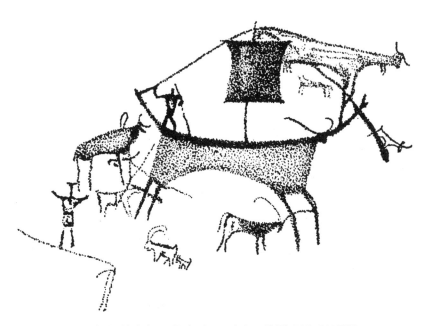

〈그림 9〉 암각화 : 죽음의 배 : 누비아, 기원전 500-50년경?

　이제 보다 넓어진 안목을 가지고 고대 아비도스로 돌아가보면, 수천 년 동안 모래 밑에서 침묵하고 있던 궁궐이 다시 눈에 들어온다. 우리는 히에라콘폴리스에 있는 유색의 작은 무덤이 낮은 벽에 의하여 두 부분으로 나뉘어져 있음을 기억한다. 그리고 두 지역을 통일시키고 하루 동안 6천 명의 적을 패배시킨 자기 어머니의 힘센 황소, 즉 나르메르 왕의 거대한 공동 묘지를 다시 보게 된다. 그 옆의 다른 무덤들에는 누가 누워 있는가도 묻게 된다. 혹은 나르메르 왕과는 다른 첫번째의 파라오일 가능성이 있는 아하-메나의 무덤 옆에 있는 2개의 커다란 보조 방에는 누가 누워있는가 묻게 된다. 다음으로 보게 되는 매장지는 파라오 아하-메나의 직접적인 후계자이자 그의 아들일 가능성이 있는 제르의 무덤이다. 이 세상 어느 곳에도 이보다 더 장엄한 사자(死者)의 지하 도시는 없다. 지하 약 20피트에 위치한 중앙 무덤은 길이 43피트, 넓이 38피트, 깊이 9 피트이다. 그 무덤 안에는 커다란 목재 방이 있는데, 이 방은 다시 작은 방들로 나뉘어져 있다. 8½피트의 두께를 지닌 거대한 벽 바깥으로는 부가적으로 구획된 작은 벽돌담이 많이 있다. 이와 달리 많은 방들로 이루어진 궁궐 너머에는 318개의 보조 무덤을 가진 거대한 마당이 있는데, 여기에는 외곽 건물, 부속 건물, 그리고 날개 건물이 순차적으로 배열되어 있다. 이는 지하 베르사이유 궁전의 배열 방식과 같다.

라이스너가 추정한 무덤 안의 사람들은 다음과 같다. 17개의 방으로 이루어진 가장 장엄한 부속 건물 안의 하렘 최고직 부인 6명, 2급직 부인 11명. 그 바로 뒤 막사 안의 하렘 종자 44명, 하렘 파수꾼 2명, 그리고 파수꾼의 시종 2명. 독채로 된 커다란 공동 침실 안의 하렘 시종(아마도 환관일 것임) 38명과 경호원 21명, 그리고 약간의 가마꾼. 이 건물과 분리되어 있는 것으로 보이는 익면(翼面) 혹은 부속 건물 안의 2류급 하렘 구성원 20명. 이와 아주 분리되어 있는 거대한 공동 침실 안의 잡부들 — 다양한 서열로 구성된 — 의 영혼 174개. 그리고 4천7백 년의 세월 동안 철저하게 약탈되어 폐허가 된 방 안에는 찢겨진 한 조각의 미라 팔이 발견되었다. 이 팔은 아직도 금으로 된 4개의 우아한 팔찌를 달고 있는데, 그녀는 아마도 왕이 총애하는 여자이거나 여왕일 것이다.[70]

다음의 통계는 조잡하지만, 아비도스에 잔존하는 제1왕조 무덤의 순장 형태를 연대기적 순서로 잘 보여줄 것이다.

제트 왕 : 본관 안에 있는 방들 이외에 174개의 보조 무덤으로 된 궁정.

메르네이스 여왕(제트의 왕비?) : 본관 안에 있는 방들 이외에 41개의 보조 무덤.

덴-세투이 왕 : 지하 건물 입구로 내려가는 넓은 계단을 지닌 매우 우아한 무덤(이러한 건축 양식은 새로운 것으로서 그후 모든 왕이 모방하였다. 왕들은 살아 있는 동안 그들 스스로 지하 궁전을 완성하고 지붕을 설치하고 가구를 완비하였다). 중앙의 방에는 잘 다듬어진 커다란 분홍색 화강암으로 된 포석(鋪石)과 하얀 석회암으로 손질한 격자문이 있다. 이는 곧 중요한 결과를 가져오게 되는 전문적 석재 기술과 지식을 보여주는 최초의 증거물이라고 할 수 있다. 중앙의 궁전 주위에는 136개의 보조 무덤이 모여 있다. 그중 하나는 규모가 매우 크며 계단도 있는데, 아마 여왕의 무덤일 것이다.

아자브-메르파바 왕 : 단지 64개의 보조 무덤을 가진 가로 22피트, 세로 14피트의 큰 방(라이스너는 "그의 재력이 상당히 감소되었거나 그의 통치 기간이 매우 짧았던 결과이다"라고 말한다).[71]

메르세카-세멤프세스 왕(세메르카트) : 새로운 양식. 중앙 마스타바 밖으로 많은 익면과 별도의 부속 건물이 아니라 하나의 튼튼한 지하 구조물이 있다. 이 지하 구조물의 내부에는 방이 매우 많으며 주위에는 조밀하게 모여 있는 63개의 작은 보조 방이 있고, 하나의 거대한 상부 구조물이 그 모두를 덮고 있다.

콰 왕 : 이러한 새로운 양식으로 된 또 다른 무덤으로서 26개의 작은 보조 방을 가지고 있다. 그러나 이것은 벽돌이 채 마르기도 전에 조급하게 덮었기 때문에 모래의 하중으로 많은 방이 무너졌다. 페트리가 지적하듯이, 이는 내부에 있는 모든 자가 왕과 동시에 혼란스럽게 매장된 것임을 확실하게 증명한다. 그 때는 메네스 가의 몰락과 제2왕조의 등장시기였기 때문이다.[72]

하나 더 지엽적인 것을 살펴보도록 하자. 최근에 제1왕조의 파라오가 세운 또 다른 일련의 순장 궁전 — 철저하게 명령에 의하여 세워진 — 이 발견되었다. 이것은 멤피스 근처의 사카라에 있는 아비도스 공동 묘지로부터 나일 강을 따라 남쪽으로 멀리 내려간 곳에 위치한다. 이 궁전들은 파라오들의 두번째 무덤, 즉 바로 그 동일한 파라오들의 무덤임에 틀림없다. 발굴 팀장이었던 월터 에머리는 "사카라의 무덤들은 아비도스에 있는 그 무덤들보다 어느 경우에나 훨씬 크고 더 정교하다"고 말한다. 더구나 그는 "발굴된 것에 의하면, 이집트 파라오 시대의 초기 문명은 우리가 지금까지 상상했던 것보다 훨씬 수준이 높았다"[73]고 주장한다.

6. 신화적 인플레이션

제임스 프레이저 경은 19세기의 어느 독일 항해자의 보고서를 인용하면서 『황금가지』에 다음과 같이 썼다. "상이집트에서는 콥트식 계산에 따른 태양력의 첫날, 즉 나일 강의 수위가 일년 중 가장 높아지는 9월 10일에 정상적인 통치가 3일 간 중지되고, 각 마을마다 자체의 통치자를 선출한다. 이렇게 선출된 통치자는 커다란 광대모자를 쓰고 아마로 만든 긴 턱수염을 달고 이상한 망토를 쓴다. 손에 관장(官杖)을 쥔 그는 사본 필경자나 사형 집행인 등으로 분장한 사람들을 동반한 채 총독의 관저로 행진한다. 총독은 그 자신의 직위가 찬탈되도록 내버려 둔다. 그리하여 그 가짜 왕이 왕관을 쓴 채로 옥좌에 앉는다. 이때 총독과 그의 신하들은 모두 그의 결정에 복종해야 한다. 3일 후 그 가짜 왕에게 사형이 선고되고 그를 덮은 싸개나 덮개를 불속으로 던진다. 그 재로부터 한 농부가 기어 나온다. 이 관습은 실제의 왕을 냉혹하게 불태워 죽이는 오래된 관행을 가리키고 있다."[74]

제1왕조 파라오의 거대한 무덤의 시대에 이러한 강력한 황소들이 세상을 떠날 때 수많은 그들의 암소떼 — "연민의 시(詩)들" — 를 지하 세계로 데리고 갔지만, 파라오들은 강력한 왕인 자신들에게 요구되었던 어떤 신화적 역할 — 제의적 죽음(ritual death)에 복종하는 것과 같은 — 과도 동일시되지 않았다. 이 사실은 확실히 주목할 만하다. 사제 국가의 최초 시기는 선사 시대에 해당하는데, 이에 대한 정황 증거는 충분하다. 나는 이 시기를 기원전 3500년에서 2500년 사이일 것이라고 추정한다.[75] 이 시기에는 신화적으로 동일시된 왕들이 상당한 정도로 (토마스 만의 적절한 용어를 빌리자면) "뒤로 열려 있었기(open behind)" 때문에 그들은 살해되는 것을 허락하였으며 심지어 축제의 무언극에서 스스로를 살해하기도 하였다. 사실 인도에서는 16세기에 이르기까지 왕들이 계속하여 살해되었으며, 아프리카에서는 20세기까지 이러한 일이 행해졌다.[76] 그러나 이집트에서는 이미 나르메르 팔레트의 시기(기원전 2850년경)

에 그들의 개체성이 어느 정도 "닫혀" 있었으므로, 성스러운 죽음-부활 장면(the holy death-and-resurrection scenes) —— 최소한 지도적 역할을 담당하는 사람들에게서는 —— 이 더 이상 옛날의 감정을 가지고 연출되지 않았다. 세계 역사상 최초의 복합적 정치 국가의 이러한 전사 왕, 전략가, 정치가, 조직가들은 황소, 돼지, 양, 혹은 염소를 바치듯이 지역의 성직 수호자들에게 자신들을 바치지는 않았다. 성직 수호자들은 그 이전 시대에 별의 순환을 관찰하여 올바른 질서(마트)에 대한 성스러운 지식을 얻었다.[77] 학문적 연구에 의하여 아직 밝혀지지 않은 선사 시대 지도의 어느 곳, 어느 시기, 어느 지점에서 왕은 이미 마트를 그 자신으로 간주하고 있었다. 따라서 연대 확인이 가능한 최초의 왕실 배우들이 우리의 무대 위로 걸어 나올 때, 그들은 이미 잘 알려진 배역에 대한 새로운 독해를 하고 있었던 것이다.

철저히 연출되어 왔던 이전의 낡고 어둡고 무시무시한 왕의 죽음 대신에 이제 청중은 장엄한 상징적 마임, 즉 세드 축제(the Sed festival)를 보게 되었다. 여기서는 왕이 실제적 죽음이라는 개인적인 불편함에 굴복하지 않고 자신의 파라오의 권위를 새롭게 하였다. 어떤 권위 있는 학자들에 의하면, 그 의례는 통치 기간에 관계 없이 30년을 주기로 행해진다고 한다.[78] 그러나 어떤 사람들은 그 의례의 일정을 좌우하는 유일한 요인은 왕 자신의 욕구와 명령이라고 한다.[79] 어떻든 그 의례의 실제 영웅은 마치 파라오를 옷처럼 입고 벗는 무시간적 파라오(대문자 P)가 아니라, 살과 뼈로 된 살아 있는 옷, 즉 특정한 파라오 아무개이다. 이러한 파라오는 배역을 위해 그 자신을 넘겨 주는 대신 배역을 그 자신의 것으로 만드는 길을 발견하였다. 그는 신화적 이미지를 단지 한 단계 낮추는 방법으로 이러한 일을 하였다. 그것은 파라오들(pharaohs)을 변화시키는 파라오(Pharaoh)가 아니라 복장을 바꾼 파라오(the pharaoh)였다.

이 왕실 무용극을 행하는 시기는 대관식의 시기와 같이 "다가오는 계절" 첫달의 처음 5일간이다. 이때는 나일 강의 범람 이후 작은 언덕과 들판이 물 아래로부터 다시 올라오기 시작하는 시점이다. 고대 세계에서는 계절 주기가 죽음 이후의 재생을 나타내는 최초의 기호였기 때문이다.

이집트에서는 이러한 주기의 측정 도구가 나일 강의 연례적인 범람이었
다. 이집트 인들은 수많은 축제용 건물을 건축하고 분향하고 봉헌하였다.
즉 왕이 신들과 그들의 사제(잔인한 시대에는 이들이 왕의 죽음을 기록
하는 사람이었을 것이다)로부터 문안을 받는 동안 앉아 있어야만 하는
옥좌가 있는 방, 마임, 행렬, 여타의 그러한 시각적 행사를 위한 커다란
마당, 그리고 마지막으로 신-왕이 복장을 갈아입기 위하여 물러가는 왕
궁-예배당(palace-chapel)을 건축하였다. "불꽃의 점화"(이러한 기적극의
초기 해석 단계에서는 왕이 의례적으로 살해되는 어두운 달밤에 불을 끄
고 행하였을 것이다)[80]라고 불리는 5일간의 조명 작업(illumination)이 5
일간의 축제 자체를 행하기 전에 준비되었으며, 그후에 장엄한 연극(ad
majorem dei gloriam)이 시작되었다.

개막 의례는 하토르의 보호 아래 행해진다. 하토르의 네 얼굴과 그녀
의 힘센 황소 꼬리로 장식한 허리띠를 찬 왕은 네 깃발을 앞세운 채 수
많은 행렬 속에서 움직인다. 그는 신들에게 호의(공물이 아님)를 베풀면
서 이 사원에서 저 사원으로 옮기어 다닌다. 그후 사제들이 그에게 경의
를 표하기 위하여 그들 신의 상징을 가지고 옥좌 앞에 도착한다. 행렬이
계속되는 동안 왕은 그의 영역의 직물 — 그 속으로 땅의 사람들만이 아
니라 신들에 의해서 표상되는 우주적 힘이 짜여 들어간다 — 을 재창조
하기 위하여 "큰 베틀의 북처럼" — 프랑크포르트가 말한 것처럼 — 돌
아다닌다.[81]

그러나 이러한 화려한 행렬과 광경은 중심적 사건으로 나아가는 예비
단계에 불과하다. 모든 전통적인 의례의 경우와 마찬가지로 이 의례에서
도 의례의 시작과 준비 단계는 절정의 순간(과거에는 왕의 살해)으로 이
어지며, 그후 일련의 간단한 마무리 명상과 축복 등의 행위가 있고, 마침
내 종료 행진으로 이어진다. 그러한 프로그램에는 대체로 5가지 단계가
있다.

1. 예비적 단계의 복식 입기, 축사, 봉헌
2. 서막 행렬
3. 절정으로 나아가는 의례

4. 절정의 희생제의(혹은 그것의 대체물)

5. 축복의 시여

6. 감사, 마지막 축복, 해산

세드 축제를 이렇게 간단히 묘사하는 동안 우리는 이미 그 의례의 네 번째 단계(절정의 희생제의/역주)에 도달하였다.

짧고 뻣뻣한 고대의 망토를 걸친 왕이 근엄하고 위풍 당당한 자세로 "길을 여는 자"라고 불리는 늑대-신 우프와우트의 성소로 이동한다. 거기서 그는 신성한 깃발에 기름을 바르고 그것을 앞세운 채 왕궁 예배당으로 행진한 후 그 속으로 사라진다.

파라오는 얼마 동안 나타나지 않는다.

다시 나타난 그는 나르메르 팔레트에 보이듯이 하토르 허리띠와 황소 꼬리가 달린 킬트를 입고 있다. 그는 오른손에 도리깨 홀(笏)을 쥐고 있고 왼손에는 "선한 목자"의 평범한 갈고리 대신 "유언장", "집안 문서", 혹은 "두 동반자의 비밀"이라고 불리는 작은 두루마리 비슷한 물건을 가지고 있다. 거기에 참석한 모든 사람들에게 의기 양양하게 그것을 보여주면서, 그는 자신의 죽은 아버지 오시리스가 땅-신 게브와 함께 있는 동안 자기에게 준 것이라고 선포한다.

그는 다음과 같이 외친다. "나의 아버지가 게브 앞에서 나에게 준 '두 동반자의 비밀', 즉 '유언장'을 손에 쥔 채 나는 달려왔다. 나는 땅을 통과하고 땅의 사면을 만졌다. 나는 내가 하고 싶은 대로 땅을 통과한다."[82]

제1왕조의 제5대 파라오인 덴-세투이 왕의 무덤에서 나온 깨어진 흑단(黑檀) 조각 위에는 매우 초기의 것에 해당하는 재미있는 모양이 새겨져 있는데(경건한 '푸른 수염'을 말하는데, 우리는 이미 분홍빛 화강암으로 장식되고 한때는 살해된 부인들로 가득차 있던 그의 왕궁에 대해서 언급한 적이 있다),* 이는 왕이 그 유언장을 따르고 있음을 보여준다(〈그림 10〉). 그는 그것을 쥐고 재빠르게 걸어가고 있다. 도리깨는 그의 어깨 위에 있고 유언장은 왼손에 있다. 페트리는 그 발견물에 대한 보고서에

---

* 86-87쪽 참조.

〈그림 10〉 두 동반자의 비밀 : 이집트. 기원전 2800년경.

서 "그 장면은 로마 시대 이전의 기념비에서 보이는 의식 중 가장 최초의 것이다"[83]라고 쓰고 있다. 오시리스와 파라오는 두 지역의 왕관이 혼합된 이중 왕관을 쓰고 있는데, 이는 상이집트의 길다란 삼중관 모양의 하얀 왕관과 북부 지역의 높이가 낮은 붉은 왕관 — 상징적 고리를 지닌 — 의 결합물이다.

왕궁의 마당 안에는 하이집트와 상이집트 두 지역을 상징적으로 나타내기 위하여 한 곳이 표시되었는데, 파라오는 어떤 종류의 공식적인 의식의 춤을 느린 걸음으로 추면서 이곳을 통과하였음에 틀림없다는 견해가 있다. 후기의 설명과 그림들에 의하면, 어떤 여성 — 아마도 대지를 상징하는 여신 메르트를 대변하는 여사제 — 이 그 춤추는 파라오를 향하여 "오라! 그것을 가져와라!"라고 외치면서 반주의 손벽을 치는 동안, 고대의 가죽 킬트를 입은 수행원이 "길을 여는 자"의 늑대 깃발을 그 파라오 앞에 가지고 왔다.[84]

늙은 왕의 실제적 살해와 새로운 왕으로의 권력 이양은 이러한 의례에 의해서 하나의 비유로 전환되었다. 왕은 기록으로 남은 최초의 수난극 속에서 실제적으로가 아니라 상징적으로 죽은 것이다. 성스러운 무언극의 줄거리는 전세계의 후대 예술과 문학에 알려진 "영웅의 모험"이라는, 낡았지만 계속 새로워지는 공식을 취하고 있다.[85] 그것을 민속학적 구성

동기의 관점에서 분석하면 그 줄거리는 다음과 같이 요약할 수 있다.

　자신이 살해당할 시간이 왔음을 알게 된 파라오(영웅)는 왕위를 계속 보유할 자격을 그 자신이 가지고 있음을 보여주는 상징을 획득하려고 시도한다(모험에로의 부름). "길을 여는 자(모험의 안내자 : 주술적 조력자)"에 의해서 인도된 그는 지하 세계의 궁전(모험의 문지방 : 미로 : 죽음의 땅)으로 들어가고 거기서 이집트 땅의 4면(어려운 과제 : 소우주—대우주 상응)을 만진다. 그리고 이집트 땅의 여신의 도움(주술적 조력자 : 아리아드네 모티브 : 초자연적 신부)을 받으면서 자기의 죽은 아버지 오시리스의 승인을 받는다(아버지의 용서). 그는 유언장(신의 지명 : 상징 : 영약〔靈藥〕)을 받아서 새로운 복장을 하고(神化) 그의 백성들 앞에 다시 나타나(부활 : 귀환) 자신의 왕위를 다시 차지한다(모험의 완성).

이렇게 해서 놀랍도록 미묘한 방식으로 예술 작업이 시작되었는데, 이는 그 이후의 길고도 잔인한 세기들을 거치면서 초기의 사실적으로 행해진 신화적 사로잡힘(mythic seizures)의 힘을 점차 완화시켰다. 예술 작품은 인간을 비인간성으로부터 해방시키는 동시에 그들의 영감에서 나오는 형상을 통하여 인간성 자체의 이해를 위한 새로운 길을 열었다.

세드 축제의 다섯번째 순서인 "축복의 시여" 단계는 파라오의 이중 왕위 임명에 집중되어 있는데, 이제 그는 그 직위를 순조롭게 획득하였다. 먼저 그는 하이집트 왕의 배역에서는 "왕국의 위대한 자"의 어깨 위에 있는 상자 모양의 가마를 타고 "팔을 든 리비아의 호루스" 예배당으로 이동한다. 거기서 최고 사제가 그에게 양치기의 지팡이와 도리깨, 그리고 "복지"의 홀(笏)을 수여한다. 그리고 델타 지역의 성스러운 도시 부토에서 온 두 고위 사제가 사방을 향하여 4번 찬송을 부른다. 이때 낭독하기 전에 "침묵!"이라는 명령이 4번 반복된다. 그 다음에는 상이집트 왕의 배역을 맡은 그가 바구니처럼 생긴 가마를 타고 에드푸의 호루스와 옴보스의 세스의 예배당으로 이동한다. 거기서 최고 사제가 왕권을 상징하는 활과 화살을 그에게 수여한다. 네 방향으로 1번씩 활을 쏘면서 왕위를 획득한 그는 네 방향을 각기 1번씩 바라보면서 4번에 걸쳐 왕관을 쓴다.

〈그림 11〉 이중 즉위식 : 이집트, 기원전 2800년경.

축제의 마지막 순서인 여섯번째 단계에서는 "왕실 조상의 궁정"으로 행진하여, 4개의 왕실 깃발 ── "호루스를 따르는 신들"이라고 불리는 ── 이 선도적 역할을 하는 의례에서 경의를 표한다.[86]

세드 축제의 이중 즉위식을 보여주는 현존하는 최초의 조각은 페트리가 발견한 왕의 인장(〈그림 11〉)에서 나타난다. 이 인장은 제1왕조의 제2대 파라오(페트리의 계산에 따르면)인 제르 왕의 약탈된 무덤에서 발견되었는데, 그 가공할 만한 순장 의식에 대해서는 이미 언급하였다.* 여기서 우리는 다시 이 책의 논점으로 돌아가게 된다. 이 파라오들이 별들과 그들의 신 및 사제들로부터 벗어나 마트를 그들 자신 속으로 취하였고, 신성한 죽음의 의례를 피하였으며, 의례 춤의 훨씬 가벼운 부분을 취했음 ── 그러므로 하늘이 다스리는 두려운 사제적 질서 안에서 핵심적인 희생 제물이 되는 역할을 더 이상 하지 않고, 그들 자신의 명령에 의하여 다스려지며 종교적으로 합리화되고 옷 입혀진, 그러나 현실적으로 정치적인, 질서를 정복하기 위하여 스스로를 보존하면서 ── 이 아주 확실하지만, 다른 한편으로 자연적인(비상징적인) 시간 안에서 마침내 죽어간 그 파라오들은 자신들의 아내, 첩, 하렘 관리인, 궁궐 수위대, 난쟁이

---

* 84-86쪽 참조.

들에게 보다 어려운 역할, 즉 파라오 자신을 위하여 마련된 지하 세계로 시체를 따라 들어오도록 하는 역할을 요구하였기 때문이다.

그러한 장례식은 고대의 국왕 살해 의례의 경우처럼 왕의 신적인 역할에서 에고를 억누르는 어떤 증거로 해석될 수는 없다. 사실 어느 차원 ─ 단지 개인적 차원이라고 말해보자 ─ 에서 보면 그러한 장례식은 테니슨이 쓴 『에녹 아르덴(*Enoch Arden*)』의 냉랭한 마지막 절에서 충분히, 그리고 아주 고상하게 경축되었다.

> 강인한 영웅적 영혼은 그렇게 사라져갔다.
> 그리고 그들이 그를 묻었을 때 그 작은 항구는
> 이보다 더 비싼 장례식을 좀처럼 보지 못하였을 것이다.

역사적으로 보면 그 거대한 순장 무덤은 매우 흥미롭다. 이집트 역사의 여명기인 바로 그 순간에 죽음에 관한 지식이 그들의 마음에 갑자기 떠오른 것 ─ 슈펭글러의 비유를 사용하면 ─ 이다. 토마스 만의 비유를 사용하자면, 이전에 "뒤로 열려 있던" 개체성에 대한 인식이 닫히고 죽음에 대한 지식이 떠오른 것은 바로 그 순간이었다. 또 최근의 고고학적 증거에 의하면, 햇빛에 의하여 견고해진 진흙 벽돌의 발명으로 지붕을 벽으로 지탱하는 무덤의 지하 구조가 가능하게 되고, 내부에는 흙을 사용하지 않고 방을 만들 수 있게 된 것도 바로 이 순간이다. 바로 이 내부의 방에 신체와 그 개인의 신체적 영혼(이집트 어로 바〔ba〕라고 부름)이 함께 보존될 수 있었다. 슈펭글러가 이집트의 매장 의례와 관련하여 말하였듯이 "죽은 자의 육체는 영구한 것이 되었다."[87] 매장 의례의 기능은 신체적 영혼(바)과 죽음의 순간에 떠나버리는 신체적 에너지의 원리(카〔ka〕)를 주술에 의하여 결합시키는 것이었다. 이렇게 되면 죽음은 더이상 존재하지 않게 된다고 생각하였던 것이다.

이제 우리는 이 주제의 역사에서 신화적 사로잡힘의 두번째 단계를 인정해야 한다. 신 안에 흡수되고 상실된 에고, 즉 **신화적 동일시**가 아니라, 그 반대로 에고 안에 흡수되고 상실된 신, 즉 **신화적 인플레이션**을 볼 수 있어야 한다. 전자는 초기의 사제 국가에서 희생된 왕의 현실적인 성스러움을 특징짓고, 후자는 후기의 왕조 국가에서 숭배된 왕의 위장된 성스러움을 특징짓는다. 왕조 국가의 왕들은 세속적 측면에서 그들 자신이 신이라고 생각하였기 때문이다. 말하자면 그들은 광인이었다. 더구나 이러한 믿음은 그들의 성직자, 부모, 부인, 조언자, 서민, 그리고 그들을 신으로 생각한 모든 사람들에 의해서 지지되고 가르쳐지고 추켜세워지고 고무되었다. 전사회가 미쳤던 것이다. 그러나 그러한 광기로부터 위대한 이집트 문명이 출현하였다. 메소포타미아에서는 그 대응물로 그 지역의 왕조 국가가 등장하였으며, 인도, 극동, 유럽에서도 이러한 신화적 힘의 증거가 충분히 나타나고 있다. 다른 말로 하면, 우리의 학문적 주제의 상당 부분은 위대한 문명의 여명기를 특징짓는 심리적 인플레이션의 위기 증거로 읽혀야 한다. 그것은 각각의 특정한 문명 형태의 출현 계기로 읽혀야만 한다. 초기의 사제 정치적 단계에 대한 나의 생각이 옳다면, 다음과 같은 일련의 연속체를 제시할 수 있을 것이다. 1. 신화적 동일시와 사제 정치적, 전(前)왕조적 국가. 2. 신화적 인플레이션과 고대적 왕조 형태.

의례 속의 파라오들은 "경전의 내용을 실현하기 위하여" 성스러운 과거를 단순히 모방하는 자들이 더 이상 아니다. 파라오와 사제들은 그 자신들을 위하여 어떤 것을 창조하고 있었다. 우리는 여기서 일련의 장엄하고 몹시 자기 관심적이고 거대하게 부풀려진 에고의 현존에 접하게 된다. 더구나 앞에서 본 것처럼 이 과대 망상가들은 하나의 신이 되는 것으로는 만족하지 못하였다. 그들은 2명의 신으로 존재하였으며, 각 신을 위한 별도의 매장 궁궐을 마련하였다. 양면으로 된 나르메르 팔레트 위에는 2개의 왕관이 나타나고 있으며, 각자의 얼굴 위에 왕관이 씌여 있다. 그 왕관은 두 이집트를 나타내며, 이는 다시 2개의 서로 얽힌 상징적 짐승의 목으로 표현되고 있다. 팔레트의 한 면에는 파라오의 원리가 호루스의 매라는 새의 형상으로 나타나고 있으며, 다른 면에는 이것이 힘센 황소로 나타나고 있다. 세드 축제의 화려함 속에서는 2번의 대관식이 행해졌다. 제르 왕의 옥새에서는 군주가 2번 나타나며, 앞에서 보았듯이,

자신의 아버지의 현존으로부터 재빠르게 빠져나오는 덴-세투이 왕(그들
은 둘이지만 아버지와 왕은 하나였다)의 그림 — 약간 긁힌 — 에서는
그 둘이 모두 이중 왕관을 쓰고 있다.

　더구나 파라오 통치의 최종적인 상징적 보증에 해당하는 유언장은 의
식이 진행되는 동안 "두 동반자의 비밀"이라는 이름을 지닌다. 이를 어
떻게 생각해야 하는가?

　그 대답은 아비도스의 모래 밑에 있는 제2왕조 파라오의 무덤에서 나
타난다. 그 무덤은 거대하며 화려한 순장의 전시품을 적나라하게 보여준
다. 이 왕조의 네번째 파라오는 항상 2개의 카루투시(옛 이집트의 국왕
이나 신의 이름을 둘러싼 긴 타원형의 윤곽/역주)와 2개의 이름으로 나
타나기 때문이다. 그중의 하나인 세크헤마브(Sekhemab) 위에는 왕가의
평범한 호루스의 매가 보이며, 다른 이름인 페라브센(Perabsen) 위에는
이상하게 생긴 사지(四肢) 동물이 나타나고 있는데, 이 동물은 호루스와
오시리스의 최대의 적인 세스를 상징하는 오카피(기린과의 동물/역주)와
약간 비슷하다. 그리고 이 왕조의 일곱번째이자 마지막 파라오인 카세크
헤무이의 인장에는 2명의 대적자인 영웅 호루스와 원흉 세스가 서로 마
주보며 대등하게 서 있고(〈그림 12〉), 군주 자신에게는 "두 신을 평화롭
게 하는 이중적 힘의 현현"[88]이라는 이름이 붙어 있다.

　"두 동반자의 비밀"이라는 이름을 지닌 유언장은 이 두 신의 감추어진
의미를 이해하는 지침이 된다. 이 두 신은 화해 불가능한 적대적인 관계
로 나타나지만 무대 뒤에서는 하나의 마음이다. 따라서 파라오의 광기에
대한 우리의 견해는 수정되거나 적어도 확장되어야 한다. 호루스와 세스
는 일시성의 불가피한 변증법 — 여기에서는 모든 것이 쌍으로 나타난다
— 을 신화적으로 표상하면서 영원한 갈등 관계에 있다. 그러나 시간과
공간의 베일을 넘어선 영원성의 영역에서는 이중성이 사라지며 그것이
하나가 된다. 죽음과 삶이 하나이며 모든 것이 평화이다. 그와 동일한 초
월적인 평화는 전쟁의 잔인성 속에서도 지속되는 것으로 간주된다. 그러
므로 호루스의 올려진 팔을 가진 파라오가 작살을 사용하는 부족 및 6천
명의 적 — 이들은 여기서 세스의 역할을 하고 있다 — 을 살해하고 있

〈그림 12〉 이중 권력 : 이집트, 기원전 2650년경.

는 나르메르 팔레트의 장면은 평화의 장면이다. 모든 사물과 역사와 슬픔의 지속적인 실재인 이러한 평화의 축은 살아 있는 신 파라오이다. 그는 대립물의 쌍이 움직이는 벌판, 곧 우주 자체의 축도(縮圖)이다. 그러므로 죽음으로 그를 따르는 것은 삶을 지속하는 것이며, 시간을 넘어선 왕가의 목초지에는 사실상 죽음이 존재하지 않는다. 거기에는 두 신이 하나이며 목자의 지팡이가 그러한 확신을 준다.

시간적 생성의 장의 모든 측면에는 영원한 존재의 평화가 깃들어 있다는 이러한 비밀스러운 지식, 이것이 이 모든 문명의 표시이다. 그것이 바로 파라오의 죽음 의례를 고귀하게 할 뿐만 아니라 그 조각의 장엄함을 가능하게 하는 형이상학적인 배경이다. 조각과 의례 자체는 광기이지만 상징의 관점에서 보면 그것은 존재의 신비의 메타포이다. 파라오는 "2명의 주"로 알려졌다.

(프랑크포르트 교수는 이렇게 썼다) "2명의 주"는 영원한 적대자인 호루스와 세스이다. 왕은 이 두 신과 동일시되었다. 그러나 그가 한 신의 화신이고 그리고 또 다른 신의 화신이라고 하는 의미의 동일시는 아니다. 그는 두

신을 하나의 쌍, 즉 평형 상태의 대립물로 구체화하였다. ……

호루스와 세스는 적대자 자체였고 모든 갈등의 신화적 상징이었다. 갈등은 우주 안에서 결코 무시할 수 없는 요소이다. 세스는 호루스에 의해서 영속적으로 지배되지만 결코 파괴되지는 않는다. 호루스와 세스는 투쟁 과정에서 서로 상처를 입지만 결국에는 화해가 이루어진다. 우주의 정적인 평형 상태가 확립되는 것이다. 불변의 질서로서의 화해 — 그 안에서 갈등하는 힘들은 각자에게 주어진 역할을 수행한다 — 이것이야말로 이집트인의 세계관이자 국가관이다.[89]

그리고 이것은 파라오와 이집트의 광기였고, 오늘날까지도 동양의 광기로 남아 있다.

7. 내재적인 초월적 신

해변의 폐기물처럼 물위로 나와 있던 낡은 돌 하나가 1805년 이집트로부터 대영 박물관으로 옮기어졌다. 그 돌은 스텔라(Stela) 797번으로 목록화되었다. 해독하기 어려운 그 비문은 얼마 동안 맷돌의 아랫돌로 사용되어왔기 때문에 마모되어 있었다. 박물관 갤러리의 조명 시설은 빈약하였고 이집트학자들(Egyptologists)은 나름대로 한계를 가지고 있었으며 상형 문자의 배열 방식도 특이하였다. 따라서 그 텍스트가 처음 출판되었을 때에는 줄이 부정확하게 배열되었을 뿐만 아니라 숫자도 거꾸로 되어 있었다. 그 줄의 의미를 최초로 깨달은 사람은 위대한 노교수 제임스 헨리 브레스티드였다. 학창 시절 우리는 모두 그의 고대사를 읽은 적이 있다. 『베를린 이집트 사전(Berlin Egyptian Dictionary)』의 출판 준비를 위해서 대영 박물관의 비문들을 꼼꼼히 연구하던 그에게 어느날 갑자기 하나의 계시가 나타났다. 즉시 그는 「멤피스 사제의 철학(The Philosophy of a Memphite Priest)」[90]이라는 논문을 썼다.

마스페로 교수도 그의 뒤를 이어 「말이 지닌 모든 힘에 관하여(Sur la

toute puissance de la parole)」[91]라는 논문을 썼다.

아돌프 에르만 교수도 「멤피스 신학의 한 기념비(Ein Denkmal mem-phitischer Theologie)」[92]라는 논문을 작성하고, 그 텍스트의 연대를 고왕국의 초기라고 못박았다. 이 초기의 연대 확정은 지금도 받아들여지고 있다.[93] 물 위로 나와 있던 그 낡은 바위 조각은 "벌레가 삼킨" 초기의 문서에서 그 문학적 내용을 인수 받은 것이었다. 즉 기원전 8세기에 그 원본의 내용을 보존하기 위하여 사바코스라고 하는 한 파라오의 명에 의해서 바위 조각에 그 내용을 그대로 새겼던 것이다. 그 메시지가 해독되었을 때 모든 사람은 홍분하였다. 「창세기」에 나오는 말씀의 힘에 의한 창조의 관념 —— 「창세기」에서는 신이 "빛이 있으라" 하자 빛이 있었다 —— 이 그보다 2천 년 전에 형성된 그 텍스트에 이미 들어 있었기 때문이다. 더구나 이 고이집트의 해석에 나타난 관점("나"를 말하고 둘이 된 자아에 대한 인도적 해석의 관점처럼)은 신성과 내적 관계를 지니고 있고 심리학적이었다. 이는 명령과 그 결과의 연속, 그리고 "신이 보기에 그것은 좋았다"라는 후렴구가 덧붙여지는 성서적 관점과는 달랐다. 미라-신 프타에 관한 멤피스 텍스트에서는 모든 것을 발생시킨 것은 신의 심장(heart)이고 신의 혀는 심장이 생각한 것을 반복한다.

"모든 신적인 말은 심장의 생각과 혀의 명령에 의하여 존재하게 되었다."

"눈이 보고 귀가 듣고 코가 숨쉴 때 그들은 모두 심장에 보고한다. 모든 것을 발생시키는 것은 심장이고, 심장의 생각을 반복하는 것은 혀이다. 모든 신, 심지어 아툼과 그의 엔네아드까지도 이렇게 만들어졌다."

최초의 파라오에 의하여 건립된 수도에 있는 거대한 프타 신전의 사제적 정신*은 이 텍스트 속에서 신성의 본성(기원전 2850년경)에 관한 하나의 관점을 드러내고 있다. 이 관점은 심리학적이고 형이상학적이다. 이 관점에 의하면 인간의 신체 기관은 심리적 기능과 연결되어 있다. 심장

---

* 64-65쪽 참조.

은 창조적 관념과 연결되고 혹은 창조적 실현과 관련된다. 그리고 이러한 기능들은 우주화(cosmologized)된다. 즉 소우주-대우주 상응의 방식을 통해서 그러한 기능들은 보편적으로 작용하는 힘의 인간적 부분으로 지각된다. 이러한 원리들이나 힘들이 신들의 형상으로 인격화되어 나타났다. 따라서 신들은 존재의 신비가 지니는 다양한 측면의 현현(형상화된 실현)이다. 신들 자체가 실재의 누미누스적 측면에 참여하고 있는 것이다. 그러나 다른 한편으로는 신들이 인식되고 명명되어 왔으므로 신들은 또한 인간이 존재의 신비에 참여하고 있음을 드러낸다. 신들의 성격은 결국 어떠한 명상의 장소에나 내재하는 궁극적 신비만이 아니라 사제직 ─ 이들에 의하여 신들의 본성이 정의되어온 ─ 에 나타난 통찰력에도 참여하고 있다.

그러므로 창조신 프타를 신봉하는 멤피스 사제들이 창조성 자체의 본질을 이해하려고 새로운 심리학적 깊이로 파고들어 갔을 때, 그들은 자신들의 신의 이름의 의미와 힘을 심화시켰다. 이러한 철학적 특성을 가지고 그들은 이웃의 고대 도시 온(On, 헬리오폴리스)의 사제들의 수준을 넘어섰다. 온의 창조 개념은 그들 자신의 지역 창조신인 태양신 아툼의 신화 속에서 표현되어 있었다.

아툼의 창조 행위에 관해서는 2가지의 설명이 있는데, 모두 피라미드 텍스트에 근거하고 있다. 피라미드 텍스트는 이 세상에 보존된 종교적 문헌 중 가장 오래된 것으로서 사카라 소재 멤피스의 거대한 공동 묘지에 있는 일련의 9개의 무덤(기원전 2350-2175년경) 벽에 새겨진 기록이다.

첫번째 설명을 보면 다음과 같다.

> 아툼은 헬리오폴리스에서 자위 행위로 창조 작업을 하였다.
> 그는 손으로 자신의 성기를 꽉 쥐고, 욕망을 자극하였다.
> 그러자 쌍둥이 슈와 테프누트가 태어났다.[94]

두번째 설명에 의하면, 피라미드로 상징되는 우주적 어머니인 흙무더기*의 정상에 신이 서 있을 때 그의 입에서 나오는 침으로 창조가 시작

102

되었다.

> 오, 아툼–케프리, 그대가 언덕으로 올라가,
> 헬리오폴리스의 피닉스 신전에 있는 고대의 돌 피라미드 위의 불사조처
> 럼 빛났을 때,
> 그대는 슈의 본질을 내뱉었고, 테프투트의 본질을 토해냈다.
> 그대는 그대의 팔을 카(ka)의 팔로 삼아 그들 옆에 놓았다.
> 그대의 카가 그들 안에 있도록 하기 위해서.[95]

이처럼 아툼은 인도 우파니샤드의 자아처럼 피조물 속으로, 그 자신을 육체적으로 쏟아 넣었다. 그러나 이 두 이집트 텍스트의 그 어디에도 어떠한 세련된 심리학적 유비가 드러나 있지 않다. 이 텍스트들은 그것의 내용을 보존하고 있는 비문들보다 훨씬 오래되었음에 틀림없으며, 거의 꾸며지지 않은 꿈 상징(dream symbol) 차원의 육체적 창조의 근원적 이미지를 보여주고 있다.

쌍둥이 슈와 테프누트는 남성과 여성이며 그들로부터 만신전의 나머지 신들이 생겨났다. 그렇기 때문에 다음과 같은 구절을 볼 수 있다.

> 슈는 테프누트와 함께 신들을 창조하고, 신들을 낳았으며, 신들을 확정하
> 였다.[96]

그들로부터 태어난 신이 천상 여신 누트와 그녀의 배우자인 지상신 게브이고, 이들이 다시 2쌍의 대립하는 쌍둥이 신 이시스와 오시리스, 네프티스와 그녀의 남동생이자 배우자인 세스를 낳았다. 그러므로 헬리오폴리스 태양신 사원의 사제적 체계에서는 이미 후기 ── 원시적인 것과는 거리가 먼 ── 의 혼합적 신화 체계가 발전하였고, 그 체계 안에서는 9명의 신(헬리오폴리스의 엔네아드라고 알려진)이 하나의 계보학으로 상징화된 사제적 질서로 편제되었다.

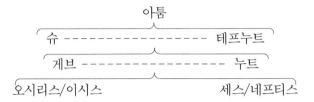

헬리오폴리스에 있는 오 위대한 엔네아드여,
아툼, 슈, 테프누트, 게브, 누트, 오시리스, 이시스, 세스, 네프티스,
아툼의 어린이들 …… 너희의 이름은 아홉 개의 활이다.[97]

이제 이것을 이 신학을 초월한 멤피스의 통찰력과 비교해보라. 그 간
단한 텍스트는 다음과 같이 쉽고도 충분하게 제시한다.

프타의 심장과 혀 위에 아툼의 이미지를 한 어떤 것이 나타났다.

여기에서는 육체적 의미의 경쟁자인 창조주가 어떤 선행하는 영적 힘
의 단순한 대행자로서 나타난다.

강력하고 위대한 프타, 그가 신들과 그 신들의 카에게 힘을 부여하였다. 그의
심장을 통하여 호루스가 프타가 되고, 그의 혀를 통하여 토트가 프타가 되었다.

토트는 헤르모폴리스 시의 고대 달-신(moon-god)이었으나, 헬리오폴
리스의 혼합 체계 속으로 편입되었다. 그때 그는 필기사, 전달자, 말
(word)의 지배자, 그리고 부활 주술의 지배자 역할을 맡게 되었다. 사자
(死者)를 심판하는 커다란 방에서 그는 그 사자들의 심장의 무게를 기록
한다. 그가 취한 동물 형상은 따오기와 비비이다. 그는 따오기의 모습으
로 천상을 향해하며, 비비의 모습으로 떠오르는 태양을 맞이한다. 그러나
그는 창조적 말의 상징으로서 멤피스 체계 안에서 프타의 혀의 힘과 동
일시된다. 이와 마찬가지로 토트가 맞이하고 있는 떠오르는 태양의 힘,
즉 오시리스의 살아 있는 아들이자 부활한 오시리스 그 자체인 호루스는

여기서 프타의 심장의 힘과 동일시된다. 그러므로 신들은 프타의 거대한 몸 혹은 전체성 안에서 기능하는 구성원들이며, 프타는 그러한 신들 안에 영원한 생명력, 즉 그들의 카로 거주하는 것이다.

이처럼 신, 인간, 짐승, 기어 다니는 것, 그리고 어떠한 종류의 생물이건 간에 그 모든 생물의 몸과 입에 프타가 존재하므로 심장과 혀는 신체의 모든 구성원들에 대한 지배권을 얻었다. 프타는 자신의 의지대로 모든 것을 생각하고 명령하기 때문이다.

여기에 내재적이지만 초월적인 신 관념이 분명하게 드러난다. 이 신은 모든 종류의 신, 인간, 짐승, 기어 다니는 것, 그리고 그 밖의 모든 생물 안에 살고 있다. 그러므로 피조물이 된 자아라고 하는 인도적 이미지는 그보다 2천 년 전에 이미 여기서 등장하였던 것이다.

프타의 엔네아드는 프타 자신의 이빨과 입술 안에 있다. 프타의 엔네아드는 아툼의 정액과 손에 상응한다. 그러나 아툼의 엔네아드가 아툼의 정액과 손가락에 의해서 생겨난 반면, 프타의 엔네아드는 프타의 이빨과 입술 안에 존재한다. 그의 이빨과 입술은 모든 사물의 이름을 선포하였으며, 슈와 테프누트도 여기에서 나왔다. 이처럼 프타는 엔네아드의 창조자였다.

혀에서 나오는 말의 대행자로서 이빨과 입술은 슈, 테프누트, 그리고 나머지 존재들이 그 밖의 다른 곳에서 대행해온 역할을 여기서 맡고 있는 것이다. 그러므로 세계만이 아니라 만신전 전체가 창조주의 우주적 몸에 유기적으로 동화된다.
이제 우리는 앞에서 언급한 심리학적 유비에 도달하였다.

눈이 보고 귀가 듣고 코가 숨쉴 때 그들은 모두 심장에 보고한다. 모든 것을 발생시키는 것은 심장이고 심장의 생각을 반복하는 것은 혀이다. 모든 신, 심지어 아툼과 그의 엔네아드까지도 이렇게 만들어졌다.
모든 신적인 말은 심장의 생각과 혀의 명령에 의해서 나타났다.

그러므로 카와 그러한 카의 시녀들이 창조된 것은 그러한 말에 의한 것이다.

"카의 시녀들"은 14가지 특질의 배열이며, 이것들은 창조적 힘의 일차적인 결과물이자 표징들로 밝혀진다. 즉 힘, 방사(放射), 번영, 승리, 부, 많음, 위엄, 기꺼이 함, 창조적 행위, 지성, 장식, 안정성, 복종, 멋이다.[98]

> 모든 양식과 음식, 모든 선호되는 것과 기피되는 것을 만드는 것은 이것들이다.
> 평화로운 자에게 생명을 주고 위반자에게 죽음을 주는 것은 그였다.
> 모든 노동과 기술, 팔의 행위와 다리의 움직임, 각 신체 기관의 행동을 가능하게 한 것은 그였다. 그는 심장이 생각하고 혀가 내린 명령의 의미를 신체 각 기관에 전달하면서 그렇게 한 것이다.
> 그러므로 프타에 대해서는 이렇게 말해진다. 모든 것을 만들고 신들을 존재하게 한 것은 그다. 그는 진실로 신들을 만들어 낸 떠오른 땅이다. 모든 것이 그로부터 나왔고, 양식과 음식, 신의 희생물, 모든 좋은 것이 그의 산물이기 때문이다. 그러므로 그의 힘은 모든 신의 힘을 합한 것보다 더 강하다는 사실이 발견되고 이해되었다. 그리고 모든 사물을 만들고 모든 신적인 말을 만들었을 때 프타는 만족하였다.
> 그는 신들을 주조하고, 도시를 만들고, 놈을 세웠고, 신들을 각 사당에 배치하고, 그들의 제물을 확정하고, 그들 성소의 시설을 갖추어주었다. 그는 신들의 심장이 만족하도록 신들의 몸을 만들었으며, 그의 몸 위에서 자라는 나무와 돌과 진흙으로 이루어진 이러한 몸들 속으로 신들이 들어갔고, 그의 몸 안에서 신들은 각자의 형태를 취하였다. 이러한 방식으로 모든 신들과 그들의 카는 그와 하나가 되며 두 나라의 주(the Lord of the Two Lands)와 화합하고 통일된다.[99]

에두아르드 메이어는 이 텍스트에 대하여 다음과 같이 논평하고 있다. "우리는 이 '이집트적 지혜'의 사색들이 얼마나 오래되었는가를 알 수 있다. …… 그 신화들을 단순한 문자적 의미로 받아들여서는 더 이상 안된다. 그것들은 세계를 영적으로 파악하려는 보다 깊은 사고의 연출, 즉 하나의 통일체로 이해하여야만 한다."[100]

후대에는 그러한 우주적 사변이 대체로 언어적 방식으로 연출되었지만, 고대적 사고의 일반적인 매개물은 시각적인 표현으로 나타났다. 학위 모자를 쓸 자격이 있는 학자치고 인쇄된 말을 그 실제의 대상물로 오해하면서 저녁 식사 대신 그 메뉴표를 먹을 사람은 없겠지만, 이러한 종류의 기본적인 실수가 고대의 신을 다루는 학문적인 작업에서 흔하다는 것은 매우 이상하다. 사실 오늘날에도 성직자와 평신도 할 것 없이 자신들의 종교적 상징에 대해서 이러한 실수를 하는 자들이 있으며, 그들의 신을 어느 곳에선가 직접 만나볼 수 있는 어떠한 초자연적 "명사(名士)"로 생각하는 사람들이 어느 시대, 어느 곳에서나 있어왔다. 그럼에도 불구하고 우리의 낡은 안목으로 "스텔라의 지혜 797번(the Wisdom of Stela No. 797)"을 보면, 적어도 프타 신전의 사제들은 프타 신을 그처럼 이상하게 보지는 않았음을 알 수 있다.

상형 문자로 쓰여 있는 글 속에서 프타는 깃 뒤에 술을 달고 있는 삭발 성직자의 미라로 나타난다. 그는 달빛의 기적으로 잉태한 검은 황소의 모습을 가졌다고 한다. 25세의 나이에 도달하였을 때 의례적으로 도살되는 이른바 이 아피스 황소는 미라로 처리되어, 세라페움(Serapeum)으로 알려진 바위 무덤인 사카라 공동 묘지에 묻히었다. 매장 직후 그 신의 새로운 화신이 태어났는데, 어떤 표시에 의해서 그 존재를 인정받았다. 특히 그 황소의 목과 궁둥이에 있는 매의 날개를 닮은 독특한 형태의 하얀 표시, 그리고 그것의 혀 밑에 있는 왕쇠똥구리 모양의 혹이 중요한 표시로 간주된다.

이처럼 동물(인간 대신에) 표상을 취한 아피스 황소의 상징은 희생된 신이라는 근본 주제를 담고 있다. 이 주제는 파라오 숭배에서 본질적인 부분을 이룬다. 제1왕조의 창립자가 세운 도시는 그 점을 강조하고 있다. 거기서는 희생된 황소의 메타포가 희생된 왕의 메타포를 충분히 대체하였음이 강력하게 암시되고 있다. 왕조 이전 시대에는 달-왕(moon-king)의 제의적 살해가 행해졌지만, 후기에는 제의적 살해의 대상이 황소였다. 따라서 누미누스적 압력을 벗어난 왕은 그의 정치적 무용극 덕분에 해방되었다.

프타는 미라로 묘사되고, 아피스 황소는 매의 날개 부분에 있는 매우 밝은 표시를 제외하면 검은 색으로 묘사된다. 미라와 황소의 검정은 어두운 달, 즉 죽은 달을 가리킨다. 이 속에서 오래된 달이 죽으며 그곳에서 새로운 달이 태어난다. 차고 이지러지는 가시적 주기는 그 깊고 무시간적인 층의 몇 가지 측면이 시간 안에서 나타난 것에 불과하다. 비유적으로 보면, 오시리스의 죽음과 호루스의 출생 신화는 보다 깊고 무시간적인 프타가 시간 속에 출현한 것에 불과하다.

기원후 500-1500년의 인도 후기 탄트리즘 이미지에서도 세계의 지모신 숭배와 관련된 중요한 상징의 질서가 나타난다. 거기에서는 여신이 시바 위에 앉아 있는데, 그녀의 자세는 앞에서 언급한 초기 수메르 인장의 자세(〈그림 4〉)를 연상시킨다. 누워 있는 시바의 밑에는 시바의 또 다른 측면이 보이는데, 그는 첫번째 신과 연결되어 있지만 그녀로부터 벗어난 채 눈을 감고 있다(〈그림 21〉, 383쪽 참조). 이 두번째 형태의 시바는 "시체"를 의미하는 샤바(Shava)로 알려져 있으며, 미라 프타와 분명한 유비를 보여주고 있다.

시바의 동물은 황소 난디이고 프타의 동물은 황소 아피스라는 사실을 고려하면 이 둘 사이의 유비는 확대된다. 이 두 상징 체계의 지시물이 초월적이면서(그것이 "나"라고 말하기 이전의 자아) 동시에 내재적인(우주를 생성하면서 둘로 나뉘어진 자아) 신의 신비를 향하고 있다는 사실을 깨닫게 되면, 그 유사성은 더욱 커진다. 시바의 여신 배우자를 운반하는 동물이 사자이고 프타의 여신 배우자가 위대하고 무시무시한 사자-여신 세크메트(Sekhmet) ── 이 이름은 "강력한 자"라는 의미이다 ── 라는 사실을 알게 되면, 그 유비는 모든 단순한 우연성을 넘어서게 된다. 인도에서 세크메트의 대응물은 시바의 "힘(삭티[śakti])"이라고 불리며, 앞에서 보았듯이(14쪽 참조) 그녀는 피로 된 신들의 음식을 매우 탐욕스럽게 갈구한다.

사자-여신 세크메트의 분노에 대하여 이야기하는 기원전 2000-1800년경의 이집트 자료가 있다. 이 문헌에 따르면 세크메트는 세스의 백성들을 징벌하기 위해서 암소-여신 하토르의 모습으로 이 세상에 출현하였다. 그 일이 끝났을 때 그녀는 자신의 욕망을 멈출 수 없었다. 따라서 신들은 인류를 구하기 위하여 자신들의 여자 노예들로 하여금 7천 단지의 맥주를 빚게 하고, 그것을 인간의 피와 비슷하게 만들기 위하여 거기에 가루로 된 맨드레이크(뿌리는 마취제/역주)를 섞었다. 문헌에는 다음과 같이 쓰여 있다. "한밤중에 이 잠들게 하는 약이 뿌려졌다. 들판 위에 네 뼘 정도의 높이로 이 액체가 넘쳐흐를 때까지. (타오르는 태양처럼) 아침에 나타난 그 여신은 홍수를 보았다. 그때 그 홍수 속에 비친 그녀의 얼굴은 아름다웠다. 그녀는 그것을 마시고 취한 채 자신의 궁전으로 돌아갔다. 이렇게 하여 인류의 세계는 구출되었다."[101]

달-황소의 초기 신화들에서 태양은 항상 전쟁을 좋아하고 강렬하게 타오르고 파괴적인 신으로 나타났다. 격렬한 적도의 무더위 속에서 태양은 진실로 무시무시한 힘이었으며, 사자나 흉포한 맹금으로 비유되는 경우가 많았다. 이와 달리 식물의 세계를 활성화시키는 밤이슬의 시여자인 달은 생명의 원리를 대변한다. 달은 삶을 이루고 있는 출생과 죽음의 원리이다. 상징적으로 보면 달, 즉 달-황소는 모든 생명체처럼 죽었다가 다시 태어난다. 달의 죽음은 그 자체의 본성의 한 기능이지만, 다른 한편에서는 암사자나 태양 맹금의 공격에 의하여 달의 죽음이 초래되기도 한다. 그러므로 사실상 태양새(solar bird)나 암사자는 삶의 본성 속에 이미 내재한 죽음의 원리의 대행자에 지나지 않는다. 태양은 삶/죽음 원리의 단지 한 측면을 나타내는 것으로 인식되었음에 틀림없다. 이러한 삶/죽음 원리는 달 속에서 보다 완전하게 상징화된다. 그러므로 세크메트는 하토르의 한 측면이 나타난 것이다. 그리고 창조적이고 남근 숭배적인 측면을 지닌 프타는 하토르의 동물인 암소를 수태시키기 위해서 그의 달빛을 보내어 마침내 달-황소를 낳게 하는 반면, 징벌을 부과하고 죽음을 거래하며 파라오적 측면을 지닌 프타의 배우자는 세크메트이다. 프타가 세크메트와 결합하여 낳은 아들이 통치자 파라오이다. 파라오는 인간의 얼굴을 하고 사자의 몸을 지닌 스핑크스로 상징되며, 피라미드들 사이에 위치하고 있다. 피라미드 속에는 파라오들의 오시리스-몸이 고요하게 거하고 있다. 마지막으로 프타와 시바 상징이 지닌 기원의 동일성을 찾기 위한 유비의 논증을 마무리하기 위해서는 다음과 같은 사실에 주목해야 한다. 즉 파라오의 권위를 지닌 "우라에우스 뱀"은 스핑크스의 이마의 중간 지점으로부터 나오고 있는데, 이는 인도의 시바 상징에서는 "명령(아 즈나(ajñā))"의 중심으로 알려진 제3의 눈의 지점이며, 이곳으로부터 신의 이른바 "뱀의 힘"이 지닌 파괴적인 불꽃이 분노로 타오른다.

8. 사제 예술

고이집트의 가장 위대한 수도를 발전시킨 사람들이 창조적 예술가로 활동한 일련의 사제들이었다는 사실을 깨달을 때에만 그 도시에 관한 심오한 지식을 적절하게 이해할 수 있다. 상이집트의 아비도스 무덤들은 사력층(砂礫層)을 파서 만들었으며, 석회암층이 표면에 매우 가까이 있는 사카라 고원의 멤피스 무덤들은 반암(盤岩)을 깨고 만들었다.[102] 왕조 시대로의 진입을 얼마 앞둔 이집트에서는 전곤(戰棍)의 머리, 슬레이트 팔레트, 그리고 여러 종류의 용기를 만들 때에 손 송곳과 문지르는 방법을 통해서 이미 단단한 돌을 사용하고 있었다. 나르메르 팔레트의 시대에는 활비비(대가 돌아서 물건을 뚫고 들어가는 활 모양의 송곳/역주)와 무거운 크랭크 송곳이 도입되었으며, 제르 왕*의 시기에는 석재 용기가 엄청난 양으로 생산되어, 마침내 정교한 유형의 도자기 물품을 제외하고는 대부분의 용기가 석재로 대체되었다.[103] 그러므로 제2왕조의 파라오 세크헤마브/페라브센의 시대에 이미 멤피스의 장인들은 손에 구리 끌을 쥐고 거대한 거친 석재를 채석하고 다듬는 일만이 아니라 자연 그대로의 바위에다 마음대로 조각하고 있었다.

제2왕조의 마지막 무렵인 카세케무이의 시대(기원전 2650년경)는 모든 방면의 예술이 급격하게 발전한 시기의 하나이다. 도공용(陶工用) 녹로가 그 무렵에 도입되었으며(서남아시아에서는 기원전 4000년경에 이미 출현하였다), 구리가 광범위하게 사용되었다. 상당한 양의 석재 용기가 출현하였으며, 부조와 환조의 석재 조각술이 숙련화되기 시작하였다. 에

---

* 86쪽 참조.

두아르드 메이어는 그의 위대한 책 『고대의 역사(*History of Antiquity*)』에서 "우리는 이미 초기 이집트 문화가 꽃 피기 시작하는 시기에 도달하고 있다"[104]고 이 시기에 대하여 썼다. 제2왕조의 몰락과 함께 그 전성 시대가 도래하였다. 제3왕조의 출현(기원전 2650-2600년경)과 함께 북쪽의 멤피스로 정치적 중심이 결정적으로 이동하고, 아비도스에서 행해져온 일련의 잔인한 순장 무덤의 건축이 정지되고, 기원전 2630년경 사카라의 멤피스 공동 묘지에서 파라오 조세르(Zoser)의 전설적인 계단 피라미드가 출현하였다.

이 멋진 기념물은 그 이전의 거대한 무덤들처럼 벽돌로 된 것이 아니라 아름답게 마무리된 석회암으로 되어 있었다. 기원전 600년경에 이르기까지 이곳을 방문한 여행객들은 이것을 보고 찬탄을 금치 못하였다(그 위에 쓰여진 감탄사들이 이를 보여준다). 이것의 상부 구조는 6개의 점차 작아지는 돌 마스타바가 차례대로 올라가고 있는 거대한 계단식 기념물이다. 높이는 약 200피트이며, 하단부의 길이는 230피트, 폭은 223피트이다. 시신이 매장된 방(하부 구조)은 아래로 석회암을 깎아 들어갔으며, 장려한 무덤을 건설하기 위해서 그 안으로 거대하고 단단한 화강암을 끌어들였다. 피라미드(오늘날 약 20층 정도의 건물 크기를 가진)의 주위에는 동서로 30야드, 남북으로 596야드, 높이 30피트가 되는 요새화된 벽이 있었다. 이 벽은 고대의 요새 도시의 진흙 벽돌담을 모방하여 하얗고 정교한 석회암으로 된 작은 벽돌 모양의 덩어리로 이루어져 있었다. 이 벽을 따라 일정한 간격으로 거대한 사각형의 보루가 서 있었으며, 나머지 보루들보다 큰 두 보루 사이에 3피트의 넓이를 가진 매우 좁은 입구가 있었다. 내부에는 어슴푸레 빛나는 사원들, 보조 무덤들, 예배당들, 갤러리들, 주랑들의 열이 보이는데, 이것들은 완전한 아름다움을 지닌 하얀 돌로 완벽하게 만들어졌으며, 완벽하게 마무리되었다. 세로로 홈이 파여 있는 기둥과 파여 있지 않은 기둥, 버팀 없이 서 있는 기둥과 벽에 반쯤 묻힌 기둥 ; 사각형 주두(柱頭)와 기부(基部), 원형 주두와 기부, 파피루스 주두, 매달린 잎을 가진 주두, 여인상 기둥, 돌 계단 ; 파란 파양스 도자기 타일을 가지고 매트 문양으로 상감 세공을 한 벽 ; 윗가지 멍석으로 얕은 돋을새김을 한 벽 ; 높은 돋을새김으로 그림을 조각한 벽 ; 그리고 재빠르게 활보하고 있는 파라오 조세르를 그린 얕은 돋을새김이 있는데, 거기서 파라오는 어깨 위에 도리깨를 지고 있으며 왼손에는 "두 동반자의 비밀"이라고 하는 세드 축제의 문서를 쥐고 있다. 그는 고대의 킬트를 입고 있으며, 암소-여신인 "수평선의 하토르"의 머리를 한 허리띠를 차고 있다.

금세기의 20년대와 30년대에 그 유적들이 체계적으로 발굴되었을 때, 수 톤의 설화 석고 조각들이 여기저기 흩어져 방치되어 있었다. 서구의 차분한 과학이 인류를 위하여 — 전유하고 파괴하기 위해서가 아니라 — 우리의 공동의 과거를 가능한 한 많이 보존하려고 도착하기 전에, 귀중품이 있던 지역들이 살인적인 약탈을 당하였기 때문이다. 그 흩어진 조각들 가운데 단일 암석으로 된 왕관의 기부가 발견되었는데, 그것은 환조로 되어 있었고 14마리의 사자(황소가 아니라) 머리로 장식되어 있었다.[105]

황소의 시대가 지나가고 또 다른 시대, 즉 사자의 시대의 여명이 떠올랐다. 그러므로 달 황소(lunar bull)의 신화는 이집트에서만이 아니라 여러 곳에서 사자의 태양 신화에 의해서 압도되었다. 달빛은 차고 이지러지지만 태양빛은 영원히 빛난다. 어둠은 달에 거주하고 그곳에서의 어둠의 놀이는 이곳 지상의 삶 안에서의 죽음의 놀이를 상징한다. 다른 한편 어둠은 외부로부터 태양을 공격하지만, 결코 어둡지 않은 힘에 의해서 패배당하여 매일 내던져진다. 달은 성장, 물, 자궁, 그리고 시간의 신비의 주인인 반면, 태양은 지성의 찬란함, 거대한 빛, 그리고 결코 변하지 않는 영원한 법칙의 주인이다.

영구 석재를 이용한 기술이 멤피스에서 꽃 피는 시기에 결코 죽지 않는 신의 신화가 그것과 함께 등장하였다는 것은 주목할 만하다. 더구나 이집트의 석재 예술과 건축의 책임을 지고 있던 것으로 알려진 사제직이 프타 신전의 사제직이었다는 것도 주목해야 한다. 그 신전의 경내에서는 피라미드 시대를 통하여 숙련된 많은 장인들이 "장인 중의 장인(wr hrpw hmwt)"이라는 직함을 지닌 고위 사제의 감독 하에 돌을 깎고 가는 작업을 하였다. 파라오의 영광을 위하여 거대한 석재 기념물을 구성하는 각 부분들이 여러 곳에서 별도로 만들어졌다. 연례적인 범람의 시기에는 모든 현장 작업이 중단되고, 온 나라의 현장 일꾼들이 완벽하게 손질된 석재 덩어리들을 물 위에 띄워 운반하기 위해서 멤피스로 왔다. 채석장들도 프타 신의 소유물이므로 그곳의 재료와 작업은 왕의 명령에 의하여 그 신전의 사제들이 제공하였다. 그리고 파라오 자신과 그가 아낀 궁정의 사람들 — 파라오의 근처에 그들의 매장지와 무덤이 있는 — 을 위한 왕실의 기획은 엄청나게 많았기 때문에, 아테네의 짧은 전성기가 도래하기 이전의 고대 세계의 가장 위대한 예술 학교는 근면하고 완벽한 능력을 지닌 프타의 숙련된 장인의 심장과 혀로부터 발전하였다고 말할 수 있다.[106]

그러므로 미라-신은 창조의 신일 뿐만 아니라 창조적 예술의 신이기도 하였다. 그리스인은 그를 헤파이스토스와 동일시하였다. 그는 세계를 주조한 신이었다. 따라서 그의 기술의 비밀은 세상의 형태와 형성의 비밀이었다. 그러면 헤파이스토스의 신화에 나타난 창조의 본성에 대한 지식은 사제직의 실제적인 창조적 경험과 지식으로부터 그 깊이를 얻었음에 틀림없다고 제안하는 것은 너무 대담한가? 문명 세계는 제3왕조(기원전 2650년경)의 계단식 피라미드만이 아니라 제4왕조에서 제6왕조에 이르는 (기원전 2600-2190년경) 피라미드 시대의 고귀한 잔해를 전적으로 그러한 사제직의 창조적 경험과 지식의 결과라고 간주한다. 그리고 그 이래로 석재 건축과 조각 기술의 기초가 되어 온 사실상의 모든 근본적인 규칙, 기술, 공식이 최초로 출현하게 된 것 — 연대 측정이 가능한 돌 속에서 — 도 그러한 경험과 지식에 근거한 것이다.

9. 신화적 종속

제1왕조에서 제4왕조에 이르는 통치 기간(기원전 2850-2480년경) 동안 들판의 경작을 위해서 요구되는 것을 제외한 모든 이집트 노동력은 파라오를 영원토록 행복하게 유지하는 신화적 사업에 투여되었다. 에두아르드 메이어가 말하였듯이, 그러한 사자(死者) 숭배는 "그로부터 도움과 보호가 요청되거나 그의 분노가 완화되어야 하는 그러한 신에 대한 숭배(종교의 기원을 조상 숭배에서 찾는 모든 이론들이 전제하듯이)와는 아무런 관련이 없다. 그와 반대로 그 자체로는 무력하지만 신과 동등해져야 하는, 그러나 그러한 존재는 아닌, 어떤 정신(a spirit)의 인공 호흡과 오로지 관련이 있다."[107] 그 신화는 역설이나 틈이나 어떤 간격도 없이 직접적으로 파라오에 의하여 자신에게 적용되었다. 그러므로 그 최고의 신성이자 종교 생활의 초점이고, 전 인류의 가장 큰 관심으로 제안된 대상은 "두 동반자의 비밀"의 요약인 약간 "뒤로 열려 있는" 개인, 즉 신-왕이었다. 체옵스(Cheops, 기원전 26세기초의 이집트의 왕/역주)가 세운 피라미드(625만톤 : 메이어가 언급한 것처럼 "땅이 견뎌낼 수 있는 가장 강력한 구조물")[108]의 장엄함은 구속받지 않은 에고가 그러한 거름(manuring) 하에서 어느 정도로 성장할 수 있는가를 잘 보여준다.

피라미드 시대의 전성기에는 새롭고 비교적 인간적이고 자상한 부성적 특성이 제4왕조 파라오의 성격과 행동 속에 분명하게 나타나기 시작하였다. 메이어가 지적하듯이, "주술적 문헌의 언어 속에는 아직도 남아 있는 것처럼 보이지만, 파라오의 전능성에 대한 열렬한 강조와 그의 변덕을 무절제하게 만족시키는 행위는 먼 과거에 속하게 되었다. 그는 하나의 신으로만 접근될 수 있었지만, 이제 신들도 친절하게 되었다. 무덤 비문에는 그 왕이 시종들에게 얼마나 자상하게 대했으며 그들을 사랑하고 칭찬하고 그들에게 많은 상을 내렸는가 하는 내용이 줄줄이 나오고 있다. 제4왕조의 중반에 무덤의 비문이 수다스러워졌을 때, 그 비문은 그 죽은 자가 결코 악에 물들지 않고 어떤 사람으로부터도 재산과 종을 빼앗지 않고 그의 힘을 남용하지 않았으며 항상 정의롭게 행동하였다고 기록하면서 그를 칭찬하였다. 심지어는 부모에 대한 효도와 아내에 대한 남편의 사랑에 대해서도 언급하고 있었다."[109] 이와 달리 옛날에는, 즉 이 신-왕에게 희생물로 바쳐진 죽은자들이 매장된 무시무시한 궁전의 시기에는, 생명과 삶의 주가 그 자신의 욕망의 열정에 따라 마음대로 아내들을 그

114

들의 남편들으로부터 빼앗았다. 사람들은 떨면서 그에게 다가갔으며, 그의 발의 먼지에 입맞추었고, 그중 가장 특권이 있는 사람들만 그의 무릎 가까이로 다가가는 것이 허락되었다. 심지어는 그의 이름을 부르는 것조차 기피되었으며, 그 대신 연막을 친 용어, 즉 "위대한 집(파로〔par'o〕)"을 의미하는 파라오라는 용어가 사용되었다.[110]

아직 살아 있는 신들 자신에 의하여 세워진 이 지하 궁전의 주인들에 대한 이러한 기술에 비추어 우리는 다음과 같은 것을 상상해볼 수 있다. 그들 자신을 수용하기 위해서 건설되고 있는 방과 복도를 보았고 그 의미를 알고 있던 젊은 여인들, 난쟁이들, 환관들, 그리고 궁정의 경호원과 지배인들의 감정은 어떠했을까? 그리고 위대한 "나"라고 하는 이러한 괴물들이 인간적이고 자비로운 존재로 간주되도록 한 그 냉정한 영향들은 무엇이었을까?

이미 언급하였듯이, 나 자신의 첫번째 추측에 의하면, 그것은 예술의 영향이다. 신화는 환상에서 나온 것이기 때문에 사실적인 신화적 동일시나 인플레이션의 결과 — 즉 구체적인 신의 모방 — 로 형성된 문명이나 삶은 필연적으로 악몽, 다시 말해서 너무 심각하게 연출된 꿈의 게임 — 다른 말로 하면 광기 — 의 특성을 지니게 될 것이다. 반면 그와 동일한 신화적 이미지가 환상으로서 적절하게 읽혀지고 자연이 아니라 예술 — 격렬한 악마적 강제가 아니라 역설과 은총을 지닌 — 로서 삶 안에서 활동하는 것이 허락될 때, 이전에 강제적인 이미지의 포로로 있던 심리적 에너지가 그 이미지를 다시 포착하게 되고, 나아가 그것은 삶의 확장을 위하여 선택적인 자발성을 가지고 재배치될 수 있다. 더구나 삶 자체는 꿈을 만드는 재료와 같은 것이므로, 그러한 강조점의 전환은 때가 되면 그 자신의 본성을 고귀하게 의식하면서 사는 삶으로 나아갈 수 있다.

기원전 3천 년경의 고대 나일 강 계곡에서는 하나의 살아 있는 신화 — 혹은 차라리 인간의 신체 속에서 그 자신을 살아가는 신화 — 가 신석기 민속 문화를 세계의 고등 문명 중 가장 우아하고 지속적인 것의 하나로 전환시키고 있었다. 이는 매우 확실하다. 그 신화는 실제로 산을 움직여 피라미드를 만들고 땅을 자신의 아름다운 메아리로 채우고 있었다. 그러나 신화의 압력 속에 있던 개인들은 그것에 너무나 매혹당하여 행동에서는 거인이었음에도 불구하고 감정에서는 어린아이였다. 최근에 나무로 만든 왕실의 길다란 짐배들이 상당수 발견되었는데, 그것들은 기자(Giza)의 거대한 피라미드 주위에 있는 깊은 바위 홈 사이에 묻혀 있었다. 5개는 체옵스(쿠푸)의 피라미드 주위에 있었고 5개는 체프렌(카프레)의 피라미드 주위에 있었다.[111]

먼저 순장이 있었고 그 다음에 이 신화가 있었는가? 자신의 장난감을 타고 영원성으로 항해하는 그 위대한 사람은 날개 없는 비행기를 타고 있는 어린아이와 같은가?

에두아르드 메이어는 피라미드 시대의 매장 의례에 대한 논평에서 다음과 같이 말하였다.

이 지상 어디에서도 불가능한 것을 가능한 것으로 전환시키는 과제, 즉 인간의 짧은 삶의 기간을 그 모든 즐거움과 함께 영원으로 확장시키는 과제가 그렇게 많은 에너지와 일관성을 가지고 추진된 적이 없었다. 고왕조의 이집트인들은 이러한 가능성을 가장 깊은 열정을 가지고 믿었다. 그렇지 않았더라면 그들은 그 일에 국가와 문명의 모든 부를 세대를 이어 계속 탕진해가지는 않았을 것이다. 그럼에도 불구하고 그러한 기획의 배후에는 모든 광영이 단지 환상적이라는 감정이 잠복하고 있었다. 그것을 위하여 사용되고 있던 모든 방대한 수단들이 최상의 조건 하에서도 단지 잊혀지지 않는 꿈과 같은 존재의 상태를 산출할 뿐, 현실을 조금도 변화시키지 못할 것이라는 감정이 숨어 있었던 것이다. 주술의 힘으로도 몸은 여전히 살아 있지 못할 것이며, 그 죽은 몸은 움직이거나 스스로 영양분을 섭취하지 못할 것이라는 생각이었다. 그래서 하나의 상이 그의 몸을 충분히 대체하며, 무덤 벽의 그림들이 실제의 제물과 살아있는 희생물을 대신하고 있다. 죽은 자 주위에서 맷돌을 갈고 빵을 굽는 여자 인형들의 경우도 마찬가지 역할을 하고 있다. 최종적으로 무덤 문 위에 선포되고 새겨진 봉헌 문구(offering-formulae)로 족하게 되었던 것이다. 제4왕조의 시기에는 아직 이러한 사고방식의 의미가 그 논리적 귀결로 나아가지는 않았으므로 실제적 제물 봉헌이 포기될 정도는 아니었다. 그러나 문구와 그림의 세계가 이미 제물을 보완하고 있었

116

고, 마침내 그것들을 대체하게 되었다. 그러므로 그림과 조각으로 표현된 그의 시종들 — 특히 그들의 이름이 표기되었다면 — 에게도 죽은자 자신과 동일한 지속적 삶이 확보되었을 것이라는 가정이 나오게 되었다.[112]

이집트의 최종적 돌파구는 제4왕조의 몰락과 사제들이 건립한 제5왕조(기원전 2480-2350년경)의 출현으로 시작되었다. 그 순간부터 파라오는 여전히 하나의 신이기는 하였지만 스스로를 일류 신이 아니라 이류 신으로 인식하고 그에 걸맞게 행동하였기 때문이다. 새로운 신화가 전면에 등장한 것이다. 새로우면서도 영광스러운 신성을 지녔으며 레라고 하는 이름을 지닌 태양-신이 등장하였다. 그는 호루스처럼 파라오의 아들이 아니라 그 자신이 파라오의 아버지이자 동시에 그 밖의 모든 것의 아버지였다. 이 신격에 관한 초기의 역사는 알려지지 않았다. 그는 아툼과 동일시되기도 하지만 그와 다른 자질과 힘을 지녔다. 우리는 그가 자라난 왕실의 배경에 대해서도 알지 못한다. 그러나 그 왕가의 첫번째 세 파라오의 처녀 탄생에 관한 전설이 있는데, 거기서 그들은 레 왕의 아들들로 나타난다. 이것은 기원전 1600년경의 후기 파피루스에 보존된 것이기는 하지만 왕조 자체의 근본적 기원 신화임에 거의 틀림없다. 그 각본의 태양적 분위기는 달의 사상과 대립하는 태양 사상의 신화적 분위기를 지니고 있다. 그 안에서는 어두운 죽음의 운명과 부식으로부터의 출생이라는 낡고 깊은 식물의 우울함이 사라지고, 한줄기의 신선하고 깨끗한 바람이 들판으로 불어와 모든 그림자를 던져버렸다. 소년 같은 측면이 어느 정도 보이고, 좀 천박한 정신이라고 말할 수도 있겠지만, 남성적 정신이 대신 들어선 것이다. 그러나 그 정신은 그 자체로부터 어느 정도 거리를 두면서, 모든 것이 심각하고 불행하였던 곳에 지성의 작용을 가능하게 만든다.

그 이야기는 태양-신 레의 사원을 관장하고 있는 라우시르라는 이름을 가진 어떤 고위 사제의 배우자이자 착한 여자인 루디트디디트(Ruditdidit)에 관한 것이다. 그녀는 세쌍둥이로 태어나게 되는 레의 세 아들을 임신하였다. 출산의 고통이 다가왔을 때, 신 자신이 하늘에서 이시스, 네프티스, 히카이트(세계가 태어날 때 있었던 개구리 머리의 산파), 마스코누이트(출산과 요람의 여신), 그리고 크눔신(형태를 주조하는 신)에게 소리쳤다. "서둘러라! 서둘러라! 루디트디디트의 자궁에 있는 아기들을 받아내라! 그 아기들은 두 나라에서 훌륭한 왕의 기능을 완수할 것이며, 너희를 위해 사원을 세우고, 너희의 제단에 공물을 바칠 것이고, 너희의 식탁에 양식을 가져올 것이고, 너희의 사원토지를 증가시킬 것이다."

레의 명령을 듣고 이 다섯 신은 출발하였다. 네 여신은 음악가로 변모하였으며 크눔은 이들의 짐꾼으로 동행하였다. 이렇게 변장한 그들은 라우시르의 처소에 도착하여 천을 펼치고 있는 그를 보게 되었다. 그들이 캐스터네츠와 시스트럼(고대 이집트 제례의 타악기/역주)을 가지고 앞을 지나가자 라우시르는 소리쳤다. "아가씨들! 아가씨들! 제발! 여기에 분만의 고통을 겪고 있는 여자가 있습니다." 그들이 대답하였다. "그러면 그녀를 봅시다. 우리는 산파술에 능합니다." 라우시르가 말했다. "그러면, 자, 들어오시오!" 그들은 집으로 들어갔다. 그리고 루디트디디트와 그들 자신 쪽으로 문을 닫았다.

이시스는 멍석 위에 쪼그리고 앉은 그녀 앞에 자리를 잡았고, 네프티스는 고통의 순간에 움직일 그녀의 몸을 꼭 붙잡기 위해서 그녀의 뒤에서 있었고, 히카이트는 그녀를 마사지하여 분만을 촉진시켰다. 여신 이시스가 말했다. "오, '입이 강한 자'를 뜻하는 우시르-라프(Usir-raf)의 이름을 가진 아이여! 그녀의 자궁 안에서는 강하지 말라!" 그러자 아이가 그녀의 손 위로 나왔다. 그 아이의 키는 완척(약 46-56cm/역주)이었으며, 뼈는 튼튼하였고, 손발은 금색이었으며, 머리카락은 군청색이었다. 같이 있던 여신들이 그를 목욕시키고 탯줄을 끊고 벽돌 침대에 눕히자, 마스코누이트가 다가와 예언하였다. "이 아이는 두 나라에서 왕권을 행사할 왕이 될 것이다." 그리고 크눔이 그의 손발에 건강을 불어 넣었다.

이시스는 다시 그녀 앞에 자리잡았고, 네프티스는 뒤에, 그리고 히카이트는 두번째 분만을 도왔다. 이시스가 말하였다. "오, '천상에서 여행하는 레'를 뜻하는 사후리야(Sahuriya)의 이름을 가진 아이여! 자궁에서는 더 이상 여행하지 말라!" 그러자 아이가 그녀의 손 위로 나왔고, 등등 ……

그리고 세번째 분만을 도우면서 그녀는 말하였다. "오, '어두운 자'를 뜻하는 카쿠이(Kakui)의 이름을 가진 아이여! 어두운 자궁에서 더 이상 늑장부리지 말라!" 이 작은 파라오도 그녀의 손 위로 나왔는데, 그 역시 완척의 키를 가지고 있었고, 뼈는 튼튼하였으며, 손발은 금색이었고, 군청색 머리카락을 가지고 있었다. 신들이 그를 목욕시키고 탯줄을 끊고 벽돌 침대 위에 눕히자, 마스코누이트가 다가와서 예언을 하였으며, 크눔이 그의 손발에 건강을 불어넣었다.

그들은 떠나면서 밖에 있던 그 착한 남자에게 말하였다. "기뻐하라, 라우시르여, 보라, 지금 너의 세 아들이 태어났도다." 그가 그들에게 말하였다. "오, 아가씨들이여, 당신들을 위해서 내가 할 수 있는 일은 무엇입니까?" 그러면서 그들에게 다시 말하였다. "여기 이 옥수수를 당신들의 짐꾼에게 주어, 그가 그것의 저장 비용을 내고 당신들의 사일로(곡식, 마초 등을 저장하는 탑 모양의 건축물/역주)에 저장하게끔 하십시오." 그러자 신들은 그 옥수수를 받아가지고 그들이 왔던 곳으로 돌아갔다.[113]

우리는 여기서 처녀-출생 모티브에 주목한다. 초기의 신화에서는 파라오가 자신의 어머니의 황소였으나 이제 그는 더 이상 그러한 존재가 될 수 없다. 순수한 빛의 영원하고 지고한 원리는 어둠과 빛, 죽음과 부활이라는 보다 초기의 유동적인 원리에 대립하였듯이, 태양은 달에 대립하였다. 그러나 태양은 결코 죽지 않는다. 그것은 지하 세계로 내려가 밤 바다(night sea)의 악마들과 투쟁한다. 태양은 그 과정에서 위험에 처하기는 하지만 결코 죽지는 않는다.

(메이어는 다음과 같이 썼다.) 피상적으로 볼 경우, 레 숭배는 여타의 신들에 덧붙여진 또 하나의 신을 단지 나타내는 것으로 여길 수도 있다. 파라오는 레를 위하여 새로운 신전들을 세우는 데에 기울인 열정만큼 다른 신들을 숭배할 때에도 그에 못지 않은 열정으로 제물과 토지를 바쳤기 때문이다. 더구나 이 신전들 자체에서는 레만이 아니라 그의 이중적 현현인 빛의 신, 즉 '지평선 위의 호루스'와 천상 여신 하토르도 숭배하였다. 이때 그들에 대한 숭배는 후대의 이그나톤의 태양 종교와는 본질적으로 달랐다. 그러나

이미 그 숭배 형식에서조차도 레와 모든 다른 신 사이에 심오한 차이가 드러나고 있다. 내세적 요소와 보다 고상한 신 관념이 이집트 인의 생활에 들어오고 있다. 그와 동시에 제4왕조를 전적으로 지배한 신-왕의 관념에 대한 반격이 등장하고 있다. 파라오는 왕좌에 오른 직후 그 자신의 거대한 무덤을 건축하는 과제와 함께 이제 태양-신을 위한 새로운 제사의 장소를 건립하는 그만큼 중요하고 값비싼 의무를 고려하고 있다. …… 지역 신들은 교육받은 층의 존숭을 받고 레의 현현의 형태로서만 신학에서 그들의 위치를 유지하는 반면, 여신들은 천상-여신과 태양의 어머니가 된다. 왕권 자체도 재해석된다. 파라오는 한편에서는 이 세상을 다스리는 천상 통치자의 아들로 승격되지만, 다른 한편에서는 새롭고 보다 높은 종교적 관념에 종속된다. 왕은 이제 그의 아버지와 동등한 지위 — 살아 있는 호루스가 과거에 신들 사이에서 누렸던 것과 같은 — 에 서 있지 못하고, 단지 아버지의 의지를 실현시키는 복종하는 아들일 뿐이다. 그것이 바로 다음 세기의 파라오가 과거처럼 "위대한 신"이 아니라 단지 "선한" 자에 불과한 이유이다.[114]

이것으로 나는 일련의 심리학적 변형의 기록이 보존되어 있는 나일 강의 자료에 대한 현재의 조망을 끝내려고 한다. 이 연속적인 변형은 다음과 같이 3단계로 진행되고 있다.

1. 왕조 시대 이전의 신화적 동일시의 단계 : 여기서는 모든 인간의 판단이 가상의 우주적 질서의 경이에 종속된다. 그 우주 질서는 사제들에 의하여 선포되며, 신-왕이 희생 제물로 됨으로써 그 질서가 실현된다.

2. 초기 왕조 시대의 신화적 인플레이션의 단계(제1왕조-제4왕조, 기원전 2850-2480년경) : 이 시기에는 신-왕 자신의 의지가 운명의 신호가 되고, 요술에 걸린 매우 창조적이고 악마적인 병리학이 상징적 문명으로 되었다.

3. 신화적 종속이라는 절정 단계 : 여기서는 왕이 아직 신화적 역할을 담당하고 있기는 하지만, 육화한 "두려운 신비"의 무제약적 역할을 하는 것이 아니라, 인간적 판단에 의해서 그 자신을 검열하였다.

집단 정신 분석학적 치료의 관점에서 보았을 때, 상징적 왕의 인격을 통하여 그 문명은 우주적 포로의 상태로부터 합리적으로 균형 잡힌 인간성의 상태로 나아갔다. 우주에 투사된 인간적 가치들, 즉 선, 은혜, 자비 등은 그것들의 창조자인 인간에 귀속되었고, 파라오는 이렇게 간주된 우주적 신이 지닌 인간성의 반영으로 자신의 온순함을 성취하였다. 파라오는 "선하였지만", 고대적 의미에서 더 이상 "위대하지는" 못하였다. 그러나 그는 아직 "신"이었으며, 참 인간일뿐만 아니라 참 신이었다. 그는 하나의 신격으로써 인간들 사이에서 자신의 힘과 특수한 지위를 유지하였지만, 신화의 이미지를 통하여 보다 높은 힘에 종속되었다. 그 높은 힘은 그 자신보다 높지는 않지만, 시간의 장 속에서 나타나는 ─ 아피스 황소처럼 ─ 그 자신의 여러 측면들보다는 더 높았다. 더구나 그가 다스린 이집트 땅은 천국이었다. 세상에 내재한 신성의 의미가 아직 남아 있었기 때문이다. 인간은 그곳에서 잘려나가지 않았다. 타락은 존재하지 않았다. 죽음에 처한 인간은 오시리스의 심판대 앞에 서게 되지만, 그것은 단지 개별적인 상황의 덕목에 관계되는 일이었다. 인류 자체는 존재론적으로 저주당하지 않았으며, 우주의 경우도 마찬가지이다. 그러므로 이집트는 ─ 분명히 ─ 서양보다는 동양의 어떤 맥락에 속하는 것으로 간주되어야 한다. 그 신화에 깃든 정신은 죄의식이 아니라 경이이다.

이제 마지막으로 이집트가 경이의 속박을 깨지 않고 그것의 힘을 인간화시키면서 그것의 포로로부터 치유될 수 있었던 것은 이집트의 놀라운 예술이 지닌 주술에 의한 것이 아닌가 하는 물음을 던져보자. 이는 매우 적절한 질문이다. 메소포타미아에서는 속박이 깨어졌으나 이집트에서와 같은 그러한 영광스러운 예술이 존재하지 못하였다. 그리스의 고전 시기가 도래할 때까지 세상 어디에서도 이집트 예술에 비견될 만한 것은 없었다. 기원후 400년경 인도의 굽타 시대에 주술이 대승 불교와 함께 중국과 인도로 전해졌다. 우리는 앞에서 프타 신화와 시바 신화의 피상적인 관련성을 넘어서는 둘 사이의 동질성을 살펴보았다. 이제 예술의 동질성에 대하여 살펴보자. 람세스 2세(기원전 1301-1234년경)에 의하여 세워진 바위를 깎아서 만든 아부 심벨의 동굴 사원은, 기술의 측면만이 아니라 모든 관념, 건축상의 기본 계획, 외관상의 조직, 내부 장식의 개념에 있어서도, 인도의 엘루라와 그 외의 지역에 있는 바위를 깎아서 만든 시바 사원 및 붓다 사원을 1천5백 년 이상 앞서고 있다. 그러므로 예술 양식과 그 내용을 채우는 신화의 관계가 중요한 문제라면, 거기에는 탐구를 기다리는 상당히 흥미로운 문제가 존재하게 된다. 즉 이집트의 예술과 신비가 기원후 400-1250년경의 인도, 티벳, 중국, 일본에서 꽃 피게 되는 예술과 신비에 영감을 전하였는가 하는 문제가 대두한다.

제3장 인간의 도시

1. 신화적 분리

북으로 바다를 접하고 동, 서, 남쪽 모두 사막으로 둘러싸인 나일 강 계곡은 스스로를 거의 완벽하게 보호하고 외부의 침략을 쉽게 방어할 수 있는 지역이었다. 따라서 이 계곡의 통치 왕조들은 대체로 장기간 동안 권력을 장악하였으며, 힉소스의 통치 기간을 제외하고는 외부로부터 어떤 침략도 받지 않았다. 여러 아시아 인종의 혼합으로 이루어진 힉소스는 전차와 복합궁(複合弓)을 갖추고 이집트의 북동부 변방을 교란시킨 뒤 기원전 1670-1570년 사이에 이집트를 통치하였다. "그들은 레(Re) 없이 통치하였으며 신의 명령에 따라 행동하지 않았다"고 하트셰프수트 (Hatshepsut, 기원전 1486-1468년) 여왕은 선포하였다. 여왕의 재위 시에는 신이 혐오한 사람들을 멀리 격리시키고 흙으로 그들의 발자국을 덮어버렸다.[1] 그후 이집트를 보호하기 위한 새로운 전초 기지가 아시아 내륙 깊숙이 마련되었는데, 이는 시리아에서 가까운 북쪽에 있었다. 그러므로 나일 강의 사람들이 마트 아래서의 노역, 평화, 번영이라는 오래된 방식으로 되돌아 온 이후, 그들의 사상과 문명은 널리 영향을 미쳤다.

다른 한편 서남아시아의 근동 지역에서는 전적으로 다른 배경을 지닌 일련의 인종과 전통들이 지속적으로 출몰하여 서로 충돌하고 있었다. 뒤범벅이 된 싸움, 대량 학살, 총체적 무질서, 그리고 상호 질책은 소군주들에 의해서만 일시적으로 억제될 수 있었다. 이들 소군주의 자리는 큰 전투에서 일시적으로 정상을 차지한 사람의 위치보다도 안전하지 못하였다. 따라서 이러한 상황에서는 유일신이 다스리는 세계의 건전성에 대한 믿음이나 확신에 어울리는 분위기가 형성되지 못하였다. 더구나 성스러운 두 강 자체도 믿을 만하지 못하였다. 그 강들은 마치 구름이 나타났다가 사라지는 것과 같았다. 나일 강의 바람직한 연례적 범람은 그 지역 사람들의 정상적인 희망과 기대에 완전히 부합하였다. 이시스의 아름다운 별 소티스(시리우스)가 새벽 지평선에 연례적으로 출현할 때 범람하는 나일 강은 우주의 여신-여왕의 정확한 질서가 지닌 상대적으로 신뢰할 만한 신호와 예정표를 제공하였다. 반면 순식간에 일어나는 홍수와 티그리스 강 및 유프라테스 강의 갑작스러운 수로 변경은 그 열악한 지역에서 나타나는 다른 모든 것만큼이나 믿을 수 없고 통제될 수 없고 가공할 만한 것이었다. 그러므로 메소포타미아에서는 창조의 의지와 질서를 파악하는 사제적 기술이 이집트의 경우보다 직접적 현상에 대한 보다 지속적인 관찰을 필요로 하였다. 이 지역에서 매우 진지하게 연구된 수많은 점복 기술은 이러한 필요의 산물이었다. 예를들면 헤파토스코피(hepatoscopy ; 희생 제물이 된 짐승의 간을 조사하는 것), 올레오그래피(oleography ; 물에 부은 기름의 배열을 판단하는 것), 애스트로스코피(astroscopy ; 별, 유성, 달, 태양의 가시적 출현에 대한 관찰. 그러나 점성술에서처럼 황도대에 있는 그들 사이의 관계를 판단하지는 못하였다)가 발달하였고, 기상 조건도 예측(구름의 형성, 천둥과 번개의 다양성, 비, 바람, 지진 등)하였으며, 더구나 동물의 행동, 새의 비행, 비범한 인물의 출생 등에 관한 관찰도 하였다.[2] 그리고 서남아시아 지역 전체의 사회정치적 격동으로 인해 점차 강력한 정부와 시민법 질서가 발전한 것처럼, 자연에 대한 엄격한 관찰 —— 특히 천문학의 영역에서 —— 을 유지하려는 필요성으로 인하여 체계적 과학이 등장할 수 있었다.

   그러므로 외부의 침략으로부터 보호되는 나일 강 계곡의 오아시스에

124

위치한 아프리카의 고대 문명은 기원전 2850년경부터 기독교 시대가 동틀 때까지 그 문명의 형태를 본질적인 순수성으로 유지한 반면, 기원전 4500년경에 이미 수준 높은 신석기 문화 형태를 출현시키고, 그로부터 천 년 뒤에는 최초의 중요한 도시 국가를 등장시킨 서남아시아의 고대 문명은 정확하게 기원전 331년 —— 이때 유럽의 찬란한 알렉산더 대왕(기원전 356-323년)이 왕 중 왕인 다리우스 3세(재위 기간 기원전 336-330년)를 패배시키고 서구 유럽의 주도 하에 현대의 상호 문화적 혼합주의 시대의 서막을 알렸다 —— 까지 그것의 **형태**를 유지한 것이 아니라 그 지역에서 발전한 모든 문명의 최고 수준을 그 **지도력**으로서 관장하였다.

우리는 이미 세계 각 지역에 있는 잘 알려진 최초의 사원 지대의 형태들을 살펴보았다. 브락, 카파자, 우카이르, 오베이드, 우룩, 에리두에 있는 사원 지대들을 보았는데, 이 건축물들은 대체로 기원전 4000-3500년경에 세워졌다. 그후 천 년 동안에 새로운 형태의 메소포타미아 신전이 등장하였다. 이 신전은 많은 단을 가지고 있으면서 높이 솟아오른 지구라트(ziggurat) 형태(〈그림 13〉)를 취하고 있다. 넓은 경내에 솟아오른 그 상징적 산의 네 모서리는 네 방향을 향하고 있으며, 경내에 있는 수많은 보조 건물들은 분주하게 일하는 행정 사제들을 위한 것이었다. 조밀한 진흙과 벽돌로 만들어진 그 산의 정상에는 도시의 주신을 위한 하나의 궁전이 있었다. 이 시기의 메소포타미아 도시 국가들은 세계를 다스리는 각 신들의 장원으로 간주되었기 때문이다. 우르는 달-신 난나르의 장원이고, 그 근처에 있는 오베이드는 낙농-여신 닌후르사그의 장원이었다. 페르시아 만 해변가에 있는 에리두는 물-신 엔키 혹은 에아의 장원이었다. 길이 200야드, 넓이 120야드 정도의 단 위에 솟아 있던 그 신전의 높이는 2층이 넘지 않았던 것 같으며(수 세기가 지나면서 그것의 원래 높이가 줄어들었다), 단 위의 집처럼 생긴 초기의 신전 형태는 후대까지도 유지되었던 것 같다. 그곳에서 북서쪽으로 110마일 떨어진 니푸르에서는 공기-신 엔릴의 거대한 지구라트가 솟아 있다. 고대 수메르의 전성 시대(기원전 3500-2050년경)의 엔릴은 그리스 올림피아 동산의 제우스처럼 만신전의 최고 신이었다. 그 지역은 1889-1890년, 1890-1991년,

1893-1896년, 1896-1900년 사이에 각각 펜실바니아 대학이 파견한 일련의 조사단에 의해서 발굴되었다. 이 용기 있는 발굴대는 아랍인, 질병, 서투른 방법 등으로 인하여 발굴 과정에서 고통당하고 시달렸지만, 약 3만 개의 쐐기 문자 점토판을 모았다.[3] 그렇지만 이들의 지구라트 분석은 좀 엉망이었다.[4] 따라서 오늘날 학자들은 기나긴 역사를 지닌 이 지구라트의 다양한 형태와 차원에 관해서 어떠한 합의점도 도출하지 못하고 있다.[5] 그러나 강을 마주보고 있는 앞뜰과 이보다 큰 뒤뜰에 대해서는 홀

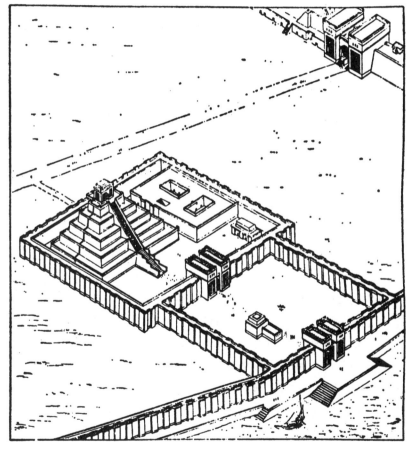

〈그림 13〉 니푸르의 지구라트(복원도) : 이라크, 기원전 2000년경.

룡한 발굴 작업을 수행하였다. 연구 보고에 의하면, 뒷마당에는 5층 혹은 3층으로 된 지구라트가 있었으며, 그 지구라트의 전면에는 정상에 있었을 신전으로 향하는 하나의 계단이 있었고, 네 모서리는 각기 동서남북을 향하고 있었다. 그리고 지하에는 대규모의 "낮은 신전"이 분명히 있었다.

위와 아래에 각기 하나의 신전이 존재한다고 하는 두 신전의 공식은 가장 초기부터 지구라트의 본질이었던 것 같다. 이러한 환경의 신화적 배경에 대해서는 건축가 안드레가 적절한 해석을 하였다.[6] 그의 논의를 요약하면, 신은 정상에 있는 신전에 거주하고 아래의 신전에서 나타난다. 위의 신전에는 주신이나 여주신만이 아니라 신의 수행원들을 수용하기 위하여 가구를 비치한 공동 주택이 있었다. 그리고 달력에 지정된 어떤 축제에서는 낮은 사원에 나타나는 신이 백성들의 숭배를 받고 그들에게 축복을 내린다. 그러므로 지구라트는 신들이 지상 도시로 내려가는 통로이자, 도시인들이 신에게 접근하여 청원하는 경로였다.

메소포타미아의 왕은 이집트의 왕처럼 그 자체가 신은 아니었기 때문이다. 조만간 서양과 동양 종교 체계의 결정적 분리를 초래할 신의 영역과 인간 영역 사이의 그러한 중요한 분리가 이미 일어났던 것이다. 왕은 더 이상 신-왕 혹은 본래적 의미의 "왕(루갈[lugal])"이 아니고, 참된 왕 ── 천상의 신 ── 의 "대리자(파테시[patesi])"에 지나지 않았던 것이다.

이러한 새로운 분리 의식의 어떤 의미를 드러내는 인간 창조의 신화가 있다. 이것은 에리두에 있는 신전-도시의 신 엔키 혹은 에아의 주기로부터 나온다. 그의 이름 중 하나인 에-아(e-a)는 "물의 집의 신"을 의미하며, 다른 이름 엔키는 "대지 여신(ki)의 주(en)"를 의미한다. 그를 상징하는 동물의 앞부분은 염소이고 몸은 물고기이다. 따라서 그 모습은 동지에 태양이 다시 태어나기 위하여 들어가는 황도대의 열번째 상징인 염소자리와 매우 유사하다. 엔키는 "침례의 집" 혹은 "씻김의 집" 의례로 알려진 물 의례에서 정화의 신 역할을 하였다.[7] 기원전 280년경, 후기 바빌론의 사제 베로소스가 그리스 어로 쓴 작품에는 그의 이름이 오아네스(Oannes)로 되어 있었다. 여기에는 우연을 넘어서는 어떤 것이 분명히 있다. 그리스 어 이오아네스(Ioannes), 라틴 어 조하네스(Johannes), 히브리 어 요하난(Yohanan), 영어 존(John)을 서로 비교해보라. 그리고 세례 요한과 물을 통한 재생의 관념(요한복음 3 : 5)을 생각해보라. 엔키는 배우자인 여신 닌후르사그와 딜문이라는 낙원의 섬에서 살았는데, 그 섬은 페르시아 만에 있는 바레인 섬과 지리적으로 동일시되어왔다. 그러나 신화적 측면에서 보면, 그곳은 근원적 대양의 가운데 있는 순수하고 밝은 "산자의 땅"이다.

> 딜문(Dilmun)에서는 갈가마귀도 까악까악 울지 않고,
> 솔개도 날카로운 소리를 내지 않고,
> 사자도 다른 동물을 죽이지 않고,
> 늑대도 양을 강탈하지 않고,
> 어린이를 삼키는 야생의 개도 없다.
>
> 거기서는 비둘기가 머리를 늘어뜨리지 않고,
> 눈이 아픈 사람은 '나는 눈이 아프다'라고 말하지 않고,
> 머리가 아픈 사람은 '나는 머리가 아프다'라고 말하지 않고,
> 늙은 여인은 '나는 늙은 여인이다'라고 말하지 않고,
> 늙은 남자는 '나는 늙은 남자이다'라고 말하지 않는다.[8]

크래머 박사는 유럽, 근동, 아메리카의 도서관에 있는 수많은 수메르 점토판을 비교 연구하여 "근원적 대양"을 의미하는 상형 문자로 쓰인 여신 남무(Nammu)가 "하늘과 땅을 낳은" 궁극적 "어머니"[9]였음을 보여주었다. 또 이 하늘과 땅이 우주적 산의 형태로 그려져 있음을 밝혔는데, 물의 심연 위에 떠 있는 그 산의 밑바닥은 땅의 토대이고 산의 정상은 하늘의 천정이다. 낮은 부분에 있는 땅(키[Ki])은 여성이었고, 윗부분에 있는 하늘(안[An])은 남성이었다. 따라서 그들의 본성은 다시 우리가 이미 알고 있는 이원적인 근원적 존재의 본성이었다.

안이 대기의 신 엔릴을 낳았고, 엔릴은 땅과 하늘을 분리하고 해체하였다. 이는 잘 알려진 고전 시대의 헤시오드 신화에서 가이아(땅)와 우

라노스(하늘)가 그들의 아들인 크로노스(토성)에 의하여 분리된 것과 같다.[10] 이로부터 많은 신들이 태어났고, 천상에 있는 신들은 지상의 인간들처럼 들판을 경작하면서 살았다.

그러나 신들의 게으름으로 수확이 실패하자, 자식들의 곤경을 알게 된 늙은 물-어머니 남무는 엔키를 찾았다. 엔키는 자식들 중에서 가장 똑똑하였으며 자신의 심연의 주였다. 남무는 엔키가 침상에 깊이 잠들어 있는 것을 발견하였다. 그를 깨우면서 "내 아들아!"라고 외쳤다. 남무는 신들의 슬픔에 관해서 말하였다. "너의 침상에서 일어나 어떤 위대하고 지혜로운 일을 행하라! 신들을 위해 일을 할 시종들을 만들어라." 그러자 현명한 엔키는 일어나면서 "오, 어머니, 그 일이라면 할 수 있습니다"라고 말하였다.

엔키는 이렇게 말하였다. "일어 서십시오. 물의 심연의 표면 바로 위에 있는 땅바닥에서 한줌의 진흙을 집어 심장의 모습을 만드십시오. 나는 훌륭하고 기품있는 장인을 만들 것이며, 그가 진흙을 적절한 농도로 만들 것입니다. 당신은 사지를 만드십시오. 땅-어머니인 그대 위에서 나의 여신-아내가 분만할 것이며, 8명의 출산의 여신들이 몸소 도울 것입니다. 당신이 새로 태어난 자의 운명을 정해야 합니다. 땅-어머니가 그 자 위에 신들의 형상을 박아놓을 것입니다. 그것이 바로 인간입니다."

마침내 일이 시작되었다. 엔키의 배우자인 땅-여신은 물의 심연의 여신 위에 서 있었고, 8명의 출산의 여신들이 지켜보는 가운데 진흙을 떼었다. 마치 어머니로부터 유아를 떼듯이. 훌륭하고 기품 있는 장인이 그 진흙을 적당한 농도로 만들었으며, 남무가 그것으로 심장을 만든 뒤, 몸과 사지를 만들었다.

엔키는 이를 축하하기 위해서 배우자와 어머니를 위한 잔치를 열었으며, 모든 신을 초대하였다. 그가 실천한 것은 위대하고 놀라운 생각이었다. 신들은 이것을 재빠르게 알아차렸다. 엔키가 그들을 위하여 노예로서 봉사할 인류를 발명한 것을 놓고 신들은 분에 넘칠 정도로 칭송하였다. 이 노예들이 농지를 열심히 경작하면 신들은 희생물의 풍부한 영양분을 영원히 취할 수 있게 되기 때문이다. 그리고 신들은 관리인과 소작인이

딸린 자신들의 소유지와 장원을 소유하게 되고, 엔릴이 신들 사이에서
왕 노릇 하는 것을 지상의 인간들 사이에서 그대로 모방할 수 있게 된
다. 또 신들의 거주지는 지상에 존재하는 엔릴의 세계-산의 상징이 된다.
신들의 왕후는 사랑스러운 여신 닌릴, 곧 금성의 상대자가 된다. 천상에
있는 모든 것이 지상에도 그대로 존재하게 된다. 다시 말해서 천상에 있
는 신의 궁전처럼 지상에서도 왕궁-신전의 문지기와 집사가 존재하게 되
고, 상담역과 몸종, 의전관(儀典官), 마부, 고수(鼓手), 악사의 우두머리,
7명의 딸(女官), 병기 제조자와 왕궁 경비대가 있게 되고, 사원의 성벽
너머 주위의 들판과 마을에는 정리(廷吏), 어업 감독관, 사냥터지기, 주
지사, 그리고 ─ 놀랍게도! ─열심히 일하는 수많은 농노들이 있게 된다.
   그것은 영광스러운 잔치였으며, 엔키와 부인은 곧 신나서 취하였다. 여
기에서 나온 텍스트를 세심하게 살펴볼 필요가 있다.

   그들의 심장은 고동쳤고 여신은 그 신에게 말하였다.
   "인간의 몸은 도대체 얼마나 훌륭해야 하며 얼마나 나빠야 합니까?
   내 심장이 지금 자극하는 대로 그 몸을 훌륭하게도 나쁘게도 만들 것입
니다."

   그러자 아량이 넓은 엔키가 이렇게 대답하였다.
   "그대의 손으로부터 나오는 것은 어떤 몸이든, 나는 그것을 위한 장소를
마련할 것이다."

   그녀는 진흙 덩어리로 결함을 지닌 6명의 인간을 빚었다. 이 6명은 각
기 커다란 신체적 결함을 지니고 있었다. 출산을 할 수 없는 여자, 남성
이나 여성의 생식기 그 어느 것도 지니지 못한 존재 …… 그러나 그것들
이 주조되어 나왔을 때 엔키는 각각의 존재를 위한 장소를 마련할 수 있
었다.

   엔키는 출산할 수 없는 여자를 보자,
   그녀의 운명을 이렇게 선포하였다 : 하렘에 머물거라.

엔키는 남성의 생식기나 여성의 생식기 그 어느 것도 지니지 못한 존재를 보자, 그것의 운명을 이렇게 선포하였다 : 왕 앞에 서 있거라. ……

나머지 네 존재도 그렇게 창조되었으나 아무도 그 설형 문자로 기술된 것을 아직 해석하지 못하였다. 그러나 경기는 아직 끝나지 않았다. 스스로 승리하였다고 느낀 엔키가 여신에게 서로 역할을 바꾸자고 도전하였기 때문이다. 그가 이제 창조하고 그녀가 장소에 이름을 부여하자는 제의였다.

엔키는 "나의 생일은 멀리 있다"라고 불리는 피조물을 창조하였다. 이 피조물의 간과 심장은 큰 고통을 당하고 있었고 눈은 병에 걸렸고 손은 떨리고 정신은 나간 상태에 있었다. 그는 여신을 불렀다.

"그대가 주조한 각 존재들에 대하여 나는 쉽게 장소를 지정하였다.
이제는 내가 주조한 이것에 대하여 그대가 장소를 지정할 차례이다. 그곳에 그가 존재하게 될 것이다."

그녀는 그 존재에게 다가가 말을 걸었다. 그러나 그는 대답할 수 없었다. 그녀는 빵을 주었으나 그것도 받지 못하였다. 그는 앉을 수도 설 수도 무릎을 꿇을 수도 없었다. 그러므로 그녀는 그에게 어떤 운명도 지정할 수 없었다.

그러자 엔키는 더 많은 존재를 창조하였다. 그러나 이번에도 설형 문자를 더 이상 해독할 수 없다. 엔키가 여신을 이처럼 사악하게 곤경으로 몰아갔을 때, 질병, 광기, 그리고 그와 같은 모든 종류의 것이 나타났음에 틀림없다. 우리가 아는 것은 그녀가 마침내 다음과 같은 비명을 질렀다는 사실뿐이다.

"나의 도시는 파괴되고 집은 난파당하였다.
아이들은 포로로 잡혔다.
나는 신들이 사는 산의 도시에서 추방되었다.
심지어 그대의 손에서 도망치지도 못한다!

그러므로 이제부터 그대는 하늘에도 지상에도 거주해서는 안 된다."

이처럼 인류의 여신-어머니로부터 모욕과 저주를 당한 엔키는 지상으로부터 심연으로 추방되었다. 그는 말하였다. "그대의 입으로부터 나오는 명령을 어느 누가 바꿀 수 있겠는가?" 이 줄을 마지막으로 점토판의 내용은 끝나고 있다.[11] 술에 취한 잔치는 소동으로 끝난다. 그러나 그 효과는 지속되고 있다.

『피네건의 경야』에서처럼 "인간은 광대"이고 "신은 각본을 가지고 있다."

서로 결합되어 있는 하늘-땅(heaven-earth) 부모-산(parent-mountain)이 아들 엔릴에 의해서 분리되는 메소포타미아의 분리 신화에서는 하늘(안)이 남성이고 땅(키)이 여성인데 비하여, 그와 대응하는 이집트의 신화에서는 정반대의 현상이 나타나고 있다. 이집트에서는 하늘(안)이 처음("나르메르 팔레트"의 시기)에는 암소-여신 하토르였다가 뒤("피라미드 텍스트"의 시기)에는 신인 동형론적인 여신 누트로 되었다. 누트는 손과 발을 땅에 대고 세계를 아치형으로 만들고 있다. 피라미드 텍스트에서 여신 누트는 "찬란하고 위대한 자",[12] "위대한 수호 여신",[13] "긴머리의 여자 그리고 유방이 달린 여자"[14]라고 불린다. "그녀는 팔을 내리지 않고는 임신할 수 없는 여자"[15]라고 말해지기도 한다. 땅-신이자 그녀의 배우자인 게브는 그녀 밑에 앉아 있다. "한 팔은 하늘로 뻗고, 다른 팔은 땅에 놓고 있다."[16] 더구나 그 두 신은 대기-신 슈에 의하여 분리되었는데, 슈는 그들의 자식 — 엔릴이 안키의 후손이듯이 — 이 아니라 조상이었다.* 그러므로 한편에서는 아버지를 쫓아버리고 어머니를 취하는("안이 하늘을 채어 간 후에, 엔릴이 땅을 채어 간 후에")[17] 폭력적이고 프로이트적인 오이디푸스적 아들의 행위가 암시되어 있지만, 다른 한편에서는 분리가 오히려 부모의 갈망이 낳은 산물로 보인다. 거기에는 조잡한 창조의 이미지도 나타나고 있다. 인간은 땅바닥에서 취한 진흙으로 주조되는데, 그 진흙은 심연의 물을 뒤덮고 있다. 그리고 바다의 여신 위에

---

* 103쪽 참조.

서 있는 땅의 여신의 모습이 보이고 있으며, "아기가 어머니로부터 나오듯이" 진흙이 그녀로부터 나오고 있다. 이것은 배설물로 창조되는 인류의 이미지임에 틀림없다. 또 다른 유치한 프로이트적 주제는 자주 반복되는 성서적 구절, 즉 "그대가 마음에 두는 인간은 도대체 어떤 존재입니까?"(욥기 7 : 17 ; 시편 8 : 4, 144 : 3 ; 히브리서 2 : 5)의 감정을 예견하고 있다.

이제 기원전 3500년경의 초기 수메르 인장(〈그림 2〉, 〈그림 3〉)으로 돌아가서, 거기에 나타난 만물 안에 내재하여 있으면서 자기 생산적이고 자기 소비적인 신성의 관념을 상기해보자. 이 관념은 멤피스의 프타 관념과 본질적으로 동일한데, 프타는 "모든 신과 인간, 소, 기어 다니는 생물, 살아 있는 모든 존재의 몸과 입 속"에 있다.* 다음으로 기원전 2500년경의 두 수메르 인장(〈그림 4〉, 〈그림 5〉)에서는 여성적 형체가 남성적 형체의 위에 있다. 이는 이집트의 누트와 게브의 배치 형태와 상응한다.

이처럼 초기의 신석기적 질서에서는 여성이 남성 위에, 우주적 어머니가 우주적 아버지 위에 존재하고 있었던 것 같다. 그런데 어떤 시점 — 지금 우리가 밝히려고 시도해야 하는 — 에서 부모의 역할이 이와 반대 방향으로 고정되었고, 그에 따라 그들의 심리적 효과도 흥미로운 철학적, 신화적 결과를 동반하게 되었다. 이집트 땅에 묻힌 신체는 오시리스의 아버지인 게브의 지하 세계로 돌아가 신-인 오시리스와 동일시되었지만, 메소포타미아 땅에 묻힌 신체는 아버지가 아니라 어머니에게로 갔기 때문이다. 그리고 아버지를 선호하고 어머니-여신을 점진적으로 평가 절하하는 왕조 국가와 가부장제는 전세계적으로 나타났지만 서남아시아 지역에서 가장 철저하게 진행되었으며, 이는 어떤 종류의 어머니-여신도 볼 수 없는 구약의 신화에서 정점에 달하고 있다. 이러한 과정에서 최고의 가치 상징으로부터 단절되는 본질적인 분리 의식이 점차 근동 지역 전체를 특징짓는 종교적 감정으로 되었다. 위로 올라가려고 애쓰는 동시에

---

* 104쪽 참조.

천상의 힘들에게 사다리 — 위로 향하는 길이 차단된 인류에게 신들이
은혜롭게 내려오는 통로 — 를 제공하는, 위로 치솟은 지구라트는 이러
한 영적 단절의 최초의 신호이다.

2. 신화적 덕

안, 엔릴, 엔키, 그리고 닌후르사그가
검은 얼굴의 사람들을 주조한 후,
초목이 갑자기 땅에서 싹텄고,
들판의 사지 동물이 기교를 부리면서 나타났다.[18]

그리고 우리가 알고 있는 혹은 기원전 4000년경의 수메르 인이 알고 있
던 세계가 나타나고 있었다. 그들은 그 세계가 변화 없이 지속될 것이라
고 기대하고 있었다. 사회의 진화나 종의 진화에 대한 관념을 보여주는
고대 신화는 없다. 처음에 나타난 형태는 종말에 이를 때까지 지속되어
야만 하였다. 그리고 각각의 사물과 인간의 덕목은 신이 부여한 그러한
종류의 자연적 형식을 드러내야만 하였다. 앞에서 보았던 것처럼, 이것은
이집트에서는 마트, 인도에서는 다르마, 극동에서는 도, 그리고 수메르에
서는 메(me)로 알려지게 되었다.
　크래머 박사는 고대 수메르의 점토판에서 흥미로운 덕목, 즉 메의 일
부를 추출하였다. 이 덕목들은 이러한 최초의 체계적 사유 단계에서는
우주의 질서를 구성하는 것으로 간주되었다. 독자들은 이러한 덕목들을
정독할 때 그 자신의 자연관이나 상식을 잊으려고 노력해야 한다. 우리
의 상상력이 각 범주를 수동적으로 주시하도록 해야 한다. 마치 각 범주
가 신의 설계를 완벽하게 표상하는 신의 세계의 영구적이고 구조적인 요
소인 것처럼 보아야 한다. 그 덕목들은 다음과 같다. (1) 최고의 주권,
(2) 신권, (3) 고귀하고 지속적인 왕관, (4) 왕좌, (5) 고귀한 권장(權杖),
(6) 왕실의 휘장, (7) 고귀한 사당, (8) 목자의 직, (9) 왕권, (10) 지속적

인 귀부인의 신분, (11) "신적 귀부인"으로 알려진 사제직, (12) 이시브 (ishib)라고 하는 사제직, (13) 루마(lumah)라고 하는 사제직, (14) 구투그(gutug)라고 하는 사제직, (15) 진리, (16) 지하 세계로의 하강, (17) 지하 세계로부터의 상승, (18) 쿠르가루(kurgarru)라는 환관직, (19) 기르바다라(girbadara)라는 환관직, (20) 사구르사그(sagursag)라는 환관직, (21) 전쟁의 표준, (22) 홍수, (23) 무기, (24) 성교, (25) 매음, (26) 법적 절차, (27) 문서 비방죄, (28) 예술, (29) 제사 지내는 방, (30) "천상의 노예"의 역할, (31) 구실림(gusilim)이라 불리는 악기, (32) 음악, (33) 장로직, (34) 영웅적 정신, (35) 힘, (36) 적의, (37) 올곧음, (38) 도시의 파괴, (39) 비탄, (40) 마음의 기쁨, (41) 위선, (42) 반역의 땅, (43) 선(善), (44) 정의, (45) 목공 기술, (46) 금속 세공술, (47) 사본 필경술, (48) 대장장이의 기술, (49) 가죽업자의 기술, (50) 건축업자의 기술, (51) 바구니 직조업자의 기술, (52) 지혜, (53) 주의(注意), (54) 성스러운 정화, (55) 두려움, (56) 공포, (57) 투쟁, (58) 평화, (59) 지루함, (60) 승리, (61) 상담, (62) 고통스러운 마음, (63) 판단, (64) 결정, (65) 릴리스(lilis)라고 불리는 악기, (66) 우브(ub)라고 불리는 악기, (67) 메시(mesi)라고 불리는 악기, (68) 알라(ala)라고 불리는 악기.[19]

이것들이 기원전 4000년경에 영원히 확정된 존재와 경험의 원형들이다. 음악에 대한 강조가 흥미롭다. 독자들은 우르의 순장 왕릉에서 발견된 많은 하프를 기억할 것이다. 이 하프들은 죽었다가 부활한 군청색 수염이 달린 달-황소 탐무즈의 형상으로 장식되어 있었다.* 들을 수 없는 "영역들의 음악", 즉 존재 안에 있는 우주의 콧노래는 음악을 통하여 들리게 된다. 이 음악이 사회 질서의 조화이자 의미이다. 영혼의 조화가 음악 안에서 그 자체의 화음을 발견한다. 이러한 관념은 유교 음악과 인도 음악에서도 기본적으로 존재하며, 이러한 관념이 피타고라스 학파의 신념이었음은 말할 것도 없다. 이는 서구 중세의 근본적 사상이기도 하였는데, 그러한 사상으로부터 천사들의 성가대에 맞추어 열심히 연습하는

* 57쪽 참조.

수도승의 영창이 계속하여 나온 것이다.

　음악만이 그런 것은 아니다. 모든 고대 예술과 동양의 예술은 이러한 신비에 참여하고 있다. 이것은 형식들의 형식(the Form of forms)의 드러남이다. 아난다 쿠마라스와미 박사는 "유럽의 예술이 시간의 계기, 구속된 행동, 혹은 빛의 효과를 자연적으로 묘사할 때, 동양의 예술은 지속적인 상황을 재현한다"[20]라고 썼다. 동양적 삶의 모든 측면, 양상, 경험, 조건이 그렇다고 할 수 있다. 중세 시대의 사람들도 삶의 모든 형식들은 신의 빛나는 마음 안에 있는 관념(고정된 종[種])으로 실체적으로 존재한다고 생각하였다. 심지어는 대부분의 현대 서구 세계에서도 최소한 일요일에는 이러한 고대적 관념이 아직도 유지된다고 할 수 있다. 이들이 일요일에 선호하는 과학적 텍스트는 다윈의 『종의 기원(*Origin of Species*)』이 아니라 「창세기」(기원전의 처음 천 년 : 고정된 종, 아담의 갈비뼈, 에덴 동산의 뱀, 노아의 방주, 그리고 그 밖의 모든 것)이기 때문이다.

　"어떠한 종류의 것이든 모든 사물은 그 자체 안에 질서를 지니고 있으며, 이것은 우주를 신처럼 만드는 형식이다"라고 시인 단테는 썼다.[21] 동일한 맥락에서 토마스 아퀴나스는 이렇게 썼다. "신 자신은 인간의 행동에 의하여 어떠한 것도 얻거나 잃지 않는다. 그러나 인간 쪽에서는 신으로부터 어떤 것을 취하고 신에게 어떤 것을 제공한다. 그때 그는 신이 제정한 질서를 준수하기도 하고 준수하지 못하기도 한다."[22] 물론 이러한 질서는 기원후 2000년대이건 기원전 4000년대이건, 인간 활동 ── 폭력적이고 살인적인 것도 포함하여 ── 의 산물(예를 들면 이집트의 나르메르에 의한 두 나라의 통일과 같은)을 각 지역의 사회 구조와 국가가 채택한 지식의 질서이다. 그러나 이 모든 것은 정확히, 전적으로, 그리고 영원히 마트, 메, 다르마, 도로 읽혀지고 신의 의지의 원형으로 읽혀진다.

3. 신화적 시간

고대 메소포타미아에 관한 모든 지식에 근거하여 볼 때, 어떤 숫자들은 우주의 질서를 파악하기 위한 통로로 간주되었음에 틀림없다. 기원전 3200년경에 이미 점토판의 첫번째 출현과 더불어 10진법과 60진법의 두 숫자 체계가 분명히 등장하였다. 60진법은 오늘날까지 우리가 원을 측정하고 시간을 계산하는 단위인 소스(soss, 60)에 근거한다. 60초는 1분을 만들며, 60분은 1도(度)를 만들고, 360도는 하나의 원을 만든다. 하늘과 땅은 도로 측정된다. 그리고 시간의 원 안에서는 60초가 1분이 되고 60분이 1시간이 된다. 메소포타미아의 1년은 360일로 계산되었다. 그러므로 시간과 공간의 원은 숫자의 동일한 원리의 두 방향으로서 서로 조화되고 있었다. 공간의 원 중앙에는 신성한 지구라트의 5가지 지점 — 4개의 각은 동서남북 네 방향, 정상은 하늘에 상응하는 — 이 있으며, 이것에 의하여 신성이 세상에 나타나게 되었다. 반면 시간의 원에는 세속적인 360일 이외에 5일간의 축제 주간이 덧붙어 있는데, 그 기간 동안 낡은 해가 죽고 새로운 해가 태어났으며, 신성의 원리가 세상 안에서 회복되었다. 더구나 하루가 한 해에 비례하듯이, 한 해는 위대한 해(great year)에 비례하였다. 그러한 각 에온(eon, 영겁(永劫))이나 위대한 해의 종말에는 대홍수, 그리고 우주적 해체와 귀환이 있었다.

옥스퍼드(Weld-Blundell, 62)에 있는 한 수메르 점토판에는 10명의 신화적 왕의 이름이 기록되어 있다. 이 왕들은 천상의 왕궁에서 인간의 도시로 내려왔을 때부터 대홍수가 일어났을 때까지 총 456,000년 동안 통치하였다. 두번째 점토판(Weld-Blundell, 144)에는 이 왕들 중 8명의 이름만 있는데, 이들은 총 241,200년 동안 다스렸다. 그리고 이보다 훨씬 후기인 기원전 280년경 박식한 바빌로니아의 사제 베로소스(Berossos) — 앞에서 언급한 적이 있는 — 가 그리스에서 제작한 세번째 명단에는 다시 10명의 왕이 나타나고 있는데, 이들은 총 432,000년 동안 통치하였다. 이 합계는 매우 흥미롭다. 아이슬랜드의 시가집 「에다(Edda)」에 의

하면, 천상에 있는 오딘(Odin)의 전사(戰士)용 방에는 540개의 문이 있기 때문이다.

> 발할(Valhall)의 벽에 540개의 문이 있다고,
> 나는 믿는다 ;
> 800명의 전사들이 각 문을 통과하여 가네
> 늑대와 전쟁하기 위하여.[23]

그 신화에서 "늑대와의 전쟁"은 우주의 한 회전(바그너의 『니벨룽겐의 반지』 중 「신들의 황혼」)이 끝날 때마다 반복적으로 나타나는 신과 반신(反神)의 우주적 투쟁이다. 민첩한 독자라면 이미 간파했겠지만, 800의 540배는 432,000이고, 이 숫자는 베로소스가 대홍수 이전의 왕들의 통치 기간의 합계로 제시한 것이다. 더구나 인도의 『마하바라타』와 푸라나 시대(기원후 400년경 이후)의 수많은 문헌들에서도 네 세계 시대(world age)의 우주적 주기는 12,000 "신의 해(divine years)"이다. 1 "신의 해"는 360 "인간의 해"이므로 이는 4,320,000의 "인간의 해(human years)"가 된다. 그 주기의 하나에 해당하는 현재 우리의 시대는 칼리 유가(Kali Yuga)라고 불리는데, 이는 마지막 시대이자 최악의 시대이다. 이 시대의 기간은 전체의 꼭 1/10이다.[24] 그러므로 이제 우리는 각각의 우주적 에온을 측정하면서, 유럽에서는 기원후 1100년경, 인도에서는 기원후 400년경, 그리고 메소포타미아에서는 기원전 300년경에 이 숫자를 발견한 셈이다.

　이 숫자와 관련하여 재미있는 것이 또 하나 있다. 이것은 제1차 세계대전 직전에 관심을 끌어, 당시 상당한 논쟁을 일으켰으나, 곧 사람들의 시야에서 완전히 사라졌던 문제이다. 그러나 나는 이 문제를 다시 책상 위에 올려놓고 싶다. 이 문제는 해결된 것이 아니라 단지 잊혀졌을 뿐이기 때문이다. 이 문제는 다음과 같은 관찰 가능한 사실과 관련되어 있다. 춘분(3월 21일) 시에 천체의 별들의 위치는 그 이전 해의 위치와 결코 동일하지 않다. 매년 약 50초의 극미한 지체 현상이 나타나기 때문이다.

이러한 지체는 72년이 지나면 1도(50"×72=3600"=60'=1°)가 되고, 2,160년이 지나면 30도가 되는데, 이는 황도대의 한 궁(宮)이다. 춘분시의 태양은 오늘날 물고기자리에 있지만, 그리스도의 시대에는 양자리에 있었고, 수메르의 최초 시대에는 쌍둥이자리에 있었다. 이러한 상당한 편차는 "춘분점 세차(歲差)"라고 부르며, 아시아적 성향을 지닌 그리스인 비티니아의 히파르추스(Hipparchus of Bithynia, 기원전 146-126년, 베로소스보다는 약 150년 뒤에 활동함)의 글 「하지와 춘분 궁들의 전치에 대하여(On the displacement of the solstitial and equinoctial signs)」에서 처음 보고된 것으로 알려지고 있다. 그러나 그의 글에서는 세차가 1년에 45초 내지 46초로 약간 잘못 계산되었다.[25] 정확한 계산은 1526년, 코페르니쿠스의 시대를 기다려야 하였다. 그러나 우리가 이미 시작한 수메르의 계산을 계속 시도한다면, 다음의 사실을 발견할 수 있다.

방금 살펴 보았듯이 1년의 세차는 50초이고, 72년이 되면 1도이고, 2,160년이 되면 30도이다. 그러므로 25,920년이 지나면 세차는 360도가 되어 황도대를 완전히 한바퀴 돌게 되고, 이른바 1 "위대한 해" 혹은 "플라톤 해(Platonic Year)"로 될 것이다. 그러나 25,920을 60(1소스)으로 나누면 432가 나온다. 이렇게 되면 우리는 다시 제자리에 있게 된다. 베로소스가 대홍수 이전에 존재한 10명의 왕에게 할당한 햇수와 황도대에서의 한 춘분 주기의 실제적 햇수의 합계 사이에는 정확한 관계가 있다.

그러면 히파르추스가 춘분점 세차를 잘못 계산하기 수 세기 이전에 이미 바빌로니아 인들이 그것을 관찰하고 정확하게 계산하였다고 볼 수 있는가? 필라델피아의 대학 박물관에 있는 힐프레흐트 교수는 수학적 계산이 들어 있는 수많은 진흙 조각들을 글자 그대로 살펴본 뒤, 1906년 "니푸르와 시파르의 사원 도서관과 아슈르바니팔 도서관에서 나온 모든 곱셈과 나눗셈 표는 12,960,000에 근거하고 있다"[26]고 썼다. 그가 지적하였듯이, 12,960×2=25,920은 위대한 해 혹은 플라톤 해의 숫자이다. 알프레드 제레미아스의 생각에 의하면, 힐프레흐트의 발견은 메소포타미아에서 세차의 인식이 기원전 3000년대 혹은 4000년대에 이루어졌을 가능성을 보여준다. 제레미아스는 이렇게 썼다. "만일 이 해석이 정확하고 그 숫자가 실제로 세차를 지칭하는 것이라면, 히파르추스 이전에 정확한 세차 계산이 이루어졌고, 그후 그것은 확실히 잊혀졌다."[27] 그는 다시 말하였다. "천체 관측의 경험을 가지고 있는 바빌로니아 인들이 초기 관찰과 후기 관찰의 차이로부터 춘분점의 이동을 추론하지 못하였다는 것은 사실 믿기 어렵다. …… 춘분 시에 태양의 위치가 관찰의 초점이 되자마자 수 세기 동안 세차는 주목되었음에 틀림없다. …… 1년 동안 50초의 차이가 나는데 그보다 더 긴 기간 동안 그것이 간과되었을 리가 없다."[28]

1915년 프랑스의 아시리아학 연구자인 샤일은 힐프레흐트 교수의 발견이 정확한 천문학적 관찰에 근거한 증거가 될 수 없다고 지적하였다. 60진법 자체에서 그 숫자가 60의 네제곱, 즉 $60 \times 60 \times 60 \times 60 = 12,960,000$ 으로서 나타났을 것이기 때문이라는 것이다.[29]

이제 우리가 던져야 하는 물음은 60진법 자체에 대해서 놀라야 하는가, 아니면 그것을 발명한 수메르 인에 대해서 놀라야 하는가이다. 그들의 고대 달력의 축제-년(festival-year)은 자연적 측면이 아니라 수학적 관점에서 계산되었다. 5일을 1주로 하는 72주에 5일의 축제일을 덧붙여, $5 \times 72 = 360$ 으로 계산하였다. 그러나 360에 72를 곱하면 25,920이다. 이처럼 관찰가능한 천문학적 "위대한 해"와 일치하는 수학적으로 발견된 "위대한 해"를 산출한 것은 단지 엄청난(그 당시에는 정말 얼마나 놀라운 일이었겠는가?) 우연의 결과였을 것이다.

어떻든 베로소스가 그 숫자를 진지하게 취급하였음은 분명하다. 그는 그 숫자를 하늘로부터 왕권이 하강한 시점으로부터 대홍수의 발생 사이에 존재하는 기간의 합계로서 간주하였다.

이제 2가지의 초기 수메르 왕들의 명단과 그보다 훨씬 후대에 속하는 베로소스가 작성한 명단을 비교하고, 이를 「창세기」에 나오는 노아 홍수 이전의 10명의 족장과 함께 살펴보자.

도표는 다음과 같다.

수메르 W-B. 144		수메르 W-B. 62	
왕	햇수	왕	햇수
1. 알루림	28,800	알루림	67,200
2. 알라가르	36,000	알라가르	72,000
3. 엔멘루안나	43,200	키둔누샤킨킨	72,000
4. 에우멘가란나	28,800	…… ?	21,600
5. 신적 두무지	36,000	신적 두무지	28,800
6. 엔시브지안나	28,800	엔멘루안나	21,600
7. 엔멘두란나	21,000	엔지브지안나	36,000
8. 우바르두두	18,600	에우멘두란나	72,000
9.		아라드-긴	28,000
10.		지우수드라	36,000
	241,200		456,000

베로소스		성서(「창세기」 5)*	
왕	햇수	족장	햇수
1. 알로로스	36,000	아담	130
2. 알라파로스	10,800	셋	105
3. 아멜론	46,800	에노스	90
4. 암메논	43,200	케난	70
5. 메갈라로스	64,800	마하랄렐	65
6. 다오노스	36,000	야렛	162
7. 에우에도라체스	64,800	에녹	65
8. 아멤프시노스	36,000	므두셀라	187
9. 오파르테스	28,800	라멕	182
10. 크시수트로스	64,800	노아 : 홍수 시까지	600
	432,000		1,656

여기서 주목하여야 할 첫번째 점은, 베로소스의 명단이 초기의 명단과 상당히 다르고 초기의 명단들 자체에도 상당한 차이점이 있지만, 그 모

---

*여기서의 숫자는 히브리 어(킹 제임스) 성서에 의한 것이지, 셉투아진트(불가타)나 사마리아 판 성서에 의한 것이 아니다.

든 명단은 하나의 공통 유산의 변형들이고, 동시에 그것들은 최소한 2천 년 동안 본질적 지속성을 가지고 존속해왔음을 보여주는 충분한 증거들이 있다는 사실이다. 그리고 각 인물에 부여한 햇수가 상당히 다르지만, 모두 동일한 신화적 질서에 속하고 있음을 쉽게 알 수 있다. 오늘날 정상적인 정신 상태를 지닌 사람이면 누구나 그것들이 역사적 사건을 정확하게 지시하고 있는 것이라고 생각하지는 않을 것이다. 그러므로 이 설명들은 사실 그대로의 역사의 침전물이 아니라 전설의 침전물, 즉 신화의 현현으로 해석된 역사의 침전물을 나타내고 있는 것이다.

그리고 여기서 문제가 되고 있는 신화가 꿈과 같은 방식으로 인간의 심리로부터 등장하였다거나 등장할 수 있었다고 말할 수는 없다. 그 신화는 다산이라는 전형적인 신석기적 주제 및 신석기적 관심의 측면에서 읽어서도 안된다. 그러한 측면이 존재하기는 하지만, 그러한 읽기는 이 신화와 그것에서 파생한 모든 신화들이 줄곧 강조하고 있는 숫자, 즉 무한한 숫자에 대한 명백한 관심을 고려하지 못하도록 만든다. 이 숫자들은 혼동스러운 것이 아니라, 신중하게 배열되어 있다. 어떤 공유되고, 심각하게 고려된 수학적 질서의 법칙, 주제, 상응 관계에 근거하고 있다. 이는 앞에서 언급한 3가지의 메소포타미아 일람표에서 최종적 합계가 모두 동일한 정수(整數) 1,200의 배수라는 사실을 알게 되면 곧바로 이해될 것이다. 인도에서는 오늘날까지도 이 1,200이라는 숫자가 우주의 주기에서 "신의 해"의 합계를 나타내고 있다. 즉 $1200 \times 201 = 241,200$; $1200 \times 380 = 456,000$; $1200 \times 360 = 432,000$ 이다.

그러므로 이 왕들의 명단이 들어 있는 신화의 최고 관심은 역사나 다산이 아니라 어떤 종류의 질서였을 것이다. 거기에는 수학적으로 질서지어지고 천문학적으로 언급된 어떤 종류의 개념이 있었을 것이다. 그 개념은 인간과 그의 지상적 삶의 리듬이 단지 계절이나 출생, 죽음, 재생의 연례적 신비와 관계하는 데에 그치는 것이 아니라, 그것을 넘어서는 더욱 위대하고 더 커다란 주기, 즉 위대한 해와 관계되어 있음을 보여줄 것이다. 초기의 비교적 단순한 신석기 시대의 민속 및 마을 공동체의 다산에 관한 주제는 엄청나게 증가하였으며, 이는 우주 안에서의 인간에 대한 전적으로 새롭고 엘리트적이고 시적인 견해를 받아들였다. 신들 그리고 신의 세계의 영원한 구조적 요소인 모든 이러한 "덕목(메)"과 함께 우주의 한 기관으로서의 인간이라는 견해가 등장한 것이다.

이 맥락에서 "유일신"을 말할 수 있을까? 나는 그렇게 생각하지 않는다. 이 신화에서 이름 지어지고 인정된 신들은 질서의 기능 혹은 기능물이기 때문이다. 이 신화에 나오는 대홍수는 원래 인간을 처벌하기 위하여 보낸 것으로 간주되지는 않았다. 우주적 리듬이라는 관념 자체는 본래 죽음과 부활에 관련된 것이다. 그러므로 예측할 수 없는 신의 처벌 혹은 의지의 관점에서 이를 신인 동형론적으로 읽는 것은 단지 전경(前景)만을 볼 뿐이다. 보다 깊고 신성한 토대는 시간이 왔을 때 실제로 수백 명의 고귀한 인간들이 몸을 벗어버린 그 무시무시한 우르의 무덤에서 나타나고 있다. 앞에서 살펴본 우주적 질서(메)는 (22) 대홍수를 포함하여 (1) 최고의 주권, (2) 신권 등의 범주에서 나타나며, 숫자를 통하여 훨씬 더 깊고 본질적으로 드러난다. 피타고라스가 주장하고 우르의 하프가 암시하듯이, 숫자는 음악의 화음과 리듬 속에서 들을 수 있다. 특히 아래의 숫자 체계에서 2개의 위대한 사르는 베로소스의 에온을 지시하는 그 흥미로운 432,000라는 숫자를 산출한다.

60 ── 소스(the *soss*)
600 ── 네르(the *ner*)
3,600 ── 사르(the *sar*)
216,000 ── 위대한 사르(the *great sar*, $=60 \times 3,600$)

4. 신화적 홍수

많은 학자들은 초기의 도시 문명을 거의 파괴시킨 어떤 홍수가 실제로 발생하였을 것이라고 생각해왔으며, 심지어 어떤 학자들은 그 증거물을 발굴하였다고 생각하였다. 그러나 메소포타미아의 여러 도시 유적에서 발굴된 홍수 층들의 연대는 서로 일치하지 않는다. 슈룹팍[30]과 우룩[31]의 홍수 층은 기원전 3000년경에 해당하는 젬뎃 나스르(Jemdet Nasr) 시대의 말기에 속하며, 우르[32]의 홍수 층은 그보다 500년 빠른 오베이드(Obeid) 시대의 말기에 속한다. 그리고 키시(Kish)[33]의 홍수 층은 그보다 2-3세기 후에 나타난다. 그러므로 이것들은 메소포타미아의 총체적인 참사가 아니라(물론 우주적인 참사는 더욱이 아니고) 국부적 재앙으로 해석할 수 있다. 물론 작은 도시 국가들에서는 국부적 홍수가 대홍수를 연상시키면서 우주적 사건으로 과대 해석되었다고 볼 수도 있다. 그러나 이 주제를 다루는 현대 학자인 우리는, 콩이 머리에 떨어 졌을 때 "달려라, 달려라, 하늘이 무너지고 있다!"라고 외치는 작은 암탉처럼, 명백하게 잘못된 판단을 추종할 수는 없다.

지금까지 발견된 최초의 홍수 이야기는 길이 7인치, 넓이 5⅝인치의 구운 점토 조각 위에 나타나 있는데 그 상태가 상당히 훼손되어 있다. 이것은 수천 개의 다른 트로피들과 함께 1895-1896년 니푸르 발굴대에 의해서 펜실바니아 대학으로 수송되었으며, 1904년 "마법 10673(III Exp. Box 13)"으로 목록화되어 보관되어 있다. 1912년 한 해 동안 대학 박물관의 아르노 포에벨 교수가 이 점토 조각을 정밀하게 조사하였으며, 그보다 2-3년 전에 브레스티드 교수의 렌즈 아래에 있던 멤피스 돌이 그랬던 것처럼 이 점토 조각은 위대한 기원전 3000년대의 또 다른 뜻밖의 모습 — 자세히 보면 측량할 수 없는 은하수로 판명되는 머나먼 별의 희미한 빛처럼 — 을 갑자기 드러냈다.

설형 문자의 서두 부분은 몹시 파손되었다. 한 신이 말하고 있다. 아마 여신이 말하고 있는지도 모른다. 어떻든 엔릴이나 엔키 혹은 여신 닌투(닌후르사그의 한 측면)가 말하고 있다.

"나의 인간 동료, 그것을 파괴하는 데 나는 …… 할 것이다. ……"

이것은 누군가를 위협하고 있는 엔릴의 목소리인가? 홍수를 내보내려고 하는 것은 엔릴이기 때문이다. 따라서 이 문장은 "…… 그것의 파괴에 나는 관여할 것이다!"로 해석해야 하는가? 아니면 그 목소리는 이미 구조를 생각하고 있는 엔키 혹은 여신의 목소리인가? "…… 그것의 파괴에서 나는 구조할 것이다!"로 해석해야 하는가? 어느 해석이 맞는지 알 수 없다.

다음의 줄도 모호하다.

"나의, 닌투의 피조물들 …… 나는 …… 할 것이다. ……"

그리고 그 다음의 문장도 애매하다.

"오, 닌투, 내가 창조한 것 …… 나는 …… 할 것이다. ……"[34]

그러나 나머지는 비교적 분명하다.

"나는 사람들을 그들의 거주지로 돌려보낼 것이다 ;
도시들 …… 그것들은 세워질 것이다. ……
그들의 음지(혹은 피난처)를 나는 편안한 곳으로 만들 것이다.
그들은 우리 사원의 벽돌을 정결한 장소에 놓을 것이다.
우리의 …… 장소를 그들은 정결한 곳에 마련할 것이다."[35]

그 다음에는 2-3개의 토막난 줄이 나오고, 113쪽에서 내가 이미 인용한 4줄이 이어지고 있다. 그후 두번째 단(Column II)에는 파괴된 다섯 도시, 즉 에리두, 라락, 바드티비라, 시파르, 슈룹팍의 이름이 나온다.

그 다음 세번째 단(Column III)에서는 무엇이 일어날 것인가를 알고 있는 여신을 주목해보자. 그녀의 첫번째 이름은 닌투이지만 두번째 이름은 이난나(Inanna)이다. 이러한 다른 호칭이 하나의 신을 의미하는지 서로 다른 두 신을 의미하는지는 분명하지 않다. 이러한 종류의 복수 호칭은 서로 분리되어 인격화될 필요가 없기 때문이다.

그 …… 장소 ……

그 사람들 ……

폭풍우 ……

그때에 닌투가 진통중인 여자처럼 비명을 질렀다 ;

그녀의 백성들 때문에 순수한 이난나가 울부짖었다.

엔키는 정성을 다하여 상의하였다.

안, 엔릴, 엔키, 그리고 닌후르사그 ……

하늘과 땅의 신들은 안과 엔릴의 이름을 불렀다.

신들 사이에 불화가 있는 것이 분명하다. 이 텍스트에서 우주적 대홍수는 수학적으로 결정되는 냉혹하고 불가피한 사건이 아니라, 어떤 신의 분노와 다른 신들의 묵인으로 다루어지고 있다. 따라서 이것은 왕의 명단과 관련한 신학과는 전적으로 다른 신학을 대표하는 것 같다.

우리는 이 텍스트를 동일한 전통에 대한 대중적, 통속적 표현이라고 생각해야 하는가? 인도에서는 신에 대한 헌신적 사랑과 두려움이 수많은 대중적 숭배에서 나타나고 있다. 그러한 대중적 형태에서는 어떤 신의 성격이 강조되지만, 심층적 차원에서는 절대 법칙에 대한 궁극적 가르침이 존재한다. 우리에게 잘 알려진 이야기들 속에 나오는 그리스 신들은 제멋대로 움직이는 것처럼 보이지만, 그리스인들 사이에서도 보다 깊은 신적 운명의 가르침이 있었다. 운명의 세 여신 속에 인격화되어 있는 이 모이라(moira)에 대해서는 제우스 조차도 항거할 수 없다. 성서 속에서도 놀라거나 놀란 것처럼 보이는 신을 만날 수 있는데, 그는 자신의 창조 행위에 대하여 후회하면서 새로운 결심을 한다. 말하자면, 그는 피조물과 대화한다. 그렇지만 우리는 그의 영원성, 전능성, 전지성에 대해서도 배운다. 문제는 운명과 자유 의지, 정의와 자비와 같은 대립물의 쌍이다. 이것들 자체는 서로 화해될 수 없다. 우리 자신의 전통 속에서 이러한 것들을 발견할 때 우리는 이것들이 신 안에서 화해된다고 인정하는 경향이 있는 반면, 낯선 전통에서 그것들을 발견할 때에는 그것들의 비일관성에 대해서 말하는 경향이 있다.

지금 우리는 낯선 전통을 다루고 있는 것이 아니라 우리 전통의 초기 부분, 즉 「창세기」를 통하여 내려온 동일한 홍수 이야기의 초기 수메르 변형본을 다루고 있다. 「창세기」는 2개의 후대 셈 어판(Semitic versions)으로 되어 있는데, 하나는 "여호와(Jehovistic)" 문서이고 다른 하나는 "사제(Priestly)" 문서이다. 기원전 9세기의 것으로 추정되는 전자에서는 노아가 "목숨이 있는 모든 동물을 암컷과 수컷으로 1쌍씩"(「창세기」6 : 19) 방주에 실은 것으로 되어 있는데 비해, 기원전 5세기의 것으로 추정되는 후자에서는 "깨끗한 짐승은 종류를 따라 암컷과 수컷으로 7쌍씩, 부정한 짐승은 암컷과 수컷으로 2쌍씩"(「창세기」7 : 2) 실은 것으로 되어 있다. 그러므로 성서 안의 비일관성에 대해서는 이를 보다 높은 지혜의 표시로 인정하는 것을 배운 사람들이, 일관성의 견지에서 볼때, 그에 선행하는 수메르 자료에서도 그러한 배움의 자세를 가져서는 안되는가? 우리는 어떤 시기에 거기에서 어떤 관점의 변화가 일어나지 않았는가를 물어야 한다. 현재의 경우에는 초기의 비인격적 법칙의 신화로부터 후대의 보다 신인 동형론적인 인격적 신의 의지의 신화로 변화되었는지를 물어야 한다.

기원전 1750년경의 이 텍스트에서도 성서에서처럼 짐승으로 가득 찬 거대한 배 안에서 오직 한 사람의 의인(그의 가족도 포함되었음에 틀림없다)만 구원받도록 되어 있다. 그는 홍수 이전의 장수한 왕들(성서에서는 이들이 족장으로 되었다) 중 열번째이자 마지막 왕이며, 슈룹팍에 있는 고대 도시 국가의 늙어버린 의로운 왕 지우수드라(Ziusudra)이다. 세 번째 단에는 다음과 같이 쓰여 있다.

> 그때에 지우수드라가 왕이었으며, …… 의 정화하는 사제였다.
> 그는 거대한 …… 을 세웠다.
> 겸허하게, 몸을 엎드리면서, 경건하게 ……
> 매일매일 인내를 가지고, …… 에 봉사하면서 서 있었고
> 전에는 결코 나타나지 않았던 꿈들로 점을 치면서 ……
> 하늘과 땅의 이름으로 간청하면서 ……

여기에서 이 단이 끊어지기 때문에 네번째 단(Column IV)을 보게 된다. 신의 의지를 알리는 왕의 노력은 이미 보답을 받고 있다. 그는 스스로 세운 사당의 벽 옆에 서서 어떤 목소리 — 신 엔키의 목소리 — 를 듣기 때문이다.

　　…… 신들 …… 벽 ……
　　그 옆에 서 있는 지우수드라가 들었다 :

이것은 배경이고 이제 목소리가 들린다.

　　벽에, 나의 왼손에, …… 서 있다.
　　벽에서, 나는 너에게 말을 할 것이다.
　　오, 나의 성스러운 자, 너의 귀를 나를 향하여 열어라.

　　우리의 손으로 폭풍우가 …… 보내질 것이다,
　　인류의 씨를 파괴하기 위하여 ……
　　그 결정은 신들이 모여 내린 것,
　　안과 엔릴의 명령이다. ……
　　그것의 왕국 …… 그것의 통치 ……

여기서 다시 끊긴다. 파손된 부분에서는 배의 건축과 탑승에 관한 이야기가 전개되었음에 틀림없다. 다섯번째 단(Column V)의 시작부터 홍수에 관한 이야기가 나오기 때문이다. 이 홍수는 2개의 간결하고 생생한 절로 묘사되어 있다.

　　무한한 힘을 가진 폭풍들, 그것들 모두가 함께 왔다.
　　폭풍우가 …… 그것들과 함께 거세졌다.
　　그리고 7일 낮 7일 밤 동안
　　폭풍우가 육지에서 맹위를 떨쳤다.
　　거대한 수면 위에 있는 거대한 배가 폭풍에 의해서 날아 갔다.

태양, 우투(Utu)가 하늘과 땅위에 빛을 내면서 나타났다.

지우수드라가 거대한 배의 창문을 열었다.
그는 영웅, 태양신의 빛이 거대한 배 안으로 들어오도록 하였다.
왕, 지우수드라는,
우투 앞에 엎드렸다.
왕 : 그는 황소를 희생으로 바치고, 양을 도살한다. ……

이제 마지막으로 여섯번째 단(Column VI)을 보자. 우리는 여기서 누가 말하고 있는지 확실히 알 수는 없지만, 아마도 태양-신 우투일 것이다. 그는 지우수드라를 위해서 안과 엔릴 앞으로 나아갔다.

"하늘의 영혼과 땅의 영혼에 의하여, 그대들은
그를 불러라. 그가 당신들과 …… 할 수 있도록.
오, 안과 엔릴이여, 하늘의 영혼과 땅의 영혼에 의하여,
불러라, 그러면 그가 당신들과 …… 할 것이다."

초목이 땅으로부터 올라온다.
왕, 지우수드라가,
안과 엔릴 앞에 엎드린다.

그리고 신들은 그 영웅에게 우리가 이미 잘 알고 있는 그 행복한 땅에서의 불멸의 삶을 부여한다.

신의 삶과 같은 삶을 그에게 부여한다.
신의 영원한 영혼과 같은 영혼을 그를 위하여 창조한다.
그때 그들은 "인류의 씨의 보존자"라는 칭호를 가진,
왕, 지우수드라를,
…… 산, 딜문의 산 위에 살도록 하였다. ……[36]

  서양에서는 노아의 홍수, 인도에서는 마누의 홍수로 알려진, 대홍수에
관한 이러한 최초의 해석을 보여주는 점토판의 날짜는 기원전 1750년경
이다.[37] 이는 수메르의 입장에서 보면 후대에 속하는 셈이다. 포에벨 교수
는 "그 텍스트에 나타난 수메르 어구는 더 이상 고전 시대의 것이 아니
다"[38]라고 말한다. 이때는 수메르의 정치적 힘이 이미 붕괴되었고 문명의
주도권도 셈 족에 속하는 아카드 인에게 넘어갔다. 아카드 인에게 수메
르 어는 중세의 라틴 어처럼 고대적이고 학문적인 언어였다. 기원전
2050-1950년에 해당하는 수메르의 마지막 시기인 우르 3세의 시대도 과
거를 지향하는 신수메르(neo-Sumerian) 재건의 세기였고, 그 당시의 마지
막 3명의 왕 아마르-신, 슈-신, 입비-신은 셈 족의 이름을 가지고 있었다.
  지도를 보면 알 수 있듯이, 메소포타미아의 서쪽에는 거대한 사막이
있는데, 이 사막은 북쪽의 시리아로부터 아라비아의 남단까지 뻗쳐 있다.
이 지역은 아득한 구석기 시대 말엽부터 역사상의 모든 셈족이 출현한
무대이다. 주요 종족은 다음과 같다.
  1. 아카드 인 : 수메르 지역을 정복하고 기원전 2350년경 왕권을 그들
의 도시인 아가데(아가데의 사르곤 왕)로 옮겼다(기원전 2050-1950년
사이에 우르 3세의 부흥 시대가 있었다).
  2. 아모리 바빌로니아 인(Amoritic Babylonians) : 기원전 1850년경 수
메르와 아카드에 최후의 일격을 가하였다(함무라비, 기원전 1700년경
재위).
  3. 후기 아모르 인 : 기원전 1450년경 고대 도시 여리고를 정복하고 폐
허화시켰다.
  4. 가나안 인 : 시리아와 팔레스타인에서 후기 아모르 인을 추종하였다.
  5. 해변의 페니키아 인 : 가나안 인과 밀접한 연관을 지님.
  6. 히브리 인(사울, 기원전 1010년경 재위).
  7. 아시리아 인 : 기원전 1100년경 바빌로니아를 정복하고, 전성 시대
인 아슈르바니팔(기원전 668-626년)의 시기에는 서남아시아 전체를 지배
하였다.
  8. 갈대아 인 : 기원전 625-550년의 짧은 기간 동안 정복자였다.

9. 아람 인 : 정의하기 모호하지만, 이들의 언어는 시나이에서 시리아까지 일반화되어 있었으며, 무역 언어로서는 그리스도의 출현을 전후하여 인도에서까지 사용되었다.

10. 아랍 인 : 이슬람의 승리(기원후 7-16세기)와 함께 고대 세계의 역사에서 가장 널리 확산된 문화 영역의 지배자가 되었다.

사르곤의 승리 이전에도 셈 족의 유목민 전사 부족들이 이미 수메르를 공격하고 때로는 약탈하고 있었다. 그러므로 이른 시기부터 떼지어 다니는 사막의 유목민은 자신들의 원시적 영역으로부터 최초의 사제 국가의 고전 영역에 어느 정도 기여한 바가 있었다. 이들 사막 유목민은 수학적 정밀성을 지닌 별 관측에 아무런 중요성도 부여하지 않았다. 따라서 지우수드라의 홍수 이야기에는 셈 족의 영향이 이미 나타나고 있었음을 배제할 수 없다. 셈 족의 위대한 태양-신 샤마시(Shamash)의 수메르 판인 우투의 역할이 갑자기 강조되는 것은 어느 정도의 변조를 보여주는 것이다. 사제의 손은 항상 이러한 변조를 허용해왔다. 그리고 홍수를 432,000년이라는 에온의 자연적 구두법(句讀法)으로서보다는 분노한 신의 행위로 보는 이러한 전반적인 관념은 후대의 부차적이고 비교적 단순한 사고의 결과인 것 같다.

여러 방면에서 나온 많은 확고한 증거들에 의하면, 지금까지 알려진 최초의 수메르 신화 텍스트에서는 수학적 영감에 기초한 사제적 상상력이 이미 공격적인 신인 동형론적 견해에 의하여 도금되고 있었다. 세계를 근거짓는 힘들에 대한 신인 동형론적 견해는 최초의 고등 문명을 발생시킨 세계관보다 더욱 원시적이다. 따라서 오늘날 잔존하고 있는 신화들은 전통의 몰락이나 퇴화를 보여주고 있을 뿐이다. 이는 모든 열정적인 통속화의 경우처럼 의도적일 수도 있고, 그 과정을 깨닫지 못하는 경우처럼 비의도적일 수도 있다. 후자의 경우가 더 그럴듯하다. 포에벨 교수가 알려주듯이, 이러한 텍스트에 나타난 수메르 어법은 "더 이상 고전 시기의 것이 아니기" 때문이다. 그것들은 이미 후대의 아류 시대의 것이다.

그러므로 지금까지 알려진 것 중에서는 가장 오래되었지만 실제로는 후기 시대의 것에 속하는 수메르 자료에 아직도 분명하게 나타나고 있는 수학은 다음의 사실을 잘 보여준다. 즉 이 강력한 전통(지금까지 인류를 재형성해온)의 형성기에 세계의 질서에 대한 어떤 강렬한 경험이 그 문명의 형태를 틀짓는 바람을 제공하였다. 그런데 그 질서는 어떤 신인 동형론적 최초 존재에 의하여 창조된 것이 아니라 그 자체로 만물을 창조하고 시작도 끝도 없이 구조화하는 우주의 리듬이다. 더구나 하나의 기적 ─ 아직 아무도 해석하지 못한 ─ 에 의해서 기원전 3200년경에 이미 수메르에서 발전한 산수는 우연에 의해서건 직관적인 귀납에 의해서건 그 자체가 하나의 계시로 될 만큼 천상의 질서에 매우 잘 부합하였다. 고대 동양 세계는 초기의 원시 세계나 후기의 서양 세계와 대조적으로 이러한 기적에 의해서 절대적 최면 상태에 들어갔다. 숫자의 힘은 단순한 사실보다 훨씬 중요하였다. 숫자는 실제로 사실을 발생시키는 것으로 보였기 때문이다. 숫자는 인간성보다도 더 중요하였다. 인간성으로 하여금 그 자신의 잠재적인 조화와 감각을 깨닫고 인정하게 하는 조직화의 원리가 바로 숫자였기 때문이다. 숫자는 신들보다도 훨씬 더 중요하였다. 신들이 나타나고 사라지는 것은 숫자 주기 ─ 더욱 위대하고 점점 더 위대해지는, 보다 장엄하고 무한히 확장되는 ─ 의 장엄함 안에 존재하는 법칙에 의한 것이기 때문이다. 숫자는 존재보다도 더 위대하였다. 숫자의 모체 안에 존재의 법칙이 놓여 있기 때문이다.

수학은 그 중요한 문화 변동의 순간에 이미 알려진 생물학적 죽음과 발생의 신비를 만났으며, 이 둘은 서로 결합하였다. 자궁이 지닌 달의 리듬은 이미 천상의 환경과 지상의 환경 사이의 상응성을 간파하였으며, 수학적 법칙이 이제 양자를 통일시켰다. 그러므로 이 모든 신화 속에서 마트, 메, 다르마, 도 ─ 그리스 전통에서는 모이라 ─ 의 원리가 신화적 측면에서 여성으로 지각되고 표상되었다. 두렵고 놀라울 정도로 신비스러운 태모(Great Mother)가 위의 하늘, 아래의 땅, 땅 아래의 물, 그리고 자궁 속에 똑같이 나타나고 있다. 이 태모의 형태와 지지가 고대 세계의 모든 제의적 지식을 지배한다. 우리는 나르메르의 축제 팔레트의 네 방향에 있는 암소-여신 하토르에서 태모를 보았으며, 그 태모의 낙농장에 있는 암소의 여신 닌후르사그는 초기 수메르 왕들의 유모였다. 만물을 생성하는 그녀가 지닌 리듬의 법칙은 고대 세계의 전기간 동안 구(舊)수메르의 60진법 산수의 60단위와 그 배수 속에서 재현되었으며, 시간과 공간을 동시적으로 측정하였다.

심지어 「창세기」도 "하느님의 백성"이라는 운명의 수학 속에서 태모를 비밀스럽게 간직하고 있다. 이는 바빌로니아의 10명의 왕과 히브리의 10명의 족장이 서로 상응하고 있는 일람표를 비교하면 알 수 있다. 언뜻 보면 베로소스와 성서가 제공한 숫자의 합계는 각각 432,000과 1,656으로 상당한 차이가 있다. 그러나 지난 세기의 저명한 유대인 학자이자 "아시리아학의 네스토르(호머의 작품 『일리아드』에 나오는 슬기로운 노장군/역주)"[39]인 줄리우스 오페르트(1825-1906년)가 「창세기의 연대(The Dates of Genesis)」[40]라는 매혹적인 논문에서 지적하였듯이, 두 합계는 72를 인수(因數)로 하고 있다. 즉 $432,000 \div 72 = 6,000$이고 $1,656 \div 72 = 23$이다. 그러므로 문제는 6,000과 23의 관계이다(72는 세차 1도가 증가하는 데에 필요한 해의 숫자라는 사실을 기억할 것이다). 유대력에서는 1년을 365일로 계산하는데, 23년이 지나면 그 동안의 윤년에서 생기는 5일이 추가되어 총 8,400일, 혹은 7일을 1주로 하는 1,200주가 된다. $1,656(23 \times 72)$년에서 7일 단위의 유대식 주(週)의 숫자를 발견하기 위하여 후자에 72를 곱하면 $86,400(1200 \times 72)$이 나온다. 반면 바빌로니아 달력에서는 1년이 5일 단위의 72주로 이루어져 있다. 그러므로 이런 종류의 계산에서 흔한 관행을 따라 바빌로니아의 매 1년을 하루로 간주하고, 432,000일에서 5일 단위의 바빌로니아식 주의 숫자를 계산하면, 그 결과는 다시 $86,400(432,000 \div 5)$이다. $864,000 = 864,000$이라는 등식이 증명되었다. 달력 체계 사이의 상세한 대응 관계가 여기에 분명히 함축되어 있다. 이제 우리는, 수학적 질서는 자유 의지의 교리와 서로 대립하기 때문에, 어떤 초월적 사상에 의해서 이 2가지 신학이 화해되었는가 하는 물음을 던질 수 있을 뿐이다.

오페르트 교수는 수메르에 대하여 아무 것도 알려지지 않았던 1877년에 논문을 썼는데, 당시 그는 히브리의 숫자가 본래적인 것이고 베로소스의 것은 "위조된" 것이라고 생각하였다.[41] 그러나 그 반대의 사실이 지

금 나타나고 있다. 그리고 어느 쪽에서건 어떠한 "위조"도 있을 수 없었
다. 솔직히 말해서, 이 유연한 이야기의 어디에도 위조될 수 있는 사실은
없었기 때문이다. 누가 다른 사람의 길을 원하는가? 이집트, 인도, 중국,
크레테, 그리스, 로마, 그리고 게르만 인과 켈트 인이 근동 중심부의 문
명화하는 유산을 전수받고 모델을 바꾸었던 것처럼, 「창세기」의 저자들
도 그랬다. "위조"가 아니라 "재창조"가 신화의 재건을 논의할 때에 사용
하여야 할 용어이다.

5. 신화적 죄의식

이 책의 주제를 통하여 계속 남아 있으면서 동양과 서양을 분리시키는
하나의 역설이 지금 분명하게 드러난다. 이제 우주적 상상은 배경으로
사라지고, 신들은 더 이상 수학적 질서의 단순한 집행자가 아니라 그들
자체가 자유로운 의지를 가지고 비교적 자의적인 질서를 창조하는 전능
한 창조자들 —— 변덕, 분노, 사랑 등의 감정에 종속되는 부성의 인격화
—— 로 등장한다. 따라서 위엄과 성숙, 장엄한 전망과 영적 확신을 특징
으로 하는 어떤 신비한 세련화가 사라진다. 다른 편 벽에서 전적으로 사
라진 인격적이고 윤리적이고 인간화하는 요소가 여기에 나타나고 있다.
저쪽의 벽에서는 비이원성, 영혼의 평화, 그리고 비인간성이 발견되지만,
여기서는 긴장, 이원성, 그리고 추방 의식이 발견된다. 그러나 이는 단순
한 기능자의 얼굴이 아니라 자유로운 의지를 지닌 자율적인 개인의 얼굴
이며, 그는 운명을 변화시킬 뿐만 아니라 그 자신과 인간과 미래 —— 우
주와 형이상학과 과거가 아니라 —— 에 대하여 책임을 지니고 있다. 그것
이 바로 여기에서부터 하늘, 지옥, 저 세상에 이르기까지 두 반구인 동양
과 서양을 분리시키는 벽이다.

일본의 선불교 철학자 다이세츠 스즈키(鈴木大拙) 박사는 서양의 정
신적 상황의 특징을 이렇게 요약하였다. "인간은 신과 대립하고 있고, 자

154

연은 신과 대립하고 있고, 인간과 자연은 서로 대립하고 있다." 그렇지만 그의 논의를 따르자면 거기에는 이와 대조되는 측면도 있다. "신이 세계를 창조하였다면, 그는 인간을 세계에 속하면서 세계에 유기적으로 관련되는 세계의 한 부분으로 창조하였다. …… 인간의 인습과 인위적인 위선성에 의하여 전혀 방해받지 않는 자발성 속에는 신적인 어떤 것이 있다. 그 안에는 인간적인 어떤 것에 의하여 전혀 구속되지 않는 직접적이고 신선한 어떤 것이 있다."[42] 진실로 그러한 것이 존재한다. 그러나 기원전 2350년경 이래 서양의 영적 역사 전체는 그 자신의 인간성의 부분이 이 숭고한 악마주의로부터 오랜 기간에 걸쳐 떨어져 나온 역사였다.

인간의 덕을 신의 쾌락을 위하여 만들어진 노예의 덕으로 묘사하는 수메르의 창조 신화에는 이미 비판적인 성향이 내재하고 있다. 그러한 신화는 본질적으로 경배가 아니라 하나의 논평의 태도를 드러내고 있다. 그러한 논평의 자세 속에서 동양은 사라지고 서양이 태어난다. 형이상학적 두려움, 위대하고 불변하는 진리 앞에서 느끼는 깊은 경외감, 그리고 모든 인간의 판단을 이름 지어지지 않은 신비 — 무한하고 비인격적이지만, 모든 존재와 사물 그리고 죽음 안에서조차 친근하게 존재하는 — 에 종속시키는 것, 이러한 것들은 동양에서는 가장 성스러운 것으로 존중되어 온 감정들이다. 그 충만한 공허의 황홀감을 즐기는 지식의 관점에서 보면, 세상 속 인간들의 단순한 개인사에 빠져 있는 서양적 정신은 생명의 과실 — 남편과 함께 땅속으로 들어갔을 때 갠지스 강가의 그 작은 소녀가 깨달은* — 을 잃어버린 것처럼 보인다.

우리는 이집트에서 일련의 심리학적 단계의 발전 — 독자가 선호한다면 퇴화 — 과정, 즉 신화적 동일시로부터 신화적 인플레이션을 거쳐 신화적 종속의 상태로 나아가는 과정을 보았다. 그리고 이 마지막 단계에서 자연의 질서에는 내재하지 않는 어떤 인간적인 고귀성의 기준이 투사 작용에 의해서 신에게 귀속되는 것을 보았다. 따라서 그 위대한 "자연의 소년(Nature Boy)" 파라오는 신성의 덕목에 참여하고 있다는 의식을 손

* 81-82쪽 참조.

상당하지 않은 채 인간적 덕목에 종속되었다. 그러나 메소포타미아에서는 이처럼 몹시 아첨하면서 신성에 참여한다고 하는 의식이 해체되었다. 왕은 더 이상 위대한 신이 아니고, 이집트에서처럼 선한 신도 아니고, 신의 소작농일 뿐이었다. 이러한 신화적 단절로 인하여 자연과 인간의 질서는 분리되었으나, 인간은 그 스스로 합리적 판단을 행하는 용기의 단계로 완전히 나아가지는 못하였다. 그 결과 불안의 파토스가 발전하였다. 이러한 파토스 속에서는 부모의 사랑을 얻으려고 애쓰는 육아실 어린이의 모든 고통이 신화적 의존이라는 우주론적 악몽으로 전환되었으며, 이러한 악몽은 번갈아 나타나는 신적 지지의 획득과 상실, 그리고 마침내 쥐의 이빨처럼 신랄한 인간 고유의 죄의식으로 나타났다.

키시의 왕 에타나(Etana)에 관한 중요하면서도 잘 알려진 조그마한 서사시가 있다. 이 시에서는 인간(혹은 최소한 왕의) 고유한 신성을 보여주는 초기 신화가 절대적 분리와 종속과 죄의식을 보여주는 후기 신화로 전이하는 과정이 아주 생생하게 나타나고 있다. 따라서 이 시는 초기의 영적 무대와 후기의 영적 무대 사이에 서로 돌아갈 수 없는 지점을 표시해주는 적합한 이정표 역할을 한다.

홍수 이전 시기를 다루면서 이미 개관한 구수메르 왕의 명단에는 에타나라는 이름이 나오고 있는데, 그 이름은 그 대이변 이후 첫번째 왕조의 왕들의 이름 가운데 있다. 거기서 그는 "목자, 승천한 자, 모든 땅을 굳게 만든 자, 왕이 되어 1560년간 통치한 자"[43]로 나타나고 있다. 그의 천상 비행에 관해서 알려주는 어떤 실제적인 수메르 자료도 전해지는 것이 없지만, 이러한 명칭들은 에타나의 모험이 초기의 연대기 작가에게 알려져 있음을 명백하게 보여준다. 그는 천상 비행에서 성공한 것처럼 보인다. 사실 이러한 전설은 왕의 신적 명령을 정당화하는 데에 분명히 봉사하였을 것이다. 그러나 그의 비행을 보여주는 현존하는 모든 자료는 후기 셈 족, 주로 아시리아의 마지막 군주인 아슈르바니팔(Ashurbanipal, 기원전 668-635년)의 파괴된 도서관에서 나온 바빌로니아 혹은 아시리아 자료이다. 이러한 자료들에서는 그 주제가 모두 부정적 의미로 전환되었으므로, 새롭게 형성된 교훈은 열망의 덕이 아니라 죄의식의 덕이다.

이 작은 서사시의 서두에서는 태양 독수리라는 강한 새의 죄의식에 대하여 이야기하고 있다. 이 독수리는 중요한 모험에서 세계 최초의 우주 비행사의 탈것으로 봉사하였다. 그 새는 이웃에 사는 뱀에게 "이리 와라, 우리 함께 평화와 우정의 맹세를 하자. 그러면 태양-신 샤마시의 저주가 그를 존경하지 않는 자에게 호되게 떨어질 것이다." 둘은 태양-신 앞에서 맹세하면서 서약의 내용 안에 다음과 같은 저주를 봉하여 넣었다. "강력한 주먹을 가진 샤마시가 그의 영역을 침범하는 자를 처참하게 난타하기를! 침범자가 못 들어오도록 사자(死者)의 산이 출입구를 막기를!"

그후 새끼들이 태어났다. 뱀의 새끼들은 느릅나무 그늘에서 태어났고 새의 새끼들은 산 정상에서 태어났다. 새가 야생 황소나 당나귀를 잡았을 때 뱀이 그것들을 먹고, 남은 고깃덩어리를 집으로 가져오면 새끼들이 먹었다. 뱀이 야생 염소나 영양을 잡았을 때는 큰 독수리가 먹고, 나머지를 집으로 가져오면 그 새끼들이 먹었다. 이러한 과정은 계속되었지만, 어느 날 독수리 새끼의 깃털이 다 나자 그 아버지 새의 마음속에 어떤 악한 생각이 들어왔다.

그 독수리는 말하였다. "자, 이제는 뱀의 새끼들을 삼키자." 그러자 그 새끼 중 하나가 "오, 나의 아버지, 샤마시가 쳐놓은 그물에 걸리지 않으려면 그렇게 하지 마세요"라고 말하였다.

그럼에도 불구하고 그 새는 돌진하여 뱀의 새끼들을 삼키고 뱀의 둥지를 찢어 발겼다. 그때 뱀이 나타났고 새끼들은 사라졌다. 그 뱀은 샤마시 앞으로 갔으며, 그에게 청원하였다.

"오, 샤마시여, 당신의 그물은 광활한 대지이며 당신의 덫은 광활한 하늘입니다! 당신의 그물로부터 누가 도망칠 수 있겠습니까?"

태양-신은 말하였다. "준비하여라! 산으로 올라 가라! 야생 황소를 은신처로 삼아라. 그 황소의 배꼽을 찢고 그 안으로 들어가 거기서 너의 거소를 만들어라. 하늘에 있는 모든 종류의 새가 하강할 것이며 그 중에는 그 안으로 들어가려는 일념을 지닌 독수리가 틀림없이 있을 것이다. 그 독수리의 날개와 발톱을 찢어 발기고 껍질을 벗긴 다음, 구덩이 속으로 던져버려라. 그렇게 하여 그 새가 배고픔과 목마름에 지쳐 죽도록 하라."

뱀은 시키는 대로 하였으며 구덩이에 빠져 부러진 새는 샤마시에게 울부짖었다. "오, 주여, 이 구덩이에서 죽어야만 합니까? 오, 주여, 당신의 처벌이 저에게 내리고 있습니다. 그렇지만 당신의 독수리인 저를 제발 살려주십시오. 그러면 저는 영원히 당신의 이름을 기리겠습니다."

태양-신이 말하였다. "너는 다른 존재의 슬픔을 불러일으키는 악한 일을 하였다. 이러한 일은 신들이 금지한 일이다. 네가 한 짓은 은혜롭지 못한 일이다. 너는 그러한 일을 하지 않겠다고 서약하였기 때문이다. 이제 진실로 너는 서약의 대가를 받을 것이다. 내가 너에게 보내는 사람이 어떠한 사람이건 그에게 너 자신을 바쳐라. 그리고 그가 손으로 너를 부여잡도록 하라."

나타난 사람은 늙고 연약한 양치기 왕, 즉 키시의 에타나였다. 이 늙은 이는 기도하였다. "오, 나의 주, 샤마시여. 당신은 나의 양의 힘을 삼켰고, 새끼 양들을 다 삼켜버렸습니다. 그러나 나는 신들을 존경하였고 죽은 자를 생각하였으며 여사제들로 하여금 나의 제물을 희생으로 바치게 하였습니다. 오, 주여, 그러므로 누군가 나를 위해서 출산의 식물을 가지고 오도록 명령을 내리소서. 나는 늙었고 자손이 없기 때문입니다. 출산의 식물이 나타나도록 해주시옵소서. 오, 신이여, 그 식물의 열매를 벗겨 나에게 아이를 주시옵소서."

태양-신이 말하였다. "산으로 올라가라. 구덩이를 찾고 그 안을 들여다보라. 거기에 있는 새가 너에게 출산의 식물을 보여줄 것이다."

에타나는 그렇게 하였다. ……

토막난 점토판은 여기서 끝난다. 그 이야기가 다시 시작될 때 독수리를 타고 있는 늙은 왕은 이미 가장 낮은 하늘의 문에 도달하였으며, 거기에는 태양, 달, 폭풍, 그리고 금성이 있었다. 새는 자기를 타고 있는 자에게 이렇게 말하고 있다.

"나의 친구여, 당신을 더 멀리, 그래서 더 높은 하늘인 아누(Anu, 수메르의 An)에 까지 태워드리겠습니다. 당신의 가슴을 나에게 바짝 붙이십

시오. 내 날개 깃털에 당신의 손을 놓고 내 날개의 어깨 부위에 당신의
팔을 놓으십시오."

그들은 2시간을 더 올라갔고, 그때 새가 외쳤다. "나의 친구여, 아래의
땅을 보십시오. 어떻습니까! 소금 바다는 대양으로 둘러싸여 있고, 그 가
운데 있는 땅이 산입니다."

2시간을 더 올라갔고, 새가 말하였다. "나의 친구여, 아래의 땅을 보십
시오. 어떻습니까! 소금 바다는 단지 땅 주위에 있는 띠입니다."

다시 2시간을 더 올라갔고, 새가 말하였다. "나의 친구여, 아래의 땅을
보십시오. 어떻습니까! 소금 바다는 단지 정원사의 관개 도랑입니다."

그들은 아누, 벨, 에아(수메르의 안, 엔릴, 에아) 신들이 있는 높은 문
에 도달하였다. …… 에타나와 그의 독수리 ……

점토판은 다시 파손되어 있다. 그 판을 뒤집으면 새가 다시 말하는 내
용이 나온다.

"나의 친구여, 당신을 더 멀리, 그래서 여신 이슈타르(이난나)의 하늘
까지 태워드리겠습니다. 당신을 그녀의 발밑에 내려놓겠습니다. 내 날개
깃털 위에 당신의 손을 놓고, 당신의 가슴을 나에게 바짝 붙이십시오."

2시간을 더 올라간 뒤에 새가 말하였다. "나의 친구여, 아래의 땅을 보
십시오. 어떻습니까. 땅은 평평하게 보이고, 광활한 소금 바다는 헛간 마
당에 불과합니다."

2시간을 더 올라간 뒤에 또 말하였다. "나의 친구여, 아래의 땅을 보십
시오. 어떻습니까. 육지는 흙덩어리에 불과하고 광활한 소금 바다는 작은
가지로 만든 바구니입니다."

2시간을 더 올라갔다. 그러나 에타나가 아래를 보았을 때, 이번에는 바
다도 육지도 볼 수 없었다. 그는 외쳤다. "오, 나의 친구여, 더 올라가지
말라!" 그래서 그들은 내려오기 시작하였다.

그들은 2시간을 내려왔다. 2시간 더 ……

단편적인 자료와 그 문자들이 밑 부분에서 산산조각이 나고 있다. 남
아 있는 것이라곤 깨어진 몇 줄이 전부이다.

세번째로 2시간 ……
독수리는 내려갔고 그는 …… 였다.
그것은 땅 위에서 산산히 부수어졌다. ……
독수리는 내려 갔고 그는 …… 였다.
…… 독수리 ……

더 깨어진 말들은 그 왕의 미망인이 슬퍼하고 있고 필요할 때에 그의
유령을 불러내고 있음을 암시한다.[44]

모리스 자스트로우 교수는 이미 반세기 전에 이 조각을 해석하면서
"에타나의 원래 이야기에서는 그가 신들 사이에 실제로 놓여졌다고 생각
할 만한 충분한 이유가 있다"고 말하였다.
그는 다음과 같이 썼다. "이는 첫번째 비행의 성공에서 드러난다. 그가
하늘의 가장 높은 곳에 있는 아누의 하늘에 도달하였기 때문에 그 목표
는 달성되었다. 두번째 비행은 첫번째 비행의 복사판임에 틀림없으며, 거
기에 사용된 언어에서 그것이 첫번째 비행에 의존하고 있음을 보여주고
있다.* 인간은 신의 위치에 이를 수 없고, 죽음 이후에 무엇이 기다리고
있는지 알 수도 없으며, 음울한 지하 세계에서 꼼짝도 못하도록 저주받
을 것인지도 모른다고 하는, 이러한 주제는 바빌로니아 신학 ── 오래된
민담과 대중적 신화를 보존하고 그것들의 최종적인 주조 형태를 보존하
는 역할을 한 ── 에서 애호되고 있다. 거기에 예외가 있을 수 있으나 그
것은 일반적 규칙이다."[45]
더구나 자스트로우 교수는 이 전설에는 2개의 전적으로 다른 이야기가
섞여 있음을 간파하였다. 첫번째는 신에 의하여 버림받은 왕과 그의 도
시에 관한 이야기이고, 두번째는 서로 결합한 독수리와 뱀에 관한 이야
기이다. 그의 생각에 의하면, 첫번째 이야기에서는 공동체의 복지가 다산

---

* 두번째 비행이 첫번째 비행의 단순한 복제라고 하는 것은 거리를 가로지를 때 '3번의
2시간'이라는 표현이 지속적으로 사용되는 데서 드러난다. 실제로 두 비행은 각각 6번
의 2시간을 필요로 하고 독수리는 지상에 도달하기 전에 이 거리를 내려가야만 한
다."(자스트로우의 노트).

의 여신과 신 — 이슈타르(이난나)와 벨(엔릴) — 의 개입에 의해서 회복되어야만 했고, 그후 에타나가 샤마시에게(아마도 원래는 이슈타르에게) 출산의 식물 — 이것을 먹음으로써 그의 양떼들이 새끼를 밸 수 있는 — 이 나타나게 해달라고 호소하였다.[46]

한편 동물 이야기는 한 편의 민담인데, 여기에 하나의 도덕이 부가되었다. 만일 두 이야기의 조합에서 에타나가 그의 목표를 달성하지 못하도록 되었더라면 이는 후기 바빌로니아의 정신과 아주 잘 부합되었을 것이다.

"이슈타르의 면전에 도착하기 전에 에타나는 땅 밑으로 내던져졌다. 그가 그의 목표에 접근하는 것처럼 보일 때, 등에 에타나를 태운 독수리는 가로질러왔던 거대한 우주 공간을 2시간씩 세 차례 비행함으로써 추락한다. ……"[47] 그래서 모험은 성취되지 못한다.

자스트로우는 다음과 같이 결론을 내린다. "이렇게 결합된 두 이야기는 하나의 교훈 혹은 2개의 교훈을 가르치기 위하여 만들어진 것이다. (a) 하나는 샤마시의 법을 위반하면 반드시 가혹한 처벌을 받는다는 것이고, 두번째의 보다 중요한 교훈은 (b) 인간은 신처럼 불멸의 존재가 될 수 없다는 것이다. 바빌로니아 신학자들이 복잡한 길가메시 서사시의 과제로 만든 것도 이 교훈이다. …… 에타나 신화의 최종적인 형태가 전달하려고 하는 것도 이와 동일한 교훈으로 보인다."[48]

1910년에 이 분야의 한 탁월한 학자는 이처럼 인간이 신으로부터 절대적으로 분리된다고 하는 관념은 수메르가 아니라 후기 셈 족의 정신에 속한다는 사실을 발견하였다. 그러나 이러한 관념은 그리스 인에게도 나타난다. 그리스 인의 **잡종**(*hybris*) 관념은 비극의 내재적 원리이다. 이 관념은 또한 타락과 구원, 나무와 십자가라는 기독교 신화의 기초가 되고 있다. 서양 역사를 통하여 패배는 그러한 초인간적 모험에 전형적인 것으로 나타난다. 동양에서는 사정이 다르다. 붓다의 전설에서처럼 동양에서는 불멸을 얻으려고 출발한 사람은 거의 변함없이 그 목표를 획득한다.

서양에서는 비극 의식이 너무나 강력하여 원래 드라마의 단순한 결말혹은 대단원 — 슬프건 그렇지 않건 간에 — 을 의미하는 "파국(catastrophe,

그리스 어로는 '밑으로'를 의미하는 kata와 '돌다'를 의미하는 strophein의 결합)"이라는 말이 일상적인 회화에서는 재난만을 의미하게 되었다. 심지어 우리가 가지고 있는 지고한 영성의 상징인 십자가도 몸이 죽음의 힘으로 인도되는 그러한 비극적 순간의 신 자신을 보여주고 있다.

말하자면 우리의 영웅 개념은 현실적이고 특수한 개인이며, 죽을 수밖에 없는 존재이고 그렇게 운명 지어져 있다. 반면 동양의 모든 신화에 등장하는 진실한 영웅은 헛되이 삶을 추구하는 경험적 인격이 아니라 환생하고 윤회하는 자이다. 유명한 문장을 인용하자면, "결코 태어나지 않고 결코 죽지도 않는다. 일단 태어나면 결코 소멸하지 않는다. 태어나지 않고 영원하고 불변하는 이 태고적 존재는 신체가 살해될 경우에도 죽지 않는다."[49]

에타나와 독수리의 추락은 동양적인 것이 아니라 서양적인 "파국"의 성격을 보여준다. 이 전설과 함께 우리는 순수성(innocence)을 벗어나 선악을 알게 하는 나무의 과실을 맛보았으며, 서양의 문을 지나 그 위대한 심리와 운명의 평야로 이주하였다. 이곳에서의 인간의 과제는 인간 내부에 이미 존재하는 원리를 심리학적으로 추구하는 것이 아니라, 도덕적 질서와 경험적 질서를 역사적으로, 점진적으로 실현시켜 나아가는 것이다.

6. 슬픔의 지식

존 윌슨을 비롯한 많은 학자들은 이집트 최초의 무덤 벽화와 부조들이 "장례 의식을 강조하지 않고, 풍부한 수확의 즐거움, 자연의 기쁨, 사냥의 즐거움, 자연과 놀이의 흥분을 강조하고 있다"고 말하였다. 윌슨이 말하는 것처럼 그 전체적인 인상은 확신에 차고 생동감 넘치고 쾌활하다. "자기 확신, 낙관주의, 그리고 삶에 대한 열망이 영원한 삶에 관한 확고한 주장을 만들어냈다."[50]

그러나 기원전 2000년대의 첫 세기에는 새로운 불협 화음이 이집트의 저작 속에서 명백하게 나타나며, 메소포타미아의 경우에는 더욱 분명하게 나타난다. 예들 들면 기원전 2000년경의 유명한 파피루스에는 "자신의 영혼과 대화하는 한 염세가"의 우울함이 나타나고 있다.

보라, 나의 이름이 멸시받고 있다 :
　　하늘이 뜨거운 여름날,
　　새의 악취보다도
보라, 나의 이름이 멸시받고 있다 :
　　늪 지대에서 낚시하는
　　낚시꾼의 냄새보다도
보라, 나의 이름이 멸시받고 있다 :
　　남편에 의해서 기만당하는
　　여자보다도.

오늘 나는 누구에게 말할 수 있는가?
　　형제들은 악하고 ;
　　오늘의 친구들은 사랑하지 않는다.
오늘 나는 누구에게 말할 수 있는가?
　　온화한 사람은 사라지고 ;
　　뻔뻔한 얼굴을 가진 자만이 주위에 가득 차 있다.
오늘 나는 누구에게 말할 수 있는가?
　　나는 난파당하였네,
　　한 사람의 신실한 믿음을 가진 친구도 없이.
오늘 나는 누구에게 말할 수 있는가?
　　사악함이 온 땅을 엄습하고 ;
　　그것은 끝이 없다.

죽음이 오늘 내 앞에 있다 :
　　병든 자의 회복처럼,
　　병든 후에 정원으로 들어가는 것처럼.
죽음이 오늘 내 앞에 있다 :

　　　몰약의 향기처럼,
　　　미풍을 따라 항해하면서 앉아 있는 것처럼.
　　죽음이 오늘 내 앞에 있다 :
　　　시냇물의 흐름처럼,
　　　전쟁 갤리 선(船)을 떠나 집으로 돌아가는 사람처럼.
　　죽음이 오늘 내 앞에 있다 :
　　　오랫동안 포로 생활을 한 사람이
　　　몹시 그리워하는 집처럼.

　　저편에 있는 자*
　　　그는 사악한 자를 처벌하면서,
　　　살아 있는 신처럼 범인을 잡을 것이다.
　　저편에 있는 자
　　　그는 최상의 제물을 신전에 바치면서,
　　　천상의 범선에 서 있을 것이다.
　　저편에 있는 자
　　　그는 레에게 기도할 때,
　　　거부되지 않는 성인이 될 것이다.[51]

　여기에서 "모든 것은 고통이다(一切皆苦)"라는 붓다의 사성제의 첫번째 진리의 서곡과 "인간의 행복이 이 세상에 존재하는 것은 불가능하다"라는 아퀴나스의 판단의 서곡이 들리지 않는가?[52] 그리고 니체가 언급하였듯이, "질병과 죽음 : 이것들이 바로 육체와 이 지상을 경멸하고 천상의 세계와 구원의 핏방울을 발명한 장본인이다. …… 그들은 이제 이 혐오스러운 육체와 이 지상을 벗어났다고 상상하였다. 그러나 경련과 환희를 동반한 이러한 벗어남은 무엇에 의존하였는가? 육체와 이 지상에 의존하였다."[53]
　나는 이러한 위기를 "위대한 반전(The Great Reversal)"이라고 부를

---

* "저편에 있는 자" : 불행한 자 자신의 카이다. 이 카는 레의 보트에서 그의 바와 결합할 것이다. 카와 바에 대해서는 80쪽 참조.

것이다. 이러한 반전으로 죽음은 더 이상 삶의 경이의 지속이 아니라 삶의 고통에서 벗어나는 피난처로 간주된다. 마치 "병든 자의 회복처럼" 혹은 "어떤 사람이 몹시 보고 싶어하는 집처럼."

무엇이 이러한 가치의 역전을 일으킬 수 있었는가?

이것은 이집트에서는 기원전 2190년경 제6왕조 몰락 이후의 사회적 해체기에 틀림없이 일어났고, 메소포타미아에서는 처음에는 도시와 도시의 전쟁, 후에는 사막과 스텝 지역의 부족들(셈 족과 아리안)과 문명 중심부의 전쟁 ── 점차 강도를 더해가는 ── 으로 인하여 전 지역이 파괴되던 두려움의 시기에 일어났다.

기원전 2350년경의 한 왕실 연대기에는 이렇게 쓰여 있다. "아가데의 왕이자 이난나의 부섭정이고, 키시의 왕이자 아누의 파시슈(pashishu)이고, 대지의 왕이자 엔릴의 위대한 이샤쿠(ishakku)인 사르곤. 그는 우룩의 도시를 치고 성벽을 파괴시켰다. 우룩의 사람들과 싸워 그들을 패주시켰다. 우룩의 왕인 루갈-자기시와 싸워 그를 사로잡아 족쇄에 채운 채 엔릴의 문을 지나갔다. 아가데의 사르곤은 우르의 사람과 전쟁하여 승리하였다. 우르의 도시를 치고 성을 함락시켰다. 그는 에-닌마르를 치고 성을 무너뜨렸고, 라가시에서 바다에 이르는 전 영토를 공격하였다. 그리고 그의 무기를 바다에서 씻었다. 그는 움마의 사람과 전쟁하여 승리하고 그 도시를 치고 성을 함락시켰다. 대지의 왕 사르곤에게 엔릴은 어떠한 반대도 하지 못하였다. 엔릴은 위의 바다에서부터 아래 바다에 이르기까지 모든 땅을 그에게 바쳤다."[54]

거기에는 경건한 영혼들의 어쩔 수 없는 실망도 보였다. 욥처럼 이들은 의무감을 넘어 종교의 모든 의무를 완수하였지만, 가공할 정도로 좌초되었을 뿐이다. 바빌로니아의 욥이라고 불리는 기원전 1750년경의 타비-우툴-엔릴이라는 늙고 경건한 왕의 경우도 이와 비슷하다. 그의 슬픔과 증언은 상당히 길기는 하지만 인용할 가치가 있다.

> 그는 나의 눈알을 가려버렸다, 자물쇠를 가지고 눈알을 잠그듯이 ;
> 그는 나의 귀를 잠그었다. 마치 귀머거리의 귀처럼.

왕인 나는 하나의 노예로 전락하였고,
주위 사람들로부터 광인으로 취급받는다.
나에게 할당된 삶의 시간에 나는 이미 도달하였고 이미 지나쳤다 ;
내가 가는 곳마다 악이 넘쳤다.
비참함은 증대하고 정의는 사라졌고,
나의 신에게 울부짖었으나 그는 얼굴을 보여주지 않았다 ;
여신에게 기도하였으나 그녀는 얼굴조차 들지 않았다.

점쟁이-사제도 나의 미래를 결정할 수 없었으며,
점쟁이도 제물을 통하여 나의 청원을 정당화하는 데에 실패하였다.
신탁 사제에게 호소하였지만 그는 어떤 것도 보여주지 못하였다.
의례를 통하여 귀신을 쫓는 우두머리 축귀사도 나를 파문에서 벗어나게
하는 데에 실패하였다.
이와 같은 상황은 결코 전에는 없었다 :
내가 하려고 하는 일마다 고통이 따랐다.

마치 내가 신의 몫을 항상 별도로 마련하지 않은 것처럼,
그리고 식사 때에 여신을 부르지 않은 것 처럼,
얼굴을 숙이고 공물을 가져오지 않은 것처럼 :
마치 입에서 기도와 청원을 계속하지 않은 것처럼 ;
신의 날을 별도로 마련하지 않은 것처럼 ; 신월제를 무시한 것처럼 ;
태만하거나 신들의 상을 무시한 것처럼,
그의 백성들에게 신에 대한 존경과 두려움을 가르치지 않은 것처럼,
그의 신을 부르지 않거나 신의 음식을 먹은 것처럼,
그의 여신을 무시하고 제주(祭酒)를 바치지 않은 것 처럼 :
나는 그의 주를 잊어버리고
그의 신의 성스러운 이름을 속되게 만든 억압자로 간주된다.

그러나 사실 나는 기도와 간구만 생각하였다 ;
기도는 나의 행위였고, 희생제의는 나의 법이었고,
신을 제사하는 날은 나의 마음이 기뻤고,
여신에게 봉헌하는 날은 나에게는 풍요 이상의 날이었다 ;

신실한 기도 ── 그것은 나의 기쁨이었다 ;
신에 대한 기념 ── 그것은 나의 즐거움이었다.
나는 내 나라가 신의 이름을 지키도록 가르쳤고,
백성들이 여신의 이름을 존경하는 데에 익숙해지도록 가르쳤다.
왕에 대한 찬양을 신에 대한 찬양으로 바꾸었고,
그리고 왕실의 두려움을 가지고 백성들을 가르쳤다.
나는 그렇게 하는 것이 신을 즐겁게 하는 것이라고 생각하였다. ……

이러한 것들이 이 가련한 늙은이의 문제였다. 이에 대한 평범한 대답
이 이제 나온다. 이러한 대답은 이미 기원전 1750년경의 바빌로니아에
알려져 있었다.

그러나 자기 자신에게 좋아 보이는 것은 신에게는 불유쾌하며,
자신이 혐오하는 것은 신에게는 좋은 것으로 나타난다.
천상에 있는 신들의 의지를 파악할 수 있는 자가 누구인가?
신비로 가득찬 신의 계획 ── 누가 그것을 이해할 수 있는가?
어떻게 유한한 인간이 신의 길을 배울 수 있는가?

인간은 하찮은 존재이고 신들은 위대하기 때문이다.

어제까지 살아 있던 사람이 오늘은 죽어 있다 ;
순식간에 그에게 슬픔이 다가오며 갑자기 그는 사멸한다.
하루 동안 그는 노래하고 놀지만 ;
어느 순간 그는 조객처럼 울부짖는다.

인간의 정신은 낮과 밤처럼 변한다 ;
배고플 때 그들은 시체와 같으며 ;
배부를 때 그들은 스스로를 그들의 신과 동등하다고 생각한다 ;
일이 잘 되어갈 때 그들은 하늘에 올라갈 듯이 재잘거리며,
불행에 빠졌을 때 그들은 지옥에 떨어질 듯이 신음한다.

그러나 약 1,500년 후에 이와 동일한 문제에 접한 욥처럼, 늙은 왕 타
비-우툴-엔릴은 무서운 시험을 당하였음에도 불구하고 신에 의해서 최종
적으로 버려지지 않고 오히려 전보다 훨씬 더 큰 축복을 받는다. 그러나
그의 신이 어느 정도의 기적을 내려주었는가를 분명하게 하기 위해서 먼
저 그의 곤궁에 관한 전체 이야기를 들어야만 한다.

한 악마가 굴속에서 나왔고,
나의 병색은 누르스름한 색에서 하얀 색으로 변하였다.
질병은 나의 목에 덮쳤고 등뼈 전체를 눌러 부수었으며,
나의 큰 키를 포플러처럼 구부렸다 ;
그래서 나는 늪의 식물처럼 뿌리채 뽑혀 내동댕이쳐졌다.
음식은 쓴 맛이 되었고 ── 부패하였다.
질병은 오랫동안 질질 끌었다. ……
나는 침대로 가서 그곳을 떠날 수 없었고,
나의 집은 감옥이 되었다.
내 몸에 족쇄가 채워진 것처럼 손은 무력하였고,
칼끝에 내 몸이 찔린 것처럼 발은 쭉 뻗어버렸고,
나의 실패는 엄청났고, 고통은 격심하였다.

여러 번 꼬아서 만든 가죽 끈이 나를 쳤고,
몹시 날카로운 창이 나를 찔렀다.
추적자가 나를 하루 종일 따라 다녔고 ;
밤새도록 어떠한 휴식도 얻지 못하였다 :
비틀린 것처럼 관절들은 부수어졌고,
사지는 부수어져 아무 힘이 없었다.
마구간에서 황소처럼 밤을 보냈으며,
양처럼 나의 배설물로 흠뻑 젖어 있었다.

관절의 질병은 우두머리 축귀사를 당황시켰고,
나의 조짐들은 점쟁이에게도 분명하지 않았다 ;
축귀사는 나의 질병의 특성을 읽을 수 없었고,

점쟁이도 병의 한계를 분명하게 정하지 못하였다.

그러나 어떠한 신도 나의 손을 잡으며 나를 도우려 오지 않았고,
어떠한 여신도 내편으로 와서 나에게 동정을 보이지 않았다.
무덤이 열렸고 나를 묻으라는 명령이 내려졌고,
죽지 않았지만 나는 이미 애도의 대상이 되었다.
백성들은 이미 나에게 "아, 슬프도다"라는 애도의 소리를 불렀다.
적은 그것을 알고 얼굴이 빛났다 ;
그 소식이 선포되었을 때 그의 간은 기뻐 날뛰었고,
나는 우리 신의 보호 아래에서 휴식을 취하고 있는 나의 전 가족이
불행에 떨어질 날이 다가왔음을 알았다.

그러나 모든 것을 잃고 누워만 있고 몸이 마비되고 눈이 멀고 귀머거리
가 되어 먹을 수도 없고 끊임없는 고통으로 괴로워하는 그 늙은 왕이 절
망의 낭떠러지에 왔을 때, 보라, 왜 그 고통당하는 의인이 버려지지 않고
그의 가장 어두운 순간에 꿈속에서 신의 사자 ─ "왕관으로 장식된 강력
한 영웅" ─ 가 와서 그 전에 빼앗겼던 그의 모든 것을 회복시켰는가를?

그 신은 천상의 산의 밑 부분에 강한 바람을 보냈고,
땅속 깊숙이 그것을 몰았다.
그리고 그 사악한 악마를 심연 속으로 몰아 넣었다. ……

바다의 조수 위에서 그는 학질을 쓸어버렸다.
식물을 뽑듯이 내 병의 뿌리를 뽑았다.
나의 휴식을 방해하고 하늘을 채우고 어둡게 하였던 불쾌한 잠이 연기처
럼 ……

나의 눈은 밤의 베일로 덮여 있었으나,
베일을 날려버린 강한 바람을 통하여 눈이 빛나게 되었다.
나의 귀는 귀머거리의 귀처럼 닫히고 잠겨 있었으나,

그가 내 귀의 청각을 열면서 귀먹음을 제거하였다.

입도 닫혀 있어서 소리 내는 데 어려움이 있었으나,
그가 정화시켰다 : 그는 구리처럼 입을 빛나게 하였다.
이빨들도 붙잡혀 모두 눌려 있었으나,
치근들을 강화하면서 그가 열어놓았다.
혀도 부어서 움직일 수 없었으나,
그가 부어 있는 부분을 제거하자 말이 돌아왔다.
목구멍도 시체의 그것처럼 압착되어 닫혀 있었으나,
그가 치료하여 나의 가슴은 플루트처럼 다시 소리를 냈다. ……

나의 목도 비틀리어 아래로 구부러져 있었다 :
그가 그것을 세우자 삼나무처럼 바로 섰다.
나의 키도 완전한 힘을 가진 사람의 키처럼 만들었다 ;
그리고 악마로부터 풀려났을 때 나의 손톱과 발톱에 윤이 나도록 하였다.
그는 나의 괴혈병을 치료하였고, 옴도 치료하였다. ……
나의 몸 전체를 회복시켰다.

  신앙을 고수한 그 늙은 왕은 루르드(Lourdes, 프랑스의 남서쪽에 있는 도시로서 기적의 치료로 유명한 가톨릭 사원이 있다/역주) 혹은 갠지스 강으로 옮기어진 신자처럼 성스러운 물로 인도되어, 거기서 신의 힘으로 직접 치료되었다.

  그는 흠을 씻어버리고 몸 전체가 빛났다.
  불구의 몸이 광채를 다시 얻었다.
  강둑에서 온 사람들에게 심판을 행한다.
  노예의 낙인은 지워졌고 차꼬는 풀렸다.

거기서 다음의 교훈이 나온다.

  신전에 대해서 죄를 짓는 사람은 나에게서 배우도록 만들어라 :

나를 막 삼키려고 하는 사자의 턱 속에다 엔릴은 재갈을 집어넣었다.
엔릴은 나의 추적자의 올가미를 빼앗았다 :
엔릴은 악마의 굴을 포위하였다.[55]

　드디어 불멸성에 관한 신화, 그리고 달처럼 졌다가 다시 뜨는 왕들에 관한 모든 이러한 신화 이후에 ; 수천 년간 의례화된 비인간성 —— 그 동안 동물, 식물, 자연의 수학적 질서에 참여한 인간은 자신의 판단에 대해서는 거의 생각해보지 못하였다. 따라서 시간적 제약을 지닌 자신의 상상력으로 우주에 투사한 법칙(마트, 메)을 초자연적 권위를 지닌 질서로 간주하였고, 그 질서를 기원전 4000년경 당시에 통용된 상식보다 더 우월한 것으로 확고하게 받아들였다 —— 이후에 ; 그리고 무로부터의 창조라고 하는 고담 준론 같은 동화들, 주술적 언어, 자위, 신적 존재들의 교접, 피조물에 대한 신들의 장난 혹은 신들끼리의 장난, 홍수, 잘못된 창조 등등 이후에 ; 이제 드디어, 전에는 행위 주체자(agenda, 인간/역주)의 삶의 영역에서 그렇게 중요하지 않았던 하나의 점, 즉 고통이라는 도덕적 문제가 무대의 중심으로 나왔으며, 그 이후 이것은 계속하여 중심적 위치를 차지하였다.
　인간 자신 혹은 어떤 고상한 인물들의 감수성이 초기 왕들의 도마뱀 같은 냉혈한의 수준으로부터 아들에게 쓴 편지 —— "신 앞에서 너 자신을 죄 없게 만들어라. …… 도시에 친절을 보여라 ; 신은 네가 보여주는 관심을 칭찬할 것이다. …… 선이란 미래를 위하여 일하는 것이다. ……"[56] —— 와 같은 인간성의 수준으로 발전하였다. 이제 인간 자신은 신보다 더 많은 친절, 사랑, 명예, 정의, 심정을 가지고 있음이 명백하게 되었다. 이러한 진리에 대한 깨달음이 증대하고 붓다의 두번째 공리, 곧 "고통으로부터의 해방!"이 점차 마음에 와 닿았을 때, 신화와 의례 그리고 인간의 지혜가 지닌 최대의 관심사는 자연 숭배라고 하는 오래된 주술적 관심 —— 이는 사실상 향상된 농업 기술에 의하여 점차 대체되어 왔다 —— 으로부터 눈물의 골짜기에서 평화, 조화, 영혼의 깊이를 얻으려는 보다 친근한 심리학적 과제로 전환되었다.

제2부 인도의 신화

제4장 고대 인도

1. 보이지 않는 대항자

아난다 쿠마라스와미 박사의 책에 따르면, "생명의 기원을 물에서 찾는 믿음은 고대의 많은 문화에서 공통적으로 나타나며, 나일 강, 유프라테스 강, 혹은 인더스 계곡 등에서 이러한 믿음이 매우 자연스럽게 등장하였다. 이들에게는 주기적인 강우나 지속적으로 흐르는 강물이 식물 생장의 가장 확실한 전제 조건이었다."[1]

이는 유사한 신화들이 세계의 각 지역에서 공통의 심리학적 법칙에 따라 독립적으로 전개되었을 가능성을 암시하고 있다. 19세기와 20세기초에 많은 학자들은 이러한 견해를 선호하였다. 그러나 최근의 고고학적 발굴에 의하면, 많은 지역에서 공유되는 곡식, 가금, 새로운 물품의 주조 기술 등은 어느 특정한 문화 중심지들에서 출현하여 세계 각 지역으로 확산되었다. 따라서 이제는 각각의 고립되었던 문명들이 "자연적인" 경제적, 사회학적 혹은 심리학적 "법칙"을 통하여 평행하게 발전하였다는 낡은 논의는 대체로 포기되었다. 이미 언급하였듯이, 곡물 농업과 목축업으로 이루어진 소농 경제 — 최초의 하천 문명은 이러한 경제에 의존하였다 — 의 궁극적 기원은 나일 강, 티그리스-유프라테스 강 하류, 인더스 강의 거대한 계곡이 아니라 비옥한 초승달 지역의 주변에 위치하고 강우에 의존한 언덕 목초지와 산의 계곡이다. 그리고 이러한 문화적 변형을 일으킨 독특한 지역 중에서 인도와 서양 양쪽에 특별한 중요성을 가지는 보다 구체적인 지역(sub-area)은 서남부 이란이다. 이 지역에서는 기원전 4500년경에 특수하고 정교한 가죽 제품이 나타났는데, 그 제품의 영향력은 서쪽으로는 기원전 4000년경의 티그리스-유프라테스 강 하류의 메소포타미아(수메르인 최초의 거주지 : 초기 에리두와 오베이드), 동쪽으로는 약 1천 년 후의 발루치스탄(퀘타, 날, 쿨리 등의 도시가 모여 있는 곳)과 인더스 계곡(암리와 칼레파르 지역의 제품)에서 드러난다.[2]

이 서남아시아의 모태로부터 인도로 향한 이주자들은 선진적인 신석기 문화의 요소, 곧 길들인 염소, 양, 소, 지붕을 가진 우차와 도공용 녹로, 구리와 청동, 심지어는 유리도 분명히 가지고 있었다. 그들은 조잡한 벽돌, 돌, 혹은 석재 지반 위에 벽돌을 쌓는 방식으로 도시를 건축하였으며, 농경지를 개간하였고, 도기류로 작은 여신상과 황소상을 만들었다. 더구나 그들의 도자기는 서구 세계에서 이미 익숙한 모티브들을 포함하고 있었다. 만(卍) 자는 이란의 영향, 이중 도끼는 멀리 떨어진 시리아의 영향이었다. 미로, 교차된 평행선과 물결 모양의 선, 체크 무늬, 삼각형, 갈매기표 수장(袖章 ; ∧,∨), 마름모 무늬, 그리고 그 무늬들 사이에 정형화되거나 사실적으로 묘사되어 있는 동물, 식물, 물고기, 새의 모습은 이라크 서남부와 북부(수사[Susa] I, II 그리고 사마라의 제품), 시리아(할라프의 제품), 그리고 강변 유역 메소포타미아 최초의 층(오베이드와 젬디트 나스르)에서 나오는 중기 신석기 시대의 특징들과 일치하는 경우가 많다. 고든 차일드 교수가 지적하였듯이, "발루치스탄은 …… 티그리스 강에서 인더스 강에 이르는 문화적 연속체의 한 부분을 형성하고 있었음에 틀림없다."[3]

더구나 크레테와 대부분의 초기 지중해 문명 역시 근동의 중심부, 특히 시리아 — 여기서는 기원전 4500년경에 이미 황소, 이중 도끼, 그리고 여신이 출현하였다 — 에 그 기원을 두고 있다. 따라서 동양과 서양의 신화 및 의례에서 동일성(identities)에 근접하는 상동 관계(homologies)

가 드러날 때 우리는 놀랄 필요가 없으며, 그러한 현상에 대한 형이상학
적 세련화를 시도할 필요가 없다. 하이네-겔데른 박사가 지적하였듯이,
"각각의 고대 문명이 아무리 독특하게 보인다 할지라도, 그 어느 것도
독자적으로 출현한 것은 아니다. …… 우리는 하나의 위대한 역사적 운
동, 보다 정확히 이야기하자면, 하나의 궁극적인 공통 근원에서 모든 것
을 방출한 연속적 운동에 접하게 된다."⁴⁾

　이제 유사성이 아니라 차이성을 찾는다면, 광범위하게 걸쳐 있는 근동
신석기 연속체의 동양 쪽 끝 부분에서 곧바로 여러 특성들을 보게 될 것
이다. 이 특성들은 서양으로부터 새롭게 유입된 영감에 전적으로 의존하
지 않는 인도 문명의 질서를 보여주는 것 같다. 도자기에 그려져 있거나
도기류로 만든 아름다운 황소상들은 인도 품종에 속하는 혹 달린 황소
(Bos indicus)이다. 인도 무화과(Ficus religiosa) 나뭇잎 모양의 장식 모
티브들은 오늘날 인도 전역에서 숭배되고 있는 식물 — 특히 인도의 토
착적인 대지의 수호신(yakṣas and yakṣīs)과 연관된 — 이 이미 경외의
대상이 되고 있었음을 보여준다. 북발루치스탄의 좁 계곡(Zhob Valley)에
서 나온 흥미로운 도기류의 여신 입상들은 여신 숭배를 행하는 광활한
근동 지역 어디에서도 그와 비견될 만한 것을 찾아볼 수 없는 독특성을
지니고 있다. 물론 이 입상들도 이란에서 나온 많은 출토품들처럼 허리
아래 부분이 받침대에서 끊어져 있고, 다른 지역의 여신 입상들처럼 화
려한 목걸이 장식을 하고 있다. 그러나 스튜어트 피고트 교수가 지적하
였듯이, 그 입상들의 얼굴은 세계의 다른 어떤 지역에서 발견된 것들과
는 완전히 다르다.

　그는 이렇게 쓰고 있다. "두건이나 숄을 걸치고 있는 그들은 앞을 주
시하는 둥그런 눈구멍과 올빼미 부리 모양의 코, 험상스럽게 찢어진 입
을 가지고 있다. 이마는 높고 반들반들하다. 2인치도 안되는 작은 모형도
무시무시하게 생겼다. 다바르 코트에서 나온 2개의 모형은 모든 가식을
내던진 채 이를 드러내고 히죽히죽 웃는 해골 모습을 하고 있다. ……
이것들은 장난감이라고 할 수 없다. 차라리 시체를 좋아하며 땅에 묻힌
옥수수씨에 관심을 가지는 지하 세계의 신이자 사자(死者)의 수호자인

태모신의 험상스러운 체현처럼 보인다."⁵⁾

다른 신상들도 부릅뜬 눈을 하고 있다. 오늘날까지도 남인도의 여신상에서는 이러한 모습이 잘 나타나고 있는데, 그 여신은 "물고기 눈을 가진 자(미낙시〔minakṣī〕)"로 알려져 있다. 더구나 발루치스탄의 다바르 코트에서 발굴된 한 제단에서는 구운 벽돌로 만든 배수로가 발견되었고, 약간 서쪽에 있는 퀘타 계곡에서는 그러한 배수로를 지닌 진흙 벽돌 대(臺) 위에서 태모신과 황소 입상이 발견되었다. 그 대의 기부(基部)에는 인간의 해골이 해체된 채 놓여 있었다.⁶⁾

우리는 이 배수로들이 무엇인지 알고 있다. 이것들은 오늘날 인도의 신전에서 머리를 자른 희생물의 피를 곧바로 여신 안에 존재하는 그들의 근원으로 되돌리는 배수로들이다. 앞에서 보았듯이 "피는 곧바로 성화되면 신찬(神饌)이 되기" 때문이다.* 이 유물들 안에서 인도 특유의 악센트를 지닌 그림을 완성해보자. 남발루치스탄에 있는 모굴 군다이(Moghul Ghundai)로 알려진 지점에서 돌로 조각된 남근이 발견된 반면, 페리아노 군다이(Periano Ghundai)라고 하는 또 다른 지점에서는 거친 도기로 만든 남근만이 아니라 "엄청나게 과장된 여자의 음문과 넓적다리"⁷⁾를 가진 입상이 발견되었다. 남근 숭배의 특성은 서양의 신석기 여신 숭배에서도 현저하게 나타난다. 그러나 인도에서는 오늘날까지도 그러한 특성이 현저하게 나타나고 있다. 앞에서 언급한 죽음의 여신, 물고기 눈을 한 여신, 배수로를 가진 제단, 희생된 인간 위에 세워진 제단, 혹 달린 황소, 그리고 무화과나무 잎의 모티브들을 연관시켜보면, 인도는 서구와 관련되어 있지만 그것을 전적으로 모방하지 않고 그 자신의 특성을 지닌 어떤 종류의 분리된 문화 중심을 가지고 있었을 것으로 추정된다.

그러나 이와 같은 증거를 가지고 있는 선사 시대 역사가는 하나의 실제적인 도전에 직면하고 있다. 고고학적 삽을 가지고 이 최초의 마을과 공동체의 거주지 밑을 1인치 더 파들어가보라. 그러면 거대한 문화적 간격을 보여주는 훨씬 더 원시적인 층, 즉 후기 카프시안 수렵 시대의 매

* 14쪽 참조.

우 소박한 신석기 이전(pre-neolithic) 자료와 갑자기 만나게 된다. 이 층의 특성을 이루는 것은 후기 구석기 문화 지대의 서쪽 영역 전체, 곧 남아프리카에서 북유럽, 모로코에서 실론 — 이 나라의 모국은 확실히 인도가 아니다 — 에 걸쳐서 광범위하게 발견되는 작은 부싯돌(세석기)이다. 여기서 조금 더 깊이 파들어가면 그 다음의 문화적 층은 전기 구석기인의 문화적 단계의 근저로 나아가는 완전한 심연이다.

말하자면 인도는 내구 소비재 — 석재, 도자기, 금속 — 의 측면에서는 몹시 얼룩덜룩하고 모호한 모습을 보여준다. 지금 우리가 도달한 전기 구석기의 물건들은 모두 제2빙하기의 마지막 단계 혹은 제2간빙기 초기, 곧 기원전 40만 년경의 것이기 때문이다. 이 시기는 노교수 해켈이 사라진 연결 고리(*Missing Link*)[9]라고 경하한 직립 인간 피테칸트로푸스의 시대와 거의 동시대이기도 하다. 크고 거친 석재 박편 하나가 인도 북서부와 중부에서 발견되었는데, 도끼로 알려진 이 물건은 그 어설프고 바보스러운 시기의 인도판 구석기 산업을 보여주고 있다. 소안 이전 도끼(*Pre-Soan Chopping-Choppers*)라고 불리는 이러한 인도 최초의 도끼가 등장한 이후, 기원전 40만 년경에서 20만 년경에 걸치는 제2간빙기 동안 북서 지역 — 이른바 소안 문화 지대(*Soan Culture Zone*) — 에서 몹시 원시적인 2가지 형태의 석재 도구가 나타났다. 첫번째 유형은 당대의 그리고 보다 초기의 남부 및 동부 아프리카의 가장 원시적인 도구들과 유사한, 둥글고 단단한 "자갈 도구"이고, 두번째 유형은 새로운 형태의 두껍고 무거운 박편 도끼와 그러한 거친 도구들의 재료가 되는 돌덩어리이다. 후자의 도구들과 돌덩어리들은 버마(안야티안 유물), 말레지아(탐파니안 유물), 자바(파지타니안 유물), 그리고 중국(주구점에 있는 북경 원인의 유적과 관련된)에서도 발견되었다. 따라서 인도의 북서부를 포함하는 거대한 동아시아 전기 구석기 문화 지대가 드러났다.

그러나 이처럼 오랜 기간이 흐르는 동안, 서양에서는 이미 더 진보한 형태의 돌덩어리 도구가 출현하고 발전하였다. 소위 아세울리안 손도끼 문화라고 불리는 광대한 유라프리카 지역에서 진행된 이러한 도구의 발전 과정에는 서부와 중부 그리고 남동부의 인도만이 참여하였다. 그러므로 우리는 이미 기원전 50만 년경부터 서로 상호 작용하면서도 구별되는 인도 최초의 두 문화 지대를 볼 수 있다.

A. 북서부의 소안 문화 지대. 여기에 포함되는 것은 다음과 같다.

　1. 초기 남아프리카의 것과 유사한 "자갈 도구"

　2. 후기 동아시아의 것과 유사한 "도끼"

B. 서부, 중앙, 남동부 인도의 마드라스-아세울 지대(봄베이에서 마드라스까지). 이곳을 대표하는 것은 다음과 같다.

　3. 아세울리안 유형의 "손도끼"

중기 구석기 시대(기원전 20만 년에서 기원전 3만 년에 걸치는 제3간빙기와 마지막 빙하 시대. 지금은 북부의 매우 추운 지역에 속하는 곳에 살던 네안데르탈인이 이 무렵 전 유럽 지역에서 털이 많은 매머드를 쫓고 있었다) 동안, 위에서 정의한 인도의 두 중심 지역은 매우 느리게 발전하는 전기 구석기 전통에 충실하게 남아 있었다. 우리가 아는 한, 이것이 인도 구석기 역사의 끝이다. 인도에서는 후기 구석기의 문화적 수준, 즉 "참 칼날(true blade)" 유형의 유물로 발전하는 모습을 보여주는 어떤 물품도 아직 발견되지 않았기 때문이다. 이 유형의 유물은 회화를 지닌 크로마뇽 동굴 시기(라스코 동굴과 그 이외의 동굴들, 약 기원전 3만-1만 년)에 유럽에서 출현하여, 후기 카프시안 시기(기원전 1만-기원전 4천 년)의 아프리카에서 발전하였으며, 마침내 방금 언급한 최종적인 세석기 단계로 발전하였다.

그러나 피고트 교수가 지적하듯이 석재 도구만이 그 이야기의 전부는 아니다. 그는 이렇게 쓰고 있다. "사냥하는 유목민의 불후의 물질 문화 유적이 남아 있는 것 같다. 이들 유목민은 나무, 섬유, 풀, 잎과 같은 비영구적인 재료로 만들어진 여러 물건, 혹은 피부나 가죽과 같은 여타의 유기 재료를 충분히 갖추고 있었을 것이다."[9]

레오 프로베니우스는 오래전에 재미있는 점을 지적하였다. 그에 의하면, 내구력이 가장 강한 해골 부분만 남아 있는 인류의 최초의 시기를 재구성하려고 할 때, 가시적인 증거는 한때 생생하게 살아 있던 실재 — 그렇지 않았더라면 알려지지 않고 불가시적으로 남아 있었을 — 의 단순한 침전물에 불과한 것으로 이해해야 한다.[10] 더구나 인류 최초의 기원과 확산을 보여주는 광활한 적도 지대 — 여기서는 가장 많이 이용되는 자연 자원들이 썩기 쉬운 것들이다 — 에서는 재료들을 전통적으로 다루는 형식들만 잔존하고 있다. 이와 달리 북쪽의 온난한 지역에서는 돌, 그리고 도기와 금속이 문화의 물질적 구성에서 압도적으로 중요한 역할을 하고 있다. 그러므로 남부에 대한 북부의 영향은 가시적이고 분명한 침입에서 드러날 수 있지만, 돌과 도기와 금속을 사용하는 온난 지역 전통에 대한 적도 지역의 영향은 그 북부 전통 자체의 물품에서 나타나는 변화된 모습에 의해서만 드러날 수 있다. 경솔한 철학자 같으면 이것을 약간 희미하게 드러난 문화적 진화의 "자연 법칙"의 한 예로 해석할 수도 있다.

　고대의 역사(프로베니우스는 이렇게 쓰고 있다)는 처음에는 고고학적 형태로, 후에는 역사적 형태로 나타나는 문화적 자료에 의존한다. 그러나 이러한 모든 자료들은 본질적으로 이기적인 성질을 지니고 있다. 그것들은 그들 자체와 그들 자신의 작은 에고에 관한 정보를 제공할 뿐이다. 수메르 혹은 이집트와 같은 문화 영역들은 그 자체의 상황에 대하여 이야기한다. 거기서는 이러한 좁은 지역 범위를 넘어서 발생하고 존재하고 기능하는 것은 무엇이든지 간에 완전히 무시되며, 만일 외부로부터 문화적 영향이 나타나면 그것이 어디로부터 온 것이며 어떤 낯선 환경에서 기인한 것인가 하는 것은 중요하지 않다. 중요한 것은 그것이 도착하였다는 사실이며, 그 밖의 다른 곳에서 그것이 준비하였던 역사는 결코 중요하지 않다. 그러므로 우리는 위대한 서아시아-이집트 문화권이 외부 세계로부터 단절된 채 홀로 나타나 그 자체의 모든 것을 발전시키면서 독자적으로 전개되었다고 믿게 된다. 이러한 영역 너머에서 조용하게 작용하는 힘이 있었는가 하는 것은 이러한 유물들에서는 분명하게 드러나지 않는다. 외부 세계는 이러한 자료들의 거울 속에는 나타나지 않고 있기 때문이다.

　학문이 고등 문화의 역사적 성격을 탐구하는 데에 만족했던 한 — 다른 말로 하면 로마 시대로부터 채택된 기준, 즉 "문명인"과 "야만인"을 분류하는 기준이 채택되었던 한 — 이러한 한계는 허용되었다. 그러나 최근 몇십 년(프로베니우스는 1929년에 쓰고 있다) 사이에 인류의 운명에 대한 탐구의 필요성이 제기되어 문화의 궁극적 성격과 의미의 문제가 본격적으로 등장하자 상황이 변하였다. 한편에서는 고고학, 다른 한편에서는 근대 민족학이 고등 문화는 피라미드의 정상일 뿐이고 그것의 하부와 기초는 빈약한 파편들에 대한 탐구를 통해서만 재구성될 수 있다고 말하고 있다. 그러한 학문적 발견에 의하면, 하나의 찬란한 문화 생활이 옛부터 고등 문화의 경계를 벗어난 곳에서 이 세계를 활성화시켜왔다.

현재 우리의 지식에 의하면, 고대의 장엄한 고등 문화들은 북위 20도에서 45도 사이의 지대를 벗어나 있는 세계를 정복하지 못하였다. 고등 문화는 북회귀선의 북쪽 영역에 한정되어 있었다. 우리의 민족학 분야는 고고학의 이러한 주장에 도전한다. 민족학은 이 지대의 남쪽, 다시 말해서 서아프리카로부터 인도를 거쳐 말레이 군도와 멜라네시아에 이르는 지역의 문화가 오늘날까지 지속해왔으며, 이 지역의 문화적 특징은 역사적 문화의 특성으로부터는 나올 수 없다고 주장한다. 이 지역의 문화는 그들 자신의 세계를 보여주고 있으며, 이들의 세계는 식물의 세계가 동물과 구별되는 만큼 다른 세계와 구별된다. 제2의 문화(*a second kind of culture*)라고 하는 이러한 영역은 하나의 사실로 존재하고 있다. 이러한 제2의 문화는 역사적 문화와는 모든 면에서 다르기 때문에 그것을 어떤 역사적 환경과 연결시키는 것은 불가능하다. 그것은 자신의 시대에 대한 어떤 외적 열쇠나 단서를 제공하지 않기 때문이다. 외적으로 살펴볼 때에 제2의 문화는 정적인 전망과 관점만을 제시한다. 그것은 자신의 나라의 식물 세계처럼 봄이나 겨울도 없이, 높이나 깊이도 없이, 자신의 삶을 보낸 것처럼 보인다.

나는 이러한 위대한 문화 집단들을 인류 문화사에서 "보이지 않는 대항자(die unsichtbaren Gegenspieler)"라고 부르려 한다.

그것의 존재는 역사적 문서에서는 거의 증명되지 않고, 따라서 직접적으로 제시된 적이 거의 없다. 그럼에도 불구하고 나는 그것이 남쪽으로부터 고등 문화에 미친 영향들에서 그 문화적 힘들을 찾아낼 수 있다고 확신한다.[1]

그러므로 오늘날의 선사 시대 관련 저작 안에 잘 서술되어 있는 확고한 고고학적 증거에 비추어, 이러한 보이지 않는 대항자의 힘도 평가하여야만 한다. 이 대항자의 특성은 어떤 변형과 부가물 속에서만 드러난다. 따라서 어떤 조짐에 민감하지 못한 사람들은 그러한 측면들을 간과하기 쉽다. 노먼 브라운 교수는 인더스 강에서 동쪽으로 500마일에서 1000마일 정도 떨어진 한 지역이 인더스 계곡 고등 문화의 최초의 증거들과 동시대에 해당하는 독특한 인도 문화의 한 지점이 될 수 있다고 말하였다.[12] 이러한 주장은 잠정적 가설로서는 아직 설득력이 있다. 그러나 그 지역의 가능한 문명 수준을 당대의 멜라네시아 마을 공동체의 수준 이상으로 평가하면, 이는 상당한 정도 증거의 범위를 넘어서게 될 것이다. 나는 이렇게 제안하고 싶다. 인도의 비옥한 반도에서는 열대 마을 형태의 지역 질서가 확실히 발전하였고, 이 질서는 『신의 가면 : 원시 신화』에서 기술한 일반적인 적도 지대와 전반적 관련을 맺고 있고, 또한 경탄할 만한 존엄성과 영적 깊이도 지니고 있었다. 오늘날 인도의 많은 지식인들은 무시간적 지혜에 대하여 애국적 관념을 소중하게 품고 있는데, 이 지혜는 어떤 밝힐 수 없는 시점 ─ 아마도 대홍수 이전이고,[13] 한 영감 있는 작가의 말을 인용하자면, "사유가 우리의 논리적 추리 및 말과는 다른 방법으로 진행되었을 때", 그리고 베다가 "무한으로부터 진동하면서 비인격적 지식에 친숙하게 된 인간 속으로 들어오는 신적 말씀"[14]으로 나타났을 때 ─ 에 인도에서 독특하게 나타난 것이다. 그러나 나는 불가해성으로 한 사상의 가치를 측정하는 사람들에게 그러한 애국적 관념을 맡겨야 하는 것이 두렵다. 당분간 나는 독자들이 자부심에 가득 찬 히말라야의 바람이 아니라 아직도 발전하고 있는 서양 과학의 측정 가능한 사실들을 우리의 안내자로 삼기를 바란다.

2. 인더스 문명 : 기원전 2500-1300년경

기원전 2500년경 인더스 계곡에서 2개의 거대한 청동기 시대 도시가 갑자기 출현하였다. 아무도 그 이유를 설명하지 못하고 있다. 이 두 도시는 엄청나게 번성하였고 문화적으로 동일하였지만, 두 도시 사이의 거리는 400마일이나 되었다. 그 사이에 어떤 마을도 발견되지 않았다. 펀자브 지역에 있는 하랍파(Harappa)는 라비 강가에 있고, 그보다 남쪽의 신드 지역에 있는 모헨조다로(Mohenjo-daro)는 라비 강을 지류로 하는 인더스 강가에 있다. 두 도시는 모두 평면에 위치하고 있기 때문에 서로 독립하여 발전할 수 없었을 것이다. 그 도시들은 식민에 의하여 건립되었다. 놀라운 것은 그것들이 미친 영향력의 범위이다. 가장 최근의 발굴자인 휠러 경은 "인더스 문명은 로마 제국이 등장하기 이전의 가장 거대한 정치적 실험의 전형이다"[15]라고 진술하고 있다. 그 문명의 고유한 물품들은 펀자브에서부터 봄베이에 이르기까지 발견되었다. 그러나 더욱더 놀라운 것은 그 모든 물품들의 단조성(單調性)이다. 그 유물들은 처음부터 끝까지 혹은 북쪽으로부터 남쪽에 이르기까지 어떠한 발달이나 변형의 모습조차 보여주지 않기 때문이다. 거기에는 장엄한 문명의 출현 이후 문명의 수준이 점차적으로 퇴보하는 현상만이 보일 따름이다. 그 도시들과 그들의 문명은 갑작스럽게 출현하였고, 1천 년 동안 아무런 변화도 없이 지속되다가 시들었으며, 마침내 밤의 환상처럼 갑자기 사라진 것이다.

휠러에 의하면, 아카드의 사르곤 시대(기원전 2350년경)에 메소포타미아의 수도 항구에는 두 곳의 먼 항구인 막칸과 메루하로부터 도착한 배들이 있었다. 이 배들은 딜문 혹은 텔문(바레인)으로 알려진 섬에서 양식을 재공급받기 위해서 잠시 멈추었다. 그보다 약간 후대인 우르 3세(기원전 2050-1950년경)의 시대에는 막칸과의 직접적인 접촉은 지속되었지만 메루하와의 직접적인 접촉은 없었다. 비록 그곳으로부터 구리, 석재, 목재, 상아 제품, 그리고 어떤 동물의 품종을 어느 정도 얻고는 있었지만 말이다. 마침내 함무라비 시대(기원전 1700년경)에는 막칸과의 접촉마저 끊기었다. 휠러는 이렇게 쓰고 있다. "이러한 감소하는 무역의 기록은 텔문, 막칸, 메루하가 메소포타미아로부터 순차적으로 더 먼 지역에 위치하고 있었음을 의미한다. 이러한 추론에다 메루하와 상아, 목재, 구리를 연결시키면, 메루하와 인더스 문명(라자스탄에 있는 숲, 코끼리, 구리 자원을 지닌)을 동일한 것으로 볼 수 있다. 이는 고고학적 증거와도 일치한다. 상아를 가지고 어떤 것을 만드는 것은 인더스 지역의 기술이었다. ……"

그는 계속해서 추론한다. "우리는 목재, 금속, 상아 — 인더스의 예술가들에게 친근한 원숭이와 공작 역시 포함되지 않겠는가? — 로 이루어진 화물이 문명의 전성기에 있던 인더스의 항구로부터 항해하는 것을 상상해볼 수 있다. 그후 도시의 생활 수준에서 분명하게 드러나는 장기간의 쇠퇴 과정과 함께 국제 교역의 범위와 정도에서도 그에 상응하는 감소를 예견하는 것은 어렵지 않다. 이처럼 기록과 물질적 증거로부터 나온 추론이 일치한다."[16]

인종적 측면에서 보면, 인더스 유적에서 발굴된 50개 정도의 해골은 대체로 2개의 집단으로 분류된다. 하나는 원-오스트랄로이드(Proto-Australoid)의 특징을 보여주고 있고, 다른 하나는 지중해인과 유사성을 보이고 있다.

첫번째 집단은 실론의 벳도이드 원주민, 오스트레일리아의 토착민, 그리고 인도 자체의 수많은 토착 부족과 비교되었다. 피고트 교수는 이 계통에 대하여 다음과 같이 쓰고 있다. "현재의 일반적인 견해에 의하면, 오스트레일리아의 원주민은 남인도로부터 실론과 멜라네시아를 거쳐 이주한 자들이다. 남인도에서는 오늘날도 이러한 유형의 종족이 잘 보존되어 있다. 작은 키, 검은색에 가까운 어두운 색깔의 피부, 곱슬곱슬한 머리카락(그러나 지진 머리는 결코 아닌), 긴 얼굴, 넓고 납작한 코, 그리고 두툼하게 튀어 나온 입술을 가진 이 사람들은 대체로 힌두 사회의 이른바 '외부 카스트(exterior castes, 카스트에 들지 못하는 불가촉 천민 집단/역주)'를 구성할 뿐만 아니라 오늘날 남부와 중부 인도 원주민의 주요한 요소를 형성하고 있다."[17]

이러한 모습을 한 호리호리하고 벌거벗은 여자의 청동 입상이 모헨조다로에서 발굴되었다(〈그림 14〉). 그녀의 머리 형태, 작은 가슴, 그리고 팔찌의 배치는 기원전 3000년경의 남발루치스탄의 쿨리 문화 단지로부터 나온 일련의 여성상과 비교할 수 있다. 피고트 교수는 이러한 비교를 제안하고 있다. "만일 그녀가 진실로 발루치스탄의 한 유형을 대표한다면, 원-오스트랄로이드 집단과 연결된 바로 그 어두운 안색은 고전 시대의 남부 발루치스탄에 부여된 이름, 곧 어두운 족속의 나라를 의미하는 게

〈그림 14〉 종의 초상 : 인더스 계곡, 기원전 2000년경.

드로시아(Gedrosia)와 일치하게 됨을 알 수 있다."[18]

　더구나 아리안 계통이 아니라 드라비다 족 계통인 남인도의 주요 언어
들 ── 타밀(남부의 주요 언어이며, 말라바르의 말라야람은 그것의 방언
이다), 테루구(마드라스의 이웃에 있다), 카나레세(미소레의 언어), 코다
구, 바가다, 코타와 토다(닐기리 언덕의 부족 언어들), 곤디와 그것의 방
언, 브힐과 코람, 또한 크혼디와 오라온(중부 지역의 주들, 그리고 오리

사와 비하르의 언어), 마지막으로 말토(라즈마할에서 쓰이는 언어) ─
이 오늘날까지도 동발루치스탄과 신드 산악 지역의 브라후이 언어와 밀
접한 친족 관계를 가지고 있음은 주목해야 한다.[19]

　이와 대조적으로 두번째 인종인 지중해 인은 ─ 다시 한번 피고트 교
수를 인용하자면 ─ "오늘날 이베리아 반도에서 인도에 이르는 거대한
집단을 포함하고 있다. 이들의 형태상의 특징은 팔레스티나의 후기 나푸
피안 시대(기원전 7500-5500년경)에 나타나, 북아프리카의 남쪽 스텝 지
역과 아시아에서 분화되고, 마침내 서쪽과 동쪽으로 퍼져나간 것 같다.
왕조 시대 이전의 이집트 인들은 확실히 이 계통에 속하였으며, 오늘날
이 인종의 가장 순수한 전형은 아라비아 반도에서 발견할 수 있다. 인도
에서는 이 인종이 오늘날 북부 지역의 사람들에게서 지배적인 요소로 나
타나며, 상층 계급에 광범위하게 확산되어 있다. 그 사람들의 키는 중간
이며, 얼굴빛은 어두운 색에서 밝은 올리브-브라운색에 이르기까지 걸쳐
있으며, 머리통과 얼굴은 길쭉하며, 코는 좁고 약간 높다. 머리카락은 검
고, 눈은 검은색에서 갈색까지 걸쳐 있으며 유별나게 큰 눈을 뜨고 있다.
그리고 몸은 날씬하다.

　그는 덧붙인다. "고고학적 증거에 의하면 이러한 긴 얼굴을 한 지중해
유형은 최초의 농경민 거주지와 연결된 서아시아 지역에 편재하여 있다."
그는 다음과 같이 결론을 짓는다. "발루치스탄의 채색 도기로부터 나온
증거와 하랍파 문화의 채색 도자기류 배후에 있는 증거가 이처럼 다양하
고 단순한 농업 경제들 사이의 궁극적인 동일성을 보여주는 것처럼, 실
제의 육체적 모습은 이 전 지역이 인종적 공동체임을 보여준다. 그리고
선사 시대 인도에서 출현한 초기 '지중해' 인은 서쪽으로부터의 침략 과
정과 분명한 관련이 있다."[20]

　모헨조다로에서 깨어진 입상이 하나 출토되었는데, 높이는 7인치이고,
사제 모습을 하고 있다. 이 인물상은 트레포일 문양(trefoil, 꽃잎이 3개가
달린 문양/역주)을 지닌 숄을 왼쪽 어깨 위에 걸치고 있고 오른쪽 어깨
는 벗겨져 있다(〈그림 15〉). 지금도 인도와 불교 세계에서는 사당이나
성스러운 인물에 접근할 때 존경의 표시로 이러한 고유 복장을 하는 경

〈그림 15〉 사제의 초상 : 인더스 계곡. 기원전 2000년경.

향이 있다. 존경을 표시하기 위해서 오른쪽 어깨의 숄을 내리는 행위는 초기 수메르의 사제상에서도 전형적으로 나타난다. 트레포일 문양 역시 후기 인도 전통에서는 나타나지 않지만 메소포타미아 예술에서는 나타나고 있다. 이 입상에서 머리카락을 다루는 방식은 후기 인도 예술에서는 모방하지 않고 있다. 머리를 뒤로 빗어 넘겨 가르마를 하였으며, 목덜미에서 짧은 타래 머리를 좁은 머리끈으로 묶었다. 이 머리끈에 커다란 매달을 달아 앞이마 가운데를 지나게 하였으며, 뒤에서는 2개의 긴 끝을 서로 묶었다. 턱수염과 콧수염은 빽빽이 자랐으며, 양쪽 귀밑에는 목걸이를 달 수 있는 구멍이 있다. 오른쪽 이두박근 주위에는 팔찌를 차고 있으며, 긴 눈은 반쯤 감고 있다. 잘생긴 코는 높은 콧날을 가지고 있으며, 침입자 아리안들이 토착인을 경멸하면서 훗날 사용한 모멸적인 용어인 "코 없는(아나사[anāsa])"이라는 의미가 결코 연상되지는 않는다. 아리안들은 토착인을 검은 피부의 "악마(다사스[dāsas], 다슈스[dasyus])"라고 경멸하였으며, "그들의 신은 남근(시스나-데바[śiśna-deva])"[21]이라고 경멸하였다. 확실히 이 인물은 문화적, 사회적으로 우월한 두번째 인종이며, 아리안들이 도착하였을 때 이미 어느 정도 동화되었을 것이다.

아리안이 경멸한 태모신의 음경을 숭배하는 것이 그 문명의 현저한 특징이었음을 보여주는 유적들이 많이 있다. 더구나 민족학자 빌헬름 코퍼스 신부가 보여주었듯이, 인도에는 오늘날까지도 원-오스트랄로이드 층과 신석기 층의 이중적 태모신 숭배가 잔존하고 있다. 남성보다는 여성의 성격을 지닌 궁극적 신격 개념이 이처럼 정교하게 발전한 곳은 이 세상 어디에도 없다.[22] 그러므로 여신 숭배의 특성을 이루는 인신 공희가 1835년 법에 의해서 금지될 때까지 인도의 신전과 마을의 작은 숲에서 강력하게 잔존하였던 것은 놀랄 일이 아니다. 더구나 인더스 계곡의 시기에는 이와 본질적으로 동일한 종류의 의례가 토착 마을과 일꾼들의 지역에서만이 아니라 국가의 월례 행사에서도 분명히 행해졌다. 그러한 의례가 희생자에게는 고통의 방식으로 백성들에게는 흥분의 방식으로 무엇을 가져왔는가는 현대 인도의 마을을 이해하는 과정에서 드러날 것이다.

오리사, 벵갈, 비하르 지역의 원-오스트랄로이드 계통에 속하는 드라비다 족의 한 부족인 크혼드 족은 하나의 생생하고 전형적인 교훈을 제공하고 있다.* 이들은 메리아(meriah)라고 하는 희생 제물을 바친다. 이 희생 제물은 따로 격리되어 수 년간 지내기도 하는데, 풍작의 확보와 질병의 방지, 특히 심황(深黃)의 수확기 동안에는 가늘고 깊으며 아주 붉은 심황을 수확하기 위하여 땅의 여신에게 바쳐진다. 희생물의 자격은 구입된 자나 메리아의 자식으로 제한되었다. 어떤 보고에 의하면, 크혼드 족은 자식을 희생물로 팔기도 하였다. 희생물이 죽으면 그 영혼이 특별한

---

* 184쪽 참조.

축복을 받을 것이라고 생각하였기 때문이다. 그러나 이웃 부족인 판 족으로부터 구입하는 경우가 더 많았다. 범죄자를 제조하는 판 족은 이를 위해서 평원에서 어린이들을 강탈하였다. 젊은 메리아에게는 또 다른 배우자가 주어지며, 그들의 자식 역시 메리아가 되었다. 그 자식들은 성화된 존재로 간주되었으며, 극도의 애정과 존경을 받았고, 특별한 경우나 파종 직전의 정기 축제에서 희생물로 이용되었다. 그러므로 각 가정은 풍작을 위해서 그 들판에 심을 1조각의 살점을 최소한 1년에 1번 축제를 통하여 얻을 수 있었을 것이다.

희생물을 바치기 10일 혹은 12일 전, 희생물의 머리를 깎고 그의 몸에 기름과 버터와 심황을 칠하여 봉헌하였다. 한 계절의 야생적인 환락과 유흥이 끝난 뒤, 음악을 동반한 춤을 추면서 메리아를 마을에서 약간 떨어진 메리아 숲으로 끌고 갔다. 그곳에는 도끼에 찍히지 않은 거대한 나무들이 줄지어 있었다. 그를 기둥에 묶어 다시 한번 기름과 버터와 심황으로 칠한 다음 화환으로 장식하였다. 그의 주위에서 춤을 추면서 땅을 향하여 노래를 불렀다. "오, 여신이여, 우리는 당신에게 이 희생물을 바칩니다. 우리에게 좋은 계절과 수확과 건강을 주십시오." 그리고 희생물에게 이렇게 외쳤다. "우리는 당신을 돈을 주고 샀지 당신을 포획한 것이 아니다. 자, 이제 관습에 따라 당신을 희생물로 바친다. 우리에게는 아무런 죄도 없다." 꽃이나 심황과 같은 그 희생물의 장식품이나 그가 뱉은 침에서 주술적인 유물을 획득하기 위하여 큰 싸움이 계속 벌어졌다. 다음날 정오까지 난장판은 계속되었다. 마침내 의례의 절정의 시간이 왔다.

그 희생물에게 다시 기름을 칠하고(제임스 프레이저 경은 증인들이 말한 4개의 서로 다른 설명을 요약하면서 이렇게 쓰고 있다), 그 칠한 부분을 만지고 그 기름을 자신들의 머리 위에 발랐다. 어떤 곳에서는 행렬이 마을을 돌면서 집집마다 지나갈 때, 희생물을 잡아채어 그의 머리카락을 뽑는 경우도 있었다. 그에게 침을 뱉어 달라고 간청하여 그 침을 자신들의 머리에 바르기도 하였다. 희생물이 묶여 있지 않거나 어떤 저항의 몸짓도 보여주지 않을 때, 그의 팔뼈나 다리를 부러뜨렸다. 그러나 아편으로 마비시켰으므로 그의 고통을 예방할 필요가 없는 경우가 많았다. 그를 죽이는 방식은 장소에 따라 달랐다. 가장 흔한 방식의 하나는 교살이나 압착하여 죽이는 방법이었던 것 같다. 생나뭇가지 가운데를 몇 피트 정도 쪼개고 그 쪼개진 틈 사이에 희생물의 목(다른 곳에서는 가슴)을 집어넣는다. 조수의 도움을 받은 사제가 온 힘을 다하여 그 가지의 간격을 좁혔다. 사제가 도끼로 희생물에게 약간의 상처를 내자 군중들은 그 가련한 자에게 달려들어 머리와 내장은 내버려둔 채로 뼈에서 살점을 쪼아냈다. 그를 산 채로 절단하기도 하였다. 친나 키메디에서는 희생물을 들판으로 끌고 다녔으며, 군중들은 머리와 창자는 가만두고 그가 죽을 때까지 칼로 살점을 베어냈다. 그곳과 같은 지역에서 희생제의를 다르게 지내는 방식이 있다. 그것은 나무로 만든 코끼리의 코에다 희생물을 동여매고 강한 기둥을 중심으로 하여 그 코끼리를 돌리는 것이다. 코끼리가 빙빙 돌 때 군중들은 아직 생명이 남아 있는 희생물로부터 살을 잘라냈다. 육군 소령 캠벨은 어떤 마을에서 14개나 되는 이러한 나무 코끼리를 발견하였는데, 이것들은 모두 희생제의에 사용되었던 것들이다. 한 지역에서는 불로 희생물을 서서히 죽였다. 단을 낮게 만들고 그 단의 안쪽 부분은 아래쪽으로 휘어진 지붕처럼 경사지게 만들었다. 그 안쪽으로 휘어진 단 위에 희생물을 놓고 몸부림을 막기 위하여 사지를 끈으로 묶었다. 그 다음 불을 붙이고, 가능한 한 오랫동안 경사면에서 구르도록 그의 몸에 소인을 찍기 시작하였다. 그가 눈물을 많이 흘릴수록 비가 많이 내릴 것이기 때문이었다. 다음날 그의 몸은 토막났다.

각 마을에서 파견한 사람들이 희생물로부터 잘라낸 살을 곧바로 집으로 운송하였다. 그들은 빨리 도착하기 위하여 릴레이식으로 운반하기도 하였고, 50 내지 60마일을 빠른 우편처럼 신속하게 운반하기도 하였다. 각 마을의 집에서 기다리고 있던 사람들은 그 살이 도달할때까지 엄격하게 금식하였다. 운반자가 공중이 모인 곳에 그것을 내려놓자 사제와 각 집의 가장이 그것을 집어들었다. 사제는 그 살을 둘로 나누어, 하나는 땅의 여신에게 바쳐야 하였다. 그는 등을 돌린 채 그것을 보지 않고 마당에 있는 구멍 속으로 집어넣었다. 사람들이 그것을 묻기 위하여 약간의 흙으로 덮자 사제는 호리병박에 물을 담아 그곳에 뿌렸다. 남은 살은 거기에 참석한 가장의 수만큼 나누었다. 가장들은 살점 조각을 잎으로 감싼 다음, 각자가 좋아하는 들판으로 가서 등을 돌린 채 뒤를 보지 않고 살점을 땅에 묻었다. 어떤 곳에서는 들판에 물을 대어주는 시내로 가서 거기에 있는 기둥에 살점을 걸어놓았다.

190

그후 3일 동안 어떤 집도 청소하지 않았다. 한 지역에서는 엄격한 침묵을 지켰고 어떠한 불도 켜지 않았으며 어떠한 나무도 베지 않았고 어떠한 이방 인도 받아들이지 않았다. 희생물의 유해(머리, 내장, 뼈)는 희생이 치루어진 다음날 밤 강력한 단원들이 감시하였다. 다음날 아침 장례용 장작더미 위에 서 온전한 양 1마리와 함께 그것을 태웠다. 재는 들판에 뿌렸고, 으깨어서 집과 창고 위에 놓았으며, 곤충으로부터 보호하기 위하여 새로운 곡알과 섞 어놓기도 하였다. 머리와 뼈는 태우지 않고 묻기도 하였다. 인신 공회가 억 제된 후 어떤 곳에서는 희생물을 인간보다 열등한 것으로 대체하였다. 예를 들면 친나 키메디에서는 염소로 대체하였으며, 어떤 곳에서는 물소를 희생 제물로 삼았다. 성스러운 숲의 나무 기둥에다 그것을 묶은 다음, 칼을 휘두 르면서 주위에서 격렬하게 춤을 추었다. 그리고 살아 있는 동물에 칼을 내 리꽂으고 몇 분만에 갈기갈기 찢었다. 살점을 얻기 위하여 서로 싸우고 다투 었다. 살점 한 조각을 얻은 사람은 전속력으로 도망가서, 고대 관습에 따라 해가 지기 전에 그가 좋아하는 들판에 묻었다. 어떤 사람은 멀리 가야하였 기 때문에 매우 빨리 달려야만 하였다. 여자들은 빨리 되돌아오는 남자들에 게 흙덩어리를 던졌고, 그중 어떤 여자들은 잘 겨냥하여 던졌다. 그렇게 늦 게까지 소란의 장소였던 성스러운 숲은 곧 조용해지고, 물소의 몸에 남아 있는 것 ― 말뚝 밑에서 의식에 따라 태워질 머리, 뼈, 위장 ― 을 지키기 위해서 남아 있는 몇 사람을 제외하고는 모두 떠났다.[23]

오늘날까지도 아삼의 나가 족 사이에서는 고함치는 야만인들이 투우장 에서 달리는 황소를 토막낸다. 강 상류의 친드윈 지역 북부에 살고 있는 온순한 눈을 가진 버마 인들은 쌀의 풍작을 위하여 구입한 작은 어린이 를 8월의 연례 축제 때마다 희생물로 바친다.

"밧줄을 희생물의 목 주위에 건 다음, 그를 구입한 사람의 친척집들로 운반하였다. 집집마다 돌아가면서 그 희생물의 손가락 관절을 절단하였 고 집에 있던 자들은 그 피를 발랐다. 관절을 핥기도 하였으며 그것을 요리용 삼발이에 놓고 문지르기도 하였다. 그 희생물을 마을 가운데 있 는 기둥에 묶고 창으로 계속 찌르자 마침내 죽었다. 찌를 때마다 흘러나 온 피는 속이 빈 대나무에 담았고, 나중에 그를 구입한 친척들의 몸을 바르는 데에 사용하였다. 그의 내장을 꺼내고 뼈에서 살을 제거하였다. 그것들을 모두 바구니에 담은 다음, 제물용으로 쓰기 위하여 옆에 있는 단 위에 놓았다. 그를 구입한 사람들과 그의 친척들의 몸에 피를 바르는 동안 그들은 춤을 추면서 울었으며, 얼마 후 바구니와 그 내용물을 정글 속으로 던졌다."[24]

이러한 의례들은 "보이지 않는 대항자"의 문화 지대에 고유한 것으로 존재하며, 『신의 가면 : 원시 신화』에서 이미 고찰하였다.[25] 그 배후에는 어떤 신화가 있다. 그 신화에 나오는 신적 존재는 살해되고 해체되어 그 신체의 부분들이 묻히며, 결국에는 그 공동체가 먹고 사는 식용 식물로 변화된다. 앞의 책에서 언급하였듯이, 그 신화의 지배적인 주제는 세상으로 출현한 죽음이다. 특별한 점은 죽음이 살해의 방법으로 나타난다는 것이다. 두번째 점은 인간이 먹고 사는 식용 식물이 그 죽음으로부터 나온다는 것이다. 마지막으로 이 신화에 따르면 생식 기관들이 그 죽음의 생성 시에 출현하였다. 죽음이 없는 재생산은 마치 재생산이 없는 죽음처럼 하나의 참화였을 것이기 때문이다. 그러므로 우리는 다시 한번 다음과 같이 말할 수 있다. "죽음과 섹스의 상호 의존성, 단일한 존재 상태의 상호 보완적 측면으로서의 죽음과 섹스의 내용, 이 존재 상태 — 지상에서의 인간의 존재 상태만이 아니라 동물, 새, 물고기와 같은 지상에 있는 모든 존재의 상태이다 — 의 지속을 위한 살해(살해와 먹기)의 필연성이었다고 말이다. 죽음을 산 자의 생명으로 보는 이러한 매우 감동적이고 정서적으로 불안한 감각은 초기 식물 재배 공동체의 사회 구조를 구성하는 의례들을 지탱하는 근본적인 동기 부여이다." 덧붙이자면, 그것은 인도의 모든 신화, 문명, 철학이 자라나온 근본 모티브이기도 하였다.

정글의 냉정하고 잔인한 힘과 그에 따른 그 종족(어떤 역사도 지니지 않고 단지 지속적인 정적 전망의 세계에 존재하는 원-오스트랄로이드 원주민)의 정향은 인도에서 인간, 그의 운명, 그리고 그 운명으로부터의 도피에 대해서 노래한 그 모든 노래의 저음을 지속적으로 이루었다. 새로운 문명, 인종, 철학, 그리고 위대한 신화가 인도에 쏟아져 들어왔고, 이것들은 동화되었을 뿐만 아니라 상당히 발전하고 풍요롭게 되고 정교화되었다. 그러나 결국(사실은 항상 은밀하게) 그 땅의 지속적인 힘은 길고 붉은 혀를 가진 그 늙고 어두운 동일한 여신이었다. 그녀는 모든 것을 자신의 지속적이고 무시무시하면서도 궁극적으로는 약간 지루한 자아로 변형시켜버렸다.

이를테면, 그녀의 가장 위대한 봉헌자인 슈리 라마크리슈나(1836-1886년)로부터 우리는 이런 말을 듣게 된다. "오, 그녀는 여러 가지 방식으로 활동한다."

마하-칼리(Maha-Kali, 강력한 시간), 니탸-칼리(Nitya-Kali, 영원한 시간), 슈마샤나-칼리(Shmashana-Kali, 불타는 대지의 칼리), 락샤-칼리(Raksha-Kali, 수호자 칼리), 그리고 샤마-칼리(Shyama-Kali, 검은 자)로 알려진 것은 모두 그녀일 뿐이다. 마하-칼리와 니탸-칼리는 탄트라 철학에서 언급된다. 창조도, 태양도, 달도, 행성들도, 지구도 없었을 때, 그리고 어둠이 어둠 속에 덮여 있었을 때, "어머니"이자 "형태없는 자"이고 "위대한 힘"인 마하-칼리는 "절대자"인 마하-칼라와 하나였다.

샤마-칼리는 약간 온화한 측면을 지니고 있으며 힌두 가정에서 숭배된다. 그녀는 은혜의 시여자이고 공포의 추방자이다. 전염병, 기근, 지진, 가뭄, 홍수가 일어날 때에는 수호여신인 락샤-칼리도 숭배된다. 그녀는 시체와 재칼과 무시무시한 여성 정령들에 의하여 에워싸인 채 화장터에 거주한다. 그녀의 입에서는 한줄기의 피가 흘러나오며, 그녀의 목에는 인간의 머리로 된 화환이 걸려 있으며, 그녀의 허리에는 인간의 손으로 만든 허리띠가 매여 있다.

위대한 주기의 종말에 일어나는 우주의 파괴 후에 신적 어머니는 다음 창조를 위하여 씨를 모은다. 그녀는 한 집안의 나이 많은 주부처럼 잡다한 가사용 물품을 보관하는 허드렛용 단지를 가지고 있다. …… 우주의 파괴 후에 브라만의 구현체인 나의 신적 어머니는 다음 창조를 위한 씨를 모두 모은다. 창조 후에 이 원초적 힘은 우주 자체 안에 거주한다. 그녀는 이 현상적 세계를 만들어내고 그 안에 침투한다. ……

나의 신적 어머니인 칼리는 검은 얼굴인가? 그녀는 멀리서 보이기 때문에 검게 보인다. 그러나 친해지면 결코 더 이상 그렇지 않다. …… 구속과 해방은 모두 그녀가 만들어낸 것이다. 그녀의 마야에 의하여 세상 사람들은

"여자와 금"에 걸려들지만, 다시 그녀의 은총을 통하여 자신들의 해방을 획
득한다. 그녀는 구세주로 불리며 세상에다 사람을 붙들어 매는 구속을 제거
하는 자이다. …… 그녀는 자기 의지적이고 항상 그녀의 뜻대로 한다. 그녀
는 축복으로 가득차있다.“[26]

초기 인더스 계곡의 이러한 강력한 여신의 역할을 보여주는 증거물
(Exhibit) A로서 하랍파에서 발견된 하나의 인장이 있다. 그 지역의 첫
번째 발굴 대장이었던 존 마샬 경은 그 인장에 일찍이 주목하였다(〈그림
16〉). 인장 앞면의 오른쪽에는 벌거벗은 여성이 다리를 벌린 채 거꾸로
새겨져 있는데, 자궁으로부터 한 식물이 자라나고 있다. 그 왼쪽에는 동
물 요정 1쌍이 있다. 이 쌍과 벌거벗은 여성 사이에는 아직 해독되지 않
은 6개의 기호가 새겨져 있다. 반대 면에도 그러한 기호가 반복해서 나
타나고 있다. 마샬이 지적하였듯이, 그 왼쪽에는 "한 남자와 한 여자가
새겨져 있고, 남자는 오른손에 낫 모양의 칼을 가지고 서 있으며 여자는
탄원하는 태도로 손을 든 채 땅에 앉아 있다."

〈그림 16〉 희생제의 : 인더스 계곡, 기원전 2000년경.

194

마샬은 이렇게 말하고 있다. "그 남자는 분명히 여자를 죽이려고 하는 것이며, 그 장면은 반대 편에 묘사된 대지의 여신과 관련된 인신 공희를 그리려고 한 것이다. 또한 그 여신을 2명의 요정과 관련시켜야 하는데, 그 요정들은 그 신의 봉사자일 것이다. 이것은 독특하지만, 인도에서는 자궁에서 식물이 자라나는 대지의 여신을 두드러지게 표상하는 것이 부자연스럽지 않다. 이는 초기 굽타 시대(기원후 330-650년)의 한 테라코타 부조와 매우 유사하다. 유나이티드 주(United Provinces)의 시타에서 나온 이 부조에서는 여신이 이와 똑같은 자세로 다리를 벌리고 있으며, 자궁 대신에 목에서 연꽃이 나오고 있을 뿐이다."[27]

두번째 인장(〈그림 17〉)은 더 많은 어려움을 지니고 있다. 여기서도 벌거벗은 여신이 다시 나타나는데, 이번에는 성스러운 보리수나무의 갈라진 가지 사이에 서 있다.

〈그림 17〉 나무의 여신 : 인더스 계곡, 기원전 2000년경.

마샬이 지적하였듯이 그 나무는 "지식의 나무(보디- 혹은 보리-수[bodhi- or bo-tree])로서 그 밑에서 붓다가 깨달음을 얻었다." 황소와 염소 혹은 양의 모습을 반쪽씩 취한 채 사람의 얼굴을 한 일종의 스핑크스가 반쯤 무릎 꿇은 자의 뒤에 서 있고, 무릎 꿇은 자는 여신에게 탄원하고 있는 것처럼 보인다. 아래의 마당에는 7명의 여자 시종들이 줄지어 있는데, 각자의 머리에 깃털 혹은 나뭇가지를 세우고 등 밑까지 내려오는 긴 끈을 머리에 달고 있다. 메소포타미아의 많은 인장들에는 한 신이 보다 높은 신 앞으로 수도자를 인도하는 모습이 있다. 나는 이 인장이 그와 같은 종류의 것이라고 생각한다. 이 인장과 메소포타미아의 인장들에서는 뿔 왕관으로 어떤 인물들 — 메소포타미아의 시리즈에서는 항상 신성을 대표하는 — 을 장식하는 경우도 있다. 이러한 유비에 의하면, 현재의 장면은 벌거벗은 나무의 여신 앞으로 스핑크스를 인도하는 한 신을 나타낸다고 볼 수 있다. 이집트에서는 스핑크스가 파라오(대문자 Pharaoh)를 상징하고 있으므로, 이 장면에서 신성한 왕을 여신 — 무엇을 산출해야 하는 — 앞으로 인도하는 것(국왕 살해 의례)을 보는 것은 어렵지 않다. 그 경우에 7명은 아마도 순장되는 시녀들일 것이다. 콘드 족의 살해 의례의 경우처럼 그 나무는 갈라진 것인가?

인더스 계곡 단지와 관련해서는 어떤 매장품도 발견되지 않았으므로 국왕 살해가 행해졌다고 확신 있게 말할 수 없다. 그러나 앞에서 보았듯이 말라바르에서는 기원후 16세기경까지 왕이 단 위에 서서 자신의 몸을 칼로 베고 그 베어진 조각들을 기다리고 있는 백성들에게 던져주는 모습이 관찰되었다. 그는 자신의 목구멍을 베어 거의 기절할 때까지 그러한 행동을 하였다.*

그러므로 인도 신화와 관련하여 주목하여야 할 첫번째 사실은 인도 신화의 가장 깊은 뿌리는 무시간적 적도 세계의 토양에 존재하며, 이 세계는 제의적 죽음의 세계로서 여기로부터 생명이 전개되어 나온다는 사실이다. 그리고 불가사의한 인더스 계곡의 도시들이 존재하던 시기에 존재의 신비에 대한 이러한 원시적 독해에 대응하는 신석기적 물품들이 여신에 대한 그 자체의 해석과 함께 근동으로부터 도래하였다. 이때 문자 문

* 88쪽 참조, 그리고 『신의 가면 : 원시 신화』의 제4장 2절 참조.

명의 기술 — 쓰기, 월력용 수학, 왕권 등 — 도 함께 들어왔다. 더구나 고고학과 민족학의 증거들이 우리를 속이지 않았다면, 이 도시들에서는 국왕 살해와 순장 의례가 행해졌다. 이것들로부터 어느 정도의 — 아마도 모든 — 인도의 주요한 인신 공희 전통을 추적할 수 있고, 그에 관한 기록과 설명들은 서양 항해자의 노트에서만이 아니라 인도 자체의 비문, 연대기, 신화, 대중적인 이야기에서도 풍부하게 발견할 수 있다.

무시간적 인도에 전형적으로 등장하는 두번째 주제는 요가 자세를 취하고 있는 인물이다. 이는 6개 정도의 인더스 인장에서 나타나고 있다. 이중 2개의 예만 가지고도 현재의 논의는 충분하다. 첫번째(〈그림 18〉)는 분명히 3개의 얼굴을 가진 인물이다. 그는 낮은 단 위에 요가 자세를 취하고 앉아 있고, 그 앞에 2마리의 가젤 영양이 마주보고 있다. 호랑이, 코끼리, 무소, 물소 등 4마리의 짐승이 사면에서 그를 에워싸고 있다. 그는 가운데 부분이 완만하게 나온 왕관을 쓰고 있고, 양 옆을 거대한 뿔로 장식한 머리(나무에 있는 여신의 머리 장식처럼)는 삼지창을 암시하고 있다. 노출된 남근은 발기하고 있다.

〈그림 18〉 짐승의 주 : 인더스 계곡, 기원전 2000년경.

이 인물에 대하여 언급한 사람은 모두 그것을 오늘날까지 여신 칼리의 배우자로 있는 시바의 원형으로 생각하였다. 시바는 요가와 화장터의 주이고, 야생 동물 ── 이들의 사나움은 그의 명상 앞에서 모두 누그러진다 ── 의 주이며, 링감(lingam, 남근)의 주이다. 시바의 상징은 삼지창이다. 위대한 주 마헤슈바라(Maheshvara)의 특성을 지닌 그는 3개의 얼굴을 하고 있다. 더구나 그의 특별한 동물은 황소이다. 인더스 계곡의 인장에 나타난 수많은 동물들 중에서 황소는 가장 빈번하게 검열관 앞에 나타나는데, 이는 프타의 황소인 아피스처럼 그 황소가 신적인 것으로 간주되고 있음을 암시한다.

그러나 시바만이 이 형상이 암시하는 후기 인도 신화의 위대한 상은 아니다. 단 앞에 있는 2마리의 가젤 영양도 베나레스의 녹야원에서 첫번째 가르침을 베풀고 있는 붓다의 고전적 이미지에서 보이는 것과 같은 자세를 취하고 있기 때문이다. 더구나 투구의 모양은 불교 예술에서 낯익은 이른바 "삼보(불, 법, 승)"를 상징하고 있다.

이 요가 시리즈의 두번째 인장(〈그림 19〉)에서는 1쌍의 뱀이 명상하는 자의 양쪽에서 그의 왕관과 똑같은 높이까지 몸을 쳐들고 있고, 무릎을 꿇고 있는 숭배자들은 손으로 그에게 경배를 드리고 있다.

〈그림 19〉 뱀의 힘 : 인더스 계곡, 기원전 2000년경.

　수많은 남근 상징이 인더스 유적지에서 발견되었는데, 길이는 0.5인치에서부터 1피트 정도에 이르기까지 다양하다. 이것들은 반지돌(ring stones)이라고 불리는 일련의 이상한 돌들과 결합되어 있다. 마샬은 반지돌에 대하여 이렇게 썼다. "그것들의 직경은 0.5인치에서부터 거의 4피트에 이르고 있다. 커다란 표본들은 모두 돌로 만들어져 있으며, 작은 것들은 돌로 되어 있거나 파양스 도자기, 조가비 혹은 모조 홍옥수(紅玉髓)로 되어 있다. 그것들 중 가장 전형적인 것은 위 표면과 아래 표면이 물결 모양을 하고 있으며, 다른 것들은 아래 표면이 평평하고 윗부분은 4엽 무늬 형태를 취하고 있다." 역시 인더스 계곡에 위치한 탁실라에서 발굴된 보다 후기의 반지돌들에 대해서 그는 이렇게 덧붙이고 있다. "가운데 구멍에 벌거벗은 여신상이 의미있게 새겨져 있는데, 이는 그 돌들과 여성 원리 사이의 관계를 …… 지시하는 것이다."[28]

　고전기(期) 인도의 링감과 요니 상징 ── 이것들은 지금까지도 현대 인도 종교의 전 범위에 걸쳐 가장 많은 성물이다 ── 은 이러한 후기 석기 시대와 중기 청동기 시대의 표상들 안에 분명하게 예견되고 있다. 명상하는 신적 요기의 상과 식물 세계의 대지의 여신상을 이러한 증거들에 덧붙여보자. 그러면, 오늘날 시바와 그의 피를 먹는 배우자인 "어두운 자" 칼리, "접근하기 어려운 자" 두르가 ── 이들에게 희생 제물이 바쳐진다 ── 로 알려진 위대한 신과 여신의 고대성은 의심할 수 없을 것이다. 더구나 그들에 대한 숭배는 이중으로 행해진다. 한편으로는 몹시 원시적인 층인 원-오스트랄로이드 수준에서 행해지는 것으로서 이러한 숭배 형태는 멜라네시아, 뉴기니아, 그리고 세계의 여러 정글 지역의 마을 제사와 밀접하게 결합되어 있다. 다른 수준의 숭배는 근동 문명의 모태로부터 나온 것이다. 여기서의 중심 개념은 7가지 영역을 통과함으로써 수학적으로 표시된 에온의 여신이며, 제의적으로 살해된 왕은 화육된 신이자 영원히 살고 영원히 죽는 그녀의 배우자이다.

　모헨조다로와 하랍파의 서쪽 경계를 따라 거대한 성이 있었다는 사실이 드러났다. 사실 그 서쪽 방면으로부터 이 문화 지대의 건축자들이 도달하였고, 얼마 후에는 그들의 시대를 마감시킨 아리안 전사 부족이 왔다. 이 성은 구획된 지역에 벽돌로 잘 만들어져 있었으며, 남북의 길이는 1/4마일 정도였고, 높이는 50피트, 넓이는 200야드였다. 꼭대기에는 문과 단(행렬을 암시하는)들이 있었고, 요새, 파수대, 방, 그리고 여러 용도의 장소들이 있었다. 모헨조다로에는 화장실을 완벽하게 갖춘 길이 39피트, 넓이 23피트, 깊이 8피트의 대중 목욕탕이 있었다. 30피트의 폭을 가진 2개의 주요 도로가 이 거대한 성채의 각 끝으로부터 동쪽으로 달리고 있었으며, 이 두 길은 북쪽에서 남쪽으로 달리는 커다란 3개의 길과 약 250야드의 간격을 두고 각각 만났다. 그러므로 정방형으로 계획된 도시들은 12개의 블록으로 산뜻하게 나뉘어져 있었으며, 각 블록 안에는 단조로운 벽돌담 사이로 쥐들이 다니는 좁은 미로들이 연결되어 있었다.

도시의 어떤 지역에는 마루를 갖춘 목욕탕, 덮개가 있는 우물, 그리고 정교한 위생 체계가 갖추어져 있었던 것으로 보아 매우 호화스러운 생활을 하였던 것으로 보인다. 거시적으로 보면 이것은 크레테에서 발굴된 것과 비교할 수 있다. 그러나 어떤 다른 지역들은 발굴자들에게 현대 동양의 빈민굴에 위치한 쿨리 지역을 연상시켰다. 예들 들면, 하랍파에 있는 어떤 지역은 그와 동일하게 계획된 구조물로 되어 있는데, 내부는 가로 20피트 세로 12피트로 되어 있고 2개의 방으로 나뉘어 있다. 한 방은 다른 방의 2배였다. 그 옆에는 금속 세공인의 용광로와 잘 구운 벽돌로 된 곡식을 빻는 원형의 장소가 있었다. 이곳에서 근동 지역에서 나온 것으로 추정되는 보리가 발견되었다. 계곡 안이나 근처에서는 21개의 염색체를 지닌, 빵을 만드는 밀이 자라났다. 여기에서 알려진 돼지, 염소, 황소, 양, 나귀의 종이 "비옥한 초승달 지역"에서는 이미 3천 년 동안이나 존재하였지만, 이곳에서도 지방색을 지닌 많은 품종의 짐승을 사육하였다고 할 수 있다. 발루치스탄을 언급하면서 이미 지적한 혹 달린 황소나 암소, 낙타와 말(또한 그 지역에서 나온 것이 분명하다), 코끼리, 물소, 가금(인도와 동남아시아의 기원이 분명하다), 그리고 마지막으로 인도의 들개 및 오스트레일리아의 들개와 비슷한 커다란 개가 여기에 해당한다.[29] 이러한 증거들에다 이미 언급한 2개의 인종을 덧붙이자. 그러면 중요한 역사적 상황이 분명하게 드러난다. 동쪽에서는 어떠한 방어도 필요하지 않았다. 토착인들의 문명 수준은 발달되지 않았고, 중석기 시대 정도이거나 심지어 구석기 시대의 원시인이었기 때문이다. 그렇지만 그들은 일하도록 길들여 질 수는 있었다. 그래서 우리는 그 어떤 고대 세계에도 없었던 두 갈래의 여신 종교뿐만아니라 카스트의 전제 조건들을 인도에서 발견하게 된다. 인도 이외의 그 어디에서도 상층의 정복민과 하층의 피정복민 사이에서 그처럼 인종적, 문화적 간격이 존재하는 곳은 없다. 오늘날에도 그 간격은 비인간성과 관용이 혼재하는 독특한 유산을 지닌 채 존속하고 있다.

3. 베다 시대 : 기원전 1500-500년경

기원전 2000년 이전의 인간은 어디를 가건 항상 자신의 두 발 ── 작은 배나 보트에 의한 경우를 제외하면 ── 로 여행하였다. 그러므로 문화적 흐름은 원심력의 방향으로 전개되었다. 문화는 한 곳에서 멀리 떨어져나가 그 새로운 곳에서 머물렀던 것이다. 그 결과, 신화는 지속적으로 분화되었으며, 그 주제, 특성, 일화, 전체 체계는 새로운 지역으로 전파되었다. "땅 이름 짓기" 혹은 "땅 취하기"를 뜻하는 "랜드-나마(lánd-náma, 쿠마라스와미 박사를 따라 내가 만든 용어)"[30]라는 예민한 과정에 의해, 그 새로움을 접한 세계의 특징들은 유입된 신화의 유산에 동화되었다.

그러나 인간이 말(馬)을 정복함으로써 모든 상황이 변하였다. 기원전 2000년 직후 1쌍의 잘 훈련된 말이 끄는 가벼운 바퀴를 지닌 2륜 전차가 갑작스럽게 출현하게 된다. 알다시피 바퀴는 기원전 3200년 이전에 이미 수메르에서 나타났고, 우르 왕릉에서는 "우리가 알 수 있는 최초의 야전군 병기와 조직"[31] ── 그것을 발견한 레오나드 울리 경이 선언하듯이 ── 을 보여주는 조가비, 청금석, 그리고 붉은 사암으로 된 기이한 모자이크가 출토되었다. 전차가 이 모자이크 조각 위에 나타나고 있다. 그러나 당시의 전차들은 4마리의 나귀나 야생 당나귀가 한 조가 되어 끄는 볼품없는 것이었다. 고든 차일드는 그 시대의 탈 것을 기술하면서 이렇게 말하였다. "바퀴는 견고하였다. 단단한 나무 조각들을 버팀목으로 함께 고정시켜 바퀴를 만들고, 구리 못을 부착한 가죽 타이어를 그것에 연결시켰기 때문이다. 그 바퀴들은 가죽 끈으로 차체와 연결시킨 차축으로 잇대어 돌았다."[32] 이는 확실히 운전하기 쉬운 탈 것은 아니었다! 그러나 어떤 장소와 시간, 아마도 기원전 2000년경의 코카서스 산맥의 북쪽에서는 2마리의 빠른 말이 끌고 가벼운 두 바퀴를 가진 전차를 사용하였고, 이 전차의 바퀴들은 차축에서 자유롭게 회전하였기 때문에 전차를 쉽게 돌릴 수 있었다. 이러한 움직이는 군사 무기의 유리함 때문에 예견되지 않았던 지역에서 새로운 제국이 갑자기 출현하였다. 기원전 1650년경 아나톨리아에서 히타이트 제국이 나타났는데, 이들은 이미 철의 사용 단계를 넘어 서고 있었다. 1523년경 중국에서는 상 왕조가 출현하였는데, 이들은 아직 청동기를 사용하고 있었다. "레 없이 통치한" 힉소스는 기원전 1670-1570년경 이집트에 탈 것을 가져왔으며, 인도에서는 기원전 1500-1250년경 인도 아리안이 가져왔다. 더구나 남동유럽에서는 기원전 1500년경 새로운 무기인 검이 출현하였는데, 이것은 안장에서 적에게 내려치기 위하여 고안된 것이다.[33] 어떤 곳에서는 전차를 모는 방법을 배운 사람들이 등장하고 있었다.

이제 이러한 새로운 무기는 그것을 사용할 줄 아는 모든 사람들에게 그 전의 모든 것을 운반하는 강력한 수평적 추진력을 제공하였다. 낡고, 근본적으로 농민적인, 토지에 근거한 문명은 무력할 뿐이었다. 그러나 새롭고 놀라운 힘만이 아니라 새로운 교만도 등장하였다. 단순한 성격의 사람들에게 화려한 말의 안장에 앉는 것보다 더 비위에 맞는 것이 있겠는가? 기사(*cavalier*), 신사(*caballero*), 기사(*chevalrie*), 기사도적인(*chivalrous*)과 같은 말들이 이 사실을 말해준다. 걸어 다니는 농민과 말을 탄 기사의 시대가 시작되었으며, 이러한 시대는 오늘날의 기계 시대에 의해서 종언을 맞게 되었을 뿐이다. 그러한 시대는 거의 4천 년간이나 지속되었으며, 그 이전의 지방 분권화 시대에 널리 흩어져 있던 영역들을 폭력과 제국에 의해서 통일시켜 갔다. 그러므로 이전에 분리되고 있었던 세계가 점차 하나로 통합되어갔다. 그렇지만 여기에는 "승리!"를 외치는 자와 통곡하는 자 사이의 근본적인 틈이 수평적으로 벌어져 있었다. 나일 강에서 황하에 이르는 전역에서, 모루의 역할을 하고 있던 사람들은 망치가 되려는 성미를 지닌 사람들로부터 슬픔의 불가피성의 교훈을 배우게 되었고, 그와 함께 대지 여신의 자식의 황금 시대는 옛날 이야기가 되고 말았다.

누워 있는 남자, 여자, 어린이의 해골이 모헨조다로 지구의 가장 높은 지대에서 발견되었다. 이들 중 어떤 자들의 해골에는 칼과 도끼의 상처가 있었다. 일단의 침략자들이 이곳을 지나간 것이다. 이들은 도시에 대해서는 거의 관심이 없는 인종이었다. 따라서 이들이 일단 지배권을 획득하자마자 인더스 지역에는 1천 년 동안 더 이상 도시가 나타나지 않았다. 남쪽으로 80마일 정도 떨어진 차누-다로(Chanhu-daro)와 몇몇의 다른 지역에서는 낮은 계층의 무단 입주자들이 유적지 위에 초라한 오두막집을 세웠고(이른바 주카르 문화), 한때 거대한 문화 지대의 최남단 부분인 카티아와르 반도에는 약간의 흔적이 남아 있다. 그러나 "로마 제국 등장 이전의 가장 거대한 정치적 실험"에 관한 한 그 시대는 끝났다.

전차를 운전하는 전쟁신의 만신전에 강력한 주술적 힘을 지닌 시를 노래하면서 이들 새로운 유목민 침략자가 도착하였다. 이들이 지닌 장엄함은 『리그 베다(*Rig Veda*)』의 다음과 같은 전형적인 찬가에서 드러난다.

> 나는 먼저 아그니를 부른다, 복지를 위해서 ;
> 나는 여기서 미트라-바루나를 부른다, 도움을 위해서.
> 나는 밤을 부른다, 그는 세상에 휴식을 가져오는 자이다 ;
> 나는 사비트리 신을 부른다, 지지를 위해서.
>
> 어두운 공간을 통하여 이 길로 구르면서,
> 불멸의 존재와 필멸의 존재를 휴식하게 하면서,
> 자신의 황금 차를 타고 사비트리는 온다,
> 모든 존재를 바라보면서.

사비트리(Savitri)라는 이름은 "흥분시키다, 자극하다, 고무하다, 몰아대다"의 뜻을 지닌 산스크리트의 동사 어근 sū에서 온 것으로, 고대의 주석가에 따르면 "만물의 자극자"를 의미한다.

> 황금의 손을 가진 사비트리, 활동적인 자,
> 하늘과 땅 사이를 오간다.
> 그는 질병을 퇴치하고, 태양을 인도하며,
> 어둠의 공간을 통하여 하늘에 도달한다.
>
> 내리막길로, 오르막길로 그는 간다 ;
> 그는 찬양받으면서 간다, 두 찬란한 군마를 이끌고.
> 멀리서 사비트리 신이 온다,
> 모든 시련을 퇴치하면서.
> 당신의 오래된 길가에 있는, 오 사비트리여,
> 대기 속에서 먼지 없이 훌륭하게 만들어진,
> 쉽게 왕래할 수 있는 이 길가를 오가면서,
> 오, 신이여, 오늘, 우리를 보호하고 우리를 위하여 말하소서.[34]

이렇게 인도에 도달한 아리안의 기원에 대해서 약 1세기 반 동안 훌륭한 학자들이 논의하여 왔다. 아직 많은 중요한 점이 해결되지 않은 채로 남아 있지만, 선사 시대의 이른바 아리안, 인도-유러피안, 혹은 인도-게르만 계통의 인종, 언어, 신화에 관한 일반 이론의 주요 흐름은 제법 잘 정리되었다.

간략하게 보자면, 처음에 상당히 동질적인 핵공동체였을, 혹은 그렇지 않았을 그러한 공동체로부터 나온 2개의 선사 시대의 발전 단계를 구별할 수 있다.

1. 공통 기원의 단계 : 이 단계는 라인 강과 돈 강 사이 혹은 라인 강과 서투르키스탄 사이의 어떤 광대한 목초 지대에 있었을 것이다.

2. 서쪽 부족군과 동쪽 부족군 사이의 분리 단계 : a) 서쪽의 부족은 아마도 드네페르 강과 다뉴브 강 사이에 있는 평야 지대를 중심으로 거

주하고 있었으며, 여기에서부터 최초의 그리스 인, 이탈리아 인, 켈트 인, 게르만 인이 분화되어 나왔다. b) 동쪽의 부족은 아마도 코카서스의 북쪽과 아랄 해 부근에 거주하고 있었으며, 여기에서부터 어느 시점에 초기 페르시아 인과 그들의 가까운 친족인 인도-아리안만이 아니라 아르메니아 인과 여러 발트-슬라브 족(구프러시아 인, 라트비아 인, 리투아니아 인 ; 체코 인, 폴란드 인, 러시아 인 등)이 나왔다. 이중 인도-아리안이 힌두쿠시 산맥을 넘어 광활하게 펼쳐져 있고 풍요하며 주인을 기다리고 있던 인도 평야로 들어온 것이다.

이 두 주요한 집단 a)와 b)의 분리가 언제 일어났으며, 그러한 분리가 이루어졌을 때 각 집단은 어느 곳에 살고 있었는가는 아무도 모른다. 그러한 분리가 정말 이루어졌다고 말할 수 있다면, 혹은 어느 때이건 간에 하나의 단일하고 동질적인 집단이 존재하였다고 가정한다면 말이다. 근동 중심부의 새로운 기술이 도래하여 점차 간헐적으로 사냥꾼을 목자로 만들기 전까지 북쪽의 거대한 목초지는 약 20만 년 동안 구석기 시대의 사냥터였다. 우리는 기원전 4500-2500년경 땀흘리는 농민들이 신석기 시대의 중심지로부터 동쪽과 서쪽으로 밀치고 들어가고, 보다 오래된 구석기 부족들이 거기서 밀려나는 것을 상상해볼 수 있다. 그러나 그들 자신의 방법으로 어느 정도 새로운 기술을 적용시킨 후 구석기 부족들은 돌아섰으며, 이들은 전차를 지배하게 되면서 무서운 존재로 등장하였다. 가축떼, 주로 소떼가 그들의 주요 소유물이었다. 그들은 일부 다처제와 가부장제를 채택하였고 자신들의 계보에 대하여 자부심을 가졌으며, 천막의 거주자들로서 청결하지는 않으나 강인하였다. 정복한 여자들은 기꺼이 그들의 화물차에 부속되었기 때문에 아리안 인종 ── 만일 그들이 이렇게 불릴 수 있다면 ── 은 지속적인 혼합과 혼혈, 분열의 과정에 의해서만 진화할 수 있었다. 우렌베크 교수가 보여주었듯이, 둘로 분열되기 전에는 그들의 모어(母語)가 한편에서는 코카서스 인의 언어, 다른 한편으로는 에스키모의 언어와 친화성을 암시하는 요소들로 혼재되어 있었다.[35]

다양한 아리안 만신전의 신들은 대체로 지역적 구속(local association)

으로부터는 해방되었다. 그 신들은 원시 문화와 발전한 정착 문화의 많은 신들처럼 이러저러한 나무, 연못, 바위 혹은 지역 무대와 개별적으로 동일시되지 않고, 오히려 떠돌아 다니는 유목민이 여기저기서 그리고 모든 곳에서 경험할 수 있고 운반할 수 있는 현상들 안에 나타난 힘들이다. 예를 들면 인도-아리안의 『리그 베다』의 1,028개의 찬가 중에서 250개 정도가 번개의 지배자이고 비의 시여자이며 신들의 왕인 인드라에게 바쳐졌고, 난로 불에서 가정을 보호하고 제단의 불에서 희생 제물을 받는 — 그는 불꽃의 입에 희생 제물을 넣고 있다가 신들에게 전달한다 — 불의 신 아그니는 200개의 찬가를 받았다. 그리고 아그니의 입 속에 부어진 희생 제물의 술인 소마는 120개의 찬가를 받았다.

태양, 달, 바람, 비의 신, 그리고 폭풍의 신에게 바친 찬가들은 매우 많다. 찬란히 빛나는 아버지 하늘과 광활하게 펼쳐진 어머니 대지는 그들의 사랑스러운 딸인 새벽 및 밤과 함께 역시 경배받았다. 그러나 독점적으로 받은 찬가는 12개도 안되지만 가장 장엄하게 찬양받은 신은 바루나이다.

바루나(Varuna)라는 이름은 "덮다", "포괄하다"라는 뜻을 지닌 동사 어근 vṛ에서 나왔다. 그는 우주를 에워싸고 있으며 그의 속성은 주권이기 때문이다. 바루나는 바다 위에다 불을 놓았고, 황금의 그네인 태양이 그 위를 날아 다녔다. 바루나는 낮과 밤을 별도로 규제하고 관리한다. 그의 질서의 리듬(르타[ṛta])은 세계의 질서이다. 대기 중에 서 있는 그는 신비한 창조적 힘(마야)을 통하여 지상을 재어 나누며 태양을 도구로 삼는다. 그는 이러한 방식으로 천상, 지상, 그리고 그 중간의 대기권 — 이곳에서 울려퍼지는 바람은 바루나의 숨이다 — 으로 이루어진 3개의 세상을 만들고, 그 안에 모두 거주한다. 황금으로 된 그의 거소는 천정에 있으며, 천 개의 문을 가진 대저택이다. 그는 거기에 앉아서 모든 행동을 주시하며 주위에서는 그의 정탐꾼들이 앉아서 세상을 둘러보고 있다. 그들은 결코 속지 않는다. "아버지들"도 거기서 그를 보며, 모든 것을 관찰하는 태양은 바루나 자신의 빛나는 집에서 솟아올라 인간의 행동을 보고 하기 위하여 그 높은 거소로 나아간다.[36]

이 신은 많은 사람들이 베다 만신전(그리스 만신전만이 아니라) 속에서 보려고 하였던 그러한 단순한 "자연 신"이 결코 아니다. 이 시가집에 어떤 종교적 진화론을 체계적으로 적용하는 것도 바람직하지 않다. 다시 말해서 제단 위에서 타는 실제적인 불, 빛나는 태양 자체, 구름에서 번쩍이는 번개, 혹은 하늘에서 쏟아져 내리는 비에 초기의 모든 이 찬가들을 바치다가, 후대의 발전 과정에서 그러한 현상들 배후에 있는 힘이 인격화되었다고 보는 것은 바람직하지 않다. 그 이유는 이렇다. 첫째로, 신화는 현상에 대한 직접적인 관점으로부터 그 현상 안에 거주하는 힘의 인격화로 진화하는 어떤 경향을 지닌다는 주장을 증명할 어떠한 확고한 증거도 발견할 수 없다. 다른 신화들처럼 단순한 안다만 제도의 피그미 족 신화에서 이미 인격화가 광범위하게 나타나고 있다. 그 신화에서 빌리쿠라는 존재는 북서 몬순의 인격화이다. 둘째로, 이미 가축을 길들이고 전차와 청동 제품을 소유한 아리안들은 원시인과는 거리가 멀었다. 베다 질서의 근본적인 구조화 형태를 보면, 그 신들이 농업, 목축업, 그리고 십진법 수학 체계와 함께 모든 고등 문명의 근원적 중심지, 곧 수메르로부터 나왔음을 알 수 있다. 하늘, 땅, 그리고 그 사이의 대기는 각각 안, 키, 그리고 엔릴의 영역이다. 희생 제물 소마는 탐무즈의 대응물이고, 심지어 그와 동일한 연합 체계를 지니고 있다. 소마 신 역시 차고 이지러지는 달, 제단의 기둥에 묶여 있는 황소, 그리고 열매를 맺는 수액 ── 이것은 모든 생명을 통하여 흐르며, 소마-식물의 즙에서 발효된 술은 불멸의 신찬이다 ── 과 동일시되기 때문이다. 더구나 바루나에 의하여 행사되는 질서의 원리(르타 : "과정" 혹은 "길")는 이집트의 마트 및 수메르의 메와 정확히 상응한다. 마트나 메처럼 그 용어는 물리적 질서만이 아니라 도덕적 질서도 가리킨다.

헤르만 올덴버그 교수는 베다 사상에 관한 고전적인 연구에서 이러한 우주의 지배 원리에 대하여 이렇게 기술하였다.

"르타는 강을 흐르게 한다." "르타에 따라, 하늘에서 태어난 새벽은 밝아 온다." 세계를 다스리는 아버지들은 "르타에 따라 하늘 태양으로 올라 왔으며", 하늘 태양 자체가 "르타의 빛나는 가시적 얼굴이다." 이와 달리 자연 질서를 위반하여 태양을 희미하게 하는 일식의 어둠은 "법칙에 대립된" 것이다. 하늘 주위에는 12개의 살을 가진 르타의 바퀴가 구르는데, 이것은 결코 늙지 않는다 — 이것이 연(年)이다. 르타의 힘은 어떤 놀랍고 매우 모순적인 상황이 계속하여 발생할 때 특히 잘 드러난다. 예를 들면 인간에게 영양물을 제공하는 그 놀라운 경이, 즉 어두운 색깔의 암소가 하얀 우유를 생산해내고, 가공되지 않은 천연의 암소가 이미 요리된 음료수를 생산해내는 경이로운 일 속에서 잘 나타난다. 베다의 시인들은 이것을 "르타에 의해서 조정되는 암소의 르타"라고 찬미하고 있다.

"르타와 진리"라는 말은 항상 붙어 있는 용어이다. "참된"의 반대말로는 "르타가 아닌"이라는 뜻을 지닌 안르타(anṛta)가 종종 사용된다. 사기나 사악한 주술을 통해서 동료에게 해를 입히는 사람은 "르타에 따라 살아 가는" 정직한 사람과 대비된다. "르타를 따르는 사람의 길은 발밑이 부드럽고 가시가 없다." ……

르타의 개념 속에는 약간의 구체성이 포함되어 있다. 새벽은 르타의 거소로부터 깨어 올라온다는 기록이나 희생제의의 장소가 르타의 자리로 표상될 때, 거기에는 일종의 희미한 지역화의 흔적조차 있다. 르타의 길들도 있는데, 이는 하나의 호의적 표현으로 이해할 수 있다. 르타는 사건들 안의 방향 관념을 함축하고 있기 때문이다. 르타의 전차를 모는 사람, 르타의 보트, 르타의 암소와 우유가 있는 것이다. 그러나 사소한 경우를 제외하면, 르타에게 기도하거나 르타에게 희생 제물을 바친 사람은 아무도 없었다.[37]

근동의 원초적인 문화 모태에서 나온 거대한 영향력이 베다 신화의 웅장한 건축물에 작용하고 있지만, 이 베다의 찬가들에는 수메르나 이집트의 기도나 신화에 알려진 것과는 전적으로 다른 정신과 관심의 방향이 있음을 주목해야 한다. 셈 족처럼 아리안은 비교적 단순한 사람들이었다. 그들은 정착 국가에 있는 거대한 사원 도시의 사제적 질서로부터 어떤 재료를 빌려왔을 때 그것을 자신들의 목적에 맞게 사용하였다. 그들의 목적은 복잡한 사회 단위의 세분화가 아니었다. 그들은 어떤 그러한 국가도 다스린 적이 없었고, 오직 힘, 요컨대 승리와 전리품, 공격적 생산성과 부만을 다스렸기 때문이다.

앞에서 보았던 것처럼, 아리안에 의하여 전복된 인더스 문명의 신화적 토대는 오래된 중기 청동기 시대의 식물-달의 리듬에 근거한 질서의 변형인 것처럼 보인다. 이러한 질서 안에서는 사제적 역학(曆學)이 부정할 수 없는 운명에 대한 철저한 무저항의 복종을 요구하였다. 자신의 자궁 안에서 모든 존재로 하여금 짧은 삶을 살도록 만드는 태모신은 절대적 지배권을 행사하였다. 그녀의 지배 영역에서는 영웅주의와 같은 어떠한 하잘것없는 감정도 어떤 진지한 결과를 기대할 수 없었다. 라마크리슈나는 "그녀는 자기 의지적이고 항상 자신의 뜻대로 한다"고 말하였다. 그러나 어떤 소란도 피우지 않고 어머니의 의지에 복종하는 어린이들에게는 그녀야말로 "축복으로 가득 차 있는" 존재이다. 모든 생명과 계기는 그녀의 만족할 줄 모르는 위 속에서 종언을 고하지만, 이 무시무시한 회귀 속에서 믿음을 가지고 자기 자신을 바칠 수 있는 자에게는 궁극적 환회가 부여된다. 이 우주적 어머니의 아들이지만 동시에 그녀의 황소인 완전한 왕이 바로 그와 같은 존재이다.

나의 어머니, 칼리는 참으로 검은가?

인도의 한 봉헌자는 이처럼 노래를 부른다.

가장 검은 색깔을 띤, 벌거벗은 자가,
마음의 연꽃을 비춘다.[38]

한편 베다의 찬가에서는 이와 전적으로 다른 노래가 들려온다. 그 주술적 시구들은 삶의 흐름의 축복 속에서 생생하고 다채로운 즐거움을 지닌 채, 일출이나 그들이 선호하는 젊은 여신 새벽의 찬란함과 함께 등장한다. 새벽은 20개 정도의 찬가에서 찬미받는다.

찬란한 모습을 보이면서, 그녀는 인간의 세계를 깨운다,
앞에 타고, 길을 열면서,

고고하고 장엄한 차안에서, 모든 것을 즐겁게 하면서,
날이 시작될 때 빛을 낸다.

그녀의 몸의 사랑스러움을 자랑하듯이,
깨끗하게 목욕한, 젊은 새벽은 똑바로 서 있다,
보여지기 위하여. 적, 어둠은 추방된다.
천상의 아이가 빛을 내면서 나타날 때.

어여쁜 신부와 같은 천상의 딸이 베일을 떨어뜨린다.
그녀의 가슴으로부터 : 찬란한 빛을 발한다.
그녀를 찬미하는 자에게. 옛날에 그녀가 왔을 때처럼,
젊은 새벽은 다시 선다, 빛을 내면서.[39]

　　이 힘찬 시구의 운율 속에서는 전차의 덜거덕거리는 소리, 채찍 소리, 청동과 청동이 부딪치며 나는 뗑그렁 소리가 들리며, 신들 자신의 힘이 사로잡힌 것처럼 느껴진다. 운명이란, 궁극적으로 선한 결과를 기대하면서 진실하고 끈기 있는 봉헌을 통해서 잘 견디어내는 남성적 정신이라는 인식이 각 행을 불태우고 있다. 일출, 번개, 그리고 제단 위에 있는 아그니의 불의 혀에서 나오는 광휘가 그들의 근원적인 상징적 이미지이듯이, 이 찬가들에는 모든 길을 어둠에 대한 승리의 길로 만드는 공격적인 불의 능력에 대한 확신이 존재한다. 새롭게 마구를 채우자 빨라진 말의 속도, 새로운 무기, 그로 인해서 도시와 평야와 모든 곳을 아무런 패배도 없이 마음대로 달릴 수 있게 된 전사 집단은 새로운 자율 의식을 얻었다. 그들은 이제 우주적 희생제의의 교훈도 예속이 아니라 획득된 힘의 교훈으로 읽었다. 달의 희생 제물인 소마를 신들에게 적합한 음료수로 간주하여 소마즙의 형태로 불속에 던졌다. 이와 똑같이 취하게 만드는 양조주도 전사 자신의 식도 속으로 쏟아부었다. 양조주는 몸 속에서 심장에 있는 전사의 용기를 독특한 방식으로 불러일으켰다. 다음과 같은 찬가가 들려온다.

지혜롭게도 나는 달콤한 음식을 먹는 데 참여하였다.
훌륭한 생각들을 불러 일으키는 음식, 걱정을 쫓아버리는 최상의 추방자.
그 식사에 모든 신과 인간이,
그 음식을 꿀이라고 부르면서 함께 왔다.

우리는 소마를 마셨다 ; 그래서 우리는 불멸의 존재가 되었다.
우리는 빛으로 나아갔다 ; 그래서 우리는 신들을 발견하였다.
적대감이 이제 우리에게 무엇을 할 수 있겠는가?
오, 불멸하는 자여, 유한한 인간의 사악함은 무엇입니까?

오, 그대, 영광스럽고 자유를 주는 물방울이여!
당신은 나의 관절 속에 나를 꽉 묶었습니다, 마차를 끈으로 졸라매듯이.
나의 다리가 부러지지 않도록 이 물방울들이 나를 보호하기를,
그리고 질병으로부터 나를 구하기를.

마찰에 의해서 타오른 불처럼, 나를 불태우소서!
우리를 비추소서! 우리를 풍요롭게 하소서!
당신이 만든 취함 속에서, 오, 소마여,
나는 풍요함을 느낍니다. 이제 우리에게 들어와, 우리를 참으로 풍요롭게
하소서.[40]

앞에서 언급하였듯이, 아리안은 셈 족처럼 비교적 단순하였다. 셈 족의 신화에서는 저항할 수 없는 에온에 대한 사제적 개념이 분노만이 아니라 부탁에도 잘 넘어가는 인격신의 유순한 의지의 기능으로 변형되었다. 베다에서도 그러한 현상이 나타났다. 바루나의 순환적 질서(르타)가 경건하게 받아들여짐에도 불구하고 그것은 전면에 서는 것이 허락되지 않았다. 사냥꾼, 목자, 전사로 살아간 아리안들은 운명을 결정하는 자율적인 행동인(deedsman)의 힘을 잘 알았다. 따라서 수학적, 사제적 비전에서 나오는 가공할 무게로 인하여 그들이 다른 것들과 함께 유아용 빵죽으로 되는 것을 용납하지 않았다. 마침내 규칙적으로 순환하는 바루나의 질서가 물러섰다. 그들의 신화적 우주 무대의 전면에는 2마리의 황갈색 군마

가 끄는 전차를 탄 자가 나타났다. 그는 공작의 깃털 색깔을 한 요동하는 갈기를 가지고 있으며 콧김을 내뿜으며 달린다. 그는 소마를 마시는 자 중에서 가장 위대하고, 전쟁의 신이자 전쟁의 용기의 신이며, 전쟁의 힘의 신이자 전쟁의 승리의 신이고, 다양한 측면을 지닌 천둥을 내리치는 자이다. 소마를 단숨에 들이켜 호수처럼 소마가 몸에 가득 찼을 때, 그의 황갈색 수염은 거칠게 흔들렸다. 그가 바로 인드라(Indra)이다. 그가 태양처럼 긴 팔로 천둥을 내던지면 우주의 용 브리트라(Vritra)는 원래의 상태로 돌아갔다.

천둥, 번개, 안개, 우박을 지배하는 뱀 1마리가 콧김을 내고 쉿 소리를 내고 있었다. 그가 바로 손발이 없는 악마의 우두머리 브리트라이다. 그는 오지의 요새에 있는 산 위에서 웅크리고 앉은 채로 휴식을 취하고 있었다. 그가 세상의 물을 홀로 비장하고 있었으므로 수 세기 동안 모든 액체를 빼앗긴 우주는 황무지가 되었다.

그러나 인드라의 행동에 대하여 아직 들어보지 못한 자가 있는가?

> 맹렬한 황소처럼 스스로 소마를 손에 잡고,
> 세 개의 큰 사발에 가득 차 있는 음료를 마시고,
> 그의 무기인 무시무시한 천둥을 뽑아,
> 첫번째 태어난 용을 살해하였다.[41]

앞에서 이야기 하였듯이 인드라의 이 행위는 적어도 찬가집의 4분의 1에서 찬미받는다.

더구나(신화 해설서들에서 충분하게 강조하지 않은 점이 바로 여기에 있다) 천둥에 의하여 폭발한 용의 이름은 "덮다, 포괄하다"를 뜻하는 동사 어근 vṛ에서 나온 것이며, 이는 바루나라는 이름의 어근임을 독자들은 기억할 것이다.

다른 말로 하자면, 다음과 같다.

1. 이 아리안 신화에서 등장하는 대적자는 사제적 우주 질서 자체의 부정적 측면이며, 세상의 삶에 영향을 미친다.

2. 또아리를 튼 뱀 브리트라, 곧 "덮는 자"가 일으킨 가뭄은 메소포타미아 체계에 등장하는 대홍수 신화의 대응물이다.

3. 셈 족의 대홍수 이야기에서처럼, 이 아리안의 가뭄 이야기에서는 우주적 파국이 비인격적인 규칙적 질서의 자동적 결과가 아니라, 자율적 의지의 작용으로 해석된다.

4. 그러나 셈 족의 견해와는 달리 인도-아리안 신화는 부정적 행위의 대행자인 브리트라에게 명예를 부여하는 것이 아니라 경멸해야 할 존재로 묘사하였다.

> 발이 없고 손이 없는 그가 인드라를 공격하였고,
> 인드라는 그의 등에 천둥을 내리쳤다.
> 힘센 황소와 맞먹으려고 한 그 거세된 황소,
> 브리트라는 여러 곳에 산산조각이 되어 자빠졌다.
>
> 도살된 희생 제물처럼 거기에 누워 있던 그의 위에,
> 홍수가 밀려왔고,
> 이전에는 그의 힘으로 그것을 에워쌌지만,
> 이제 그 홍수의 수로 밑에 그 거대한 용이 누워 있다.[42]

5. 따라서 메소포타미아 신화의 발전 과정에서는 최고의 신이 인간에게 비우호적이며, 질시하고 위험스러우며, 기분이 나쁘면 사악해지고, 화를 잘 내는 신이지만, 베다의 신들은 대체로 상냥하고 쉽게 기뻐하며, 무시당하면 단지 외면할 뿐이다. 윈터니츠 교수는 그 대조점을 이렇게 지적하고 있다.

> 베다 속의 찬미자는 여호와의 시편 작가처럼 심각한 경외감이나 돌처럼 견고한 신앙으로 신을 우러러 보지 않는다. 고대 인도의 찬미하는 사제의 기도는 시편처럼 영혼의 가장 깊은 곳에서 하늘을 향하여 도약하지 않는다. 이 시인들은 찬미받는 신들과 보다 친근한 관계를 맺고 있다. 그들은 신을 칭송할 때 수많은 소와 영웅적 아들을 기대한다. 그 바램을 신에게 알리는

것도 주저하지도 않는다. "나는 준다, 그러므로 너도 주어야 한다(do, ut des)"가 그들의 태도이다. 그러므로 베다 속의 찬미자는 인드라에게 이렇게 노래한다.

> 만일 나, 인드라가 그대처럼,
> 모든 재화의 유일한 주인이라면,
> 나를 칭송하여 노래하는 자는
> 반드시 황소를 얻을 것이다.
>
> 나는 기꺼이 도울 것이다.
> 노래하는 현명한 자에게 그의 몫을 줄 것이다.
> 만일, 축복의 신, 내가
> 그대처럼 황소의 주라면.[43]

이제 지적하여야 할 것이 또 하나 있다. 이 찬가들의 낙천적 삶과 세속적 힘에 대한 의지 속에는 후기 힌두교의 신화적 정신이나 세계상 — 역설적이지만 이것들은 베다에서 파생한 것으로 여겨진다 — 의 어떤 측면도 발견되지 않는다. 여기에서는 윤회 관념, 재생의 소용돌이로부터의 해방에 대한 열망, 요가, 구원의 신화, 채식주의, 비폭력, 혹은 카스트 제도가 발견되지 않는다. 전쟁을 의미하는 베다의 오래된 용어인 gaviṣṭi는 "암소에 대한 욕망"을 의미한다. 아리안 족의 암소는 우유를 제공할 뿐만 아니라 도살되어 가죽이 벗겨지고, 식용으로도 쓰였다(만일 비일관성, 그리고 갈망에 가득 찬 고의적 오독이 전 세계의 종교적 전통주의에 일상적인 것이 아니라면, 이러한 모든 것은 설명하기 어려울 것이다).

이는 후기 인도의 신화가 본질적으로 베다 신화가 아니라 주로 인더스의 청동기 지대에서 나온 드라비다 신화임을 의미할 뿐이다. 세월의 흐름 속에서 아리안들은 동화 과정을 겪었다(불행하게도 그들의 황소는 동화되지 않았지만). 그래서 인더스의 형식들처럼 근동의 수학에서 비롯한 우주적 신 바루나의 질서의 원리가 인드라의 자율적 의지의 원리 위에 군림하게 되었다. 바루나의 르타는 다르마가 되었다. 바루나의 창조적 마야는 비슈누의 창조적 마야가 되었다. 영원 회귀의 주기는 고되고 단조로운 일로 영원히 돌아갔다. 그러므로 베다의 가장 위대한 영웅신의 의지와 덕의 행위는 일어나서는 안되었던 어떤 사건으로 되었을 뿐이다.

이제 듣게 되는 것처럼 그 용은 브라민(Brahmin)이었다. 후기 인도 사상에 따르면, 브라민 살해는 모든 범죄 중에서 가장 극악한 것이었다. 따라서 인드라가 브라민 브리트라를 살해한 행위는 지독한 참회를 통해서만 용서받을 수 있는 범죄였다.

베다 찬가보다 (최소한) 꼭 천 년 뒤에 나온 『마하바라타(Mahabhara-ta)』에서는 우주의 용을 살해하는 베다의 신에 관한 설명이 변형되어 나타난다.

"오, 성인이여! 우리에게 들려주소서." 이 구절의 서두에서 이야기꾼의 기원이 이렇게 나타나고 있다. "그 측량할 수 없을 정도로 찬란한 브리트라가 덕(다르마)을 위하여 행한 위대한 봉헌의 이야기를 들려주소서! 브리트라의 지혜는 그 어느 것으로도 비교할 수 없으며, 비슈누에 대한 그의 헌신은 설명할 길이 없도다!"

그때에(변형된 이야기는 지금 시작한다) 강력한 신들의 왕은 전차를 타고 천상의 군대의 호위를 받고 있었다. 그는 자신의 앞에 산처럼 우람하게 서 있는 거인을 보았다. 거인의 키는 4,500마일이고 몸통의 둘레는 꼭 1,500마일이나 되었다. 삼계의 힘 전체로도 파멸시킬 수 없을 거대한 형체였다. 그 모습을 보자 천상의 무리는 모두 두려움으로 마비되었으며, 그들의 지도자는 적의 모습을 보자 허리 아래의 다리를 사용하는 법을 잃어버렸다.

북 두들기는 소리, 트럼펫 소리, 그리고 다른 요란한 악기 소리가 사방에 울려 퍼졌다. 거인은 신들의 군대와 자기 앞에 있는 신들의 왕을 보았지만 놀라거나 두려워하지 않았다. 이 싸움에서 자신의 모든 힘을 사용할 필요가 있을 것이라고 생각하지도 않았다.

전쟁이 시작되었다. 삼계 전체가 두려움에 떨었다. 하늘 전체가 양편의 전사들에 의해서 뒤덮였기 때문이다. 전사들은 검, 던지는 창, 단검과 도끼, 창과 육중한 곤봉, 크고 작은 많은 바위, 큰 소리가 나는 활, 수많은 종류의 천상의 무기, 불과 불타는 낙인을 휘두르고 있었다. 이것을 구경하기 위하여 성자들은 가장 멋진 전차를 타고 왔다. 완전히 깨달은 요기들처럼 이 축복받은 성자들도 한때 베다의 계시를 받았다. 그들 중에는 훌륭한 전차를 타고 있는 천상의 음악가도 있었고, 천상의 여주인들은 전차 안에 있었다. 그러나 무엇보다도 가장 빛나는 자는 세계의 창조주이자 통치자인 위대한 신 브라마(Brahma) 자신이었다.

그때 다르마를 지배하는 브리트라가 바위 소나기로 신들의 왕과 대기권 전체를 솜씨 좋게 압도하였다. 그러자 노여움으로 불타는 신들이 소나기 화살을 퍼부으면서 그 바위들을 없애려고 하였다. 그러나 자신의 힘만이 아니라 강력한 마야-힘을 소유한 거인은 자신의 마야에 의해서 신들의 왕을 완전히 마비시켜버렸다. 100가지의 희생 제물을 받는 신이 그 마야-힘에 의해서 마비되어 꼼짝 못하고 서 있었다. 그때 베다의 성인 바시슈타(Vasishtha)가 나타났다. 그는 명상하면서 『리그 베다』의 일곱번째 책의 모든 찬가를 만들었던 자이다. 그는 베다의 시구를 읊어서 신들의 왕의 감각을 회복시켰다. 그 성인은 말하였다. "그대는 신들의 지도자이다. 그대 안에는 삼계의 모든 힘이 존재한다. 그런데 왜 그대는 머뭇거리고 있는가? 영광스럽고 신적인 소마만이 아니라 창조주 브라마, 보존자 비슈누, 환상의 파괴자 시바, 그리고 모든 베다의 성인들이 그대를 보고 있다. 단순한 인간처럼 여기서 무너지지 말라. 시바의 3개의 눈이 모두 그대에게 있다. 그대는 베다의 성인들이 찬가를 부르면서 그대의 승리를 찬미하는 것을 듣지 못하는가?"

그러자 자신의 감각을 되찾은 그 신은 확신을 가지고 요가 자세를 취하였다. 그리고 자신을 마비시킨 마야를 추방하여버렸다. 거인의 용맹을 목도하였던 성인들은 기도하고 있는 우주의 주 시바에게로 돌아서 청원하였다. 그러자 그 위대한 신은 자신의 에너지를 무시무시한 열의 형태로 만들어 브리트라에게 쏘는 것으로 응답하였다. 그때 비슈누는 인드라의 무기 속으로 들어갔다. 모든 성인들은 인드라를 향하여 적을 공격하라고 청원하였다. 시바 신 자신이 인드라에게 이렇게 말하였다.

"그대의 앞에 있는 그대의 적 브리트라는 군대의 지지를 받고 있다. 그는 우주의 바로 그 자아(아트만)로서, 모든 곳에 편재하고 있으며 엄청난 기만의 힘을 가지고 있다. 6만 년 동안 그 거인은 이 힘을 얻기 위해서 엄격한 금욕을 해왔고, 마침내 브라마는 그 거인이 요구한 그 혜택을 부여하지 않을 수 없었다. 이것은 요가가 얻을 수 있는 가장 위대한 힘이다. 이것은 자의적으로 환상을 창조하는 힘이고, 정복될 수 없는 힘이며, 영원한 에너지이다. 나는 지금 그대에게 나의 에너지와 힘을 주고 있다. 그러니 그대를 돕는 요가와 함께 그대의 천둥으로 그 적을 살해하라."

그때 신들의 왕이 말하였다. "오, 가장 위대한 신이여, 나는 당신의 축복 어린 눈 앞에서, 당신의 은총을 부여받았습니다. 이제 나의 이 천둥으로 악마들의 어머니로부터 나온 그 무적의 아들을 살해할 것입니다."

그 적이 열에 의해서 나가 자빠지는 것을 본 신들과 성인들은 커다란 기쁨의 함성을 올렸다. 구르는 북, 팀파니, 소라와 트럼펫, 그리고 수만 가지 악기를 이곳저곳에서 두드리고 부는 소리가 나기 시작하였다. 악마들은 자신들의 재치를 잃게 되었고 속임수의 힘도 그들을 떠나버렸다. 승리가 이루어지는 위대한 순간, 베다의 성인들의 환호 소리에 둘러싸인 채 전차 안에 앉아 있던 신들의 왕은 취해 있었다. 그 모습을 보면 누구나 두려워하지 않을 수 없었다.

먼저 패배를 당한 거인에 대해서 말하여 보자. 그의 몸이 타는 열로 가득 차 있을 때 거대한 입에서 한줄기의 불꽃이 나왔다. 그의 색깔은 사라졌고, 그는 사방에서 떨고 있었으며, 거의 숨을 쉴 수가 없었고, 몸 위에 나 있던 털은 모두 꼿꼿하게 섰다. 그의 마음은 사악한 재칼의 형태를 취한 채 턱으로부터 나왔고, 양 옆에서 유성들이 불타오르고 있었다.

신들의 칭송과 숭배를 받는 신들의 왕은 천둥을 조종하면서 괴물을 주시하였다. 괴물은 열 때문에 황홀하게 되자 거대한 악쓰는 소리를 내면서 크게 하품을 하였다. 그의 큰 입이 아직 열려 있을 때 신들의 왕은 천둥을 입 안으로 날려 보냈다. 천둥은 우주의 주기가 끝날 때 우주를 삼키는 불만큼 엄청난 에너지로 가득 차 있었다. 곧바로 천둥은 브리트라를 거대하게 폭발시켰다. 그러자 신들은 황홀 상태에 빠지게 되었고, 천둥을 복구시킨 신들의 왕은 재빨리 전차를 타고 하늘로 올라갔다.

그 극악한 범죄, 곧 브라민 살해는 온 세상 속으로 무시무시하고 불길하고 엄청난 두려움을 불러들였다. 이는 살해당한 거인의 몸으로부터 나온 것이다. 거인의 이빨은 무시무시하게 튀어나와 있었으며, 한쪽이 격렬하게 일그러져 있었고, 황갈색과 검은색을 띠고 있었다. 머리카락은 부수수하게 늘어뜨려져 있었고, 눈을 보면 소름이 끼쳤으며, 목 주위는 해골 화환을 두르고 있었다. 그는 피로 목욕하였고 넝마와 나무 껍질 옷을 입고 있었다. 거인은 천둥의 주를 뒤쫓아 가서 전차를 빼앗고 그를 사로잡았다. 그 순간부터 브라민 살해의 죄는 그에게 달라붙어버렸다. 무서움에 질린 그는 연꽃 줄기로 피신하였다. 그곳에서 브라민 살해 죄가 여전히 붙어 있는 채로 수 년간을 머무르면서 그녀로부터 벗어나기 위한 모든 방법을 시도하였다. 그러나 모든 시도는 그 악마가 여전히 붙어 있는 한 헛되었다. 마침내 그 비참한 상황에 빠진 신들의 왕은 창조주 브라마에게 경의를 표하면서 다가갔다. 그 범죄를 알고 있는 브라마는 어떻게 신들의 왕이 풀려날 것인가 하는 문제를 생각하기 시작하였다.[44]

이 일화에는 두 경쟁자의 이름만 제외하면 베다적인 것이 전혀 없다는 것이 이제 분명해진다. 그들의 성격은 변화되었고, 그들의 힘들도 역시 변형되었다. 심지어 그들의 덕성도 전복되었다. 꼭두각시-영웅의 용기가 소마가 아니라 요가에서 나온 것임을 주목하지 않을 수 없다. 인더스 인장에서 배운 것처럼 요가는 인더스 문명의 한 특징이었다. 더구나 승리를 위한 최종의 영예는 이 인장들에서 예견되었듯이 요가의 주 시바에게 귀속되었다. 그러므로 아리안의 침입과 이 소품 구성 사이에 존재하는 수 세기 동안, 베다의 만신전은 어떤 신학에 적응하고 있었음이 분명하다. 그 신학은 어떤 측면에서는 요가에 최고의 역할을 부여하는 초기의 토착적인 인도적 체계에서 나왔다. 심지어 이 일화에서는 대적자의 힘조차도 그가 6만 년 동안 지속적으로 행하여 온 요가에서 찾고 있다.

더구나 다르마에 대한 강조도 나타나고 있다. 다르마를 우주 법칙, 곧 마트, 메, 르타, 도와 일치하는 덕으로 해석하고 있다. 다른 말로 하면, 청동기 시대의 질서 원리가 개인적 행위라는 베다의 영웅적 주제를 물리치면서 다시 전면에 부상한 것이다. 실제로 영웅적 주제와 대립하는 비영웅적 주제가 이러한 설명을 통하여 지배적인 힘으로 나타났다. 이는 『마하바라타』에서 매우 강조되고 있다. 거기서는 거인들의 집단과 신들의 집단 사이의 권력 변동이 어둠과 빛의 주기의 원리로 설명되고 있다. 그러므로 톨스토이나 마르크스의 역사관 같은 근대의 역사관에서처럼 명백한 영웅들(나폴레옹, 비스마르크, 인드라 등)을 어떤 저항할 수 없는 물마루 위에 위치시키는 것은 역사 자체의 파도이다. 그러나 약간 레반트적인 마르크스 체계와는 대조적으로 이 신화에는 역사 법칙의 활동을 중지시키는 어떤 메시아 시대도 존재하지 않는다. 각 편의 승리 안에는 각기 고유한 한계가 내재한다고 보기 때문이다. 여기서 변화는 본질적이다. 세계 환상의 창조주인 브라마는 환상의 힘을 그 이야기 속의 악마에게 준다. 시바는 그 환상을 파괴하기 위해서 인드라에게 그의 에너지와 힘을 준다. 그러나 영웅신은 자신의 부하를 살해하였을 때 그 스스로가 일종의 전쟁 범죄자가 되었음을 발견하게 된다. 비록 그가 여전히 세계의 구세주이기는 하지만 말이다.

여기에는 프로메테우스의 메아리가 있으며, 세상의 죄를 자신의 어깨 위에 짊어진 채 십자가에 매달린 그리스도의 메아리가 울린다. 자신의 십자가 위에 있는 그리스도, 세계의 산에 못박힌 프로메테우스, 자신의 연꽃 줄기에 있는 인드라! 여기서 다시 한번 선과 악을 초월한 호루스, 세스, 그리고 그들의 "두 동반자의 비밀"*에서 우리에게 처음 나타난 그 고대적인 신화적 맥을 만지게 된 것이다.

그러므로 요가와 주기의 원리는 인더스 초기의 특징임이 분명하다. 그러나 노래하는 베다 성자들의 모티브는 이 신화적 그림의 베다적 측면에 속한다. 세계 환상의 창조주로서의 브라마, 그것의 보존자로서의 비슈누, 그리고 3개의 눈을 가지고 요가의 주이면서 동시에 세계 환상의 파괴자이기도 한 시바를 포함하는 신들의 삼위 일체라고 하는 개념은 후기, 그것도 매우 후기의 개념이다. 이 개념은 기원후 400년경까지는 인도 예술과 신화에서 나타나지 않는다.

제4장에서 이 후기 시대에 대해서 다룰 것이다. 그 전에 베다의 쾌활한 신들이 처음에는 자신들이 경멸하는 비영웅적 남근 숭배 체계에 포섭되다가, 나중에는 얄궂게도 세계를 부정하는 교의에 봉사하게 되는 과정을 다룰 것이다. 니체는 이러한 교의를 "위축의 덕(the Dwarfing Virtue)"이라고 불렀는데, 거기서는 위대한 자가 왜소하게 되고 왜소한 자는 위대하게 되며, 체념의 교사들이 저절로 영광을 얻게 된다.

---

* 97-99쪽 참조.

4. 신화적 힘

인도에서 사제 계급이 귀족층에 대한 지배권을 획득한 수단은 경외감이었다. 그 과정은 점진적이었지만 매우 확실하고 확고하게 진행되었다. 그들은 베다의 주문을 읊고 그것이 지닌 분명한 힘으로 주위에 있는 모든 것에서 경외감을 불러일으키려고 하였다. 처음에는 신들에게 간청하였다. 그러나 인간의 의지로 신들을 불러낼 수 있으므로 주문을 행하는 의례의 힘이 신의 힘보다 더 위대하다는 사유가 등장하였다. 이제 신들은 더 이상 간청의 대상이 아니고 오히려 그들의 축복을 전사 계급에게 제공해야만 하였다. 따라서 강력한 주문을 아는 브라민의 주술이 세상에서 가장 강력하면서도 가장 위험한 것으로 간주되었다.

"지식"을 의미하는 veda라는 말은 vid("나는 본다"라는 뜻을 지닌 라틴 어 video와 비교해보라)라는 어근에서 나왔다. 이는 "지각하다, 알다, 간주하다, 이름 짓다, 발견하다, 얻다, 수여하다"를 뜻한다. 베다의 찬가는 인간이 만든 것이 아니라 계시와 마찬가지로 신화적 과거의 위대한 성인들(르시스[ṛṣis])에게 "들리어진(heard, 스루티[śruti])" 것으로 간주된다. 그러므로 베다의 찬가는 진리의 보고(寶庫)이다. 따라서 베다는 연구하고 분석하고 명상의 대상으로 삼아야 할 힘이었다. 그것을 해석하는 데에 몰두한 신학적 저작들은 "브라민의 저작(브라마나[Brāhmaṇas])"이라고 불리며, 최초의 것은 기원전 800년경까지 거슬러 올라간다. 이 저작들에서는 베다의 찬가와 의례가 인간의 사고와 행동의 산물이 아니라 우주의 근본적 요소로 간주된다. 베다는 우주에 선행하는 것으로 여겨졌다. 왜냐하면 베다는 강력하고 창조적이고 영원한 음절들을 포함하고 있으며, 신들과 우주는 그것으로부터 나온 것이기 때문이다. 예를 들면 "옴!"이라는 음절이 있다.

이 소멸할 수 없는 음절은 모든 것이다.
말하자면,
과거, 현재, 미래에 존재하는 모든 것은 옴이다.

220

이 세 겹의 시간을 넘어서 있는 것 — 그것 역시 옴이다.[45]

베다 찬가에 있는 그러한 힘에 대한 지식을 가지고 있는 브라민 지식인들은 그 힘을 통제하여 자신들이 원하는 바를 성취할 수 있었다. 그들은 그 시구를 적절하게 조작함으로써 친구에게는 이익을, 적에게는 불행을 가져오게 할 수 있었다. 예를 들어보자.

> 만일 어떤 사람의 날숨을 빼앗고 싶으면, 혼동 속에 있는 바유(Vayu : 바람-신)에게 "그의 날숨을 빼앗고 싶다"라는 3행 연구(聯句)를 읊으면서, 그 시의 한 절이나 한 줄을 빠뜨려야 한다. 그러면 혼동이 일어나고, 실제로 상대방으로부터 날숨을 빼앗게 된다. 만일 어떤 사람의 날숨과 들숨을 빼앗고 싶으면, 혼동 속에 있는 인드라와 바유에게 "그의 날숨과 들숨을 빼앗고 싶다"라는 3행 연구(聯句)를 읊으면서, 그 시의 한 절이나 한 줄을 빠뜨려야 한다. 그러면 혼동이 일어나고, 실제로 상대방으로부터 날숨과 들숨을 빼앗게 된다. …… 만일 어떤 사람의 힘을 빼앗고 싶으면, 혼동 속에 있는 인드라에게 "그의 힘을 빼앗고 싶다"라는 3행 연구(聯句)를 읊어야만 한다. …… 만일 어떤 사람의 사지를 빼앗고 싶으면, 혼동 속에 있는 모든 신들에게 "그의 사지를 빼앗고 싶다"라는 3행 연구를 읊어야 한다. …… 그러나 만일 어떤 사람과 그의 가족 및 자아를 잘 살게 하고 싶으면, "그의 가족들과 그의 자아를 포함하여 그를 잘 살게 하고 싶다"라는 구절을 적절하고 적당한 순서로 읊어야 한다. 그러면 실제로 그와 그의 가족 및 자아는 잘 살게 된다. 이러한 것을 아는 자는 그의 가족 및 자아와 함께 잘 살게 된다.[46]

신들은 희생 제물로부터 힘을 얻었다. "희생 제물은 신들의 전차이다"[47]라고 말해진다. 그러므로 브라민은 인간만이 아니라 신들의 지배자이기도 하였다. 이러한 말이 있다. "참으로 두 종류의 신이 존재한다. 신들은 신이고, 잘 교육받은 브라민 지식인은 인간 신이다. 이 두 신들 사이에서 봉헌물이 나누어진다. 희생 제물은 신들을 위한 것이고, 보수는 인간 신, 곧 잘 교육받은 브라민 지식인을 위한 것이다. 희생 제물을 바치는 사람은 희생 제물로 신을 즐겁게 하고, 보수로 인간 신, 곧 잘 교육

받은 브라민 지식인을 즐겁게 한다. 이 두 종류의 신이 모두 기분 좋을 때 그를 하늘의 낙원으로 보낸다."[48]

만일 이 두 종류의 신 중에서 누가 더 위대한가 하는 질문이 제기된다면, 그 대답은 즉시 나온다. "위대한 리시(rishi)의 후손인 브라민 그 자체가 모든 신이다."[49] 그리고 다시 한번 이렇게 대답한다. "브라민은 최고의 신이다."[50]

브라민이 후원자를 확대하기 위하여 준비하는 거대한 의례 중에서 가장 규모가 큰 것은 화려한 행렬로 가득찬 말 희생제의(아스바-메드하〔aśva-medha〕)이다. 왕을 위하여 기획하고 준비하는 이 의례에는 엄청난 수의 숙련된 브라민이 요구된다. 이 브라민들은 4종류로 되어 있다.

1. "신을 부르는 자"를 의미하는 호트리(Hotri). 이들은 초기(기원전 1000년경)에는 노래를 부르고 희생제의를 드리는 자였을 것이다. 하지만 후기 브라마나의 전성 시대(기원전 800-600년경)에는 신들을 방문하고 여러 거소에 있는 그들을 불러내어 향연에 참가하도록 권유한다. 그리고 신들이 불에서 약간의 희생물을 받도록 하는 특별한 과제를 가지고 있었다.

2. "희생제의를 드리는 자"를 의미하는 아드호바류(Adhvaryu). 이들의 과제는 희생 제물을 감시하는 것이다. 호트리가 "아름다운 혀를 가진 자"로 칭송되었음에 비해 아드호바류는 "아름다운 손을 가진 자"로 칭송되었다. 호트리의 안내서는 『리그 베다』였지만 아드호바류의 안내서는 아주르 베다였다. 모든 주요 의례에서 이들은 중요한 기능인이었고 의례의 규모에 따라 많은 보조자들을 데리고 있었다.

3. "노래 부르는 자"를 의미하는 우드가트리(Udgatri). 이들은 또 다른 찬가집인 사마 베다로부터 뽑은 노래들을 읊었다. 사마 베다의 찬가들(이것들의 상당수가 『리그 베다』의 것과 같다)은 이들을 위해서 음절에 악센트 부호를 두었다. 그리고 마지막으로,

4. 감독 브라민. 이들은 반드시 그러한 것은 아니지만 왕실의 최고 사제인 경우가 종종 있었다.

말 희생제의의 상징은 여러 면에서 조잡할 정도로 성적 성향을 띠고 있었다. 그 의례는 초기 청동기 시대에 식물의 다산을 일차적 목적으로

하여 행한 황소 의례를 각색한 것이기 때문이다. 그러나 남근적 측면이 가장 많이 드러난 경우조차도 여기서는 이것이 다산만을 위한 것이 아니라 무엇보다도 전 세계에 대한 — 최상의 경우에는 — 왕실의 지엄한 권력과 권위를 산출하기 위한 것으로 간주되었다. 그 의례는 봄이나 여름에 시작되었고, 거기서 사용되는 동물은 특별한 표시에 의해서 구별되는 순수한 혈통을 지닌 종마라야 하였다. 일단 선택되면 그 종마는 제의적으로 격리하여 희생제의용 말뚝에 묶는다.

"희생제의용 말뚝은 저편의 태양이고 제단은 땅이다. 성스러운 풀을 뿌리는 것은 식물의 상징이고 불쏘시개는 나무의 상징이다. 뿌려진 물은 바다이고 그것을 둘러싸고 있는 막대기들은 네 방향을 나타낸다."[51]

그 희생제의의 모든 측면은 우주의 구조 안에 그 대응물을 가지고 있었다. 모든 행위는 우주적 지시물을 가졌다. 효과를 산출하는 의례의 힘은 이러한 유비의 정확성에 달려 있었다. 사실 브라민 계급의 힘은 그러한 우주적 일치에 대한 지식에 놓여 있었다. 여기에 관련된 원리는 기본적으로 프레이저의 "모방 주술"[52]이었다. 원시적 수준에서는 주술이 함축하고 있는 유비가 대체로 눈에 분명하게 드러나지만, 브라민의 유비는 매우 난해하고 때로는 찬란할 정도로 시적이었다.

기둥에 묶여 있던 말은 목욕하기 위하여 빗자루와 함께 물속으로 들어갔다. 그 동안 매춘부의 아들이 "4개의 눈이 달린" 개를 때려죽였고(양쪽 눈위에 검은 점을 가진 개로서 사자(死者)의 땅의 수호견을 암시한다), 죽은 개는 말의 배 밑에 깔린 채 남쪽으로 떠내려가다가 사자의 땅쪽으로 방향을 바꾸었다.

개를 죽인 자는 이렇게 외친다. "바루나는 이 말을 공격하는 자를 모두 물리칠 것이다. 떠나라, 인간이여! 떠나라, 개여!"[53]

이러한 이상한 의례에서 살해당한 개는 불행을 상징한다. 이러한 불행은 순수한 섹스가 지니는 힘의 효과를 표상할 뿐만 아니라, 실제로 그러한 힘 자체인 어떤 존재, 곧 매춘부의 자식에 의해서 주술적으로 추방된다. 그러므로 섹스의 힘은 군사적 힘과 박학한 브라민의 지식 못지않게, 이 의례에서 그 자체의 역할을 하는 셈이다.

이제 말은 풀려나 1년 동안 100마리의 말들과 함께 마음껏 뛰놀 수 있게 된다. 여기에는 눈에 뜨이는 어떠한 암말도 포함되어 있지 않다. 단지 100명의 왕자, 100명의 고위직 관리의 아들, 그리고 100명의 하위직 관리의 아들로 이루어진 기병대가 뒤따른다. 만일 그 훌륭한 말을 데리고 도망간다든지 자신의 왕국으로 그 말이 들어가는 것을 막는 자가 있다면, 그 왕은 그자들과 싸워야만 할 것이다. 반면 이 말을 자신의 영역으로 받아들인 왕은 그 말을 풀어준 그 위대한 군주에게 통치권을 양여해야 한다. 그런데 그 군주는 지금 집에서 주술적인 중요성을 지닌 대규모 의례를 행하느라 매우 바쁘다.

날마다 희생제의를 통해서 제물이 사비트리 신 앞에 바쳐지고 있었다. 왕과 궁정 앞에서 매일 열리는 축제에서는 호트리 사제가 극적인 배알, 노래와 음악, 춤과 서사시의 낭송, 그리고 왕을 칭송하는 음유 시인의 즉흥적인 노래를 동반한 리사이틀을 개최하고 있었다. 그날그날의 상황에 따라 청중들을 선발하였다. 노인, 젊은이, 땅꾼, 어부, 새 잡는 사람, 강도, 대금업자, 또는 성인이 상황에 따라 선발되었다.[54] 더구나 이 해 동안은 말이 교접의 즐거움을 가질 수 없듯이 왕도 마찬가지였다. 왕에게는 금욕 행위가 더 어려웠다. 매일 밤 그는 총애하는 왕비의 다리 사이에서 자야만 했기 때문이다. 36명의 아드흐바류 사제들은 2주일 마다 아슈바타 숲(여기에는 하나의 말장난이 들어 있는데 aśva라고 하는 말은 "말"을 의미하기 때문이다)의 벤치에 앉아서 밭의 산물과 낙농품인 버터, 보리, 우유, 쌀을 불속에 던지면서 밤을 보냈다.[55]

3일간의 축제로 한 해가 마무리될 때 종마가 동료 말들과 함께 돌아왔다. 그 말은 장터로 씩씩하게 질주하였으며, 사마 베다의 찬가를 불렀다. 우드가트리 사제가 자신의 노래를 중지하였을 때, 그 동물 소리는 절정에 달하였다. 그때 암말이 달려들어오고, 결함이 없는 완벽한 종마가 울기 시작하였다. 그것은 종마의 우드기타(Udgitha)로 알려졌다. 완벽한 암말도 맞장구쳤다. 이것은 암말의 우드기타로 알려졌다.[56]

초기 베다 시대에는 말을 제외하면 이 의례에 바친 유일한 짐승은 숫양이었다. 이 양은 태양의 사자(使者)인 푸샨(Pushan) 신을 나타내고 있었다. 『마하바라타』에서는 다음과 같은 광경이 묘사되고 있다.

　사제들은 베다에 밝았으며 모든 의례를 정확하게 수행하였고 방향에 맞
게 정확하게 움직였으며 완전한 훈련을 받았고 완벽할 정도로 지혜로웠다.
의식을 위배하는 경우는 하나도 없었으며 어느 것도 불순하게 행하는 법이
없었다. 더구나 그 많은 사람들 중에 유쾌하지 않거나 가난하거나 굶주리거
나 슬픔에 빠져 있거나 저속한 사람은 아무도 없었다. 음식은 모든 사람에
게 충분히 제공되었다.
　희생제의에 관련된 모든 지식에 정통한 사제들은 매일 경전이 지시하는
사항들을 정확하게 따랐고, 거대한 의례를 수행하는 데에 필요한 행위를 하
였다. 베다의 지식에 정통하지 않거나 서약을 완벽하게 지키지 않는 자는
아무도 없었다. 말뚝을 설치할 시간이 다가왔다. 6개는 빌바 나무, 6개는 카
디라 나무, 6개는 사르바바르닌 나무, 2개는 데바다루 나무, 1개는 슈레슈마
타카 나무였다(총 21개의 말뚝). 오직 아름다움을 위해서, 금으로 만든 말
뚝들도 들어올렸다. 왕이 하사한 페넌트로 장식된 말뚝들은 궁정의 신들과
7명의 천상 성인들로 에워싸인 인드라처럼 빛났다. 금벽돌로 지은 탑은 천
상의 탑처럼 아름다웠고, 높이가 18완척이고 4층이었다. 뾰족탑에는 금으로
만든 커다란 삼각형의 새가 태양-새인 가루다처럼 앉아 있었다.
　사제들은 경전에서 규정한 사항들을 완벽하게 따르면서 동물들과 새들을
각자의 신에 따라 말뚝에 묶었다. 경전에서 규정한 독특한 표시를 가진 황
소들과 수생 동물을 희생제의의 불을 켠 후에 말뚝에 적절하게 매어놓았
다. 희생제의를 준비하는 과정에서 300마리의 짐승을 이렇게 말뚝에 매어
놓았다. 여기에는 흠이 없는 모든 말들 중에서 가장 으뜸가는 것도 포함
되었다.
　희생제의의 장소 전체가 천상의 성인들, 천상 음악가의 무리 및 그들
의 여주인, 그리고 춤추는 소녀들로 가득찬 장소처럼 영광스럽게 꾸며졌
다. ……[57]

왕의 세(혹은 네) 부인 — 그들 중의 하나는 수드라 계급에 속할 수
있다* — 이 다가와 말 주위를 돌아 다닌다. 그들은 그 짐승의 몸에 기

―――――――――――
* "브라민에게는 세 종류의 부인이 있고, 크샤트리야에게는 두 종류, 그리고 바이샤는

름을 칠하고 문지르고 목 주위에 화환을 걸면서 제물로 바칠 준비를 한다. 그 동안 호트리 사제와 감독 브라민은 상징적이고 희극적인 수수께끼 연극을 한다. 그후 말을 말뚝으로 다시 옮기어 옷을 입히고 질식시켜 죽인다. 그러면 왕의 첫번째 부인이 다가와 그 죽은 짐승과 결혼하는 이상하고 거의 믿을 수 없는 고대적 의례가 시작된다. 이 짐승은 세계 질서의 지배자이고 영원히 살아 있는 위대한 신 바루나를 상징한다.

그녀는 죽은 말 옆에 눕고 아드흐바류 사제는 그녀와 말을 헝겊으로 덮는다. 사제는 "하늘에서 너희는 함께 덮힌다. 남성적으로 강한 종마이자 씨를 뿌리는 자, 네가 그 안에 씨를 뿌려라!"라고 말하면서 기도한다. 그러면 여왕은 종마의 성기를 잡고 앞으로 당겨 그녀의 생식기 안으로 강하게 집어넣는다.

그녀는 외친다. "오, 어머니, 어머니, 어머니! 아무도 나를 취하지 않아요! 힘 없는 말은 잠자고 있어요! 아, 이 놀라운 조그만 것은 캄필라 나무의 잎과 껍질로만 옷을 입었어요!"

그러자 사제가 말하였다. "나는 아이를 낳게 만드는 사람을 자극할 것이다. 그대도 아이를 낳게 만드는 사람을 자극하라." 그러자 왕비는 종마에게 "이리로 와라, 우리 둘이 사지를 뻗자"고 말한다.

사제는 신을 자극하기 위하여 기도한다. "와라! 그대를 위하여 다리를 벌린 그녀의 홈에다 그대의 씨를 잘 뿌려라. 오, 남성의 힘인 그대여! 여자들에게 생명을 제공하는 그대의 기관을 작동시켜라. 그것을 앞뒤로 은밀히 치면서 감추어진 애인인 칼집 속으로 돌진하여 가라."

왕비는 "오, 어머니, 어머니, 어머니! 아무도 나를 취하지 않아요!"라고 외친다.

그러자 왕은 수수께끼 같은 메타포를 덧붙인다. "언덕에 한 짐의 갈대를 세우려는 사람처럼 그것을 높이 올려라. 그러면 신선한 바람 속에서

그 자신의 계급 안에서만 결혼해야 한다. …… 브라민 출신의 부인이 브라민의 첫번째 부인이 되게 하고 크샤트리야 출신의 부인은 크샤트리야의 첫번째 부인이 되게 하라. 쾌락을 위해서 수드라도 허용된다. 그러나 다른 계급에게는 이것을 허락하지 않는다." 『마하바라타』, 13.44.12.

키질하는 사람처럼 그것은 그 안에서 편안할 것이다."

사제는 시중드는 공주의 성기를 가리키면서, "거기에 있는 약하고 작은 암탉이 당황하여 첨벙거리고 있다. 마당은 깊게 갈라져 있고 칼집은 열심히 빨아들이고 있다."

그러자 공주는 사제의 성기를 가리키면서 말한다. "거기에 있는 약하고 작은 수탉이 당황하여 그대의 크고 수다스러운 입처럼 첨벙거리고 있다. 사제여 당신의 입을 다물어라."

다시 한번 왕비는 소리쳤다. "오, 어머니, 어머니, 어머니! 아무도 나를 취하지 않아요!"

감독 브라민은 큰소리로 그녀를 부른다. "옛날에 당신의 아버지와 어머니는 이 나무의 꼭대기에 올라갔다. 그때 당신의 아버지는 '이제 나는 만날 것이다'라고 소리쳤다. 그리고 그는 깊은 틈이 있는 마당을 왔다갔다하였다."

왕비는 소리친다. "오, 어머니, 어머니, 어머니! 아무도 나를 취하지 않아요!"

호트리 사제가 다른 왕비를 향하여 말한다. "좁은 틈 속에 있는 그 커다란 것이 작은 것에 부딪칠 때, 2개의 커다란 입술은 소가 다니는 흙탕물에 있는 2마리 작은 고기처럼 뒤엉켜 있다."

그러자 왕비는 아드호바류 사제를 향하여 이렇게 말한다. "만일 신들이 흠뻑 젖은 얼룩덜룩한 황소를 즐겁게 해준다면 그 여자의 올라간 무릎은 당신의 눈앞의 진리처럼 그것을 분명하게 보여줄 것이다."

왕비는 다시 소리친다. "오, 어머니, 어머니, 어머니! 아무도 나를 취하지 않아요!"

이제 최고위급 집사가 수드라 출신의 네번째 부인에게 이렇게 말한다. "고귀한 영양이 보리씨를 먹을 때 아무도 전에 그것을 먹고 자란 마을 암소에 대해서는 생각하지 못한다. 수드라의 애인이 아리안일 때 그녀는 창녀의 사례금을 잊는다"[58]

고귀한 입으로부터 내뱉는 이러한 제의화된 외설들은 조야하며, 그 훌륭한 직위들과 관련을 짓기 어렵지만, 이러한 외설들은 고대 청동기 시대와 철기 시대 종교의 주술적 지식과 완전히 부합하고 있다. 이는 메이어 교수가 인도의 식물 의례에 관한 본격적인 연구에서 말하는 것과 같다. "그러한 언어적 성교 행위는 유비의 원리를 통하여 제의적 성교나 어떤 종류의 실제적 성교만큼이나 그 주술을 훌륭하게 작동시킨다."[59] 희생제의용으로 죽은 말의 상징적 행위는 죽은 오시리스의 행위와 상응하는데, 죽은 오시리스는 젊은 아피스 황소 호루스를 낳았던 것이다.* 또 메이어가 지적하듯이, 짐승과 결합한 왕비의 의례는 "'마굿간에서 거행된' 아테네의 왕비와 다산의 신 디오니소스의 신성혼과 쉽게 연결된다. 이 의례에서 신은 황소의 모습을 하고 그녀에게 분명히 다가갔다. 이는 바루나가 종마의 모습을 하고 위대한 왕비(마히시[mahiṣī])에게 나타났던 것과 같다."[60]

희생제의용 말과 함께 누웠던 왕비와 다른 왕비들은 이제 일제히 서서 『리그 베다』에 나오는 한 구절을 노래한다. 이 노래는 다드히크라반(Dadhikravan, "응고된 우유를 흔드는 자")이라는 이름을 지닌 날아다니는 신적인 말에게 바친 것이다.

다드히크라반에게 칭송의 노래를 바치자 :
많은 승리를 가져오는 강력하고 빠른 말 :
그가 우리의 입에 향기를 제공하기를!
그가 우리의 삶을 오래 유지시켜 주기를![61]

그들은 베다의 구절을 가지고 물에 기원하면서 제의적으로 몸을 닦기도 하는데, 이 물은 세상의 모든 물처럼 바루나에게 향하는 것으로 간주된다.

오, 물이여, 우리에게 활기를 주소서,
우리에게 신선한 힘을 주소서,
우리에게 커다란 즐거움을 알려주소서.

* 66쪽 참조, 그리고 『신의 가면 : 원시 신화』의 제9장 3절 참조.

그대의 축복은 얼마나 부드러운 축복인가!
여기서 그 축복을 누리게 하소서,
사랑스럽고 신적인 태모신들처럼.

그(바루나)의 이름으로 우리는 그대에게 다가간다
그대는 그의 거소로 빠르게 향한다.
오, 물이여, 우리에게 그대의 힘을 주소서![62]

『마하바라타』의 다음 구절은 이렇다. "말을 도살한 후 최고의 지능을 가진 왕비 — 그녀는 성스러운 지식과 재산 그리고 헌신의 태도를 지니고 있었는데, 이러한 것은 왕비의 최고의 자질들이다 — 는 그 토막난 짐승 옆에 앉았다. 차분하고 침착한 브라민들은 그 골수를 적절하게 요리하였다. 경전에 따라 왕은 요리된 골수에서 나는 증기 냄새를 맡았는데, 그 냄새는 죄를 정화하는 힘을 가지고 있었다. 16명의 학식 있는 사제들이 짐승의 나머지 다리들을 불속으로 던짐으로써, '세계 군주의 말 희생제의'는 완료되었다."[63]

그리스의 영웅들이 말의 재생을 통해서 트로이를 정복한 호머의 트로이 목마 전설은 이와 같은 어떤 거대한 의례를 반영하였음에 틀림없다. 1913년 볼가 강 지역의 핀 족 계통에 속하는 체레미스 부족은 매우 단순화된 말 희생제의를 행하였다. 거기서는 흰 양을 신의 "사자"로 간주하여 살해하였지만 황실의 모티브나 성적 모티브는 생략되어 있었다.[64] 이 말 희생제의는 북부 스텝 지역의 전승이다. 말은 그들이 처음 사육한 동물이었고, 베다 아리안은 그들의 한 갈래였다. 후기 인도 전통의 맥락에서 볼 때 이것은 브라민 아리안 계통의 원초적 특징이다. 여신과 그녀의 배우자로 이루어진 인신 공희는 보다 오래되고 비(非)베다적인 신화적 질서에서 나온 것이기 때문이다.

5. 숲의 철학

베다의 고전적인 성지인 브라흐마바르타는 줌나 강과 수트레지 강 사이에 있는 평원의 북동쪽에 있었다. 대략 말하자면 델리와 라호르 사이이다. 반면 "성자들의 나라"로서 찬가들이 수집되고 편집된 브라흐마르시데샤(Brahmarshidesha)는 거기에서 약간 남동쪽으로 떨어져 있었다. 도압(줌나 강과 갠지스 강 사이의 땅)의 위쪽 부분과 마투라 주변이다.[65] 『리그 베다』에서는 벵갈의 호랑이가 언급되지 않으며, 남부의 산물인 쌀도 언급되지 않고 있다. 베다는 사자에게 명예로운 지위를 부여하는데, 당시 사자는 수트레지의 동쪽에 있는 광대한 사막 지역을 배회하고 있었다. 그리고 소치는 사람들의 주식은 밀이었던 것 같다.[66]

한편 불교도의 고전적인 나라는 이 초기 아리안 중심지의 동쪽, 갠지스 강의 아래, 베나레스의 밑, 오우드흐와 비하르 부근에 위치하고 있었으며, 북쪽으로는 네팔을 향해서, 남쪽으로는 벵갈 호랑이와 쌀의 땅인 위험한 초타 나그푸르 정글로 달리고 있다.

이 두 세계는 서로 대립하는 상징적 극이라고 할 수 있다. 그 지역에 새로 이주한 자와 보다 오래 거주하던 자의 대극적 신화가 상호 작용하는 모습이 보인다. 불교도와 자이나교도뿐만 아니라 특정한 교단에 속하지 않으면서 세계를 부정하는 상당한 수의 숲의 성자들이 후자 지역(불교도의 고전적 나라/역주)에서 그들 자신의 고전적 성지를 마련하고 있었다. 베나레스는 "요가의 주"인 시바의 도시였다. 앞에서 언급한 것처럼* 이곳은 인더스 계곡의 인장에서 보이는 요가 자세를 최초로 출현시킨 중심지였을 가능성이 있다. 따라서 이곳은 무한한 과거를 지닌 신화 발생적 지대라는 가설을 세워 볼 수 있다.

앞에서 우리는 브라민이 신들 중 가장 위대하다는 사실을 알았다. 그러나 그들의 올림푸스 산에 있는 주술적 요새에는 갈라진 틈이 상당히 많았다. 이 틈은 갠지스 평야 지대를 정복한 아리안이 베나레스 근처에

---

* 181쪽 참조.

도달하는 시기인 기원전 700-600년경까지는 드러나지 않았다. 가장 오래된 우파니샤드에는 이런 기록이 있다.

가르갸 가문에 '발라키'라는 사람이 있었다. 그가 베나레스의 왕 아자타샤트루에게 "제가 브라만에 대하여 말씀드리겠습니다." 하니, 왕은 "그렇게 해 주신다니 저는 소 천 마리를 드리겠습니다." 하였다.

가르갸가 말하였다. "태양 속에 들어 있는 자, 나는 그를 브라만으로 숭배하고 있습니다." 그러나 아자타샤트루 왕이 말하였다. "그렇게 말씀하지 마십시오. 나는 (태양뿐 아니라 그 어느 곳에든 들어 있는) 모든 것을 초월하는 이, 모든 생물의 우두머리요, 왕을 (브라만으로) 숭배하고 있습니다. 이처럼 그 존재를 숭배하는 사람은 모두 초월적이고, 모든 생물의 우두머리, 그리고 빛나는 이가 된답니다."

가르갸가 말하였다. "나는 달 속에 있는 그를 브라만으로 숭배하고 있습니다." 그러자 아자타샤트루가 말하였다. "그렇게 말씀하지 마십시오. 나는 (달뿐 아니라 그 어느 곳에도 들어 있는) 크고, 흰 옷을 입은, 눈부신 소마를 (브라만으로) 숭배하고 있습니다. 이처럼 그 존재를 숭배하는 자, (제사에서) 소마를 바치는 자에게는 결코 '먹을 것'이 모자라는 일은 없답니다."

가르갸는 번개, 대공(大空), 바람, 불, 물, 거울 속에 있는 자, 걸을 때 그 뒤로 좇아 나는 소리, 사방 모든 곳에 있는 자, 그림자, 그리고 자기 자신 안에 있는 자에 대해서 같은 방식으로 가르치려고 하였다. 그러나 그러한 모든 시도에 대하여 같은 반박을 받았다. 가르갸는 침묵하였다.

아자타샤트루가 말하였다. "당신께서 제게 가르치시려 한 것이 이게 전부입니까?" "네, 전부입니다." "이것만 가지고는 브라만을 알 수 없군요." 그랬더니 가르갸가 말하였다. "제가 당신의 제자가 되고자 합니다만."

아자타샤트루가 말하였다. "브라민이 가르침을 주시리라고 생각하고 있던 이 크샤트리야에게 가르침을 받으려 하시다니. 이것은 거꾸로 되었군요. 그러나 당신께 말씀드려보겠소." 그는 가르갸의 손을 잡고 일어났다. 그들은 잠자고 있는 어떤 사람에게로 갔다. 아자타샤트루는 그를 "매우 크고, 흰 옷을 입은, 빛나는 소마여!" 하고 불러보았으나 그는 일어나지 않았다. 왕은 그를 손으로 흔들어 깨웠고 그때야 그 사람이 일어났다.

아자타샤트루가 말하였다. "의식으로 되어 있는 이 존재가 잠이 들면 어디로 가는 걸까요?" 가르갸는 알지 못하였다.

아자타샤트루가 말하였다. "의식으로 되어 있는 이 존재는 수면 중에 그 자신의 의식을 통해서 감각 기관들의 기능을 가져다가 그 가슴속 빈 공간 속에 쉬게 합니다. 이 존재가 이렇게 모두를 흡수하고 있는 것을 보고 우리는 '저 사람이 잠잔다'고 말합니다. 그때 그 한곳으로 후각이 흡수되고, 목소리가 흡수되고, 두 눈이 흡수되고, 귀가 흡수되고, 마음이 흡수되는 것입니다. 꿈에서 그가 돌아 다니는 곳, 그곳도 그의 세상입니다. 그는 그곳에서 마하라자(maharaja, 제왕)가 되고, 위대한 브라민이 되며, 높고 낮은 세상도 얻습니다. 마하라자가 사람들을 데리고 그의 땅 안에서 가고 싶은 곳을 돌아다니듯, 그는 그 몸속에서 감각 기관들을 데리고 그가 가고 싶은 곳을 돌아다닙니다.

깊은 숙면 속에 있을 때, 그는 아무 것도 모르며, '히타'라고 불리는, 그의 심장으로부터 온몸의 부분에 분포하고 있는 7만 2천 개의 기도(氣道)를 타고 와 그(심장) 속에 머물지요. 어린아이가 그러하듯, 혹은 왕이나 훌륭한 브라민이 행복의 지극한 정상에 도달한 기쁨으로 살 듯, 그도 그러한 행복감 속에 잠을 잡니다.

거미가 거미줄을 따라 움직이고, 불똥들이 사방으로 흩어지듯, 이 아트만으로부터 모든 감각 기관들과 모든 세계와 모든 신, 그리고 모든 생명체들이 나왔습니다. 이 비밀스런 가르침(우파니샤드)은 진리 중에 진리(사탸샤 사탸[satyasya satya])이며, 숨이 곧 그것을 증명하고 있으니 아트만은 곧 그들 모두의 진리인 것입니다."[67]

이러한 가르침은 심장으로부터 나오는 신경이나 정맥, 그리고 이러한 내부의 해부학적 구조를, 꿈꾸는 잠 및 꿈 없는 잠의 상태와 신비적으로 결합시킨 데에 그 현저한 특성이 있다. 존재의 존재에 관한 이러한 지식은 요가의 정신신체(psychosomatic) 교의에 확실히 속한다. 이미 살펴보았듯이 이 교의는 베다에서는 언급된 적이 없지만 기원전 700-600년경에 상당히 발전하고 있었다. 아트만, 곧 영적 "자아"의 교리도 위의 문헌에서 완전하게 전개되고 있다. 더구나 이 아트만 교리는 희생제의에 관한 브라마나의 가르침이 아니라 내면화된 꿈의 상태 및 꿈 없는 상태의 교의와 연결되어 있다.

232

이제 한걸음 더 나아가 7만 2천이라는 숫자에 주목하여 보자. 앞에서 보았듯이 메소포타미아의 1년은 5일 단위의 72주로 되어 있다. 플루타르크가 제시한 오시리스의 살해 이야기에서는 자아*와 동일시되는 신 — 죽었다가 부활하는 — 이 동생 세스의 패거리 72명에 의해서 관 속으로 들어갔다(깊은 잠의 상태에 빠졌다).[68] 그 숫자는 대우주와 소우주의 일치를 전제하는 메소포타미아의 배경에서 생겨난 것이다. 이는 엄밀한 사실적 질서의 과학보다는 상징적 질서의 과학과 관련된 신화적 장엄함이다.

1. 아트만, 2. 깊은 잠, 꿈, 깨어 있는 상태, 3. 요가, 4. 정신 신체 체계, 5. 청동기 시대의 메소포타미아에서 나온 것이 분명한 우주 체계(4의 체계와 5의 체계는 상징적으로 관련되어 있음). 이러한 관념들은 초기 우파니샤드에서 청천 벽력처럼 갑자기 출현하였으며, 후대의 동양 철학과 종교의 전개 과정에서 근본적인 사유로 남게 된다. 그리고 그 관념들은 브라민이나 승려가 아니라 비아리안계일 수도 있는 왕에 의해서 세계 사상사에 소개되었다. 이 사실을 주목해야 한다. 가르갸는 포교사로 자부하고 왕에게 갔으나 다른 많은 훌륭한 포교사들처럼 오히려 그 자신이 무엇을 가르쳐야 하는가를 배워야만 하였다. 그는 진리의 모든 영역을 결국 지배할 수 없다는 사실을 배워야 하였다.

우리의 두번째 브라민도 이와 비슷한 놀라운 경험을 하였다. 그는 동양의 지혜를 가르치는 모든 교사들로부터 총애를 받고 있었으며 매력적인 성품을 어느 정도 지니고 있었다. 어느 날 그는 자신의 아들을 왕실에 보내 성인들의 모임에 참석하도록 하였다. 현명한 청년 슈베타케투(Shvetaketu)가 도착하자 프라바하나 자이발리(Pravahana Jaibali) 왕은 이렇게 말하였다.

"젊은이여, 그대의 아버지가 그대에게 가르침을 주었다고 하였는가?"
"예, 존경하는 왕이시여, 그렇습니다."
"그대는 사람들이 이 세상을 떠나 어느 곳으로 가는지 아는가?"

* 107-108쪽 참조.

슈베타케투가 대답하였다.

"존경하는 왕이시여, 그것은 알지 못합니다."

"그대는 사람들이 어떻게 다시 이 세상으로 돌아오는지 아는가?"

"존경하는 왕이시여, 그것은 알지 못합니다."

"그대는 신의 길과 조상의 길, 이 두 길이 어떻게 갈라지는지 아는가?"

"존경하는 왕이시여, 알지 못합니다."

"그대는 왜 저 세상이 꽉 차지 않는지 아는가?"

"존경하는 왕이시여, 알지 못합니다."

"그대는 5번의 아그니에 대한 봉헌 끝에 마지막 물이 어떻게 사람으로 불리게 되는지 아는가?"

"존경하는 왕이시여, 알지 못합니다."

"그렇다면 그대는 어찌 가르침을 받았노라고 말하는가? 이 질문들에 대하여 답하지 못하는 자가 어찌 가르침을 받은 자가 된다는 말인가?"

슈베타케투는 풀이 죽어 아버지에게 와서 말하였다.

"아버지, 어찌 아버지는 저에게 가르침을 주지 않으시고 가르침을 다 주셨노라고 하셨습니까? 아버지, 그 크샤트리야 왕이 제게 5가지 질문을 하였습니다. 그런데 저는 그중 1가지에 대해서도 답하지 못하였습니다."

아버지가 말하였다.

"네가 와서 말한 그 5가지 질문들 중 단 하나도 내가 아는 것이 없구나. 내가 알고 있다면 너에게 왜 가르치지 않았겠느냐."

아버지 고타마가 성자의 지혜를 가진 왕 프라바하나 자이발리에게로 갔다. 왕은 손님을 지극히 대접하였다. 다음날 아침이 되자 궁정에 있는 왕 앞에 나아갔다.

왕이 말하였다.

"존경하는 고타마여, 재물이나 명예 등 무엇이든 원하시는 것이 있으면 소원을 말해보십시오."

그가 대답하였다.

"그러한 재물은 모두 왕께서 가지시지요. 제가 원하는 것은 왕께서 제 아들에게 물었던 그 5가지 질문들에 대한 답입니다." 그러자 왕은 걱정에 빠졌다.

왕은 고타마에게 말하였다.

"이곳에 여러 날을 머무르셔야겠군요. 그대가 내게 말한 것으로 보니 아

234

마도 그대 이전의 그 어떤 브라민에게도 이 다섯 아그니에 대한 지혜는 없었던 모양입니다. 그러니까 이 지혜는 크샤트리야에게만 전해진 것입니다."

그럼에도 불구하고 왕은 가르치기 시작하였다. 그가 가르친 교의는 동양의 신화 사상에서 가장 핵심적인 것의 하나이다. 그것은 불꽃과 연기의 교리, 혹은 두 영적 길의 분리라고 불린다. 불꽃의 길은 태양과 신들에게 나아가 거기서 머물며, 연기의 길은 달과 아버지에게 나아가 재생한다.

왕은 말하였다. "이 지혜를 아는 자, 숲에서 신념과 고행으로 수행하는 자들은 (죽어서 불에 태워진 다음) 빛으로 가서 낮으로, 낮에서 또 밝은 보름, 밝은 보름에서 태양이 북반구를 도는 여섯 달로 갑니다. 그 여섯 달에서 1년으로, 1년에서 태양으로, 태양에서 달로, 달에서 번개로 갑니다. 그곳에서 인간이 아닌 초인이 그들을 브라만에게로 데려가니, 이것이 신의 길입니다.

그리고 속세에서 살면서 희생제의를 행하고 보시하며 사는 사람들은 (죽어서 불에 태워진 다음) 연기로 가서 연기에서 밤으로, 밤에서 어두운 보름으로, 어두운 보름에서 태양이 남반구를 도는 여섯 달로 갑니다. 이들은 1년의 시간 끝까지 도달하지 못합니다.

그 여섯 달에서 조상들의 세계로, 조상들의 세계에서 대공으로, 대공에서 달로 가지요. 이것은 왕, 곧 소마의 세계입니다. 이들은 신들의 음식이니, 신들이 이 소마를 먹습니다.

그곳에서 그들의 업으로 생겨난 업보를 다한 끝에 그는 다시 그가 갔던 길로 되돌아오게 됩니다. 그는 대공으로 와서, 대공에서 공기로 그리고 스스로 공기가 되어 다시 연기로 가고, 스스로 연기가 되어 흰 안개가 되는 것입니다.

그 영혼은 흰 안개가 되었다가 구름이 됩니다. 구름이 된 다음 비가 되어 땅으로 내려오고, 이 세상에서 다시 쌀, 보리, 약초, 나무, 깨, 검은콩 등이 되어 태어납니다. 그가 이런 상태에서 벗어나는 것은 매우 어려운데, 그것은 남자가 음식을 먹고 정자로 배출해야 사람이 되기 때문이지요.

그들 중에 선업을 쌓은 자들은 좋은 탄생을 하는데, 브라민으로 태어나거나, 크샤트리야로 태어나거나, 바이샤로 태어나는 것이지요. 그러나 악업을 쌓은 자들은 당장 나쁜 탄생을 하게 됩니다. 개로 태어나거나, 돼지로 태어나거나, 천민으로 태어납니다.

악업을 쌓은 자는 (연기나 빛의) 그 어느 길로도 가지 않습니다. 그들은 다만 자잘한 곤충 등으로 태어나 계속 세상을 왔다갔다 반복할 뿐이지요. 이 세번째 길에는 '태어나고 죽는' 의무밖에 없습니다. 그러므로 저 세상은 절대 꽉 들어차지 않는 것입니다. ……

또한 이 5가지 아그니를 잘 알고 있는 자는 …… 결코 그 죄악에 말려들지 않습니다. 그 누구든 이것을 아는 자는 순수하고, 성스럽게 되며 선한 세상에 살게 됩니다."[69]

우리는 여기서 답을 얻었다. 그 개요는 이렇다. 카스트, 카르마, 재생의 바퀴와 그것으로부터의 도피, 달과 생사 주기의 연결, 태양의 문과 해방의 연결, 아버지들 사이에서 유쾌한 천상 여행의 수단만이 아니라 유리한 출생의 수단으로서 인정되는 세속적 경건(희생제의, 자선 등)의 규율, 다른 한편으로 해방의 수단으로 숲에서 행하는 금욕의 규율. 여기에 다른 왕이 제시한 요가, 아트만, 깊은 잠, 꿈, 깨어남의 가르침을 추가하라. 그러면 이제 근본 힌두교에서 더 추구하여야 할 것은 없다.[70]

파울 도이센 교수는 이 주제에 관한 고전적인 논의에서 이렇게 말하였다. "아트만으로서의 브라만, 만물에 혼을 불어넣는 원리로서의 아트만, 그리고 죽음 너머의 영혼의 운명. 이것들에 관한 지식을 보여주는 구절들에서 우파니샤드 교의의 가장 중요한 점이 선포되고 있다. 거기에서 왕들은 무엇을 아는 자로 묘사되고, 브라민은 알지 못하는 자 혹은 잘못 아는 자로 여겨졌다(더구나 그 텍스트들은 베다를 가르치는 선생인 브라민에 의해서 전해지고 있다). 이를 고려할 때 하나의 결론이 나온다. 이는 절대적으로 확실한 것은 아니지만 적어도 상당한 가능성을 가진 결론이다. 즉 베다의 제의 전승의 전체 정신과 실제적으로 대립되는 아트만 교의는 처음에는 브라민에 의해서 고안되었을지 모른다. 그렇지만 그것은 브라민 계급에서가 아니라 크샤트리야 계급에서 받아들여지고 계발되었으며, 후대에 이르러서야 브라민에 의해서 채택되었다."[71]

도이센은 인더스 문명에 대해서 어떤 것도 알려지지 않았던 19세기 후반에 저술하였지만, 베다의 견해와 우파니샤드의 견해 사이에 존재하는 차이 — 어떠한 인도인들도 보지 못하였던 — 가 너무 커서 도저히 후자가 전자로부터 발전하여 나올 수 없었음을 이미 파악하였던 것이다. 하나는 외부 지향적이고 의례적인 반면, 다른 하나는 내적이고 심리학적이었다. 하나는 아리안적인 것이었고 다른 하나는 그렇지 않았다.

또 하나의 문헌이 보여주듯이, 아리안의 가부장적 신들은 이제 여신과 대조해보아도 지혜의 측면에서 매우 보잘 것 없는 존재로 드러난다. 오래된 신석기적 청동기 시대의 여신(The old neolithic Bronze Age Goddess)! 그녀는 기원전 600년경 우파니샤드 시기의 인도-아리안 문서에서 처음 나타난다.

여신과 베다-아리안 신들의 전설

한번은 브라만이 신들과 악마들 사이의 전쟁에서 신들이 이기도록 해주었다. 그랬더니 이 승리에 대해서 신들은 자신들의 능력으로 이겼다고 자만하기 시작하였다. 브라만이 신들의 자만심을 알고 그들 앞에 약샤(yakṣa)의 모습으로 나타났을 때 신들은 이 약샤가 누구인지 알 수가 없었다. 신들은 불의 신 아그니에게 이 약샤가 누구인지 알아보라고 하였다. 아그니가 이에 응하였다. 아그니가 약샤에게 가자 그 약샤가 아그니에게 물었다. "그대는 누구인가?" 아그니가 대답하였다. "나는 아그니, 세상에서 모든 알 것을 알게 하는 아그니요." "그럼 그대에겐 무슨 능력이 있소?" "나는 이 땅의 모든 것을 태울 수 있소이다." 약샤가 아그니에게 지푸라기 하나를 놓아주며 말하였다. "이것을 태워보라." 아그니가 그 지푸라기 옆으로 가서 그것을 태우려고 하였으나 아무리 힘을 다해도 태울 수 없었다. 아그니는 돌아가서 약샤가 누구인지 알 수 없었노라고 말하였다.

이제 신들이 바람의 신 바유에게 이 약샤가 누구인지 알아보라고 말하였다. 바유는 이에 응하였다. 그가 약샤에게 가자 약샤가 물었다. "그대는 누구인가?" 바유가 대답하였다. "나는 바유, 하늘과 땅 사이를 날아다니는 바유요." "그대에겐 무슨 능력이 있소?" "나는 이 땅의 모든 것들을 날려 보

낼 수 있소이다." 약샤가 바유에게 지푸라기 하나를 놓아주며 말하였다. "이
것을 날려보라." 바유가 지푸라기 앞으로 가서 날리려고 하였으나 아무리
힘을 다해도 날릴 수가 없었다. 그는 되돌아와서 이 약샤가 누구인지 알 수
없었노라고 말하였다.

이번에는 신들이 천둥의 신 인드라에게 이 약샤가 누구인지 알아보라고
말하였다. 인드라가 이에 응하였다. 그러나 인드라가 약샤가 있는 곳에 갔을
때 약샤는 인드라 앞에서 갑자기 사라져버렸다. 인드라는 약샤가 나타났던
하늘에 사는, 매우 아름다운 모습을 한 여인, 히말라야 산의 딸, 우마에게
가서 이 약샤가 누구인가 물었다. 그녀가 인드라에게 말하였다. "그는 브라
만이라오. 전쟁의 승리는 바로 그의 것. 그대들은 브라만의 승리로 이처럼
영광을 얻은 것이오." 그때 인드라는 그가 바로 브라만임을 알았다.[72]

하인리히 치머는 이 비유적인 전설에 대하여 이렇게 썼다.

"그 여신은 베다의 지혜를 전수받은 자가 아니었다." 그럼에도 불구하고
베다의 신이 아닌 그녀는 브라만을 알았다. 그녀는 그 신들에게 브라만의
신적 본질을 가르쳤고, 이 3명의 신들은 "브라만을 안 첫번째 신들이었기
때문에"[73] 신들 중에서 가장 위대한 신이 되었다. 이 문헌을 통하여 이미 이
른 시기(기원전 7세기경)에 우주의 그 감추어지고 핵심적이고 성스러운 힘
─ 이것을 통하여 모든 승리가 세계-과정의 끝없는 드라마 속에서 성취된
다 ─ 을 실제적으로 파악한 자가 누구인지 드러난다. 그것은 베다 만신전
에서 외관상으로 지배적인 힘을 행사하는 남성적 신들이 아니라 여신이었
다. 그녀 자신은 그것과 동일한 힘이었다. 그녀는 만물에 은밀히 내재하는
우주의 생명력인 브라만이다.

케나 우파니샤드의 이 일화에서 태모신은 인도의 정통 종교 전통과 철학
적 전통에서는 처음으로 출현한다. 여성성의 성육화인 그녀는 남성 신들의
구루가 된다. 그녀는 자신의 본질인 우주의 가장 심오하고 근본적인 비밀
속으로 그들을 인도하는 비법의 전수자로 나타난 것이다.[74]

"자라다, 증가하다, 울부짖다"[75]를 뜻하는 어근 bṛh에서 파생한 "성스러
운 힘"을 의미하는 brahman이라는 용어는 베다의 찬가에서는 단지 기도

의 말과 운율에 내재한 힘과 관련되어 있다. 그것은 특히 "이 절(節), 혹은 행"을 의미한다. "이 절(아네나 브라마나〔anena brahmaṇā〕)에 의해서 너를 질병으로부터 자유롭게 만든다"[76]가 한 예이다. 그러므로 신들의 사제인 브리하스파티(Brihaspati) 신은 "울부짖는 힘(bṛh)의 주(pati)", 곧 주술적 절의 힘이다. 브라민은 그것에 상응하는 인간측의 대응물이다. 브라민은 그러한 힘을 적용하는 지식과 그것을 통제하는 능력을 가지고 있으므로 위대한 신들이다. 그러나 브라민이 그 힘을 이용하기 전에, 그리고 그러한 과정과 독립하여, 브라만이라는 용어는 모든 존재의 형이상학적 토대와 관련되어 사용되었다. 이러한 용법은 브라마나 시기에 부분적으로 나타나다가 후기의 이른바 "삼림서(Forest Books) 시기"에 이르러서 본격화되었다.

이는 의심의 여지가 없는 사실이다. 브라만 개념의 낯선 배열이 브라민에게 나타나고 있었으며, 그 개념은 일정한 동화의 과정을 겪고 있었다. 이러한 현상은 인더스 계곡의 도시에서도 확실하게 드러나고 있었다. 브라민의 의례적, 외면 지향적 모방 주술은 세계를 지배하는 불의 제단(fire altar)을 통해서 초기에는 하늘과 땅과 대기의 힘들에 탄원하고 후기에는 마술을 거는 방식을 취하였다. 이와 대조적으로, 이 타자는 본질적으로 내면 지향적이고 심리학적인 사유와 주술과 경험의 체계였다. 이 안에는 오늘날 무의식에 대하여 알려진 많은 것이 예비되어 있었고, 어느 면에서는 이를 능가하는 점들도 있었다.

6. 내재적인 초월적 신성

우리는 이미 인도의 신화적 복합의 두 구성 요소를 비교해보았다. 하나는 초기 인더스 계곡의 것으로서 거기에서는 황소가 최고의 상징적 짐승이고 시바와 대여신의 상이 그 안에 예기되었다. 다른 하나는 베다의 체계로서 여기서는 사자에게 명예의 지위가 돌아갔는데, 전사가 소마를 마시고 태양이 달빛을 먹어버리듯이 사자가 황소를 삼킨다. 이제 우리는 세 번째의 구성 요소인 요가를 고려해야 한다. 이것은 현재의 주제에서 바라보면, 신화적 동일시를 유도하기 위한 기술로 정의할 수 있을 것이다.

인더스 계곡의 인장에서 고전적 요가 자세를 취하고 있는 인물상은 요가와 청동기 시대의 제의적 국왕 살해 신화가 관련되어 있음을 암시한다 (국왕 살해 신화에서는 죽었다가 부활하는 달과 왕이 동일시되었다). 후대의 요가 사상이 시바와 여신만이 아니라 영겁 회귀 관념과 관련되어 있는 것은 이러한 가능성을 강화시키는 경향이 있다. 그리고 그 요가상에 나타난 수많은 표시들은 위대한 이집트 프타의 사제적 질서가 지니고 있는 세계 감정 및 상징 체계와 특별히 밀접한 관련성을 보여주는 것 같다. 따라서 인도에서의 요가 발달은 멤피스의 식민지에서 유래하였을 것이라는 주장이 가능할 것이다. 그러나 요가 문헌의 내용은 이집트에서는 도저히 찾아볼 수 없는 심리학적 통찰력의 깊이를 보여주고 있다. 더구나 인더스의 서쪽으로는 이 인장들의 작은 상들이 취한 것과 같은 요가 자세를 보여주는 어떤 증거도 발견되지 않고 있다. 이러한 사실을 고려할 때 요가는 인도 고유의 것임에 틀림없다. 따라서 잠정적으로나마 그것을 제3의 분리된 힘으로 취급하는 것이 보다 합리적일 것이다.

요가는 황홀경과 빙의를 유도하기 위한 지역적 샤머니즘 기술로부터 발전한 것이라고 가정해볼 수 있다. 엘리아데 교수가 말하였듯이, 숨을 조절하여 "내적 열(타파스[tapas])"을 발생시키는 것은 원시인들 사이에서 광범위하게 확산되어 있는 기술이다. 그것은 불의 지배와 관련되어 있는 경우도 많다. 엘리아데는 불의 지배를 "가장 고대적이고 가장 일반적으로 퍼져 있는 주술적 전통으로 간주되어야 하는 금욕주의의 한 공적 (a feat of fakirdom) ……"이라고 선언하고 있다. 그는 이렇게 결론을 내린다. "원시 인도는 주술적 열, 엑스터시, 혹은 신적 빙의의 획득 수단에 관한 수많은 태고적 전통을 알았을 것이다."[77]

그렇다면 기원전 2500년경에 해당하는 초기 청동기 시대의 신화적인 질서에 요가 전통이 동화되었다고 볼 수 있다. 앞의 우파니샤드에서 인용한 구절들을 통해서도 요가 기술이 베다 아리안의 도상학과 유사한 관련을 맺고 있음을 알 수 있다. 인더스 체계와 관련시킬 경우, 동일시를 표현하는 최종적 용어는 운명의 대상이자 희생물(희생된 왕 소마), 곧 반복하여 죽는 달의 신일 것이다. 이와 반대로 아리안 체계에서는 동일시를 표현하는 최종적인 용어가 운명의 주체, 곧 희생물을 집어삼키는 불의 힘일 것이다. 전자와 동일시된 요가 수행자나 헌신자는 일단 죽지만 회전을 계속하면서 "연기의 길"에 의하여 되돌아오며, 후자와 관련된 자는 모든 것을 삼키는 태양-신, 번개-신, 불-신, 혹은 브라만, 순수한 주체(아트만), (불교에서처럼) 공(空)과 같은 어떤 추상물 등과 완전한 신화적 동일시를 이루면서 영원성의 영역에 도달한다.

신화의 외면 지향적인 베다적 부분과 요가의 내면 지향적인 비베다적 부분의 직접적인 유기적 접목을 지지하는 많은 요소가 베다 자체의 수많은 신들과 원리에 의해서 공급되었고, 브라민은 그러한 접목 가능성을 재빠르게 파악하였다. 이 점에서 그들은 지금까지 세상에 알려진 그 어느 누구보다도 뛰어난 창조적 민감성을 지닌 신화 해석자로 판명되었다.

174쪽에서 인용한 첫번째 찬가에서 찬미된 베다의 신 사비트리는 여러 가지 면에서 태양을 암시하며, 실제로는 태양을 넘어선 힘이다. 올덴베르그 교수는 사비트리, 그리고 이 신을 오늘날까지 주도적 상징으로 삼고 있는 베다 체계에 대해서 이렇게 말하였다.

"태양은 우주에서 움직이는 최고 힘의 전형이고 모든 다른 운동을 지배하므로, 사비트리는 자연스럽게 태양과 밀접한 관계를 가지고 나타난다. 따라서 그에게 태양신의 속성을 전이시키는 경향이 있다. 그러나 본래의 사비트리, 심지어 『리그 베다』의 사비트리를 태양-신으로 해석하려는 시도는 이러한 관념 전체의 복합 구조를 오해하는 것이다. 사비트리 개념의 본질은 태양의 관념도 아니고 생명과 운동을 자극하는 것과 같은 어떤 기능에 봉사하는 태양 관념도 아니다. 그와 반대로 여기서 중요한 것은 이러한 자극 자체에 대한 추상적 사고이다. 이러한 추상적 사고는 이 신과 관련된 모든 관념을 포괄하는 틀을 제공한다."[78]

앞에서 보았듯이, 사비트리라는 이름은 "흥분시키다, 고무하다, 자극하다, 추진하다"를 뜻하는 어근 sū에서 나왔으며, 고대의 주석가에 따르면

"만물의 자극자"[79]를 의미한다. 그에게 바쳐진 한 구절을 보자.

> 모든 불멸의 존재는 그에게 의존한다,
> 마치 전차의 차축 끝에 의존하는 것처럼.[80]

한 구절을 더 보자.

> 사비트리의 무릎에 영원히,
> 신, 거주자 그리고 모든 사람들은 휴식을 취하고 있다.[81]

사비트리는 인간에게는 수명을 부여하고 신들에게는 불멸을 제공한다. 물과 바람은 그의 명령에 복종한다. 어떠한 존재도, 심지어 가장 위대한 신들도 그의 의지에 저항할 수 없다. 그는 움직이는 것과 서 있는 것의 주이다. 그는 접착제를 가지고 땅을 고정시켰으며, 서까래 없는 공간에 하늘을 단단하게 고정시켰다. 그는 불변의 법칙을 준수한다.[82]

다른 체계와 접합점을 제공한 베다의 두번째 존재는 사나운 신 루드라 (Rudra)이다. 그에게는 단지 3개의 베다 찬가만이 배당되어 있다. "울부 짖다"를 뜻하는 어근 rud에서 나온 그의 이름은 "울부짖는 자"를 의미하는 것처럼 보인다. 그는 후대의 숭배 의식에서는 명상하는 짐승의 주(〈그림 18〉)와 동일시되었다. 앞에서 우리는 그를 시바의 원형으로 간주하고 논의하였다. "상서로운 자"를 의미하는 시바라는 칭호는 원래 산스크리트 이다. 따라서 베다 이전 시대에는 그 신의 이름일 수 없다. 베다에서는 그 칭호가 루드라 신에게 부여되고 있다. 거기서 루드라는 무시무시하고 파괴적이지만 은혜로운 신이기도 하다. 그는 황소로 불리며, 마루츠 (Maruts)로 불리는 젊은 남신들로 이루어진 위대한 황금 부대의 아버지 이고, 그들의 어머니는 암소였다. 그 남신들은 손에 번개를 가지고 있었 고, 현란하게 장식된 손은 하늘만큼 넓었다. 그들의 전차들이 천둥 소리 를 내면서 손바닥을 지나갈 때 비가 내렸다.

오, 천둥의 주재자인 루드라여,

태어난 자 중에서 최고이며, 영광 중에 있으며, 강한 자 중에서 가장 강

한 자여.

우리를 먼 해안으로 안전하게 옮기어주소서,

불행을 넘어, 모든 불운의 위협을 제거하면서.[83]

질병 너머의 저편, 강력한 천둥, 울부짖는 주인, 황소와 암소, 사납지만 부드럽게 돌보는 성격, 언제나 젊은 루드라 신의 우주적 지배, 이러한 것들은 모두 후기 시바의 속성이다. 그러나 이러한 후기 힌두 신이 두드러지게 가지고 있는 남근적인 성격은 베다에서는 어떠한 논리에 의해서도 도저히 추출할 수 없으며, 요가의 주로서 지니고 있는 그의 특성도 마찬가지이다.

이와 마찬가지로 6개의 찬가만을 받고 있는 베다의 주변 신 비슈누는 후대의 숭배 의식에서는 힌두 만신전에서 가장 화려하고 가장 지혜로운 신의 하나로 발전한다. 베다에서 악마의 정복자로 나타나는 그는 인드라와 관련되어 있으며, 그의 3가지 걸음 때문에 특별히 추앙받는다. 세 걸음 중 두 걸음은 인간의 눈에 보이지만 마지막 한 걸음은 새의 비행보다도 빠르다. 그는 이러한 걸음들을 가지고 땅과 대기와 하늘을 측정하였다(즉 나타나게 하였다). 더구나 "활동적이다"를 뜻하는 어근 viṣ에서 나온 그의 이름은 어떤 의미에서는 사비트리의 이름과 관련되어 있다. 그러므로 우리는 시적 이미지를 지닌 신화적 형식을 넘어서는 어떤 심층적 독해를 통해서 비슈누 안에서 다시 한번 다음의 사실을 볼 수 있다. 즉 베다의 신들이 만물에 깃들어 있는 토착 신앙적 브라만의 현현으로 간주되었다.

나의 영감을 일으키는 찬가를 비슈누에게 부르리,

산에 거주하면서 활보하는 그 황소에게,

단지 세 걸음으로 홀로

이 무한하고 광활한 거주지를 창조한 그에게.

오, 나는 그의 그 사랑스러운 영역으로 가고 싶네,
신들에게 봉헌하는 자들이 기쁨에 넘쳐 살고 있는 그곳.
그 활보자에게 매우 가까운 그 장소는,
신찬의 샘물이기 때문이다. 그것이 비슈누의 최고의 걸음이다.[84]

마지막으로, 희생 제물인 소마 신은 만물에 침투하는 자아라고 하는 관념에 동화되기에 아주 적절한 베다의 존재였다. 그는 잘리었지만 만물 속에 살고 있으며, 제단의 불에서 아그니에 의하여 삼켜진다. 비유하자면, 음식을 삼킬 때 위(胃)의 불이 음식을 소화(즉 "요리")한다. 위 안에 있는 불이 아그니이다. 음식은 소마이다. 개인이 죽을 경우에는 그가 소마가 된다. 아그니는 화장용 장작 위나 구더기 속에 있는 죽은 자를 삼키기 때문이다. 그러므로 이 세계 전체는 그칠 줄 모르는 소마의 희생 과정이다. 불멸성이 시간의 불 속으로 영원히 쏟아져 들어온 것이다.

붓다는 유명한 불(火)의 설법에서 "오, 비구들이여, 만물은 불타고 있다. 그것들은 무엇으로 불타고 있는가? 나는 말한다. 욕정의 불, 증오의 불, 홀림, 태어남, 늙음, 죽음, 슬픔, 비탄, 불행, 비통, 절망의 불이 타고 있다. …… 오, 비구들이여, 현명하고 고귀한 제자는 이것들을 볼 때 혐오감을 느낀다. ……"[85]

춤추는 불꽃에 대한 초기 베다-우파니샤드적 관점은 이렇지 않았다. 우파니샤드의 분위기는 차라리 이렇다.

오, 놀라워라! 오, 놀라워라! 오, 놀라워라!
나는 음식이다! 나는 음식이다! 나는 음식이다!
나는 음식을 먹는 자이다! 나는 음식을 먹는 자이다! 나는 음식을 먹는 자이다!
나는 명성-제조자이다! 나는 명성-제조자이다! 나는 명성-제조자이다!
나는 신들보다도 먼저 태어났으며,
불멸성의 배꼽에 있는 세계 질서(르타)의 장자이다!
나를 버리는 자, 그가 참으로 나를 도왔다!
나는 음식이지만, 음식먹는 자를 먹는다!

나는 전 세계를 정복하였다!

이것을 아는 자는 찬란하게 빛나는 빛을 가지고 있다.
신비적 우파니샤드가 그렇다.[86]

이제 우리는 인도의 신화적 인생관의 네번째 구성 요소가 되는 위대한 주제와 문제에 도달하였다. 이는 붓다 시대의 숲의 성자가 이전에 긍정된 모든 것에 혐오감을 가지고 거부하는 것을 말한다. 그들은 후기 베다적 관점의 영광이었던 그 내재적, 초월적 존재의 신성이 지닌 경이감마저도 혐오하였다.

7. 위대한 반전

"새벽의 여신 우샤는 말의 희생제의에서 희생되는 말의 머리이다. 태양의 신 수리야는 그의 눈이며, 바람의 신 바유는 숨, 불의 신이며 '바이슈바나라'라고 불리는 아그니는 벌리고 있는 입, (1년의 시간) 상와트사라는 희생제의의 아트만이요, 하늘은 그의 등, 대공은 그의 배, 땅은 발을 내려놓는 바닥이요, 사방(四方)은 (그의 보이지 않는) 뒷모습, 그 안의 방향들은 그의 갈비뼈요, 계절은 몸이요, 보름달과 반달은 그의 관절, 낮과 밤은 그의 다리요, 별은 뼈요, 하늘의 구름은 그의 살이요, 모래는 위에 든 소화 안 된 음식이요, 강은 핏줄이요, 산은 간과 허파, 약초와 풀은 털이다. 일출은 (허리 위) 상체요, 일몰은 하체로다. 그가 하품을 하면 번개가 치고, 그가 스스로를 흔들면 천둥이 되고, 그가 오줌을 누면 비가 오니, 세상의 모든 소리는 바로 그의 음성이다. ……"[87]

말(馬)과 동일시된 우주는 이제 말처럼 성자에 의해서 그의 마음과 가슴 안에서 희생되어야만 한다. 우리는 이것을 희생제의의 내재화(*the interiorization of the sacrifice*)라고 부를 것이다. 이것은 하나의 근본적인 요가 행위이다. 말 희생제의가 왕의 영역을 비옥화하고 그를 세계 군주로 확립하였듯이, 내재화된 희생제의는 자아를 풍요하게 하고 자아의 연꽃을 피게 하고, 그 화관 위에 앉아 있는 성자를 왕으로 확립한다.

불의 설법에서 붓다는 이렇게 설파하였다.

> 오, 비구들이여, 현명하고 고귀한 제자는 눈에 대하여 혐오감을 가지고 있으며, 형상에 대하여 혐오감을 가지고 있으며, 눈-의식에 대하여 혐오감을 가지고 있으며, 눈에 의해서 받아들여진 인상에 대하여 혐오감을 가지고 있다. 그리고 눈이 받아들인 인상에 근거하여 일어나는 감각은 그것이 유쾌한 것이든 불유쾌한 것이든 혹은 무관한 것이든, 그것에 대해서도 혐오감을 가지고 있으며, 귀에 대하여 혐오감을 가지며, 소리에 대하여 혐오감을 가지며, …… 코에 대하여 혐오감을 가지며, 냄새에 대하여 혐오감을 가지며, …… 혀에 대하여 혐오감을 가지며, 맛에 대하여 혐오감을 가지며, …… 몸에 대하여 혐오감을 가지며, 만질 수 있는 것에 대하여 혐오감을 가지며, …… 마음에 대하여 혐오감을 가지며, 관념에 대하여 혐오감을 가지며, 마음-의식에 대하여 혐오감을 가지며, 마음이 받아들인 인상에 대하여 혐오감을 가지고 있다. 그리고 마음이 받아들인 인상에 근거하여 일어나는 감각은 그것이 유쾌한 것이든 불유쾌한 것이든 혹은 무관한 것이든, 그것에 대해서도 혐오감을 가진다. 이러한 혐오감을 지각하면서 그는 욕망으로부터 벗어나며 욕망의 부재에 의해서 자유로워진다. 자유로워질 때 그는 자신이 자유롭다고 인식하게 된다. 그리고 그는 재생이 끝났고, 자신이 성스러운 삶을 살았고, 하여야 할 것을 하였고, 그가 더 이상 이 세상을 위해서 존재하지 않음을 안다.[88]

이렇게 하여 내향화를 통해서 절대적인 안정을 획득하려는 길이 절정에 달한다. 그러나 요가의 최초의 목적이 성자로 하여금 이러한 길을 따라 재생의 소용돌이로부터 벗어나게 하는 것이었는가는 확실하지 않다. 요가는 본래적으로나 필연적으로, 그리고 일반적으로 부정과 연관되어 있지 않다. 요가를 분석하고 있는 최초의 경전은 요가를 초연(disengagement)의 훈련으로 기술하고 있다. 그렇다고 해서 인더스 계곡의 인장에 새겨진 인물들이 당시에 그러한 이상과 연관되어 있을 것이라고 확신할 수는 없다. 오늘날까지도 일반인의 마음속에서 요가는 세계로부터의 탈출을 가능하게 하는 것보다는 대체로 어떤 "힘(시디[siddhi])"의 획득과 관련되어 있다. 세계의 구체적인 장애물들을 주술적으로 극복하는 이러한 힘에는 8가지가 있다. 1. 작아지거나 보이지 않게 하는 힘, 2. 무한한 크기로 팽창하여 가장 멀리 있는 대상에까지 도달하는 힘(예를 들면 자신의 손가락 끝으로 달을 만지는 것), 3. 가벼워져서 공기나 물의 위를 걷는 힘, 4. 세계만큼 무거워지는 힘, 5. 마음대로 모든 것을 획득하는 힘(여기에는 다른 사람의 생각뿐만 아니라 과거와 미래까지 아는 힘을 포함한다), 6. 무한한 즐거움의 힘, 7. 죽음을 포함한 모든 것을 정복하는 힘, 8. 주술적 수단으로 요술을 걸고 매혹시키고 정복하는 힘.*

사실 적절한 수단을 아는 사람은 약간의 요가 행위를 통해서 이러한 기적적인 효과를 얻을 수 있다. 인도의 고전적인 정치학 서적인 카우틸랴(Kautilya)의 『아르타샤스트라(*Arthashastra*)』, 곧 "목적 성취술 개론"의 마지막 장에는 이렇게 쓰여 있다.

"푸샤(Pushya)로 알려진 별자리의 날에 3일 밤 동안 단식한 후, 무기로 살해되거나 교수형을 당한 사람의 두개골을 얻어야 한다. 이 두개골에 흙과 보리씨를 가득 넣은 후 염소와 양의 우유로 세척해야 한다. 그리고 나서 수확된 보리의 줄기로 만든 화환을 쓰면 다른 사람의 눈에 뜨이지 않고 걸을 수 있다."[89]

또 다른 것이 있다.

"나흘 밤 동안 단식한 후, 어두운 보름날, 인간의 뼈로 만든 황소의 상을 얻어 그것을 다음과 같은 만트라로 경배해야 한다.

"'불의 신에게 귀의합니다! 열 방향*의 모든 신들에게 귀의합니다! 모든 장애가 사라지고 만물이 나의 힘 안에 들어오기를! 기원합니다!'

그러면 2마리의 황소가 끄는 마차가 경배자 앞으로 올 것이고, 그는

---

* 산스크리트로 하자면, 1. 아니마(aṇimā), 2. 마히마(mahimā), 3. 라그히마(laghimā), 4. 가리마(garimā), 5. 프라프티(prāpti), 6. 프라카먀(prakāmya), 7. 이시트바(īsitva), 8. 바시트바(vasitva).

* 동서남북의 네 지점, 그 네 방향들 사이에 있는 네 지점, 천정, 천저.

마차를 타고 하늘로 올라가 태양과 그 밖의 다른 별들 주위를 모두 돌아
다닐 수 있다."[90]

인도의 역사에서 요기들이 행해온 이러한 종류의 주술에 대한 설명들
은 연대기들에 가득 차 있다. 요가에 전적으로 몰입함으로써 얻어지는
── 말하자면 약 6만 년 후에 ── 힘에 대해서는 이미 언급하였다.* 그러
나 진실로 현명한 지혜의 빛에서 보면, 세상적 즐거움을 증대시키는 모
든 힘은 그것이 자연적 힘이건 초자연적 힘이건, 온힘을 다해서 꺼야 하
는 불타는 밀짚에 불과하다. 다음의 일화가 그것을 증명한다.

내가 말하려고 하는 이야기는 사우브하리(Saubhari)라는 위대한 성인
에 관한 것이다. 그는 인도의 모든 위대한 성인들처럼 베다를 공부하고
최고의 덕만 추구한 자이다. 그는 인간의 세계로부터 멀리 떨어진 어떤
작은 호수에서 침수한 채로 몇 년을 보냈다. 그를 미혹의 세계로 다시
유혹하여 불러들인 것은 사람이나 왕이나 여자나 악마가 아니라 그 성자
가 살고 있는 물에서 놀던 어떤 커다란 물고기였다.

이 물고기는 사방으로 떼지어 다니는 수많은 자식들과 손자들을 두고
있었으며 그들과 밤낮으로 함께 놀면서 매우 행복하게 살고 있었다. 물
고기들의 첨벙거리는 소리 때문에 성자 사우브하리는 명상하는 데 방해
받았지만, 호수의 왕이 누리고 있는 가부장적인 행복을 알게 되었다. 그
리고 이렇게 생각하였다. "이처럼 조용한 곳에서 태어났음에도 불구하고
자식과 손자들 속에서 즐겁게 놀고 있는 이 피조물은 얼마나 행복한가!
내 마음속에서도 아이들과 즐겁게 노는 그러한 쾌락을 누리고 싶은 욕망
이 일어나는구나!" 결심을 한 사우브하리는 호수를 떠나서 만드하트리
(Mandhatri)라고 하는 강력한 왕의 궁전으로 갔다. 거기서 그의 딸에게
구혼하였다.

성자가 도착하였다는 소식을 들은 왕은 옥좌에서 일어났다. 그는 존
경을 표하며 관례적인 접대를 하였다. 사우브하리는 왕에게 이렇게 말하
였다. "오, 왕이여, 나는 결혼하기로 결심하였습니다. 그러니 당신의 딸

* 215-216쪽 참조.

중 하나를 주시겠지요. 도움을 청하러 온 자의 소망을 거부하는 것은 당신 부족의 관행이 아닙니다. 당신이 나를 실망시키지 않으리라는 것을 나는 압니다. 딸들을 가진 다른 왕들도 있지만, 당신의 가문은 관대함으로 유명합니다. 당신은 50명의 딸을 가지고 있습니다. 나에게 1명만 주십시오."

왕은 금욕 생활과 늙음으로 수척해진 성자의 몸을 보고 그의 제안을 거부하고 싶었다. 그러나 그렇게 하였을 경우에 성자가 화를 내며 저주할까 두려웠다. 그래서 어쩔 줄 모르면서 얼굴을 숙이고 얼마간 생각에 잠기었다.

왕의 머뭇거림을 본 성자는 말하였다. "오, 라자여, 그대는 무엇을 생각하고 있습니까? 쉽게 받아들일 수 없는 일을 내가 요구하였습니까? 만일 당신이 지금 나에게 딸을 주어 내가 행복해진다면, 당신은 이 세상에서 얻지 못할 것이 없게 될 것입니다."

그가 불쾌해지는 것이 몹시 두려워 왕은 이렇게 대답하였다. "근엄하신 선생님, 우리 집에서는 딸들 스스로가 적절한 지위를 지닌 구혼자를 선택하게 한 다음 결혼시키는 것이 관례입니다. 당신이 구혼한 사실을 아직 나의 자식들이 모릅니다. 당신의 요청을 그들도 나처럼 환영할지 확신할 수 없습니다. 그래서 잠시 생각에 빠졌던 것입니다. 어떻게 하여야 할지 모르겠습니다."

성자는 그 의도를 알아차리고 이렇게 생각하였다. "이것은 나를 피하려는 하나의 술책에 불과하다. 내가 늙었고 여자들에게 매력이 없으므로 어떤 딸도 나를 선택하지 않을 것을 그는 알고 있는 것이다. 좋다, 그렇게 내버려 두자! 나는 그와 대적할 것이다." 그리고 그는 이렇게 말하였다. "오, 강력한 군주여, 당신 가문의 관습대로 나를 하렘으로 인도하시오. 당신의 딸 중 어느 누구든지 나를 그녀의 침실로 인도한다면, 그녀를 신부로 맞을 것이오. 아무도 나를 취하지 않는다면, 그 비난은 내가 헤아려 온 햇수들, 오직 그 햇수들에게로 돌아갈 것이오."

왕은 그를 몹시 두려워하였기 때문에 환관을 시켜 그를 내실로 인도하도록 명하였다. 성자는 내실로 들어갈 때 어떠한 생물, 심지어 천상적 존재의 매력보다도 훨씬 뛰어난 아름다운 모습을 취하였다. 그때 환관이 말하였다. "아가씨들, 당신들의 부친께서 신부를 구하러 온 이 경건한 성자를 보냈습니다. 왕께서는 당신들 중 어느 누구든 그를 남편으로 받아들이면 이를 파기하지 않을 것이라고 그에게 약속하였습니다." 그를 바라보면서 환관의 이야기를 듣던 소녀들은 즉시 욕망에 사로잡혔다. 그들은 우두머리의 총애를 받으려고 다투는 일군의 암코끼리처럼 서로 밀치면서 소리쳤다. "애들아, 저리 비켜라, 비켜! 그는 내가 선택하였다. 그는 나의 것이다. 그는 너희들의 것이 아니다. 그는 나를 위하여 브라마에 의해서 창조되고 나는 그를 위하여 창조되었다. 내가 그를 먼저 보았다. 너희는 그와 나 사이에 낄 수 없다." 마침내 격렬한 다툼이 일어났고, 비난할 점이라고는 하나도 없는 성자가 이처럼 비명을 지르고 있는 많은 공주들의 다툼의 대상이 되었을 때, 환관은 왕에게 돌아갔다. 그는 눈을 내리뜨고 다툼의 현장을 보고하였다. 왕은 놀라서 "뭐라고!" 하면서 소리쳤다. "그럴 수가? 나는 이제 어떻게 하여야만 하는가? 내가 무어라고 약속하였지?" 왕은 이제 자신의 약속을 지키기 위해서 그 늙은 방문객에게 50명의 딸 모두를 결혼시켜야만 하였다.

　법에 따라 50명의 딸과 결혼한 성자는 그들과 함께 숲으로 돌아갔다. 거기서 그는 신들 중 우두머리 장인인 비슈바카르만(Vishvakarman)에게 50개의 궁전을 짓도록 명령하였다. 이 궁전들은 각각의 아내들을 위한 것이었으며, 각자에게 침상, 우아한 자리, 가구, 정원, 쾌적한 작은 숲을 마련해주었다. 야생 오리와 물새들이 연꽃 사이에서 함께 뛰노는 저수지도 마련하였다. 마지막으로 식품 저장고와 보물 저장고를 각각의 궁전에 비치하였으므로 공주들은 모든 종류의 음료수와 음식으로 손님이나 시녀들을 접대할 수 있었다.

　얼마 후 왕은 딸들이 보고 싶고 그들이 어떻게 사는가 알고 싶어서 사우브하리의 외딴집을 향하여 길을 떠났다. 그곳에 도착하였을 때 그의 앞에는 일렬로 늘어선 50개의 태양처럼 찬란하게 빛나는 화려한 궁전들이 보였다. 그 주위에는 아름다운 정원과 투명한 물로 가득 찬 저수지가 보였다. 한 궁전에 들어가 딸을 발견한 그는 기쁨에 넘쳐 포옹하였으며,

애정 어린 눈물을 흘리면서 말하였다. "얘야, 사는 것이 어떠니? 행복하니? 그 위대한 성자가 너를 친절하게 대해주니? 혹시 후회하는 마음으로 너의 옛집만 생각하는 것은 아니니?"

그녀는 대답하였다. "아버지, 제가 살고 있는 이 아름다운 궁전이 보이지 않으세요? 이 궁전은 연꽃이 피고 야생 거위들이 우짖는 아름다운 정원과 호수로 둘러싸여 있어요. 저는 가장 맛있는 음식, 가장 귀한 연고(軟膏), 비싼 장식품, 아름다운 옷, 부드러운 침상, 그리고 부가 제공할 수 있는 모든 즐거움을 향유하고 있어요. 그런데 제가 왜 옛날에 태어난 궁전을 생각하겠어요? 제가 지금 가지고 있는 모든 것은 다 아버지 덕분이예요. 그런데 딱 하나 걱정이 있어요. 남편은 저의 궁전에 없는 날이 없고 항상 저에게만 붙어 있어요. 자매들에게는 가지 않는 것이 분명해요. 그들은 무시당하였기 때문에 틀림없이 화가 났을 거예요. 그것이 나를 괴롭히는 유일한 일이예요."

왕은 다른 딸들도 하나씩 찾아가 껴안은 다음, 똑같은 물음을 던졌다. 그녀들은 모두 똑같은 대답을 하였다. 왕은 경이로움과 즐거움에 넘쳐 현자 사우브하리에게 갔다. 그는 마침 홀로 있었다. 성자 앞에 절을 한 그는 감사한 마음으로 이렇게 말하였다.

"오, 성스러운 성자여, 나는 당신의 강력한 힘을 보여주는 놀라운 증거들을 보았습니다. 저는 이 같은 기적적인 능력을 소유한 어떤 사람도 보지 못하였습니다. 이는 당신의 철저한 금욕에 대한 위대한 보답이 아니겠습니까!"

성자로부터 예를 갖춘 인사를 받은 왕은 얼마 동안 그와 함께 머물면서 그 휴양지의 쾌락을 충분히 맛보았다. 그는 즐거움으로 가득 찬 채 자신의 수도로 되돌아왔다. 시간이 흘러 딸들은 150명의 아들을 낳았으며, 아들들에 대한 사우브하리의 애정은 날마다 커갔다. 그래서 그의 마음은 전적으로 자아의 감정(마마타[mamatā] : "나의 것")으로 가득 차게 되었다. 그는 이렇게 생각하기를 좋아하였다. "나의 아들들은 어린아이의 더듬거리는 말로 나를 매료시킨다. 그들은 청년이 되고 성년으로 자라날 것이다. 나는 그들이 결혼하는 것을 보게 될 것이고 그들은 아이들을 가질 것이다. 마침내 나는 이 아이들의 아이들을 보게 될 것이다."

그는 날마다 자신의 기대가 시간의 경과를 능가함을 깨달았다. 그래서 마침내 이렇게 생각하였다. "얼마나 어리석은 일인가! 나의 욕망에는 끝이 없다. 내가 바라는 모든 것이 1만 년 심지어 10만 년 안에 다 이루어진다 하여도, 또 다른 욕망이 마음속에 용솟음칠 것이다. 지금 나는 아이들이 걷는 것을 보고 그들이 청년이 되고 성년이 되어 결혼하고 자식을 낳는 것을 보았지만, 기대는 아직도 생겨나고 있다. 나의 영혼은 그들의 자식의 자식을 보고 싶어한다. 내가 그들을 보자마자 새로운 욕망이 일어날 것이고, 그러한 욕망이 성취되었을 때, 어떻게 새로운 욕망이 끊임없이 출현하는 것을 막을 수 있겠는가? 나는 마침내 발견하였다. 죽음으로 욕망이 소멸될 때까지는 희망의 끝이 없으며, 영원히 기대에 파묻혀 있는 마음은 최고의 정신에 부합될 수 없음을. 물에 잠겨 있을 때 나의 명상은 집착, 나의 친구인 물고기에 대한 집착으로 방해받았다. 그러한 연줄로 인하여 결혼하게 되었고, 결혼 생활의 결과는 만족할 줄 모르는 욕망이다. …… 세계로부터의 분리야말로 최종적인 해방을 향한 성자의 유일한 길이다. 세계와의 교류는 무수한 오류를 발생시킬 뿐이다. 이제 나는 나의 영혼을 구하기 위하여 전념할 것이다."

이렇게 조용히 반성한 후 사우브하리는 그의 아이들, 집, 그리고 모든 영광을 포기하고 자신의 아내들을 동반한 채 숲으로 들어갔다. 그는 그곳에서 모든 집착을 제거할 때까지 이러한 가장들을 위해서 마련된 준수 사항들을 매일 실천하였다. 마침내 지성이 성숙해지자 자신의 정신 속에 성스러운 불을 응축시켰다. 그리고 종교적인 탁발승이 되었다. 그후 모든 행위를 최고 존재에게 맡기면서 불변성(아큐타[acyuta] : "똑똑 떨어지지 않고, 새지 않고, 소멸되지 않는")의 상태를 획득하였다. 이 상태는 어떠한 변화도 알지 못하며 출생, 윤회, 죽음의 덧없음에 종속되지 않는다."[91]

이 이야기가 가르치는 도덕은, 진실한 인도인에게 이 세계는 충분하지 않으며, 이 세계가 최상의 것일 경우에도 그것을 넘어서야 한다는 것이다. 최고의 목적은 이 세계를 넘어서는 것이다. 그러나 세계의 피조물들과 행위들은 매력을 지닌 유혹자로 나타나서 마치 덫처럼 사람의 능력을 옭아맨다. 따라서 숲은 갈망하는 마음의 첫번째 휴식처이다. 그러나 숲마저도 즐거움을 가르친다. 감각 자체의 문을 닫아야 한다. 그러나 내부의 호흡마저도 즐거움을 가르친다. 그리고 더욱 깊은 내부에서도?

이제 불꽃의 길 위에 있는 요기를 찾아 따라가 보자.

8. 연기(煙氣)의 길

인도의 성자들이 어떠한 고통의 바다로부터 벗어나고자 하였는가를 이해하기 위해서 고대적이고 수학적으로 구조화된 몇몇 인도판 영원 회귀 신화 중 하나를 약간 상세하게 살펴보겠다. 먼저 명료함을 지닌 자이나교의 세계 주기를 살펴보자. 자이나교는 오늘날 숫자가 적은 소집단에 불과하지만 과거에는 적지 않은 신봉자들과 영향력을 지니고 있었다. 그들이 가장 추앙하는 스승인 마하비라(Mahavira)는 기원전 485년경에 죽었는데, 그는 붓다와 동시대인이자 그의 강력한 경쟁자였다. 두 사람 모두 우리가 숲속 성자의 고전적 성지라고 부른 베나레스의 밑에 있는 갠지스 강 하류의 나라에서 태어났다. 그리고 둘 다 브라민이 아니라 크샤트리야 출신이었으며, 결혼 후에는 속세를 떠나 금욕을 추구하는 제자의 무리를 이끄는 방랑하는 구세주가 되었다. 둘다 욕망(카마〔kāma〕)과 죽음(마라〔māra〕)으로부터의 해방(목샤〔mokṣa〕)이라는 교의를 가르쳤는데, 이때의 해방은 단계적으로 나아가는 서원(誓願) 체계로 이루어져 있다. 붓다의 방법이 전적으로 중도의 길이었음에 반하여 마하비라의 길은 보다 극단적이었다. 마하비라는 절대적으로 대립하는 물질과 정신에 관한 고대의 이원론적 개념을 지니고 있었고, 우주 유기체 안에서 두 원리의 혼합을 극단적으로 싫어하였으며, 소용돌이로부터 불멸의 정신을 건져내려는 단호한 의지를 지녔다. 그렇지만 모든 종류의 존재에 비상한 자애심을 가졌다. 마하비라에 의하면, 모든 존재(막대기, 돌, 공기, 물, 그리고 모든 것)는 그들 자신의 잘못된 의지에 의해서 무익하고 잔인한 순환,

곧 고해의 영원한 소용돌이 안에 갇혀 있는 살아 있는 정령들이기 때문이다.

붓다는 새로운 교의를 가르쳤지만, 마하비라는 당시에는 이미 낡은 교의를 가르쳤다. 그의 부모는 이미 자이나교도로서 마하비라 이전의 구세주인 주 파르슈바(the Lord Parshva)의 가르침을 추종하는 자였다. 주 파르슈바의 상징적 동물은 뱀이었다. 왜냐하면 그는 완전함을 성취하는 순간, "몸의 퇴거(카요트사르가〔kāyotsarga〕)"라고 불리는 똑바로 선 자세로 완전히 벌거벗은 채("하늘로 덮힌" : 디감바라〔digambara〕) 자신의 손으로 온몸의 털을 뽑고 모든 충동을 뿌리째 뽑아버리고 있었는데, 그때 악마가 그를 공격하자 그의 양편에 있던 거대한 1쌍의 뱀이 그를 보호하였기 때문이다.

메그하말린(Meghamalin, "구름으로 덮인")이라는 이름의 악마가 내면을 향해서 몰입하고 있는 그 성자에게 호랑이, 코끼리, 전갈을 보냈으나, 부동의 현장을 본 그 동물들은 부끄러워 하면서 살금살금 도망가고 말았다. 그때 진하고 무시무시한 어둠이 나타나면서 대폭풍이 일어났다. 나무들이 산산조각 나고 서로 부딪치었다. 산봉우리가 주저앉고, 큰 굉음을 내면서 땅이 열리고, 내리는 비는 급류로 변하였다. 그러나 성자는 조금도 움직이지 않았다. 화가 난 괴물은 흉측한 모습으로 변하고, 얼굴은 검게 되었으며, 입에서 불을 토해냈다. 해골 화환을 두른 그 괴물은 이와 유사한 상황에서 부처를 공격한 죽음의 신 마라를 닮았다. "죽여라! 죽여라!" 하고 외치면서 그가 어둠 속에서 빛을 내면서 달려왔지만 주 파르슈바는 이전처럼 아무런 요동도 보이지 않았다.

그때 머리에 많은 두건을 두르고 지면을 지탱하고 있던 뱀 왕이 그의 왕비이자 여신인 슈리 락슈미(Shri Lakshmi)와 함께 땅밑으로부터 올라왔다. 락슈미도 뱀의 모습을 하고 있었다. 두 뱀은 성자 앞에서 경의를 표하였지만 그는 그들이 도착한 것도 모른 채 그대로 앉아 있었다. 그들은 성자의 양손에 각각 자리를 잡고 자신들의 두건을 그의 머리 위에 펼쳐놓았다. 그러자 그 거대한 크기에 놀란 악마는 자신의 전차를 몰아 도망갔고, 두 뱀은 다시 한번 주에게 절을 한 후 자신들의 거소로 돌아갔다.

이 장면은 2마리의 뱀이 새겨져 있는 인더스 인장(〈그림 19〉)을 암시하며, 거기에는 어떠한 연관이 있을 것이다. 기원전 872-772년 사이에 살았을 것으로 추정되는 주 파르슈바는[92] 자이나교도의 첫번째 세계 구세주가 아니라 스물세번째 구세주 ── 자이나교 전통에 따르면 ── 이기 때문이다. 그 이전에 실제로 22명의 구세주, 혹은 그 합계의 1/4만 있었다고 하더라도, 그 계보는 그 인장들의 시대로부터 쉽게 도출될 수 있을 것이다. 그러나 자이나교식의 수학적 추리는 그러한 계산의 정확성에 대해서 아무런 확신도 주지 않는다. 그들의 전설에 따르면 파르슈바 이전의 구세주인 아리슈타네미(Arishtanemi)는 그보다 8만 4천 년 전에 살았던 것으로 간주된다. 그렇다면 그는 네안데르탈인의 시대에 속하게 된다. 숫자 21을 의미하는 나미(Nami)는 기원전 13만 4천 년, 숫자 20을 의미하는 수브라타(Suvrata)는 기원전 123만 4천 년에 각각 존재한 것으로 간주된다. 그렇다면 수브라타는 피테칸트로푸스 직립 원인의 출현보다 80만 년 빠른 셈이다. 이보다 더 이른 시기의 구세주의 경우에는 지구 과학적 시간조차 넘어서게 된다. 그러므로 메소포타미아의 왕과 홍수 이전의 성서의 족장의 경우처럼 이러한 계산은 지상적인 용법이 아니라 신화적인 용법에 속하는 것이다.

자이나교의 우주적 이미지에서는 시간의 질서가 6개의 하강하는 살(아바사르피니[avasarpini])과 6개의 상승하는 살(우트사르피니[utsarpini])로 이루어진 바퀴로 묘사된다. 하강기 ── 24명의 세계 구세주가 살던 긴 시기는 네번째 살이고 우리 자신의 시대(마하비라의 죽음 이후)는 다섯번째 살을 구성한다 ── 에는 선이 악에게 자리를 내어준다. 그러나 다음의 상승기에는 악이 선에게 자리를 내어주어, 마침내 전 세계는 선으로 돌아간다.

첫번째 하강기의 초기에는 사람들의 키가 6마일이며 256개의 갈비뼈를 가진 쌍둥이로 태어났다. 쌍둥이는 항상 남아와 여아로 태어났으며 이들이 남편과 아내가 되어 3팔라, 즉 3개의 "무수한 해" 동안 살았다. 소망을 성취시켜 주는 10그루의 나무는 모든 욕망에 응답하였다. 첫번째 나무는 아주 맛있는 과일로 가득 차 있으며, 두번째 나무는 단지와 냄비를 만들 때 쓰는 잎으로 가득 차 있고, 세번째 나무의 잎들은 달콤한 음악을 계속 만들어냈다. 네번째 나무는 밤에 밝은 빛으로 빛났으며, 다섯번째 나무는 수없이 많은 작은 램프 불빛을 냈다. 여섯번째 나무의 꽃은 영광스러웠을 뿐만 아니라 향기로운 냄새로 대기를 가득 채웠다. 일곱번째 나무는 매우 아름답고 다양한 맛을 내는 음식을 제공하였다. 여덟번째 나무는 보석을 제공하였고, 아홉번째 나무는 여러 층으로 된 궁전이었으며, 열번째 나무의 껍질은 옷을 공급하였다. 당시에 땅은 설탕처럼 달콤하였으며, 바다는 맛있는 술이었다. 각 부부가 1쌍의 쌍둥이를 낳았을 때, 먼저 태어난 쌍둥이들은 7일이 7번 지난 후에 종교에 대하여 들어본 적이 없음에도 불구하고 곧장 신들의 거주지로 갔다.

　"매우 아름다운, 매우 아름다운(수샤마-수샤마[suṣamā-suṣamā])"이라고 알려진 이 시기는 400,000,000,000,000의 대양의 해* 동안 지속되었으며, "매우 아름다운(수샤마)"이라고 알려진 시기에 자리를 내어주었다. 이름이 암시하듯이, 이 시기는 그 이전 시기보다 꼭 반만큼 행복한 시기이다. 소망을 성취시켜 주는 나무들, 땅, 바다는 이전 시기보다 꼭 반 정도만 풍부하였다. 남자와 여자의 키는 단지 4마일이었고, 128개의 갈비뼈를 지니고 있었고, 2번의 무수한 시기 동안만 살고, 신들의 세계로 갔다. 그때 그들의 쌍둥이는 태어난 지 64일밖에 안 되었다. 이 시기는 300,000,000,000,000의 대양의 해 동안 지속되었으며 점차 쇠퇴하여 마침내 "슬프면서도 매우 아름다운(수샤마-두흐샤마[suṣamā-duḥṣamā])"이라고 불리는 단계에 자리를 내어주었다. 이 시기에는 기쁨이 슬픔과 섞이게 되었다. 쌍둥이들의 키는 이제 2마일이 되었고 갈비뼈는 64개로 되었으며 1번의 무수한 해 동안만 살았다. 더구나 소망을 성취시켜주는 나무의 산출이 많이 줄어들게 되자 사람들은 그것들에 대한 서로의 재산권을 주장하게 되었다. 그래서 정부가 필요하게 되었다. 비말라바하나라는 이름을 지닌 법률 제정자가 지명되었고, 그의 긴 계보의 마지막 족장인 나브히는 자나이교의 첫번째 구세주인 리샤브하나타의 아버지였다. 이제

* "대양의 해"는 100,000,000팔랴의 100,000,000배에 해당하며, 1팔랴는 무수한 해의 시기이다.

256

거기에는 정부의 필요성만이 아니라 이미 슬픔으로 가득 찬 무대로부터 그들을 해방시켜줄 수 있는 안내자가 요청되었다.[93]

"주(나타[nātha]) 황소(르샤브하[ṛṣabha])"를 의미하는 이름을 지닌 리샤브하나타(Rishabhanatha)는 덕망있는 그의 아버지가 다스리는 수도에서 태어났으며, 젊은 왕자 시절에는 2,000,000년의 1,000,000배에 해당하는 기간 동안 궁중의 쾌락을 즐겼다. 왕이 되었을 때 그는 소망을 성취시켜주는 나무의 결실이 이제 불충분하게 되었음을 알고 6,3000,000년의 1,000,000배가 되는 재위 기간 동안에 72개의 학문을 가르쳤다. 그중의 첫번째가 글쓰기이며, 가장 중요한 것은 산수이고, 마지막의 것이 점술이었다고 한다. 그는 100개의 유용한 기술, 3가지의 남성적 직업, 64가지의 여성적 예능도 가르쳤다. 그에게는 100명의 아들이 있었고, 그들 각자에게 왕국을 하나씩 주었다. 그는 최후의 일을 하기 위해서 세계를 포기하고 1,000,000년의 1,000배에 해당하는 기간 동안 금욕 생활에 전념하였다. 마침내 푸리마탈라(Purimatala) 시 근처에 있는 "더러운 얼굴(사카타무크하[sakaṭamukha])"로 알려진 정원의 반얀 나무 밑에서 깨달음을 얻고, 1,000,000년의 99,000배에 해당하는 여생 동안 84명의 주요 제자들에게 설법을 하였다. 그는 84,000명의 승려, 300,000명의 여자 승려, 그리고 859,000명의 재가 신자(305,000명은 남자, 554,000명은 여자)로 이루어진 승단의 성장을 보았고, 마침내 옥토포드 산(아스타파다[aṣṭapada])의 정상으로 떠났다. 거기서 1,000,000년의 8,400,000배에 해당하는 기간을 보낸 후 황금으로 된 그의 몸은 그것의 영혼(monad)에 의해서 떨어져 나갔다. 이때는 "슬프면서도 매우 아름다운" 시기가 끝나고 "매우 아름다우면서도 슬픈(두흐샤마-수샤마[duḥṣamā-suṣamā])" 시기가 시작되기 바로 3년 8개월 반 전이었다.

하강 시리즈의 네번째 단계부터 불유쾌한 측면이 유쾌한 측면을 지배하기 시작하였으며, 이러한 환경은 1,000,000년이 지날 때마다 더욱 악화되었다. 그 이전의 시기는 200,000,000,000,000의 대양의 해 동안 지속되었지만, 이 시기는 100,000,000,000,000의 대양의 해에서 42,000년의 공통 기간을 뺀 기간 동안 지속되었다. 이 시기가 시작될 무렵에는 사람들의 키가 1,000야드였고 갈비뼈가 32개이고 10,000,000,000년 동안 살았지만, 이 시기가 끝날 무렵(정확하게는 기원전 522년이다)에는 사람들의 키가 겨우 9½피트였고, 그들은 비참한 세기를 살아야만 하였다. 그러나 이 기간 동안 자이나교는 "저편으로 통과시켜 주는 자(티르탄카라스〔tīrthankaras〕)"라고 불리는 24명의 긴 계보를 지닌 세계 구세주의 구제활동에 의해서 계속 새로워졌다. 그들 중 마지막 세계 구세주는 우리 자신의 시기이기도 한 다섯번째 하강기가 시작되기 바로 3년 8개월 반 전에 죽었다. 이 다섯번째 하강기에는 해방으로 향하는 문이 점차 닫히고 자이나교가 곧 사라질 것이다. 그리고 해방을 달성할 수 있는 능력이 모자란 채 타락하고 있는 인류에게 설법할 티르탄카라스는 더 이상 없을 것이다.

이것이 "슬픈(두흐샤마)"이라고 알려진 시대이다. 비록 이 시기가 어떤 외국인들과 토착인들에게는 상서로운 변화와 지평을 여는 시대로 보일 수도 있지만, 현자들(이들은 세계에 대한 헛된 지식보다는 성스러운 문헌을 읽는 데에 몰두하여 왔다. 따라서 그들은 수백만 대양의 해 이전의 삶이 얼마나 놀라운 것이었는가를 알 뿐만 아니라, 기만의 바퀴에 구속되어 있는 그러한 축복받은 상태마저도 열반의 무조건적인 조건에서는 무한히 초월된다는 것을 알고 있다)에게는 단지 가시적인 나무, 산, 대양, 별, 경이로운 은하수와 같은 모든 천박한 영광(tawdry glory)을 지닌 이 세계가 비참한 눈물의 골짜기일 뿐이다. 자, 보아라! 가장 키가 큰 사람은 10½피트에 불과하고 그들의 생명은 125년을 넘지 못한다. 사람들의 갈비뼈는 단지 16개이고 그들은 이기적이고 부당하고 폭력적이며 색을 좋아하고 뽐내며 탐욕적이다. 그 시대는 21,000년 동안 지속되게 되어 있다. 그 시대가 끝나기 전에 두파사하수리(Duppasahasuri)라고 하는 이름을 가지게 될 마지막 자이나교 승려, 팔구슈리(Phalgushuri)라고 하는 마지막 자이나교 여자 승려, 나길라(Nagila)라고 하는 마지막 자이나교 재가 신자, 사탸슈리(Satyashri)라고 하는 마지막 재가 여신자가 깨닫지 못하고 죽을 것이며, 그때 "슬프고도 슬픈(두흐샤마-두흐샤마〔duḥsamā-duḥsamā〕)"이라고 하는 마지막 하강기가 도래할 것이다.

258

이 시기가 되면 가장 오래 사는 삶이 20년에 불과하고, 키가 가장 큰
자도 18인치에 불과하며, 갈비뼈의 수도 단지 8개에 지나지 않을 것이다.
낮은 가공할 정도로 뜨겁고 밤은 매우 추울 것이며, 질병이 창궐하고 순
결은 존재하지 않게 될 것이다. 대폭풍우가 지상을 덮칠 것이며 시간이
갈수록 이것은 가속화될 것이다. 결국 인간과 동물을 망라한 모든 생명
체와 모든 식물의 종자는 갠지스 강, 동굴, 바다에서 피난처를 구하여야
만 할 것이다.

이러한 여섯 시대의 하강 시리즈가 끝나면 상승 시리즈(우트사르피니)
가 시작되며, 대폭풍우와 황폐함이 견디기 힘든 지경까지 계속될 것이다.
그리고 7일 동안 비가 내리고, 다시 7가지 다른 종류의 비가 내릴 것이
다. 그러면 땅이 새로워져 씨들이 자라기 시작할 것이다. 이러한 새로운
과정은 슈라바나 달(7-8월)의 어두운 보름에 시작될 것이다. 메마른 땅
의 난쟁이처럼 생긴 무시무시한 생명체들이 동굴로부터 나와 돌아다니게
되며, 이들은 점차 도덕, 건강, 키, 아름다움의 측면에서 약간의 향상을
보이게 될 것이다. 마침내 그들은 오늘날 우리가 알고 있는 것과 같은
세계에서 살게 될 것이다. 파드마나타(Padmanatha, "연꽃의 주")라는 이
름을 지닌 한 구세주가 태어나서 다시 자이나의 종교를 선포할 것이다.
그러면 인간의 신장은 다시 최고의 키에 접근할 것이며, 인간의 아름다
움도 태양의 찬란함을 능가할 것이다. 마침내 토양은 달콤하게 되고 바
다는 술로 될 것이며, 소망을 성취시켜 주는 나무도 완전히 결합한 축복
받은 쌍둥이들에게 기쁨의 하사품을 제공할 것이다. 공동체의 행복은 다
시 배가되고, 바퀴는 무수한 해의 천만 배의 천만 배의 백만 배의 백만
배의 기간을 통하여 하강하는 회전의 시발점으로 접근할 것이다. 이는
다시 영원한 종교의 소멸을 초래하면서 퇴폐적인 환락, 전쟁, 유독한 바
람으로 가득 찬 혼란 상황을 가져올 것이다.

이러한 세계 주기에 관하여 기록하고 있는 최초의 신화는 고대 메소포
타미아에서 발견되었지만, 거기에서는 자이나교의 신화에서처럼 세계 증
오에 대한 체계적인 합리화의 징표가 전혀 보이지 않는다. 나는 자이나
교의 우주 형태 개념에 잘 부합하는 어떠한 초기의 메소포타미아적 개념

도 알지 못한다. 자이나교에서 제시하는 우주는 대체로 여성의 모습을 지닌 거대한 인간 형상이며, 그녀의 허리 높이에 지구 평면이 존재한다. 허리 아래로 움푹 파인 골반, 다리, 그리고 발에는 단테의 상상력에서와 같이 7개의 지옥이 층을 이루고 있으며, 그 위로 움푹 파인 가슴, 어깨, 목, 머리에는 14층으로 된 하늘이 있다. 가장자리에는 "약간 기울어진(이샤트-프라그브하라〔iṣat-prāgbhāra〕)"이라고 불리는, 어떠한 것도 섞이지 않은 완전의 장소가 위로 치솟고 있다. 이 장소는 각다귀의 날개처럼 점점 가늘어지는 모습을 하고 있으며, 둘레가 14,230,250요자나*이고,[94] 중앙의 두께가 8요자나인 빛나는 백금 우산 모습을 하고 있다. 요가 수행을 통해서 천상적 집착의 가장 미미한 마지막 흔적마저 태워 없앴을 때, 해방된 영혼은 그곳으로 올라간다.

허리 높이의 평면에는 원형의 대륙이 많이 있다. 이 대륙들 사이에는 대양들이 있어서 마치 과녁의 원처럼 배열되어 있다. 이는 축을 이루는 산인 메루(Meru) 산을 에워싸고 있는 것으로 생각된다. "장미사과나무(the Rose Apple Tree)"라고 하는 원형 대륙이 가장 내부에 위치하고 있다. 이 대륙은 2개의 태양과 2개의 달을 가지고 있으며, 그것의 최남단에 인도가 위치하고 있다. 이 대륙은 4개의 태양과 4개의 달을 지닌 "소금의 대양"에 의하여 에워싸여 있다. 그 옆에는 12개의 태양과 12개의 달을 지닌 "보라빛 버드나무의 대륙"이 있고, 이 대륙은 42개의 태양과 42개의 달을 지닌 "검은 대양"에 의하여 에워싸여 있다. 그 옆에 있는 "연꽃의 원"은 72쌍의 태양과 달 모습의 발광체를 지니고 있으며 인간이 거주하는 최후의 대륙이다. 그 너머로는 "연꽃의 대양"이 있으며, "바루나 신의 원"과 "바루나의 대양", "우유의 원"과 "우유의 대양", "정화된 버터의 원"과 "정화된 버터의 대양", "사탕수수의 원"과 "사탕수수의 대양"이 계속되고 있으며, 마침내 "존재 자체의 기쁨의 땅" 그리고 그 너머의 "존재 자체의 기쁨의 대양"으로 끝나고 있는데, 이 마지막 대양은 1무한(라주〔rajju〕)의 직경을 가지고 우주적 존재의 허리를 채우

* 1요자나는 약 2½, 4 또는 5, 9 또는 18마일 등 다양하게 기술되고 있다.

고 있다.

이 위대한 존재는 어떠한 의지도 기쁨도 힘도 가지고 있지 않으며 그 자신의 어떠한 존재도 지니고 있지 않다. 그것은 무한한 수의 기만당한 영혼들(지바[jīva])의 힘과 생명력에 의해서 형태를 가지게 된 거대한 물질(아지바[a-jīva])에 불과하기 때문이다. 이 영혼들은 그 자체로는 움직일 수 없는 물질 속의 입자들을 통하여 들끓는 구더기와 같다. 수많은 사지와 기관들을 통하여 덫에 걸리고 순환하는 이 영혼들은 우리가 삶이라고 알고 있는 다양한 질서의 형태를 입고 벗는다. 외관상으로는 태어났다가 사라지지만 실제로는 비참하고 무력한 회전을 통하여 한 상태에서 다른 상태로 윤회하는 것에 불과하다. 엄청나게 다양한 이러한 현상의 질서들은 자이나교도들에 의하여 상세하게 분류되는데, 이는 실제로는 심리학적으로 등급화된 놀라운 범주 체계이다. 이것을 검토하는 것은 지루한 일이지만, 이러한 범주들은 자이나교만이 아니라 불교, 힌두교, 그리고 불교의 법과 조로아스터교에 의해서 영향을 받은 동양, 심지어 단테에게서조차 중요하다. 더구나 인간 조건에 대한 심상의 측면에서 이것은 인간의 광기가 지각했던 그 어떠한 것보다도 음산하고 기괴하다.

위대한 우주적 존재의 허리에는 앞에서 언급하였던 12단계의 영원 회귀의 주기에 의해서 시간의 경과가 표시되는데, 우리 모두가 수없이 통과하였고 아직도 통과하고 있는 화육들은 다음과 같다.

I. 땅의 화육
  1. 수많은 형태의 먼지 입자
  2. 모래, 자갈, 옥석, 바위
  3. 다양한 금속
  4. 다양한 보석
  5. 진흙, 유황, 다양한 소금(활석, 명반, 계관석, 초석, 천연 탄산 소다, 석웅황, 진사 등)

영혼들은 1초보다 작은 시간으로부터 약 22,000년에 이르는 다양한 기간 동안 이러한 형태들로 존속하며, 이러한 영역에 존재하는 동안에는 700,000번의 화육을 경험할 것이다. 이들은 거친 물질(스툴라[sthūla])로 나타날 뿐만 아니라 천상의 장면이나 꿈의 환영처럼 미세한 물질(수크스마[sukṣma])로 나타나기도 한다.

II. 물의 화육
  1. 바다, 호수, 강 등, 그리고 다양한 종류의 비
  2. 이슬 및 다른 삼출물
  3. 흰서리
  4. 눈, 우박, 얼음
  5. 구름과 안개

이러한 것들은 1초보다 작은 시간으로부터 7,000년에 이르는 다양한 기간 동안 존속하며, 거친 것이건 미세한 것이건 하나의 영혼은 700,000번 화육을 경험할 것이다.

III. 식물의 화육
  1. 발아에 의해서 번식하는 식물들(지의[地衣], 이끼, 양파, 그리고 여러 가지 구근 뿌리, 노회, 등대풀, 사프란, 바나나 등). 이 영역에 있는 모든 영혼은 1,400,000번의 화육을 경험할 것이다.
  2. 씨로부터 자라나는 식물들(나무, 관목과 리아나, 풀, 곡물, 수생식물). 이러한 영역에 있는 영혼들은 단지 1,000,000번 나타날 수 있다.

땅, 물, 식물의 3가지 영역에 있는 모든 화육들은 "움직일 수 없는 것들(Immobiles)"로 알려지고, 이와 다른 3가지 영역에 있는 또 다른 무수한 화육들은 "움직일 수 있는 것들(Mobiles)"로 알려져 있다. 이것들을 나열하면 다음과 같다.

IV. 불의 화육
  1. 불꽃
  2. 타다 남은 것
  3. 번갯불
  4. 천둥
  5. 유성과 화구(火球)

이러한 것들은 결코 3일 이상 존속하지 못하며, 대체로 1초보다 짧은 시간 동안만 존재한다. 하나의 영혼이 700,000번 화육할 수 있다.

V. 바람의 화육
  1. 미풍
  2. 질풍, 돌풍, 폭풍, 대폭풍우
  3. 회오리바람
  4. 몹시 추운 바람
  5. 생물의 들숨과 날숨

움직일 수 있는 것이건 움직이지 못하는 것이건, 지금까지 명명된 모든 존재들은 4가지의 생명력, 즉 몸, 수명, 호흡, 촉각을 지니고 있다. 다음의 것들은 순서대로 더 많은 부가적인 생명력을 가지고 있다.

VI. 유기체 : 이 모든 것들은 소리(바크〔vāc〕)를 내는 힘을 가지고 있다.
  1. 촉각과 미각의 2가지 감각을 지닌 존재(벌레, 거머리, 소라류, 별보배고둥, 조개삿갓, 대합조개, 그리고 다른 조개)
  2. 촉각, 미각, 후각의 3가지 감각을 지닌 존재(벼룩과 이, 가루벌레, 바퀴벌레, 집게벌레, 기는 벌레들, 개미, 거미 등). 이들은 49일 이상을 살지 못한다.
  3. 촉각, 미각, 후각, 시각의 4가지 감각을 지닌 존재(나비, 꿀벌과 말벌, 파리와 모기, 전갈, 귀뚜라미, 베짱이, 그리고 몹시 발달한

곤충들). 이들은 6개월 동안 생존할 수 있다.

4. 마지막으로, 5가지 감각을 가진 존재. 이들은 다시 각각 하위 범주를 지닌 2개의 범주로 나뉘어진다.

A. 동물

i. 수상 동물 : 물고기, 상어, 돌고래, 악어, 남생이

ii. 육상 동물 : 포유류(어떤 것은 발굽을 가지고 있고, 어떤 것은 발톱을 가지고 있다) : 도마뱀과 몽구스, 뱀

iii. 공중 동물 : 깃털 날개를 가진 것(앵무새, 백조 등), 가죽 날개를 가진 것(박쥐), 날개를 가지고 있지만 둥근 상자처럼 생긴 것(인간의 눈에는 결코 보이지 않지만 다른 대륙에 서식하고 있다), 땅에 내려오지 않고 위로 날기만 하며 날개를 펴고 높은 곳에서 잠자기도 하는 것(눈에는 보이지 않는다)

B. 인류

i. 고귀한 출신의 사람(아리안[āryan]) : 여기에는 여러 종류의 사람들이 있다. 예를 들면, 잘 생긴 사람과 못 생긴 사람, 아픈 사람과 건강한 사람, 현명한 사람과 지각이 없는 사람, 부자와 가난한 자 ; 적은 친척을 가진 자와 많은 친척을 가진 자, 유명한 사람과 무명의 사람, 권세가 있는 자와 낮은 등급의 사람 ; 이러한 언어를 말하는 자와 저러한 언어를 말하는 자 ; 들판을 소유한 자, 집을 소유한 자, 소를 소유한 자, 노예를 소유한 자, 금을 소유한 자, 다른 재화를 소유한 자 ; 상인, 도공, 직조공, 은행가, 필경사, 재봉사, 병사, 사제와 왕, 위대한 왕, 우주의 군주 ── 이 마지막 자는 다시 "달의 왕조"와 "태양의 왕조"로 나뉜다 ; 마지막으로 "행위의 영역"에 거주하는 자와 "환희의 영역"에 거주하는 자 사이의 근본적인 구별이 있다. 전자는 "장미사과나무 대륙"의 중앙만이 아니라 최남단과 최북단에 존재하며, 후자는 다른 땅에 존재한다. 후자의 영역에 사는 사람들은 우리가 알고 있는 사람보다 2배나 큰 거인들이지만 덕의 규범을 존중하지 않으므로 무수한

화육에 종속된다.

ii. 야만인(믈렉차[mlecchas]) : 이들은 나머지 인류로서 이들 중에는 사람이 가본 적이 없는 먼 섬에 사는 전설적인 종족 들도 있다. 어떤 자들은 뿔과 꼬리를 가지고 있으며 한 다리 로 뛰어다니는 자들도 있다. 이들 모두는 괴물의 얼굴을 하 고 있으며 거대한 귀를 가진 어떤 자들은 잠잘 때 귀를 눈앞 으로 접는다.[95]

　허리 높이에 있는 화육의 존재들이 이야기의 전부는 아니다. 지옥과 천당에도 영혼들이 살고 있기 때문이다. 아래에 살고 있는 존재들은 처 벌의 고통을 받고 있으며, 위에 있는 존재들은 지상에서의 삶에 대한 보 답을 받고 있다.

　아래에 있는 7개의 지옥에는 무시무시한 형상들이 있다. 이들은 깃털 이 뽑히고 성(性)이 없고 "변화될 수 있는(바이크리이카[vaikriyika])"이 라고 부르는 몸을 가진 거대한 새처럼 생겼다. 몸에 뼈나 건(腱)이 없어 매우 헐렁하기 때문이다. 가장 낮은 층의 지옥에 있는 자들의 키는 1000 야드이며,*[96] 그 위에 있는 자들은 500야드, 위에서 다섯번째 층에 있는 자들은 250야드, 위에서 네번째 층에 있는 자들은 125야드, 그 다음 자 들은 62½야드, 위에서 두번째 층에 있는 자들은 31¼야드, 맨 위층의 지옥에 있는 자들은 46피트 10½인치이다. 그중 아래 3개의 층에 있는 자들은 검은색이고, 중간의 2개 층에 있는 자들은 군청색이며, 위의 2개 층에 있는 자들은 연기 같은 회색이다. 그들 모두는 4가지의 주요 감정 인 자만, 분노, 미혹, 욕망에 사로잡혀 있으며 화살, 던지는 창과 삼지창, 곤봉과 도끼, 칼과 면도칼로 서로 잔인하게 괴롭히고 난도질하고 있다. 그들은 서로를 야수나 쇠발톱과 쇠부리를 가진 새에게 밀어붙이거나, 부 식된 액체나 불로 된 강 속으로 밀어버리고 있다. 어떤 자들의 머리는 피와 오물이 끓는 큰 통 속으로 곤두박질쳐 있으며, 산 채로 구워지고

* 즉 500다누이다. 1다누는 4하스타이다. 하스타는 "손"을 의미하며, 이는 팔꿈치에서부 터 가운뎃손가락 끝에 이르는 길이로서 약 18인치이다.

있는 자들도 있었다. 어떤 자들의 머리는 신음을 내는 거대한 나무에 묶여 있고, 그들의 몸은 가는 조각으로 잘라져 있다. 이들의 음식은 독, 몹시 뜨거운 그리스와 똥이며, 음료수는 녹은 금속이다. 위에 있는 3개의 지옥은 뜨겁게 타오르고, 그 아래 2개의 지옥은 뜨거움과 차가움이 섞여 있으며, 가장 깊은 곳에 있는 지옥은 몹시 춥다. 이는 단테의 지옥 묘사와 같다.

위층의 지옥들에는 아수라(asuras)라고 하는 거칠고 건장한 열다섯 신이 배정되어 있다. 그들은 그곳에서 전혀 비참하게 여기지 않고 오히려 고통을 가하면서 악마와 같은 즐거움을 느낀다.

자이나교의 관점에서는 지옥의 악마이건 천상의 존재이건 그들 자체는 재생의 소용돌이에 빠져 있는 영혼에 불과하다. 따라서 일순간 행복할지라도 결국 또 다른 존재로 태어나야 하는 운명에 처하여 있다. 그들은 4가지의 주요 범주로 구분되며 그 안에서 보다 세분된다.

I. 지상적 질서를 유지하는 신
  1. 상층의 지옥에 있는 악마(아수라)
  2. 신적인 뱀
  3. 번개 신
  4. 황금 깃털을 지닌 태양-새
  5. 불 신
  6. 바람 신
  7. 천둥 신
  8. 물 신
  9. 대륙의 신
  10. 방향의 신

II. 황무지 혹은 정글의 요정
  1. 킨나라(Kinnaras, 이 이름은 "어떤 종류의 인간인가?"를 의미한다) : 인간의 머리를 한 새처럼 생긴 음악가

2. 킴푸루샤(Kimpurushas, 이 이름 역시 "어떤 종류의 인간인가?"
를 의미한다) : 말머리를 하고 있는 인간의 형상.

3. 마호라가(Mahoragas) : "위대한 뱀"

4. 간드하르바(Gandharvas) : 인간 모습을 한 천상의 음악가

5. 약샤(Yakshas) : 지상의 강력한 악마이지만 대체로 친절함

6. 락샤사(Rakshasas) : 사악하고 매우 위험한 식인 악마

7. 브후타(Bhutas) : 묘지의 흡혈귀

8. 피샤차(Pishachas) : 사악하고 강력한 꼬마도깨비

III. 천체

1. 태양 : 인간이 거주하는 세계에는 132개가 있다.

2. 달 : 이와 똑같이 132개가 있다.

3. 별자리 : 각 태양과 달마다 28개씩 존재한다.

4. 행성 : 각 태양과 달마다 88개씩 존재한다.

5. 별 : 각 태양과 달마다 6,697,500,000,000,000,000개씩 존재한다.

IV. 다층으로 된 천상의 대저택에 거주하는 자 : 2개의 범주로 나누어
지고 높이에 따라서 다시 세분된다.

1. 시간적 영역 내에 존재하는 자

A. 진정한 법의 주인

B. 위엄 있고 힘 있는 자

C. 영원한 젊음으로 넘치는 자

D. 위대한 왕

E. 인과의 세계에 거주하는 자

F. 신비적 소리인 바(Va)의 주인

G. 몹시 찬란한 자

H. 1000가지 광선을 가진 자

I. 평화로운 자

J. 존경받는 자

　　K. 심연에서 즐거워하는 자

　　L. 소멸될 수 없는 자(아큐타 : "떨어지지 않는")

　2. 시간적 영역을 넘어서 존재하는 자 : 2계급으로 다시 나누어진다.

　　A. 우주의 목에 거주하는 자

　　　i. 보는 것을 즐거워하는 자

　　　ii. 고귀한 성취를 이룬 자

　　　iii. 항상 은혜로운 자

　　　iv. 저명한 자

　　　v. 호의를 가지고 있는 자

　　　vi. 상서로운 자

　　　vii. 기쁨을 주는 자

　　　viii. 축복을 주는 자

　　B. 머리에 거주하는 자

　　　i. 승리하는 자

　　　ii. 깃발을 휴대하고 있는 자

　　　iii. 정복자

　　　iv. 무적자

　　　v. 완전히 깨달은 자

이 49가지의 신적 존재의 하위 범주들은 인도 왕국에서처럼 각각 10가지 등급으로 조직된다.

1. 왕(인드라)

2. 왕자

3. 33명의 고위 공무원

4. 궁중 고관

5. 경호원

6. 궁중 시위대

7. 군인

8. 시민
9. 노예
10. 범죄자 계급

목의 영역 밑에 거주하는 신들은 모두 성적 유희에 탐닉하고 있으며, 지옥에서처럼 여기서도 생명 영혼들(life monads)은 종류별로 색깔을 가지고 있다. I, II, III의 범주에 속하는 자들은 각각 검은색, 군청색, 연기 같은 회색이며, IV의 범주 중 하위 범주인 1.A와 B는 불꽃 같은 붉은빛이며, C부터 E에 이르는 범주들은 노란색이고, 나머지는 점차 흰색으로 되고 있다. 더구나 I, II, III의 범주에 속하는 질서의 신들과 IV.1.A와 IV.1.B의 신들의 키는 10피트 6인치이며, IV.1.K와 IV.1.L과 목에 거주하는 신들의 키는 3피트이다. 꼭대기에 있는 신들, 즉 깃발을 가지고 있는 승리자, 정복자, 무적자, 그리고 완전히 깨달은 자의 키는 18인치도 안 된다. 이를 가장 낮은 층의 지옥에 있는 1000야드의 키를 가진 존재들과 비교해보라! 이 신들 중 하나는 자신의 책상 위에 귀엽게 서 있다.

지하만이 아니라 지상에도 다양한 영혼들이 상상력을 통해서 나타나고 있다. 그러나 이들은 서구적 의미의 혹은 초기 베다적 의미의 유일신이나 신이 아니다. 그들은 빛나는 천상 ── 그 위대한 존재의 머리 부분에 해당하는 ── 에서 깃발을 휴대하는 최고의 승리의 날에도 일시적으로 좋은 자리를 잡고 있는 영혼들에 불과하다. 이들은 전생에서 지은 선업 때문에 잠시 좋은 위치를 점하고 있지만 공덕이 다하면 다른 곳으로 가야 하는 운명에 처하여 있다. 여기에는 처벌과 보상을 내리기 위해서 이들의 행위를 헤아리는 어떠한 심판자도 없다. 행위의 결과는 자동적으로 결정된다. 폭력 행위는 자동적으로 영혼 속에 무게와 어둠을 집어넣으며 친절한 행위는 영혼의 무게와 색깔을 가볍게 한다. 그러므로 영혼은 자동적으로 아래로 떨어지거나 위로 올라간다. 이 세계의 창조주는 결코 존재하지 않으며 세계는 영원 전부터 현재의 상태로 존재해왔던 것이다.

자이나교는 유일신을 가지고 있지 않은 종교이다. 이를 기계적 ── 혹은 과학적 ── 종교라고도 말할 수 있을 것이다. 물론 정교한 계산을 보여주는 그것의 장엄한 쇼에도 불구하고 그러한 이미지는 (아무리 줄잡아 말하더라도) 사실성의 측면에서는 확실히 부정확하지만 말이다. 자연 속에서 철저한 질서를 읽으려는 자이나교의 노력을 원시적이라고 말할 수는 없다. 거기에서는 시간과 공간을 통해서 일정해야 하는 법칙에 대한 상당히 발전된 탐구가 이미 나타나고 있다. 그러나 자이나교는 체계를 정립하려는 광기 어린 악몽 속에서 증거에 대한 필요 불가결한 과학적 태도 —— 점검하고, 조사하고, 비판하고, 공상으로부터 사실을 신중하게 분별해내는 —— 를 전적으로 상실하고 있다. 따라서 그 장엄한 세계는 결코 존재하지 않는 세계이다. 그럼에도 불구하고 개인은 그 세계 속에서 자신의 삶, 사상, 명상, 꿈, 심지어 근본적 두려움과 즐거움을 가진다.

거대한 세계와 가상 세계의 현상학을 순전히 심리학적인 관점에서 분류하려는 이러한 시도는 초기의 원-과학자들(proto-scientists)에게서 기원하였을 것이다. 이들의 목적과 태도가 무엇이든지 간에, 자이나교의 체계 및 그러한 고대적인 우주론적 체계를 지닌 후대의 종교적 용법에서는 사실 적합성(relevancy to fact)에 대한 어떠한 관심도 나타나지 않는다. 스크린에 투사된 영화처럼 마음으로부터 현실 세계로 투사된 이러한 이미지는 더 많은 연구를 조장하기 위해서가 아니라 우주를 파괴하기 위해서 오랫동안 사용되었다. 그것의 기능은 심리학적이다. 삶의 의지를 뿌리 뽑고 해체하는 것, 자연적인 세상적 삶으로부터 감정을 벗어나도록 인도하는 것, 심지어 지옥이나 천당과 같은 희망과 두려움에 관한 모든 일상적인 종교적 이미지를 절대적으로 초월적이고 절대적으로 인지 불가능한 목표로 전이시키는 것이다. 이를 위해서 모든 노력을 경주해야 한다. 세상으로부터 마음을 끌어낼 수 있는 힘을 지닌 그러한 공상이 과학처럼 세상적 사실에 부합하는가 하는 점에 대해서는 전혀 관심이 없다. 그것의 진리와 가치의 판단 기준은 실용적이다. 그것이 (심리에) 작용한다면 그것은 진실이 되기에 충분한 것이다.

자이나교의 신화 속에서 우리는 우리 주제의 역사에서 전적으로 새로운 어떠한 것을 본다. 적어도 자료가 보여주는 한에서는 그렇다. 자이나교의 신화는 살려는 의지를 (조장하는 것이 아니라) 제거하고, 우주를

(확장시키는 것이 아니라) 파괴하기 위하여 도안된 것이다.

그리스 인들에게서도 금욕적인 경향이 있었다. 오르페우스주의, 피타고라스, 엘레아 학파, 그리고 플라톤의 경우가 그렇다. 그러나 그리스 철학의 그 어디에서도, 또는 우리가 아는 우리의 주제의 역사 그 어디에서도, 자아나 종교의 절대적 "아니!(No!)"에 대적할 수 있는 것은 발견할 수 없다. 영원히 끝나지 않을 죽음 안에 놓여 있는 삶으로부터의 분리라고 하는 그들의 독특한 우울함은 그리스인의 경우보다 훨씬 더 크게 나타난다. 시간과 공간의 범위, 그리고 우주적인 불행의 범위에 대한 그들의 상상력에 대해서도 마찬가지 이야기를 할 수 있다. 슈펭글러가 『서구의 몰락(Decline of the West)』에서 "아폴로적 영혼(Apollonian soul)"을 논의하면서 잘 보여주었듯이, 그리스 인의 세계관은 가시적이고 만질 수 있는 신체를 전적으로 강조한다. 그리스 인의 말에는 공간에 관한 어떠한 단어도 담기지 않았다. 멀리 떨어져 있고 불가시적인 것은 사실상 "존재하지 않았다." 그리스인이 사용한 "코스모스(cosmos)"라는 용어는 공간과 힘의 장이 아니라, 잘 정의되고 유클리드적이고 측정 가능하고 지각 가능하고 조화로운 질서를 지닌 신체의 총합을 가리켰다. 유클리드의 숫자는 경계를 정의하는 것이었다. 그러므로 슈펭글러가 주장하였듯이 "고전 문화는 점차 작은 것의 문화(the Culture of the small)가 되었다."[97]

한편 인도적 심성은 무한대로 확장되었다. 이는 (우리를) 조롱하는 정수(整數)인 팔랴("무수한 해의 기간")에서 잘 요약되고 있다. 팔랴는 정확한 숫자들조차도 부정확하게 만든다. 이처럼 인도인은 우주의 무대를 무한히 확장시켰기 때문에 직접적인 현실성들은 현자의 관심을 끌지 못한다. 그리스 인은 우주에 대한 독해를 가시적인 것으로 시작하여 그의 눈이 인식할 정도로만 그것을 공간 속으로 약간 압착시켜 넣었다. 이와 대조적으로 인도인은 공간(아카사[ākāśa])으로 우주론을 시작하였지만 어떤 자도 볼 수 없었던 우주를 산출해냈다. 더구나 낮은 카스트의 이웃들과 같은 덧없는 존재들의 현실적인 슬픔과 고통이 직접적으로 보여주는, 거대한 슬픔으로 가득찬 우주는 생각할 만한 가치를 지니지 못하였다. 세계의 슬픔을 이미 충분히 알고 있는 성자는 그 안에서 치유 불가능한 상태에 있는 우주의 섬광만을 볼 수 있었다. 이 우주 안에서는 천당마저도 지바를 붙잡아 다시 비참한 무대로 유혹하는 향기로운 황금 거미줄에 불과하다. 따라서 이러한 지식의 빛 속에서 볼 때 가장 중요한 것은 격렬한 악몽으로부터 벗어나는 영적 과제를 수행하는 것이며, 이는 무한한 개인에게 무한한 중요성을 가지고 있다.

영원히 끝나지 않을 이 죽음 안에 있는 삶으로부터 벗어나고자 하는, 인도인의 독특한 힘과 우울은 인도적 심성 자체의 한 부분이다. 인도적 심성은 그 자체의 전설적인 영역 안에서 매순간 무한성을 발견하고, 그 것을 합리적 관찰이 아니라 스스로 산출한 합리화된 악몽으로 채웠다. 시간이 존재하지 않았던 때는 없었으며, 시간이 존재하기를 멈추는 때는 오지 않을 것이다. 지금 존재하는 이 슬픔의 세계는 영원히 슬픔의 세계로 존재할 것이다. 더구나 우리의 눈에 비치는 슬픔은 슬픔 전체의 넓이에서만이 아니라 깊이에서도 결코 그 거대함을 대표하지 못한다. 인간과 그 주위에 있는 야수, 식물 세계와 그것을 지탱하는 토양, 바위와 물, 불, 바람, 떠다니는 구름, 그리고 발광체를 지닌 공간 자체는 영원히 존속하고 영원히 미혹당하는 육체와 비참함의 덩어리 — 그 존재 전체가 우주이다 — 의 가장 작은 파편을 이루고 있을 뿐이다.

9. 불꽃의 길

자이나교의 문헌에는 이러한 말이 있다. "흘러 들어오는 물이 차단될 때 커다란 연못의 물이 점차 소진되고 증발되어 다 마르듯이, 수백만 번의 출생을 통하여 축적된 승려의 업보도 금욕에 의해서 소멸된다. 더 이상의 유입이 없다면."[98]

그러므로 자이나교 스승의 첫번째 과제는 제자들 안에 있는 업의 유입을 막는 것이다. 이는 삶의 활동 영역을 점차적으로 축소시키는 것에 의해서만 실현할 수 있다. 제자가 마침내 모든 감각의 문을 잠그었을 때,

두번째 과제는 이미 존재하고 있는 업보를 금욕 행위를 통해서 불태우게 하는 것이다. 이러한 훈련에 해당하는 통상적인 산스크리트는 타파스이다. 이는 "열"을 의미한다. 자이나교의 요기는 내적인 격렬한 열을 통하여 실제로 카르마의 물질을 태움으로써 이전의 영혼을 깨끗하게 하고 가볍게 한다고 한다. 그렇게 해서 우주적 몸의 평면을 따라 상승하여 마침내 "약간 기울어진 우산(the Umbrella Slightly Tilted)" 밑에 있는 "고립의 평화(카이발람[kaivalyam])"로 올라간다. 그곳에서는 색채를 지닌 어떠한 물질로부터도 완전하게 정화된 개별적 생명-영혼이 그 자신의 초월적이고 수정같이 순수한 존재로 영원히 빛날 것이다.

세상의 문제로 몹시 오염되고 무거워졌지만 거기서 벗어나기를 갈망하는 보통 사람들이 그 위대한 상승 — 미래의 수많은 삶을 요구할 수 있는 — 을 진지하고도 체계적으로 시작하기 위해서는 다음과 같은 5가지의 결점을 버려야만 한다 : 1. 자이나교 우주관의 타당성에 대한 의심, "피안으로 건너 간 자"인 "세계 구세주"의 해탈에 대한 의심, 그리고 자이나교가 제시하는 행위 규범의 효과에 대한 의심, 2. 다른 신앙을 수용하려는 욕망, 3. 해로운 행위가 가져올 결과에 관한 불확신 4. 기만자(5가지 결점을 버리지 않은 자)에 대한 칭송, 5. 기만자와 관계를 맺는 것.

다음 단계는 능력에 따라 12개의 서약을 점차적으로 행하는 것이다.

I. 자이나교 평신도의 5가지 기본 서약
  1. 비폭력
  2. 정직
  3. 도둑질 안하기
  4. 정조
  5. 무소유

II. 5가지 기본 서약의 힘을 증대시키는 3가지 서약
  6. 돌아다니는 것을 자제할 것
  7. 사용하는 물건의 수를 제한할 것

8. 어떤 사람에게 악을 행하거나 악을 위해서 자신의 영향력을 사용하는 것, 부주의에 의해서 생명을 위험하게 하는 것, 불필요한 칼이나 무기를 휴대하는 것 등의 행위를 하지 않을 것

III. 적극적인 종교적 실천을 위한 4가지 서약
  9. 하루에 최소한 48회 명상할 것
  10. 이미 부과된 통제 행위를 하루 동안 더욱 통제할 것
  11. 승려가 하는 것과 같은 금식과 명상을 한달에 4회씩 행할 것
  12. 승단과 승려를 후원할 것

이러한 모든 것을 통해서 실현하고자 하는 평신도의 이상적인 생활은 아래의 11개 덕목을 포함한다.

  1. **신앙의 덕목** : 자이나교에 대한 견고한 신앙, 자신의 종교적 스승(구루)에 대한 존경, 24명의 "건너간 자(티르탄카라)"에 대한 숭배, 7가지의 악한 행위, 즉 도박, 육식, 음주, 간음, 사냥, 도적질, 방탕을 피할 것
  2. **봉헌의 덕목** : 12가지 서약의 엄격한 준수, 그리고 죽음이 도래하였을 때 이를 절대적 평화의 상태에서 맞이할 것
  3. **명상의 덕목** : 하루에 적어도 3회씩 할 정도로 명상 횟수를 증대시킬 것
  4. **수도의 덕목** : 승려가 하는 금식을 최소한 한 달에 6회 정도로 증대시킬 것
  5. **식물을 해치지 않는 덕목** : 요리되지 않은 야채를 피할 것, 그리고 망고나무에서 망고를 절대로 따지 말고, 다른 사람이 씨를 없애기 전에는 망고를 먹지 말 것 등
  6. **미세한 곤충을 해치지 않는 덕목** : 해가 지고나서 해가 다시 뜨기 전까지는 먹지 말 것, 혹은 마시는 물에 보이지 않는 곤충이 있는 것을 피하기 위해서 날이 밝기 전까지는 물을 조금씩 마실 것

7. **완전한 정조의 덕목** : 자신의 아내마저 피하고, 그녀가 일어나지 않도록 하기 위해서 몸의 냄새를 맡는 것을 피할 것, 또 반대의 성에 속하는 것이면 그것이 신이건 인간이건 동물이건 간에 생활 속에서만이 아니라 생각이나 말에서도 피할 것

8. **행위 포기의 덕목** : 생명의 파괴에 관련된 일, 즉 집을 짓거나 우물을 파는 것과 같은 행위는 모두 피할 것

9. **소유 포기의 덕목** : 야심의 포기, 모든 노예의 해산, 자식들에게 재산을 양여할 것

10. **참여 포기의 덕목** : 어떠한 거친 가루도 먹지 말며, 남이 먹다 남은 것만 먹을 것, 아무런 세속적인 충고도 하지 않을 것. 그렇게 하면 마침내 위대한 도약을 위한 준비가 된다

11. **은둔의 덕목** : 은둔자의 옷을 입고 종교적 건축물이나 정글로 물러나 승려용 경전의 규정에 따라 산다

(자이나교 문헌에 이렇게 나와 있다.) 친지들에게 작별을 고하고 가족, 아내, 자식들로부터 해방되어, 지식, 직관, 행동, 금욕, 그리고 담력 있는 집중력을 증진하는 데에 힘쓴다. 그후 공덕이 풍부하고 명망 있는 가문 출신이며 순수한 안색을 가졌고 나이도 지긋하며 다른 승려들에 의해서 상당히 인정받은, 자격 있는 지도자 앞에서 서약을 한다. 마지막으로 "나를 받아주십시오"라고 말한 뒤 받아들여진다.

서약, 종교적 준수, 감각의 통제, 삭발, 일상적 의무, 벌거벗음, 그리고 목욕을 하지 않는 것. 이 모두는 최상의 승리자(지나)들이 규정한 승려의 근본 덕목들이다. 땅에서 잠자고, 이를 닦지 않고, 서 있는 상태로 음식을 먹으며, 하루에 한끼 식사하는 것도 근본 덕목이다.

절대적 포기를 하지 않으면 승려에게는 업의 유입을 정화시킬 방법이 없다. 순수하지 못한 자의 마음속에서 어떻게 업이 제거될 수 있겠는가?[99]

초기 단계의 수도 생활에서는 노여움이 가라앉으며, 자만, 기만, 탐욕

이 단순한 흔적 정도로 줄어든다. 수면 욕구도 극복되며 명상의 힘이 증대하고 새로운 기쁨이 생긴다.

이제 자만이 사라지고 명상의 힘이 현저하게 향상된다. 여자는 이 단계를 넘어 더 나아갈 수 없다고 하기도 한다. 그러므로 여자는 이른바 "하늘로 덮인", 즉 벌거벗음의 상태로 들어가는 것이 허락되지 않는다. "홀림, 혐오, 두려움, 싫어함, 그리고 여러 가지 종류의 미혹(마야)은 여자의 마음에서 근절될 수 없다." 어떤 자이나교의 열반 안내서에는 다음과 같은 진술이 있다. "그러므로 여자에게는 열반이 가능하지 않다. 그들의 몸은 적절한 덮개도 아니기 때문에 옷을 입어야만 한다. 그들의 자궁 안에, 젖가슴 사이에, 그리고 배꼽과 허리에는 생명의 미세한 방출이 계속되고 있다. 그런데 그들이 어떻게 자기 통제에 이를 수 있겠는가? 여자는 신앙의 측면에서 순수하고, 심지어 수트라 연구에 몰두하며 놀라운 정도의 금욕을 행할 수 있지만, 업보에서는 여전히 벗어날 수 없을 것이다."[100]

다른 안내서에서는 "미혹이 여자에게 자연스럽듯이, 서 있고 앉아 있고 돌아다니고 법을 가르치는 것은 성자에게 자연스럽다"[101]라고 쓰여 있다.

다음으로 억제하여야 할 감정은 삶의 게임에서 중요한 역할을 하는 욕구이다. 이 욕구는 자이나교도가 미혹이라 부르는데, 여자는 결코 이를 극복하지 못한다. 이러한 욕망이 사라질 때에 성품은 실제적으로 중성이 된다. 이때의 절대적 초연은 금욕 수행자가 되기 전에 행하거나 보았던 유쾌하거나 불쾌한 기억에 의해서만 방해받는다.

그러므로 엄격한 명상은 이제 형상과 소리의 미로 나타나는 쾌락의 감정만이 아니라 추함과 악취, 심지어는 고통으로부터 나오는 극도의 불쾌감도 제거해야 한다. 이러한 경이로운 정화를 행하였을 때 성자의 유머는 완전히 제거되고 그의 인간성의 마지막 기색도 소멸된다.

그러나 신체의 화학 작용은 생명-영혼과 물질의 근본적인 연계 장치에 아직도 부착되어 일어나고 있다. 이제 이완되어야만 하는 몹시 생리학적인 지배력을 특징짓기 위하여 "탐욕", 화학적 수준에서의 "원자가(價)", 물리적 원자 수준에서의 "구속력"과 같은 용어들을 사용할 수 있을 것이다. 이 지배력이 파괴되지 않고 단지 약화되거나 이완된다면, 절대적 자유로 향한 최종적 탈출이 결코 성취되지 않는다. 그뿐 아니라 금욕적 집중이 조금만 실패하여도 거의 죽었던 불이 다시 불꽃으로 타오를 잠재적 위험성이 남아 있게 될 것이다. 그러면 연쇄적 반응 관계에 있는 전체 시리즈, 곧 쾌락과 고통, 기억, 자만, 노여움 등이 다시 점화되어 빛나는 조수 위에 있던 영혼이 다시 대소용돌이 속으로 휩쓸려 들어갈 것이다. 이는 50명의 젊은 아내를 가지고 있던 요기의 경우와 같은데, 한 물고기의 첨벙거림으로 그 요기의 집중은 깨어졌던 것이다.

이 단계를 달성한 자, 곧 "홀림의 소멸" 상태를 획득한 자에게는 2개의 단계만이 남아 있게 된다. 첫번째는 "요가 안에서의 자기 동일성"의 단계이고, 두번째는 "요가 없는 자기 동일성"의 단계이다.

우주의 불행에 대한 자이나교의 설명이 불쾌감을 부추키기 위해 고안된 초일상적인 신화적 이미지이듯이, 해탈의 실현에 대한 설명도 이에 못지 않게 신화적이다. 그러나 후자의 경우에는 열정을 고무하기 위한 것이다.

우리는 "세계 구세주 파르슈바"에 대하여 알고 있다. 악마 메그하말린이 어둠과 폭풍과 죽음의 신의 형상으로 그를 공격하였다가 1쌍의 우주적 뱀에 의해서 추방되었다. 그때 그 성인은 요가를 행하면서 자기 동일성을 획득하였다. 그는 물고기에 의해서 정신이 산란하게 된 자와는 대조적으로 옆에서 땅이 열리고 산이 무너지고 숲이 흔들렸을 때에도 꼼짝하지 않았다. 외부 세계와 모든 관련을 끊은 채 자신의 에너지와 빛이 영혼 안에서 휴식을 취하면서 무한히 빛나고 있었던 것이다. 천상의 꽃들이 소나기처럼 그 위로 쏟아졌다. 우주의 모든 신의 자리가 흔들렸다. 천상의 합창단이 노래하였다. 사방에서 파초선을 가진 신들과 모든 종류의 신들이 쏟아져 나왔으며, "세계 스승"을 위하여 12칸으로 된 회의실을 지으려고 하였다. 이 회의실은 "함께 떼지어 다님"이라고 불리었는데, 그 안에는 모든 존재를 위해서 배당된 장소가 마련되어 있었다. 사자 모습으로 생긴 왕관과 세계 통치의 일산(日傘), 그리고 후광이 그를 위하여 마련되었다. 그의 왕실의 아버지, 어머니, 그리고 이전의 왕비가 도착

하여 그를 칭송하며 찬가를 불렀다. 천상의 북을 두들기는 소리가 났으
며, 그는 모든 사람에게 "우주의 설법(cosmic sermon)"을 하였다. 그 설
법 안에는 슬픔을 넘어 저편으로 가기 위한 4가지 규율이 제시되어 있
다. 그것들은 바로 자비, 경건, 금욕, 덕성이다.

　그를 공격하였던 악마를 포함하여 많은 자들이 개종하였다. 완전의 경
지에 도달한 자도 있었다. 아버지, 어머니, 왕비는 서약을 하였다. 4개의
팔과 코끼리 얼굴을 한 검은 악마가 도착하였다. 그는 남생이를 타고 있
었으며 커다란 코브라가 보호하고 있었다. 그의 왼손은 2개였는데, 각각
몽구스와 뱀을 가지고 있었고, 2개의 오른손에는 각각 시트론과 뱀이 있
었다. 그 뒤에는 4개의 손을 가진 황금 여신이 날개 달린 뱀이 끄는 전
차를 타고 있었다. 그녀의 두 오른손에는 올가미와 연꽃이 있었고, 두 왼
손에는 갈고리와 과일이 있었다. 엄청나게 많은 군중을 거느린 "주"가
걷기 시작하였다. 한쪽에는 악마, 다른 쪽에는 여신이 있었고, 앞에는 법
의 바퀴가 위로 향하고 있었으며 공중에서는 큰 북소리가 들려왔다. 일
산과 파초선의 보호를 받으면서 그는 황금 연꽃 위로 걸어 올라갔다. 앞
으로 나아갈 때마다 연꽃이 그의 앞에 나타났다. 나무들은 존경의 표시
로 그에게 절을 하였으며 질병들은 멀리 도망갔다. 계절과 새와 바람은
빛났으며 온 세상의 적대감은 소멸하였다.

　열반이 눈앞에 도달하였음을 알고 있는 주 파르슈바는 산에 올라가면
서 수많은 동료들을 길 위에 떨어뜨렸다. 오로지 33명의 깨달은 자들과
함께 정상에 도달할 때까지 그러한 행동을 계속하였다. 그 성인들은 그
와 함께 정상에서 한 달 동안 요가를 행하였다. 지상의 그에게 다섯 모
음을 발설하는 데에 필요한 시간 정도만이 남았을 때, 그는 요가 없는
자기 동일성의 단계로 들어갔다.

　70년 전에 그의 파괴적인 업이 소멸되었고, 이제 4가지 형태의 비파괴
적인 업과 결합되어 있는 85개의 인연이 제거되었다. 이러한 일은 슈라
바나 달(7-8월)의 밝은 보름의 일곱번째 날에 일어났고, "주"는 곧바로
해탈의 상태로 들어갔다.

　빛을 발하는 생명-영혼이 땅에서 올라왔다. 그것은 태양보다 더 크고

더 찬란하였으나, 색깔이 없고 수정같이 투명하며, 불멸적이고 전지전능하며, 경계가 없고 무게를 지니지 않았다. 그것은 거대한 우주적 흉부의 시간적 영역 내에 있는 모든 하늘을 통하여 위로 올라갔으며, 거기서 다시 목과 머리의 영역을 거쳐 두개골에 이르고, 다시 그것을 뚫고 밖으로 올라갔다. 마침내 거대한 일산이 치솟고 있어 "바람이 없는(니르-바나〔nir-vāṇa〕)", 그 천상의 장소에 영원히 머문다. 해방되어 무게가 없는 영혼의 단계는 어떠한 기도에 의해서도 도달할 수가 없다. 그것은 훨씬 아래에서 순환하고 있는 커다란 소용돌이와는 관계가 없다. 그것은 생각하지 않지만 모든 것을 알며 모든 곳에 편재하여 있다. 그것은 개인적인 특성, 성격, 특질, 혹은 정의(definition)를 가지고 있지 않다. 그것은 단지 완전할 뿐이다.

내쫓긴 몸은 산의 정상에서 생명을 박탈당한 채 놓여 있었다. 모든 신들의 자리가 흔들렸다. 천상의 소나기 꽃이 내렸다. 천상의 합창단이 노래하였다. 북이 다시 쿵쿵 울렸다. 파초선을 가진 신들이 사방에서 도착하였다. 신적 뱀, 번개 신, 황금 깃털을 가진 태양-새, 위층의 지옥으로부터 온 악마, 머리의 하늘로부터 온 깃발 휴대자들이 도착하였다. 모두가 왔다. 그들은 그 내쫓긴 몸을 축복으로 가득 찬 "우주적 우유 대양"에서 목욕시키고 황금 장신구들로 장식한 다음, 백단향과 알로에 나무로 된 화장용 장작더미 위에 그 몸을 올려놓았다. 그때 불의 신의 머리로부터 불꽃이 방사되어 그 몸을 삼켜버렸다. 구름 청년들이 화장용 장작의 불을 껐다.

신들과 여신들은 재를 자신들의 머리와 사람들에게 문질렀고, 뼈 위에다 보석 파고다를 세웠다. 그들은 노래하고 춤추면서 사방으로 행진하였으며, 마침내 승리감에 가득 찬 채 각자의 은밀한 집으로 돌아갔다.[102]

제5장 불교 인도

1. 서양의 영웅과 동양의 영웅

40년 전에 마드리드 대학의 아랍 어 교수이자 가톨릭 신부인 미구엘 아신 이 팔라시오스는 단테의 『신곡』에 모슬렘의 영향이 있음을 밝혔다. 이는 유럽의 학문 세계에 큰 충격을 주었다.[1] 그는 연옥, 지옥, 천당을 방문한 모하메드의 밤여행 전설에 관한 문학을 상세하게 검토하면서, 양자 사이의 결정적 관계를 보여주는 유사점들을 제시하였다. 그 과정에서 페르시아 조로아스터교의 전승에 관하여 언급하고, 더 나아가 이집트의 「사자의 서」에 보이는 오시리스 앞에서의 영혼 심판도 언급하였다. 우리의 주제와 관련하여 특히 흥미로운 것은 단테가 묘사한 원의 가장 낮은 곳에서 행해지는 추위에 의한 고문이 페르시아적 배경을 가졌다는 점이다. 아신 신부는 이렇게 말한다. "성서적 종말론이 지옥을 묘사하면서 추위를 통한 고문에 대해서는 전혀 언급하지 않고 있음은 아주 확실하다. 그러나 모슬렘의 교의는 이러한 고문을 불 고문과 동일한 평면에 놓는다. …… 추위에 의한 고문이 모슬렘의 지옥 체계 속으로 도입된 것은 …… 조로아스터교 신앙이 이슬람에 동화되었기 때문이다. …… 그것은 아마도 이슬람으로 개종한 조로아스터교도들에 의하여 도입되었을 것이다."

280

그는 "추위에 의한 고문은 불교의 지옥에서도 나타난다"²⁾고 덧붙이고 있다. 앞에서 보았듯이 그것은 자이나교에서도 나타나고 있다.

세계 산(the world mountain)을 사이에 두고 있는 동서양의 다층식 하늘과 지옥 구덩이의 궁극적인 배경을 이루는 것은 메소포타미아의 우주 구조 개념이다. 앞에서 보았듯이 거기에는 네 방향을 향하는 지구라트로 상징되는 우주적 축의 산이 있다. 그 위에 있는 최상층의 하늘에는 지고 신 안(An)이 찬란한 신들 가운데에 앉아 있다. "출생의 식물"과 "불멸의 빵"과 "불멸의 물"은 그 높은 곳에 있다. 그 아래의 중간 하늘에는 왕실 통치의 신적 원형이자 주(主)가 되는 자가 있다. 흥망 성쇠를 동반한 메소포타미아 제국의 긴 역사 과정 속에서 많은 재위자들이 그의 역할을 수행해왔다. 첫번째는 엔릴(Enlil, 수메르 니푸르의 수호신)이었음에 틀림 없으며, 다음으로는 벨 마두룩(Bel Maduruk, 함무라비 시대 바빌론의 수호신), 아수르(Assur, 아시리아의 수호신), 그리고 무엇보다도 야훼(Yahweh, 초기 히브리 인의 수호신)였다. 빛을 내는 많은 신들(혹은 천사들)을 거느린 그의 법정에서 "운명의 점토판"이 매년 작성되었다. 그 아래의 무대에서 선회하고 있는 유성들로 이루어진 7개의 하늘은 아시리아 시대(기원전 1100~630년경)에 지구라트의 산허리에 있는 7층의 단으로 표상되었다. 땅 아래의 심연에는 "돌아올 수 없는 땅"의 무시무시한 여신 에레슈키갈(Ereshkigal)이 있었다. 그녀에게 다가가기 위해서는 7개의 문을 거쳐야 하였다. 아랄루(Arallu)라고 불리는 그 어둠의 영역에서는 어떤 괴물들과 마지막 매장 의례를 치루지 못하고 죽은 불행한 영혼들이 보기 흉한 새의 모습으로 무시무시하게 방황하였다.³⁾

기원전 3500년에서 2000년경 사이에 메소포타미아 지역의 강변에서 사제 국가의 상징적 질서에 근거하여 번영을 구가하던 수메르 도시들은 인류 최초의 문명 중심지였다. 이곳의 도상학에서 동양과 서양이 공유하는 신화적 우주상의 근원을 찾을 수 있다. 그러나 시간이 경과하면서 두 지역은 분명하게 분리되고 변형되었다. 서양에서는 개인적 삶의 존엄성이 매우 독특하게 강조되어 각 영혼은 1번의 출생, 1번의 죽음, 1번의 운명, 1번의 인격 성숙만 지닐 수 있었다. 따라서 천당이건, 연옥이건, 지옥이건 간에 그곳을 방문하는 공상가들은 죽은 자를 쉽게 알아본다. 단테가 모험을 하면서 저주받은 자와 구원받은 자에게 말을 걸었듯이, 모하메드는 천당에서 용감하고 충성스러운 그의 친구들과 이야기하였다. 고전 시대의 그리스와 로마에서 보이는 지하 세계 방문의 경우도 마찬가지이다. 율리시즈와 아에네아스는 그들의 죽은 친구들과 이야기하였다. 반면 동양에서는 그러한 인격의 지속성이라고 하는 것이 존재하지 않는다. 관심의 초점은 개인이 아니라 윤회하는 지바(jiva), 곧 영혼이다. 그것에는 어떠한 종류의 개체성도 부여되어 있지 않으며, 영혼은 파도를 통과하는 배처럼 하나의 인격으로부터 다음 인격으로 나아갈 뿐이다. 어떤 때는 가루벌레이지만 어떤 때에는 신, 악마, 왕 혹은 재단사가 되기도 하는 것이다.

하인리히 치머가 언급하였듯이, 동양의 지옥과 천당에는 괴로움과 환희로 묘사되는 존재들이 수없이 많지만, 어떠한 존재도 그 자신의 지상적 인격의 흔적을 지니고 있지 않다. 어떤 자는 한때 자신이 다른 어떤 곳에 있었던 것을 기억할 수 있고 현재의 처벌을 초래한 과거의 자신의 행동이 무엇이었는가를 기억할 수 있다. 그렇지만 일반적으로 볼 때 모든 존재는 현재의 상태에 매몰되어 있다. 어떠한 개(犬)이든지 간에 현재의 자신의 삶의 세부 사항들에 매혹되어서 자신의 현재 상태에 매몰되어 있듯이 ── 그리고 우리 자신들도 일반적으로 현재의 개인적 삶에 의해서 마법에 걸려 있듯이 ── 힌두교, 자이나교, 불교의 세계에 살고 있는 존재들 역시 그러하다. 그들은 어떠한 과거 상태도 기억할 수 없고 전생에서 입었던 어떠한 옷도 기억할 수 없으며 오로지 현재의 모습만을 확인할 수 있을 뿐이다. 물론 인도의 관점에서 볼 때 이는 그들 본래의 모습이 아니다.[4]

서양의 전형적 영웅은 하나의 인격이다. 그는 시간성의 고뇌와 신비에 심각하게 연루되는 운명을 지닌, 필연적으로 비극적인 존재이다. 이와 달리 동양의 영웅은 영혼(monad)이다. 그 영혼은 본질적으로 속성을 지니고 있지 않으며, 단지 영원성의 이미지일 뿐이다. 영원성은 필멸적 영역의 망상에 연루되지 않으며, 그 망상을 성공적으로 던져버린다. 서양에서의 인격에 대한 지향은 신마저도 하나의 인격으로 개념화하고 경험하는 데에서도 나타나고 있다. 동양은 이와 완전히 대조적이다. 동양에서는 만물을 덮고 조화롭게 하는 절대적인 비인격적 법에 대한 압도적인 감성으로 인하여 개인적 삶의 사건은 단순한 오점 정도로 환원되어 버린다.

이 두 세계의 단절의 역사에서 희미하면서도 아직 해결되지 않은 문제는 페르시아의 조로아스터와 그의 발전적이고 윤리 지향적이며 엄격한 이원론적 신화의 기원에 관한 것이다. 조로아스터교는 그 정신에 관한 한 문화적 분계선의 서양 쪽에 위치하지만, 그 기원의 측면에서는 부분적으로 베다와 동일한 신화에서 유래하였음에 틀림없다. 이에 관한 좀더 상세한 논의는 『신의 가면 : 서양 신화』에서 할 것이다. 그러나 인도와 관련하여, 또 불교와 힌두교에 미친 페르시아 사상의 영향과 관련하여, 조로아스터교의 교리 — 따라서 서양의 교리 — 를 동양과 분리시킨 몇 가지 중요한 점을 이 시점에서 지적할 필요가 있다.

첫번째의 가장 급진적인 혁신은 퇴행적 세계 주기가 아닌 발전적 세계 주기이다. 내가 아는 한, 이것은 신화의 역사에서는 최초로 등장한 것이다. 이미 언급하였듯이,* 세계의 진행에 대한 조로아스터교의 해석에서는 순수한 빛의 신에 의한 창조 관념이 등장한다. 이 세계 안에 악한 원리가 들어왔으며 그것은 빛의 신과는 본질적으로 대립한다. 악한 원리는 빛의 원리로부터 독립하여 있기 때문에 세계의 발전 과정에서 우주적 투쟁이 전개된다. 그러나 이 투쟁은 영원히 계속되는 것이 아니라 빛의 전면적인 승리 속에서 끝날 것이다. 그리고 지상에 의(義)의 왕국이 완전히 실현됨으로써 그 과정은 종료될 것이다. 따라서 주기가 반복되지는 않을 것이다. 여기에는 영원 회귀의 관념이 존재하지 않는다.

이 신화를 특히 인도 신화로부터 분리시키는 두번째의 급진적 혁신은 개인에게 부여하는 책임성에서 나타난다. 여기서 개인은 생각, 말, 행동의 영역에서 자신의 자유 의지에 따라 빛의 편에 찬성할 것인가 말 것인가, 그리고 그것을 어떠한 방식으로 할 것인가를 선택하도록 되어 있다.

---

* 15-16쪽 참조.

"너의 귀를 가지고 듣거라. 보다 선량한 마음의 눈으로 밝은 불꽃을 보아라. 종교에 대한 결정은 각자 스스로 행하는 것이다. 그 주의를 실현하려고 노력하기 전에 우리의 가르침에 눈을 뜨거라"[5]

마지막으로, 조로아스터교의 세계관에 본질적인 세번째 원리는 궁극적 목적을 달성하는 길을 초연이 아니라 참여의 원리로 설정하고 있다는 점이다. 이 원리는 조로아스터교의 세계관을 인도의 세계관과 단지 분리시키는 것이 아니라 정반대의 것으로 만든다. 자유 의지에 따라서 "선"을 위하여 생각하고 말하고 행동하는 개인은 숲의 일이 아니라 마을의 일을 하는 데에 전력을 다한다. 세계의 목적은 결코 절망적인 것이 아니다. 여기서 주목하여야 할 것이 하나 있다. 후기 조로아스터교의 도상학에서는 지상의 모든 악을 요약하여 보여주는 존재, 곧 도덕 질서의 검은 대적자가 나타나고 있다. 그는 "악마적 뱀"을 뜻하는 포악한 왕 아즈히 다하카(Azhi Dahaka)이다. 자이나교 예술에서 보이는 주 파르슈바(Lord Parshva)처럼 실제로 그의 어깨에서는 뱀이 올라오고 있다. 나는 이것을 단지 우연이라고 생각하고 싶지는 않다. 자이나교처럼 조로아스터의 종교는 절대적인 이원론으로서 타협을 인정하지 않기 때문이다. 대립하는 이 두 체계의 어느 편에서도 암묵적인 "두 동반자의 비밀"에 관한 의식은 존재하지 않는다. 그들의 드라마가 전개되는 세계 무대의 배후에서 선과 악(조로아스터교), 지바와 비지바(자이나교)가 화해되어야 한다는 의식은 없다. 두 종교는 서로 대립하는 쌍둥이이다. 서로에게 각자는 완전히 기만자로 나타난다. 인도 체계에서는 구원을 가능하게 하는 유일한 길이 무익한 회전을 하고 있는 세계로부터 영혼을 해방시키는 것에 있음에 비해서, 페르시아의 길은 지상에서 획득 가능하고 결코 무익한 것이 아닌 의의 목적을 이루기 위하여 신과 인간이 공동 투쟁에 참여하는 데에 있다. 자이나교 연구에서 우리가 살펴본 것과 같은 그러한 철학의 이상에 대해서 조로아스터교의 문헌은 분명하고 직접적이며 의도적인 공격을 하고 있다.

내가 진실로 너에게 말한다(빛의 주인 아후라 마즈다(Ahura Mazda)가

예언자 조로아스터에게 선포하였다). 아내를 가진 자는 어떠한 아들도 가지지 못한 자보다 훨씬 낫다. 집을 가진 자는 어떤 집도 가지지 못한 자보다 훨씬 낫다. 아이들을 가진 자는 아이가 없는 자보다 훨씬 낫다. 부를 가진 자는 아무것도 가지지 못한 자보다 훨씬 낫다. 그리고 두 사람 중, 고기로 자신의 배를 채우는 자는 그렇지 못한 자보다 훨씬 훌륭한 정신으로 차 있다. 후자는 거의 죽은 자나 마찬가지이다. 전자는 디렘(dirhem, 모로코, 리비아 등의 화폐 단위/역주)의 가치, 양의 가치, 황소의 가치, 인간의 가치의 측면에서 후자보다 우위에 있다. "뼈의 분리자인 죽음"과 "스스로 움직이는 화살인 죽음"의 공격에 대하여 겨룰 수 있는 자는 이 사람이다. 가장 얇은 옷을 입고도 겨울 악마에 대항할 수 있는 자, 사악한 횡포자에 대항하여 그의 머리를 칠 수 있는 자는 바로 이 사람이다. 그리고 음식을 먹지 않은 불경건한 기만자와 기만당한 자에 대항하여 싸울 수 있는 자는 이 사람이다.[6]

앞에서 말하였듯이, 조로아스터의 생존 연대는 알려져 있지 않다. 이미 1880년에 제임스 다르메스테터 교수가 제기한 "조로아스터는 신으로 된 인간이었는가, 아니면 인간으로 된 신이었는가"[7] 하는 문제에 대해서조차 아직 해답이 나오지 않고 있다. 그의 연대에 대하여 확실한 것은 다리우스 1세(기원전 521-486년 재위) ― 마하비라(기원전 485년경 사망), 붓다(기원전 563-483년), 아이스킬로스(기원전 525-456년), 그리고 공자(기원전 551-478년)와 동시대인이다 ― 가 기원전 520년에 베히스툰에 있는 비문(페르시아 어, 엘람 어, 아카드 어의 3개 국어로 쓰여진 쐐기 문자)에서 경건한 조로아스터교도로서 "아후라 마즈다의 은총에 의해서 나는 왕이다"라고 썼다는 사실이 전부이다.

이 무렵 페르시아 제국은 그리스의 이오니아 섬(사트라피 1세)에서부터 펀자브와 인더스 계곡으로 진출하였다. 그 결과 이집트, 메소포타미아, 페니키아, 아시아적 그리스, 그리고 인더스 계곡을 포함하는 고대 세계 전체는 발전적이고 공격적인 정신을 지닌 동시에 국제적 성격을 띤 국가 속으로 흡수되었다. 이러한 종류의 국가는 세계사적으로 볼 때 이것이 최초이다. 슬픔에 대한 페르시아의 대답은 유일신 아래에서 건전하게 통치되고 발전하는 세계 제국의 건립이었다. 이는 아이스킬로스의 비극, 마하비라의 금욕, 그리고 공자의 신중한 대답과 동시대에 해당한다. 인도와 그리스를 연결하는 튼튼한 도로가 건설되고 활발한 무역이 전개되었다. 그리고 페르시아의 전반적인 관용 정책으로 인하여 갈데아 인에 의해서 파괴된 예루살렘 성전의 재건이 고무되었다. 파괴되었던 많은 민족의 신들도 복권되었다. 예술은 번성하였고 새로운 도시와 궁정이 제국의 전역에 걸쳐서 세워졌다. 얼마 동안은 왕중의 왕인 페르시아 왕 안에 "세계 군주(Universal Monarch)"가 나타난 것처럼 보였다.

2. 새로운 도시 국가들 : 기원전 800-500년경

기원전 2천 년대에 아리안 전사단은 덮개가 달린 전차를 타고 덜덜거리며 인도로 들어갔다. 이들은 앞에서 살펴본 그리스를 침략한 엄청나게 많고 다양한 크고 작은 수렵 및 목축 전사단과 비견된다. 에게 해의 고고학에 의해서, 기원전 1900년부터 1100년에 이르는, 장기간에 걸친 그 지역의 황량함이 드러났다. 해몬드 교수는 전사단이 남부 그리스의 해안가와 크레타에 남긴 흔적에 대하여 이렇게 쓰고 있다.

몇몇 부정적인 결론이 도출될 수 있다. 침략자들은 어떤 분명한 채색 토기나 선진 문명의 어떤 다른 표시도 보여주지 못하였다. 그들은 도시 생활로 나아가지도 못하였다. 처음에는 유목민으로서 천막과 오두막에서 거주하였으며, 나무 접시를 사용하고 목재로 만든 상을 숭배하였을 것이다. 초기 거주지는 소규모였다. 그들은 미케네 문명의 수준에 대하여 어떠한 존경도 표하지 않았으므로, 아마도 미케네 지역의 경계를 벗어난 외부에서 온 것 같다. 미케네 권력의 중심지를 전복시켰던 것으로 보아서, 그들은 육체적으로 강건하였고 잘 인솔된 전사단이었음에 틀림없다. 그들은 몇몇 우수한 무기를 지녔음이 분명하지만, 예술에서는 정복된 자들보다 열등하였다.[8]

중기 청동기 시대의 초반에 세워진 하랍파와 모헨조다로가 함락할 당시 인더스 계곡을 통하여 그 폐허로 진입해 들어간 유목인들에 대해서도 이와 같은 이야기를 할 수 있다. 그러나 에게 문명의 침략자들은 당시까지 강력하게 남아 있던 고대 제국의 세계로 들어갔음에 비해서, 이미 쇠퇴한 식민 체제의 무너져 내리는 두 성곽을 통과한 인도의 침략자들은 비교적 조야한 정글의 경작자, 사냥꾼, 그리고 그들이 몹시 경멸하는 채집 생활자인 다슈 족만을 보았을 뿐이다. 더구나 기원전 1200년경의 그리스인은 철기를 소유하였지만 인도 아리안은 그렇지 못하였다. 배로 가득찬 지중해의 유쾌하고 열려진 바다는 그리스 인들로 하여금 내륙에 대하여 배우도록 하고 그들의 눈을 민첩하게 유지하도록 유인하였다. 이와 달리 인간에 의해서 결코 정복된 적이 없는 아시아의 거대한 육지와 산은 인간적 상상력을 완전히 초월하는 힘으로 인간의 사소한 승리들을 인정하지 않았으며, 아름답기보다는 숭고한 것으로 경험되는 우주의 모습을 인간의 정신 앞에 지속적으로 제시하였다. 그러므로 유럽에서는 고대적 유산의 신과 신화가, 편안함을 느낄 수 있는 세계 안에 존재하는 인간에 대한 점증하는 확신과 함께, 신인 동형적 방면으로 발전해갔음에 비해서, 인도에서는 경외, 커다란 두려움과 힘, 초인간적 힘과 초월적 숭고성이 너무 강조되어 인간의 마음속에서조차 인간성은 사라지고 그 자리에 신의 비인간성이 들어왔다.

사제 국가들로 이루어졌던 구세계는 이제 하나의 기억에 불과하게 되었고 그러한 기억마저도 매우 희미하게 되었다. 그러나 많은 도시가 함락되었음에도 불구하고 서양에서는 적지 않은 도시가 여전히 남아 있었다. 이와 달리 인도에서는 어떠한 도시도 잔존하지 못하였다. 그리스 인들은 과거의 폐허 위에 벽돌, 회반죽, 돌을 가지고 재건을 시작하였지만, 펀자브와 갠지스 평야의 베다 아리안들은 물리적 흔적을 남길 수 있는 어떤 영구적인 물질로 건축하였던 것이 아니다. 따라서 기원전 800년경까지 그들의 시대는 고고학적 공백 지대로 남아 있다. 그들은 자신들의 삶의 방식을 보여주는 어떠한 문학적 표현도 남겨놓지 않았다. 『일리아드』와 『오디세이』에서 우리는 그리스 영웅 시대에 대한 상당히 신뢰할 만한 이미지를 도출할 수 있고, 그 이외에도 그것을 보완하는 상당한 고고학적 증거가 있다. 그러나 앞에서 보았듯이, 인도의 서사시들은 기원후 5세기경이 되어서야 어떠한 특징들과 심대한 변화를 보여준다. 그리고 이 서사시들에서는 베다 시대의 세계와 사람에 대한 몹시 이상화되고 신기루 같은 사제적 상상만을 볼 수 있을 뿐이다. 인드라가 그들을 위해서 용을 살해하고 7개의 시냇물을 방출시키고 "검은 피부의 다사 족을 복속시키고 그들의 피부색을 사라지게 만들었다"[9]는 이야기를 듣는 대신, 그들의 가정, 의례, 전쟁 도구에 대하여 구체적으로 보려고 하면, 거기에는 아무 것도 없다.

베다 아리안 직후의 시기에 관하여 신빙성 있는 설명을 제공해줄 수 있는 고고학적 발견이 약 10년 전에 갠지스 강 상류 지역에서 있었다. 델리에서 약 80마일 북동쪽에 위치한 하스티나푸라에서 분명한 층화를 보여주는 봉분이 발굴되었는데, 거기서 다음과 같은 3개의 연속적인 도기류가 출토되었다.

1. 황토색 도기 : 이것들은 기원전 1000년경에 만들어 졌으며, 구리로 만든 도구들과 관련 있다. 몰티머 휠러 경은 "직감적으로 보면, 이것들은 그 지역에서 도시 생활이 충분히 발전하기 전에 …… 존재하고 있었다"[10]고 말한다.

2. 그림이 있는 회색 도기 : 휠러 경에 의하면, 이것의 연대는 기원전 8세기에서 기원전 5세기 사이이다. 청동기 시대의 것임에 틀림없는 이 도기는 "두 강(도압[doāb])", 즉 줌나갠지스 지역에 집중적으로 분포하고 있지만 서쪽으로는 펀자브, 남쪽으로는 우지자인 지역까지 퍼져 있다. 녹로를 사용하고 불에 잘 구운 이 도기들은 직선과 점선, 동심원, 나선, 시그마, 만(卐) 자 형태의 무늬를 지니고 있으며, 무늬 색깔은 대체로 검지만 붉은 경우도 있다. 휠러 경은 이렇게 말하고 있다. "만일 아리안이 이 그림 속으로 들어와야 한다면, 그림이 있는 회색 도기는 그들의 인도 침입 두번째 단계를 나타낼 것이다. 당시 아리안은 펀자브로부터 나와, 인더스 계곡과 발루치 경계 지역에서 여러 관념들과 장인들을 취사 선택한 후, 갠지스-줌나 도압의 중부 지역으로 들어가서 그곳을 아리안화시켰다."[11]

이 시기는 브라마나와 주요한 우파니샤드의 시기였고 아자타샤트루와 자이발리와 같은 왕들의 시대였으며, 『마하바라타』에서 그 메아리가 들려오는 위대한 전쟁의 시대였다. 이 전쟁은 영국의 장미 전쟁처럼 귀족 봉건 시대의 종말을 보여주고 있다. 그러한 전쟁의 재앙 이후에는 "영웅"을 의미하는 비라(vīra)라고 하는 말이 전차의 투사들에게는 더 이상 적용되지 않고 요기들에게 적용되었다. 예를 들면 자이나교의 마지막 세계 구세주인 마하-비라(Maha-vira)의 이름은 위대한(마하) 영웅(비라)을 뜻한다.

3. 검은 색 광택을 지닌 북방의 도기 : 녹로를 사용하여 만든 이 도기는 우아하고 광채가 많이 난다. 그리고 강철 같은 재질을 가지고 있으며 철과 관련 있다. 연대는 기원전 5세기에서 기원전 2세기 사이로 추정되는데, 이는 붓다(기원전 563-483년)에서 아쇼카 왕(재위 기간 : 기원전 268-232년경)에 이르는 시기에 해당한다. 이 도기들은 붓다의 초기 가르침이 행해진 비하르 지역에서 지배적으로 나타난다. 아쇼카와 그 직전의 왕들이 전쟁에서 승리함에 따라 서쪽으로는 펀자브의 북부(탁실라), 동쪽으로는 벵갈과 오리사, 남쪽으로는 아마라바티와 나시크로 전해졌을 것이다.

그 3가지 도기 중 도시의 등장과 관련 있는 것은 마지막 2종류의 도기뿐이다. 당시의 도시는 벽돌이나 돌이 아니라 목재로 되어 있었으며, 거대한 들보와 통나무로 된 방책을 가지고 있었다. 그림이 있는 회색 도기와 관련하여 이렇게 상상해볼 수 있다(휠러 경이 암시하듯이). "기원전 1000년대의 어느 전반기, 줌나-갠지스 유역의 안락하고 조직화된 도시 생활 …… 『마하바라타』의 전반적인 도시적 배경 …… 끝없이 넓고 기름진 토양과 편리한 하천 교역에 근거한 부유하고 질투심 많은 왕조 및 정치."[12] 검은색 광택이 나는 북방의 복합물과 관련하여 기원전 500년경에 "제철에 관한 지식이 그 지역에 확산되었다. 이는 틀림없이 페르시아로부터 도입되었을 것이다. 페르시아에서는 5세기 내지 6세기 동안 제련 작업이 널리 확산되어 있었기 때문이다. …… 또한 페르시아로부터 동전 주조 기술이 도입됨으로써 상업적 감각이 활성화되었다." 휠러 경이 결론지었듯이, 검은색 광택을 내는 북방의 도기가 보여주는 이 갠지스 문명은 일단 확립되자마자 "오늘날의 시대에도 전혀 흔들리지 않고 수많은 세기를 변화 없이 지속하였다."[13]

이제 페르시아 제국의 다른 국경 지대 너머에 있는 그리스를 다시 한 번 잠깐 살펴보자. 그러면 기원전 800년에서 500년 사이에 아테네에서 벵갈에 이르는 전 영역에서 다양한 세속적(사제 국가와는 대조적으로) 군주 국가들이 점진적으로 등장하고 번성한 것을 알 수 있게 된다. 거기에는 문자 그대로 수백 개의 작은 통치 권력들이 있었으며, 이들 각 왕실이 다스리는 수도의 성곽, 읍, 혹은 도시가 있었고, 장로 위원회, 시민 의회, 궁중 호위대, 사원 성직자, 소농과 무역 상인, 가게, 주거지가 있었다. 가장 번성한 지역에서는 기념비와 공원도 있었다. 이러한 쾌활한 작은 수도들에서 어느 때인가 방랑하는 성자들이 나타났다. 이들은 제각기 한무리의 추종자를 데리고 다니면서 자신들이 슬픔의 문제를 단번에 해결하였다고 주장하였다. 카필라(Kapila, 기원전 600년경), 고살라(Gosala, 기원전 535년 활동), 마하비라(Mahavira, 기원전 485년경 사망), 붓다(기원전 563-483년), 피타고라스(기원전 582-500년경), 크세노파네스와 파르메니데스(둘다 기원전 6세기에 속함), 그리고 "리본과 화환으로 만든 왕관을 쓰고 불멸의 신으로 돌아다니며 기적을 행하는 자"인 엠페도클레스(기원전 500-430년경) 등이 활동하였다. 그 이외에 좀더 희미한 존재들이 어렴풋이 보이는데, 이들이 인간이었는지 신이었는지는 확인할 수 없다. 파르슈바(기원전 872-772년?)와 리샤브하, 오르페우스(연대 불분명)와 디오니소스 같은 이름들이 등장하였다. 그리스와 인도 양쪽의 이러한 성인들의 가르침 속에는 초기 아리안의 신화에서는 알려지지 않은 독특한 주제들이 많이 나타나고 있다. 예를 들면 인도와 오르페우스주의에 근본적인 것으로 나타나는 재생의 바퀴에 관한 관념 ; 육체에 구속된 영혼(오르페우스주의자들은 "몸은 무덤"이라고 말하였다)과 금욕을 통한 해방의 관념 ; 지옥의 처벌을 받게 되는 죄, 그리고 엑스터시를 유도하고 궁극적으로는 절대적 지식과 해방으로 나아가는 덕에 관한 관념 등이 보이고 있다. 헤라클레이토스(기원전 500년경 활동)는 삶을 영원히 존재하는 불이라고 말하였는데 이것은 붓다(그와 동일한 연대에 속함)가 "불의 설법"에서 말한 것과 같다. 우주의 근본 요소에 대한 가르침은 두 전통에서 공통적으로 나타나고 있다. 그리스 인들 사이에서는 그것이 불, 공기, 흙, 물로 나타나고, 인도에서는 에테르, 공기, 불, 물, 그리고 흙으로 나타나고 있다. 인도인만이 아니라 오르페우스주의자들도 우주란(卵)의 이미지를 알았고 그들은 우주적 무용수의 이미지에 대해서도 알았다. 이미 탈레스(기원전 640-546경년)의 말에는 영혼을 소유한 우주가 정령들로 가득 차 있다는 관념이 보이고 있다. 플라톤의 『티마이오스』에서는 우주의 몸이 자이나교의 방식으로 묘사되고 있다. 곧 우주의 몸은 "모든 다른 생명체들이 몇몇씩 혹은 종류별로 각 부분을 이루고 있는 살아 있는 생물"[14]로 묘사되고 있다.

우리는 이미 원시 수렵인들이 지니고 있는 개인 영혼의 불멸에 관한 관념을 언급하였다. 그 영혼은 죽지도 않고 태어나지도 않으며 단지 베일을 통하여 몸 안에 나타났다가 떠나는 식으로 이리저리 왔다갔다 할 뿐이다. 우리는 고대 근동에서 사제 국가 관념이 발달하는 과정도 살펴보았는데, 거기에서는 삶의 모든 측면이 천상의 영역에 의해서 계시되고 제시되는 우주적이고 수학적인 조화의 모델에 의해서 다스려진다. 그리고 기원전 1750년경 당시의 두 문화 중심지인 메소포타미아와 이집트의 비탄과 의심과 의문의 문학에 주목하였다.

그 사이에 격동의 1천 년이 존재하였다. 방대한 영역에 걸쳐 문명이 성숙함에 따라, 낡고 농촌적인 성향이 강한 청동기 시대는 신성한 왕이 아니라 세속적 왕이 통치하는 화려한 도시에 자리를 내어주었다. 이제 더 이상 농민은 백성의 대부분을 차지할 수 없게 되었다. 상인, 전문적 도적, 고리 대금업자, 다양한 종류의 장인, 재판관과 서기 계급, 선원, 대상(隊商), 여관업자, 광산 관리인, 군인 장교 등의 이름이 나타나고 있었다. 이러한 사람들에게는 비옥한 토양의 농촌 종교가 지닌 낡은 제의나 승리의 주술에 근거한 왕의 제의가 어떠한 힘도 발휘하지 못하였다. 그러한 제의들은 시대에 뒤처졌던 것이다. 그러므로 최고선의 문제에 새롭게 접근하기 위한 거대한 예비 지대가 확립되었다. 사냥이라는 낡은 필요성만이 아니라 토지의 구속으로부터 벗어난 약간 세련된 도시 인구가 출현하였다. 이들은 어느 정도의 여가, 상당한 사치품, 그리고 결과적으로 신경증에 필요한 시간을 가지고 있었다. 따라서 새로운 선구자들이 나타날 수밖에 없었다. 이들은 자신의 경험 속에서 새로운 불안에 접한 자들이었다. 이들은 모든 시대를 통하여 최초의 체계적인 심리학자였으며, 아마도 여러 가지 면에서 최상의 심리학자였다. 그들의 기본 도구는 어디서나 동일하였다. 그것은 과거의 사제 국가에서 전승된 낡은 제의적 지식이었다. 그러한 지식에는 대우주와 소우주를 통일시키는 보이지 않는 조화와 균형에 대한 관념, 그리고 주술적 효과를 유도하는 공명의 개념이 들어 있었다. 그러나 이제 주요 관심으로 대두한 것은 더 이상 주술적인 것(날씨, 수확, 재화의 풍요, 그리고 장수)이 아니라 심리학적인 것(심리의 이완과 조화)과 사회학적인 것(사제 전통을 대신하여 세속 전통에 근거한 새로운 사회와 개인을 통합하는 것)이었다. 이렇게 하여 완벽한 신화 발생적 지대가 확립되었다. 다시 말해서 "제한되기는 하였지만 상당히 넓은 지역에서, 상대적으로 획일적 성격을 지닌, 그리고 밀접한 관련을 지닌 개인들로 이루어진 거대한 인구(여기서는 중기 청동기 시대의 후반부와 초기 철기 시대 단계에 있는 방대한 지역의 사람들)가 대체로 비교 가능한 자국들(새로 출현하기 시작한 도시적 가정 생활의 자국들〔imprints〕)에 의해서 동시적으로 영향을 받게 되었다. 따라서 같은 종류의 심리학적 '포획(seizures)'이 모든 곳에 나타날 것 같았으며, 사실 제의화된 절차 및 그와 관련된 신화의 배경 속에 그러한 것이 이미 침전되어 있었다."[15]

그러한 예비 지대에 있던 관념과 실천들은 여러 곳에서 동시 다발적으로 나타났으며, 섬광처럼 빠르게 확산되었다.

칼 케레니 박사는 기원전 6세기의 그리스에서 유행한 오르페우스의 영적 입문 의례에 대하여 이렇게 말하고 있다. "부족에 속박되어 있는 광범위한 인구의 원시적인 제의의 배경을 벗어나, 그들은 새로운 시대의 종교적 욕구에 맞게 자신들의 예술을 수정하여 내놓았다. 이러한 역사적 과정에서 입문 의례의 의미와 성격이 변화되었다. 그것은 저차원의 의례주의적 방향과 순수한 고차원의 영적 방향으로 분화되었다. 후자의 영역에서는 철학자들이 선구자가 되었는데, 처음에는 피타고라스 학파, 후에는 다른 자들이 나왔다. 그렇지만 모든 철학자들이 엠페도클레스식으로 행동하였던 것은 아니다."[16]

인도에서도 이와 마찬가지 상황이 일어났다. 죽음에서의 재생, 금욕, 심리학적 초연, 신화적 동일시와 같은 근본 주제들을 제공하는 전(前)아리안 시대의 도시에서 나타나는 낡은 의례와는 완전히 대조되는 방향으로 새로운 가르침이 출현하였다. 이 가르침들은 아마도 페르시아의 길과 상호 작용하면서 전개되었을 것이다. 물론 그렇지 않을 수도 있지만 말이다. 현재 널리 흩어져 있는 증거들에 비추어서 그 시기에 대하여 말할 수 있는 것은 다음과 같은 것뿐이다. 인도와 그리스에서만이 아니라 그 사이에 위치한 페르시아에서도 초기의 이원론적인 신화적 철학의 근본 모티브들이 갑자기 새로운 형태로 출현하였다. 이는 거의 동시에 출현하였고 곧바로 확산되었다.

3. 세계 구세주의 전설

붓다가 된 사람의 성격, 삶, 그리고 그의 실제 가르침을 재구성하는 것은 불가능하다. 그는 기원전 563-483년경에 살았던 것으로 추정된다. 그러나 팔리 경전에 나타나는 그에 관한 최초의 전기는 기원전 80년경 실론에서 쓰여진 것으로 간주되며, 이는 그가 살던 실제의 역사적 무대로부터 5세기의 간격과 1500마일의 거리를 두고 있다. 그 무렵에는 그의 삶이 신화가 되었다. 그 신화는 기원전 500년경에서 기원후 500년경 사이의 "세계 구세주"에 특징적으로 나타나는 양식에 따라 쓰여졌으며, 그러한 양식은 인도에서는 자이나교의 전설에서, 근동에서는 복음서의 그리스도관에서도 보이고 있다.

도식적으로 요약하자면 이 원형적인 "구세주 전기"는 아래와 같다.

1. 왕가의 자손
2. 기적적인 출생
3. 초자연적 현상을 동반하면서
4. 출생 직후 그에 관하여 어떤 나이든 성인(시메온〔Simeon〕: 아시타〔Asita〕)이 세계를 구원하는 메시지를 예언
5. 어린 시절의 행동이 그의 신적 성격을 드러냄

인도의 시리즈에서는 세계 영웅이 다음과 같이 된다.

6. 결혼하여 후손을 낳는다
7. 자신의 고유한 과제를 깨닫는다
8. 집을 떠난다. 연장자의 허락을 얻거나(자이나교의 시리즈) 그렇지 않으면 비밀리에 떠난다(붓다)
9. 숲속에서 험한 훈련에 몰두한다
10. 그 과정에서 마지막으로 초자연적 적대자와 대면한다
11. 승리를 얻는다

마지막에 등장하는 적대자는 베다 시대에는 반사회적 용(브리트라〔Vritra〕)으로 나타났지만, 새로운 심리적 외압의 상황에서는 마음의 오류를 표상한다. 세계 구세주가 자신의 내면 깊숙한 곳으로 침잠함으로써 이 오류들은 드러나며, 그는 자신의 승리와 세계의 구원을 위하여 그 오류들과 투쟁한다.

기독교 전설에서는 6단계에서 8단계에 이르는 청년 시기가 기록되어 있지 않다. 그러나 절정의 일화가 등장하는 9단계에서 11단계에 이르는 시기는 광야에서의 40일 단식과 그곳에서 사탄과 대면하는 장면으로 묘사되어 있다. 더구나 헤롯 왕이 순진한 아이들을 살해하던 유아기, 성인 요셉에 대한 천사의 경고, 그리고 "신성 가족"의 이집트로의 피난은 6단계에 상징적으로 대응한다. 장차 붓다가 되는 자의 아버지인 왕이 자식의 사명을 좌절시키기 위해서 그를 궁전에 가두어 결혼시킨 것, 그후 그

가 노인, 병자, 시체, 요기를 보고 자신의 과제를 깨닫게 된 것은 7단계이며, 궁전으로부터 도망가려고 한 것은 8단계에 상응한다고 볼 수 있다. 두 경우 모두 정신의 적인 왕에 관한 이야기로 되어 있다. 왕은 모든 수단을 동원하여 운명적 과제를 지닌 어린 구세주를 좌절시키려고 한다. 잔인하게 시도하기도 하고(헤롯 왕) 자애롭게 시도하기도 한다(수드호다나 왕, 정반왕[淨飯王]). 그러나 그것은 헛된 일이었다.

적대자와 직접 대면하여 그를 정복시킨 후, 세계 구세주는 다음과 같은 일을 행한다.

12. 기적을 행한다(물위를 걷는 등)
13. 방랑하는 스승이 된다
14. 구원의 교의를 가르친다
15. 일군의 제자들에게
16. 그리고 보다 소규모의 엘리트로 구성된 신참자들에게
17. 그들 중 하나는 배우는 데에 다른 자들보다 빠르지 못하지만(베드로 : 아난다),[17] 그에게 책임이 주어져 평신도 공동체의 모델이 된다
18. 또 다른 음울하고 기만적인 자(유다 : 데바다타)가 스승을 죽이려고 결심한다

공통 모티브가 다양한 해석에 따라 다양하게 읽히고, 이는 교리의 차이와 대응하고 있다. 2단계를 예로 들어보자. 동정녀 마리아가 성령으로 잉태하였음에 비해서 붓다의 어머니인 마야 왕비는 배우자의 참된 아내였다. 그녀가 낳은 세계 구세주는 우주의 창조자인 신의 화육이 아니라 수많은 생의 마지막 단계에 들어가고 있는 윤회하는 지바였다. 10-11단계도 이와 마찬가지이다. 붓다의 삶이 보리수 밑에서 마라와 투쟁하여 승리를 얻을 때 절정에 달하는 것에 비하여, 기독교 전설은 구원의 나무를 19단계, 곧 구세주의 죽음으로 전이시킨다. 그렇지만 붓다의 삶에서 죽음은 스승으로서의 긴 여정의 마지막을 평화롭게 통과하는 것에 지나지 않는다. 불교의 핵심은 초기의 소마 희생에서처럼 구세주의 육체적

희생이 아니라, 참된 진리에 대한 깨달음(보디〔bodhi〕)과 환상(마야〔māyā〕)으로부터의 해방(목샤〔mokṣa〕)이기 때문이다. 따라서 불교도에게 핵심이 되는 것은, 붓다 전설의 내용이 실제로 기원전 563-483년경에 일어났는가 하는 것이 아니라, 그것이 스스로를 깨달음으로 나아가게 고무하고 인도하는 데에 도움이 되는가 하는 것이다.

4. 신화적 영원화

이렇게 하여 사실 적합성에 대한 관심이 없이 다음과 같은 이야기가 나오게 된다.

옛날 태양 왕조에 수드호다나(Suddhodana)라는 선왕이 있었다. 그는 카필라(Kapila)라는 성인이 한때 가르쳤던 카필라바스투(Kapilavastu)라는 도시에서 통치하였다(전설적 이야기).

독자들도 알다시피 태양 왕조는 거대한 빛의 원리를 나타낸다. 태양의 빛은 순수하다. 반면 달빛은 어둠의 기미가 있다. 태양빛은 영원한 반면, 달빛은 그 자체의 어둠에 상응하여 차고 이지러지며 필멸적인 동시에 불멸적이다. 탐무즈(Tammuz) 신과 오시리스(Osiris) 신, 그리고 베다의 소마(Soma)는 달의 신비를 표상한다. 앞에서 보았던 시바(Shiva)도 이러한 맥락에 속하는 신이다. 시바의 동물은 황소이며 그의 머리카락에는 초승달이 있다. 우리는 그의 도상을 인더스 인장의 요기와 관련시켰다. 한편 붓다의 신화는 태양의 신화이다. 그는 "샤카(Shakya) 족의 사자"라고 불리며 "사자 왕좌" 위에 앉아 있다. 그의 가르침의 상징은 "태양 바퀴(Sun Wheel)"이다. 그의 교의는 존재하지 않는 하나의 상태를 가리키고 있는데, 그 상태를 적합하게 나타내는 유일한 이미지는 빛이다.

이집트에서는 기원전 2400년경 제5왕조의 등장과 함께 태양 신화가 오시리스의 달 체계를 대체하였다. 그래서 달의 역할을 하고 있던 파라오는 태양-신 레(Re)의 아들로 불리었다. 황소 다리를 지닌 옥좌와 침상은 사자 다리를 지닌 것들로 대체되었다. 셈 족의 경우에도 태양-신 샤마슈(Shamash, 수메르의 우투[Utu])는 최고의 힘을 지닌 신이었고, 아리안 족이 살던 곳에서도 태양은 강력한 힘이었다. 페르시아의 왕중의 왕이 다스리던 찬란한 도시 페르세폴리스 — 기원전 522년 다리우스 1세에 의해서 세워지고 기원전 330년 알렉산더에 의해서 파괴된 — 에서도 아리안의 예언자 조로아스터, 즉 "빛의 주"의 태양 원리가 지상에서 태양빛으로 빛났다. 이제 우리는 붓다의 아버지인 선왕이 태양 왕조 출신이며, 한때 성자 카필라가 가르쳤던 도시에서 통치하였음을 듣게 된다.

카필라는 상캬(Sankhya) 철학의 창시자이며 붓다는 그 철학에서 출발하였다. 자이나교나 불교처럼 상캬는 비(非)베다적이다. 상캬는 불교와는 다르지만 자이나교처럼 상호 대립하는 2가지 원리를 다룬다. 하나는 프라크르티(prakṛti)라는 물질이며, 다른 하나는 "자아"를 의미하는 푸루샤(Puruṣa)라는 영혼이다. 그러나 자이나교에서는 영혼이 물질에 의해서 물리적으로 오염된 것이라고 간주하지만, 상캬에 의하면 그 둘 사이에는 어떠한 실제적 접촉도 없다. 자아는 마치 태양처럼 독립하여 존재한다. 태양의 빛은 스스로 움직이지 못하는 물질의 원리를 활성화시킨다. 물질의 원리는 번쩍이는 태양빛을 받고 있는 물의 흔들림이다. 그런데 그 순간의 번쩍임들은 마치 자신들이 하나의 자아이며 따라서 영원한 것이라고 상상하게 된다. 이때 슬픔 등을 동반한 불안이 경험된다. 그러나 개인의 마음(마음 덩어리) 안에 있는 동요하는 물질의 부분이 제1장에서 기술한 파탄잘리(Patanjali) 요가에서처럼* 요가를 통해서 평정될 때, 참된 자아의 온전한 이미지가 드러나고 단순한 반영에 불과한 거짓된 관념(에고 : 아함[aham])은 사라진다. 그리고 죽지 않는 태양과 같은 실체와 자기 자신의 실제적 동일성을 인식하게 된다. 우리 자신은 깨닫지 못하고 있었지만, 사실은 우리 자신이 언제나 그 실체였던 것이다.

앞에서 기술한 파탄잘리 요가는 상캬 철학에서 나온 훈련 방법이다. 이 요가는 자이나교의 심리-육체적 자살과는 그 목적이나 방법에서 매우

* 37-39쪽 참조.

다르다. 상캬 철학의 중심 주제를 보여주는 고전적인 우화가 있다. 이 우화에 의하면 아기 왕자가 자기 아버지의 궁전에서 추방된다. 그는 자신의 참된 본질을 모른 채 어떤 언덕의 원시 부족인에 의해서 키워졌다. 그는 "나는 카스트에도 속하지 못한 원시 부족인이다"라고 생각하면서 몇 년을 살았다. 그러나 왕이 어떤 자식도 남기지 못하고 죽었을 때, 그 소년이 살아 있다고 확신한 총리가 수소문하여 그에게 이렇게 말하였다. "너는 카스트에 속하지 못한 자가 아니라 왕의 아들이다." 즉시 그 청년은 자신이 카스트에 속하지 못한 자라는 생각을 버리고 자신의 왕의 본질로 되돌아와서 스스로에게 이렇게 다짐하였다. "나는 왕이다."

그 교훈은 다음과 같이 계속된다. "자비로운 자(구루)는 이렇게 선언한다. '너는 원인(原人, 아디푸루샤〔ādipuruṣa〕)에서 나왔다. 그것은 스스로를 순수 의식을 통하여 드러내고 영적으로 모든 것을 포함하는 자기 완결적인 우주의 신적 생명-영혼이다. 너는 그것의 일부분이다.' 이러한 가르침을 따라, 그 총명한 자는 스스로를 단순한 물질의 현현 혹은 산물이라고 생각하던 오류에서 벗어나 그 자신의 본래적 존재(스바스바루팜〔svasvarūpam〕)로 나아간다."[18]

카필라라고 하는 이름은 "붉은 자"를 의미하며, 태양의 별칭이고 수정처럼 빛나는 영혼을 상징한다. 『마하바라타』에는 그에 관한 전설이 있다. "대양(사가라〔sagara〕)"이라는 이름을 지닌 어떤 세계 군주의 6만 명의 아들이 무장 호위대의 자격으로 아버지의 희생제의용 말을 몰고 있었다. 그때 갑자기 말이 눈앞에서 사라졌다. 말이 사라진 곳을 파보니 땅속 깊은 곳에 그 말이 있었다. 말 옆에는 어떤 성인이 명상하면서 앉아 있었다. 그가 바로 카필라였다. 그들이 적절한 예의를 표하지 않고 잃어버린 말을 다시 잡으려고 하였을 때 성인은 1번의 눈 깜박거림으로 그들 모두를 태워 재로 만들었다.[19] 영혼의 상상력인 "붉은 자"가 세계 대양의 수많은 환상을 제거하는 것도 이와 비슷하다고 볼 수 있다. 그래서 우주적 말의 희생제의는 내적 희생제의로 되고,* 거짓된 동일시는 사라진다.

* 244쪽 참조.

황소에서 사자에 이르는 이집트의 초기 연속물을 개관하면서 우리는 3 가지의 중요한 심리학적 단계를 살펴 보았다. 1. 신화적 동일시(왕조 시대 이전의 국왕 살해 의례), 2. 신화적 인플레이션(제1왕조에서 제4왕조에 이르는 시기의 파라오 숭배), 3. 신화적 종속(제5왕조의 레 신화).

우리는 이제 카필라의 상캬 철학, 파탄잘리 요가, 그리고 보다 초기에 속하고 보다 조잡한 자이나교의 신화와 관련하여 4번째 단계 혹은 태도를 기재해야 한다. 이것이 신화적 영원화(요가에서의)이다. 여기서는 결합 관계가 변화된다. 주체가 스스로를 태양의 아들이 아니라 태양 자체, 곧 아들을 증거하는 아버지와 동일시한다.

"빛이 비추는 모든 것, 다시 말해서 하늘, 땅, 공기가 존재하지 않을 때 빛 자체가 청명하게 빛나듯이, 3중의 세계와 너 그리고 나, 요컨대 가시적인 모든 것이 사라질 때에, 바라보는 주체의 고독한 상태인 순수한 자아(pure Self)는 청명하게 빛난다."[20]

"혼란스러운 외양, 곧 나, 너, 세계, 그리고 모든 것이 사라지고 난 후, 아무 것도 보지 않고 있는 성자의 고립 상태도 이와 마찬가지로 빛난다."[21]

제1단계에서처럼 여기서도 신화적 동일시가 이루어졌다. 그러나 여기서는 필멸적이건 불멸적이건 어떤 지각된 대상과의 동일시가 아니라 지각하는 주체와의 동일시이다. 무대(field)와의 동일시가 아니라 그 무대를 지각하는 자와의 동일시이다. 어떤 형태의 "물질(프라크르티)"과의 동일시가 아니라 오로지 "자아(푸루샤)", 곧 의식 자체와의 동일시이다.

5. 중도

이제 젊은 고타마가 결혼하고 탐구하고 깨달았던 세월을 보여주는 6단계에서 11단계에 이르는 일화들로 건너가보자. 그는 내향성의 힘에서 카필라조차 넘어선다. 카필라가 대상 세계를 사라지게 하였다면 그는 대상 세계만이 아니라 주체마저도 제거하였기 때문이다.

여기서 사용할 그의 전설은 기원후 100년경의 시인이자 승려였던 아슈바고샤(Ashvaghosha, 마명〔馬鳴〕)가 쓴 것이다. 여기에는 이미 마라의 공격에 관한 설명이 나와 있다.* 후대의 대승 불교의 관점에서 산스크리트로 쓴 이 판본은 그보다 이른 시기의 소승 입장이 지닌 철저하게 승단적이고 상캬적인 관점과 비교된다. 그뿐 아니라, 중도를 발견하기 이전에 고타마가 경험한 지적 탐구의 위기를 팔리 경전보다 더 정확하게 보여주고 있다. 가능한 한 동양 사상의 관점에서 동양 신화 사상의 변화를 밝히려는 현재의 목적에 비추어볼 때 그러한 안내서는 매우 귀중하다. 나는 각 단계의 특성을 강조하기 위하여 잠시 길을 멈추겠지만, 이른바 카브야(Kavya, "시적") 양식의 산스크리트 문학 용어로 쓰여진 이 최초의 고전의 의미와 향기를 느끼려고 노력할 것이다.

6. 환희의 궁전

어린 시절을 지나 장년에 이른 젊은 왕자 고타마는 그의 종족에 필요한 학문들을 몇 일만에 배웠다. 다른 사람들은 이 학문들을 정복하는 데에 수많은 세월을 필요로 하였다. 아버지인 왕은 도덕적으로 아무런 흠을 지니지 않은 가문 출신의 자식을 위해서 미와 정숙함과 온화함을 갖춘 신부를 찾았다. 그녀의 이름은 야쇼드하라(Yashodhara)였으며, 왕자는 그녀에게서 커다란 기쁨을 맛보았다. 더구나 왕은 자식의 마음을 괴롭히는 어떠한 것도 보이지 않도록 하기 위해서 번잡한 궁궐에서 멀리 떨어진 곳에 왕자의 거소를 정하였다. 그리고 그를 기쁘게 하기 위해서 온갖 노력을 하였다. 여자들의 손끝으로 때리는 탬버린의 부드러운 소리와 천상의 요정들이 추는 것과 같은 춤으로 가득찬 그 거소는 신들의 산처럼 빛났다. 여인들의 목소리는 아름답고 부드러웠다. 약간 술에 취하여 들떠 있는 여인들의 미소는 달콤하였으며, 그 여인들은 가끔씩 왕자에게 곁눈질하기도 하였다. 사랑의 기술에 능한 여인들 때문에 왕자는 환희에 빠

---

* 27-30쪽 참조.

져 있었다. 어느 날 그는 별관의 지붕 위에 올라가려다가 그만 발을 헛디딜 정도였다. 그렇지만 그는 땅으로 떨어진 것이 아니라 천상의 전차에서 뛰어내린 성자처럼 부력을 지닌 공기 위에서 둥둥 떠다녔다.

시간이 흘러, 아름다운 가슴을 지닌 야쇼드하라에게서 라훌라(Rahula)라는 아들이 태어났다. 손자가 태어나자 너무 기뻐한 고타마의 아버지 선왕은 자신의 아들 고타마가 태어난 이래 드려온 봉헌에 더욱 힘썼다. 그는 아그니 신과 만신전의 여러 신들에게 소마의 희생제의를 드렸으며, 베다의 구절을 읊었고, 완전한 평온을 얻으려고 노력하였으며, 재가 신자에게 요구되는 수많은 계율을 준수하였다. 그러나 자신의 귀한 아들이 숲으로 떠나가는 것을 막기 위해서 더 많은 감각적 유혹의 수단을 마련하려고 하였다.

번영을 소중히 여기는 이 세상의 세심한 왕들은 자식들이 타락하지 않도록 신중하게 감시한다. 그러나 이 왕은 종교에 헌신하였음에도 불구하고 아들이 종교에서 떠나 쾌락만을 찾도록 유도하였다.

그러나 자신의 "존재(사트바)"가 "깨달음(보디)"인 보살(보디사트바[Bodhisattvas]), 곧 "미래의 붓다들"은 세상의 맛을 안 이후 —— 아들의 출생 이후 —— 에는 항상 숲으로 향하였다.

7. 4개의 징표

어느 날이었다. 연못은 잘 가꾸어져 있었고 숲은 부드러운 풀로 덮혀 있었다. 보디사트바는 성 밖의 작은 숲이 매우 아름다워서 여인들의 사랑을 받는다는 소문을 들었다. 외양간에 오래 갇혀 있던 코끼리처럼 그는 숲을 구경할 결심을 하였다. 아들의 소망을 눈치챈 왕은 매우 세심하게 쾌락의 잔치를 준비하였다. 길거리에는 어떤 고통받는 자도 나타나지 못하도록 하였다. 그 동안 보호되어온 아들의 마음이 흔들리는 것을 예방하기 위한 조치였다.

4마리의 온순한 말이 끄는 황금 마차를 탄 왕자가 덕망 있는 수행원을 태우고 꽃이 듬뿍 뿌려진 길에 나타났다. 수행원이 "왕자님이 나가십니

다!"라고 크게 외쳤다. 그러자 남편의 허가를 받은 여자들은 서둘러 지
붕 위로 올라갔다. 그들의 속옷 장식과 발목 장식에서 나는 딸랑거리는
소리는 계단 위로 울려 퍼졌다. 그 소리에 지붕 위의 새들은 날아갔다.
어떤 여자들은 속옷의 끈이 자꾸 아래로 쳐졌고, 방금 잠에서 깨어나 눈
이 아른거렸으며, 성급하게 장식품을 달았기 때문에 제대로 올라갈 수도
없었다. 어떤 여자들은 큰 엉덩이와 풍만한 가슴의 무게 때문에 올라가
는 데에 애를 먹었다. 그들은 서로 부대끼며 창가에서 끊임없이 몸을 흔
들었다. 계속 부딪치는 귀걸이 장식에서는 빛이 났고, 다른 장식품에서도
짤랑짤랑 소리가 났다. 창 밖을 내다보는 그들의 얼굴은 밝았으며 연꽃
처럼 빛났다. 어떤 비열한 감정도 없이 순수한 감정으로 서로에게 속삭
였다. "참 행복하겠다, 그의 아내는!"

이때 순수한 거소에 있던 신들은 그 순간을 포착하였다. 그리고 한 노
인을 보내서 길을 따라 걷게 하였다.

왕자가 그를 보았다.

왕자는 마부에게 말하였다.

"백발을 하고, 약한 손으로 지팡이를 짚고, 눈섶 밑은 푹 파여 있고,
팔다리는 구부러져 헐렁하게 달려 있는 저 사람은 누구인가? 그를 변화
시키는 어떤 일이 일어난 것인가, 아니면 그의 자연스러운 모습인가?"

마부는 대답하였다. "저것은 늙음입니다. 늙음은 아름다움의 강탈자,
정력의 파괴자, 슬픔의 원인, 즐거움의 파괴자, 기억력을 파괴시키는 독,
그리고 감각의 적입니다. 저 사람은 어린 시절에는 우유를 많이 마셨고,
마루 기는 것을 배웠으며, 점차 활기있는 젊은이가 되었습니다. 그와 같
은 방식으로 한발 한발 나아가 이제 늙은 것입니다."

마부는 이처럼 순진하게 왕의 아들에게 그 동안 감추어져왔던 것을 폭
로하였던 것이다. 그러자 왕자는 "무엇이라고! 그러면 저 악이 나에게도
닥칠 것인가?"라고 외쳤다.

"시간의 힘에 의해서 분명히 다가올 것입니다"라고 마부는 말하였다.

수많은 생을 통하여 많은 공덕을 쌓아온 위대한 영혼을 지닌 자의 마
음은 늙음에 대하여 듣고는, 마치 가까이에서 천둥 소리를 들은 황소처

럼 흥분하였다. 그는 집으로 돌아갈 것을 명하였다.

두번째 날, 그가 외출할 때, 신들은 질병으로 고통받는 자를 보냈다.

왕자는 말하였다. "창백하고, 여위어 있으며, 배는 부어 있고, 거칠게 숨을 쉬고, 팔과 어깨는 헐렁하게 달려 있고, 몸 전체를 떨고, 저기에서 낯선 자를 포옹하면서 '어머니!'하고 애처롭게 말하는 저 사람, 그는 누구인가?"

"인자하신 주인님, 그것은 질병입니다"라고 마부는 말하였다.

"그러면 이 악은 그에게만 특별한 것인가? 아니면 모든 존재가 질병에 의해서 똑같이 위협받는가?"

"모든 사람에게 해당하는 악입니다"라고 마부는 대답하였다.

이번에도 왕자는 떨면서 집으로 돌아가고 싶어하였다.

세번째의 외출이 있었다. 신들은 시체를 보냈다.

왕자가 말하였다. "저기에 네 사람이 짊어지고 있고, 장식은 되었는데 더 이상 숨쉬고 있지 않으며, 그리고 슬퍼하는 자들이 따르고 있는 저것은 무엇인가?"

신들에 의해서 그 순수한 마음이 압도당한 마부는 사실대로 말하여버리고 말았다. "인자하신 주인님, 이것은 모든 살아 있는 존재의 마지막입니다."

젊은 왕자는 말하였다. "이러한 것들을 알고 있는 합리적인 존재가 어찌 이 재난의 시간에 그냥 있을 수 있는가? 자, 우리의 마차를 돌려라! 쾌락을 즐길 시간이 없으며, 그 장소도 없다."

그러나 이번에는 마부가 젊은 왕자의 아버지에게 복종하기로 마음먹었다. 그래서 숲속에서 벌어지고 있는 여인들의 축제 마당으로 말을 몰았다. 젊은 왕자가 도착하자마자 여인들은 그를 신랑으로 맞았다. 어떤 여자들은 그를 스스로 화육한 사랑의 신으로 생각하였고, 어떤 여자들은 달로 생각하였다. 왕자에게 홀딱 반하여 그를 삼키려는 듯이 입을 딱 벌리는 여자도 많았다. 가문 사제의 아들이 그 여자들에게 매력을 최대한 발휘하도록 부추겼다. 그러자 사랑이 여인들의 영혼을 낚아챘다. 여자들은 갖가지 술책으로 왕자를 공격하였으며, 풍만한 가슴으로 그를 누르면서 초대장을 보내기도 하였다. 어떤 여자는 마치 발을 헛디딘 것처럼 하여 왕자를 격렬하게 안았다. 그의 귀에다 "나의 비밀을 들려 드릴께요"라고 속삭이는 여자도 있었다. 세번째 여자는 특유한 몸짓을 취하면서 쉽게 알아들을 수 있는 관능적인 노래를 불렀다. 아름다운 가슴을 가졌으며 바람에 흔들리는 귀걸이를 한 네번째 여자는 웃으면서 "잡을 수 있으면 나를 잡아보세요, 왕자님!" 하고 외쳤다. 암컷의 무리에 둘러싸인 숲속의 코끼리처럼 거기서 방황하던 젊은이 중의 최상의 젊은이는 마음이 동요되어 생각에 빠져 있을 뿐이었다. "어느 날 늙음이 그들의 아름다움을 빼앗는다는 사실을 이 여자들은 알지 못하는가? 이들은 질병을 알지 못하고 이 고통의 세계에서 즐기고 있다. 웃으며 놀고 있는 그들의 태도를 보건대, 그들은 죽음에 대하여 아무 것도 알지 못하고 있다."

그 무리는 깨어진 희망을 안고 궁궐로 돌아갔다.

이렇게 하여 젊고 온화한 왕자는 늙음, 질병, 죽음에 관한 부정적인 교훈을 배웠다. 이것들은 불교의 가르침 속에서 고통을 나타내는 징표들이다. 불가능할 정도로 잘 보호된 어린 시절은 삶의 이러한 부정적인 측면을 강조한 것이다. 이 이야기는 실제 전기가 아니라 상징적인 것이기 때문이다. 타고난 재능과 감수성을 지닌 그 청년은 사춘기에 이르기까지는 완전한 미혹의 세계에서 자라난다. 그때가 되어서야 깊은 심리적 충격이 그의 영혼을 뒤흔들게 되었던 것이다. 그 깊은 충격은 오늘날 상흔(傷痕, trauma)이라고 부르는 것과 같다. 이제부터 그의 구도는 치료를 위한 것이다.

그러나 어떤 목적을 위한 치료인가? (쇼펜하우어의 무시무시한 구절을 인용하자면) "존재해서는 안 되었던 어떤 것"으로 밝혀진 이 세상으로의 복귀인가?

니체는 이 문제에 대해서 이렇게 쓰고 있다.

일상 세계는 망각의 만(灣)에 의해서 디오니소스적 삶의 실재로부터 분리되어 있다. 그 깊이를 어렴풋이 본 후 일상 세계가 다시 시야 속으로 돌아올 때, 그 일상 세계는 단지 메스꺼움으로 보일 뿐이다. 삶의 의지에 대해서 부정적인 태도를 가지는 금욕적 분위기는 그러한 정신 상태의 결과이다.

이러한 의미에서 디오니소스적 특성은 햄릿을 닮고 있다. 누구나 삶의 본성에 대하여 실재적 섬광을 얻었다. 그들은 깨달은 것이다. 이제 그들은 행동하는 것이 역겨워진다. 삶의 본성에 관한 한, 그들의 행동은 어떠한 것도 변화시킬 수 없기 때문이다. 따라서 그들은 세계를 정의롭게 만들라는 요청이 웃기고 은혜롭지 못한 것임을 알게 된다. 세계는 부조리하기 때문이다. 깨달음은 행동을 마비시킨다. 깨달으면 진리 주위에 환상의 덮개가 던져지기를 요구한다. 그것이 햄릿의 도덕이다. ……

일단 사물의 진리를 보고 이 진리를 마음에 새기면, 삶의 끔찍함이나 삶의 부조리만이 보이기 때문이다. 우리는 미친 오필리어의 운명의 상징을 이해한다. …… 우리는 구토로 가득 차 있다.[22]

사물의 본성에 대한 이러한 섬광과 거기에서 나오는 충격을 병리학적 상흔으로 돌려버리고, 단순히 "적응"이라고 말하는 것은 매우 쉬운 일이다. 그러한 진부한 태도는 망각의 덮개를 그리고, 그 위에 다시 환상의 덮개를 그리는 것에 지나지 않는다. 실제로 중요한 것은 획득한 통찰력을 유지하면서 그것을 통하여 니체가 말한 "한층 더 나은 건강(higher health)"으로 나아가는 것이다.

그러한 목적을 향한 젊은 붓다의 소명은 그 다음 번에 보금자리를 떠날 때 나타났다. 그는 4가지 징표 중의 네번째이자 마지막을 보게 되었다.

왕자는 백마 칸타카를 타고 들판을 가로지르고 있었다. 사람들이 들판을 일구고 있었다. 어린 풀들은 베이고 흩어져 있었으며, 곤충의 알과 새끼들은 죽어 있었다. 그는 그 장면을 보았다. 자신의 친척이 살해된 것처럼 깊은 슬픔에 잠긴 왕자는 말에서 뛰어내렸다. 그리고 "참으로 불쌍하도다!"라고 생각하였다. 그는 출생과 파괴에 대하여 곰곰이 생각하면서 천천히 들판 위를 걸어갔다. 혼자 있고 싶은 생각이 들어서 무리로부터 떨어져 나왔다. 그리고 한적한 곳에 있는 장미사과나무(rose apple tree) 밑에 앉았다. 그는 세계의 기원과 소멸에 대하여 골똘히 생각하였으며,

평정한 상태에 이르는 길을 찾았다. 그리고 어떤 것에 집착하는 것과 같은 모든 욕망의 고통에서 벗어났다. 명상의 첫번째 단계에 접어든 것이다. 마음이 평안한 상태로 사색에 잠기고 있었다.

그때 왕자의 앞에 어떤 수도승이 서 있었다. 왕자는 "누구신가요?"라고 물었다. 그 사람은 이렇게 대답하였다. "생과 사에 대한 두려움 때문에, 나는 해탈을 추구하는 금욕주의자가 되었다. 나는 가족도 희망도 없이 방황하면서 어떠한 음식이나 받는 거지이며, 오로지 최고선만을 위해서 산다." 그렇게 말한 후 하늘로 사라졌다. 그는 신이었기 때문이다.

8A. 심야의 환상

집으로 돌아온 왕자는 궁정 회의를 주재하느라 바쁜 아버지를 찾아갔다. 두 손을 머리 위에 얹은 채 절을 하면서 이렇게 말하였다. "오, 백성들의 주이시여, 저는 고행하는 수도승이 되고 싶습니다." 코끼리에 치인 나무처럼 흔들린 왕은 아들의 두 손을 잡고 눈물에 젖은 채 말하였다. "오, 나의 아들아, 그러한 생각을 접어두어라. 지금은 네가 종교로 돌아설 때가 아니다. 생의 첫번째 시기에는 마음이 변하기 쉽고 종교 생활은 위험으로 가득 차 있다." 왕자는 위를 쳐다보고는 직설적으로 대답하였다. "아버지, 불위에 있는 집을 떠나고자 하는 자를 잡는 것은 옳지 않습니다." 그는 일어나 자신의 궁궐로 돌아갔으며 거기서 아내들의 인사를 받았다. 그러나 왕은 "그를 떠나지 못하게 하라!"고 명령하였다.

자신의 궁궐에서 매력적인 여자들에 의해서 둘러싸인 왕자는 금으로 된 자리에 앉아 있었다. 여자들은 음악으로 그를 즐겁게 하는 데에 전념하고 있었다. 신들이 그 여자들에게 마술을 걸었다. 그러자 뛰놀고 있던 여자들은 손에서 악기를 떨어뜨린 채 잠에 빠져버렸다. 어떤 여자는 애인을 껴안듯이 북을 껴안고 누워 있었으며, 어떤 여자는 코끼리에 받힌 여자처럼 내동댕이쳐져 있었다. 머리카락은 부스스하게 늘어뜨려져 있고 치마와 장식물은 엉망이었다. 많은 여자들이 거칠게 숨을 쉬고 있었으며, 맑은 눈을 크게 뜬 채 꼼짝 않고 있는 여자들은 죽은 듯이 누워 있었다.

신체가 노출되고 팔다리가 완전히 드러난 어떤 여자는 취한듯이 침을 흘리고 있었다. 온갖 퇴폐적인 복장을 하고 있는 이 여자들은 부끄러움도 잊은 채 주체를 못하고 있었다. 이전에 그 여자들은 총애를 받고 있었으나, 이제는 바람에 의해서 부수어진 연못과 같았다.

왕자는 생각하였다. "그러한 것이 여자의 본성이다. 여자는 불순하고 괴물과 같은 존재이다. 남자는 여자들의 옷에 미혹되어 정신을 잃는다. 여자의 본래적 모습을 주시하라. 잠에서 드러난 이 변화를!"

밤중에 도망가겠다는 결심을 한 채 그는 일어났다.

8B. 위대한 출발

신들은 궁궐의 문이 휙 열리도록 마술을 걸었다. 왕자는 마당으로 뛰어내리자마자 곧장 마부에게 갔다. "서둘러라! 나는 지금 떠난다"라고 말하였다. 마부는 이것이 왕의 명령이 아니라는 것을 알았지만 보다 강력한 힘에 이끌려 아름다운 백마 칸타카를 꺼내왔다. 왕자는 연잎 모양의 손으로 말을 쓰다듬으면서 말하였다. "오, 말 중에서 가장 뛰어난 자여, 나의 아버지는 너를 타고 수많은 적을 무찔렀다. 너는 너 자신의 선과 세상의 선을 위하여 힘을 다하기 때문에 나도 승리자가 될 것이다." 왕자가 올라타자 말은 전속력을 다하여 어둠 속으로 달렸다. 땅의 악마들이 손바닥으로 말발굽을 받았기 때문에 달가닥거리는 소리가 밤을 깨우지 않았다. 마부 찬다카는 고삐를 쥐고 재빠르게 달렸다. 육중한 막대기로 잠겨 있던 성문이 소리 없이 저절로 열렸다. 말을 탄 자는 성문을 통과하자 뒤를 보면서 사자의 목소리로 울부짖었다.

"나는 생사의 저편을 보기 전에는 결코 카필라 성에 돌아오지 않을 것이다."

그 힘찬 사자의 소리를 들은 신들의 무리는 기뻐하였다.

상당수의 인류를 포함하는 문명을 형성할 모험이 시작되었다. 태양 정령(solar spirit)의 소리이자 자신의 힘을 두려워하지 않는, 순수한 마음의 빛의 원리인 사자의 울음이 별밤에 울려퍼졌다. 태양이 솟아 빛을 보내면서 밤의 공포와 환희를 흔들어버리듯이, 사자의 울음이 동물로 우글거리는 평야를 가로지르면서 놀랍도록 아름다운 가젤 영양을 두려움에 떨게 하듯이, 이렇게 온 자의 사자 울음소리는 다가올 빛의 사자 발톱을 예고하였다.

 사자의 마음을 사로잡고 가두기 위해서 금과 비단으로 가득 채운 궁궐을 이렇게 갑자기 도망쳐 나온 자의 길을 따라, 천상의 존재들이 빛을 쏟아부었다. 이제 더 이상 왕자가 아닌 왕자는 새벽에 숲속의 외딴 암자에 도달하였다. 이것은 불의 길 위에서 그가 행한 첫번째 모험이었다. 가젤 영양과 사슴들은 깊은 믿음 속에서 아직 잠자고 있었으며, 새들은 조용히 휴식을 취하고 있었다. 그들에게 갑자기 나타난 "미래의 붓다"도 마치 목적을 달성한 것처럼 휴식을 취하였다.

 말에서 뛰어내린 왕자는 말에게 몇 마디 하면서 쓰다듬었다. 그리고 돌아서서 마부에게 말하였다. "이보게, 나에 대한 그대의 헌신과 영혼의 용기는 지금까지 달려온 것으로 충분히 증명되었네." 그는 마부에게 말을 타고 카필라바스투로 돌아갈 것을 명하면서, 커다란 보석을 왕관에서 떼어주었다. 왕자는 말하였다. "나를 애통하게 여겨서는 안 된다. 나는 잘못된 시간에 숲으로 출발하지 않았다. 종교에는 잘못된 시간이 없다."

 찬다카는 눈물로 말문이 막혔다. "오, 주인님! 당신의 불쌍한 아버지, 그리고 어린 아들이 있는 당신의 왕비는 무어라고 말하겠습니까? 오, 주인님, 당신의 발밑이 저의 유일한 피난처입니다. 저는 어떻게 하여야만 합니까?"

 미래의 붓다는 말하였다. "새들이 횃대에 의존하지만 언젠가는 떠나듯이, 모든 존재의 만남은 필연적으로 이별로 끝나게 마련이다. 친구여, 슬퍼하지 말고 떠나게. 너의 애정이 끝나지 않고 남아 있다면 언젠가는 돌아올 것이다. 카필라바스투에 있는 사람들에 전해주게나. 나는 늙음과 죽음을 소멸시킨 이후에 돌아오겠다고. 만일 실패한다면 나 자신을 없앨 것이라고."

이 말을 듣자 말은 머리를 떨구고 뜨거운 눈물을 떨어뜨리면서 자신의 발을 핥았다. 왕자는 말하였다. "너는 말이 지녀야 할 본성을 완전히 보여주었다. 울지 말아라, 칸타카여. 너의 행동은 보답을 받을 것이다."

왕자는 칼집에서 날카로운 보석 칼을 끄집어냈다. 칼은 군청색이었으며, 칼날은 금으로 장식되어 있었다. 단칼에 자신의 상투를 자르고, 왕관과 함께 공중으로 높이 날렸다. 공중에 있던 신들이 정중하게 그것을 잡았다. 그들은 그것을 숭배의 대상으로 삼기 위하여 환호하면서 하늘로 가져갔다.

9. 구도

사자와 같은 활보, 그렇지만 사슴처럼 아름답게, 미래의 붓다는 숲으로 들어갔다. 그러자 고행으로 유명한 숲속의 은둔자들은 고행을 멈추었다. 공작들은 기뻐서 울음소리를 냈으며, 봉헌을 드리는 암소들은 우유를 쏟아냈다. 사슴처럼 풀을 뜯고 있는 고행자들은 사슴과 함께 조용히 서 있었다. 왕자는 다가온 자들에게 말하였다. "스승님들, 오늘은 제가 은둔의 숲에서 맞는 첫날이니, 당신들이 하고 있는 일의 목적에 대해서 설명을 해주시겠습니까?"

누군가 이러한 대답을 하였다. "잎, 물, 뿌리, 그리고 천연의 음식인 과일만이 여기에 있는 훌륭한 성인들의 유일한 음식이다. 새처럼 씨를 쪼아먹는 자도 있고 사슴처럼 풀을 뜯어먹는 자도 있다. 어떤 자들은 아무것도 먹지 않으면서 뱀처럼 개미들과 함께 살며 그들 주위에 개밋둑이 쌓여도 그대로 둔다. 온 힘을 다하여 돌에서 영양분을 섭취하는 자들도 있다. 밭에서 이빨로 곡식을 먹는 자들은 더 많다. 물고기처럼 물속에 살고 있는 자들은 거북이 자신들의 살점을 할퀴어도 개의치 않는다. 항상 젖어 있는 덥수룩한 머리를 한 자들은 찬가를 부르면서 아그니에게 제물을 바친다. 고통은 공덕의 뿌리이기 때문이다. 천상은 보다 큰 고행으로 얻으며, 지상적 목표는 그보다 적은 고행으로 얻는다. 그러나 어떠한 경우이든 궁극적으로 축복을 얻는 것은 고행의 길에 의해서만 가능하다."

미래의 붓다는 생각하였다. "그들이 얻는 것은 기껏해야 천상이다. 고통이 종교이고 행복이 비종교라면, 그들은 종교를 통해서 비종교를 얻고 있다. 그러나 몸이 행동하고 행동하지 않는 것은 오로지 마음에 의한 것이므로 통제해야 하는 것은 몸이 아니라 사유이다. 사유가 없다면 몸은 통나무에 지나지 않는다. 물은 죄를 씻어내지 못할 것이다."

이러한 논리는 젊은 왕자가 카필라의 심리학파에서 빌린 것이다. 그는 이러한 논리에 의하여 자이나교를 논박하였으며, 나아가 이 은둔의 숲의 사람들이 행하는 조잡하고 훨씬 더 잔인하고 철저히 육체적인 요가를 통한 극단적인 고행을 반박하였다. 그러나 대승 불교의 문헌에 나타난 것처럼, 여기에 보이는 부차적 사상은 카필라의 가르침을 너머 민간 종교의 궁극적인 토대로 나아가고 있다. 나중에 붓다가 발견한 중도(中道)의 가르침에서 이러한 사상이 나오게 된다. 미래의 붓다는 이렇게 명상하였다. "만일 성스러움이라는 용어에 적합한 곳을 이 지상에서 찾아야 한다면, 그곳에는 공덕이 있는 사람이 접촉한 어떠한 것이 있어야 한다. 나는 공덕을 드러낸 사람의 공덕만을 순례의 목적지로 간주할 것이다."

여기에는 이미 후대 민간 불교의 유물 숭배에 대한 합리화가 나타나고 있다. 철학적 구원의 길과 대조되는 종교적 구원의 길이 지닌 광범위한 호소력을 암시하고 있는 것이다. 여기서 궁극적으로 의도하고 있는 것은 사유에 대한 영향만이 아니라 공덕(character)에 대한 영향이다. 사유 자체가 공덕을 변화시킬 수 있지만 어떤 사람의 현존 자체만으로도 그러한 공덕을 변화시키는 기적을 일으킬 수 있다. "비상한 인격(personalities)"으로부터 나온 유품을 보고, 만지고, 수집하려는 이상한 대중적 열정은 오늘날 서양에서는 대체적으로 종교적 행위의 다양성으로 간주되지 않지만, 동양에서는 서양 중세에서처럼 바로 그러한 종교적 행위의 다양성으로 간주된다. 이 전기에서 미래의 붓다는 이러한 욕망을 민간적이고 2차적인, 그렇지만 결코 사소한 것이 아닌, 보조물로서 자신의 체계에 수용하려고 한 것으로 보인다. 실론에 있는 붓다의 치아(佛牙)와 불교 세계 도처의 탑(스투파〔stūpas〕)에 보존된 유물은 잘못된 생각, 잘못된 말, 잘

310

못된 행동, 요컨대 "죄"를 씻어내는 이러한 덕이 있는 자의 공덕을 상기시킨다.

미래의 붓다는 평화로운 은둔의 숲에서 열심히 고행하고 있는 요기들을 쳐다보면서 몇 일 밤을 보냈다. 그가 돌아가려고 하자, 그들 모두는 돌아가지 말라고 간청하였다. 한 노인이 말하였다. "당신이 오면서 이 은둔의 집은 충만하게 되었습니다. 나의 아들이여! 당신은 지금 우리를 떠나지 못할 것입니다. 우리 앞에는 경외하여야 할 성스러운 히말라야가 있으며 그곳은 성인들로 가득차 있습니다. 그들의 존재는 우리의 고행의 공덕을 증대시킵니다. 근처에 있는 수많은 순례의 중심지는 하늘로 향하는 사다리들입니다. 당신은 이곳에서 자신의 직업을 무시하는 자를 본 적이 있나요? 어떤 카스트에도 속하지 못하는 자를 본 적이 있나요? 불순한 자를 본 적이 있나요? 말해보십시오, 우리는 기꺼이 경청하겠습니다!"

독자들도 알겠지만, 기원후 100년경에 쓰여진 이 문헌의 저자는 불교 교단에 가입하기 이전의 브라민이다. 그는 여기서 자신이 가졌던 초기 신념들의 경건성 — 숲속 요기들의 엄격한 고행, 거대한 히말라야에 대한 경외, 순례 예찬, 정신적 공덕의 개념, 그리고 카스트의 응보 사상 — 을 익살스럽게 풍자하고 있다.

미래의 붓다는 말하였다. "훌륭한 성인들이여, 당신들은 헌신적인 노력을 통하여 천상을 얻을 것입니다. 그렇지만 나의 욕망은 더 이상의 출생을 정지시키는 것입니다. 정지는 행위와 같은 것이 아닙니다. 그러므로 나는 이 성스러운 숲에 더 이상 머무를 수 없습니다. 여기에 있는 모든 자들은 베다의 위대한 성인들처럼 자신들의 종교적 과제를 잘 준수하고 있고, 이전 시대의 길과 완전히 일치하고 있습니다."

모여 있던 고행자들은 그에게 예를 다하여 경의를 표하였다. 재 속에 누워 있던 붉은 눈을 가진 브라민이 목소리를 높였다. "오, 성인이시여,

당신은 참으로 용감하게 자신의 목적을 추구하고 있소. 천상과 해탈의 대안을 놓고 치열하게 생각하면서 해탈을 선택하는 자는 참으로 용감한 자입니다! 그러니 이제 성인 아라다에게 가십시오. 그는 지복에 관한 통찰을 얻은 자입니다."

미래의 붓다는 출발하였다. 그러나 아라다의 동굴에 도착하기 전에 2가지의 장애물을 만났다. 왕자의 명에 의해서 주인을 떠나야 하였던 마부, 그리고 주인이 떠나자 먹기를 거부하고 계속 슬픈 울음소리를 내면서 숲으로 가려고 애쓰던 말이 궁궐로 돌아왔을 때였다. 사원에 있던 왕은 그 소식을 듣고는 땅에 쓰러졌다. 시종들의 부축을 받고 일어났지만 빈 안장을 보고는 다시 쓰러졌다. 그때 한 자문관이 왕자를 데려오겠다고 자청하였다. 왕의 축복을 받은 그가 말을 타고 은둔의 집에 도달하였다. 성자들은 왕자가 아라다에게로 떠났다고 말하였다. 마침내 그는 왕자를 따라잡을 수 있었다. 그는 말에서 내려 왕자에게 다가갔다.

"오, 왕자님! 다시 생각해주십시오"라고 자문관은 말하였다. 그는 집에서 일어난 일을 상세히 고하였지만 왕자의 대답은 돌아갈 어떠한 가능성도 보여주지 않았다. 미래의 붓다는 말하였다. "나는 진리의 지식을 얻어야만 집으로 돌아가겠다. 만일 내가 그것을 얻는 데에 실패한다면 집에 돌아가기 전에 타오르는 불속으로 들어갈 것이다."

자문관은 돌아갔다. 그 타자(왕자/역주)는 갠지스 강을 건너 라자그리하 성으로 갔다. 군중이 점점 늘어나면서 거리를 따라 움직였다. 궁궐에서 이 광경을 지켜본 그곳의 왕 빔비사라는 그 이유를 묻고 대답도 들었다. 젊은 탁발승은 성을 떠나 근처에 있는 산기슭으로 올라갔다. 빔비사라 왕은 시종을 데리고 산으로 따라 올라갔다. 그곳에서 산처럼 움직이지 않고 고요하게 앉아 있는 탁발승을 보았다. 인간 무리의 사자인 왕은 경의를 표하였다. 그리고 가까이 가서 깨끗한 바위 표면에 앉았다. 그 타자의 묵례를 받자 이렇게 말하였다.

"점잖은 젊은이, 나는 당신의 가문과 끈끈한 우호 관계를 맺고 있네. 만일 자네가 어떤 이유로 부친의 왕국을 잇기를 바라지 않는다면, 이제 여기서 나의 왕국의 절반을 가지도록 하게. 자네는 종교의 애호자이네.

그러나 젊은이에게는 쾌락이, 중년의 사람들에게는 부와 재화가, 늙은이에게는 종교가 속한다고 하지 않나. 자네는 지금 쾌락을 즐겨야만 하네. 만일 종교가 자네의 유일한 목적이라면 자네 부족의 규례에 따라 희생제물을 바치는 것이 자네의 의무라네. 이렇게 하여야 최고의 천상을 얻을 수 있네."

왕자는 대답하였다. 먼저 왕의 호의에 감사를 표하고, 늙음, 질병, 죽음, 그리고 쾌락을 추구하는 자의 고통을 말하였다. 그리고 그러한 목적들에는 마음을 두지 않고 세계를 절대적으로 포기하였음을 선언하였다.

"당신이 지금 말한 것에 경의를 표합니다. 내가 나의 부족에 적합한 희생제의를 드리는 데에 몰두해야 하며 그러면 영광스러운 열매가 나올 것이라는 말씀에 대해서 경의를 표합니다. 그러나 나는 고통과 죽음을 초래하는 열매는 그 어느 것도 원하지 않습니다. 나는 구도자 아라다를 방문하기 위하여 이 길을 왔을 뿐입니다. 지금 그를 찾아가고 있는 중입니다. 왕이여, 당신은 인드라처럼 세계를 수호하고, 태양처럼 세계를 계속 수호하고, 세계의 행복을 수호하십시오. 지상을 수호하고 종교를 수호하십시오."

빔비사라는 두 손을 모아 얼굴에 올리고는 "가시오!" 하고 말하였다. "당신은 당신의 욕망을 향한 길 위에 있습니다. 마침내 당신이 승리를 얻었을 때 이리로 와 우리에게도 당신의 은총을 나누어 주십시오"

왕은 자신의 궁전으로 돌아갔고 왕자는 자리에서 일어나 그의 길을 갔다. 멀리서 그가 오는 것을 보고 있던 성자 아라다는 바위 숲의 동굴에서 큰소리로 환영하였다. 왕자가 다가오자 큰 눈을 가진 그는 이렇게 말하였다.

"왕이 늙어서 자신의 영광을 자식에게 물려주고 사용하고 남은 화환을 떨어뜨리고 숲으로 퇴거하는 것은 놀랍지 않다. 그러나 이번의 경우는 나에게 놀라운 일이다. 당신은 가치 있는 그릇이다."

앉아 있던 왕자가 가르침을 부탁하자, 성자는 대성인 카필라의 가르침을 상세하게 말해주었다.

"태어나는 것은 반드시 늙어 죽는다. 이것은 시간의 법칙에 묶여 있는 것으로서 명백한 것(the manifest)이라고 불린다. 이것과 대조되고 구별되는 것이 불분명한 것(the unmanifest)이라고 불린다.

"시간적 존재를 형성하는 근본 원인에는 3가지가 있다. 무지, 행위, 욕망이 그것이다. 이것들은 서로간에 전화된다. 이러한 사슬 속에 머물러 있는 자는 사물의 실상에 도달하지 못한다."

"그러한 잘못된 머무름은 근원적 오류이며 이 오류로부터 이기심, 혼동, 무분별, 허위 수단(의례와 그 밖의 것들은 허위 수단들이다), 집착, 끌림의 고통이 연속적으로 생겨난다. 우리는 '이것은 나이다'라고 상상하고, 한 발 더 나아가 '이것은 나의 것이다'라고 상상한다. 그렇기 때문에 우리는 새로운 출생을 되풀이하는 것이다."

"현자는 4가지 것을 안다. 명백한 것과 불분명한 것, 미몽과 깨달음. 이것들을 알면 불멸에 이를 수 있게 된다."

듣고 있던 자가 그러한 앎에 이르는 수단을 묻자, 늙은 성인 아라다는 이렇게 가르쳐주었다.

"먼저 탁발 생활을 하여라. 감각을 억제하는 생활을 하면 만족을 느낄 수 있다. 그때 명상의 첫번째 단계인 새로운 황홀경과 즐거움을 경험하게 된다. 현자는 계속하여 두번째 단계로 나아간다. 이 단계에서는 보다 높고 보다 빛나는 황홀경과 즐거움을 경험한다. 세번째 단계로 나아가면, 즐거움이 없는 황홀경의 상태에 이르게 된다. 대부분의 사람은 이 단계에서 멈춘다. 그러나 네번째 단계의 명상, 즉 황홀경이 없는 명상이 있다. 진실로 현명한 자는 이 단계도 넘어서 육체의 모든 감각이 제거된 상태로 나아간다."

"이제 육체의 텅 빔을 경험하기 위해서는 먼저 명상 속에서 자기 몸의 모든 구멍을 이용하여 육체의 텅 빔을 느껴라. 다음에는 몸의 단단한 부분에서 텅 빔을 느끼는 단계로 나아가야 한다. 몸안에 있는 모든 것이 공간이라고 생각하고, 공간을 넘어 이러한 생각을 전개시키면 보다 미묘한 텅 빔을 느끼게 된다. 세번째 단계는 최고의 영혼을 생각함으로써 스스로가 하나의 영혼이라는 감각마저 제거시키는 것이다."

"그때 새장으로부터 나온 새처럼 육체에서 벗어난 영혼은 해방되는 것이다. 우리는 이것을 영원하고 불변하고 속성을 지니지 않은 최고의 영혼이라고 부르며, 실재를 파악하고 있는 현자는 그 최고의 영혼에 대한 지식을 해탈이라고 부른다."

"자, 이제 당신에게 목적과 방법을 알려주었으니 그것을 이해하고 승인하였으면 즉시 실천하라."

미래의 붓다는 곰곰히 생각하였으나 그러한 가르침을 받아들이지는 않았다.

"나는 오묘하고 심오하고 매우 상서로운 당신의 가르침을 들었습니다. 그러나 그 가르침이 최종적일 수는 없습니다. 그것은 최고의 영혼, 곧 최고의 자아 자체를 제거하는 방법을 가르치고 있지 않기 때문입니다. 순수하게 된 자아가 자유롭다고 말할 수는 있으나, 그 자아가 존속하는 한 이기심을 실제적으로 포기할 수는 없습니다. 더구나 근원적 상태의 자아가 자유롭다면 어떻게 그것이 구속의 상태로 되었습니까? 유일한 절대적 성취는 절대적 포기에 있다고 생각합니다."

그는 일어나 절을 하고는 성자 아라다를 떠나갔다.

그는 또 다른 성자 우드라카를 찾아갔다. 그 성자는 이름을 가지고 있는 것이나 가지고 있지 않은 것이나 그 어느 것도 존재하지 않는다고 생각하면서 평안함을 누렸다. 그는 자신의 견해를 이름과 비이름, 명백한 것과 불분명한 것을 초월한 것이라고 불렀다.

미래의 붓다는 성자 우드라카의 말을 듣고는 일어나서 그마저 떠나버렸다.

그는 나이란자나라고 하는 아름다운 시냇가 옆의 쾌적한 은둔지에 이르렀다. 거기서 5명의 탁발승에 합류하였다. 그들은 점차 강도가 높아지는 단식을 통하여 고행의 길을 실천하고 있었다. 그도 마침내 아무런 목적도 없이 가죽과 뼈만 남을 정도로 수척해지는 단계에 이르렀다. 그때 이렇게 생각하였다. "이것은 정념이 없는 상태, 지식, 그리고 해탈에 이르는 길이 분명 아니다. 그러한 것들은 기운이 없이는 획득할 수 없다."

그는 장미사과나무 밑에서 혼자 하였던 명상을 기억하였다. 당시 그는 일구어진 들판 곳곳에서 죽음을 보고 말에서 뛰어내렸으며, 홀로 곰곰이 생각하기 위해서 무리에서 떨어져 나왔다. "그것이 바로 참된 길이었다" 라는 생각이 들었다. 그는 조금 더 생각하였다. "완전한 마음의 평정 상 태는 감각을 지속적으로 완벽하게 만족시킴으로써만 달성할 수 있다. 마 음이 평정되어 휴식 상태로 될 때 명상을 할 수 있다. 명상을 통하여 가 장 고요하면서도 물러서지 않는 상태에 궁극적으로 도달할 수 있다. 이 것은 실현하기가 매우 어렵다. 음식을 먹어야만 할 수 있다."

그는 다시 한번 일어섰다. 비록 야위었지만 아름다운 시냇가 나이란자 나에서 목욕한 후, 강가에 늘어선 나무를 손으로 잡으면서 강둑으로 다 시 돌아왔다.

이 지역을 이끄는 부족의 아름다운 딸 난다발라는 신들에 의해서 인도 되어 그 탁발승이 앉아 있는 곳으로 다가갔다. 그녀는 마음속에서 갑작 스러운 기쁨이 치솟는 것을 느끼며 그의 앞에서 절을 하였다. 그리고 가 득 담은 우유 한 사발을 주었다. 그것을 먹고 그는 원기를 회복하였다. 그러나 5명의 탁발승은 그가 다시 세상으로 돌아갔다고 보고 그의 곁을 떠났다. 앞에서 보았듯이, 그는 마음의 결심을 하고 보리수나무로 가서 "부동지"에 앉았다.

10과 11. 위대한 깨달음

붓다의 행적을 기록한 이 대승 경전에는 다음과 같은 이야기가 있다. 즐 거움(카마〔kāma〕)이라고 불리는 죽음의 주(마라〔māra〕)가 축복받은 자 를 자리에서 밀쳐내려다가 실패하였을 때, 그 축복받은 자는 첫번째 불 면의 밤을 통하여 자신의 무수한 전생을 기억하였다. 그때 그는 "어떠한 종류의 존재이든 실체적인 것은 없다"라고 생각하고 모든 존재에 대하여 자비를 느꼈다. 그는 고통을 넘어서는 길을 찾으려는 과정에서 이미 쾌 락(카마)에 탐닉하는 것과 고행(마라)에 몰두하는 것 사이의 "중도"를 제시하였다. 이제 서로 충돌하는 이 두 극단의 바위 사이를 통과하는 첫 번째 열매로서 중도의 보다 깊은 영역을 맛보고 있었다. 이것은 한편으 로는 모든 존재가 자아를 가지고 있지 않다(아나트만〔anātman〕)는 깨달음이고, 다른 한편으로는 모든 존재에 대한 자비(카루나[karunā])였다.

우리는 이를 불교의 근본 정신이라고 이름 지을 수 있다. 살아 있는 사람이 지니고 있는 관심과 가치에만 전적으로 몰입하는 서양인의 심성은 자이나교와 상캬에서처럼 여기서도 근본적으로 배제된다. 그러나 불교에서는 동양 사상에서 일반적으로 보이는 영혼에 대한 관심도 배격한다. 구원되고 해방되고 혹은 발견되어야 할 윤회하는 영웅-영혼은 그 어디에도 존재하지 않는다. 삶 전체는 괴로운 것이다. 그러나 고통 속에는 어떠한 자아, 존재, 실체도 존재하지 않는다. 따라서 세계의 경이 앞에서 혐오하고 놀라고 구역질을 느낄 필요가 없다. 그와 반대로 느껴야 할 유일한 감정은 자비(카루나)이다. 고통 받는 모든 존재가 실제로는 어떠한 존재도 아니라고 하는 역설적이고도 전달하기 힘든 진리를 깨달을 때, 자비의 감정이 즉각적으로 나타난다.

그러면 자아를 가지고 있지 않음에도 불구하고 그렇게 많은 존재들이 도대체 왜 자아 중심적으로 되었는가? 그들은 "삶은 존재하지 말았어야 하는 어떤 것이다"라고 통탄하면서, 그들 자신 그리고 다른 존재의 고통이 우주적 문제를 구성하고 있다고 생각한다. 이것은 어떠한 망상의 원리에 의한 것인가?

그에 대한 대답은 축복받은 자의 두번째 불면의 밤에 나타났다. 그때 그는 천안(天眼)을 얻어서 한점의 먼지도 없는 거울 속에서처럼 세계를 보았다. 그곳에는 저주받은 자의 고통, 짐승으로 윤회하는 영혼, 순수하지 못하거나 순수한 모든 종류의 출생이 보였다. 그때 분명하게 보았던 것은 다음과 같은 것이다. 출생이 있는 곳에는 반드시 늙음과 질병과 죽음이 있고, 집착이 있는 곳에는 출생이 있으며, 욕망이 있는 곳에 집착이 있으며, 지각이 있는 곳에 욕망이 있고, 접촉이 있는 곳에 지각이 있고, 감각 기관이 있는 곳에 접촉이 있고, 유기체가 있는 곳에 감각 기관이 있으며, 최초의 의식이 있는 곳에 유기체가 있고, 행위에서 파생한 경향이 있는 곳에 최초의 의식이 있고, 무지가 있는 있는 곳에 경향이 있다.

그러므로 무지를 모든 것의 뿌리로 선언해야 한다.

무지의 단절에 의해서만 모든 존재의 고통이 단절된다.

축복받은 자는 생각하였다. "이것이 생명계의 고통의 원인이다. 그러므로 이것이 고통을 끊기 위한 방법이다."

1. 무지(無明)로부터 다음과 같이 연속적으로 진행된다. 2. 행위(行), 3. 새로운 경향, 4. 최초의 의식(識, 이후의 생명의 전조가 되는), 5. 유기체(名色), 6. 감각 기관(六入), 7. 접촉(觸), 8. 지각(受), 9. 욕망(愛), 10. 집착(取), 11. 재생(生), 12. 늙음, 질병, 죽음.

그는 찾으려고 한 것을 발견한 것이다. 그는 깨달았다. 그는 "본 자"였다. 그는 붓다였다.

11(계속됨). 대환희의 축제

불교적 가르침에 관하여 쓰여진 문헌이 많이 있는데, 방금 기술한 12가지의 서로 연관된 인과 체계(프라티탸-사무트파다[pratītya-smutpāda])의 의미에 대해서는 서로 일치하지 않는 견해가 많다. 따라서 이 문제는 아직 해결되지 않은 문제로 남아 있다. 그러나 그 교리의 핵심은 분명하다. 그것은 모든 존재가 자아를 가지고 있지 않으며, 따라서 어떠한 자도 비존재 상태에 도달하려고 할 필요가 없다는 가르침이다. 모든 사람은 이미 존재하고 있지 않으며 항상 존재하지 않았기 때문이다. 그러나 사람들은 무지로 인해서 고통을 유발하는 실체 개념을 가지게 되고 그것을 경험하게 된다. 그러므로 이 고통받는 존재들에 대해서는 경멸이나 혐오가 아니라 자비심을 가져야 한다. 이들은 자아-개념을 포기하기만 하면 고통받는 사람은 어느 곳에도 존재하지 않는다는 사실을 알게 될 것이고 그 사실을 경험하게 될 것이다.

이러한 깨달음을 얻은 붓다는 "이처럼 파악하기 어려운 지혜를 어떻게 가르칠 것인가?"하고 생각하였다.

이것이 두번째로 중요한 점이다. 요컨대 불교는 가르칠 수 없다는 것이다. 가르칠 수 있는 내용은 단지 다양한 영적 나침반의 방위로부터 보리수로 나아가는 길일 뿐이다. 이러한 길을 아는 것만으로는 충분하지 않다. 나무를 보는 것만으로도 충분하지 않다. 심지어 나무 밑으로 가서 앉는 것도 충분하지 못하다. 각자가 나무를 스스로 발견하고 그 밑에 앉은 다음, 어느 곳에도 존재하지 않는 자기 자신을 향한 길을, 고독한 사색을 통하여 걸어가기 시작하여야만 한다.

신들이 하늘에서 꽃을 뿌렸고 왕좌에 있던 붓다는 종려나무보다 7배나 높은 공중으로 올라가면서 모든 시대의 보살들에게 말을 걸었다. 붓다는 그들의 마음을 비추면서 불렀다. "호! 호! 이제 나의 말에 주목하라. 모든 것은 공덕으로 이루어진다. 수많은 생을 통하여 공덕을 쌓음으로써 나는 처음으로 보살이 되었고, 이제는 승리자이자 전지자이다. 그러므로 생명이 남아 있는 한 공덕을 쌓도록 하라."

여기에 소승의 길에 대립하면서 대승의 길의 핵심을 보여주는 세번째 요점이 있다. 이것은 보살의 길로 알려져 있는 것으로서 숲으로 퇴거하지 않고 이 세상에서 사는 길이다. 다시 말해서, 보시, 무한한 보시, 곧 자신의 삶의 과제를 이기심 없이 행함으로써 무아의 진리를 경험하고 파악하는 것이다.

모든 시대의 보살이 그에게 경배를 드리고 사라졌으며, 신들이 꽃을 뿌리면서 도착하였다. 그때 승리자는 다시 지상으로 내려가 왕좌에 서서 7일 동안 꼼짝 않고 명상에 잠겼다. 그의 결론은 이러하였다 : "나는 완전한 지혜를 얻었다."

환희에 넘친 여자처럼 땅이 6가지 서로 다른 방식으로 흔들렸다. 온 우주가 밝게 빛났다. 삼계의 존재들이 내려와 붓다 주위를 돈 다음 집으로 돌아갔다.

다음 7일 동안은 천상의 존재들이 네 대양의 물을 단지에 담아와 그를 목욕시켰다.

세번째의 7일 동안은 눈을 감은 채 앉아 있었다.

네번째의 7일 동안에는 왕좌에 서서 여러 가지 모습을 취하고 있었다. 그때 한 신이 내려와 지난 4주 동안 행한 명상의 이름이 무엇이냐고 물어 보았다. 붓다는 대답하였다. "오 신적 존재여, 그것은 '대 환희의 자양분의 배열'이라고 부른다. 이것은 모든 적을 정복하고 이제 번영을 구가하고 있는 새 왕의 축제이다. 내가 지금 여기에 있는 것처럼 이전의 붓다들도 역시 그들의 보리수 밑에 있었다."

하늘이 7일 동안 어두워지더니 엄청난 비가 내렸다. 그러나 강력한 뱀들의 왕인 무찰린다가 땅으로부터 올라와 두건으로 모든 수호자의 원천이 되는 자를 보호하였다. 거대한 폭풍이 사라진 후에 뱀왕은 인간의 모습을 하고 붓다 앞에서 절을 하였다. 그리고 기쁨에 넘쳐 자신의 궁전으로 돌아갔다.*

붓다는 큰 무화과나무로 가서 7일 간 더 앉아 있었다. 그후 다른 곳으로도 갔다. 두 부유한 상인이 유물을 담는 부도(浮屠)를 세우기 위해 약간의 머리카락과 손톱을 달라고 하였다. 네 방향에 있는 네 신(四天王)은 4개로 된 바리때를 선물로 가지고 왔으며, "승리자"는 그것으로 우유를 한 모금 마셨다. 신들의 딸인 한 여신도 웃으면서 누더기 한 벌을 가져왔다.[23]

6. 열반

서양적 심성으로는 동양적 심성의 비인격성이 얼마나 깊이 놓여 있는가를 알기가 매우 어렵다. 삶과 풍요만을 추구해온 우리가 이제 대화 속으로 들어오게 된 그 낯설고 심오한 세계를 조금이라도 이해하려고 한다면, 많은 감상주의자들이 그려온 일종의 라파엘로 이전의 붓다-영혼 이미지는 포기해야 한다. 그 이미지 속의 붓다-영혼은 연꽃 위에 악의 없이 앉아서 만물에 대한 애정을 가지고 열반으로 녹아든다.

언제인가 존자(尊者) 아난다가 스승에게 다가와 이렇게 말한 적이 있다. "오, 스승님, 당신이 가르친 연기(緣起)의 교리가 그처럼 심오하고 또 몹시 심오한 것처럼 보이지만, 나에게는 그것이 너무나 분명하게 보

---

* 〈그림 20〉과 비교해보고, 252-253쪽도 참조하기를 바란다. 독자들은 파르슈바의 생애에서 뱀의 이야기가 돌파의 이야기와 일치한다는 것을 알 것이다. 여기서의 돌파는 깨달음 이후에 오며 세계를 지탱하는 자연의 힘과 화해하는 주제를 나타낸다. 허물을 벗은 후에 새롭게 태어나는 뱀은 영원 회귀를 나타내는 달의 원리를 상징한다.

이니 참으로 놀랍습니다."

"그렇게 말하지 말라, 아난다여. 내가 가르친 이 연기는 심오하고 또 심오하게 보인다. 이 세대가 실타래처럼 얽히어 있고, 어두운 그림자로 덮여 있고, 한 묶음의 풀처럼 꼬여 있고, 슬픔, 실제적인 악, 대혼란, 그리고 윤회로부터 벗어나지 못하는 것은 이러한 진리를 깨닫지 못하고 이러한 진리 속으로 파고들지 못하기 때문이다."[24]

철학적 교류의 수준에서 동서양이 최초로 의미 있는 만남을 가진 것은 서양인 중 최초이자 가장 활력 있는 인물인 젊은 알렉산더 대왕이 동양에 도착하였을 때였다. 페르시아 제국 전체를 단번에 분쇄한 그는 계속 진격하여 기원전 327년에 인더스 계곡에 도달하였다. 그곳에서 그는 정치적, 경제적, 지리적 관찰만이 아니라 곧바로 철학적 관찰에 나섰다. 스트라보(Strabo, 기원전 63?-기원후 21년?, 고대 그리스의 지리학자이자 역사가/역주)에 의하면, 그가 들어간 인도 최초의 수도는 탁실라였고, 그곳에서 알렉산더와 그 부하들은 성밖에 앉아 모임을 가지고 있는 철학자들에 대한 소문을 듣게 되었다. 알렉산더의 부하들은 그 철학자들이 자신들의 스승과 모델(알렉산더의 개인 교사였던 아리스토텔레스, 혹은 그 영광스러운 수다쟁이 소크라테스)을 아주 닮았다고 생각하고, 그 지식인 집단을 알렉산더의 책상으로 초대하기 위하여 사절을 보냈다. 그들이 본 것은 15명의 벌거벗은 사람들이었다. 이 인도인들은 햇볕에 그을려 신발을 신지 않고는 디딜 수 없을 정도로 뜨거운 바위 위에 꼼짝하지 않고 앉아 있었다. 사절단 단장 오네시크리투스는 3명의 통역관을 통해서 자신과 자신의 왕이 그들의 지혜에 대하여 배우고 싶음을 알렸다. 그러자 다음과 같은 내용의 응답이 왔다. 마케도니아 인이 착용하는 승마화, 테가 넓은 모자, 빛나는 기병대의 코트를 입고 도착한 사람은 어느 누구도 철학을 배울 수 없다. 자신들의 지식을 배우려는 후보자가 신 자신으로부터 온 것이 사실이라면 먼저 옷부터 벗어야 한다. 그 다음에 뙤약볕으로 뜨거워진 바위에 평온하게 앉는 것을 배워야만 한다는 것이었다. 디오게네스를 자신의 스승으로 삼고 있던 그리스 인은 이러한 빈정댐에도 끄덕하지 않고 벌거벗은 두번째의 사색가에게 피타고라스, 소크라테스, 플라톤 등에 대해서 이야기하였다. 그 인도인은 그러한 사람들이 위대하였음에 틀림없다고 인정하였음에도 불구하고 유감과 놀라움을 표현하였다. 그 이유는 그들이 계속하여 옷을 입고 있었으므로 백성들의 법과 관습을 너무 존중하였고 그 결과 보다 높은 삶을 스스로 부정하게 되었기 때문이라는 것이다.

스트라보는 계속하여 말한다. 그 무리 중의 연장자와 젊은이가 마침내 탁실라의 왕에 의해서 설득되어 알렉산더의 탁자로 오게 되었다. 그 두 사람이 바위를 떠나자 동료들은 대대적인 욕설을 퍼부었다. 나중에 자신들의 집단으로 돌아온 그 두 사람은 별도로 떨어진 장소로 물러갔다. 거기서 연장자는 땅에 누워 햇빛과 비를 맞았으며, 젊은이는 6피트 정도 되는 지팡이를 위로 향하여 두 손으로 들어 올린 채 하루 종일 발을 번갈아 가면서 한 발로 서 있었다.[25]

그리스 인들은 그 무리 중의 한 사람에게 칼라노스(Kalanos)라는 별명을 붙였다. 그 사람은 인사할 때마다 "행운"을 의미하는 칼랴나(kalyāna)라는 말을 사용하였기 때문이다. 그는 얼마 동안 알렉산더 진영에 합류하였으며, 젊은 왕 주변의 군인들과 철학자들 사이에서 유명한 인물이 되었다. 군대가 서진하면서 페르시아에 이르렀을 때였다. 그는 알렉산더에게 거대한 화장용 장작더미를 설치하여 줄 것을 부탁하였다. 그리고 그리스 인이 알아들을 수 없는 말로 노래를 부르면서 인도식으로 화환을 장식한 가마를 타고 화장터로 갔다. 군인들이 지켜보는 가운데 장작더미 위로 올라가 요기의 가부좌 자세를 틀었다. 그 장작더미는 금과 은으로 된 그릇들, 귀중한 물건들, 그리고 그가 친구들에게 나누어준 여러 귀중품들로 덮여 있었다. 그는 마침내 횃불을 점화할 것을 명하였다. 그리스의 트럼펫 소리가 일제히 울려 퍼졌다. 모든 군인들은 마치 전쟁터에 들어가듯이 소리쳤다. 인도의 코끼리들이 독특한 소리를 질렀다. 타오르는 불꽃이 그를 에워쌌으나 그는 미동도 하지 않고 그대로 앉아 있었다.[26] 칼라노스는 이처럼 그리스 인들을 떠났으나 곧바로 재생하였으며, 아마도 "천상의 목"에 다시 태어나 상상할 수 없을 정도의 기쁨을 맛보면서 수백만 대양의 무한한 해 동안 살았을 것이다.

이것은 놀라운 일이지만 이 그리스 인의 보고는 아리안 인도에서 요가가 행해졌음을 보여주는 최초의 가시적 증거이다. 인더스 계곡의 도시들이 파괴된 이후 알렉산더가 도래할 때까지의 전 기간을 보여주는 어떠한 문자 기록이나 돌 조각도 없다. 그러나 그 사건 이후 인도는, 처음에는 정치적 발전, 후기에는 예술상의 발전을 통하여 자신의 모습을 드러내기 시작하였다. 이러한 과정은 마치 갑자기 주술에 걸려서 진행된 것 같았다. 초기 베다와 초기 불교 시대의 전 파노라마가 문헌학의 놀라운 주술에 의해서 재건되었으며, 최근에는 거기에 고고학의 마법마저 덧붙여졌다.

오네시크리투스가 만난 요기들은, 철학자의 이름에 걸맞기 위해서는 백성들의 법과 관습을 거부해야 하며 세상을 버린다는 표시로 옷을 버려야 하며 타는 듯이 뜨거운 바위 위로 물러나야 한다고 생각하고 있었다. 이를 통하여 인도에서는 늦어도 기원전 327년에 이미 인생의 목적에 대한 근본 개념이 확립되었음을 알 수 있다. 이러한 개념은 오늘날까지도 모든 전형적인 인도 사상에 영감을 불어넣고 있으며, 궁극적으로는 국제 무대의 일종의 공리가 된 표현, 곧 인도인은 "정신적이고" 서양인은 "물질적"이라는 진부한 생각의 영감이 되고 있다. 최근 유행하는 칵테일 모임에서 인도인은 토마토 쥬스를 마신다는 사실도 이와 관련이 있다.

이러한 이원론적 견해를 극단적으로 보여주고 있는 자이나교는 앞에서 보았듯이 탈속의 문제를 철저히 육체적으로 독해함으로써 명백하고도 분명한 서약을 발전시켰다. 재가 신자의 구속된 삶의 상태로부터 수많은 생을 거친 승리자의 자유로 나아가는 것이 서약의 내용이었다. 자이나교의 전형적 문헌에는 이러한 말이 있다. "우주는 지바와 비지바로 구성되어 있다. 양자가 분리되어 있을 때에는 더 이상 아무런 문제가 없다. 그러나 이 세상의 경우처럼 그것들이 결합되어 있을 때에는 그 결합의 단절과 점진적 해체, 그리고 그 결합의 최종적 해체야말로 전념해야 할 문제이다."[27] 성인 아라다가 가르쳐 주었듯이, 상캬 사상에서도 정신적 인격(푸루샤)과 물질 세계(프락크르티)의 본질적 분리라고 하는 개념은 그 같은 견해를 강화시켰다. 거기에서는 오로지 참된 목표인 영적 고립(카이발럄〔kaivalyam〕)의 상태에 도달하기 위한 유일한 길이 감각을 통제하는 탁발 생활이었다. 이처럼 기원전 80년경의 실론 팔리 경전과 같은 최초의 불교 문헌들에서는 그러한 이상이 다른 어떠한 것들보다 가장 순수한 것으로 간주되고 있다. 이러한 중심지에서 나온 불교 학파, 이른바 버마, 태국, 캄보디아의 남방 학파는 이러한 부정적 이상(세상적 관점에서 볼 때)에 확고한 우월성을 부여하고 있으며, 그것의 상징은 수도승으로서의 붓다이다. 승단의 초기 찬가 중에는 이러한 것이 있다.

> 각자 홀로, 우리는 숲에 거주하네,
> 나무꾼이 거부한 통나무처럼 ;
> 많은 자가 나의 운명을 부러워하네,
> 지옥에 갇혀 있지만 천계로 가는 나를.[28]

그러나 경전이 쓰여지기 2세기 전에 건립된 최초의 불교 석비, 곧 첫 번째의 위대한 재가 신자인 아쇼카 왕(재위 기간 : 기원전 268-232년경)의 석비에는 그와 반대되는 내용이 보인다. 거기에서는 이 세상에 살고 있는 인간상에 대하여 앞의 것과는 반대되는 이상과 신화가 이미 나타나고 있었다. 붓다는 행위의 포기가 아니라 행위에 의해서 열반에 이르려고 수많은 생애를 살았으며, 지금 우리 각자 안에 살고 있는 것으로 간주되었다. 몇 세기가 지나 카니슈카 왕의 통치 시기(기원후 78-123년경, 혹은 다른 계산법에 의하면 120-162년경)[29]에 이르면, 이러한 세속적인 주제는 절정에 달한다. 그러한 발전 과정에서 초기의 수도원적이고 세계 부정적인 견해는 "중도"에 대한 케케묵은 오해라고 하는 근본적인 도전을 받게 되었다. "자신의 존재(사트바)가 깨달음(보디)인 자"를 의미하는 보살이라는 용어는 실론의 팔리 경전*의 초기 어휘들에서 사용되었는데, 거기서는 깨달음을 향하여 가지만 아직 도달하지 못한 자, 다시 말해서 초기의 삶을 살고 있던 붓다인 "미래의 붓다"를 가리켰다. 한편 기원

---

* 팔리 어에서 그 용어의 실제 형태는 보디사타(bodhisatta)이다. 그러나 나는 이 책의 목적에 충분하다고 여기기 때문에 산스크리트를 사용한다.

후 1세기 인도 대륙의 북부와 북서쪽에서 발전한 산스크리트 경전에서는 그 용어가 다르게 사용되었다. 그것은 이 세상에 살면서 입멸의 축복을 거부하고 완성을 이룬 자, 그리하여 만물의 봉홧불, 안내자, 자비로운 구세주로서 이 세상에서 완벽한 지식의 소유자로 남아 있는 성인을 나타내기 위하여 사용되었다.

붓다가 말하였듯이, 발견되어야 할 자기는 어느 곳에도 존재하지 않고 모든 것이 이미 소멸하여 있으며 통제해야 하는 것이 신체가 아니라 마음이라면, 도대체 왜 피안으로의 항해와 도착에 관한 이 모든 말들이 필요하겠는가? 우리는 이미 거기에 있다. 어떤 자들은 자신의 마음을 통제하기 위하여 머리를 깎고, 바리때를 들고, 이곳 저곳 돌아다니면서, 사람 대신 사슴을 찾아야만 할 것이다. 그러나 붓다의 지혜를 참으로 얻은 자들은 집에서 자신의 마음을 정돈하고 동시에 자신의 삶 속에서 붓다의 지혜를 실천함으로써 다른 자들에게 도움이 될 수 있다. 하인리히 치머가 한때 언급하였듯이, "라디오 방송 WOB, 곧 '붓다의 지혜(Wisdom of Buddha)'는 항상 방송되고 있다. 우리가 필요로 하는 것은 수신기이다."

아슈바고샤가 어떻게 보살론을 "깨달음"의 야경(夜景) 속으로 도입하였는가를 앞에서 살펴보았다. 물론 당시에는 보살론이 존재하지 않았지만 말이다. 새로 깨달음을 얻은 붓다는 옥좌로부터 종려나무보다 7배나 높은 공중으로 올라가면서 모든 시대의 보살들에게 "공덕에 의하여 모든 것을 이룰 수 있다"고 말하였다. 그리고 나서 땅으로 내려왔으며 다시 정상적인 장면이 시작되었다. 후대에 중요성을 가지게 된 이 이야기, 다시 말해서 "베나레스 녹야원의 초전 법륜"은 고타마가 구도의 마지막 단계에서 함께 보낸 5명의 굶주린 고행가들에게 행한 것이었다. 아슈바고샤는 이러한 평범한 설법에 두번째의 메시지를 덧붙였다. 이 두번째 것은 지상에 존재하는 어떤 자가 아니라 미래불인 미륵에게 보낸 것이다. 미륵은 고타마 사후 5천 년이 지난 후 다시 태어나기 위하여 "행복한 신들의 천계(兜率天)"에서 기다리고 있었으며, 수많은 신 및 보살들과 함께 초전 법륜에 참가하기 위해서 내려왔던 것이다.

붓다는 미륵과 그 주위에 있는 자들에게 이렇게 말하였다. "인과에 종속되는 모든 것은 신기루, 꿈, 물에 비친 달, 메아리와 같아서 제거될 수 있는 것도 아니고 자존하는 것도 아니다. 법륜 자체는 '그것'도 아니고 '그것이 아닌 것'도 아니다. 이 법을 듣고 기쁨으로 맞은 후에, 이제 행복한 삶 속에서 영원히 이것을 실천하라. 이 길이 모든 붓다들이 따라간 대승의 길이다. 붓다, 보살, 프라티에카 붓다(辟支佛, 가르치지 않는 붓다), 아라한(깨달은 성자)을 숭배하면, 마음속에서 불성의 관념이 일어나고 그의 공덕을 통하여 법이 선포될 것이다. 이러한 순수한 가르침이 지배하는 곳에서는 집에 머무는 가장조차도 붓다가 될 것이다."[30]

"큰(마하[mahā]) 나룻배(야나[yāna])"인 대승은 모든 사람이 탈 수 있고, 실제로 타고 있는 배이다. 그러나 이 배는 어느 곳으로도 가지 않는다. 모든 것은 이미 소멸하였기 때문이다. 그것은 쾌락의 항해이며 기쁨의 축제이다. 반면 "버려진(히나[hīna]) 나룻배(야나[yāna])"인 소승은 비교적 작은 배를 열심히 물에 띄우는 작업이다. 이것은 요기만을 그들이 경멸하는 큰 소용돌이로부터 벗어나게 하여 건너가게 해주지만, 사실 그들은 어떤 곳으로도 가지 못한다! 그들은 쾌락의 항해를 하고 있으나 그 사실을 알지 못하고 있는 것이다.

버마 승단의 유명한 종장(宗匠)인 흐페 아웅(Hpe Aung) 스님은 소승불교의 요기들이 통과하는 통찰력의 주요 단계를 다음과 같이 서술하였다.

1. 모든 것은 영원하지 않고, 괴로우며, 자아는 존재하지 않는다고 하는 통찰
2. 사물의 시작과 끝에 대한 통찰
3. 사물의 소멸에 대한 통찰
4. 세계는 두렵다는 통찰
5. 그러한 두려운 세계는 공허함과 텅 빔으로 가득차 있다는 통찰
6. 그러한 세계는 혐오해야 한다는 통찰
7. 세계는 포기해야 한다는 통찰
8. 해방은 성취해야 한다는 통찰
9. 삶의 부침(浮沈)에도 불구하고 평정을 유지해야 한다는 통찰

10. 열반을 이루기 위해서 노력해야 한다는 통찰

그는 "불교도는 낙관적이다. 세계가 고통으로 가득 차 있지만 불교도에게는 그것으로부터 벗어나는 길이 있기 때문이다"[31]라고 썼다.

그러므로 물질 세계로부터 벗어나 육체적 고립을 달성하려는 자이나교도, 심리학적 고립 상태를 달성하려는 상캬, 그리고 심리학적 무(無)의 상태를 실현하려는 불교도의 목적이 실제적인 요가 수행자들에게 중요한 차이를 제공하고 있지만, 우리는 이 3가지의 구도 방식을 모두 "위대한 반전(Great Reversal)"이라는 단일한 신화적 범주의 파생물로 분류해야 한다.

한편 대승 불교에서는 승려, 아라한, 붓다에 대한 존경이 끝까지 그 특성으로 남아 있음에도 불구하고, 보살 이미지로 상징되는 세계의 경이와 세계의 긍정에 관한 주제가 점차적으로 강화되었다. 소승에서는 일반적인 이원론적 세계관의 관점에서 열반의 신비를 표상하므로 윤회의 덧없음과 영원한 해탈에 깃든 평화의 차이를 전제하고 있다. 이에 비해서 대승에서는 실현된 공 혹은 영원 자체의 관점에서 세계를 바라보기 때문에 공의 평화와 이 세계의 혼란의 차이, 비존재와 존재의 차이에 대한 경험이 이원론적 감각 범주에 의한 미혹의 산물로 간주된다.

"피안의 지혜"를 다루는 대승 불교의 문헌에서 붓다는 이렇게 말하였다. "형태를 지닌 모든 것은 허깨비이다. 모든 형태가 형태를 가지고 있지 않음을 알 때 붓다를 보게된다. …… 만물은 붓다이다."[32]

이제 우리는 인도의 근원적인 신화적 복합의 다섯번째이자 마지막 구성 요소에 도달한 것이다.

우리가 살펴본 첫번째는 인더스 계곡 안에 놓여 있었다. 운명 앞에서의 경이와 굴복을 보여주는 식물-달 신화가 그것이다. 이는 a) 원-오스트랄로이드 인에게서 보이는 열대 식물 세계의 신화, 그리고 b) 근동에서 파생한 사제적 성격을 지닌 중기 청동기 시대의 것으로서, 수학적으로 결정할 수 있고 명백하게 드러나는 행성의 주기에서 우주적 질서(마트, 메)의 신화라는 2가지 측면으로 나타난다.

　두번째는 베다에 등장하는 것으로서 사자처럼 용맹한 아리안의 권력 체계이다. 여기서도 2가지 측면이 나타나고 있다. a) 초기에는 신들이 궁극적인 봉헌의 대상이었으나, b) 후기에는 브라민이 주관하는 의례 자체의 힘이 궁극적인 것으로 등장하였다. 셈 족은 파국과 고통을 죄인에 대한 신의 처벌로 읽었지만, 아리안은 그러한 재앙을 악마의 작용으로 보았으며 신들을 인간 편에 서 있는 것으로 간주하였다. 시간이 흐름에 따라 인도에서는 자유로운 의지를 지닌 베다의 신들이 명령권을 상실하고, 초기 청동기 시대의 질서의 원리(마트, 메, 르타, 다르마)가 되돌아왔다. 그러나 질서의 원리를 제사 안에 복속시키고 있는 의례 전문가인 사제 계급이 운명 자체에 대한 지배권만이 아니라 그 결과물을 배분하는 권리마저 장악하였다. "지식"을 의미하는 비댜(Vidyā)는 우주 질서에 대한 것이었고, "그렇게 아는 자"(브라마나와 우파니샤드 전체에 나타나듯이)는 하고 싶은 것은 무엇이든 실제로 행할 수 있었다.

　인도의 신화적 복합의 세번째 구성 요소는 요가이다. 나는 이것을 신화적 동일시를 실현하기 위한 기술로 정의하였다. 요가의 많은 훈련들은 샤머니즘에서 나온 것으로 보인다. 내적 열, 엑스터시, 그리고 빙의 상태를 가져오기 위한 호흡의 통제와 춤, 소리의 리듬, 약, 명상의 통제 등이 그러한 예에 속한다. 이러한 원시적 수준에서는 샤머니즘에서 등장하는 다양한 새 및 짐승(늑대, 곰, 여우, 갈가마귀, 독수리, 야생거위 등)과의 동일시가 나타나며, 이때 획득된 힘들에는 그러한 동물 형상을 띠는 것 이외에도 불의 지배와 불로부터의 면역, 엑스터시 상태의 비행, 불가시성, 지상의 경계를 넘어선 천상과 지하 세계로의 여행, 부활, 전생에 대한 지식, 기적적 치료가 포함된다. 그러나 인더스 계곡에서 고전적 요가 자세를 취하고 있는 상들은 짐승의 주(파수파티〔paśupati〕) 시바를 닮고 있는 동시에 베나레스 녹야원의 고타마 붓다, 그리고 뱀 사이에 있는 주 파르슈바를 닮고 있다. 여기서는 인도 고유의 특성을 지닌 요가가 오늘날까지 남아 있는 도상과 어떠한 관련을 맺고 발전하였음을 알 수 있다. 그러나 당시에 그것의 목적이 무엇이었는지는 알 수 없다. 깨달음의 나무

328

의 여신 앞에서 배알하는 장면을 보여주고 있는 〈그림 17〉의 인장은 인
더스 계곡 시기의 국왕 살해 의례를 암시하고 있다. 그러므로 요가의 주
는 희생된 왕 자신이라고 생각해볼 수도 있다. 그렇다면 달의 신이 가장
그럴듯한 동일시의 술어가 될 수 있었을 것이다. 그러나 우리는 그것에
대하여 알지 못한다. 이보다 훨씬 후에 해당하는 베다-아리안의 우파니
샤드 시기에는 현명한 왕이 브라민에게 가르친 요가 속에 달 신화와 태
양 신화가 포함되었다. 그러므로 달과의 동일시와 태양과의 동일시가 기
원전 700-600년경 사이에 확고하게 문서화되었다. 그후 비베다적인 요가
와 b) 단계 베다의 권력 체계가 결합함으로써 요기들이 동일시하고자 하
는 최종적인 술어는 모든 종류의 신을 넘어선 희생제의의 힘, 곧 브라만
—— 지금은 모든 존재의 근거로 인정된 —— 안에 놓여지게 되었다.

　인도의 신화적 복합의 네번째 본질적 구성요소는 "위대한 반전"이라는
절대적인 세계 혐오의 분위기이다. 우파니샤드의 교화 왕들은 이러한 분
위기를 알고 있었던 것 같다. 그들은 태양의 길, 다시 말해서 "불꽃의
길"을 제시하면서 숲을 위하여 세계를 포기한 사람들을 언급하고 있기
때문이다. 기원전 1750년경 이집트와 메소포타미아에서는 애도 문학이
이미 발전하고 있었다.* 인더스 계곡에서도 기원전 1500-1200년경 베다
의 전사들이 도착하면서 토착 비아리안이 몰락하게 되고, 이때 세계-부
정과 삶-부정의 분위기가 이들의 상당수를 사로잡았을 것이라고 추정할
수 있다. 이집트와 메소포타미아에서는 고통으로부터의 도피라고 하는
문제에 대한 해답을 어느 누구도 발견하지 못한 것 같지만, 인도에서는
요기가 그 방법을 제공하였다. 대상 세계의 어떤 존재 혹은 원리와 신화
적 동일시를 추구하는 대신, 명상하는 세계-거부자들은 이미 기원전
1000년경에 "그것이 아니고 그것이 아니다"(네티 네티〔neti neti〕)라는
인도의 위대한(나는 이것이 독특한 것이라고 생각한다) 모험인 부정의
길을 시작하였다. 우리는 세계로부터 탈출하는 이러한 길의 3가지 단계
에 이름을 부여하였다. 첫번째는 자이나교도의 길로서 이들은 생명-포기

* 161-170쪽 참조.

라고 하는 점진적인 서약을 통해서 지바와 아-지바의 육체적 분리를 추구하였다. 두번째는 카필라의 상캬 철학과 파탄잘리 요가의 길이다. 여기서는 지식의 주체인 푸루샤가 물질로 이루어진 대상 세계로부터 분리하여 영원히 휴식을 취한다. 이때 중요한 과제는 마음속에서 모든 지식의 주체이자 "그 자체에 근거한 지성의 에너지"[33]인 푸루샤와 자기 자신의 동일성을 완전히 파악하는 것이다. 반면 붓다의 승리에서는 그 주체마저도 제거되어 유일한 술어는 무가 되었다. 무는 소승의 자세였으며 지금도 그렇게 남아 있다.

이러한 접합의 과정에서 다섯번째에 해당하는 마지막 요소가 인도 사상의 무대에 들어왔다. 학생이면 누구나 알다시피 2개의 부정은 긍정을 만들어내기 때문이다. 대상과의 동일시를 부정하고 주체와의 동일시를 부정하는 이중 부정은 삶으로의 역설적인 귀환을 초래하였다. 이러한 태도는 어떤 것에도 전념하지 않지만 모든 것에 똑같이 자비(카루나)를 실천한다. 모든 것이 무이기 때문이다.

니체는 『자라투스투라는 이렇게 말했다』에서 그가 "정신의 3가지 변형"이라고 부른 것, 곧 낙타, 사자, 어린이를 기술하고 있다.

정신, 많은 것을 견디어내려고 하는 강하고 경건한 정신에는 견디기 어려운 것이 많이 있다. 그러나 어렵고 가장 어려운 것은 정신의 힘이 요구하는 것이다.

'도대체 무엇이 어렵단 말인가?'라고 하면서 많은 것을 견디어내려는 정신은 스스로 묻는다. 그리고 짐이 많이 실리기를 원하는 낙타처럼 무릎을 꿇는다. …… 그리고 무거운 짐을 싣고 사막으로 질주하는 낙타처럼 정신은 사막으로 달린다.

그러나 가장 고독한 사막에서 두번째 변형이 일어난다. 여기서 정신은 자신의 자유를 정복하고 자신의 사막에서 주인이 되려고 하는 사자가 된다. 여기서 그는 그의 마지막 주인을 찾는다. 즉 그는 자신 및 자신의 마지막 신과 싸우기를 원한다. 궁극적 승리를 위해서 그는 위대한 용과 싸우기를 원한다.

정신이 더 이상 주인이나 신이라고 부르지 않을 그 위대한 용은 누구인가? 그 위대한 용의 이름은 "그대는 해야 한다(Thou shalt)"이다. 그러나 사자의 정신은 "나는 하고자 한다(I will)"라고 말한다. "그대는 해야 한다"는 금처럼 빛나면서 자신의 길에 비늘로 덮힌 동물을 놓는다. 그 모든 비늘 위에서는 황금으로 된 "그대는 해야 한다"가 빛나고 있다.

수천 년 된 가치들이 이 비늘들 위에서 빛나고 있다. 모든 용 중에서 가장 강한 자가 이렇게 말한다. "만물의 모든 가치가 내 위에서 빛나고 있다. 모든 가치는 오래 전에 창조되었다. 나는 창조된 가치이다. 진실로 거기에는 더 이상 '나는 하고자 한다'라는 의지는 없을 것이다." 용은 그렇게 말할 뿐이다.

형제들이여! 왜 사자에게는 정신상 한가지 필요한 것이 있는가? 왜 짐을 나르는 짐승, 곧 체념하고 경건한 짐승으로는 충분하지 않은가?

새로운 가치를 창조하는 것, 사자도 그것은 할 수 없다. 그러나 새로운 창조를 위해서 스스로 자유를 창조하는 것, 그것은 사자의 힘 안에 존재한다. 스스로 자유를 창조하고 의무에 대해서 성스러운 "아니오"를 말할 수 있는 것. 형제들이여! 사자에게는 그것이 필요하다. 새로운 가치들에 대한 권리를 취하는 것. 많은 것을 견디어내는 경건한 정신에게는 그것이 가장 무시무시한 가정이다. 진실로 그것은 그에게 괴로운 것이며, 맹수에게는 하나의 문제이다. 그는 한때 "그대는 해야 한다"는 명령을 가장 성스러운 것으로서 사랑하였다. 그러나 그는 지금 가장 성스러운 것 안에서조차 환상과 우연을 발견하여야만 한다. 그의 사랑으로부터 나온 그의 자유는 그의 먹이가 된다. 그러한 먹이는 사자를 필요로 한다.

그러나, 형제들이여! 사자마저도 할 수 없는 것을 어린이가 할 수 있는 것이 무엇인지 말해보라. 왜 먹이를 약탈하는 사자는 아직도 어린이가 되어야 할까? 어린이는 순진하고 잊기를 잘하며, 새로운 시작이고, 사냥감이고, 스스로 달리는 바퀴이고, 첫번째 운동이고, 성스러운 "긍정"이기 때문이다. 형제들이여, 창조의 게임을 위해서는 성스러운 "긍정"이 필요하다. 지금 정신은 그 자신의 의지를 의지하고, 세계에서 탈락하였던 자는 이제 그 자신의 세계를 정복한다.

나는 당신에게 정신의 3가지 변형에 대해서 말하였다 : 어떻게 정신이 낙타가 되었는가, 낙타는 어떻게 사자가 되었는가, 그리고 마지막으로 사자는 어떻게 어린이가 되었는가.[34]

삶과 문명과 예술에서 무한한 창조성의 정신이자 신들의 경기(올림피아의 웃음)에서 환희의 정신인 붓다의 사자 "울음"은 곧이어 등장하게 되는 인도의 황금 시대를 통하여 줄곧 중요한 역할을 하였다. 그러나 새로운 문제가 발생하였다. 이를 조금 상세하게 살펴보겠다. 이 문제는 오늘날 동서양의 만남과 상호 이해에서 중요한 위치를 차지하고 있다. 모든 것이 붓다이고 어느 것도 존중하지 않거나 비난하지 않는다면, 모든 문명이 의존하고 있는 사회적 가치는 어떻게 되는 것인가? 서양에서는 이러한 가치들이 철학과 종교의 최고 관심사였으며, 심지어 윤리적 가치를 우주와 우주의 윤리 지향적 창조자로 간주되는 자에게 귀속시킬 정도였다. 알버트 슈바이처 박사는 이러한 시각을 요약하였다. "이러한 우주관에 따르면 인간은 윤리적 활동으로 신이 정한 세계 목적을 실현하는 데에 참여한다."[35] 그러나 인도에서는 우파니샤드의 브라만 관념이건 대승 불교의 깨달음에서 나오는 공(수냐타[śunyatā])과 자비(카루나[karunā])의 관념이건, 모두 선과 악을 초월하는 근본적인 단절의 경지에 도달한다. 부정적인 방식을 취하기는 하지만, 자이나교, 상캬, 그리고 소승의 부정적 동일시도 마찬가지 결과를 가져온다.

다음 장들은 새로운 세계를 만드는 인도의 위대한 이중 부정의 힘, 그리고 황금 비늘을 가지고 영구히 사는 용의 지속적인 "그대는 해야 한다"가 지닌 힘을 이러저러한 방식으로 보여줄 것이다. 용과 낙타, 사자와 어린이, 이들은 말하자면 인도적 영혼의 창조주인 브라마의 네 얼굴이다. 지금까지 지속되고 있는 그 영혼의 근본적인 영적 역설과 긴장 구조는 용의 주장인 다르마, 그리고 덕행으로부터의 절대적 해방이라는 영적 목표인 목샤(어린이 : 저절로 구르는 바퀴) 사이에 존재한다고 요약할 수 있다.

고전적 베단타 문헌에는 이렇게 쓰여 있다. "의무감은 상대성의 세계에 속한다. 그것은 텅 비고 형태가 없으며 변화하지 않고 오염되지 않은 모습을 취한 현자에 의해서 초월된다."

"정직한 사람은 선한 것이건 악한 것이건 해야 하는 것은 무엇이든지 한다. 그의 행동은 어린이의 행동과 같기 때문이다."[36]

332

7. 위대한 고전의 시대 : 기원전 500-기원후 500년경

이제 우리는 드러나지 않는 것의 드러남으로부터 움트는 한 문명의 역설적인 경관을 거시적으로 개관해야 한다. 사실상 후기 인도 문명은, 불교적 관점의 공이건 브라민적 관점의 공이건 간에, 만물 속에 작용하는 공의 에너지의 표현으로 꽃피었기 때문이다.

붓다의 시대로부터 굽타 시대 중반에 이르는 시기(기원전 500-기원후 500년경)는 인도만이 아니라 문명화된 세계에 대해서도 "위대한 고전"의 시대라고 부를 수 있다. 유럽에서는 아이스킬로스 시대(기원전 525-456년)와 보에티우스 시대(기원후 480-524년경) 사이에 그리스-로마 유산이 형성되고 종결되었다. 레반트에서는 다리우스 1세의 통치(기원전 521-486년경)와 유스티니아누스(기원후 527-565년)의 통치 사이에 조로아스터교, 히브리, 기독교, 다양한 영지주의, 그리고 마니교의 경전들이 확정되었다. 극동에서는 공자의 생애(기원전 551-478년)와 인도의 불교 성인 보디다르마가 중국에 도착하였다고 하는 전설적인 시기(기원후 520년) 사이에 유교, 도교, 중국 불교의 근본 경전과 원칙이 확립되었다. 그리고 콜룸부스 이전의 아메리카 문명도 이른바 "고전 지평(Classic Horizon)"이라고 불리는 이러한 천 년(기원전 500-기원후 500년) 동안에 꽃을 피웠다.[37]

로마, 페르시아, 인도, 중국을 잇는 육로와 해상로는 이 시기에 교역이 계속 증대함에 따라 새롭게 개통되었으며, 따라서 그 어느 쪽에서도 지역 신화가 고립되어 발전할 가능성은 없게 되었다. 관념의 교환은 다양하게 이루어졌다. 그러나 각 문명에는 모든 수입품을 변형시킬 수 있는 지역적 힘(이것을 나는 양식(style) 혹은 서명(signature)이라고 칭하였다)*이 존재하였다. 앞에서 정의한 대로, 유럽에서는 합리적이고 혁신적인 개인의 힘, 레반트에서는 신의 목적을 실현하는 하나의 참된 공동체 관념, 중국에서는 천(天), 지(地), 인(人)의 일치에 관한 오래된 청동기

* 제1장 참조.

시대의 사상, 후기 인도의 역사에서는 만물을 자신 안으로 해체시키는 동시에 마야의 속임수로 만물을 계속 쏟아내는 내재적 근원의 관념이 변형의 힘으로 존재하였다.

이러한 천 년 동안에 서양으로부터 인도로 점차 강력해지는 4개의 조류가 흘러 들어왔다 : 1. 앞에서 간략하게 언급하였듯이* 기원전 600년경 이후 아케메니안 페르시아로부터 흘러온 조류, 2. 기원전 327년 알렉산더의 침공 이후에 들어온 조류로서, 박트리아 북서쪽 국경 지대에 있던 강력한 그리스 공동체에 의하여 유지되었으며, 헬레니즘의 틀을 분명히 지니고 있었다. 기원전 200-25년경 사이에는 인더스 계곡 전체를 지배하였다. 3. 그 다음 조류는 로마의 흔적을 지닌 채 해상 교역로를 통하여 흘러들었다. 기원후 1세기에 발전한 그 해상 교역로는 몹시 위험하였지만 이윤을 만들어내는 통로였으며, 인도 서부 해안을 따라 연쇄적으로 형성된 항구들을 거쳐서 희망봉으로 이어지고, 다시 그 반대 편(아프리카 대륙 서안/역주)을 따라서 올라갔다. 4. 마지막으로 로마에서 기독교가 승리하면서 대학이 폐쇄되고 제국 전체를 통하여 이교 신앙이 소멸되는 기원후 400년경, 후기 로마, 그리스, 시리아-이집트 문명의 풍부한 보물을 지니고 있는 일군의 피난민 지식인이 인도로 몰려왔다. 이들은 여러 측면에서 그 다음 시기인 인도의 황금 시대에 직접적인 영감을 주었다.

알렉산더가 도래하기 이전의 수 세기에 걸친 베다 아리안 문화의 특징은 고고학적 측면에서는 거의 나타나지 않는다. 앞에서 언급하였듯이,* 이 시기의 출토품은 황토색, 그림이 있는 회색, 그리고 검은색 광택을 지닌 깨어진 도기 조각이 전부이다. 그러나 다음 시기인 마우리아 왕조(기원전 322-185년경)에서는 우아한 석재 기념비들이 갑자기 꽃 피었다. 이로써 인도의 영광은 어둠을 벗어나 기록을 지닌 정식 복장의 문명으로 나타나게 되었다. 젊은 마케도니아 인(알렉산더/역주)의 강풍은 인도 대륙의 북부를 통과하면서 그 영향력을 발휘하였다. 그리고 정치적 균형이 흔들리는 과정에서 어느 알려지지 않은 카스트, 아마도 낮은 카스트 출

신의 어정뱅이인 찬드라굽타 마우리야가 난다(Nanda) 왕조를 전복시켰
다. 자신이 전복시킨 왕조의 최고사령관이었던 마우리야는 페르시아의
모델을 따라서 토착적인 군사 국가를 세웠다. 기원전 305년 당시 이 국
가는 50만 명의 군인, 9천 마리의 전투용 코끼리, 그리고 많은 전차를 가
지고 있었으며, 셀레우코스 왕조에 대항할 만큼 강력하였다. 한 조약에
의해서 그리스 인들은 500마리의 코끼리를 얻었고, 찬드라굽타는 셀레우
코스의 딸을 (분명히) 얻었으며, 그리스 인들은 박트리아로 물러갔고, 새
로이 창건된 마우리야 왕조는 아프가니스탄에서 비하르에 이르는 영토를
점유하였다.[38]

8. 3명의 불교도 왕

아쇼카 마우리아 : 기원전 268-232년경

찬드라굽타의 손자가 위대한 아쇼카였다. 그는 기원전 268-232년경 사
이에 통치를 하였다. 전쟁에서 승리를 거듭한 아쇼카는 오리사에서 마드
라스에 이르는 인도의 동쪽 해안 전체를 정복하였다. 그러나 자신의 승
리가 초래한 고통, 비참함, 죽음의 황폐함을 보았을 때, 그는 깊은 번뇌
로 가득찼으며(젊은 왕자 고타마처럼), 세계의 본질에 대하여 성찰한 후
한 사람의 재가 신자로서 불교 승단에 귀의하였다. 그래서 최초의 불교
도 왕이 되었다. 그는 6만 4천 명의 승려를 부양하였으며, 수많은 승원을
세웠을 뿐만 아니라, 하루밤에 8만 4천 개의 성물함을 세웠다고 한다. 실
제로 6개 정도의 전설적인 탑이 오늘날까지 잔존한다. 그러나 그 크기가
엄청나게 증대되었기 때문에 이것들이 과연 아쇼카 시대의 것인지 확신
하기 어렵다.

몇십 년에 걸친 그의 통치 기간으로부터 나온 보다 유익한 유물은 7개
의 돌기둥으로 된 일련의 전령비이다. 서 있거나 쓰러진 상태로 발견된

이 석비들은 매우 세련된 아케메네스 페르시아 양식으로 되어 있으며, 우아한 문자들이 새겨져 있다. 휠러 경이 지적하듯이, 페르시아 제국이 함락되고 페르세폴리스 왕성이 불에 탐으로써, "페르시아의 축적된 예술적 기교는 고장났으며", 그것은 가장 가까운 계승 왕조를 찾아서 동쪽으로 이동하여 찬드라굽타의 인도에 도달하였다.[39] 아쇼카 시대의 불교 예술에 아케메네스 양식의 식민지풍이 번성함으로써 오늘날 세계사에서 가장 위대한 조각 전통의 하나가 된 첫번째 석비가 산출되었다.

여기서 세계 최초의 석재 전통, 곧 프타를 섬기는 이집트 멤피스 사제 전통이 만들어낸 유적지들이 오래전부터 여러 제국들에 편입되었음을 주목해보자. 그 유적지들은 처음에는 페르시아 제국, 후에는 알렉산더 대왕의 제국에 편입되었다. 기원전 525년 퀴로스의 아들 캄비세스는 이집트를 정복하였으며, 그의 후계자인 다리우스 1세의 무덤은 페르세폴리스의 유적지 바깥쪽에 있다. 오늘날까지도 이 무덤을 방문하는 사람들이 있다. 이 무덤은 바위를 깎아서 만든 파라오들(아부 심벨과 그 이외의 왕들)의 무덤처럼 수직으로 되어 있는 바위 면의 안쪽을 깎아 들어가면서 만들었다. 이것처럼 바위를 깎아 만든 6개의 무덤이 근처에 더 있는데, 그중의 하나는 미완성 상태로 남아 있다. 이 무덤들은 각각 크세르크세스 1세(485-465년), 아르타크세르크세스 1세(465-425년), 다리우스 2세(424-404년), 아르타크세르크세스 2세(404-359년), 아르타크세르크세스 3세(359-338년), 그리고 (미완성의) 아르세스(338-336년), 혹은 알렉산더의 희생자인 다리우스 3세(336-330년)의 것이다.

바위를 깎아 만든 인도 최초의 기념비가 아쇼카 시대에 나타난다면 놀라야 하는가? 아쇼카 시대에 만들어진 시리즈 중 가장 주목할 만한 것은, 가야(Gaya) 근처에 있는 로마스 리시(Lomas Rishi) 동굴이라고 불리는 정교하게 깎은 작은 암굴이다. 이 암굴은 단단한 바위 안쪽을 정교하게 깎아 들어가면서 만들었고, 전면은 매력적으로 조각되어 있으며, 나무와 이엉 지붕으로 된 오두막을 모방하였다. 암굴의 입구 위에 우아한 아치로 된 부조에는 서로 밀치고 있는 많은 코끼리의 모습이 생생하게 묘사되어 있다.

아쇼카 시대의 탑도 아득한 과거, 특히 신석기 시대의 태모신 신앙을 암시하고 있다. 하인리히 치머 박사가 『인도 아시아의 예술(*The Art of Indian Asia*)』에 관한 강의에서 지적하였듯이, 오늘날까지도 인도에서는 진흙을 뭉개서 7개의 작은 흙더미를 만들고 있으며 남인도에서는 이것들을 숭배하고 있다. 그러나 이 흙더미들을 무덤이나 성물함으로 간주하는 것이 아니라 7명의 태모신의 신전으로 숭배한다.[40] 수메르 인장(〈그림 2〉)에 있는 흙무더기가 생각날 것이다. 그러한 성소에 놓여진 죽은 자의 유해는 피라미드에 있는 파라오의 미라처럼 재생을 위해서 태모신의 자궁 속으로 돌아가는 것이다. 그러므로 불탑은 불교의 요가처럼 베다-아리안이 아니라 그보다 이른 신석기적 믿음 체계를 보여주는 것 같다.

이처럼 바위를 깎아 만든 암굴은 페르시아를 거쳐서 다시 이집트로 향하고 있으므로, 아쇼카 시대에 나타나는 예술과 건축 형태는 반드시 새로운 것이 아님을 알 수 있다. 그것들은 멤피스의 프타 신전 지대에서 처음 발전하였다가 몇 세기 후에 베다 이전의 인도적 토대 ── 보다 조잡하기는 하지만 본질적으로는 동일한 문화적 계보에 속하는 ── 위에 접목된 고대 예술로부터 나온 것이다.

이때부터 인도 예술이 발전하면서 가장 오래된 인도적 특질과 서양에서 들어온 것 사이의 유기적 상호 작용을 보여주는 증거들이 증대하고 있다. 따라서 이러한 예술 작품들의 연구자에게는 매우 복잡한 문제가 등장한다. 그 작품들은 유기적인 문화적 상호 작용을 보여주는데, 거기에는 어떤 낯선 중심에서 나오는 매우 낯선 조류의 힘이 오랫동안 감추어져 있었던 토착인의 영적 과거(spiritual past)와 밀접한 친화성을 보이는 특질들을 실제로 가지고 들어왔기 때문이다.

그러나 이 시기에 출현하는 모든 것을 2천 년 동안 잠들어 있던 한 열대 거인이 눈을 뜨는 과정으로 읽어서는 안 된다. 실제로 새로운 것이 많이 들어왔다. 아쇼카 시대보다 약 3세기 이른 시기에 페르시아로부터 들어온 철과 동전의 사용은 새로운 현상이었으며, 왕실의 비문을 쓰기 위해서 사용한 셈 족 알파벳도 새로운 것이었다. 아쇼카 왕의 돌기둥에

이러한 종류의 비문이 새겨져 있듯이, 거친 바위의 표면에도 그러한 것
이 많이 새겨져 있었다. 바위 면에 새긴 대부분의 글자 형태(카로스티
[Karoṣṭhi])는 근동의 아람 어를 변용시킨 것이다.

예를 들어보자. 남아프가니스탄의 칸다하르 근처에 있는 바위 벽 위에
는 그리스 어와 아람 어(위에는 그리스 어, 밑에는 아람 어)로 된 이중
언어의 문장이 새겨져 있다. 그 내용은 아쇼카가 불교 신앙으로 개종한
것과 그후의 모범적인 행동을 자화 자찬적으로 칭송하면서 그의 삶을 따
를 것을 온건하게 권유하고 있다.

"따뜻한 애정을 지닌 왕"은 10년간의 통치를 끝냈을 때, 경건의 덕을 명
백하게 보여주었다. 그때부터 사람들은 더 경건해졌다. 그리고 지상에서는
모든 것이 번영하였다. 왕은 생명체를 먹는 것을 피하였다. 그러자 다른 사
람들도 따라하였다. 왕의 사냥꾼들과 어부들도 사냥을 중지하였다.
더구나 자신을 정복하지 못한 자들은 스스로의 힘에 의해서 그들 자신을
정복하지 않겠다는 결심을 포기하였다. 그들은 과거에는 복종하지 않았지만
이제 자신들의 아버지, 어머니, 연장자에게 복종한다. 그들은 미래에도 그렇
게 순종적인 태도로 행동하면서 모든 면에서 더 유익하고 훌륭한 삶을 살
것이다.[41]

뒤퐁-좀머 교수가 그 기념비에 대한 설명에서 말하였듯이, 이 비문의
그리스 어는 "어떠한 이국주의나 지방주의도 포함하지 않은 기원전 3세
기의 헬레니즘 양식에 전적으로 부합한다. …… 그 바로 밑에 있는 아람
어는 …… 아케메네스 재판소에서 유행하던 '제국 아람 어'와 대체로 일
치하지만, 여러 형태의 지방주의만이 아니라 얼마간의 구문 이완을 허용
하고 있다. 아케메네스 시대와 마찬가지로 이 비문은 많은 이란 용어를
끌어들였다. 80개의 이상한 용어중 9개가 이란 어였다."[42]
십자가 처형으로부터 3세기가 흐른 후의 콘스탄티누스 치하 기독교의
운명과 초전 법륜으로부터 3세기가 흐른 후의 아쇼카 치하 불교의 운명
은 서로 비교해볼 수 있다. 두 경우 모두 일단의 탁발승 제자들에게 가

338

르친 금욕적인 구원 교리("누가 오른뺨을 치거든 왼뺨마저 돌려대고
······ 죽은 자들의 장례는 죽은 자들에게 맡겨두고 너는 나를 따르라")[43]
가 중생, 다시 말해서 역사의 무대에 살고 있는 사람들에 대한 선행을
강조하는 세속적 황실 종교가 되었기 때문이다. 이는 머리를 깎고 사발
을 들고 다니기 위해서 모든 것을 포기하는 종교가 아니었다. 우리에게
알려진 최초의 불교 저작인 아쇼카의 "바위 칙령(Rock Edicts)"에서는
무아, 무지, 소멸과 같은 교리는 결코 언급하지 않고, 천상, 선행, 공덕,
영혼의 교리만을 언급하고 있다.

"즐거움이 넘치도록 노력하라. 그렇게 하는 것이 이 세상과 저 세상에
서 모두 유용하기 때문이다"[44]라고 왕은 권유한다.

"경건한 의식(儀式)은 일시적인 것이 아니다. 그것이 바라는 목적을
이 세상에서는 획득하지 못할지라도 다음 세상에서는 확실히 영원한 공
덕을 낳을 것이기 때문이다."[45]

"보잘것없는 자도 자신의 노력에 의해서 천상의 축복을 얻을 수 있
다."[46]

"나는 무엇을 위해서 노력해야 하는가? 생명체에 대한 빚을 갚는 것,
그리고 이 지상에서 사람들을 행복하게 만들어 다음 세상에서는 천계에
서 태어나도록 하는 것, 이 이외에는 어떠한 다른 목적도 없다."[47]

"짐은 다음 세상에 관한 것 이외에는 어떠한 것도 중요하게 생각하지
않는다."[48]

모든 자 중에서 가장 유명한 자가 인도의 긴 종교사를 통하여 특징적
으로 나타나는 관용의 정신을 가지고 말한다. "짐은 금욕주의자이건 가
장이건 모든 종파의 사람들에게 경의를 표한다. 그러나 짐은 기부하거나
외적으로 경의를 표하는 것보다는 모든 종파가 문제의 핵심을 살피도록
하는 데에 관심이 있다. 문제의 핵심을 살피는 방식은 다양한 형태를 취
하지만, 그것의 뿌리는 말의 자제이다. 이유 없이 다른 사람의 종파를 헐
뜯음으로써 자신의 종파에 경의를 표해서는 안 된다. 어떤 것에 대한 반
대는 특별한 이유가 있을 때에만 해야 한다. 다른 사람의 종파는 그 나
름대로 존경받을 가치를 가지고 있기 때문이다. ······ 그러므로 상호간의

일치는 가치 있는 것이고, 이는 다른 사람이 받아들인 경건한 법에 기꺼
이 경청하는 것을 의미한다. 다양한 종파의 신봉자들이 많은 가르침을
듣고 건전한 교리를 고수하는 것이 짐의 바람이다."[49]

　불교도의 세계 포교는 아쇼카의 후원 하에서 시작되었다. 당시 포교사
들은 불교의 비옥한 토양이 된 실론만이 아니라 시리아의 안티오쿠스 2
세, 이집트의 프톨레미 2세, 키레네의 마가스, 마케도니아의 안티고누스
고나타스, 그리고 에피루스의 알렉산더에게도 파견되었다.[50] 북쪽의 갠지
스 문명이 남부 인도로 침투하였음을 보여주는 최초의 실제적인 증거도
이 시대에 발견된다. 영국의 식민 통치 말기에 미소레 지역을 중심으로
한 발굴에 의하면, 기원전 200년경까지는 데칸 고원과 그 남쪽의 문화는
매우 원시적이었다. 그후 여러 곳에서의 발굴 작업도 그러한 가설을 보
완하고 지지하였다. 남부 지역의 도구는 구석기 말기와 조잡한 세석기
단계에 속하였다. 도기는 아직 손으로 만든 것이었으며 대체로 바탕이
거칠고 회색이었다. 무늬를 새기고 색칠한 파편이 종종 발견되었지만 도
기의 모양은 구형이었다. 금속이 알려졌지만 매우 드물었다. 구리와 청동
은 약간 발견되었지만 철로 만든 유물은 하나도 없었다. 나무로 만든 집
이 있었음을 암시하는 말뚝 구멍이 발견되었는데, 이러한 집들에는 거친
화강암으로 만든 낮은 벽이 있기도 하였다. 지금까지 서술한 것이 이 지
역에 관한 이야기의 전부이다.
　몹시 흥미로운 후기 거석 문화 복합이 이 지역에 도래한 것은 기원전
200년경 이후이다. 이보다 훨씬 초기에 속하는 스페인, 프랑스, 영국, 스
웨덴, 아일랜드의 청동기 시대의 거석 문화(기원전 2000년경)는 이 문화
의 복합과 놀라울 정도로 유사하다. 그러나 이 문화 복합은 철과 관련을
가지고 남부 인도로 들어 왔으며, 서쪽이 아니라 북동쪽으로부터 온 것
같다. 기원후 50년경이 되면 이보다 훨씬 발전한 문화적 영향이 갑자기
나타난다. 남부 지역에 로마의 상인들이 출현하면서 찬란한 시대의 여명
이 밝아온 것이다.[51]
　빈드야스(Vindhyas)의 남쪽 지역에서는 구석기 시대 이후 매우 뒤늦은

발전 단계에 속하는 3개의 시기가 나타난다. 1. 조잡한 중기 청동기 시대의 돌도끼 문화로서 기원전 1000년대에서 기원전 200년경 사이에 해당하는 것으로 보인다. 2. 철과 관련을 가지고 침공하는 거석 문화로서 기원전 200년에서 기원후 50년경 사이에 해당한다. 3. 이집트의 홍해에 있는 항구들과 직접적인 해상 교역을 하는 로마의 교역소 및 제조소가 들어오는 시기로서 기원후 50년경에 해당한다. 기원전 300년경 마우리아의 위대한 통치자의 승리와 함께 "검은색 광택을 지닌 북방의 도기"와 아리안-불교 도시 중심지의 철기가 침투하여 들어간 곳은 이러한 비교적 원시적인 정글 지대였다. 당시 이 지역은 앞에서 언급한 1시기의 말엽으로 나아가고 있었다. 아쇼카 칙령의 하나를 복제한 칙령 3개가 미소레의 브라흐마기리와 같은 최남단 지역에서 발견되었다.

그러므로 불교가 처음으로 확산되는 동안 문화적으로 잘 혼합된 거대한 지역이 눈에 뜨인다. 서쪽으로는 아프가니스탄(그리고 그곳을 넘어 마케도니아와 이집트로의 포교)에서의 아쇼카의 그리스-아람 어 칙령, 동쪽으로는 아쇼카에 의한 오리사에서 마드라스에 이르는 인도 해안의 정복, 남쪽으로는 (대륙에 속하는) 미소레의 아쇼카 칙령뿐만 아니라 실론으로의 포교에 의해서 이러한 거대한 지역이 형성되었다. 전반적으로 불교적인 성격을 띠는 이러한 세계에는 이집트-아시리아-페르시아, 인도-아리안, 드라비다, 그리고 그리스적 요소들이 결합되어 있음을 쉽게 알 수 있다. 그 모든 요소들은 당대의 가장 위대한 군주에 의해서 관장되었다. 국가의 역사에서 그 유례를 찾아보기 힘든 그 왕은 관용적이고 온화한 인격의 소유자였다. 그는 당시에 수많은 열반 집단에 속하여 삶을 포기하면서 포효하고 있는 수많은 승려를 보호하는 동시에, 그와 똑같이 위대한 가장의 지혜를 가지고 지상과 천상에 있는 그의 자식들의 복지를 함양하고 향상시켰다.

그래서 얼마 동안은 이 강력하면서도 경건한 왕의 통치 하에서 양과 사자가 함께 누워 있는 황금 시대가 곧 도래할 것만 같았다. 그러나 그의 할아버지의 정치학 교과서에서 "물고기의 법칙(큰 고기는 작은 고기를 먹고, 작은 고기는 민첩해야 한다)"[52]으로 정의된 역사의 법칙은 이 세계의 소용돌이 속에서는 결코 폐기되지 않았다. 아쇼카 사후 50년 만에 제국이 해체되었던 것이다. 그의 마지막 후계자인 브리하드라타는 군대를 사열하다가 자신의 총사령관에 의해서 살해되었다. 우지자인 주(과거에 마우리아 제국의 봉토였던) 출신이며 불교 집안이 아닌 새로운 가문이 제국의 옥좌를 차지하였다. 살해자이자 새로운 힌두 슝가(Hindu Shunga) 왕조의 창시자인 푸샤미트라(Pushyamitra)는 고전적인 베다의 희생제의를 준비하기 위하여 말 1마리를 풀어서 제국 전체를 제멋대로 돌아다니게 하였다. 여기에는 100명의 전사 왕자들이 함께 다녔다. 펀자브로 향하는 중도의 어디에서 일군의 그리스 기병대가 배회하는 상징적 말의 도전을 받아들였다. 그러나 그 유럽 인들은 패하였고 제국의 베다 희생제의는 완성되었다. 그렇지만 그리스 기병의 출현은 서양에서 자라나고 있는 어떤 흥미로운 것을 알려주기에 충분하였다.[53]

메난도로스 : 기원전 125-95년경

헬레니즘 시대의 박트리아에서는 기원전 212년경 그리스의 폭군 에우튀데모스가 셀레오키드 왕조에서 독립한 그리스 군사 국가를 세웠고, 기원전 197년경에는 그의 아들 데메트리우스가 인더스 계곡 전체를 재정복하였다.

이 거대한 변경 지대에서는 고전 신화와 신앙만이 아니라 힌두교와 불교의 신화와 신앙이 힘을 발휘하고 있었다. 그리스 인들은 인드라와 제우스, 시바와 디오니소스, 크리슈나와 헤라클레스, 그리고 여신 락슈미와 아르테미스를 동일시하였다. 그리스의 왕 중에서 가장 위대한 자의 하나인 메난도로스(기원전 125-95년경)는 불교도는 아니었지만, 적어도 그 당시에 불교 신앙의 넉넉한 후원자였던 것으로 보인다. 불교의 법륜이 그 왕조의 동전 위에 새겨져 있다.[54] 플루타르크에 의하면, 그 제국의 도시들은 그의 유해의 영예를 차지하기 위하여 서로 다투었으나, 그의 치적의 기억이 상실되지 않도록 하기 위하여 그것을 나눌 것에 동의하였다.[55] 『밀린다 왕문경(밀린다팡하[*Milindapañha*])』이라는 중요한 초기 불

342

교 문헌(아마도 일부는 기원전 50년경의 것이다)⁵⁶⁾이 있다. 여기에서 왕(밀린다=메난도로스)은 불교 승려 나가세나와 논쟁을 벌이지만 마침내 패하여 불교로 개종한다.

거기에는 이렇게 쓰여 있다. "그 왕은 현명하고, 우아하고, 지혜롭고, 유능하였으며, 과거, 현재, 그리고 미래의 것에 관하여 성스러운 찬가가 요구하는 모든 봉헌과 의식을 신실하게, 그리고 정확한 시간에 준수하는 자였다. …… 그리고 논객으로서 그와 대적하는 것은 힘들었으며, 그를 이기는 것은 더욱 힘들었다. 그는 모든 학파의 창시자들 중에서 가장 뛰어난 자로 공인된 자였다. 더구나 지혜만이 아니라 신체, 민첩성, 용맹의 면에서도 인도의 전 지역에서 밀린다에 대적할 만한 자는 없었다. 부와 번영의 측면에서도 막강한 자였으며, 그의 무장 군인의 수는 헤아릴 수 없을 정도로 많았다."

이 막강한 자가 자신의 직무가 끝났을 때, 어떻게 500명의 이오니아인 조신들을 시켜서 인도의 현명한 성인들에게 밤의 대화를 즐기자고 제안하도록 하였는가? 그리고 어떻게 500명을 이끌고 왕의 마차를 타고 이렇게 제안된 자들의 거주지를 하나씩 찾아나서서 그들이 답할 수 없는 질문들을 던졌는가? 문헌 자체를 찾아 이에 대한 대답을 알아내는 것은 독자들에게 맡기겠다.⁵⁷⁾

밀린다 왕은 마음속으로 이렇게 생각하였다. "인도 전체는 텅 비어 있다. 이는 마치 왕겨와 같다! 나와 함께 토론하여 나의 의심을 제거해줄 은둔자나 브라민이 한 사람도 없다."

그러나 다행히도 인도의 명성에 걸맞게 히말라야의 높은 곳에는 일군의 불교 아라한들이 거주하고 있었다. 그중 신과 같은 청력을 가지고 있던 자가 밀린다의 생각을 우연히 듣게 되었다. 그래서 그 그리스 인과 대적할 수 있는 자를 찾기 시작하였다. 그는 다시 정신 감응의 방법을 통하여 밀린다 왕에게 적합한 자가 "행복한 신들의 천상"에서 발견될 것(놀라지 말라!)을 알았다. 수많은 아라한들은 산의 정상으로부터 모습을 감추어 행복한 신들의 천상에 나타났다. 거기서 그들은 문제의 신, 곧 마하세나라고 하는 이름을 지닌 신을 발견하였다. 그리고 그가 흔쾌히 밀린다의 이단을 격파함으로써 불교 신앙에 도움이 될 것을 알게 되었다. 아라한들은 사라지고는 다시 히말라야의 비탈에 나타났으며, 그 신은 브라민의 아들로 지상에 태어났다.

마하세나는 브라만교가 제공할 수 있는 모든 것을 배우고 나서는 나가세나라고 하는 이름으로 불교 승단에 귀의하였다. 그는 불법을 쉽게 익혔으며, 얼마 안 있어 왕과 대적하기 위하여 파견될 수 있을 만큼의 능력을 지닌 아라한이 되었다. 밀린다 왕은 마침내 대적자를 만났다. 그 성자는 그리스 인이 던진 262개의 모든 질문에 하나하나 성공적으로 답하였다. 그러자 땅이 여섯 차례 뒤흔들렸으며, 번개가 치고, 꽃비(rainfall of flowers)가 하늘에서 내렸다. 성안의 모든 사람들과 왕궁의 여자들도 두 손을 모아 이마에 올리고 나가세나 앞에서 큰절을 하고는 떠나갔다. 기쁜 마음으로 가득찬 왕은 자만심을 누르고 불교의 덕을 깨닫게 되었다. 그는 의심을 중지하고 더 이상 이단의 정글에 머무르지 않게 되었다. 그리고 송곳니가 뽑힌 독살스러운 코브라처럼 자신의 잘못에 대한 용서를 빌고, 불교 신앙으로의 귀의를 허락해줄 것을 요청하였다. 그는 여생 동안 불교의 진실한 개종자이자 지지자가 되었다.

카니슈카 : 기원후 78-123(혹은 120-162?)년경

이러한 열반의 문턱에 있던 그리스 인들의 여명(餘命)은 약간 수수께끼적인 유목민 무리의 침략에 의해서 얼마 남지 않게 되었다. 만리장성 부근으로부터 온 이 무리들은 중국인에 의해서는 월씨(月氏), 인도인에 의해서는 쿠샤나 인, 어떤 경우에는 몽골인, 또 어떤 사람들에 의해서는 일종의 투르코멘으로 불려지고, 그리고 일종의 스키타이 인 같은 아리안으로 분류되고 있다. 그들은 만리장성의 남쪽 지방과 진령(秦嶺)산맥 사이에서 배회하는 훈 족의 침략을 받고 이동하였다. 그들의 이주는 쿠쿠노르와 신강의 황무지를 가로질러 약 40년 동안(기원전 165-125년경) 지속되었다. 그 과정에서 많은 지역의 인구가 바뀌게 되었으며, 박트리아의 국경 지대에도 새로운 압력이 생겼다. 그리스 인의 방어선은 무너졌다. 처음에는 스키타이 인, 다음에는 쿠샤나인들이 밀려들었다. 이들은 산맥을 넘어서 인도로 들어와 갠지스 평야의 상당 부분을 점유하였으며, 남쪽으로는 빈드야 평원까지 진출하였다.

카니슈카의 연대는 78-123년 혹은 120-162년경[58] 등 다양하게 추정되지만, 그는 쿠샤나 왕 중에서 가장 위대한 자였다. 그의 초상은 마투라의 붉은 사암으로 되어 있는데, 어깨 위까지의(불행하게도 머리 부분은 없어졌다) 키가 5피트 4인치이다. 긴 허리띠가 달린 야전용 코트, 무거운 승마용 장화, 근엄한 자세, 그리고 2개의 거대한 칼집 속의 칼자루를 두 손으로 잡고 있는 모습은 인도의 지배권을 장악한 중앙아시아인의 특성을 극적으로 보여주고 있다.[59]

아쇼카와 메난도로스처럼 카니슈카는 불교로 개종한 자였으며, 승려의 후원자이자 재가 공동체 예술의 든든한 후원자였다. 아슈바고샤는 그의 궁정에 있던 한 인물이었으며, 아마도 그 왕을 개종시키는 데에 견인차 역할을 한 사람이었을 것이다. 의아스럽기는 하지만 일반적으로 인정되고 있는 어떤 전승에 따르면, 카니슈카의 후원 하에 열린 대규모 불교도 회의가 대승 불교를 성공의 궤도에 올려놓았다고 한다. 산스크리트를 엘리트 문학 용어로 발전시키고 고전적 카브야("시적") 양식을 계발하기 시작한 것은 분명히 쿠샤나 궁정이었다.[60] 종교 예술의 영역에서도 많은 발전이 있었는데, 이는 동양 역사에서 가장 주목할 만한 것이다.

거대한 불탑이 수없이 세워졌으며, 아쇼카 시대의 것들은 확장되었다. 이러한 성소 둘레에는 화려하게 조각한 석재 문과 석재 난간을 세웠으며, 거기에다 아득한 민속 전통에서 내려온 땅과 식물의 수호신을 수없이 새겨 넣었다. 이 수호신들은 열반을 상징하는 위대한 침묵의 탑을 환희에 찬 공경심으로 에워싸고 있다. 이 상들은 스승과 승려들이 가르친 세상의 고통과 혐오를 나타내기는 커녕, 오히려 세상의 소박한 매력을 표현하고 있는 듯하다. 성소를 찾아 오는 순례객들에게 이렇게 말하고 있는 것 같다. "자아에 억눌린 채 이곳에 온 자들에게는 모든 것이 고통이다. 그러나 모든 존재가 자아를 가지고 있지 않음을 아는 우리에게는 이 지상의 모든 삶과 존재 방식이 열반의 환희이다."

배불뚝이 난쟁이들이 대들보를 지탱하고 있다. 그 위에는 짐승, 신, 요정들이 있으며, 인간들은 과거불과 미래불의 상징을 찬미하고 있다. 날개 달린 사자가 수호견처럼 쪼그리고 앉아 있으며, 땅의 악마들은 무거운 곤봉을 메고 태양 법륜을 수호하고 있다. 신화적 괴물의 입과 배꼽에서는 한창 꽃 피고 있는 덩이 식물과 리아나가 나오고 있으며, 소라, 가면, 꽃병 등도 리아나, 연, 식물을 뱉어내고 있다. 이 식물에는 상서로운 과일과 보물이 달려 있으며, 그 위로 동물들이 뛰어오르고 있다. 새들은 그 위에서 뛰어다니고, 땅의 정령들은 장난을 치고 있다. 드리아드(그리스 신화에 나오는 나무 숲의 요정/역주)들은 나뭇가지를 잡고 요염하게 흔들고 있다. 그 많은 형상들 가운데에는 붓다의 생애와 전생의 모습도 보이고 있다. 거북, 원숭이, 코끼리, 큰 토끼, 상인, 세계 군주였을 때의 붓다의 모습이 보이며, 카필라바스투로 돌아와 부친 앞에서 기적을 보여주는 모습, 그를 낳고 7일 만에 죽은 어머니가 있는 천상으로 올라가는 모습이 묘사되어 있다. 물위를 걸어가는 붓다의 모습도 보인다.

카니슈카 시대 이전에 세워진 이러한 유형의 건축물(기원전 185-기원후 50년경 사이의 이른바 초기 고전 양식)에는 붓다 자신의 인간 형상이 결코 나타나지 않는다. 그가 마차를 타고 왕궁 소풍을 하는 장면에서는, 실제로는 왕자가 그곳에 없음에도 마치 그가 있는 것처럼 마부가 일산(日傘)을 들고 있는 모습이 보인다.[61] 카필라바스투로 귀환하는 장면에서는 궁중에서 환영하고 있는 아버지의 모습과 위에서 화환을 뿌리고 있는 신들의 모습이 보인다. 그러나 붓다가 서 있어야 하는 곳에는 그의 현존을 상징하는 보리수가 있을 뿐이다.[62] 법륜, 나무, 빈 의자, 발자국, 혹은 탑은 그러한 장면 속의 붓다를 상징한다. 입멸에 든 붓다는 태양처럼 떠오른 자이며 "존재를 지니지 않고 텅 빈" 자이기 때문이다. 실론의 팔리 경전에는 "그와 비교될 수 있는 것은 아무 것도 없다"[63]라고 쓰여 있다.

그러나 카니슈카의 시대에는 새로운 변화가 있었다. 어디에서나 붓다 자신의 모습을 묘사하였기 때문이다. 붓다는 2가지의 대조적인 양식으로 묘사되었다. 그리스-로마적인 간다라 양식에서는 일종의 반(半)신적인 그리스의 교사, 곧 인간화된 인상적 인격의 소유자로 묘사하고,[64] 마투라의 석공들이 발전시킨 매우 토착적인 양식에서는 인도 성자의 원형으로 묘사하고 있다. 특히 마투라 양식은 붓다를 활기차면서도 실제적인 인물로 묘사하고 있다.[65] 하인리히 치머가 처음으로 지적하였듯이, 불상을 등장시킨 이러한 현상은 근본 교리의 영역에 새로운 개념이 나타났음을 의미한다. 그는 이렇게 말하고 있다. "우리는 새로운 개념이 무엇인가를 정확히 안다. 그것은 대승의 개념이며, 간다라 건축의 시기에 『반야경(般若經)』 계통의 문헌에 기록되었다. 이 문헌에 의하면, 어떠한 세상도 존재하지 않았듯이 세상을 구원할 어떠한 역사적 붓다도 존재하지 않았다. 붓다와 세상은 똑같이 없는 것이다. 곧 '존재가 없는 텅빔(수냠〔śūnyam〕)' 이다. 해방된 의식 상태인 초월적 견지에서 보면, 붓다와 세상은 동일한 환상의 평면에 있는 것이다. 이 초월적 시각이 참된 관점이다. 환상적인 역사적 붓다는 깨달음을 통해서 열반에 들어갔지만, 대열반까지는 세상 사람들의 눈을 위하여 계속해서 살아야 하였다. 따라서 그러한 붓다는 환상 세계에 살고 있는 것처럼 묘사할 수 있다."[66]

이 초기 불탑 예술에서 한가지 더 상세하게 언급하고 넘어가야 할 이야기가 있다. 일반적인 승려의 관점에서는 다음 이야기가 도발적인 것으로 보일 것이다.
아난다가 말하였다. "스승이시여, 여자에게는 어떻게 대하여야 합니까?"
스승 : "그들을 보지 마라."
아난다 : "만일 그들을 보아야만 한다면 어떻게 하여야 합니까?"
스승 : "그들과 말하지 말라."
아난다 : "만일 그들과 이야기하여야만 한다면 어떻게 하여야 합니까?"
스승 : "너의 생각을 철저하게 통제하도록 하라."[67]
그러나 초기 불교의 예술품 중에서 가장 눈에 뜨이는 신상의 하나는 연꽃-여신 락슈미 상이다. 그녀는 인도의 민간 만신전에서도 붓다와 열반의 상징에 맞먹는 특출함을 지니고 있다. 손바닥에 연꽃을 올려놓은 채, 그 여신은 연꽃 위에서 다양한 몸짓으로 서 있거나 앉아 있다. 그러면 넓은 엉덩이를 가진 그녀의 둘레에서 자라는 싹과 꽃부리 위에 코끼

리들이 나타나서 코나 코에 달린 물통으로 그녀의 몸과 머리에 물을 뿌린다. 초기(예를 들면 기원전 110년경의 제2번 산치 대탑의 난간)[68]에는 다른 건축물에 있는 여러 여신들처럼 그녀 역시 품위 있게 옷을 입고 있었다. 그렇지만 후대의 난간과 문(기원후 1세기의 제1번 산치 대탑)[69]에 나타난 연꽃-여신은 하반신에 옷을 걸치지 않고 있을 뿐만 아니라 다리를 크게 흔들기도 하면서 자신의 연꽃 성기를 드러내고 있다. 다른 여신들도 마찬가지이다. 고타마 왕자가 궁궐에서 말을 타고 나오는 장면을 보기 위하여 발코니와 창문에서 북적거리고 있는 여신들이나 나무의 요정처럼 관능적으로 몸을 흔드는 여신들은 성기를 감추고 있는 것이 아니라 성기 모양을 드러내고 강조하는 장식용 속옷을 입고 있다.[70] 아슈바고샤가 쓴 붓다의 전기에서도 지금 막 인용한 쾌락의 숲과 매음굴의 지붕 위에 있는 여자들의 모습이 보이고 있다. 그는 많은 지면을 할애하여 여자들의 에로틱한 측면을 매우 상세하게 묘사하고 있다. 그후 몇 세기가 지나면 불교이건 힌두교이건 심지어 자이나교이건 간에 인도의 모든 예술과 문학에서는 여성, 특히 에로틱한 여성을 지속적으로 강조하게 된다. 마침내 12-13세기가 되면 인도의 신비주의에서는 그러한 것을 제외하고는 어떠한 다른 측면도 보이지 않게 된다.

식물의 세계를 낳는 인더스 계곡의 나무 여신은 이렇게 하여 다시 극적으로 돌아왔다(〈그림 16〉, 〈그림 17〉). 그녀는 이 세상에 있는 모든 여성 안에 존재하거나 재현되어 있는 것으로 간주된다. 보리수의 여신인 그녀는 아담의 전설에 나오는 이브와 동일한 존재이다. 에덴 동산에서는 그녀의 연인인 뱀이 저주받지만 보리수의 장면에서는 뱀이 땅으로부터 올라와 구세주를 보호한다. 파르슈바나타의 시험 장면에서도 뱀과 그의 배우자가 요기를 보호하기 위하여 나타났다. 이때 배우자는 뱀의 형상을 한 생명력의 여신인 연꽃의 여신 슈리 락슈미임이 틀림없다.

이제 우리 앞에 하나의 위대한 신화적 배경이 등장하고 있다. 이는 한 나무의 두 가지처럼 서쪽과 동쪽으로(서쪽으로는 선악의 지식의 가지, 동쪽으로는 불멸의 삶의 가지) 뻗고 있다. 그러나 명상하고 있는 승려의 세계 한복판에서 우주를 상징하는 여신의 재출현을 평가하기 전에 우리는 몇 가지 더 새로운 소식을 기다려야만 할 것이다. 참으로 새로운 어떤 일이 일어났기 때문이다.

이 시기의 문헌에는 이러한 말이 있다. "'깨달은 자'는 '위대한 나룻배'를 타고 출발한다. 그러나 그의 출발지는 존재하지 않는다. 그는 우주로부터 출발한다. 그러나 사실 그는 아무 곳으로부터도 출발하지 않는다. 그의 배는 완전한 사람들로 가득 차 있지만, 그 안에는 아무도 없다. 그 배는 어디에서도 지지를 받지 못할 것이지만 전지(全知)의 상태에서 지지를 받을 것이다. 그러나 전지의 상태에서는 그 배를 지지하지 않으면서 그 배에 봉사할 뿐이다. 더구나 '위대한 나룻배'를 타고 출발한 자는 일찍이 아무도 없었으며, 앞으로도 아무도 없을 것이며, 지금 그것을 타고 출발하는 자도 없다. 왜 그런가? 출발하는 자도, 출발 목적지도 없기 때문이다. 그러니 도대체 출발하는 자가 누구이며, 어디로 가려는 것인가?"

수부티(須菩提) 보살이 말하였다. "오, 세존이시여, 완전한 초월적 지혜는 심오합니다."

세존이 대답하였다. "오, 수부티여, 완전한 초월적 지혜는 우주의 공간처럼 매우 심오하다."

수부티가 다시 말하였다. "오, 세존이시여, 완전한 초월적 지혜는 깨달음을 통하여 얻기가 어렵습니다."

세존이 대답하였다. "오, 수부티여, 그것이 바로 어떠한 자도 깨달음을 통하여 초월적 지혜를 얻지 못한 까닭이다."[71]

9. 표상의 길

중국의 전설에 의하면, 한(漢)나라의 명제(明帝)가 서역의 황금 불상에 대한 꿈을 꾸었다.[72] 중국의 황제는 우주적 옥좌에서 항상 남쪽을 향하여 앉아 있으면서 우주와 제국의 질서를 유지하는 자였다. 따라서 명제는 자신의 제국 바깥에는 악마와 오랑캐만이 살고 있다고 믿었다. 그럼에도 불구하고 사절단을 보냈다. 이미 기원전 100년경에 로마와 극동 사이에 트여 있던 옛 비단길을 따라 사절단 일행은 황야로 접어들었다. 그런데 정말로 황량한 사막 길을 따라 2명의 승려가 동쪽으로 오고 있었다. 그들은 흰말 위에 불상과 한보따리의 대승 경전을 싣고 있었다. 황제는 그들을 영접하기 위하여 수도 낙양에 사원을 세웠으며, 영예로운 짐을 싣고 온 동물의 이름을 따서 사원 이름을 지었다. 기원후 65년경, 바로 이 백마사(白馬寺)에서 산스크리트를 중국어로 번역하는 기나긴 작업이 시작되었다.

연대로 보아서 그 불상은 그리스-로마적인 간다라 양식에 분명히 속한다. 아마도 고타마의 가르침을 담고 있는 황금 불상이었을 것이다. 그러나 그 이후로 만들어진 대부분의 극동 불상은 인도의 붓다 고타마를 표현하고 있지 않다. 그 대부분이 어떤 역사적 전거도 가지고 있지 않은 완전히 전설적인 "명상불"이다. 지금까지 알려진 이러한 붓다 중에서 가장 인기있고 중요한 것은 "무한한(아-미타[a-mita]) 빛(아바[ābha])"의 붓다인 아미타바이다. 그는 "무한한(아-미타) 생명 지속(아유스[āyus])"의 붓다인 아미타유스로도 알려져 있다. 이 붓다는 순전히 불교적인 사고의 산물이지만, 그 궁극적 기원을 이란에 두고 있음을 보여주는 몇 가지 흔적이 있다.

극동에서 아미타라고 불리는 이 찬란한 태양불(solar Buddha)은 기원후 2세기 중반에 중국에 알려졌다. 오늘날 일본의 거대한 불교 종파인 정토 진종에서는 이 붓다를 본존으로 삼고 있다. 아미타 숭배가 가르치는 길은 자기 의존(일본어로는 "자기 자신의 힘"을 의미하는 지리키[自力])이 아니라 아미타의 은총에 의존하는 것("외부의 힘 또는 다른 사람의 힘"을 의미하는 티리키[他力])이다. 그러나 이 2가지 길은 서양인이 생각하는 것만큼 그렇게 서로 다른 것은 아니다. 외부에 있다고 생각되는 붓다는 그와 똑같이 내부에 있는 불성을 상징하기 때문이다.

지금까지 우리가 살펴본 대승 불교의 붓다 전기, 곧 인도의 승려 시인 아슈바고샤가 쓴 책에서는 소승 불교의 팔리 경전에 등장하지 않는 많은 장면이 소개되고 있다. 그것들 중에 가장 중요한 것의 하나는 위대한 깨달음의 축제 넷째 주의 마지막에 등장한다. 그 문헌에 의하면, 그때 대적자 마라가 축복받은 자의 앞에 다시 한번 나타났다. 마라는 말하였다. "오, 그대 축복받은 자여, 그대는 이제 열반으로 들어갈 것이다." 고타마 붓다는 "나는 먼저 수많은 정토를 세울 것이다"라고 대답하였다. 그러자 그 유혹자는 무시무시한 큰 소리를 내면서 사라졌다.[73]

정토는 비교 신화학자에게 매우 흥미있는 대승 불교의 발명품이다. 그것은 서양의 낙원 개념과 매우 비슷하지만, 영적 생활의 궁극적인 목적이 아니라 마지막의 바로 전 단계에 해당한다. 그것은 열반을 향한 일종의 출발점이다. 거대한 해안을 따라 많은 항구가 발견되듯이 공(空)이라는 대양의 해안을 따라 수많은 정토가 건설되어 왔다. 우리는 아미타의 정토만이 아니라 미륵, 바이로차나(법신불), 그리고 고타마의 정토에 대해서도 듣는다. 적어도 이론적 측면에서 보면 그리스도의 낙원도 하나의 정토로 경험할 수 있을 것이다. 정토 개념은 어떤 종교의 낙원 신화도 불교의 낙원 신화와 연결시킬 수 있는 연결 장치이다. 따라서 대승 불교는 어떠한 종교의 무대로도 포교 활동을 펼쳐갈 수 있으며, 이때 지역적 형태들을 파괴하는 것이 아니라 강화하고 보완한다.

아미타바의 정토는 이 특별한 세계 구세주의 서원(誓願)에 의해서 등장하였다. 그는 보살이었을 때 다음과 같은 서원을 하였다. 만일 아미타의 이름을 단 10번만이라도 부르면서 간구하는 자를 불성에 의해서 열반에 들어 가게 할 수 없다면, 자기의 해탈을 거부하겠다는 것이었다. 그가 지닌 요가의 힘이 매우 컸으므로 순전히 전설적인 땅인 극락(수카바티 〔sukhāvatī〕)이 서방에 출현하였다. 지금 그는 결코 지지 않는 석양처럼 영원히 앉아 있으며 영원히 존속하고 있으며(아미타유스) 거대한 연못가에서 무한한 광명을 발하고 있다(아미타바). 그의 이름(名號)을 간절히 부르는 자는 누구나 그 호수의 연꽃 위에 다시 태어난다. 각자의 영적 단계에 따라 어떤 자는 열린 꽃받침 위에, 어떤 자는 싹에 태어난다. 죽음에 임하였을 때 누구나 아미타바에게서 나오는 충만한 구원의 빛을 받을 만큼 준비되어 있는 것은 아니기 때문이다.

평생 동안 참된 자비(카루나)를 행하고 어떤 사람도 해치지 않고 계율을 완전하게 지킨 최고 범주의 존재가 죽을 때, 비로소 광휘를 내는 아미타바가 그에게 나타난다. 그때 아미타바의 왼쪽에는 아발로키테슈바라(Avalokiteshvara, 관음〔觀音〕), 오른쪽에는 마하스타마(Mahasthama, 대세지〔大勢至〕)라는 2명의 대보살이 보좌한다. 그리고 수많은 역사적 붓다들이 승려, 신자, 무수한 신들, 그리고 많은 보석 궁전들과 함께 사방으로 빛을 보낸다. 2명의 대보살이 금강석으로 만든 자리를 죽은 자에게 주고 모두가 그에게 환영의 손길을 뻗치며, 아비타불은 그의 몸을 비춘다. 죽은 자는 이러한 광경을 보고 환희에 넘친다. 극락으로 향하는 거대한 행렬 속의 금강석 옥좌에 앉아 있는 자신의 모습을 보게 된다. 사방에서 설법이 흘러나오며 찬란한 빛과 보석의 숲이 보인다. 그는 이러한 붓다들, 보살들, 신들, 그리고 빛이 존재하는 곳에서 매일 아미타의 빛으로 목욕한다. 어떤 결과가 일어나든 개의치 않는 체념의 정신을 지니고 있는 그에게 암송하여야 할 무수한 명상-주문이 주어진다. 이제 그는 쉽게 열반에 들어간다.[74]

이와 도덕적으로 대립하는 극단적 영역에는 아무 것도 이루지 못한 자가 있다. 그는 사악하고 어리석고 범죄로 가득 찬 존재이다. 그러한 자는 죽어갈 때 어떤 친구로부터 "네가 비록 붓다를 마음에 떠올릴 수 없지만 그의 이름만은 중얼거릴 수 있다"라는 충고를 받았다. 그러자 그는 "아미타불에 귀의합니다"라는 염불을 10번 외웠다. 이제 그는 죽음으로 향하면서 태양 원반처럼 찬란한 황금의 연꽃을 보게 되고 그 꽃부리 안에 자신이 에워싸여 있는 것을 보게 될 것이다. 호수 위의 그 싹 안에서 그는 12번의 대(大)에온 동안 계속하여 호수의 빛나는 영향을 받고 흡수할 것이다. 어느날 꽃잎이 피어서 호수의 온 영광이 그의 주위에 나타날 때까지 그렇게 할 것이다. 그때 2명의 대보살의 자비로운 목소리가 들릴 것이다. 두 보살이 그에게 자연의 실상과 죄의 소멸 법칙을 가르치면 그는 곧바로 환희에 넘쳐서 불성을 깨닫는 데에 전념한다. 마침내 그는 열

반에 들어간다.[75]

여기서는 온화한 연옥(煉獄)이 윤회에 의한 영적 진보라는 인도의 일상적 이미지를 대체하였음이 분명하다. 그 교리의 연대가 그렇게 이르지 않다면 기독교의 영향을 받았을 가능성이 있다. 그러나 앞에서 언급하였듯이 이란과 조로아스터의 교리가 단테의 상상력을 형성하는 데에 어떠한 역할을 하였던 것처럼, 여기서도 어떠한 작용을 하였을 것이라는 견해가 더 설득력이 있다. 최근 이 주제에 관한 매우 탁월한 연구서가 나왔다.

아미타 숭배를 중국에 전한 최초의 사도는 느간 체-카오라는 파르티아의 왕자였고, 아미타 숭배가 최초로 출현한 쿠샤나 왕조는 인도적인 만큼 이란적이었으며 불교적인 만큼 마즈다적이었음을 잊어서는 안 된다. 느간 체-카오는 아르사시드 인이었으며, 기원후 148년부터 170년 사이에 중국에서 살았다. …… 더구나 기원후 2-3세기 경에는 경전을 번역하고 성상을 거래하고 만드는 일이 주로 월씨에 예속된 박트리아 인과 소그디아 인에 의해서 행해졌다. …… 그러므로 아미타의 승리에 기여한 요인들은 인도 자체가 아니라 중국과 인도의 접경 지대에서 찾아야 한다. 그곳에서는 이란의 영향이 지배적이었다. …… 이는 왜 중앙아시아와 극동에서 그렇게 널리 확산된 아미타 숭배가 인도 자체에서는 거의 주목받지 못하였는가를 설명해준다.[76]

이 중요한 연구서의 저자인 몰만 박사는 아미타바와 아미타유스라는 이름이 페르시아의 창조신이자 빛과 영원한 시간의 주인 아후라 마즈다의 일반적 특성과 상응함을 보여주었다. 더구나 그는 페르시아의 종교적 영향(알다시피 로마 군대와 함께 고울과 영국에까지 영향을 미친)을 받은 모든 지역에서 아비타바의 삼신상, 즉 2명의 서 있는 대보살 사이에 앉아 있는 아미타바와 유사한 것이 자주 발견되고 있다고 주장하였다.

예를 들어, 라임에서 발견된 고울–로마 제단(〈그림 20〉)을 보면, 그 제단 앞에는 뿔이 달린 신의 모습이 높은 돋을새김으로 되어 있다. 낮은 단 위에 앉아 있는 그 신은 왼쪽 팔뚝에 풍요의 뿔(cornucopia, 어린 제우스 신에게 젖을 먹였다고 전해지는 염소의 뿔/역주)처럼 생긴 주머니

〈그림 20〉 생명의 주 : 프랑스, 기원후 50년경.

를 가지고 있다. 그 주머니에서 곡식알을 쏟아내고 있다. 인더스 계곡에서 발굴된 〈그림 18〉에서 뿔이 달린 신의 영양이 서로 마주보고 있듯이, 단 앞에는 황소와 수사슴이 곡식알을 먹으면서 서 있다. 위에 있는 박공 벽에는 커다란 쥐 1마리가 새겨져 있다. 인도에서는 이러한 쥐가 가네샤 (Ganesha) 신 ── 그의 아버지 시바의 시종(가나[gaṇa])의 주(이샤[iśa]) ── 을 태우고 다니는 동물이다. 그런데 세르누노스로 알려져온(시바처럼 항상 3개의 머리를 가지고 등장하는) 이 켈트 신의 좌우에는 1쌍의

신인 아폴로와 헤르메스-머큐리가 두 대보살과 아주 비슷한 방식으로 서 있다.[77]

이러한 상징적 구성은 불교의 삼위 일체와 유사하고, 시바-붓다적 배경에서 나오는 부수적인 모티브들과도 매우 큰 연관성을 지니고 있다. 따라서 이를 단지 우연이라고만 볼 수는 없다. 마니교의 창시자인 페르시아의 예언자 마니(기원후 216?-276년?)가 붓다, 조로아스터, 그리스도의 가르침을 종합하려고 하였고, 5세기경에는 마니교 공동체가 북아프리카(이곳에서 아우구스티누스는 373년부터 382년까지 명백한 마니교도였다)로부터 중국에 이르기까지 알려져 있었음을 기억해보자. 그렇다면 로마, 페르시아, 인도, 한나라와 같은 거대한 군사 제국이 출몰하는 시기에 아미타 종교는 상호 문화적 종합을 시도한 유일하고 특이한 예는 결코 아니었을 것이다.

아미타 종교는 페르시아적 계시나 기독교적 계시에 근거한 서양적 이원론과는 정신의 측면에서 완전히 다르다. 그러나 겉에서 보면 양전통 사이에는 단순한 유사성만이 아니라 이미지와 전반적인 영적 목적에서도 유사성이 있으므로, 양전통을 혼합하려는 시도는 확고한 토대를 얻었다. 예를 들어 인간의 운명에 대한 기독교와 힌두교-불교의 견해를 비교하면, 양자의 근본 주제와 최고 관심은 시간적 존재로 하여금 영원성 속에서 최고선을 경험하도록 하는 준비임을 알 수 있다. 죽음의 순간에 준비가 되어 있지 않은 사람은 죽음 저편에 있는 일종의 대학원 과정의 훈련을 받아야만 한다. 이것은 기독교적 이미지에서는 연옥의 상징으로 나타나며 힌두교-불교적 이미지에서는 윤회로 나타난다. 그러므로 연옥과 윤회는 동질적인 것이다. 따라서 두 종교의 도상학에 의하면, 너무나 악에 빠져 있어 어떠한 신의 은총으로도 악이 제거될 수 없는 사람은 그 자신의 최고선으로부터 단절되어 영원한 지옥(기독교적 이미지)에 머물거나 끝없는 재생의 바퀴에 놓이게 된다.

그러나 두 체계를 좀더 가까이 놓고 살펴보면 중요한 차이가 나타난다. 양자의 하층 영역을 비교할 경우, 위대한 구원극(救援劇)에 관한 기독교적 이미지에서는 동물, 식물, 무생물의 존재 영역이 그 구성으로부터 배제되어 있다. 반면 상층 영역에서는 최고의 완전자가 신이다. 따라서 서구의 구원상(像)은 신의 형상으로 만들어진 인간 밑으로도 인간의 형상 안에 있는 신 위로도 나아가지 않는 타자의 몸통일 뿐이다. 신이 아무리 고상하게 혹은 경쾌하게 묘사된다 할지라도 — 성서에서처럼 다소 거칠게 묘사되건, 선, 자비, 정의, 지혜, 분노, 힘과 같은 인간적인 속성을 완벽하게 지닌 어떤 추상적 현존으로 기술될 때처럼 보다 정교하게 묘사되건 — 결국은 인간을 닮고 있기 때문이다.

　요약하자면, 서양의 인간/신 경계는 궁극적으로 오이디푸스적 상황(죄를 지어 이제 속죄받아야만 하는 못난 아들을 창조하는 선한 아버지)의 관점에서 우주를 읽게 만들지만, 동양에서는 이러한 신인 동형론적 질서가 이보다 더 큰 구조의 앞마당에 불과하다. 신인 동형론적 틀 속에서는 우주의 문제(질병, 패배, 폭풍, 그리고 죽음은 처벌이자 시련이다. 그러나 고통받는 동물은 설명되지 않는다)에 대해서 본질적으로 윤리적이고 형벌적인 주형(鑄型)을 제공하지만, 동양에서는 아버지에게 복종하고 선을 행하는 윤리가 더 높은 수준의 학교로 나아가기 위한 유치원에 불과하다. 그러므로 서양의 연옥 이미지에서는 성취하여야만 하는 최고선, 다시 말해서 궁극적 목적이 천당에서의 지복이지만, 대승 불교의 아미타 이미지에서는 지복 자체가 정화 과정의 마지막 단계일 뿐이다. 그것은 궁극적 목적이 아니라 그 너머에 있는 어떤 것으로 나아가는 발걸음에 지나지 않는다. 우리는 인간의 형상으로 된 신, 신의 형상으로 된 인간, 그리고 마음에 의해서 지각된 우주를 넘어가야만 한다. 마음이 지각한 모든 것의 위와 밑, 밖과 안에 있는 깨달음의 타는 빛 속으로 마음 자체가 들어가 해체되어야만 한다. 요컨대 우리는 모든 존재의 신비이자 동시에 신비가 아닌, 그러면서 만질 수도 없고 상상할 수도 없는 무를 경험해야 한다. 그것은 바로 우리 자신이고 삶의 매순간 우리가 주시하고 있는 것이기 때문이다.

　따라서 동양에서는 인간의 지상적 상황이 어떤 것에 대한 처벌로 해석되지 않는다. 그것의 목적은 어떤 의미에서도 속죄가 아니다. 아미타의 구원하는 힘은 속죄와는 아무런 관계가 없다. 그것의 기능은 형벌에 있는 것이 아니라 교육적인 것이다. 그 목적은 초자연적 아버지를 만족시키는 데에 있는 것이 아니라 자연적 인간으로 하여금 진리를 깨닫게 하는 데에 있다. 그것은 오직 이러한 붓다의 표상과 아름다운 극락이 어떤 다른 교육적 장치보다도 그 목적을 더 쉽고 빠르게, 그리고 더 많은 유형의 사람들의 경우에는 보다 더 확실하게 달성하도록 하는 데에 있음을 주장할 뿐이다.

앞에서 인용하였던 "아미타에 관한 명상 안내서"에서는 붓다, 그와 동반하는 보살들, 그리고 극락이라는 구원의 표상을 마음속에서 점차적으로 형성하는 방법이 상세하게 나와 있다. 그리고 그 표상은 문자 그대로 서쪽의 어딘가에 실제로 있는 하나의 존재나 장소가 아니라 자기 자신과 세계 전체, 만물과 그 만물을 넘어서는 모든 것 안에 내재하는 존재 및 본성이라는 최종적 확신이 전제되고 있다. 더구나 그 문헌을 더 읽어 들어가면(여기서 이것을 약간 길게 서술하는 것이 중요하다고 생각한다) 그 안에 극동 전체의 불교 사원 예술이 가지고 있는 이미지의 원천이 존재함을 인정하지 않을 수 없다. 서양의 관점에서는 이러한 것을 잘못 읽을 수 있다. 그런데 이러한 이미지들은 어떤 의미에서도 우상이 아니고 명상의 방편이다. 명상하는 붓다 자신은 천상의 어떤 곳, 심지어 어떤 실제적인 극락의 어딘가에 있는 최고의 존재가 아니라, 모든 현상성(phenomenality) — 세계의 현상성이건 사원의 현상성이건 이미지의 현상성이건 봉헌자 자신의 현상성이건 간에 — 에 내재하는 신비의 형상이고 가면이고 표현이다.

그 문헌에서는 이러한 교훈이 고타마 붓다가 은혜로운 빔비사라의 왕비를 가르치는 방식으로 나타나고 있다. 젊음이 넘치는 고타마가 구도 생활의 초기에 탁발하면서 왕성(王城)을 지나갔다. 그가 휴식차 산기슭으로 들어갔을 때, 밤비사라 왕은 자신의 왕국을 주겠다고 제안하였다.* 그런데 이제 노인이 된 왕 자신이 어려운 상황에 빠지게 되었다. 사악한 아들 아자타샤트루가 7개의 벽으로 둘러싸인 감옥 속에 그를 던져넣었고, 왕비이자 그 사악한 아들의 어머니이기도 한 바이데히마저 감옥으로 집

---

* 311-312쪽 참조.

어넣었기 때문이다. 그녀는 위안을 받기 위해서 기도하였다. 그러자 세계를 구원하는 붓다인 고타마 샤캬무니가 환상 속에서 나타났다. 고타마는 수많은 찬란한 보석 연꽃 위에 앉아 있었으며, 두 제자의 보좌를 받고 있었고, 위에 있는 신들이 그에게 꽃을 뿌렸다. 붓다의 이마에서는 광선이 나왔다. 이 광선은 십방(十方) 세계로 뻗어 나갔다가 다시 돌아오고 그의 머리 위에서 휴식을 취하였다. 머리 위의 광선은 신들의 산만큼 높은 황금 기둥이 되었고, 그 기둥 안에서는 십방 세계에 있는 모든 정토를 한번에 볼 수 있었다. 그녀는 그 중에서 아미타바-아미타유스 붓다의 정토를 선택하였다.

고타마는 이렇게 말하였다. 거기에서 태어나기를 바라는 자는 먼저 효도를 행하고 자비로워야 하고 다음과 같은 10가지 금지 계율을 지켜야만 한다. 1. 죽이지 말 것, 2. 훔치지 말 것, 3. 거짓말하지 말 것. 4. 음란하지 말 것, 5. 취하게 하는 음료를 마시지 말것.* 이것들은 누구나 지켜야 하는 5가지 계율이며, 승려는 다음과 같은 5가지를 더 지켜야 한다. 6. 금지된 시간에는 먹지 말 것, 7. 춤추거나 노래하거나 연극 및 기타 구경거리에 참여하지 말 것, 8. 향수나 화환이나 기타 장식품을 사용하지 말 것, 9. 높거나 넓은 침상을 사용하지 말 것 10. 돈을 받지 말 것.

두번째로 붓다는 말하였다. 이러한 곳에 들어가고자 하는 자는 불, 법, 승에 귀의하고, 모든 의식을 준수해야 한다. 그리고 12연기의 가르침을 철저하게 믿고, 경전을 공부하고 암송하며, 다른 자들에게 이와 동일한 과정을 따르도록 인도하면서 깨달음을 얻는 데에 전념해야 한다.

붓다는 이렇게 기본적인 지식을 알려주고 나서 왕비에게 자비롭게 말하였다. "그대는 보통 사람에 불과하다. 그대의 정신 상태는 수준이 낮고 연약하다. 그대는 아직 천안(天眼)을 얻지 못하였으므로 가까이에 있지 않은 것은 그 어떠한 것도 볼 수 없다. 그러므로 그대는 그 정토에 관한

---

* 272쪽에 있는 자이나교의 5가지 근본 서약과 비교해보라. 또한 1954년 4월 「티벳과의 교역에 관한 중국-인도 협정」의 전문에 국제적 공존을 위한 "5개 조항(panca śila)" —— 「오늘날 인도의 외교 정책 : 그것의 원천에 관한 반성」, *World Politics*, Vol. X, No. 2, 1958년 1월, 256-273쪽. Adda B. Bozeman에 의해서 논의됨 —— 이 있는데, 여기에 이 5가지에 관한 정치적 패러디가 보이고 있다. 이것과도 비교해보기를 바란다.

지각이 어떻게 형성되는가를 물을 것이다. 내가 이제 설명하여 주겠다." 그리고 나서 붓다는 선하고 경건한 왕비에게 아미타유스를 마음에 그리는 방법을 가르쳐주었다.[78]

일몰 시에 서쪽을 향하여 앉은 그녀는 지는 해에 마음을 고정시키고 태양의 이미지를 기억해야 하였다. 그렇게 하는 것이 태양의 지각, 곧 제1단계의 명상이었다.

다음에 그녀는 순수한 물의 이미지를 고정시키면서 순수한 물을 지각하려고 하였다. 물이 지각된 다음에는 빛나고 투명한 얼음을 명상을 통해서 마음속에 그려야만 하였고, 그 다음에는 청금석이었다. 이제 땅의 안과 밖 모두가 투명하고 광채가 나는 청금석으로 보여야 하였다. 7개의 보석이 달린 황금 깃발이 아래에서 청금석의 땅을 지탱하고 있었으며, 보석들은 땅의 여덟 모퉁이를 향하고 있었다. 땅의 각 모퉁이는 100개의 보석으로 이루어져 있고, 각 보석은 1천 개의 광선을 내뿜고 있으며, 각 광선은 8만 4천 가지의 색깔을 가지고 있었다. 청금석 땅에 반사되고 있는 색채들은 10억 개의 태양처럼 보였다. 땅위에는 황금 밧줄이 서로 얽힌 채 뻗어 있었으며, 밧줄의 각 마디는 7개의 보석으로 되어 있었고, 각 보석마다 꽃이나 달 혹은 별처럼 생긴 500가지 색의 광선을 발하고 있었다. 이 광선들은 1천만 층으로 된 보석탑을 만들었고, 탑 둘레에는 꽃처럼 생긴 1억 개의 깃발과 무수한 악기들이 비치되어 있었다. 거기로부터 "고통", "비존재", "무상", "무아"를 의미하는 소리가 울려왔다. 이것이 바로 제2단계의 명상인 물의 지각이었다.

이러한 지각의 단계에 도달한 다음에는 각 구성 요소 하나하나를 선명하게 드러나게 하여 그 전체가 사라지지 않도록 해야 하였다. 잠잘 때는 예외이지만 눈을 뜨고 있는 경우에도 그것이 사라지면 안 되었다. "이러한 지각의 단계에 도달한 자는 극락을 희미하게 본 자로 선언된다"고 붓다는 말하였다. 극락에 대한 이러한 지각이 제3단계의 명상이다.

다음 단계의 명상은 정토에 있는 보석 나무를 대상으로 한다. 줄지어 있는 7그루의 보석 나무는 각각 800요자나의 높이로서, 각각 7개의 보석 꽃과 보석잎을 가지고 있다. 청금석 나무의 첫번째 보석에서는 황금 광

선, 두번째의 수정 보석에서는 사프란 광선, 마노(瑪瑙) 보석에서는 다이
아몬드 광선이 나온다. 산호, 호박, 그리고 그 밖의 다른 보석들이 장식물
로 계속 사용되고 있다. 다음에는 각 나무에 걸려 있는 7개의 진주 그물
을 마음속에 그려야만 한다. 각 그물망 사이에는 브라마 신의 궁전처럼 화
려한 5억 개의 꽃 궁전이 세워져 있다. 이 궁전들에 사는 천상의 어린이
들은 모두 5억 개의 귀금속 화환을 가지고 있다. 거기에서 나온 광선은
100요자나를 비추며, 1억 개의 태양과 달을 합친 것과 같다. 심지어 붓다
마저도 "그것들 모두를 상세하게 설명하는 것은 어렵다"[79]고 말하였다.

우리는 이제 제4단계의 명상에 도달하였을 뿐이다!

열반은 목적이며 마음이 이제 해체되기 시작하고 있다. 그 목적을 성
취하기 위해서는 그 마음을 해체하여야만 한다.

그러나 현재 우리의 목적은 열반이 아니라 세계의 각 지역 사람들이
용어들을 넘어선 그 용어 —— 서양에서는 신으로 인격화하고 동양에서는
존재나 비존재로 비인격화하는 —— 에 대한 직관을 시공간 안에서 표상한
이미지를 비교 문화적으로 조망하는 것이다. 따라서 나는 붓다와 함께
계속 나아가기를 바라는 품위 있는 독자들에게 한가지 부탁하고자 한다.
그것은 그의 적대자(알다시피 그 자신이 하나의 붓다이다)가 붓다에게
말한 것처럼 내가 붓다에게 정중하게 "오, 그대 축복받은 자여, 그대는
열반으로 가십시오"라고 말하도록 허락하여 달라는 것이다. 왜냐하면 나
는 정리를 하기 위하여 여기서 잠시 멈추고자 하기 때문이다. 우리의 연
구는 이제 전 분야가 정토처럼 5억 가지의 다채로운 광선 안으로 돌진하
여 들어가는 지점에 이르렀고, 그 모두를 상세하게 설명하는 것은 확실
히 어렵기 때문이다.

10. 다시 획득된 세계 —— 꿈으로서

마음과 감정을 새로운 깨달음의 세계로 향하는 문지방으로 인도하기

위하여 표상을 사용하는 것은 동양에서는 매우 오래되었다. 그러한 방법은 "아미타에 관한 명상 안내서"가 쓰여진 이래 수 세기 동안 발전하여 몹시 다양한 교육적 기술로 발전하였다. 그것을 돕기 위해서는 명상서만이 아니라 시각적 예술 작품도 사용한다. 지금까지 체계적 조사를 해온 우리는 이러한 시각적 방법론이 최고도로 전개된 시기에 아직 도달하지 않았다. 그러나 근본 원리들은 이미 명백하게 드러났다. 이 원리들은 영혼을 안내하는 하나의 동양적인 방식만이 아니라 신화의 본성과 사용에 관한 가장 심오하고 광범위하고 가장 철저하게 검증된 이론을 드러내준다. 따라서 나는 더 나아가기 전에 그 원리의 기본 가정을 분석하기 위해서 잠시 멈출 것이다.

첫번째로 지적하여야 할 점은 자이나교의 체계를 연구하면서 이미 드러난 것이다. 곧 현실성으로부터의 단절이다. 승려처럼 자발적으로 숲속에 거주하건 저항할 수 없는 압도적인 힘에 의해서 감옥 속에 있건, 개인은 정상적인 삶의 무대로부터 심리학적으로 분리된다. 외적 자극이 제거되는 것이다.

다음으로는 일상적인 신호 자극 체계(실재 체계)가 제거되고 초일상적 질서(신화적 체계)가 전개되며, 감정은 그 초일상적 질서를 향하여 나아간다.

그때 2가지 대안이 등장한다. 자이나교, 상캬, 소승 불교의 부정적 방법은 신화적인 초일상적 자극 체계의 일부 혹은 전부의 소멸을 요구하고, 그리고 무제약적 존재에 대한 의식을 지녔건 지니지 않았건 황홀경의 실현을 요구하였다. 반면 정토의 긍정적 방법은 초일상적 이미지를 유지하며 그것을 동시에 2가지 방향으로 발전시킨다. 첫번째는 비존재의 텅 빔으로(정토는 마음의 단순한 표상이다), 두번째는 현실성(일상적 생활 세계 자체가 정토이다)의 방향으로 전개시킨다.

예를 들면, 석가모니 붓다가 왕비에게 첫번째의 6가지 명상을 가르쳤을 때 아미타유스의 환상이 나타났다. 그녀는 처음에는 태양, 두번째는 물, 세번째는 땅, 네번째는 놀라운 보석 나무를 마음속에 그리도록 배웠다. 다음에는 정토에 있는 연꽃으로 덮인 호수를 보아야 하였다. 여덟 호수의 물은 각기 7개의 보석으로 되어 있는데, 이 보석들은 부드럽고 유연하며 "보석의 왕", 즉 "소망하는 보옥"으로부터 나온 것이다. 그 보옥으로부터 나온 물은 14개의 찬란한 시내로 흘러드는데, 각 시내는 7개의 보석 빛깔을 띠고 있고, 수로는 금으로 되어 있으며, 하상(河床)은 다채로운 금강석으로 되어 있다. 각 호수에는 7개의 보석으로 된 6천만 개의 연꽃이 있으며, 각 연꽃의 둘레는 12요자나이다. 잔물결이 일 때마다 연꽃들이 부드럽게 올라가고 내려가면서 "고통", "비존재", "무상", "무아"의 교훈을 알리는 아름다운 소리를 낸다. 연꽃들은 32상(相)과 80종호(種好)도 선언한다. 더구나 황금 광선은 소망하는 보옥에서 100가지 보석 빛깔을 띠는 새로 되어 불, 법, 승을 화음에 맞추어 노래한다. 이러한 것이 제5단계의 명상, 곧 훌륭한 성질을 지닌 8개의 물에 대한 명상이다. 다음에는 아미타유스 붓다가 오기 전의 여섯번째이자 마지막에 해당하는 명상이 뒤따른다. 정토의 각 구획에는 5억 개나 되는 보석 회랑과 보석 층이 있다. 그 안에서 수많은 신들이 천상의 음악을 연주하고 있다. 공중에서는 보석 깃발처럼 걸려 있는 무수한 악기들이 불, 법, 승을 회상하며 울리고 있다. 이 명상이 완료되었을 때 극락의 보석 나무, 보석 땅, 보석 호수, 그리고 보석 공기를 희미하게 본 것으로 간주한다. 붓다는 말하였다. "이것을 경험한 자는 그를 무수한 윤회로 이끌고 갔을 모든 죄를 갚았으며, 이제 정토에서 태어날 것이다."

이제 마음으로부터 현실의 나무, 땅, 호수, 공기, 새, 깃발, 그리고 보옥과 맺고 있는 모든 연관이 제거되었으며, 아미타의 출현을 위한 가공의 극장이 마련되었다. 자, 이제 보라! 그가 온다.

석가모니 붓다가 스승의 역할을 하면서 왕비 바이데히에게 말하고 있는 동안에 태양불 아미타유스는 깃발과 보석으로 가득한 보석 하늘 가운데에 두 대보살을 동반하고 나타났다. 왼쪽에 아발로키테슈바라, 오른쪽에 마하스타마가 있었다. 그때 눈에 보이지 않는 현기증 나는 광채가 나왔다. 그 광채는 황금빛보다 10만 배나 강하였다. 왕비가 석가모니 붓다에게 다가와 발밑에서 예배하자, 그는 어떻게 하여 미래의 모든 존재가 아미타유스 붓다를 명상해야 하는가를 설명해주었다.

독자들은 왕비에게 서술한 명상이 수많은 불교 예술 작품 — 인도, 티베트, 중국, 한국, 일본, 혹은 그 어디로부터 나온 것이건 — 에서 그대로 재현되고 있음을 보게 될 것이다. 더구나 예술 감정가의 눈은 미적으로 형식을 평가하지만 종교의 눈은 돌이나 나무 혹은 그림이나 청동이 아니라 7가지 보석으로 된 땅을 꿰뚫어 보거나 적어도 보려고 한다는 것을 쉽게 이해할 것이다. 그 보석의 땅은 수많은 빛을 지닌 연꽃을 떠받치고 있으며, 연잎들은 각기 수많은 보석 색깔을 드러내고 8만 4천 개의 엽맥(葉脈)을 가지고 있으며, 각 엽맥은 8만 4천 가지의 광선을 발하고 있다. 보옥으로만 이루어진 탑이 있다. 거기에는 보석 깃발이 달린 4개의 깃대가 있으며 각 깃발은 10만 개의 우주적 산처럼 보인다. 깃발들 위에는 죽음의 주의 천상 궁전의 것과 같은 보석 덮개가 5억 개의 보석과 함께 빛나고 있으며, 각 덮개는 8만 4천 가지의 광선을 가지고 있고, 각 광선은 8만 4천 가지의 황금색을 띠고 있다. 그리고 그 탑 전체의 모양이 계속 변화하고 있다. 어떤 때는 금강석 탑이었다가 어떤 때는 진주 그물, 그리고 다시 여러 가지가 혼합된 꽃 구름이 된다. 석가모니 붓다가 선포하였다고 한 것처럼, 이것이 제7단계의 명상, 곧 꽃 왕좌 위에서의 명상이다.

그 다음에 절정에 달하는 사유가 나온다. 이는 보석 그물 안에 있는 모든 위대한 보석 중의 보석이며, 이러한 환상의 거대한 변화에도 불구하고 마음속에서 계속 유지해야 하는 아시아의 유일한 보석이다. 무대와 옥좌는 확보되었다. 이제 마음이 아미타유스를 보아야만 한다. 그 붓다의 본성에 대해서는 그 다음의 말을 들어야 한다. 석가모니는 이렇게 말한다.

"이렇게 모든 붓다(여래〔如來〕)는 영적인 몸 자체가 자연의 내재적 원리(다르마다투-카야〔dharmadhātu-kāya〕: 진실한 존재의 법칙이 되는 원리나 지지물이 되는 몸)인 자이다. 그는 어떤 존재의 마음속으로도 들어갈 수 있다. 따라서 그 붓다를 지각하였을 때 붓다 안에서 지각된 이러한 32가지 완전성의 기호(相)와 80가지 부수적인 뛰어남의 징표(種好)를 소유하는 것은 사실 너 자신의 마음이다. 요컨대 붓다가 되는 것은 너 자신의 마음이다. 아니! 심지어 지금 현재의 붓다는 너 자신의 마음이다. 모든 붓다에 대한 참되고 보편적인 지식의 대양은 그것의 원천을 자기 자신의 마음과 생각에서 끌어낸다."[80]

이러한 근본 사유는 쿠샤나 왕조 시기에 산스크리트로 쓰여지고 424년경에는 한자로 번역되어 현대의 모든 태양 아미타불의 사원 —— 중국, 한국, 일본을 망라하여 —— 에 알려지게 되었다. 이러한 사유의 빛에서 볼 때, 왜 불상의 출현 이후 몇 세기가 경과하면서 초기 그리스-로마적인 간다라 양식과 인도 토착의 마투라 양식*에서 보이는 것과 같은 현실주의적 불상이 급속히 사라지고, 불상의 형태가 깨어 있는 삶의 평면으로부터 입문식에 나타나는 환상적인 꿈의 평면으로 이동되었는가를 이해하게 될 것이다. 간다라 붓다의 머리 뒤에 있는 태양의 후광(後光)은 본래는 이란적이고 조로아스터적인 모티브였으며, 이러한 모티브는 거의 같은 시기의 서양, 즉 초기 기독교인의 그리스-로마 도상학에서도 나타나고 있다. 그러나 시간이 지남에 따라서 그리스도의 이미지는 점차 현실주의적 성격을 띠어갔음에 비하여 붓다의 이미지는 반대 방향으로 급속하게 나아갔다. 간다라 양식에서는 그리스적인 드래퍼리(조각의 인물이 걸치는 옷/역주)의 극적인 유희와 아폴로적인 머리의 특성이 힘을 잃게 되었다. 실제로 인물이 조금 뒤로 물러났으며 명상하는 마음도 뒤로 물러나게 되었다. 하인리히 치머가 말하였듯이 "외관은 환영(幻影)으로 변화되었다. 거기에는 어떤 육체적 존재도 없으며 오직 침묵으로 나타난 본질만을 후기 간다라 양식에서 볼 수 있다."[81] 고전기(期) 인도의 정점에 해당하는 위대한 기원후 5세기의 마투라 예술에서도 후광은 연화 세계의 경이로움을 암시하면서 영광스럽게 나타났다. 그후 인류 역사에서 유래가 없는 환상의 예술이 아시아 전역을 통해서 꽃 피었다. 어머니 인도 자체에서도 연쇄 반응에 의해서 불교적 영감이 불교 이후의 힌두교의 새로운 우주 속으로 달려 들어갔다. 불교 이후의 힌두교는 불교 정신으로부터 불을 잡아챈 다음 곧바로 자신의 도전장을 가지고 나타났으며, 지금은 그 자신의 환상적인 축복을 지닌 풍부한 관능적 세계로 뛰어들고

---

* 345–346쪽 참조.

364

있다.

　(치머 박사는 이렇게 썼다.) 인도 조각이 있는 방에 들어갈 때는 그 모습들이 매우 활동적인 경우에도 그곳에 가득한 고요함에 의해서 즉시 놀라게된다. 그 형상들은 관람객을 사로잡으며 발걸음을 늦추고, 안팎에서 그를 침묵시키는 휴식의 숨을 쉰다. 이러한 예술 작품들은 열정적이고 감식력 있는대화를 유도하는 영감을 주는 것은 아니다. 그것들은 아름답다고 간주되거나 그렇게 발견되기를 요구하지 않고, 그들 자신의 세계에 거주한다. 위 혹은 아래로 손바닥을 펼치고 있는 붓다마저도 의도적으로 거기 서 있기보다는 우리 앞에서 홀로 깨닫고 있다. 그는 이러한 자세로 자신의 후광 안에서그 자신을 우리에게 강요함이 없이 자신의 존재를 완성한다. 그의 고요한존재 앞에서 우리는 존재하는 것을 멈추게 된다.[82]

　그러한 작품은 미세하면서도 스스로 빛을 내는 꿈의 보석 안에 응결된표상이 아니라 단단한 바위 덩어리나 진흙, 나무, 또는 청동 안에 응결된표상이다. 거기에서는 예술가의 노력을 보거나 느낄 수 없다. 그것은 자연의 모방도 아니다. 그것은 깊은 곳으로부터의 마음의 드러남이다. 바로여래("이렇게 온")이다. 이는 전문 감정가의 깊이와는 다르다. 그 작품은도덕적으로 판단해서도 안 된다(곧 그 사실을 알게 될 기회를 가지게 되겠지만). 이러한 종류의 작품들은 합리적 지평, 사회적 판단의 한계, 그리고 윤리와 미학을 넘어선 곳으로부터 나온 것들이기 때문이다. 일상적(normal) 경험의 장에 근거한 판단 능력은 그러한 작품들이 해방시키고자 하는 바로 그 능력이다. 그러한 작품들에 대해서 포화를 퍼붓는 것은우리가 그들의 힘의 무대로 들어가는 것을 방해할 뿐이다. 달리 말하자면, 그렇게 하는 것은 발견된 진리라고 하는 우리의 자축적인 개념을 흔들어 버리는 본체적(noumenal) 경험의 영향을 차단하는 것이다.

　석가모니 붓다는 자신의 마음에 더 이상 감옥이 존재하지 않게 된 왕비에게 이렇게 말하였다. "아미타유스 붓다에 대한 지각을 형성할 때에그대가 먼저 하여야 할 것은 그 꽃 위에 앉아 있는 황금불의 이미지를

지각하는 것이다. 그대의 눈을 뜨고 있건 감고 있건 상관이 없다. 그 이
미지를 보게 될 때 그 정토의 영광을 선명하게 볼 수 있을 것이다. 그
다음에는 그 붓다의 왼쪽에 또 다른 거대한 연꽃, 오른쪽에 또 다른 거
대한 연꽃의 상을 형성해야 한다. 왼쪽의 꽃 왕좌(蓮華坐)에서는 붓다의
것과 같은 황금 광선을 발하는 관음 보살의 상을 지각하고, 오른쪽의 것
에서는 대세지 보살의 상을 지각해야 한다. 이러한 지각의 단계에 도달
하였을 때에 시냇물, 찬란한 광선, 수많은 보석 나무, 보석 오리, 보석 거
위, 보석 백조가 불법을 듣고 있는 것이 보인다. 명상 속에서 가리워져
있건 더 이상 그렇지 않건 그 뛰어난 불법을 들어야만 한다."[83]

　　각각 80만 니유타* 요자나의 키를 지닌 두 대보살에 대해서 살펴보자.
관음 보살의 후광에는 500명의 붓다가 빛을 발하고 있고, 각 붓다는 수
많은 보살을 동반하고 있으며, 각 보살은 수많은 신들로 에워싸여 있다.
그의 머리관 앞에는 25요자나나 되는 거대한 불상이 앉아 있다. 눈썹 사
이에 있는 나선형의 머리칼에서는 84종류의 광선이 나오고, 각 광선은
보살을 동반한 수많은 붓다를 내뿜고 있다. 그 붓다들은 여러 가지로 모
습을 변화시키면서 세계를 가득 채우고 있다. 대세지 보살의 왕관에서는
500개의 보석 꽃이 빛나고, 각 꽃은 500개의 보석 탑을 지탱하고 있다.
보석 탑 안에는 십방을 향하고 있는 모든 정토가 보인다. 그가 걸을 때
십방이 흔들리며 땅이 흔들릴 때마다 5억 개의 보석 꽃이 나타난다. 두
자비로운 보살의 손바닥은 다양한 색깔로 되어 있으며, 그들 손가락의
끝에는 8만 4천 개의 그림이 있고, 각 그림은 8만 4천 가지의 색깔로 되
어 있으며, 각 색깔은 8만 4천 가지의 광선으로 되어 있다. 이 보살들은
그러한 보석 손으로 모든 존재를 포용하고 있다.[84]

　　이것이 자기 자신의 비존재의 텅 빔이 지니는 영광의 표상이다. 이것
은 이제 모든 존재의 영원한 영광으로 인식된다. 물질로 된 우리의 단단
한 감옥은 녹는다. 보살의 보석 손이 나타나고 이전에는 굴레였던 세계가
정토가 된다. 널리 읽히는 어떤 대승 불교의 문헌에 의하면 "유(thing)의

---

* 니유타는 10만이나 100만, 혹은 천만의 만 배 등 다양하게 정의되는 정수이다.

관념이나 무(no-thing)의 관념을 믿어서는 안 된다." 그것은 이렇게 계속
된다.

> 별, 어둠, 램프, 환영(幻影), 이슬, 거품,
> 꿈, 번개의 섬광, 그리고 구름.
> 이렇게 우리는 세계를 보아야 한다.[85]

세계의 연꽃인 연꽃-여신, 무수한 빛을 내는 그녀의 꽃 왕좌 위에 붓다
가 나타난다. 그녀의 꽃받침 안에서는 아무 것도 이루지 못한 어리석고
사악하고 범죄로 가득찬 존재마저도 자신의 영광의 지식을 획득할 수 있
다. 더구나 자이나교도와 소승 승려에 의해서 일축된 모든 이러한 여성
적 존재들 안에 그녀는 육화되어 있다. 그녀는 이렇게 변형되어 돌아온
것이다. 앞에서 보았듯이 그녀는 처음에는 최초의 불교 예술 작품에서
성소를 장식하는 가장 뛰어난 상으로 나타났다. 후기의 어떤 대승 불교
의 문헌에는 이러한 말이 나온다. "모든 형태의 환상 중에서 여자가 가
장 중요하다(sarvāsām eva māyānām strīmāyaiva viśiṣyate)."[86] 그러므로
그녀의 역할은 처음에는 표상의 방식으로, 다음에는 현실성의 방식으로
증가한다. 해탈의 현관, 곧 정토 그 자체인 그녀의 환상적 본성 안에 열
반의 자비(카루나)가 나타나는 것이다. 붓다가 부정적 길의 근원적 상징
이듯이 그녀는 긍정적 길의 근원적 상징이다. 우리가 살고 있는 이 세계
의 경이로움의 살아 있는 이미지인 그녀는 나룻배인 동시에 목적지이다.

제6장 인도의 황금 시대

1. 로마의 유산

  서기 1399년 중국 불교 순례자의 첫 주자인 법현(法顯)이 중국에서 로마로 이어지는 옛 비단길의 출발점인 화려한 수도 장안을 떠나 롭 노르(Lop Nor)의 황야로 향하였다. 6년 후 그는 펀자브의 탁실라에 도착하여 인도 대륙으로 들어갔다. 그 뒤로 6년 동안 서쪽에서 동쪽으로 인도 내륙을 횡단하면서 현자들에게 물음을 던지고 논쟁하였으며, 성지를 방문하고, 인도인의 덕과 불교 사원의 아름다움을 즐기면서 관찰하였다.

  그는 자신의 기행문에서 "인도 전역에 있는 사제들의 존엄한 몸가짐과 종교가 미치는 놀라운 영향을 다 기술할 수는 없다"고 썼다.

  붓다의 열반 이후 왕, 부족장, 가장은 승려를 위하여 승원을 세웠으며, 그들을 부양하기 위하여 전답, 집, 정원, 노예, 소 등을 기증하였다. 이 사원 토지들은 동판에 의해서 승려의 소유로 확실하게 보증되고, 왕조가 바뀌어도 대대로 전수되며, 그 소유권을 감히 취소할 만용을 지닌 자는 아무도 없었다. 승원의 독방에 상주하는 모든 승려들에게는 침대, 담요, 음식, 음료를 제공하였다. 그들은 자선 행위, 경전 암송, 혹은 명상을 하면서 시간을 보냈다. 이방인이 승원에 도착하자 고위 승려들이 가사와 바리때를 들어주면서

접빈실로 안내하였다. 그들은 발 닦을 물을 주고 몸에 바를 기름을 주었으며 특별 식사도 제공하였다. 그가 잠시 휴식을 취하고 나자 승단에서 그가 차지하는 위치를 묻고는 그에 적합한 방과 깔개를 마련하여 주었다. 우기의 휴식 기간 동안 경건한 자들은 승단을 위해서 합동 헌물을 모았으며, 사제들은 큰 법회를 열어 설법하였다.[1]

법현의 시기이자 전설적인 힌두 군주인 찬드라굽타 2세(재위 378-414년)의 기간 동안 불교는 번성하고 있었다. 기원전 50년경에 처음 만들어진 아잔타 석굴의 커다란 방과 법당의 숫자가 이 시기에 증가하고 있었으며, 그 안에 조각된 장식들은 초기 인도 예술에서는 드러나지 않았던 수많은 모티브들을 보여주면서 아름다움을 증대시키고 있었다. 찬드라굽타가 죽던 414년에 중국 불교도들은 운강(雲剛) 석굴의 불상 작업을 시작하였다. 이 시기의 불상은 수학적인 균형을 이룬 고전적 형태를 취하였다. 돌과 청동으로 만든 거대한 불상들도 나타났다. 411년 불굴의 중국인 항해자는 갠지스 강 입구에 있는 탐릴리프티에서 배를 타고 2주 만에 실론에 도착하였으며, 이곳에서도 인도 본토 못지 않게 불교가 존숭되고 있음을 알게 되었다.

어느 날 사원에서 중국의 명주 부채를 본 법현은 너무 감동하여 눈물을 흘렸다. 그는 자바를 거쳐 귀향할 것을 결심하였다. 200명이나 태우는 큰 상선을 타고 자바에 도착한 그는 거기서 작은 배로 갈아타고 모든 불상과 원고를 지닌 채 414년 광주(廣州)의 남지나항에 도착하였다.

법현은 불교 지역만을 여행하였다. 불교는 인도와 아시아의 여러 지역에서 거대한 승단을 유지하면서 영광을 누렸지만, 당시 인도 본토에서는 더 이상 창조적 힘을 발휘하지 못하였다. 창조적 힘을 발휘한 종교는 당시 몹시 세련되고 부흥기에 있던 브라만교였다. 브라만교는 궁중의 후원을 얻고 있었으며 한 세대의 브라민에 의해서 찬란하게 발전하였다. 브라민은 토착적인 것과 외래적인 것, 고등 전통과 원시 전통을 종합하는 방법을 잘 알고 있었고, 인간에게 알려진 가장 풍부하고 가장 미묘하고 가장 포괄적인 신화 체계 혹은 신화의 은하계라고 부를 수 있는 것을 창조하는 방법을 완벽하게 알고 있었다.

그 시대의 영광을 대표하는 인물 중 하나는 힌두 시인인 칼리다사 (Kalidasa)이다. 그의 우아한 시 「샤쿤탈라」는 마치 괴테로부터 몇 줄을 인용하고 있는 것처럼 보인다.

> 유년기의 꽃과 노년의 과실을 함께 바란다면,
> 자양분이 많고 배부른 것만이 아니라 매력적이고 흥미 있는 것을 바란다면,
> 한 이름으로 하늘과 땅을 다 잡기를 원한다면,
> 나는 너를 샤쿤탈라라고 부르겠고, 그것이 전부이다.[2]

꽃과 과실을 함께 지닌 이 주술적 시대로부터 전승되어 온 작품들 속에서는 예술, 문학, 과학, 종교 등 인도적 삶의 전 영역이 갑자기 풍요해지기 시작한다. 인도는 이러한 절정기의 관능적 은총과 조화를 수천 년간 스스로 알고 있었다는 듯이, 모든 상상력을 동원하여 자신의 완전성을 먼 과거로 투사하면서 그 시대를 계속 뒤돌아보아왔다. 사실 그 시대의 가장 주목할 만한 특징의 하나는 이러한 영광을 받아야 할 당사자들이 모든 새로운 예술과 과학, 그리고 신학적, 사회적, 미적 질서를 그들 자신의 천재성에 돌리는 것이 아니라 상상력의 산물인 신화적 과거의 신들과 성자들에게 돌리는 경향이다.

물론 그러한 경향이 인도에서만 독특하게 나타나는 것은 아니다. 중국에서도 그러한 경향이 있음을 보게 될 것이며, 펜타튜크(Pentateuch, 모세오경/역주)의 저자들도 그러한 영감을 받았다. 그러나 5세기 무렵 인도에서 나타나는 환상의 장대함과 정교화는 전적으로 예외적인 것이다. 거기에서는 종교적 신념과 의례, 도덕 질서와 사회 체계가 갱신되었을 뿐만 아니라 시각 예술, 문학, 연극, 음악, 춤도 번성하였기 때문이다. 그러한 모든 발전은 영원한 인도의 부흥을 나타내는 것으로 합리화되어 있지만, 실제로 그 이전에 존재하던 대부분의 문화는 인도의 것이 아니라 로마의 것이었다.

플리니 경(23-79년)은 다음과 같이 썼다. "인도는 매년 5억 5천만 세

스테르티우스(고대 로마의 화폐 단위 : 1/4데나리온/역주) 이상을 우리로부터 가져간다. 인도가 자신의 상품을 우리에게 되돌려 팔 때, 그것은 언제나 처음 가격의 꼭 100배로 팔린다.”[3]

　“우리의 숙녀들은 손가락에 진주를 달거나 귀에 2-3개의 진주를 다는 것을 좋아하며, 심지어 서로 싸울 때조차도 몸에 걸친 진주에서 소리가 나면 좋아한다. 요즈음은 가난한 계층의 사람들조차 진주를 좋아한다. 그래서 ‘여자가 거리낌없이 자신의 몸에 장식한 진주는 그녀 앞을 걸어가는 릭토르(lictor, 고대 로마에서 도끼가 들어 있는 막대기 다발을 들고 고관의 앞장을 서서 죄인을 포박하던 관리/역주)와 같다’라는 말이 유행하고 있다. 아니, 그들은 진주를 발에 매달기도 한다. 샌들의 레이스만이 아니라 구두 위에도 매단다. 진주를 매다는 것으로도 만족하지 못하여 진주를 발밑에 놓고 그것을 밟으면서 걷기도 한다.”[4]

　마드라스 박물관 콜렉션에 수집되어 있는 수많은 로마 시대의 동전은 인도와 로마의 교역을 잘 보여주는 증거이다. 이 동전들에는 티베리우스, 칼리굴라, 클라우디우스, 네로(기원전 42-기원후 68년) 황제의 문장(紋章)이 있다. 그보다는 적게 나타나지만 베스파시안과 티투스(기원후 69-81년) 황제의 문장이 보이고, 도미티안, 네르바, 트라잔, 그리고 하드리안(기원후 81-138년) 황제의 문장은 더욱 많다.[5] 이집트계 그리스 인이었던 로마 시민이 기록한 『에리트리안 해의 페리플루스(The Periplus of the Eritrean Sea)』라는 항해 일지가 발견되었다. 그는 플리니 시대에 번성한 교역로였던 홍해와 인도를 왕래하였다. 그 책은 인도 남서부의 주요 항구에 대하여 언급하면서 “무지리스(Muziris) 항구에는 아라비아와 그리스의 화물을 싣고 온 배들로 가득 차 있다”라고 쓰고 있다. 후추는 수출품 품목에 들어 있으며, “엄청난 양의 순수한 진주, 상아, 비단옷, 갠지즈 강에서 산출된 감송(甘松), 내륙에서 나온 말라바드럼(malabathrum, 향기 나는 기름을 만드는 데 사용하는 식물의 잎/역주), 모든 종류의 투명석, 금강석, 사파이어, 거북 껍질”[6]도 수출품에 들어 있다. 수입품에는 “포도주(이탈리아제가 선호됨) …… ; 구리, 주석, 납 ; 산호와 황옥 ; 얇은 천 ……, 1완척의 넓이를 지닌 밝은 색 속옷 ; …… 금화와 은화(그 나라의 돈과 교환할 경우에는 이윤이 생김) ; 연고(비싸지도 않지만 많지도 않음)가 들어 있다. 그리고 왕을 위해서 매우 비싼 은그릇, 노래하는 소년들, 하렘용 아름다운 시녀들, 맛이 좋은 포도주, 잘 짜여진 훌륭한 의류, 최상의 연고"[7]도 수입하였다.

"해안가의 뒤쪽에 있는 내륙의 나라에는 사막이 많고 큰 산들이 많다. 그곳에는 온갖 종류의 야생 짐승, 곧 표범, 호랑이, 코끼리, 거대한 뱀, 하이에나, 여러 종류의 비비들이 우글거린다." 그러나 저자가 지적하듯이 "갠지즈 강가 쪽으로는 인구가 많은 나라들"[8]도 있었다.

1940년대 중반 몰티머 휠러 경은 인도의 남동부 해안가인 코로만델에서 이 시기의 거대한 대(對) 로마 교역지였던 아리카메두(Arikamedu)의 유적을 발굴하였다. 휠러는 보고서에서 이렇게 쓰고 있다. "기원 전후의 2세기 동안 이탈리아에서 만들어진 것으로 보이는 붉은빛 토기 파편과 당시 지중해의 포도주 무역을 특징짓던 암포라(고대 로마에서 사용한 2개의 손잡이가 달린 단지 혹은 항아리) 파편들은 아리카메두가 대(對) 서양 교역 거점인 정규 '야바나(Yavana)' — 그리스-로마와 고대 타밀의 작가들이 말한 — 의 하나였음을 보여준다." 그 항구에서는 구슬 제조업도 성행하였다. "구슬을 만들기 위해서 금, 반귀석(半貴石), 유리를 사용하였다. 그리스-로마의 보석 연마술사들이 사용하는 음각 무늬로 조각한 두 보석 — 하나는 연마되지 않은 — 이 발견됨으로써 그곳에 서양 장인이 있었음을 알 수 있다." 벽돌로 된 지하 배수로를 통하여 물을 공급하는 훌륭한 저수지가 발견되었는데, 그 옆으로 담을 통하여 2개의 안마당이 연결되어 있었다. 이 마당에서 "옛부터 인도의 이 지역의 주목할 만한 산물이었던 모슬린 천이 제조되고 있었음을 알 수 있다. 고전 작가들은 이 천을 인도의 수출품으로 기록하였다."[9] 북으로 300마일 떨어진 아마라바티에는 기원후 1세기에서 3세기 경의 것에 속하는 불탑이 있다. 풍부한 장식을 지닌 이 불탑에는 서양인을 새긴 조각이 여러 개이며, 헬레니즘 모델의 영감을 분명히 받고 있는 조각들도 있다.[10]

달리 말하자면, 기원후 1세기경 인도와 로마의 생생한 교역을 보여주는 증거들은 많이 있으며, 그 과정에서 상업적 및 문화적 영향이 양방향으로 흘렀다. 이집트의 알렉산드리아에는 인도 학자들이 공공연하게 나타났는데, 디오 크리소스톰(기원후 100년경)과 클레멘트(기원후 200년경)가 이들에 대해서 언급하고 있다.[11] 기원전 100년경에 로마에서 중국으로 향하는 옛 비단길이 개통되자, 북쪽 지역의 쿠샤나 인들은 양쪽 지역과 교역 및 외교 관계를 맺으려고 하였다. 이제 대상(隊商)과 해상을 따라 조직적으로 발전한 세계 교역의 시대가 밝았다. 이는 고대 세계의 네 위대한 지역, 곧 로마(당시에는 프랑스와 영국을 포함하였음)에서 극동에 이르는 지역의 힘과 복잡성을 계속 증대시켜온 흐름과 관계를 맺고 있었다.

이 모든 것은 이야기의 시작에 지나지 않는다. 바로다 박물관의 전(前)큐레이터였던 헤르만 고에츠 박사가 말하였듯이, 5세기초의 인도에서는 시대를 가르는 한 사건이 발생하였다. 이 사건의 첫번째 원인은 로마에 있었다.

고에츠 박사는 이렇게 쓰고 있다. "기독교인 순교자들에게 행한 (로마)의 잔인성은 잘 알려져 있다. 그러나 파도가 역전되었을 때 조상의 신앙에 충성한 이교도에 대해서 기독교가 행한 잔인성도 그에 못지않다. 테오도시우스 1세는 오래된 비의(秘儀) 집단들의 완강한 저항에 부딪치면서도 그것들을 조직적으로 숙청하였다. 6세기말이 되자 그 집단들은 완전히 사라졌다. 이교도의 사원은 조직적으로 폐쇄되고 파괴되었으며, 그들의 희생제의는 처형의 위협 하에서 억압되었고, 사제들은 추방되거나 살해되었다."[12] 고에츠 박사가 지적하듯이, "피난민들은 피난처를 발견할 수 있는 곳이면 어디든지 갔고", "그러한 땅은 지중해와 오래된 교역 관계를 지닌 인도였다."

그러므로 찬드라굽타 2세가 통치하던 관용적 분위기의 인도(378-414년, 이 시기는 테오도시우스 1세의 시대를 포함하고 그 이후까지 지속된다는 사실을 뒤에서 보게 될 것이다)에서는 건축과 조각을 비롯하여 문학적, 사회적, 종교적, 철학적 형식에서 참으로 놀라운 재편이 갑자기 이루어지기 시작하였다. 이는 이전의 인도에서는 나타나지 않았던 것이며 수백 가지 측면에서 후기 로마와 관계를 맺고 있다.

잠시 몇 가지 측면을 상세하게 살펴보자.

건축의 영역 : 현관과 열주(列柱)가 갖추어져 있으며 헬레니즘 양식의 작은 신전(templum in antis, 두 벽 모서리에 기둥이 세워진 신전/역주)을 닮은 직사각형의 석재 성상 안치소가 있다. 건축 양식은 찬드라굽타 2세 시대에 갑자기 출현하였다가 후계자인 쿠마라굽타 1세(414-453년) 시기에는 이미 윗부분에 피라미드 형태의 탑을 지닌 양식으로 대체되었다. 이 수정된 양식은 지구라트의 영감을 받았으며, 이 시기에 인도에 도입된 바빌로니아-헬레니즘 천문학과 관련이 있다. 로마 예술로부터는 벽감(壁龕)에 조상(彫像)을 세워두는 관습이 수용되었으며, 서로 얽혀 있는 파충류 사이에서 사랑의 신들이 연주하고 있는 독특한 형태의 소용돌이-프리즈(scroll-frieze) 장식, 툭 튀어나온 큐브 모양의 장식물들, 꽃잎 모양의 장식물, 4개나 그 이상의 꽃잎을 지닌 둥근 꽃 모양의 장식물 등도 수용되었다. 더구나 월계수나 아칸서스 잎 모양을 한 큰 쇠시리, 새롭고 다양한 붓다의 옥좌, 진주 사슬을 번갈아 아래로 늘어뜨려서 두 지탱물을 느슨하게 연결시키고 있는 화관, 그리고 로마의 석재관의 문양에서는 반쯤 열린 문을 통하여 밖을 응시하고 있는 여성의 모티브가 나타나고 있다. 여기에 공상적인 물짐승(마카라[makara]), 새처럼 생긴 하피(킨나리[kinnarī]), 사자 가면(키르티무카[kīrtimukha]), 위로 날아오르는 1쌍의 신(간드하르바[gandharva]와 아프사라스[apsaras])의 모습을 추가하고, 상감과 에나멜과 조각술을 갖춘 청동 주조 기술을 더해보라. 그러면 로마와 인도 사이의 유사성을 보여주는 것들은 그 수가 너무나 많아져서 대규모 수용이라고밖에는 말할 수 없다. 고에츠 박사가 정확히 지적하는 것처럼, 사유 형식과 문학 양식에서부터 춤과 머리를 매만지는 사소한 방식에 이르기까지 수많은 부문에서 이러한 대규모의 수용이 있었음을 인정해야 한다.

여기에 중요한 점이 있다. "그처럼 많은 새로운 관념, 기술, 형태가 흡수되어 실제로 아주 새롭고 가장 중요한 인도 예술의 장이 열렸지만, 그것들은 결코 있는 그대로 받아들여진 것이 아니다. …… 모든 것은 부수어져 인도적 개념으로 번역되고 인도적 원리 안에서 재건되었다."[13] 신체에 대한 헬레니즘적 기준에 대립하여 인도적인 기준이 형성되었다. 헬레니즘-로마적 유형론에 대립하는 인도적인 유형론이 발전함으로써, 이것은 서양과는 완전히 다른 삶에 봉사하였다. 수입된 건축 및 조각 형식은 그와 유사한 인도적인 형식으로 개조되거나 대체되었다. 트리톤(절반은 사람이고 절반은 물고기인 바다신)은 간드하르바로, 아칸서스 잎은 연꽃으로 대체되었다. 브라민은 그들 자신의 목적을 위해서 토착 민담도 체계적으로(그러나 결코 일관성 있게 한 것은 아니다) 이용하였다. 고에츠 박사의 말을 다시 한번 인용하자면, 그 결과 "우리 시대에 나찌즘과 공산주의만이 상상할 수 있었던 것과 같은 역사의 재서술"[14]이 이루어졌다. 실제의 과거는 망각되고 신화적 과거가 투사되었던 것이다. 그러한 신화적 과거에 의해서 현재는 항상 모든 이단, 모든 비판, 모든 진리에 대항하여 그 자신의 타당성을 확보하여야만 하였다.

"굽타 혁명은 고대의 리시(rishi), 영웅, 신들의 '과거의 호시절'을 복구한다는 슬로건에서는 성공하였다. 어찌 되었든 실제로 열광적인 문화적 발달이 계속되었기 때문이다. 그렇지만 모든 혁신적인 문물은 과거에 신들 자신에 의해서 선포되었다는 주장을 바탕으로 해서만 도입되었다."[15]

대담한 중국인 순례자 법현이 인도에 도착하여 놀란 것은 바로 이 활기찬 절정의 시기였다. 이 황금 시대의 인도는 얼마 동안 인류의 문명을 선도하는 위치에 있었다.[16]

2. 신화적 과거

인도 황금 시대의 중요한 신화적 자료는 서사시 『마하바라타』이다. 이 자료의 대부분은 기원전 400년경 이전의 것인만큼 무척 오래되었지만, 그것의 최종적인 양식과 음조(音調)는 기원후 400년경 혹은 그 이후의 것이다. 그 작품은 모든 종류의 신화적, 의례적, 도덕적, 계보적 지식으로 이루어진 일종의 최종적인 빙퇴석(氷堆石)으로서 『일리아드』와 『오디세이』를 합해놓은 것의 8배나 된다. 어떤 지식인은 이렇게 말한다. "그 작품은 매우 다양한 견해들의 집성체이다. 그렇지만 여기서 가장 중요한 점은 이 매우 다른 견해들이 서로의 불일치를 명백하게 의식하지 않은 채 상호 긴밀성을 가지고 반복되고 있다는 점이다."[17]

여기서 이 거대한 작품의 내용을 개관하는 것은 지루하고 지각없는 일이 될 것이다. 그러나 『마하바라타』의 첫번째 권에 그 작품의 저자로 추정된 자에 관한 전설이 자세히 나와 있는데, 이 전설을 통하여 우리는 그 책의 내용에 대한 훌륭한 견본 추출의 효과를 기대할 수 있다. 위대한 리시인 뱌사(Vyasa)는 인도의 호머로 불리었지만, 사실은 그 이상의 인물이다. 호머가 트로이 전쟁을 노래하는 차원을 넘어서 양편에 주요한 등장 인물을 낳았더라면 그는 뱌사와 같은 작가가 되었을 것이다. 비-아사(vy-asa)라고 하는 이름 자체는 "모든 방향으로(vi-) 분배하다, 혹은 놓아주다"를 의미하는데, 이보다 더 적절한 이름은 없을 것이다. 이 사람은 그 거대한 작품 자체의 저자이자 양편에 있는 모든 주요 등장 인물의 산출자이고, 18개 혹은 그 이상의 모든 푸라나(4세기에서 16세기에 걸쳐 쓰여진 일련의 작은 서사시)의 저자이고, 4가지 베다의 편집자이자 배열자이고, 베단타 철학의 창조자이고, 심지어는 숲속의 완벽한 은둔자이기 때문이다.

이 리시에 관한 전기는 카니슈카 시대의 시인들이 이미 뒤돌아보고 있던 황금 시대보다도 더 이전의 시대에서 시작하며, 세계의 어떤 지역에서 알려진 그 어느 시대도 무한히 초월하는 과거를 인도에 제공하였다. 그 우화적 시대에는 바수(Vasu)라는 이름을 가진 왕이 있었다. 그는 덕(다르마[dharma])을 철저히 준수하였지만 사냥에도 그만큼 철저하였다. 수도 근처에 있는 커다란 산이 발밑에 있던 강에 욕정을 느껴 꽉 껴안자 강물은 더 이상 그 도시 옆을 흐르지 못하게 되었다. 그러자 왕이 그 산을 발로 찼다. 강은 발로 차인 자국으로부터 다시 흐르게 되었으나, 그 때문에 임신을 하게 되었고 사내아이와 계집아이를 출산하였다. 강은 왕에 대한 감사의 표시로 그 아이들을 왕에게 바쳤고, 왕은 사내아이를 장군으로, 계집아이는 아내로 삼았다. 그녀는 "산의 딸"을 의미하는 기리카(Girika)로 불리게 되었다. 그녀의 몸이 불순하게 되는 계절이 다가오면 그녀는 남편에게 자신의 상태에 대하여 말하고 스스로를 정화시키기 위해서 강으로 갔다.

생리가 끝난 직후 아내와 성교해야 하는 것은 이제 모든 남편의 다르마의 원리이다. 베다 계시의 확고한 진리에 따르면 이 시기는 아이를 낳는 경사스러운 시간이다. 기리카가 준비하고 있음을 아는 왕은 자신이 충성하고 있는 또 다른 의무도 알고 있었다. 우리가 들은 것처럼, 그는 사냥의 즐거움에 대해서도 똑같이 헌신적이었던 것이다. 그러므로 아내가 강에 있을 때에도 연장자 친척들이 사슴 사냥에 초청하면, 조상에게 복종해야 한다고 생각하면서, 결혼의 다르마가 아니라 효의 다르마를 존중하여 사냥터로 출발하였다.

그가 들어간 나라에는 꽃 피는 나무들이 많았다. 더구나 그 무렵은 숲 전체가 새들의 지저귀는 소리와 꿀벌의 윙윙대는 소리로 가득 찬 봄철이었다. 그가 돌아다닌 작은 숲은 땅의 정령들의 정원만큼 아름다웠다. 그는 결혼의 다르마를 마음속에 품고 있었기 때문에 욕망에 압도되어 아름답게 꽃 피고 강한 향기를 내는 나무 밑에 앉았다. 거기서 그의 마음은 미치도록 혼란스러워져서 위기에 빠지게 되었다. 그러나 그는 곧 자신의 정자를 버려서는 안 된다고 생각하고는 큰 나뭇잎 안에 정자를 모아 담은 후, 창공을 날고 있는 매를 불렀다. "오, 나의 친구, 자신의 계절에 있는 나의 아내에게 이것을 전해주게."

새는 부탁을 받아들여서 날아 가고 있었다. 그때 두번째 매가 그 운반물이 고기인 줄 알고 덮치는 바람에, 나뭇잎에 싸여 있던 정자가 줌나 강으로 떨어졌다. 물고기가 재빨리 그것을 삼켰는데, 그 물고기는 마법에 걸린 요정이었다. 열 달쯤 되어 그 불행한 물고기는 어떤 어부에게 잡혔고, 그 어부는 물고기 뱃속에서 사내아이와 계집아이를 발견하고는 깜짝 놀랐다. 사내아이는 왕에게 헌납되어 이제 그 자신이 왕이 되었지만, 계집아이에게는 생선 냄새가 남아 있었다. 따라서 그녀는 어부에게 그대로 맡겨져서 그의 딸이 되었다. 마법에서 해방된 요정은 하늘로 올라갔다.

『마하바라타』의 저자의 계보에 관한 이야기의 첫번째 부분은 이상과 같았다.

　이제 두번째 이야기는 그 계집아이에 관한 것이다.

　그녀는 비상한 아름다움으로 축복을 받았고 모든 덕성을 갖추었다. "진리"를 의미하는 사트야바티(Satyavati)가 이름이었지만, 그녀는 "생선 냄새"로 알리어졌다. 자신의 의붓아버지를 도우면서 그녀는 줌나 강을 배로 오가고 있었다. 어느 날 파라샤라(Parashara)라는 대단히 위대한 요기가 한쪽 강기슭으로 나룻배를 타고 왔다. 가느다란 허벅다리를 지닌 그녀가 배 안에 있는 자신에게 미소 짓는 것을 보자 요기는 갑자기 욕정에 휩싸이게 되었다. 그러나 그녀는 이렇게 말하였다. "오, 성인이시여, 저쪽 강기슭에서 다른 성인들이 나룻배를 타기 위해서 기다리고 있습니다. 그들이 우리를 볼 것입니다."

　성인은 그들의 모습이 보이지 않게 하려고 안개를 만들어냈다. 이를 본 그녀는 당황해서 이렇게 말하였다. "제가 아버지의 보호 하에 있는 소녀라는 사실을 아십시오. 오, 비할 데 없이 순결한 성인이시여, 신중하게 생각하고 행동하십시오."

　그녀의 성격에 매료된 요기는 이렇게 약속하였다. "겁 많은 소녀여, 너의 처녀성은 다시 회복될 수 있다. 나의 소망은 어떤 것이나 이루어진다. 네가 바라는 그 어떤 것이라도 말해보아라." 그녀는 자신의 몸에서 달콤한 향기가 나도록 해줄 것을 부탁하였다. 이렇게 해서 그들의 욕망은 서로간에 받아들여졌다. 처녀성은 복구되었고, 그후 그녀는 "달콤한 향기를 지닌"이라는 뜻을 지닌 간드하바티(Gandhavati)로 알려지게 되었다. 그래서 남자들은 1리그(약 3마일/역주) 떨어진 곳에서부터 그녀의 몸에서 나는 향기를 맡을 수 있게 되었다.

　요기는 저쪽 강기슭에 있는 자신의 은둔의 집으로 향하였으며, 그녀는 그 자신이 출발하였던 성스러운 줌나 강 가운데에 있는 수목이 우거진 섬으로 눈에 뜨이지 않게 갔다. 거기서 그녀는 사내아이를 낳았으며, 그녀의 처녀성은 다시 복구되었다. 그 아이는 제 발로 일어나 숲속으로 걸어가면서 이렇게 말하였다. "어머니, 제가 필요하면 저를 생각하세요. 그러면 제가 나타날 거예요."[18]

378

독자들은 이 이야기의 사실성에 대해서는 아마 믿지 못할 것이다. 그러나 이렇게 태어난 아들이 뱌사였다. 우리는 그 자신의 위대한 책에서 이러한 신성한 일들에 관한 설명을 보게 된다. 그러한 이야기는 계속된다. 아직도 처녀인 어머니의 모험이 계속되는 가운데 그녀의 향기에 매혹된 어떤 위대한, 어떤 대단히 위대한 왕이 그녀의 나룻배로 다가오고 있었다.

산타누(Santanu)라는 이름을 지닌 이 선한 자는 늙게 되자 왕위 계승권을 자신의 뛰어난 아들 비슈마에게 수여하였다. 그 아들은 몇 년 전에 어떤 사랑스러운 여자로부터 태어났다. 왕도 놀랐다시피, 그를 낳은 자는 갠지스 강의 여신이었다. 이제 성스러운 줌나 강으로 다가가면서 그 비상한 향내를 맡은 왕은 그 향기의 근원을 찾았다. 마침내 왕은 어부 카스트 출신의 이 아름다운 소녀의 배에 도달하게 되었다.

왕은 말하였다. "오, 겁이 많고 사랑스러운 소녀여, 그대는 누구인가?"

그녀는 대답하였다. "선생님, 저는 이곳 우두머리 어부의 딸로서 아버지를 도와 순례자들을 저 강기슭으로 나르고 있습니다."

왕은 곧바로 그녀의 아버지에게 갔다. 그러나 어부는 왕에게 이렇게 말하였다. "나의 딸에 대한 당신의 욕망이 합법적이기 위해서는, 나의 딸에게서 태어날 당신의 아들이 유일한 왕위 계승자가 될 것이라는 서약을 하여야만 합니다." 그 말을 들은 왕의 마음은 산란해졌다. 수도인 하스티나푸르에 돌아온 그는 그 소녀만을 생각하면서 슬픔에 잠겼으며, 마침내 쇠약해지기 시작하였다.

그의 뛰어난 아들 비슈마는 아버지의 병의 원인이 무엇인가를 알아채고는 몇 명의 왕자들과 함께 어부를 찾아가 말하였다. "어부여, 나는 당신의 딸과 나의 아버지 사이에서 날 아들이 우리의 왕이 될 것임을 이 왕자들 앞에서 서약합니다." 그러나 어부는 답하기를, "왕자님, 저는 당신의 서약에 대해서는 추호의 의심도 가지지 않습니다. 그러나 당신이 낳게 될 미래의 아들들이 왕위 계승권을 주장한다면 어떻게 하겠습니까?" 왕자는 대답하였다. "그러면 나는 두번째 서약을 하겠습니다. 나는 평생 독신으로 살겠습니다." 그러자 어부의 머리카락은 곤두서게 되었고, 그의

앞에 엎드려서 절을 하였다. 그리고 강의 처녀를 왕에게 바쳤다.[19]

　이제 우리는 나룻배 처녀의 다른 아들들에 관한 이야기에 도달하게 된다. 선왕 산타누는 이 강의 처녀와의 사이에서 두 아들을 낳았다. 큰 아들이 왕위를 계승하였지만 매우 젊어서 전쟁터에서 살해당하였으며, 작은 아들 역시 몸이 쇠약하여 어린 나이에 죽었다. 그래서 자식이 없는 두 왕실 미망인이 생겼다. 이 미망인들은 키가 크고 아름다웠으며, 윤이 나고 미끈하게 흐르는 머리카락을 가지고 있었고, 붉은 손톱, 풍만한 가슴과 튼튼한 엉덩이를 지니고 있었다. 홀로 된 왕비이자 왕자의 어머니인 사트야바티가 비슈마에게 말하였다. "왕실을 이을 자식이 없다. 그러나 너는 베다에 능하고 건장하고 덕이 있다. 내가 확언하건대 너는 이 왕실의 보존을 위하여 근심하고 있다. 그러므로 너에게 어떠한 행동을 명할 것이다. 우리의 의례에 따라서 장엄하게 왕위를 계승하고 처녀와 혼인하여 아들을 낳아라."

　비슈마는 그녀의 아버지가 자신의 아버지로부터 받아낸 서약을 그녀에게 상기시켰다. 곤경에 처한 그녀는 자신의 뱃속에서 나오자마자 걸어서 나갔던 아이를 생각하였다.

　뱌사는 위대한 성인으로서 베다를 훌륭하게 해석하는 일을 하고 있었다. 약속하였던 대로 그녀의 어머니가 그를 생각해내자 그녀에게 나타났다.

　그녀가 눈물로 그를 목욕시키고 부탁을 하자, 그는 "나는 야마와 바루나 같은 아들을 낳겠습니다. 그렇지만 먼저 하여야 할 일은 처음 1년 동안 내가 부과하는 서약을 그 두 젊은 여자가 지키도록 하는 것입니다."

　그녀는 대답하였다. "그러나 우리의 왕국은 위험에 처하여 있다. 이 일은 오늘 하여야만 한다."

　그는 이렇게 대답하였다. "그렇다면, 그들이 나의 추함, 험상스러운 얼굴, 더러운 몸, 지독한 냄새, 무시무시한 옷차림을 견디도록 만드세요. 만일 그것을 견디어낼 수 있다면 그들은 힘센 아들을 낳게 될 것입니다. 두 여자 중 손위의 여자를 치장시키고 깨끗한 옷을 입히어 침대에서 나를 기다리도록 만드세요." 그러고는 사라졌다.

　손위의 여자는 그럴듯하게 설득당하여, 목욕한 후 아름답게 자신의 몸을 가꾸었다. 사트야바티는 그녀를 큰 침대로 인도하였다. "여기에 누워서 너의 남편의 형을 기다리도록 하여라" 하고 사트야바티는 말하였다. 그 젊은 미망인은 남편의 형인 비슈마를 생각하면서 행복에 겨워 깬 채로 누워 있었다. 램프가 타올랐으며 문이 열렸다. 한 형상이 들어왔다. 처음에 그녀가 본 것은 검고 찌푸린 얼굴, 타오르는 듯한 눈, 구리처럼 쌓아 올려진 텁수룩한 머리, 험상스러운 턱수염을 가진 은둔자였다. 그가 다가왔을 때에 나는 냄새는 너무 지독하여 참을 수가 없었다. 그녀는 눈을 감고 말았다. 사트야바티에게 돌아온 그는 이렇게 말하였다. "그 사내아이는 1천 명의 아들을 가진 아버지, 그리고 1만 마리의 코끼리처럼 힘이 셀 것입니다. 그러나 임신의 순간에 그녀가 눈을 감았기 때문에 그 아이는 장님이 될 것입니다."

그 아이는 실제로 눈이 멀게 되었으며, 『마하바라타』의 구성에서 적의 진영에 속하는 카우라바 족의 시조, 위대한 왕 드리타라슈트라(Dhritara-shrta, 여기서 dhṛta는 "지지하는 자"를 의미하고, rastra는 "왕국"을 의미한다)가 되었다. 그러나 사트야바티는 그 아이를 보았을 때 다시금 뱌사를 생각하게 되었다. 뱌사가 나타나자 다시 한번 아이를 낳아줄 것을 부탁하였다.

두번째의 사랑스러운 미망인도 의심 없이 침대에 누워 있었다. 큰 방의 램프가 탔으며 문이 열렸다. 한 인물이 들어 왔을 때 그녀는 눈을 크게 뜬 채로 있었으나 곧 창백해지고 말았다. 성자가 다가가 그녀와 관계를 맺은 후 말하였다. "너는 창백하기 때문에 너의 아들도 창백하여질 것이다. 그러므로 너는 그를 판두(Pāṇḍu : 하얗고 황백색을 띤 창백함)라고 불러야 한다."

실제로 그후 태어난 아들은 매우 창백하였다. 그러나 그는 『마하바라타』의 5명의 영웅 형제들(유디슈티라, 비마, 아르주나, 그리고 쌍둥이인 나쿨라와 사하데바)인 판다바 족의 아버지였다.

다른 말로 하자면, 그 서사시의 전쟁은 본질적으로 "어둠의 아들들(눈을 감은 채 뱃속에 있던 왕)"과 "빛의 아들들(눈을 뜬 채 뱃속에 있던 왕)" 사이의 투쟁이었다. 그러나 이것 말고도 세번째의 출생이 있었다.

아직도 만족하지 못한 사트야바티는 두 젊은 왕비 중 첫번째에게 다시
아이를 가지도록 하기 위해서 사전 준비를 하였다. 그러나 사트야바티는
노예 소녀를 첫번째 왕비의 자리에 대신 놓았다. 그 요기가 사트야바티
의 소망을 노예 소녀 위에서 행사하였을 때 그녀는 일어나 경의를 표하
였다. 그는 그녀의 행동에 매우 기뻐하면서 "오, 마음씨 고운 소녀여, 너
는 더 이상 노예로 있지 않을 것이다. 그리고 너의 아들은 커다란 능력
을 부여받게 될 것이다"라고 말하였다. 실제로 그녀의 아들은 판다바 족
의 숙부이자 고문인 성자 비두라(Vidura)가 되었으며, 마침내 유명한 요
기가 되었다.[20]

독자들은 빛과 어둠의 모티브가 기원전 500년경 이란에서 진리의 주와
허위의 주 사이의 우주적 전쟁에서 나타났음을 기억할 것이다. 기원전
175년에서 기원후 66년경[21]에 이르는 히브리의 사해 문서에서도 빛의 아
들들과 어둠의 아들들 사이의 전쟁이 다시 나타나고 있다. 기원후 1세기
경의 다양한 영지주의 문헌에서도 이러한 모티브가 다양하게 발전하고
있었다. 이러한 레반트의 관점들은 모두 윤리적이고 존재론적이다. 진리
와 빛의 원리는 선과 참된 존재를 표상한다. 그것은 사회적 준거점과 절
대적 타당성을 지니고 있으며, 궁극적으로는 우주적 차원에서 승리할 것
이다. 이러한 체계들에서는 사회적 심판의 질서와 형이상학적 심판의 질
서 사이에 어떠한 본질적 차이도 나타나지 않는다.

불교의 아미타 신화에서도 빛과 참된 지식의 원리는 윤리적이고 실체
적인 토대를 가지고 있다. 그러나 거기서는 빛의 궁극적 승리가 우주적
관점으로 표상되지 않는다. 영원한 주기를 지닌 불교의 우주에서는 순환
이 끝나는, 시간 너머의 시간을 위한 장소가 없기 때문이다. 불교에서 말
하는 소멸이란 개선될 수 없는 윤회의 삶으로부터의 초탈이라는 점에서
심리학적이다. 그럼에도 불구하고 빛의 원리는 회전하는 어둠의 원리보
다 더 참되고 더 실체적인 질서이다. 어둠의 원리는 무지와 욕망의 단순
한 기능이며, 그것들에 구속되어 맹목적인 주문에 시달리는 행위의 기능
이다. 결과적으로 서양의 신화에서 사회적 질서와 형이상학적 질서가 동

일시되듯이, 아미타의 신화에서도 심리학적 질서와 형이상학적 질서가 동일시된다.

브라민의 상징적 게임은 더 복잡한 것으로 나타난다. 그 게임은 상당히 우스꽝스럽기도 하지만 사실은 몹시 세련된 게임이다. 이러한 브라민에 의해서 육체적으로 존재할 수 없는 뱌사의 전기가 발명되었다. 삶의 투쟁 무대에서 전개되는 빛과 어둠의 양극적 활동에 관한 이러한 매우 인도적인 해석에서는 빛과 어둠 그 어느 편도 궁극적 승리를 거두지 못한다. 이 사실을 주목해야 한다. 더구나 그 두 세력은 그보다 더 우월한 하나의 원천, 즉 뱌사로부터 파생한 것이다. 빛의 아들들과 어둠의 아들들에 대하여 각각 윤리적인 심판이 내려지기도 하지만, 그 판결은 결코 절대적이지 않다. 그와 반대로 양쪽은 모두 부차적이고 이원론적인 질서에 속하며, 어떤 상황의 함수이다. 그 상황을 잠시 주목할 필요가 있다. 직접적이고 공리적인 결과를 얻기 위하여 왕비가 성급하게 행동한 것이 바로 그러한 상황이다. 그러한 상황에서는 무대의 준비가 불가능하였으며, 두 소녀가 충격을 받고 서로 대립되면서도 똑같이 순진한 반응을 보인 실제적인 원인도 여기서 찾을 수 있다. 인간 역사의 무대에서 빛과 어둠의 작용은 이처럼 인간 약점의 한 함수인 것처럼 보인다. 비록 윤리적 심판이 이러한 무대 안에서 내려질 수 있지만, 그 때의 선과 악은 부차적인 영역에 속한다. 선과 악은 상호 보완적이다. 이를 고대 이집트의 "두 동반자의 비밀"과 비교해보라! 거기에는 빛과 어둠의 우주적 그림자 놀이가 보여주는 것보다 더 넓고 높은 관점이 존재한다. 『마하바라타』 속에서는 그러한 관점이 그 작품의 저자이자 구경꾼인 뱌사에 의해서 대변된다. 이를 앞에서 언급하였던, 미라이자 아피스 황소의 아버지이고 동시에 파라오인 프타의 상과 비교해보라! 인도의 후기 탄트라 상징에서는 파라오의 대응물이 시체인 샤바(Shava)이다. 그는 세계를 낳는 시바-샥티 쌍(90쪽과 〈그림 21〉 참조)으로부터 떨어져 나왔지만 본질적으로는 그와 하나이다. 그리고 "나"를 말하고 둘이 된 자아와 비교해보라!

아미타 불교 신화와는 대조적으로 『마하바라타』의 후기 브라만 신화는 세상으로부터 도피하는 것만이 아니라 세상과 관련을 맺기도 한다. 그러

〈그림 21〉 보석의 섬 : 인도(라지푸트), 기원후 1800년경.

나 서양의 윤리적 실증주의처럼 세상과 관련을 맺을 때 세상을 무조건적
으로 긍정하는 것은 아니다. 세상의 윤회 과정은 향상될 수 없다. 세상의
가치들도 그 자신의 영역을 넘어서지 못한다. 그러나 뱌사의 전기가 분명
하게 보여주듯이, 세상은 성인에 의해서 역설적으로 긍정될 수 있다. 이
는 약간은 진지한 아이들의 놀이를 어른이 긍정하는 것과 다소 유사하다.
　이제 마지막으로 왕비 사트야바티라는 인물에 대하여 살펴보자. 그녀

는 마야의 놀이의 아이러니에 관한 이 이야기에서 힘 전체를 표상하고 있으며, 뱌사의 어머니이자 죽은 두 젊은 왕의 어머니이다. 마야의 우주 적 신비는 3가지 힘을 가지고 있다. 첫번째는 브라만을 감추는 힘이고, 두번째는 세상-신기루를 투사하는 힘이고, 세번째는 신기루를 통하여 브라만을 드러내는 힘이다. 사트야바티는 멀리 떨어진 강기슭으로 요기들을 나르는 나룻배 일을 통해서 브라만을 드러내는 마야의 힘을 표상하였다. 그러나 그녀는 손님들을 저쪽 강기슭에서 이쪽 강기슭으로 나름으로써, 브라만을 감추기도 하고 투사하기도 하는 일을 하였다. 그녀는 이쪽 기슭에서 자신과 함께 남아 있던 선왕 산타누의 욕망을 채워줌으로써 『마하바라타』의 우주 안에서 빛과 어둠의 전 무대와 두 세력 사이의 상호 작용을 활성화시키는 힘이 되었다. 두 강기슭의 중간에서 아직 완전해지지 못한 요기의 욕망에 봉사하는 그녀는 위대한 뱌사의 어머니였다. 베다의 수집가이자 푸라나의 저자이기도 한 뱌사는 이 세상에 계시의 문헌을 제공하였다. 그리고 그는 두 가문을 낳은 자로서 이쪽 기슭에서조차 본질적으로 계시적인 역사 — 단지 사실로서 읽힌다면 희미하여질 역사 — 를 산출하였다.

왕을 유혹하는 배역을 맡은 사트야바티는 달콤한 향기를 지니고 있었지만, 그것은 그녀의 진짜 냄새가 아니었다. 왕에게 바친 처녀성도 그녀의 진짜 처녀성이 아니었다. 사람들에게 역겨움을 일으키는 냄새가 그녀의 진짜 냄새였다. 요기가 그 냄새를 열렬히 받아들였지만, 요기의 참된 목표는 이 세상 너머에 있었다. 그녀 자신이 나온 곳이기도 한 영원히 흐르는 생명의 강은 동양의 문헌에서는 신적 은총이 현상성(phenomenality)의 무대로 쏟아지는 것을 상징한다. 한편(한쪽 기슭)에서는 강이 모든 환희와 고통, 선과 악, 지식과 망상의 무대이지만, 다른 한편(다른 기슭)에서는 반대 방향으로 읽혀짐으로써 이러한 상보적 원리를 넘어서 절대의 세계로 나아간다. 그 가운데 있는 곳, 즉 위대한 뱌사가 태어난 그 섬에 신화의 세계이자 원천인 『마하바라타』가 존재한다. 그것 자체는 진실인 동시에 거짓이며, 드러나는 것인 동시에 감추는 것이다. 그것은 삶 자체처럼 자신의 능력에 따라 어떠한 방식으로든 읽혀질 수 있다.

나는 이 신화의 대양이 지닌 내용을 자세히 열거하지 않겠다고 약속하였다. 결론적으로 다음의 내용만을 지적하겠다. 맹인 드리타라슈트라가 자신의 왕관을 포기하고 "하얀 자(white one)"인 판두가 왕이 되었다. 그러나 판두가 젊어서 죽자 형이 돌아와야만 하였다. 드리타라슈트라의 많은 아들에서 시작하는 카우라바 족과 판두의 훌륭한 다섯 아들에서 시작하는 판다바 족은 그후 대량 학살을 동반한 전쟁을 하게 되었다. 그 과정에서 베다 인도에서 피어난 중세 기사도의 꽃이 사라지게 되었다.

그 서사시의 마지막 다섯 책(제14-제18권)은 확실히 탈영웅의 틀을 가지고 있다. 판다바 족의 최고 연장자인 유디슈티라는 전쟁에서 지은 모든 죄를 씻기 위하여 말 희생제의를 드린다. 천 명의 아들을 완전히 잃은 늙은 드리타라슈트라와 그의 아내는 숲속으로 은거한다. 수많은 시련의 과정을 통하여 다섯 형제들(오감과 5가지 요소를 상징한다)에게 커다란 위안과 도움을 주었던 비슈누 신의 신적 화현들 — 검은 크리슈나와 그의 하얀 형제인 발라라마 — 은 사라지고, 판다바 족은 그들이 공유하고 있는 아내인 사랑스러운 드라우파디(삶의 유혹)와 함께 나무 껍질 옷을 입은 채 발뒤꿈치에 개를 매달고 하늘로 오르기 시작한다. 그들은 히말라야를 건너 마침내 세계의 산인 메루 산을 힘겹게 올라가지만, 도중에 드라우파디가 떨어져서 죽고, 연이어 사하데바, 나쿨라, 아르주나, 비마 등도 떨어져서 죽는다. 유디슈티라만이 개와 함께 정상에 도달한다. 인드라 신이 그를 끌어올리기 위해서 전차를 타고 내려오지만, 유디슈티라는 아내와 형제들을 천상에서 만날 수 있고 개도 그곳에 들어오도록 허용하는 약속을 받을 때까지는 인드라의 도움을 거부하였다. 그곳에 받아들여진 동물은 다르마 신이 된다. 그러나 형제들과 아내는 지옥에 있기 때문에 천상에서 찾을 수 없다. 반면 왕좌에는 최고의 악마인 검은 카우라바 족의 지도자가 영광스럽게 앉아 있다. 이에 분개한 유디슈티라는 하늘을 떠나서 지옥으로 내려가는데, 그곳에서 그의 형제들뿐만 아니라 무시무시한 고통을 당하고 있는 친구들을 발견한다. 이때 그는 다음의 사실을 배우게 된다(우리도 마찬가지로 배우게 된다). 죄를 거의 짓지 않고 죽은 자들은 정화되기 위해서 먼저 지옥으로 간 다음에 하늘로 가고, 선을 거의 행하지 못한 자들은 그들의 공덕을 잠시 동안 즐기기 위해서 하늘로 먼저 올라간 다음, 엄청나게 긴 기간 동안 지옥에 머물게 된다.

지옥의 무대는 해체되고 판다바 족은 모두 신으로서 천상에 있다. 그러나 그들의 조상인 뱌사는 아직도 아래의 지상에서 일을 하고 있다. 한 종류의 에온이 지나갔다. 다시 말해서 그 자신으로부터 나온 『마하바라타』의 전 세계가 신기루처럼 대기 속으로 사라진 것이다. 그는 이제 그 이야기를 말, 축복받은 말, 만물의 진리를 나타내는 말로 기록해야 하였다.

지금 뱌사는 바이샴파야나라는 이름을 지닌 시종을 데리고 있으며, 그에게 이야기 전체를 자세히 말하였다. 이 현명한 시종은 그때 뱀 주술로 진행되는 큰 축제에 참가하였다. 그 축제에서 자나메자야라는 왕은 뱀에 물려서 죽은 아버지의 원수를 갚기 위하여 세상의 모든 뱀들을 거대한 베다의 불 속으로 기어가도록 만들었다. 바이샴파야나가 『마하바라타』를 낭송한 것은 이 축제의 막간이었다. 우그라슈라바라는 음유 시인이 그의 낭송을 우연히 들었으며, 얼마 후 일군의 성인들이 그 이야기를 자세히 듣기 위해서 시인에게 다가왔다. 마침내 시인은 그들에게 이야기를 들려주었다. 그것이 바로 현재의 『마하바라타』의 원자료이다. 다시 말하자면, 이 대서사시는 뱌사에게서 이야기를 들은 성자로부터 그 이야기를 다시 들은 음유 시인의 말에서 나온 것이다.[22] 뱌사는 그 자신이 생성시킨 이 세계가 죽어가는 것을 보았으며, 마침내 요가 자세를 취한 채 불타는 태양의 문을 통과하여 하늘로 올라갔다.[23]

3. 위대한 신앙의 시대 : 기원후 500-1500년경

불교는 본래 포기의 가르침이며, 피안을 찾아서 수도원으로 은거한 삭발 탁발승이 불교를 전형적으로 대표한다. 이와 달리 굽타 왕조 부흥기에 부활한 브라만교는 수도원의 목적만이 아니라 세속 사회의 유지에도 똑같은 관심을 보였다. 이 맥락에서 다르마라는 말은 불교에서처럼 일차적으로 초연의 교의를 가리키는 것이 아니라 우주를 존재하게 하는 우주적 법칙과 그 과정을 가리킨다. 다르마라는 말은 "지탱하다, 유지하다, 지지하다"를 의미하는 동사 어근 "dhr"에서 파생하였으며, 앞에서 보았듯이, 의미상으로는 이집트의 마트(maat) 및 수메르의 메(me)와 일치한다. 불교 신화에서는 세계 질서의 성스러운 형상과 유지에 관한 것을 전혀 들어볼 수 없으며, 단지 현상성의 슬픔으로부터 벗어나는 길을 가르쳐주는 구세주의 모험을 볼 수 있을 따름이다. 반면 브라만교의 신화에서는 이중적 교훈, 즉 다르마와 요가, 참여와 초탈의 교훈이 동시적으로 나타난다.

『마하바라타』에는 이러한 말이 있다. "오, 왕이여! 왕국에서는 모든 선인이 하였던 것과 같은 인습적 방식으로 걸으소서. 당신의 카스트가 요구하는 선(다르마), 그리고 성취(아르타[artha])와 즐거움(카마[kāma])을 잃은 채 금욕주의자의 암자에서 당신은 무엇을 얻겠는가?"[24]

불교에서는 모든 존재의 본성을 절대적 무로 보며, 자아를 인정하지 않는다. 무지의 힘에 의해서 상상된 현상성의 세계는 아무런 토대도 지니지 않은 신기루처럼 떠 있으며, 따라서 불교의 유일한 관심은 그것의 해체이다.

"무지가 생겨나므로 업이 생겨난다. 무지가 제거되므로 업이 소멸된다." 이것이 소승 불교 팔리 경전의 표어이다.[25]

"색이 공이고 공이 색이다. 공은 단지 색일 뿐이고 색은 단지 공일 뿐이다. 공 바깥에는 어떠한 색도 없고 색 바깥에는 어떠한 공도 없다." 이것이 피안에 대한 대승의 지혜이다.[26]

이와 달리 정통적인 베다-브라만-힌두적 체계는 만물을 자기를 내어주는 힘(브라만[brahman])의 현현으로 본다. 이 힘은 초월적이지만 각 존재의 자아(아트만[ātman])로서 만물 속에 내재하여 있다. 이 힘은 앞에서 보았듯이,* "나"를 말하고 두려움을 느끼고 욕망을 느끼고 세계를 쏟아내는 자아의 방식으로 스스로를 내어준다. 그러므로 만물 속에서 찾아

---

* 18-19쪽 참조.

내어 경험해야 하는 것은 공이 아니라 그러한 발생적 힘이다. 그 힘은
드러나 있지 않지만 모든 곳에 편재하고 있기 때문이다.

> 그는 만물 속에 숨어 있고,
> 자아를 드러내지 않는다.
> 그러나 뛰어나고 예민한 지성을 가진
> 구도자는 그를 볼 수 있다.[27]

이러한 존재들의 "존재"를 인식하는 길은 불교적인 길과 비슷하게 보인다.
그 길은 나(아함〔aham〕)를 포기하는 자아-희생으로 간주되기 때문이다.

> 자기 자신을 스스로 정복한 자에게는
> 자아가 친구이다.
> 자기 자신을 스스로 정복하지 못한 자에게는
> 자아가 마치 원수처럼 적대적이다.[28]

그러나 이 자아-희생에 의하여 성취하는 것은 자아와 공의 동일성이 아
니라, 그 자신의 희생 안에서 세계의 경이로 존재하는 그 "존재"와 자아
의 동일성에 관한 지식이다.

  힌두교에서는 본질적으로 우주 질서를 신적인 것으로 긍정한다. 그리
고 사회는 우주 질서의 한 부분으로 간주된다. 따라서 전통적인 인도의
사회 질서는 이와 똑같이 신성한 것으로 긍정된다. 더구나 자연의 질서
가 영원하듯이 전통 사회의 질서도 영원하다. 사회적 장에서는 인간의
자유나 창조성에 대한 관용이 결여되어 있다. 진보적인 그리스나 로마
혹은 근대 서구에서와는 달리, 거기서는 사회를 지성과 변화에 따라 인
간에 의해서 진화되어온 질서로 여기지 않기 때문이다. 사회의 법칙은
자연적인 것이지 결코 제안되거나 향상되거나 창조되는 것이 아니다. 태
양, 달, 식물, 동물이 각자의 본성에 깃든 법칙을 따르듯이, 각 개인도 그
들 자신의 출생의 본성, 곧 브라민, 크샤트리야, 바이샤, 수드라, 혹은 파

리아(천민)의 본성을 따라야 한다. 개인은 하나의 종(種)으로서 간주된다. 쥐가 사자가 될 수 없고 사자가 되려는 욕망조차 가질 수 없듯이, 어떠한 수드라도 브라민이 될 수 없다. 그러한 욕망을 가지는 것은 건전하지 못할 것이다. 그러므로 "덕, 의무, 법"을 뜻하는 "다르마"라고 하는 인도어는 매우 심오한 의미를 지니고 있다. "다른 사람의 의무를 완벽하게 수행하는 것보다 자신의 의무를 미진하게나마 수행하는 것이 더 낫다"[29]라는 말도 있다. 그리스나 르네상스 시대에 등장하는 위대한 개인이라고 하는 관념은 이러한 체계 속에서는 존재하지 않는다. 개인은 위대한 인간(푸루샤[puruṣa]) ── 그 자체가 사회이다 ── 의 사지 혹은 기능의 하나를 나타내는 분여의 존재(dividuum)일 뿐이다. 사제 계급인 브라민은 그것의 머리이고, 통치 계급인 크샤트리야는 그것의 팔이고, 재정 계급인 바이샤는 그것의 배꼽 혹은 몸통이고, 일꾼인 수드라는 그것의 다리와 발이다. 카스트에 속하지 못한 천민(outcaste)은 또 다른 자연적 질서에 속하며, 인간 공동체와 관련해서는 비인간적이고 동물적인 잡역에 종사할 수 있을 뿐이다.

굽타 시대에 이러한 체제의 통일성은 최초의 심대한 타격을 받았다. 기원후 510년, 젊은 지도자 미히르굴라가 이끄는 에프탈 훈 족이 북서쪽 지역을 침략하여 굽타 왕조를 조공 국가로 만들었다. 그들의 야만적 통치는 짧은 기간 지속되었다. 미히르굴라가 왕자 연합군에 패하여 카슈미르로 쫓겨가 그곳에서 죽었기 때문이다. 그러나 그 사건은 인도에 매우 중대한 결과를 가져왔다. 롤린슨 교수는 그 변화된 상황에 대해서 이렇게 쓰고 있다. "거의 1세기 동안 무대의 막이 내려져 있었다." 막이 올라갈 때에 갠지스 계곡에는 3개의 유명한 국가들이 전쟁을 계속하고 있었다. 이들은 옛날 왕실의 같은 나뭇가지에서 나왔음이 틀림없는 동(東)몰와의 굽타 족, 카나우지의 마우카리 족, 그리고 델리 북쪽의 도시 타네사르의 바르다나 족이다. 612년경 북부 지역 전체가 하르샤에 의해서 쉽게 통일되었다. 그러나 647년 그가 살해되면서 "막이 다시 한번 내려왔다." 2세기 후 그 막이 다시 올라갔을 때에는 무대 자체가 전적으로 변화되었다.[30]

"새로운 사회 질서가 등장하였으며, 그 사회의 중심 인물들은 스스로를 라지푸트 혹은 '왕의 아들들'이라고 부르는 종족의 수많은 씨족이었다. …… 라지푸트들은 자신들이 고대의 크샤트리야임을 주장하였으며, 힌두 서사시의 영웅을 실천적 모델로 삼았다. 그러나 최근의 조사에 의하면, 그들은 대체로 5-6세기에 북서쪽의 변경 지대를 넘어간 구르자라 족, 훈족, 그리고 다른 중앙아시아 부족의 후손이다. 이 침략자들은 독자적으로 왕국을 구축해갔으며 마침내 힌두 여자를 아내로 삼으면서 그 지역에 정착하였다."[31]

그 동안 서양으로부터 새로운 신종교 운동이 도래하였다. 그중에서 특히 중요한 것은 후기 굽타 시대의 태양신 수랴(Surya)에 대한 숭배였다. 수랴 숭배는 후기 로마 황실의 솔 인빅투스 숭배, 이란의 미트라이즘, 알렉산드리아의 행성 숭배의 일부, 그리고 위대한 여신 아나히드-키벨레에 대한 고대 시리아 의례 — 사원에서 행해진 매음 의례 — 가 대중적으로 부활되어 다채롭게 나타난 혼합물이다.[32] 13세기에 오리사에 세워진 카나락의 유명한 태양 사원은 이 모든 상황을 가장 잘 보여주는 유적이다.[33]

그러나 이 무렵에 전적으로 새로운 레반트 신앙이 열정적으로 나타나기 시작하였다. 아랍 상인들은 수 세기 동안 인도 서안의 번잡한 항구들을 자주 왕래하고 있었으며, 그들이 소유하고 있었던 여러 가지 기술이 이미 기원후 1세기에 『에리트리아 해의 페리플루스』에 언급되고 있다.* 7세기 중반에는 모하메드(570?-632년)의 종교가 중동 전체를 정복하였다. 인도에서 그 종교가 절대적 영향력을 행사하기 위해서는 500년이 더 필요하였지만, 신드에서 말라바르에 이르는 항구들은 712년 — 이때 모하메드교의 첫번째 아랍 식민지가 신드에 건설되었다 — 에 이미 그 종교의 특성들에 익숙해지고 있었다. 참으로 많은 새로운 운동이 이슬람의 전파자들에 의해서 힌두의 날개 안으로 들어왔다. 최근의 인도 작가인 초프라는 이렇게 말하고 있다.

* 370쪽 참조.

인류의 형제애와 모든 신자의 이론적 평등에 대한 믿음, 유일신론, 신의 의지에 대한 절대적 복종이 이슬람의 특성이다. 이러한 신앙은 당시 인도의 사상가와 개혁가들에게 심오한 영향을 미쳤다. 말라바르와 코로만델 해안에서의 무슬림과 힌두의 접촉은 인도 사상을 발전시키는 효모로 작용하였으며, 남부 인도의 유일신 신앙과 반카스트 운동을 부흥시키는 데에도 자극을 주었다. 남부 인도는 8세기에서 10세기에 걸쳐 전개된 종교 개혁의 중심지였으며, 이곳에서 비슈누 파와 시바 파의 성자들은 박티 종파를 창건하였으며, 샹카라, 라마누자, 님바디탸, 바사바, 발라바차랴, 그리고 마드바와 같은 유명한 사람들이 독자적인 철학적 체계를 정립하였다.[34]

요컨대 훈 족의 침입 이후에 인도의 무대는 새로운 정신에 의하여 지배되기 시작하였다. 한편으로는 낯선 문화에서 오는 영향력의 증대, 다른 한편으로는 초기 굽타의 고전적 형식을 유지하려는 그 반대의 노력에 의해서 이 시기는 특징지어진다. 고에츠 박사는 다음과 같이 말한다. "에프탈리트 훈 족, 슐리카 족, 구르자라 족의 무시무시한 침입, 굽타 제국의 몰락, 내전, 군사 독재, 재정 파탄, 도시의 몰락과 중산층의 붕괴 이후, 인도 문화는 봉건적-성직자적 성격, 곧 중세적 성격을 분명하게 지니게 되었다. 초기 굽타 시대에는 거짓으로 귀족 통치를 부흥시키고 복구시켰지만, 이제는 그러한 귀족 통치 자체가 신성한 전통이 되었다. 이러한 전통은 점증하는 야만화에 대항하여 자신의 문화적 유산을 방어하는 — 엄청난 노력을 통하여 — 시대의 필수 불가결한 모델이었다."[35]

이 시기는 로마의 몰락에서 르네상스에 이르는 유럽의 고딕 시대에 해당한다. 비잔티움의 절정기이자 이슬람의 전성기에 속하는 이 시대는, 유스티니아누스(483-565년)의 세기로부터 출발하여 한편에서는 투르크 족에 의하여 콘스탄티노플이 함락되고(1453년), 다른 한편에서는 콜럼부스의 후원자에 의해서 무어 족의 그라나다가 함락되는 시대에까지 걸쳐 있다. 중국에서는 수당 왕조로부터 명대 중반에 이르는 시기가 여기에 해당한다. 일본의 경우에는 중국적 학문의 틀 속에 있는 불교의 도래(552년)로부터 아시카가(足利) 시대의 절정기(1392-1568년)에 이르는 모든 발전 과정이 이러한 천 년의 기간 동안에 이루어졌다.

동양으로부터 서양으로, 서양으로부터 동양으로, 이렇게 거시적으로 보면, 이 시대는 모든 곳에서 종교적 봉헌에 기초한 예술이 만개하는 특징을 보여주고 있다. 기독교의 성당 건축 시대, 이슬람 모스크의 세계, 인도 브라민의 주요한 유물, 극동 불교 사원의 정원이 그러하다. 이 시기의 사유 방식은 대체로 창조적이기 보다는 형식주의적(scholastic)이었으며, 신격화된 과거의 전형으로 돌아가고 있었다. 그리고 자신의 신앙을 결코 의심하지 않았고 장엄한 믿음을 지니고 있었으며, 시간의 계시를 영원에 돌리고 인간의 작품을 신에게 귀속시켰다. 인도에서는 사원의 크기가 증대하고 신앙 서적의 양이 늘어났지만, 그것들의 생명력은 점차 쇠락하였다. 감상주의와 표절이 사유와 정서를 대체하였다. 통속적 기예와 통속적 경건이 지배하였다. 마침내 종교적 영감을 빼앗긴 예술은 은밀한 방식으로 에로틱하게 되거나 아주 무표정하게 되었다. 따라서 과거에는 놀라운 모험의 정신이 있었던 곳에 이제는 단지 농민의 경건, 응용 예술, 사제적 일상성, 그리고 호전적인 반야만적 법정의 세계만이 존재하게 되었다.

고에츠 박사는 이렇게 말하고 있다. "네팔과 티벳처럼 문명이 낙후한 오지에서만 인도의 예술 전통은 중세적 의미의 도상학으로 오늘날까지 실제로 살아 있다. 그러나 거기에 남아 있는 것이 그대로 모든 활력과 풍부한 형식을 지닌 참된 인도 예술의 척도로 여겨질 수는 없다."[36]

4. 환희의 길

인도 나무의 너무 익은 늦과실의 마지막 맛을 보기 위해서 선택하여야 할 확실한 전설은 고피들(the Gopis)의 달빛 애인(moonlight lover)에 관한 전설이다. 그는 매력적이고 인기 있는 청흑색의 소년-구세주 크리슈나(Krishna)이다. 이 소년은 소를 치는 젊은 중년 부인의 무리에서 수양 아들로 자라났다.

그 전설은 그 자체로 재미가 있을 뿐만 아니라, 비교의 관점에서 보아도 흥미롭다. 유럽 서정 시인의 시, 랜셀러트(Lancelot : 아서 왕 기사단의 우두머리/역주)와 귄네베르(Guinevere : 아서 왕의 부인이자 랜셀러트의 정부/역주)의 낭만적 사랑, 그리고 트리스탄(Tristan : 원탁의 기사의 하나. 마크 왕의 부인 이졸데의 연인/역주)과 이졸데(Iseult : 마크 왕의 부인이자 트리스탄의 연인/역주)의 낭만적 사랑을 이러한 전설에 나타난 외설적인 사랑에 대한 노골적인 예찬과 대조해 보면, 거기에는 많은 유사점이 나타나는 동시에 완전히 다른 정신이 나타난다. 궁중 시인 자야데바(Jayadeva)가 쓴 최고의 문헌인 「목동의 노래(기타 고빈다〔Gītā Govinda〕)」는 선구적인 트리스탄 풍이 유행하는 낭만적 사랑의 세기와 정확히 일치한다(토마스의 시대인 1165년에서 고트프리드 폰 스트라스부르크의 시대인 1210년에 이른다). 그리고 이 노래는 작품보다 훨씬 더 에로틱하지만, 그 작품의 분위기와 논리는 철저하게 종교적이다. 비록 트리스탄과 이졸데의 정열이 「아가서」의 방식대로 그리스도와 마리아 막달레나의 사랑과 동일시되어왔지만 말이다. 더구나 12세기 유럽의 궁중 예절에서는 한 여자의 기질에 전적으로 몰입되었던 반면, 스스로를 무한히 증식시킬 수 있는 놀라운 소년-구세주 크리슈나는 — 그의 전설이 수 세기의 과정을 지나면서(독자들이 곧 보게 되겠지만) — 끝없이 넓고 자유분방한 황홀경에 도달하였다. 그러한 요가적 힘의 특질에는 서양의 용어인 사랑(적어도 그것의 궁중적 의미에서는)이 적용될 수 없다.

여기서 그의 기적적인 출생에 관한 전설이나 이 청흑색의 작은 소년이 소떼가 끄는 마차들 틈에서 장난한 — 하얀 피부의 형제 발라라마와 함께 — 어린시절의 수많은 전설을 자세하게 열거할 필요는 없다. 그러한 전설 덕분에 모든 소녀와 여자들 사이에서 그가 유명하게 되었다는 사실을 지적하는 것으로 충분하다. 어느 달밤에 숲속에서 흘러나오는 고독한 피리 소리를 들은 여자들은 이미 그의 희생자였다. 그 피리 소리는 아득하게 먼곳에서부터 그 여인들의 가슴을 파고들었던 것이다. 하얀 수련(睡蓮)의 향기가 대기중에 짙게 드리우자 고피들은 모두 잠속에서 꿈틀거렸다. 심장이 두근거리고 눈이 하나씩 뜨이면서 그들은 조심스럽게 자리에서 일어나, 수많은 그림자처럼 각자의 집에서 슬며시 빠져나갔다. 한 여자는 피리 소리에 맞추어서 콧노래를 불렀고 어떤 여자는 달리면서 그 소리를 들었으며, 세번째 여자는 크리슈나의 이름을 외쳤다가 움츠러들더니 부끄러워 하였다. 잠에서 꿈틀거리고 있던 네번째 여자는 집안의 어른들이 아직 깨어 있는 것을 보고는 다시 눈을 감고 명상에 잠겼다. 그녀는 그 사랑하는 자와 영원한 죽음 속에서 결합할 수 있을 것이라고 기대하면서 명상을 하였다.

많은 군중을 보자 그 소년은 놀라는 체 하였다. 그는 이렇게 물었다. "당신들의 아버지, 형제, 남편은 어디에 있는가?" 여자들은 모두 놀랐다. 더구나 자기 이외의 다른 고피들도 모두 거기에 와 있는 것을 보고는 더욱 놀랐다. 어떤 여자들은 발끝으로 땅에다 그림을 그리기 시작하였으며, 여자들의 눈은 모두 눈물의 호수가 되었다. "우리는 당신의 연잎처럼 생긴 발로부터 떠나갈 수 없습니다"라고 그 여자들은 애원하였다. 여자들을 희롱할 만큼 희롱한 그 신은 그녀들 사이를 자유롭게 오가면서 피리 소리에 맞추어 놀았다. "오, 연잎처럼 생긴 당신의 손을 우리의 아리는 가슴 위에, 우리의 머리 위에 놓아주십시오!"라고 그들은 외쳤다. 드디어 춤이 시작되었다.

크리슈나와 고피가 함께 춘 이 춤은 라사(rāsa)라고 불린다. 이 춤에 대한 해석본은 6세기부터 16세기에 이르기까지 매우 다양한 판본으로 존재한다. 그러므로 이 에로틱한 놀이에 관한 문학적 전통의 해석과 매우 종교적인 전통의 해석이 각기 증대하고 있었음을 알 수 있다. 그리고 종교 사상사에서 나타나는 어떤 보편적인 원리, 곧 시적 통찰력과 감각이 쇠퇴하는 만큼 선정주의, 진부한 공식, 그리고 감상적 태도가 증가한다는 원리를 이보다 더 확실하게 보여주는 곳을 찾기는 어려울 것이다.

6세기의 『비슈누 푸라나(*Vishnu Purana*)』와 『하리밤사(*Harivamsa*)』에 실린 초기의 라사 판본에서는 크리슈나와 고피의 달빛 놀이가 목가적인 전원시의 분위기를 띠고 있다. 거기서의 중심 사건은 여자들이 서로 손을 잡고 눈을 감은 채 자신들이 크리슈나의 친구라고 상상하면서 원을 그리며 추는 춤이다. 『비슈누 푸라나』에는 이렇게 적혀 있다.

그가 손으로 여자들의 몸을 만졌다. 그러자 주술에 걸린 듯 여자들의 눈은 감기었다. 여자들은 원을 만들었다. 크리슈나가 가을을 찬미하면서 한 곡조 뽑았다. 고피들은 크리슈나를 칭송하면서 화답하였으며, 딸랑거리는 팔찌 소리와 함께 춤이 시작되었다.

빙빙 돌면서 어지럼을 느끼기도 하였지만, 여자들은 다투어 사랑하는 애인의 목 주위에 팔을 감았다. 그에게서 나오는 땀방울은 땅을 비옥하게 하는 비와 같았고, 그녀들의 관자놀이로 흘러들었다. 크리슈나는 노래를 불렀고, 고피들은 "만세, 크리슈나!"*를 외쳤다. 여자들은 그가 인도하는 곳으로 따라 갔으며, 그가 돌아서면 서로 마주보았다. 각자에게 매 순간은 무수한 세월이었다.

이렇게 "전능한 존재"는 브린다반의 여자들 사이에서 젊은이의 모습을 하고 그들의 본성에 스며들었으며, 그녀들의 주인들의 본성 속에도 침투하였다. 모든 피조물의 요소들이 에테르, 공기, 불, 물, 그리고 땅으로 이루어져 있듯이, "주"는 모든 곳에 존재하며 모든 것 안에 존재하기 때문이다.[37]

여기서 초월적 신의 내재의 관념은 하나의 영감을 불러일으키는 주제이다. 인도의 모든 신비 전승에서처럼 여기에서도 하나의 경향이 깊게 흐르고 있다. 그 흐름 속에서 초월의 내재화가 실현되며 모든 차별성은 용해된다. 고피들의 감은 눈에서 그 신이 각 존재의 존재 근거로서 모든 자 안에 현존하고 있음을 알 수 있다. 따라서 이러한 초기 판본의 라사는 인도의 정통적인 "이중의 길(Double Way)"이 적절하게 균형 잡혀 있는 상징이다. 거기에서는 덕(다르마)의 외적 질서가 유지되는 동시에 그 질서가 하나의 원리와 통일을 이룬다. 이 원리는 외적 질서를 지탱하고 초월하며, 우주의 모든 피조물과 입자는 그 원리와 영원히 동일하다.

『하리밤사』는『마하바라타』의 부록으로서 하리(비슈누)의 화현인 서사적 영웅의 신성을 강조한다. 거기에 나타난 춤 놀이는『비슈누 푸라나』보다 더 외설적인 자유 분방함의 양식을 보여주고 있다. 그리고 마침내 이러한 양식이 지배적으로 된다.

거기에는 이러한 내용이 있다. "먼지로 뒤덮인 암코끼리들이 수코끼리

---

* 81쪽과 비교해보라 : 후레 불! 하리(즉, 비슈누=크리슈나) 만세!

의 광란을 즐기듯, 사지가 먼지와 소똥으로 뒤덮인 이 여자들의 무리는 크리슈나에게 달려들어 함께 춤을 추었다. 그들은 웃고 있었으며, 그들의 눈은 검은 영양의 눈처럼 크고 따뜻하였다. 그 다정한 친구의 놀라운 힘을 굶주린 듯이 게걸스럽게 마셨을 때, 그 여자들의 눈은 밝게 빛났다. 그가 놀라게 하려고 '아하!' 하고 소리치자 여자들은 환희에 넘쳐 몸을 떨었다. 이처럼 가을 달밤에 젊은 신이 고피들과 놀고 있을 때, 여자들의 늘어뜨린 머리는 뛰는 가슴 위에 작은 폭포가 되어 떨어졌다."[38]

10세기에 쓰여졌지만 오늘날까지 크리슈나 숭배 집단의 주요 명상서인 『바가바타 푸라나』에서는 그 젊은 신이 사랑의 기술의 정복자로 등장한다. 이제 그 균형이 내적 관조로부터 이동하여 "요가"가 "보가(bhoga, '육체적 쾌락과 소유', '음식을 즐기다', '소비하다'를 뜻하는 어근 bhuj에서 파생함)"로 번역되었다.

그 책에는 다음과 같은 내용이 보이고 있다. "그는 손을 뻗어서 여자들의 손, 늘어뜨린 머리카락, 허벅지, 허리와 가슴을 어루만졌으며, 손톱으로 간지럽혔다. 그리고 그들을 뚫어지게 쳐다보았다. 그는 웃고 농담을 걸고 희롱하였으며, 사랑의 주가 가지고 있는 온갖 속임수로 여자들을 만족시켰다."[39]

고피들은 황홀감에 젖어 소리쳤다. "확실한 보호를 약속하는 강건한 두 팔, 행운의 여신의 마음속에 사랑의 불꽃을 키울 그대의 가슴, 그리고 당신의 그 경이로운 눈과 미소에 우리는 사로잡혔습니다. 우리는 당신의 노예가 되기로 결심하였습니다. 당신의 피리와 당신의 아름다움에 사로잡힌 천상과 지상, 그리고 지옥의 어떤 여자도 자신의 순결을 잊지 않을 것입니다. 그대의 아름다움은 세상의 영광입니다. 당신을 보면 암소와 암컷 짐승, 심지어 알을 품고 있는 암컷 새들마저도 털과 깃이 곤두서는 환희를 느낄 것입니다."[40]

이제 그 무리들에게 충격을 주는 한 일화가 등장한다. 이 일화는 그후 몇 세기에 걸쳐 등장하는 크리슈나와 고피에 대한 종교적 숭배와 시적 축제에서 대표적인 명상의 주제로 발전하였다. 여자들이 설레임의 단계를 너머 광란의 단계에 이를 정도로 흥분되었을 때, 그 신이 갑자기 사라졌다. 이제 완전히 미쳐버린 여자들은 이숲 저숲을 돌아다니면서 포도나무, 나무, 새와 꽃들에게 그의 행방을 물었다. 그리고 그의 이름을 외치고, 찬미하고, 그의 몸짓을 요염하게 흉내냈다. 그때 갑자기 한 여자가 "이것 좀 봐!" 하고 외쳤다. 그의 발자국을 발견한 것이다.

그들 모두는 "여기에 우리 주인의 발자국이 있다!" 하고 외쳤다.

그러더니 "어머나!" 하고 다시 외쳤다. 그의 발자국 뒤에는 그보다 작은 발자국이 있었기 때문이다. 그런데 그 작은 발자국은 더 이상 계속되지 않았다.

"우리의 주인이 그녀를 안고 갔음에 틀림없다!" "여기를 봐! 주인의 발자국이 더 깊어지고 있잖아. 그리고 여기서 꽃을 따기 위하여 그녀를 내려놓았어. 또 여기 앉아서 꽃으로 그녀의 머리를 따주었어. 그녀는 누구일까?" 하고 여자들은 외쳤다.

『바가바타 푸라나』에서는 그 총애받은 고피의 이름을 밝히지 않고 있다. 그러나 그녀의 모험을 이렇게 묘사하고 있다.

그녀는 소를 치는 목동의 아내였다. 크리슈나가 나머지 여자들을 내버려둔 채 그녀만을 숲으로 데리고 가자, 그녀는 자신이 세상에서 가장 축복받은 자라고 생각하였다. "우리 모두에게 다정한 이 주인은 나머지 무리를 버리고 나를 선택한 것이다"라고 그 여자는 상상하였다. 그렇게 자부하면서 이렇게 말하였다. "여보, 나는 이제 더 걸을 수 없어요. 다시 한번 나를 안아 주세요. 당신이 가고 싶은 곳으로 나를 안내해주세요." 그러자 그는 "좋소, 나의 어깨로 올라오시오"라고 말하였다. 그러나 그녀가 어깨에 올라가려고 할 때, 그는 사라졌다. 깜짝 놀란 그녀는 기절하여 땅바닥에 쓰러졌다. 그곳에 다른 여자들이 막 도달하여 울면서 외쳤다.

"우리 모두는 그대를 만나기 위하여 결혼을 파기하였다. 기만자여, 그대는 그 이유를 잘 알고 있지 않은가! 그대 말고 누가 이처럼 밤에 한 여자를 버리겠는가?" 그러나 갑자기 여자들의 기분은 바뀌었다. 그들은 이렇게 속삭였다. "오, 불쌍하고 애처로운 그대의 발이여! 그토록 많이 달렸으니 아프지 않겠는가? 자, 당신의 발을 우리의 부드러운 가슴 위에 올려놓으세요!"[41]

크리슈나가 웃으면서 나타났다. 여자들은 모두 물을 만난 식물처럼 동시에 일어났다. 노란 옷을 입은 그는 검고 아름다웠으며 꽃 왕관을 쓰고 있었다. 여자들이 그의 팔을 잡고 어깨 위에 그를 태웠다. 한 여자는 씹고 있던 구장(인도산 후추과의 상록 관목/역주)을 크리슈나의 입에서 꺼내어 자신의 입에 넣었다. 크리슈나의 발을 자신의 가슴 위에 얹은 여자도 있었다. 그리고 그가 앉을 곳을 마련하기 위하여 자신들의 웃옷을 벗어 땅위에 던졌다. 거기에 앉아 있는 동안 그의 발을 그들의 무릎 위에 올려놓고 그의 손을 그들의 가슴에 얹어놓은 채, 그의 다리와 팔을 주물러주었다. 그에게 화가 나기는 하였지만, 여자들은 이렇게 말하였다. "자신에게 헌신하는 자에게 애착을 가지는 사람이 있는가 하면, 자신에게 헌신하지 않는 자에게 오히려 애착을 가지는 사람도 있습니다. 또 그 어느 쪽에도 애착을 가지지 않는 사람들이 있습니다. 오, 사랑스러운 크리슈나여! 이러한 이상한 태도들이 생기는 이유를 부디 우리에게 분명하게 말해주세요"

상서로운 전능의 주는 이렇게 대답하였다. "사람들이 서로 애착을 가지는 것은 이해 관계 때문이다. 그들은 서로에 대해서가 아니라 자기 자신에 대해서 애착을 가지고 있다. 자기에게 헌신적이지 않은 자에게 애착을 가지는 사람은 2종류가 있다. 하나는 동정심이 있는 사람이고, 다른 하나는 다정 다감한 사람이다. 앞의 사람은 종교적 공덕을 얻고, 뒤의 사람은 친구를 얻는다. 여기서도 자기 이해 관계가 작용하는 것을 볼 수 있다. 그러나 자기에게 헌신적인 사람이나 헌신적이지 않은 사람 그 어느 쪽에도 애착을 가지지 않는 사람은 4가지로 분류된다. 첫번째는 자신의 영혼에서 위안을 찾는 사람이고, 두번째는 욕망의 결실을 이미 얻은 사람이고, 세번째는 이기심에 젖어 배은 망덕한 사람이고, 네번째는 단지 남을 괴롭히기 좋아하는 사람이다. 아름다운 허리를 가지고 있는 나의 사랑스러운 친구들이여, 나는 4가지 부류 중 어느 것에도 속하지 않는다. 나에게 헌신적인 사람들에게 애착을 가지지 않는 이유는 그들의 헌신을 더욱 강하게 하기 위한 것이다. 내가 사라졌던 이유는 당신들의 마음이 나에게 완전히 몰입되어 그 밖의 어떠한 것도 생각할 수 없도록 하기 위해서였다. 당신들은 나만을 위해서 옳고 그름에 대한 모든 판단, 당신들의 친척과 남편, 그리고 당신들의 의무를 모두 저버렸다. 나의 친구들이여! 그대들의 행위는 비난받을 것이 아무 것도 없다. 나의 행동에도 비난할 것이 없다. 그대들의 봉사 행위에 대해서 나는 결코 보답할 수 없을 것이다. 그 보답은 그대들 자신의 더 많은 봉사 행위 속에서만 발견될 수 있다."[42]

그는 일어섰다. 고피들도 모든 슬픔에서 벗어나서 원을 만들었다. 크리슈나가 자신의 모습을 수없이 많이 만들어내자, 여자들은 그가 자신들의 목을 껴안고 있다고 느꼈다. 그 광경을 구경하기 위해서 모인 신들과 그들의 아내들로 천상은 가득 찼다. 천상의 큰북이 울렸고, 꽃 소나기가 떨어지기 시작하였다. 춤추는 자들은 장식 고리, 팔찌, 발목의 종에서 나는 율동 소리에 따라 원형으로 움직이기 시작하였다. 정연한 발걸음, 우아한 손동작, 미소, 요염한 눈썹의 자태, 흔들거리는 엉덩이, 뛰어오를 것 같은 가슴, 흐르는 땀, 그리고 내려온 머릿단, 이러한 모습을 하고 있던 고피들은 이제 머리 매듭과 옷을 풀어 헤친 채 노래를 부르기 시작하였다. 놀랍도록 찬란한 주 크리슈나는 그들 사이에서 장난을 쳤으며, 장단이 약간 안 맞은 채로 크게 노래한 여자에게 "잘했군!" 하며 놀렸다. 그리고 자신의 입에 있는 구장을 어떤 여자에게 주자 그녀는 혀로 그것을 받았다. 또한 연잎처럼 생긴 자신의 손으로 여자들의 가슴을 만지면서 여자들의 몸에 자신의 땀이 흐르게 하였다.

여자들은 정신을 잃었고 감각이 마비되었다. 옷은 제멋대로 되었고, 화환과 장식이 떨어져 나갔다. 위에서 이 광경을 지켜보던 신들의 아내들은 주문에 걸렸으며, 달과 별들은 놀라움으로 반짝였다. 한 고피가 옆에서 기절하자 여러 모습 중의 하나를 취한 크리슈나는 그녀의 얼굴을 닦고 어루만지는 동시에 다른 여자에게 입맞춤을 하였다. 그러자 입맞춤을 받은 여자의 하체는 환희로 들떴다. 사랑의 신의 화살만큼 날카로운 그의 손톱은 모든 여자들에게 강한 자국을 남겼다. 그의 목에 걸린 화환들은 여자들과 부딪치면서 망가졌고, 여자들의 가슴에 있는 사프란이 그의 몸에 색을 칠하였다. 열정으로 불타는 코끼리가 그와 똑같이 미친 암코끼리떼 사이에서 큰 울음소리를 내듯이, 그 신은 관자놀이에서 영액(靈液)을 흘리며 무리를 이끌고 줌나 강으로 뛰어들었다. 거기서 웃고 뒹굴고 장난치고 소리치면서 서로에게 물을 튕기며 놀았다. 검은 벌들이 운집하여 있는 줌나 강의 신은 군청색의 영광스러운 연꽃이었다.

이 푸라나에서 그 이야기에 귀기울이고 있는 것으로 묘사되어 온 왕이 이렇게 물었다. "오, 나의 선생님이여, 덕의 법의 창조자이자 해석자이고 유지자인 그가 어떻게 다른 사람들의 아내를 유혹하여 종교의 질서를 위반할 수 있습니까?"

왕의 종교적 덕성 함양을 위하여 이 신성한 이야기를 자세하게 설명하고 있던 브라민이 대답하였다. "왕이시여, 신들마저도 열정이 넘칠 때에는 덕을 망각합니다. 불이 탈 때 불이 비난받아서는 안 되듯이 그들도 이 때문에 비난받아서는 안 됩니다. 신들이 가르치는 것은 덕이고, 그 덕은 인간이 따라야 하는 것입니다. 그러나 신들이 행하는 것은 그와는 다른 어떤 것입니다. 어떠한 신도 인간처럼 판단되어서는 안됩니다."

그것이 첫번째 교훈이다.

그 문헌은 계속된다. "우리가 알고 있듯이 위대한 성인들도 역시 선과 악을 넘어서 있다. 자신들의 주에 헌신적으로 몰두하고 있는 성인들은 행위에 의하여 더 이상 제약되지 않는다."

그것이 두번째 교훈이다. 그러면 마지막 교훈은?

현명한 브라민은 말하였다. "살아 있는 모든 존재의 마음속에 크리슈나가 현존하듯이, 고피와 그 주인들의 마음속에도 이미 크리슈나가 현존하고 있다. 인간으로 나타난 환영(幻影)인 크리슈나의 형상은 헌신적인 사랑의 감정을 불러일으킬 수 있다. 그의 이야기를 잘 듣는 자들은 누구나 헌신적인 사랑의 감정과 지성이 마음속에서 움트고 있음을 깨닫게 될 것이다. 옛날에 브린다반의 고피들의 마음속에서도 이러한 일이 일어났다. 그 달밤의 황홀경이 끝났을 때 고피들은 다시 그들의 남편에게 돌아왔다. 자신들의 아내가 계속 옆에 있었다고 생각한 남편들은 질투하지 않았으며, 세계를 창조하고 유지하는 비슈누의 달콤한 환상의 힘에 의해서 더욱 충만해졌을 뿐이다."[43]

이러한 가르침과 젊은 "미래의 붓다" —— 숲속에서 여자들 사이에 있던 붓다 혹은 "심야의 환상"의 밤에 있던 붓다 —— 에 관한 전설 사이에는 너무 커다란 차이가 있는 것 같다. 그러나 이 시기에는 힌두 종파만이 아니라 불교 종파도 "그것이 아니다, 그것이 아니다"를 의미하는 네티 네티(neti neti)의 관점에서만이 아니라, "이것이다, 이것이다"를 의미하는 이티 이티(iti iti)의 관점에서도 구원의 길을 가르치고 있었다. 우리는 2개의 부정이 긍정을 만들며, 이원론적 사고가 제거되고 열반이 실현될 때에 세계의 슬픔과 불순함(삼사라[saṁsāra], 윤회)으로 보이는 것이 공의 순수한 황홀경(열반)으로 전화된다는 것을 이미 살펴보았다.

> 열반의 경계는 윤회의 경계이다.
> 그 둘 사이에는 추호의 차이도 없다.[44]

> 보이는 모든 것은 소멸한다. 진행하는 것은 결국 정지한다.
> 붓다는 어디에서도 어느 누구에게도 법을 가르치지 않았다.[45]

이처럼 열반에 대하여 적극적 해석이 이루어짐으로써 위대한 신앙의 시기에 서로 구별되면서도 밀접한 관련을 가지는 다양한 운동이 일어났다. 이 운동에서는 불교와 브라만교 사이의 상호 영향이 나타나고 있다. 이들 중의 하나가 이른바 사하지야(Sahajiya) 종파로서 팔라 왕조(730-1200년) 시기에 벵갈 지역에서 번성하였다. 이 종파에서는 공의 순수한 황홀경을 경험할 수 있는 유일한 방법은 성적 교접을 통한 것이며, 그 상태에서는 "둘이 하나이다"라고 주장한다. 이것이 자신의 내적 본성(사하자[sahaja])에 이르는 자연적 길이며, 우주의 내적 본성에 이르는 자연적 길이라고 선포하였다. 자연 자체가 인도하는 길이 바로 그 길이라는 것이다.

거기에는 이렇게 쓰여 있다. "전 세계는 사하자의 본성을 지니고 있다.

사하자는 모든 것의 '본래적 형식(스바루파[svarūpa])'이다. 완전하고 순수한 지성을 소유한 자에게는 이것이 바로 열반이다."[46] "이 사하자는 안에서 파악되어야만 한다."[47] "그것은 소리, 색깔, 성질로부터 자유로우며, 말할 수도 없고 알려줄 수도 없다."[48] "마음이 없어지고 생명의 숨이 사라지는 곳에 최고의 '위대한 환희'가 있다. 그것은 지속되지도 않고 변화되지도 않는다. 그것은 말로 표현할 수도 없다."[49] "그러한 상태에서 개인의 마음은 물이 물에 흡수되듯이 사하자에 흡수된다."[50] "사하자에는 이원성이 없다. 그것은 하늘처럼 완전하다."[51]

이러한 내용은 계속된다. "모든 외적 형식은 순수한 공으로 간주되어야만 한다. 마음도 역시 순수한 공이라는 사실을 깨달아야 한다. 대상과 주체의 본질이 존재하지 않음을 깨달을 때에 사하자의 실재는 실천가의 마음속에서 저절로 드러난다."[52] 그때 다음과 같은 사실을 알게 된다. "나는 우주이다. 나는 붓다이다. 나는 완벽한 순수이다. 나는 인식하지 않는 자이다. 나는 존재의 사슬을 제거하는 자이다."[53]

티벳의 불교 사원은 지금 우리가 다루고 있는 시대에 만들어졌으며, 최근에 중국이 침공할 때까지 남아 있었다. 거기에 있는 성상과 탱화는 샥티와 포옹하고 있는 수많은 붓다와 보살의 모습을 보여주고 있다. 이들은 "아버지-어머니"를 뜻하는 야브-윰(Yab-Yum)으로 알려진 요가 자세를 취하고 있다. 티벳의 오래된 기도 바퀴(원통 안에 긴 축을 꽂아 넣어 돌리는 바퀴통으로서, 기도문이나 경전의 문구를 담고 있다/역주)에 쓰여진 위대한 기도문인 옴마니파드메훔(OM maṇi padme HUM, "연꽃〔파드메〕속의 보석〔마니〕")은 한편에서는 윤회(연꽃) 안에 열반(보석)이 내재함을 의미하고 다른 한편에서는 마음(보석)이 열반(연꽃)에 도달함을 의미한다. 이는 결합한 남녀의 도상, 즉 요니 속의 링감에서도 나타나고 있다. 후기의 한 불교 경구인 붓다트밤 요시됴니삼스리탐(Buddhatvam yoṣidyonisaṁśritam)은 "불성은 여성의 성기 안에 거주한다"를 의미한다.

크리슈나와 고피의 춤에 관한 상대적으로 막연한 꿈이 시바-샥티 전승으로 가득 찬 이 운동과 접하였을 때 새로운 경향이 나타나기 시작하였다. 이 새로운 경향을 가장 잘 보여주는 자료는 자야데바의 사랑스럽고 에로틱한 시 「목동의 노래」(1175년경)이다. 이 시에서는 무대의 중심이 고피의 무리도 아니고 크리슈나 자신도 아니다. 크리슈나의 발자국과 함께 자신의 발자국을 보여준 그 여자가 이 시의 주인공이다. 이제 그녀는 이름과 성격을 부여받고 등장한다. 이 시만큼 커다란 대담성을 보여주는 종교 문헌은 존재하지 않는 것 같다. 여기서는 너무나 인간적인 여자가 숭배의 대상이 되고 있으며, 창조주 자신마저도 그녀 앞에서 절을 하고 있다.

그녀의 이름은 라다이고 유부녀였다. 나이는 그 소년보다 약간 더 많았다. 자야데바가 그 시에서 말하듯이(이 시는 12장으로 되어 있는데, 각 장은 서정적 연극의 형태로 특별한 운율과 음악적 양식에 따라 읊어진다) 그들의 연애는 어느 날 밤 브린다반의 숲속 빈터에서 시작되었다. 그날 밤 두 사람은 크리슈나의 수양아버지인 난다와 함께 외출을 하였다. 그때 그 씨족의 다른 연장자들은 소를 돌보고 있었다.

하늘이 어두워지고 숲도 어두워졌다. 그때 난다는 라다를 향해서 "아이가 무서워하고 있으니 그를 집으로 데려가라" 하고 말하였다. 그녀는 소년의 손을 잡았다. 그러나 그날 밤 그는 집이 아니라 줌나 강의 둑으로 이끌려가서 거기서 그녀와 사랑을 나누게 되었다.

시인은 이렇게 쓰고 있다. "비슈누 만세! 자야데바의 이 노래를 듣고 비슈누의 가르침이 감동을 불러일으키기를!"

비슈누의 화현의 장황한 이야기가 반복된다. 크리슈나는 그의 여덟번째 화현이다. 이어서 나타나는 장면은 사랑의 열병을 앓는 라다가 브린다반 숲에서 시녀와 함께 방황하고 있는 광경이다.

둘이 휴식을 취하고 있을 때에 시녀가 이러한 노래를 들려주었다. "나는 알고 있지. 나는 알고 있지. 크리슈나가 어디에서 머무는지. 그는 한 여자에게 입을 맞추고, 다른 여자를 애무하고, 또 다른 여자에게 달려들고 있네. 노란 옷을 입고 화환을 두른 채 여자들과 춤을 추면서 그녀들이 미치도록 희롱하고 있네. 지금은 가장 예쁜 여자가 그와 춤을 추고 있네."

격노한 라다는 숲속으로 돌진하였다. 완전히 미친 것처럼 그녀는 그 무리 가운데로 뛰어들었다. 라다는 크리슈나의 입술을 열정적으로 빨면서 외쳤다. "아, 좋구나! 당신의 입은 신찬(神饌)이다!"

이것이 자야데바의 노래에 담긴 첫번째 장의 마지막이다.

두번째 장은 "크리슈나의 참회"라고 불린다.

그 신은 전혀 동요되지 않고 춤을 계속 추었다. 거절을 당한 라다는 토라져서 나무 그늘로 돌아갔다. "아, 나의 영혼은 크리슈나를 잊을 수 없구나!" 하며 그녀는 한숨을 지었다. 그러나 그녀의 동료가 노래를 불러주었다.

"오, 크리슈나가 나를 온갖 욕정의 대상으로 삼게 하소서. 오늘 밤 내 옆에 누워서 미소로 나를 자극시키고 팔로 나를 죄며, 나의 입술을 맛보고 꽃침대에 있는 나의 가슴 위에서 오래도록 잠들게 하소서!" 노래는 계속되었다. "그의 손톱이 나의 가슴을 파고들게 하소서. 사랑의 기술을 넘어 나의 머리카락을 잡고 나를 황홀하게 하소서. 나의 팔다리에 있는 보석들이 소리를 내게 하고, 나의 속옷이 찢어지도록 하소서! 오! 사랑의 행위가 끝나면 황홀에 빠져 리아나(열대산 칡의 일종/역주)처럼 그의 팔 안으로 떨어지게 하소서!"

노래는 계속되었다. "이제 그가 춤을 멈추고 있구나. 피리가 손에서 떨어진다. 숲속의 놀이가 그 매력을 잃었기 때문이다. 그는 애인의 순간적 모습 — 그녀의 가슴, 팔, 머릿단 — 을 다시 떠올렸지만 마음은 이미 춤으로부터 멀어졌다. ……"

이 시는 술에 취하여 있는 것 같다. 그래서 오늘날의 비평가는 이 시를 토마스 아 켐피스의 『그리스도를 본받아(Imitation of Christ)』보다는 셰익스피어의 「비너스와 아도니스(Vinus and Adonis)」와 같은 일종의 규방 문학의 범주로 분류할 것이다. 그러나 우리와는 상황이 다른 인도에서 크리슈나와 라다의 신비한 결합(예를 들면 라다크리슈난[Radhakrishnan]이라는 이름에서 표현되듯이)을 표현하고 있는 『크리슈나를 본받아(Imitation of Krishna)』(「목동의 노래」를 가리킨다/역주)는 팔라 왕실에서 처음 낭독된 이래, 수 세기 동안 심오한 종교적 열정의 원천으로 존재해왔다.

그 시의 세번째 장은 "고통받는 크리슈나"에 대하여 말하고 있다.

크리슈나는 고피들을 떠나 온 숲을 뒤지면서 라다를 찾았다. 줌나 강변에 있는 대나무 숲에 홀로 앉은 그는 이렇게 노래하였다.

"아! 그녀는 가버렸구나. 내가 그녀를 내버려두었기 때문이다. 지금 나에게 친구들이 무슨 소용이 있는가? 삶은 무슨 소용이 있는가? 지금 화나고 찌푸린 그녀의 이마만이 보일 뿐이다. 그러나 그녀는 내 마음속에 있다. …… 그녀를 이렇게 내 마음속에 잡아둘 수 있다면, 그녀는 실제로 가버릴 수 있을까?"

네번째 장은 "기분이 좋아진 크리슈나"로 불린다.

라다의 시녀가 크리슈나를 찾아와서 여주인의 갈망에 대하여 이렇게 노래한다. "당신과 포옹할 때에 맛보는 쾌락을 위해서 그녀는 꽃침대를 준비하였습니다. 그녀가 어떻게 당신 없이 살 수 있겠습니까? 오십시오! 그녀는 사랑의 병에 걸려 있습니다."

다섯번째 장은 "크리슈나의 갈망"이다.

크리슈나가 말하였다. "내가 여기에 있다고 그녀에게 전하라."

그녀는 부끄러움도 없이 여주인에게 권유의 노래를 부르면서 돌아왔다. "그는 당신을 부르기 위하여 피리의 음색을 조절하였습니다. 오, 욕망을 품고 그에게로 가세요. 부드러운 나뭇가지들로 만든 침상 위에서 당신의 옷과 속옷이 찢어지도록 하세요. 그리고 당신의 호사한 엉덩이와 그 사이에 있는 달콤한 쾌락의 그릇이 담고 있는 풍부한 보물을 그에게 바치세요. 그러면 그는 모든 곳에서 당신의 모습을 보면서 욕망을 참을 수 없게 될 거예요. 지금이 바로 그 시간입니다."

여섯번째 장은 "더 대담해진 크리슈나"이다.

그러나 사랑에 미친 그녀는 마음이 약해서 움직일 수 없었다. 그래서 시녀는 크리슈나에게 다시 돌아갔다.

시인 자야데바는 이렇게 덧붙이고 있다. "이 시가 모든 연인들에게 즐거움을 주기를!"

"그녀는 꽃들 사이에서 기다리고 있으며, 오직 당신의 사랑을 꿈꾸며 살고 있습니다. 왜 당신이 머뭇거리는지 의아해 합니다. 그녀는 신기루에 입을 맞추며 홀로 눈물을 흘리고 있습니다. 그녀는 떨어지는 모든 잎이 당신이라고 생각하며 침대를 부드럽게 만들고 있습니다. 그런데 당신은 왜 여기서 머물고 계신가요?"

일곱번째 장은 "거짓인 체하는 크리슈나"이다.

달이 떴으나 어떠한 크리슈나도 오지 않았다. 라다 홀로 슬퍼하고 있었다. 그녀는 한숨을 지으며 중얼거렸다. "시간이 흘러갔구나. 슬프도다, 나는 그의 마음에서 지워졌구나!"

자야데바는 노래한다. "오, 독자들이여, 이 시가 그대들의 마음속에 살아 있기를!"

"또 다른 여자가 그를 유혹하였구나! 걸을 때마다 그녀의 속옷에 매달린 장신구에서 소리가 난다. 엉덩이가 매력적으로 흔들거릴 때 장신구는 쾌락을 읊조리고 있다. 슬프도다! 그의 손톱 자국이 난 그녀의 목 둘레에 그가 사랑스럽게 진주를 매다는 것이 보이는 구나. ……"

"비슈누여, 이 시에 감동하여 모든 사람의 가슴을 눈물로 적시어주소서!"

여덟번째 장은 "책망받은 크리슈나"이다.

크리슈나는 졸리운 표정을 지으면서 다가왔다. 그가 그녀의 발 앞에서 절을 하였지만, 이 지상의 여인은 격노하여 그 — 만물 안에 살고 있는 주의 화현인 — 에게 바가지를 긁었다. "이 무거운 눈꺼풀! 울어서 그렇게 된 것인가? 아니, 화려한 광란의 밤을 보내서 그렇게 된 것이지요! 가세요! 꺼져버리세요! 당신을 이토록 피곤하게 만든 여자의 자취를 따라가세요! 당신의 이빨은 그 여자의 눈 화장이 묻어서 검게 되었습니다. 그녀의 손톱 자국이 있는 당신의 엉덩이는 그녀의 승리를 증명하고 있어요. 당신의 입술에 있는 그녀의 이빨 자국은 생각만 하여도 괴롭습니다. 당신은 여자들을 먹기 위해서만 숲을 배회하고 있지요!"

시인은 노래한다. "오! 오, 그대 성인들이여! 젊은 여자의 가슴에서 나오는 이 슬픔에 귀기울이시오!"

아홉번째 장은 "크리슈나의 시련의 종말"이다.

시녀는 말하였다. "오, 라다여, 당신의 아름다운 애인이 이제 막 도착하였습니다. 이 세상에 이보다 더 큰 즐거움이 어디 있습니까? 왜 당신은 코코넛보다 무겁고 아름다운 쾌락으로 가득 찬 당신 가슴의 선물을 무용지물로 만드십니까? 이 소중한 젊음을 멸시하지 마세요. 울지 마세요. 그를 보세요. 그를 사랑하세요. 그를 먹으세요. 과일처럼 그를 맛보세요."

시인은 노래한다. "오, 이 시가 모든 연인들의 마음을 즐겁게 하기를! 오, 브린다반의 아름다운 목동이여, 당신의 피리 음색 — 이것은 마법처럼 모든 여자를 감동시키고 신들 사이의 결합마저도 깨뜨릴 수 있다 — 으로 우리 모두의 슬픔의 굴레를 제거하여 주십시오!"

열번째 장은 "낙원의 크리슈나"이다.

이리하여, 시녀에 의해서 평정을 되찾은 라다의 표정은 밝아졌다. 점점 어두워지는 땅거미 속에서 크리슈나는 한숨을 지으며 울고 있는 그녀에게 말을 걸었다.

"당신의 이빨은 달처럼 빛나고 나의 두려운 어둠을 흩어지게 합니다. 욕망의 불이 내 영혼 속에서 타고 있소. 당신 입술의 꿀로 그 불을 꺼주시오. 화가 났다면, 당신의 눈으로 나를 찌르고, 팔로 나를 감고, 이빨로 나를 찢으시오. 당신은 나의 존재의 대양에 있는 진주입니다. 당신은 나의 가슴의 여자입니다. 내가 두려움을 불러일으켰지만 나에 대한 두려움을 떨쳐버리시오. 나의 가슴속에는 사랑 이외에는 어떤 힘도 없소."

열한번째 장은 "라다와 크리슈나의 결합"이다.

크리슈나는 그녀가 만든 꽃침대로 향하였다. 함께 있던 고피의 하나가 그녀에게 이렇게 충고하였다.

"당신은 이제 그를 살해하는 자가 되어야 합니다. 당신의 기분이 지금 달콤하다는 것을 알리기 위하여 발목의 장식으로 나른한 소리를 내면서 약간 교만한 자태로 그에게 걸어가세요. 코끼리의 코처럼 둥그런 당신의 허벅지를 그에게 갖다 대고 당신의 가슴을 안내자로 삼으세요. 당신의 가슴은 지금 노골적으로 그의 입술을 갈망하고 있어요. 영광스럽고 사랑스러운 당신의 몸은 다가오는 밤의 전쟁을 위해서 잘 준비되어 있어요. 보석이 달린 채 흔들거리는 허리띠의 북소리에 맞추어 진군하세요, 진군하세요. 찰랑거리는 팔찌 소리로 임박한 공격을 선포하면서 날카로운 손톱을 그의 가슴에 갖다 대세요. 그는 환희의 땀을 흘리면서 기다리고 있어요. 그는 떨고 있어요. 이 한밤중의 어둠 속에서 그를 사로잡으세요."

라다는 부끄러워 하였다. 그러나 그 소녀는 재촉하였다. "한번의 눈짓만큼 손쉬운 약간의 쾌락을 통해서 당신의 노예로 사들일 수 있는 자를 왜 두려워 하나요?"

그녀는 둥그런 달처럼 빛났다. 두려움과 기쁨으로 가득 찬 그녀는 발목에서 장신구 소리를 내며 크리슈나에게 다가갔다. 거기에 있던 고피들은 웃음을 감추기 위하여 입을 가리면서 그곳을 떠났다. 그녀가 이미 모든 부끄러움을 던져버렸기 때문이다.

마지막 장은 "압도된 노란 옷의 신"이다.

신의 화현이 라다에게 말하였다. "옷을 벗기고 당신의 가슴을 나의 가슴에 밀착시켜주시오. 그리하여 죽어 있는 당신의 노예에게 생명을 회복시켜주시오." 그들은 얼마 동안 머뭇거렸다. 서로의 눈과 입술에서 꿀이 나오는 바람에, 포옹할 때에 서로가 꼭 붙어버렸기 때문이다. 그러나 라다가 주도권을 잡자 사랑의 전쟁은 시작되었다.

그녀는 갑자기 그를 팔로 휘감아서 포로로 만들었다. 그리고 가슴으로 공격하고, 손톱으로 난도질하며 이빨로 그의 아랫입술을 찢었다. 엉덩이로 그를 공격하면서 그의 머리카락을 잡고 얼굴을 끌어 당겼다. 그리고 목구멍의 꿀술을 그의 얼굴에 퍼부었다. 그러자 그는 물에 빠져서 허우적거렸다. 그러나 그녀의 눈이 감기고 숨이 거칠어지자 힘이 빠지면서 큰 엉덩이가 활동을 멈추었다. 그때 신이 그 여자 위로 올라왔다. 아침이 다가왔을 때 그녀의 신적인 연인이 자신의 밑에서 본 것은 그의 손톱 부대가 찢어놓은 그녀의 가슴, 수면 부족으로 불타는 눈, 훼손된 입술 색깔, 엉클어진 머리 속에서 짓이겨지고 얽히어버린 화환, 그리고 보석이 달린 속옷에서 떨어져 나간 헝겊들이었다. 연달아 쏟아진 사랑의 화살과 같은 그 광경에 그는 압도되었다.

"오, 독자여, 그 신이 당신의 수호신이 되기를! 그 신은 황홀한 눈으로 쳐다보았던 라다의 옷으로 그녀의 부풀어오른 젖꼭지를 덮었다. 그러면서 푸라나의 한 구절로 그녀를 기쁘게 하고자 하였다. 그는 이렇게 읊었다. '신들과 악마들은 영원히 없어지지 않는 버터를 얻기 위하여 젖빛 대양을 휘저었다. 그들은 천 년 동안이나 휘저었다. 그러자 거기서 독성을 지닌 연기가 올라와 만물의 작용을 멈추게 하였다. 그때 우리의 가장 위대한 요기인 시바가 그 독을 잔에 담아서 마셔버렸다. 그는 요가에 의해서 그 연기를 목구멍에 가두어버렸던 것이다. 왜 그가 그러한 일을 하였는지 나는 궁금하였다. 독이 그의 목구멍을 푸르게 변화시켜 그는 푸른 목구멍이라고 불리는데도 말이다. 이제 나는 그가 그것을 마신 이유를 안다. 당신이 그 거대한 젖빛 바닷가에 나타났을 때에 당신이 사랑의 대상으로 선택한 것은 그가 아니라 나라는 것을 그가 눈치챘다. 그래서 그는 그 독을 마셨던 것이다.'"

나른하면서도 행복한 라다는 몸이 흐트러져 있음을 점차 깨달았다. 헝클어진 머리, 얼굴의 땀, 가슴의 상처, 그리고 있어야 할 곳에 있지 않은 허리띠를 보았다. 감정을 억제한 그녀는 짓이겨진 화환을 들고 벌떡 일어섰다. 그리고 한쪽 손으로는 가슴을 가리고 다른 손으로 사타구니를 가리면서 급히 도망을 쳤다. 그녀가 다시 돌아왔을 때에는 온몸이 피로한 상태였다. 그러나 환희와 찬탄의 감정으로 가득 차 있는 그녀는 애인에게 몸치장을 도와달라고 부탁하였다.

"나의 사랑, 크리슈나여, 당신의 사랑스러운 손으로 내 가슴에 백단향 가루분을 새로 발라주세요. 눈 화장도 새롭게 고쳐주세요. 여기 귀고리와 머리에 장식한 꽃들도 단정하게 해주세요. 이마에는 멋있는 틸라카(tilaka : 힌두 인들이 종교적 상징으로 앞이마에 붙이는, 색깔 있는 반죽이나 가루로 된 독특한 반점/역주)를 그려주세요. 그 다음에는 사랑하는 코끼리를 위하여 좁은 길을 선사하던 이 포동포동하고 촉촉한 음부를 덮는 진주 허리띠와 고리를 매만져주세요."

시인은 노래한다. "오, 독자들이여, 이 자야데바의 노래에 진심으로 귀 기울이시오!"

그녀는 말하였다. "이제 나의 가슴을 감싸주세요. 나의 팔에 팔찌를 다시 걸어주세요. ……"

그녀의 연인은 그녀가 시키는 대로 하였다. 그가 비록 신 자신이었지만 말이다.

"오, 독자들이여, 당신들을 수호하는 주는 이 세상에서 그의 전능성의 표지를 증대시키고 있도다. 만물의 일자(the One Being of All)인 비슈누가 수많은 신체 속으로 들어가고 있다. '젖빛 대양의 딸'의 연잎처럼 생긴 발을 수만 겹의 눈으로 보고 싶은 욕망에 이끌렸기 때문이다! 현명한 자는 이러한 신적 존재들 —— 기쁨에 넘쳐서 주를 보고 경배하는 —— 의 모든 기술을 이 시로부터 끌어낼 수 있을 것이다! 그 '슬픔의 파괴자'를 사랑하는 모든 자들은 위대한 자야데바의 이 노래를 영원히 입술에 담아라! 그의 아버지는 혁혁한 반자데바이고 그의 어머니는 라마데비이다."[54]

자야데바는 시인이었다. 젊은 시절에는 방랑하는 금욕주의자였으나 어떤 브라민의 딸과 결혼하였다. 사랑에 빠진 신 크리슈나의 노래를 쓴 것은 결혼 후였다. 자야데바가 라다의 아름다움을 어떻게 표현할까 당황하고 있을 때에 크리슈나가 도움을 주었다고 한다.[55]

사랑의 신을 경험하고 싶어하는 모든 사람들이, 음유 시인들이 "부드러운 마음"이라고 부른 그러한 정신적 특질을 본래적으로 가지고 태어나는 것은 아니다. 글을 쓸 수 없는 자들을 위해서 문맹자를 위한 학교가 있듯이, 인도에서는 사랑할 수 없는 자들을 위한 사랑의 학교가 발전해왔다. 그들의 학제는 3등급으로 되어 있다. 1. 초심자(프라바르타[pravarta])는 신의 이름(나마[nāma])을 반복하여 부르고 주문(만트라[mantra])을 암송하는 것을 배운다. 2. 상급 학생(사다카[sādhaka])은 "신적 감정(바바[bhāva])"을 느끼는 법을 배우기 때문에 여자들 사이에서도 절제할 수 있다. 마지막으로 3. 완벽한 스승(싯다[siddha])은 "사랑(프레마[prema] : '즐겁게 하다, 기쁘게 하다, 기분 좋게 하다 ; 친절함, 은혜 혹은 호의를 보이다 ; 쾌락을 취하다'를 의미하는 어간 pri에서 나옴)"을 깨닫고 그것을 통하여 "축복(라사[rasa] : '즙, 주스, 넥타 ; 맛')"을 얻는다.[56]

이러한 소위 좌도(左道, 바마카리[vāmacārī] : "반대의, 거꾸로의, 왼쪽의 ; 나쁜, 사악한"을 뜻할 뿐만 아니라 "아름다운, 즐겁게 하는"을 의미하는 말 vāma와, "가고, 나아가고, 길을 걷는 자"를 의미하는 cārī에서 나옴) 학파에 대한 보고들이 있어왔다. 19세기 독일의 관찰자인 바르트는 이렇게 보고하고 있다. "동물 음식과 영적인 술을 과도하게 사용하는 것이 이러한 이상한 의식의 규칙이다. 그리고 벌거벗은 여자의 신체 속에 있는 삭티를 숭배한다. 그 의식은 입회자들의 육체적 결합으로 끝난다. 이때 각 쌍은 바이라바와 바이라비(시바와 데비)를 재현하며, 절정의 순간에 그것들과 동일시된다. 이것이 '성스러운 원(스리 카크라[srī cakra])' 혹은 '완전한 성화(푸르나비세카[purnābhiṣeka])'이며, 구원의 본질적 행위 혹은 구원의 시식(試食)이고, 이 열광적 신비주의의 최고 의례이다."[57]

바마카리의 성스러운 문헌들은 탄트라(Tantra, "베틀, 피륙, 의복, 규율, 교과서, 올바른 길")로 알려진 일종의 종교적 경전에 속하며, 굽타 왕조와 그후의 시대에 등장하였다. 이 문헌들은 본질적으로 비슈누, 시바, 그리고 여신을 찬미하는 다양한 푸라나의 기술적 보완물이며, "우도(右道, 다크시나[dakṣiṇa])"에 속한 것도 있고 "좌도"에 속한 것도 있다. 후자의 가르침 중에는 다음과 같은 것이 있다.

"나는 여러 자질을 부여받은 '전능한 나' 바이라바이다."
이렇게 명상한 후 헌신자는 쿨라 숭배로 나아가야 한다.[58]

술, 고기, 생선, 여자, 그리고 성적 집회.
이것들이 모든 죄를 제거하는 5가지 은덕이다.*[59]

이러한 의례에서는 벌거벗고 춤추는 여자, 여성 신자, 매춘부, 여자 세탁부, 이발사의 아내, 브라만이나 수드라 계급의 여자, 꽃 처녀, 혹은 젖

---

* 이 5가지 "은덕"은 5M, 즉 술(마드야[madya]), 고기(맘사[maṁsa]), 생선(마트샤[matsya]), 여자(무드라[mudrā]), 성적 교섭(마이투나[maithuna])으로 알려지고 있다. 구루에 의해서 연인의 태도보다는 어린이의 태도로 여신을 숭배할 것을 권유받은 이들을 위하여 이른바 "대체 의례"가 개발되었다. 이 의례에서는 마드야가 코코넛 유유, 맘사가 밀곡알, 생강, 참깨, 소금, 혹은 마늘이 되고, 마트샤가 붉은 무, 붉은 참깨, 마수르(일종의 곡알), 파니팔라(수중 식물)가 되고, 무드라가 밀, 벼, 쌀 등이 되고, 마이투나는 "신성한 어머니의 연잎처럼 생긴 발" 앞에서 행하는 어린이 같은 복종이 된다(존 우드로프의 『샥티와 샥타[Shakti and Shakta]』[Madras and London : Ganesh and Company, 3rd ed., 1929], 569-570쪽 참조).

을 짜는 여자가 성스러운 대상이다. 집회는 심야에 거행되는데, 먼저 바이라바스와 바이라비스의 역할을 맡고 있는 8쌍, 9쌍 혹은 11쌍이 하나의 원을 만든다. 그리고 삭티로 선정된 사람의 등급에 따라서 적절한 만트라가 선포되고, 그녀는 규정에 따라 숭배된다. 그녀는 옷을 벗었지만 현란하게 장식한 채 남녀 헌신자들의 쌍으로 이루어진 원 안이나 원 옆으로 간다. 그러면 다양한 만트라의 선포에 의하여 그녀는 순수한 존재로 변화된다. 즉 그 상황에 맞는 원초적이고 성스러운 음절을 그녀의 귀에 3번 속삭인다. 그리고 그녀에게 술을 뿌리고 고기와 생선을 준다. 이렇게 그녀와 접촉하여 성스럽게 된 술은 사람들에게 분배된다. 이제 그녀는 성스러운 노래의 합창에 따라서 일련의 성례전적 행위의 그릇이 된다. 이러한 성례전적 행위는 완전한 성화의 예비 단계이며, 그 안에서 절정에 달한다. 윌슨은 "이러한 완전한 성화에는 그 장면에 매우 낯선 개념들을 암시하는 만트라와 명상 형식이 계속적으로 등장한다"고 말하고 있다.[60]

앞에서 살펴본 것처럼, 여신 숭배에는 인신 공희, 심지어 희생자의 살을 먹는 행위가 포함된 경우도 있다. 어떤 의례에서는 뛰어난 요기가 주술적 힘을 얻기 위하여 한밤중에 묘지, 불타는 땅, 혹은 범죄자가 처형된 곳에서 시체 위에 앉은 채로 명상하기도 한다. 그가 아무런 두려움 없이 그러한 행위를 한다면 유령과 여성 악귀들은 그의 노예가 된다.[61] 그러한 의례에서는 에로틱한 행위가 등장하기도 하며, 그 경우에 의례는 절정에 달하게 된다. 어떤 헌신자들은 "갈고리나 쇠꼬챙이로 자신의 살을 찌르고 날카로운 도구로 혀와 뺨을 뚫으며 못침대 위에서 뒹구르거나 칼로 몸에 상처를 낸다."[62] "해골을 가진 자"라고 불리는 자들은 화장터 장작에서 나온 재로 몸을 칠하고, 인간의 두개골을 꿰어 만든 목걸이를 목에 두르며, 머리카락을 짜서 거친 노끈을 만들고, 허리 주위에 호랑이 가죽을 두르고 있다. 이들은 왼손에 두개골로 된 잔을 쥐고 오른 손에는 종을 쥐고 있는데, "오, 칼리의 주와 배우자!"라고 외치면서 종을 울리고 있다.[63]

일반적으로 "좌도" 종파들은 의례가 행해지는 성스러운 시간 동안에는 카스트를 부인한다. 좌도 종파의 한 문헌에는 이렇게 쓰여 있다. "바이라바 탄트라가 행해지는 동안에는 모든 카스트가 브라민이다. 의례가 끝나면 다시 카스트에 따라서 구별된다."[64] 그 의례는 일종의 요가로서, 다르마 영역의 한계를 넘어가는 통로이다. 이러한 의례에서는 근친 상간의 금기마저도 폐기되는 경우가 있다. 이른바 "여성 웃옷(칸쿨리[kancuḷi]) 제의"에서는 의례가 시작될 때에 여자 헌신자들이 자신들의 웃옷을 구루가 맡고 있는 상자에 놓는다. 의례의 예비 단계가 끝날 무렵에는 남자들이 그 상자에서 옷을 하나씩 꺼낸다. 그러면 그 옷의 주인들은 ── "그녀가 그 남자의 아주 가까운 친척일지라도" ── 자신의 옷을 선택한 남자의 성적 상대자가 된다. 윌슨은 이렇게 말하고 있다. "그 목적은 여성들 사이의 모든 유대 관계를 강화시키는 것이다. 그리고 헌신자들 사이에서 하나의 여성 공동체를 강화시키는 것만이 아니라 모든 자연적 제한마저도 철폐하는 것이다." 왜냐하면, "모든 남자와 모든 여자는 한 카스트이고 그들의 상호 교접은 오염되어 있지 않다"[65]라고 선포되기 때문이다.

이러한 길의 실현을 찬미하는 노래가 있다. "둘의 관념을 버리고 한 몸이 되어라. 이러한 사랑의 기술은 매우 어렵다."[66]

자야데바와 탄트라의 삭티 제의는 여성을 상징 체계의 중심에 둔다. 이와 달리 크리슈나와 고피에 관한 후기의 푸라나는 주도권을 남성 신에게 돌려주고 있다. 자야데바의 라다 상을 그 무대에 덧붙이는 경우에도 라사(축복)는 거대한 디오니소스적 광란 ── 종교 사상사에서 그 유례를 찾아볼 수 없는 ── 으로 확대되고 있다.

14세기의 브라마바이바르타 푸라나에는 이러한 내용이 있다.

춤을 추기 위한 둥그런 장소가 숲속에 마련되었다. 거기에는 알로에, 사프란, 신발이 놓여 있었으며, 사향이 우아하게 뿌려져 있었다. 근처에는 수많은 쾌락의 호수들이 있었고 꽃으로 가득 찬 정원이 있었다. 수거위, 오리, 그리고 여러 종류의 물짐승이 맑은 수면 위에서 헤엄을 치고 있었다. 호숫가에는 망고와 플랜테인 나무(바나나의 일종/역주)가 서 있었다. 크리슈나

414

는 열정의 피로를 말끔히 씻어낼 수 있는 그 사랑스러운 습지와 시원한 물을 보면서 미소를 지었다. 그리고 고피들을 사랑으로 불러내기 위하여 피리를 불었다.

라다는 자신의 거소에서 멜로디를 들으며 나무처럼 고요히 앉아서 명상에 잠기고 있었다. 명상을 끝낸 후 그녀는 피리 소리를 다시 들었다. 그녀는 몹시 흥분하여, 일어났다가 다시 앉았다. 그녀는 자신의 모든 의무를 잊은 채 집 밖으로 뛰어나가 사방을 둘러보았으며, 연잎처럼 생긴 크리슈나의 발을 상기하면서 소리가 나는 곳으로 급히 달려갔다. 그녀의 몸에서 나오는 광택과 반짝이는 보석으로 숲이 빛났다.

그녀의 동료인 33명의 다른 고피들도 피리 소리를 듣고는 열정에 휩싸여 주부의 의무를 잊고는 숲으로 향하였다. 그들은 전속력으로 달렸다. 그들은 나이, 미모, 옷의 화려함의 정도에서 우열을 가릴 수 없었으며, 각각 수천 명의 시녀를 동반하였다. 수실라는 1만 6천 명, 사시칼라는 1만 4천 명, 찬드라무키는 1만 3천 명, 마다비는 1만 1천 명을 데리고 있었으며, 모두 합하여 90만 명이나 되었다. 손에 화환을 가지고 있는 여자들이 많았으며, 어떤 여자들은 신발, 어떤 여자들은 사프란, 어떤 여자들은 파초선, 그리고 또 어떤 여자들은 옷을 들고 있었다. 그들은 걸어가면서 크리슈나의 이름을 노래하였다. 춤추는 장소에 도착해서 그들이 본 것은 순결한 달빛으로 빛나는 하늘보다 더 사랑스러운 자였다.

부드러운 미풍이 꽃 향기를 날랐고 벌들은 곳곳에서 웅웅거렸으며 뻐꾸기 소리가 성자들의 마음을 유혹하였다. 여자들의 마음은 산란해졌다. 주 크리슈나는 여자의 무리 가운데에서 보석처럼 빛나는 라다가 장난끼 어린 눈짓을 하고 다가오는 것을 바라보았다. 그는 환희에 넘쳤다. 그녀의 걸음은 코끼리의 걸음처럼 장중하면서 매혹적이었다. 요기의 마음은 뿌리채 흔들렸다. 그녀의 젊음은 절정에 있었으며, 놀랍도록 커다란 음부와 엉덩이는 황홀하였다. 피부는 만개한 참팩나무(목련과의 나무로 주황색의 꽃이 핌/역주)와 같은 색깔이었으며 얼굴은 가을의 달과 같았다. 어슴프레한 빛을 띤 머리카락은 향기로운 자스민 화관으로 꾸며져 있었다. 라다는 아름다운 검은 색을 띤 젊은 크리슈나가 자신을 주시하고 있는 것을 보았다. 그녀는 부끄러운 듯이 옷단으로 얼굴을 가렸지만, 계속하여 사랑의 화살을 깊숙이 맞은 그녀는 거의 기절할 정도의 황홀감에 빠졌다.

크리슈나도 역시 거세게 화살을 맞았다. 그는 가지고 놀던 연꽃과 피리를 손에서 떨어뜨렸으며, 돌처럼 멍하니 서 있었다. 옷마저도 벗겨졌다. 그러나 순식간에 기지를 회복한 그는 라다에게 다가가서 포옹을 하였다. 그러자 그녀의 힘은 회복되었다. 라다에게 생명보다 소중한 그녀의 생명의 주는 그녀를 옆으로 끌고갔으며, 둘은 그칠 줄 모르고 입을 맞추었다. 그들은 꽃으로 만들어진 쾌락의 집으로 가서 입으로 씹은 구장을 맞바꾸며 얼마 동안 서로를 애무하였다. 그가 준 것을 그녀가 삼켰을 때 그것을 돌려달라고 요구하였다. 그러자 그녀는 두려워하면서 그의 발밑에 엎드렸다. 그때 사랑에 빠진 크리슈나는 욕망으로 불타는 얼굴을 한 채 환희의 꽃침대 위에서 그녀와 결합하였다.

환희의 주 크리슈나는 긁고, 물고, 입맞추고, 찰싹 때리는 등, 알려진 모든 사랑의 기술로 아름다운 라다와 함께 8가지 성적 교접을 가졌다. 체위의 역전을 비롯해서 이렇게 다양한 방식들은 여자의 마음을 사로잡는 방법들이었다. 이와 동시에 크리슈나는 다른 여자들의 달아오른 몸을 자신의 타오르는 사지로 껴안으면서 황홀 상태를 즐겼다. 그와 라다는 이 즐거운 성적 기술의 대가이기 때문에 그들이 벌이는 사랑의 전쟁에는 휴식이 없었다. 그러나 라다와 함께 그 행위를 하면서도 크리슈나는 같은 모습으로 모든 방에 들어가 영광스러운 춤을 추고 있는 고피들의 몸을 즐겼다. 이렇게 90만 명의 고피들은 그와 동일한 수의 목동과 즐거움을 나누었으며, 그때 황홀경에 다다른 자의 총합은 180만 명에 이르렀다. 그들의 머리카락은 모두 흩어져 있었고 옷은 못 입게 헤어졌으며 장식물들은 사라졌다. 그곳 전체가 팔지 부딪치는 소리로 가득하였고, 열정에 휩싸인 그들은 모두 기절하고 말았다. 땅 위에서 할 수 있는 일을 다 마친 뒤에는 모두 호수로 달려갔다. 그들은 물속에서 너무 장난을 쳤기 때문에 이제 지쳤다. 물속에서 나온 그들은 옷을 입고 보석 거울로 얼굴을 살펴보았다. 그리고 신발을 신고 알로에, 사향, 향수를 몸에 뿌리고는 화환을 몸에 걸었다. 마침내 그들은 본래의 상태로 돌아오게 되었다.[67]

우리는 요점에 도달하려고 더 나아갈 필요는 없다. 춤은 2장 이상에 걸쳐서 계속된다. 마침내 춤이 절정에 도달하였을 때, 신들은 아내와 동료들을 데리고 춤을 구경하기 위해서 황금의 전차를 타고 천상에 모였다. 성자, 성인, 숙련가, 존경받는 사자(死者), 천상의 가수와 요정, 지상-악마, 도깨비, 그리고 새처럼 생긴 다양한 존재들이 그들의 아내와 함께 커다란 구경거리를 보기 위하여 즐겁게 모였다. 그들이 구경하는 동안 크리슈나와 고피들은 춤을 추고 노래를 하며 서로의 옷을 찢으면서, 16가지의 공인된 일상적인 성적 교접을 넘어서 그보다 더 많은 교접 행위에 몰입하였다. 그 동안에 그들의 열정은 "버터를 먹은 불처럼" 타올랐다. 모든 것이 끝나자 신과 여신들은 환희에 넘쳐서 그 광경을 칭송하고는 자신들의 집으로 돌아갔다.

그러나 그 광경을 보면서 여러 번 졸도한 여신들은 브린다반의 춤의 주를 만나고 싶은 갈망 때문에 지상으로 내려갔고, 인도 전 지역에 있는 왕궁의 작은 소녀들로 태어났다.[68]

5. 이슬람의 침공

자야데바가 라다를 찬미하고 있을 때, 알라 —— 찬양과 영광은 그의 이름이고 은총과 자비로 가득찬 그는 최고의 존재이다 —— 의 병사의 언월도(偃月刀)가 이미 인도의 무시간적 꿈의 성벽에 구멍을 냈다. 그보다 5세기 이른 하르샤의 통치(606-647년) 시대에 유일신의 사자 모하메드는 신의 위대한 사랑 안에 있는 자들을 보호하기 위하여 올바른 길, 곧 이슬람의 계시를 선포하였다. 신의 통치 하에 있는 그의 하나의 참된 공동체는 세워지자마자(혜지라의 해 : 622년) 기적적으로 급속히 확산되었다. 이것은 세계사의 경이 중의 하나이다. 710년에는 북아프리카 전체가 이슬람에 복속되었다. 그들은 711년 스페인에 진입하였고, 718년에 피레네 산맥을 넘었다. 파리의 문 자체도 위기에 처하여 있었으나 732년 샤를마뉴가 프와티에 전투에서 이슬람의 공격을 물리쳤다. 건초 위의 불처럼 동쪽으로 퍼져나간 이슬람의 평화와 축복의 영광은 651년 페르시아를 정복하였고, 인도는 750년에 위기를 맞았다. 인도에는 어떠한 샤를 마뉴도 없었다. 할례를 받지 않은 자에 대한 알라의 저주는 이슬람 내부의 권력 투쟁 때문에 200년간 지연되었으나, 인도의 관문이 함락되었을 때에 그의 저주를 피할 곳은 아무 데도 없었다.

986년 투르키스탄의 노예 출신으로서 사북티긴이라는 이름을 지닌 자 —— 사산 왕조의 혈통을 가졌을 수도 있고 그렇지 않을 수도 있는 —— 가 전리품을 획득하기 위해서 펀자브 지역을 공략하였으며, 그후부터는 10월부터 시작되는 서늘한 계절만 되면 매년 정기적으로 풍요한 인도 지역을 약탈하는 것이 관습이 되었다. 991년 그 지역(자이팔)을 이끄는 라지푸트 왕자가 군대를 모았지만 곧 사북티긴에 의해서 정복되었고, 페샤와르가 무너지자 약탈은 계속되었다.

997년에 마흐무드 알-가즈니가 그의 아버지 사북티긴을 계승하였다. 그 아들은 약탈의 관행을 이어받아서 1001년 자이팔에 최후의 일격을 가하였으며 그와 동시에 인도도 공격하였다. 그의 행위에 관한 이슬람 측의 기록이 있다.

신의 적 자이팔, 그리고 그의 자식들, 손자들, 조카들, 부족장들과 친지들이 함께 포로로 잡혔으며, 그들은 끈에 단단히 묶여 술탄 앞으로 옮기어졌다. 이들은 얼굴에 불신앙의 연기가 분명하게 그을려 있고 불행의 증기로 덮인 채 끈에 묶여 지옥으로 보내지는 악한과 같았다. 어떤 자들의 팔은 등 뒤로 꺾여서 매여져 있었고, 어떤 자의 뺨은 꼬집힌 채로 있었으며, 어떤 자의 목은 구타를 당하고 있었다. 자이팔의 목에서 목걸이가 강탈되었다. 그 목걸이는 커다란 진주, 빛나는 보석, 금이 박힌 루비로 만들어져 있었고, 그 가치는 20만 디나르나 되었다. 포로로 잡히거나 살해되어 하이에나나 콘도르의 밥이 된 그의 친척들의 목에서는 모두 합하여 그보다 2배나 가치 있는 목걸이들이 탈취되었다. 알라는 또한 그의 친구들에게 계산할 수 없을 정도의 전리품을 하사하였는데, 거기에는 50만 명의 노예와 아름다운 남자들과 여자들이 포함되었다. 자신의 추종자들과 함께 캠프에 돌아온 술탄은 엄청난 약탈을 하였으며, 알라의 도움으로 승리를 거둔 뒤에는 "우주의 주" 알라에게 감사하였다. 전능자가 쿠라산(페르시아 산[産]) 양탄자를 생산하는

이란의 한 지역/역주)보다 훨씬 넓고 기름진, 힌드 지역에 대한 승리를 그에게 주었기 때문이다.[69]

자이팔은 석방되었지만 화장터의 장작더미에서 불에 타 죽었다. 캉그라의 도시가 함락되고 불란드샤르, 마투라, 카나우지, 그리고 솜나스에 있는 시바의 사원 도시가 무너졌다.

롤린슨 교수가 승리의 역사를 생생하게 요약하면서 말하듯이, 솜나스의 위대한 시바 사원에는 다음과 같은 건물이 세워져 있었다.

높이가 5완척인 거대한 석재 링감은 특별한 성스러움을 가진 것으로 간주되었으며, 수천 명의 순례자를 매혹시켰다. 매일 갠지스 강에서 떠온 물로 그것을 목욕시켰으며, 카슈미르에서 따온 꽃으로 화환을 걸었다. 그것을 유지하기 위해서 1만 마을에 세금을 부과하였으며, 천 명의 브라민이 매일매일 사원 의례를 행하였다. 고대 인도에서 일반적으로 그러하듯이 그 사원도 원래는 나무로 만들어졌다. 56개의 티크 재목 기둥으로 그것을 지탱하였는데, 납으로 도금된 그 기둥들에는 보석들이 박혀 있었다. 거대한 황금 종들이 그 성상 위에 매달려 있었고, 보석으로 된 샹들리에, 순금으로 된 상, 귀석으로 수놓아진 베일들이 보물 창고에 쌓여 있었다. 그 사원과 거기에 부속된 관리인 숙소는 철저하게 요새화된 성벽에 의해서 에워싸여 있었기 때문에 마치 하나의 정규 도시와 같았다.

1023년 12월, 마흐무드는 3만 명의 정예 기병을 이끌고 가즈니를 떠났다. 그는 곧바로 물탄에 도달하였으며, 그 도시를 정복하였다. 여기서 그는 사막을 건너는 데에 필요한 낙타들을 얻었으며, 비카니르와 아지미르는 쉽게 문을 열어주었다. 6주간의 힘든 행군 후에 안힐바드에 도착하자, 비마라는 이름을 지닌 라자는 그가 오고 있다는 소식을 듣고는 도망을 쳤다. 마흐무드는 아마도, 카티아와르의 남쪽 해안을 따라 달리는 길 옆에 있는, 솜나스의 반대편으로 진군하였을 것이다. 1월 30일 화요일, 그는 읍내를 에워싼 요새의 본곽을 치고 들어가 그 성스러운 도시의 벽에 도달하였다. 신의 힘을 확신하고 있던 성안의 거주자들은 전투지에서 온 침입자들에게 야유를 퍼부었다. 다음날 공격이 시작되었다. 힘든 투쟁 후에 무슬림들은 성벽에서 발판을 얻는 데 성공하기는 하였지만 너무 지쳤기 때문에 더 이상 나아갈 힘이 없었다. 힌두 인들은 그때 위험을 깨닫기 시작하였다. 밤새도록 그 사원은 가슴을 치며 울부짖는 군중들로 우글거렸으며, 그들은 신이 도와주기를 간구하였다. 그러나 거기에는 어떠한 목소리나 응답도 없었다. 새벽에 공격이 재개되었고 방어자들은 좁고 꼬불꼬불한 거리로 한 발씩 물러나기 시작해서 마침내 바로 그 사원의 벽에까지 이르게 되었다. 여기서 마지막으로 필사적인 저항을 시도하였지만, 무슬림들은 성곽 공격용 사닥다리를 성벽에 설치하고 "딘! 딘!"이라고 소리를 지르면서 공격하였다. 5만 명의 힌두 인들이 칼에 맞아 쓰러졌고, 나머지 사람들은 바다로 도망가다가 빠져 죽었다. 그때 탈취된 보물은 200만 디나르나 되었다. 한 이야기에 따르면, 항복한 브라민들은 링감의 값을 지불하고 그것을 되찾으려고 애걸하였지만 마흐무드는 그 요청을 들으려고 하지 않았다. 그는 우상을 보호하기 위하여 돈을 받은 사람으로 "심판대"에 나타나고 싶지 않다고 말하였다. 그 돌은 산산조각이 났으며, 그중의 일부 파편이 가즈니 모스크의 문지방에 묻혔고 진실한 신자들의 발에 밟혀버렸다. ......[70]

우리는 계속 나아갈 필요가 없다. 인도의 꿈을 봉인한 지평선에는 분명히 구멍이 뚫렸으며, 어떠한 것도 그 꿈이 하나의 실재의 질서 —— 인도인이 충분하게 주목하지 않았던 —— 앞에서 용해되는 것을 막을 수 없었다. 내면으로 향하는 성자의 의지에 따라서 경험을 하려는 요가의 힘과 주술적 효과를 일으키려는 베다의 지혜의 힘은 마야 영역의 단순한 선발대에 의해서 압도되었다.

성스러운 힌두 도시 베나레스는 1194년에 함락되었고, 주 전체가 불교도의 거주지였던 비하르는 1199년에 함락되었다. 거기에 있던 나란다 대학은 철저하게 파괴되었고, 약 6만 명의 승려가 칼끝에서 가볍게 쓰러짐으로써 인도에서는 불교의 마지막 불꽃이 꺼져버렸다. 그 이웃의 벵갈 지역에서는, 자야데바의 후원자이던 늙은 왕 락슈마나세나가 저녁 식사를 하는 도중, 알라의 병사들이 왕궁으로 걸어들어와 그를 사로잡았다. 이처럼 북부 지역 전체를 정복한 이슬람의 언월도는 남쪽으로 방향을 틀기 시작하여, 마침내 1565년 힌두의 마지막 남은 수도이자 찬란한 도시인 비자야나가르를 함락시켰다.

모슬렘 포병대가 힌두 기병대를 향하여 근거리에 가공할 효과를 지닌, 작은 구리 동전 자루를 발사하자 대열은 흩어졌다. 모슬렘의 코끼리 부대가 비명으로 가득 찬 수라장 속으로 돌진하자, 늙은 힌두 왕 라마라야("96세였지만 30세처럼 용감한")의 가마꾼들은 자신들의 임무를 방기하고 살아남기 위하여 도망을 쳤다. 지휘하는 모슬렘 왕자가 그 늙은이의 목을 잘랐으며, 그 목은 창 끝에 매달려 최전선까지 배달되었다. 그것을 본 힌두 인들은 공포에 사로잡혀서 뿔뿔이 흩어져 도망을 쳤다. 힌두 인들은 사방에서 추격을 당하여 ── 롤린슨이 쓰고 있듯이 ── "키스트나가 피로 물들 때까지" 도살되었고, "그 약탈은 너무나 잔인하였기 때문에 모슬렘의 모든 사병들은 보석, 무기, 말, 노예를 한껏 노획하게 되었다."

그 무시무시한 패배의 소식이 도시에 알려지자 수도를 방위하기 위하여 남아 있던 왕자들은 왕궁의 보물을 꺼내어 싣고 도망을 쳐버렸다. 우리의 저자는 이렇게 말한다. "그 보물을 나르는 데에는 500마리 이상의 코끼리가 필요하였다고 한다. 10일째 되는 날, 적이 도달하여 그 입구를 어려움 없이 부수었다. 그들은 무자비하게 살육하고 약탈하였으며, 3개월이나 계속하여 강탈하였다고 한다. 그 훌륭한 석재 조각은 쇠지레와 망치로 산산 조각 부수어졌으며, 사람의 힘으로 부수어지지 않을 경우에는 폭파시키기 위해서 불을 질렀다. ……"[71]

이렇게 하여, 당시 바다에서 바다로 뻗쳐 있던 비자야나가르의 전설적인 힌두 제국은 영원히 소멸하였다.

제3부 극동의 신화

제7장 중국 신화

1. 중국 문명의 고대성

국립 대만대학의 이제(李濟) 박사는 『중국 문명의 시작(*The Beginnings of Chinese Civilization*)』이라는 개론서의 서두에서 "5천 년의 역사를 지닌 나라에서 태어났다는 사실 때문에 나는 참다운 행복감에 젖어들곤 하였다"고 썼다.

나는 5천 년이라고 말한다. 그 숫자가 실제로 우리 시대 청년들의 마음속에 새겨져 있기 때문이다. 수메르나 이집트 문명은 아마 더 일찍 시작하였겠지만, 이미 오래전에 사멸하였다. 힌두 인 역시 오랜 전통을 가지고 있지만, 지식인들은 최근까지도 자신들의 전통을 문자 기록에서 찾는 것을 별로 가치 있다고 여기는 것 같지 않다. 이 모든 것을 고려해볼 때, 중국은 이 지구상에 아직까지 존재하는 가장 오래된 나라임에 틀림없다. 그리고 모든 나라 중에서 가장 오래되고 지속적인 문자 기록의 역사 —— 이것이 중요하다 —— 를 가지고 있다. 이것이 (1912년) 혁명 이전의 중국의 과거에 대한 나의 견해이다.

그러나 혁명 이후 상황은 변하기 시작하였다. 한때 중국의 개혁가들은 과거에 기록되고 과거에 관하여 기록한 모든 것, 심지어 역사 그 자체에 대해서도 회의적이었다. 20세기초 르네상스 운동(신문화 운동/역주)은 본질적으로 합리주의 운동이었고, 그 정신에서는 17세기 고전주의 운동과 다소 유사하였다. "증거를 제시하라"는 이들의 구호는 본질적으로 파괴적이었지만, 고대 중국 연구에 매우 강력한 비판 정신을 불러 일으켰다. 요순 황금 시대에 대하여 찬사를 보내고 싶다면 증거를 대야 하였고, 기원전 3000년경 우 임금의 치수 사업 기적에 관해서 말하고 싶으면 역시 증거를 제시하여야만 하였다. 또 이와 관련해서 주목하여야 할 점은 문자 기록만으로는 더 이상 타당한 증거가 될 수 없었다는 사실이다.

　이러한 증거-찾기 운동은 전통적인 학문에 심대한 타격을 입혔으며, 고전 연구의 방법을 혁명적으로 변화시켰다. 중국의 근대 고고학은 이러한 분위기에서 태어났다.[1]

　실제로 고고학적인 작업을 통해서 신화적인 것에 대립하는 사실적인 중국의 과거가 드러나기 시작하였다. 그러나 중국 학자가 아니라 서구 학자들이 이러한 작업을 하였다. 스웨덴의 황태자 구스타프 아돌프(그후 왕이 되어 1973년까지 재위함/역주)의 후원 하에, 중국인 학자만이 아니라 오스트리아, 캐나다, 프랑스, 스웨덴, 그리고 미국의 젊고 유능한 학자들이 공동 작업을 훌륭하게 수행하였으며, 록펠러 재단도 후한 연구비를 지원하였다.

　이제 박사는 이렇게 흔쾌히 인정한다. "중국의 선사 시대 연구가 스웨덴의 지질학자 안데르손에 의해서 시작되었다는 것은 잘 알려져 있습니다. 그는 주구점(周口店) 지역과 북경인(北京人)의 자취를 발견하였을 뿐만 아니라 중국 북부에 넓게 퍼져 있던 후기 신석기 시대 선사 문화의 존재를 발견한 최초의 과학자입니다."[2]

　이 작업은 1918년, 안데르손 박사가 북경에서 멀지 않은 주구점 주변 언덕에서 선사 시대 포유 동물의 화석을 수집하면서 시작되었다. 1921년에 그는 연장으로 보이는 것을 발견하였고, 1923년에는 그의 친구이자 동료인 오스트리아의 오토 즈단스키 박사가 반(半)인간의 이빨 2개를 발견하였다. 1926년에는 스웨덴 왕자가 방문하여 이 과제에 관심을 보였다. 1927년에 중국, 스웨덴, 그리고 미국의 과학 연구소들이 기금을 지원하였고, 1928년에는 당시 상당한 규모를 지닌 이 사업에 록펠러 재단이 전적인 지원을 시작하였는데, 이 지원은 1939년까지 계속되었다.[3]

안데르손 박사는 자신의 연구 결과를 요약하면서, 극동 지방 최초의 시기를 밝히기 위한 선사 시대의 기본 연표를 다음과 같이 제시하고 있다.

100만 년 전 : 원인(Hominids)의 매우 불확실한 자취들

50만 년 이전 : 세석기(주구점)

50만 년 전 : 북경인(시난트로푸스 페키넨시스[Sinanthropus Pekinensis], 주구점)

50만 년 이래 : 원인의 악골(顎骨)과 크고 세련된 박편(剝片) 석기(주구점)

5만 년 전 : 구석기인(오르도스 사막의 풍부한 발굴물)

2만 5천 년 전 : 비몽골 호모 사피엔스(주구점)

2만 5천-4천 년 전 : 해명이 안된 공백기

기원전 2000년경 : 앙소(仰韶) 문화, 아름다운 채색 도기, 신석기 중기, 원중국인(proto-Chinese).[4]

이미 『신의 가면 : 원시 신화』[5]에서 논의한 북경인(시난트로푸스 페키넨시스, 약 50만 년 전)은 자바인(피테칸트로푸스 에렉투스) 및 유럽의 하이델베르크인(호모 하이델베르겐시스)과 거의 동시대인이지만, 북경인의 조야한 타제 석기는 앞에서 언급한 인도 소안 문화의 무거운 "도끼"형에 속한다.* 이들은 식인 습관[6]이 있었고, 안데르손 박사를 다시 인용하자면, 두개골은 매우 납작하고 눈두덩은 매우 튼튼하였다.[7] 이러한 앞이마의 모습과 "유인원의 턱과 비슷한 경사진" 턱을 결합시켜 보면 다소 예기치 못한 모습이 될 것이다. 그럼에도 불구하고 이 촌스러운 사람은 ── 만약 증거물이 틀림없는 것이라면 ── 지상에서 불을 사용한 최초의 생명체였다.

오르도스 사막에서 발견된 물품들은 상당한 문화 수준을 반영하고 있었다. 안데르손 박사는 이렇게 말한다. "양식의 측면에서 보면, 대부분의

* 177-178쪽 참조.

426

도구들은 유럽에서 무스테리안(Mousterian) 기로 알려진 시기와 가장 밀접한 연관을 지니고 있다. …… 그러나 그 다음 시기인 아우리그나시안(Aurignacian) 시기와도 상당한 유사성을 보이고 있다. 완성도의 측면에서는 더욱 후대의 문화 — 프랑스 인들이 마들렌 기(Magdalenian, 구석기 마지막 시기/역주)로 부르는 문화 — 를 연상시키는 물품들마저 가끔씩 발견된다. 그러나 동아시아 지역의 구석기 시대에 관한 한정된 지식에 비추어볼 때, 이들 사이의 세세한 비교는 너무 성급한 시도일 것이다. 당분간은 오르도스에서 발견된 물품들이 서유럽의 무스테리안-아우리그나시안 문명, 다시 말해서 구석기 중기의 양식과 매우 유사하다는 정도로 만족하여야 할 것이다.[8]

극동 최초의 완전한 인류(호모 사피엔스) 화석이 지닌 비몽골적 특성을 관찰하는 것은 인류학적으로만이 아니라 신화학의 문제와 관련해서도 흥미로운 일이다. 이는 북미 인디언의 신화 및 예술과 최초 시기의 중국 신화 및 예술 사이에 나타나는 일부(나는 단지 일부를 말하는 것이다) 평행 현상들을 설명하는 데에 도움이 될 수도(단지 그럴 수도 있음을 말하는 것이다) 있기 때문이다. 이 점에 대해서는 미국 자연사 박물관의 월터 페어서비스 박사의 말을 인용하고 싶다.

증거에 의하면 …… 홍적세(빙하기 말기) 말엽에 중국 북부를 포함한 북아시아는 일본의 아이누와 신체의 형태가 상당히 유사한 고(古)코카서스 인들에 의해서 지배되고 있었다. 그러한 증거에 의하면 아주 후대까지도 동남아시아에는 몽골인종이 없었다. 이 시기의 서아시아에도 몽골인종이 없었기 때문에 우리는 북방 기원설을 취하여야만 한다. (몽골인종)의 신체적 특질*은 극단적인 추위의 산물이라고 한다. 제4빙하기 동안 시베리아와 중앙 아시아 동부는 그러한 환경에 처하여 있었음에 틀림없다. 그때는 빙산과 시베리아 빙관(氷冠) 사이에 얼음이 없던 고립 지역들이 있었다. 이 지역들에서는 날씨가 아주 추웠고(화씨 영하 80도 이하로 내려가는 경우가 많았다) 강풍이 휘몰아쳤다. 인간과 동물은 살아남기 위하여 처절한 투쟁을 하여야

* 1. 땅달막한 체격, 2. 작은 팔다리, 3. 평평한 얼굴, 4. 두꺼운 눈두덩으로 덮인 눈, 5. 얼굴과 몸에 드문드문 자라는 거친 직모.

만 하였다. 많은 사람들이 죽었고 극소수의 생존자들은 자신들의 문화를 환경에 적응시켰다. 이들은 추위로부터 몸을 보호하기 위해서 모피와 가죽으로 의복(재봉질한 최초의 옷?)을 지어 입었다. 이는 하나의 적응 방식이었지만 거기에는 더 흥미로운 점이 있다. 얼굴, 특히 코와 입과 눈은 반드시 노출시킬 수밖에 없는데, 이러한 민감한 부분을 보호하기 위해서 신체적인 변화가 필요하였다. 이처럼 고립되고 제한된 지역에 있던 원몽고인종(아직 밝혀지지 않은)에게 자연 선택의 법칙이 작용하기 위한 최적의 상황이 존재하였을 것이다. 그 결과 생존을 위한 해부학적 변화가 있었을 것이다. ……

마지막 빙하가 녹을 무렵, 빙하기의 거주지에서 해방된 전형적인 몽골인종은 지금으로부터 약 8천 년에서 1만 년 전부터 자신들의 고향을 벗어나 널리 퍼져나가기 시작한 것 같다. 이들은 다른 종족들과 섞였고, 그 과정에서 오늘날의 몽골인종이 나왔다. 기원전 2000년경 북중국, 적어도 서부중국의 거주자들은 본질적으로 몽골인종이었다.

남서시베리아에서는 미누신스크 쿠르간 문화(Minusinsk Kurgan culture, 아마도 기원전 500년 이후) 시기까지 몽골인종이 고고학적 연속 선상에서 등장하지 않는다. 이는 몽골 문화의 중심이 아마도 예니세이 강 동쪽이며, 몽골인종의 가장 큰 이동은 남북의 축을 따라 이루어졌음을 암시한다. 그리고 이러한 사실을 통하여 몽골인이 아주 일찍이 중국과 신세계로 퍼져나갔을 가능성이 있음을 알 수 있다.[9]

그러므로 중국 신화 체계의 특수한 형식들이 나타나기 시작하였을 때는 4개의 분리된 선사 시대 배경이 있었음을 유념해야 한다.

1. 열대 지방(아마도 동남아시아의 중심 : 자바인)에 근원을 두고 있는 기원전 50만 년경의 전기 구석기인 : 이들은 원숭이와 흡사한 식인종으로, 조야하게 깎은 무거운 돌도끼를 사용하였으며, 주구점에서는 불도 사용하였다.

2. 기원전 5만 년에서 2만 5천 년 사이의 중기 구석기 및 (아마도) 후기 구석기인 : 이들은 유럽의 잘 알려진 계열, 곧 무스테리안(네안데르탈인), 아우리그나시안, 마들렌(크로마뇽인)을 연상시키는 뛰어난 타제 석기를 지니고 있었다. 여기에서는 대수렵 지대(the Great Hunt)의 북방 문

화 의례와 신화와 관습이 지배하였음에 틀림없다. 이에 대해서는 『신의 가면 : 원시 신화』의 아메리카와 유라시아 ˙장에서 다루었다.

3. 단절되고 몹시 특화된 북극 원몽골인의 가상적 무리 : 이들은 기원 전 8천-6천 년경 예니세이 북동쪽의 고립되고 한랭한 지역에서 벗어나, 쐐기 모양으로 몽골과 중국을 거쳐 인도네시아까지 남하하는 한편, 남아메리카와 북아메리카로도 진출하였다. 극지방 부근에 있는 이 원몽골인 종 복합의 신화적 공식을 말해줄 징표들에 주목하여야 할 것이다.

4. 신석기 중기의 위대한 토기 문화들 : 안데르손 박사가 감숙(甘肅), 산서(山西), 하남(河南)에 산재한 유적지들에서 처음 발견한 이 문화들은 갑자기 출현하고 있다. 이는 다른 지역에서는 볼 수 없는 현상이다.

(안데르손 박사는 말한다.) 이 아득한 시기에 대해서 깊이 연구할수록 우리의 길을 가로막는 완강한 수수께끼에 점점 더 부딪치게 된다. 이중 가장 어려운 수수께끼는 "신석기 시대의 비연속성"이다. 간략히 말하자면 이렇다. 뢰스(loess, 빙하 주변 지역에서 바람에 의하여 날려온 토양 가운데 뻘 입자 크기를 포함한 작은 입자들이 70 내지 95퍼센트를 점할 때의 토양/역주) 시기(구석기 시대) 동안 북부 중국의 기후는 너무 건조해서, 몇몇 호수 지역을 제외하면 그 지역의 인구는 대체로 줄었을 것이다.

뢰스 시기 다음에는 수직적으로 강을 침식하는 단계가 이어졌다. 이 시기에는 대체로 뢰스 표면이 갈라지고 여러 지역에서 작은 협곡들이 침식되어서 단단한 바위로 되었다. 시기적으로는 중석기와 전기 신석기에 정확히 일치한다. 강우량이 풍부하였던 것으로 미루어볼 때, 지역적으로 온난한 기후였음을 알 수 있다. 그 지역은 확실히 사냥감이 풍부하였고 원시인에게 쾌적한 거주지를 제공하였음에 틀림없다. 그러나 내가 아는 한 …… 지금까지 어떠한 명백한 중석기나 전기 신석기 유적이 북부 중국에서 발견된 적은 없다.

그런데 신석기 말기, 즉 지금으로부터 4천 년 전(기원전 2000년)에 해당하는 시기가 되면 당시까지 외관상 비어있던 땅이 갑자기 바쁜 생활의 무대로 전환된다. 수백, 아니 수천 개의 마을이 계곡 바닥을 내려다보는 대지(臺地) 위에 위치하고 있었고, 그중 상당수는 놀라울 정도로 큰 규모였으며, 상당히 많은 인구가 거주하였음에 틀림없다. 그들이 사용한 도구와 앙소촌에서 발견된 질그릇 속의 쌀겨를 주목해볼 때, 거주민들은 사냥과 목축만이 아니라 농사도 지었음을 알 수 있다. 남자들은 숙련된 목수였고 여인네들은 베를 짜는 일과 바느질 솜씨에 능하였다. 다른 지역과 비교가 안 될 정도로 훌륭한 도자기가 발견된 것으로 봐서, 당시 하남과 감숙의 주민들이 전반적으로 높은 수준의 문명을 발전시켰음을 알 수 있다. 거기에는 급속한 인구 성장을 초래한 어떤 예기치 않은 자극이 분명히 있었을 것이다. 아마도 새로운 발명이나 외부로부터 새로운 사상을 도입하는 것과 같은 어떤 요인이 작용하였을 것이다.[10]

『신의 가면 : 원시 신화』에서는 이 시기의 연대를 다음과 같이 설정하였다.

1. 거친 초벌구이 토기 : 가설적으로 말하자면, 이 조야한 토기는 손으로 둘둘 말아서 만들었으며, 불에 굽기 전에 인각("밧줄이나 돗자리 무늬") 혹은 진흙 덩어리와 진흙 조각으로 무늬를 내었을 것이다. 시기적으로는 기원전 2500년경(아직까지 확정되지는 않았지만)의 전기 신석기 층에 해당한다. 이런 종류의 토기는 영국에서 아메리카에 이르는 중국 이외의 지역에서도 광범위하게 분포하고 있으며, 그 기원은 기원전 4500년경의 근동 중심부였을 것으로 추정된다.

2. 우아한 채색 토기(앙소), 기원전 2200-1900년경 : 이 토기는 남동 유럽의 다뉴브-드니에스터 지대(아리안의 중심지)의 토기 및 북부 이란의 채색 토기와 분명한 관련성을 보이고 있다. 이들이 공유하고 있는 특징적인 모티브들은 양날 도끼 무늬, 나선형과 만(卍) 자 무늬, 뇌문(雷紋)과 정다각형 무늬, 동심원과 체크 무늬, 물결 무늬, 모난 지그재그와 띠 무늬 등이다. 중국과 콜룸부스 이전의 멕시코에서는 1가지 흥미로운 물품이 나타나고 있다. 역(鬲)이라고 불리는 이 그릇은 속이 비어있는 3개의 가슴 모양을 하고 있으며 바닥은 삼발이 형태를 하고 있다.

3. 우아한 윤이 나는 흑색 토기(용산) : 하남보다 산동("중국의 성지")에서 더 전형적으로 나타나며, 기원전 1900-1523년경에 만들어졌다.

4. 우아한 백색 토기(상 왕조) : 청동, 말이 끄는 이륜 전차, 문자, 그리

고 사제 도시 국가와 관계가 있다. 상왕조는 중국 최초의 고전 왕조이며, 기원전 1523-1027년경에 존재한 것으로 간주되고 있다.

고등 문명의 신화를 광범위하게 교차시키면서 내가 사용해온 연대표에 따르면, 이 중국 시리즈는 최초가 아니라 가장 후기에 속한다. 근동 중심부의 연대기는 다음과 같았음이 기억날 것이다.

    I. 원-신석기 : 기원전 7500-5500년경
    II. 초기 신석기 : 기원전 5500-4500년경
    III. 중기 신석기 : 기원전 4500-3500년경
    IV. 사제 국가 : 기원전 3500-2500년경

    V. 중기 청동기 : 기원전 2500-1500년경
    VI. 영웅적 철기 시대 : 기원전 1500-500년경
    VII. 위대한 고전의 시기 : 기원전 500-기원후 500년경
    VIII. 위대한 신앙의 시기 : 500-1500년경

앞에서 보았듯이 인도는 V의 시기에 우리의 이야기와 합류하였으며, 중국은 VI의 시기에 등장한다. 그러나 VII의 시기를 기다려야만 현실적으로 이용 가능한 중국 문헌이 등장한다. 그 무렵이 되면 적어도 서양과의 원거리 교섭을 보여주는 수많은 증거들이 나타난다. 로마와 중국을 잇는 비단길은 기원전 100년경에 교역을 목적으로 하여 이용되었다. 알렉산더는 기원전 327년에 인더스에 도착하였으며, 페르시아는 그보다 2세기 전에 인더스에 들어와 있었다. 기원전 500년경에 철이 페르시아를 통하여 인도에 유입된 사실은 앞에서 살펴보았다. 이와 거의 같은 시기에 철이 중국에 들어왔다.

이러한 연구를 통하여 기억하여야 할 주요 연대는 다음과 같다.

상 왕조(중기 청동기 시대의 시작), 기원전 1523-1027년.
초기 주 왕조(봉건 사회 발전기), 기원전 1027-772년.

중기 주 왕조(봉건 사회 해체기), 기원전 772-480년.

공자, 기원전 551-478년.

후기 주 왕조(전국 시대), 기원전 480-221년.
진(분서 갱유 : 만리 장성), 기원전 221-206년.
한(유교 관료제의 확립), 기원전 206-기원후 220년.
육조 시대(분열기 : 불교의 확립), 220-589년.

보디다르마, 520년.*

수(제국의 재통일 : 대운하), 590-617년.
당(중국 문명의 전성기), 618-906년.
송(신유교 : 회화의 최전성기), 960-1279년.
원(몽골 왕조 : 징기스칸), 1280-1367년.
명(신유교의 부흥), 1368-1643년.
청(만주 왕조 : 해체기), 1644-1911년.

상 왕조와 초기 및 중기의 주 왕조는 시간적인 측면에서만이 아니라 그 성격에서도 아리안의 등장 이후 붓다의 시기에 이르는 기간의 인도와 대체적으로 상응한다. 기원전 8세기와 그후 몇 세기에 걸쳐 인도만이 아니라 중국에서도 광범위한 지역에서 제후 도시 국가가 출현하고 초기의 봉건적 삶의 질서가 몰락하기 시작하였다. 이는 서로 비교할 만하다. 공자의 시대에는 서로 경쟁하는 770개 정도의 제후 국가가 존재하고 있었다고 한다. 그러나 세상이 분열되기 시작하였을 때, 중국 사상은 전쟁을 포기하고 숲으로 은둔하는 대신 그 사회 질서를 회복하는 문제에 몰두하였다. 그러므로 은둔의 방식이라는 고고한 역사(high history) 대신에 중

---

* 아마도 전설적인 인물이고, 연대도 전설적임에 틀림없다.

국 철학은 존재하는 세계를 두고 서로 경쟁하는 정향들의 체계로 특징지 어진다. 이제 그러한 것이 어떠한 결과를 가져왔는지 살펴볼 차례이다.

2. 신화적 과거

에드거 알렌 포우는 「갈고랑쇠(The Imp of the Perverse)」라는 짧은 글을 쓴 적이 있다. 나는 그가 거기서 묘사하고 있는 비상한 재능과 충동이 경건한 신앙을 주조한 자들의 마음속에 분명히 존재한다고 믿는다. 그들은 자신들이 무엇을 하는지 모를 리가 없기 때문이다. 그들이 자기 자신을 사기꾼으로 생각할 리도 만무하다. 인류의 도덕적 향상을 위하여 그들은 자신들의 묵시적인 환상으로 약간의 기분 전환용 맥주를 양조한다. 그렇지만 그들은 그러한 행위에 좀처럼 만족하지 못한다. 의도적으로 점잖은 체하면서 그들은 자신들의 도취제를 진리의 샘물에서 나온 신의 음료 — 자신들의 영혼 속에서 마셔본 적이 있던 — 라고 고집스럽게 선전한다. 우리의 저자 포우가 말하였던 것은 바로 이러한 것이다. 그는 그런 시도에 대해서 이렇게 말하였다. "모든 형이상학주의는 선험적으로 날조되어왔다. 이해심이 많거나 순종적인 사람보다는 지식인이나 논리적인 사람이 이러한 기획, 즉 신에게 어떤 목적을 강요하는 데에 힘을 썼다. 그들은 자기 만족적으로 야훼의 의도를 헤아리고 그렇게 파악한 내용으로 무수한 사상 체계를 만들어냈다."[11] 성인들은 그와 동일한 전도 (顚倒)의 성향을 가지고 그러한 고안물을 가르쳐왔으며, 보통 사람이나 식자층도 모두 양조주 — 그들의 삶과 꿈과 생활을 규정해주는 — 의 본질을 드러내줄 수 있는 그 어떠한 사실이 폭로되는 것을 꺼려왔다. 성서에 대한 우리의 태도도 그러하였다. 극동의 요순 황금 시대, 우왕의 치수 사업, 그리고 무엇보다도 중국의 5천 년 역사에 대해서도 마찬가지의 이야기를 할 수 있다.

공자(기원전 551-478년) 이전의 저작들이 얼마나 적은지 알면 놀랄 것이다. 더욱더 놀라운 것은 공자 시대 이후, 문헌의 각색이 너무 심하였다는 사실이다. 그래서 유럽이나 일본, 중국의 가장 뛰어난 학자들도 지금까지 공자 자신의 저술조차 확신을 가지고 제대로 재구성하지 못하고 있다. 공자 이전에 사라진 신화적, 철학적, 혹은 그 어떠한 형태의 지혜는 말할 것도 없다. 따라서 중국의 황금 시대의 모든 신화들(혹은 현재 남아 있는 도덕적 일화들)은 "좋은 땅(good earth)"이나 "태고의 숲"의 산물이라기 보다는 유가의 연필로 그려진 숲의 산물로 보아야만 한다. 만약 보석이나 옥이 앙소, 용산, 상 왕조, 심지어 주 왕조(즉 진시황에 의한 분서 갱유 사건 이전의 것)의 신화들에서 발견된다면, 그것들은 그 원시적인 배경에서 끌어내어져 후대의 매우 세련된 맥락 속에서 정교하게 재구성된 것이라고 생각해야 한다. 마치 고대 이집트의 갑충석이 멋쟁이 여인의 반지로 둔갑한 것처럼 말이다.

스웨덴의 중국학자 베른하르트 칼그렌 박사는 방대한 학문적 작업을 통하여 중국인, 적어도 어떤 중국인들의 신화적 전승을 재건하려고 시도하였다. 이 전승은 한나라의 훈고학자들이 자신들의 학문적 낙인을 그것에 찍기 전의 것이다. 그는 자신의 글에 나타난 자료들이 대체로 주나라 왕실에 속하는 제후 가문의 조상 전설에 기원을 둔 것이라고 생각한다. 나는 그의 견해를 따르려고 한다.

첫번째로 지적하여야 할 점은, 주나라의 이러한 초기 신화들이건 후대의 유교 경전이건 그 어디에도 창조 이야기가 없다는 것이다. 후한 시대에 약간 나타나는 창조 이야기들은 경전에 속한 것이 아니고 대체로 후기 도교 사상과 연관되어 있다. 그 창조 신화들은 중국에 대하여 많은 것을 알려주기 보다는 오히려 4개의 강대한 제국 — 로마, 아르사시드 페르시아, 쿠샨 왕조 하의 인도, 그리고 한나라 — 이 서로 인접하고 있을 당시에 그러한 주제들이 널리 확산되고 있었음을 말해준다. 그 신화들은 거대한 해상로와 대상(隊商)로에서 나타나는 범세계적 신화군(群)에 속한다. 더구나 초기 중국의 자료에서는 인도 신화에서 나타나는 우주적 해체와 같은 웅대한 이미지도 발견되지 않는다. 중국 문헌에서는 이 세상이 인도인의 우주적 신기루보다도 훨씬 더 실재적인 것으로 존재

한다. 그리고 삶의 의지의 뿌리를 찾으려는 중국인의 근본적인 욕구 속
에는 "위대한 반전"의 어떠한 흔적도 없다. 중국인들은 수많은 난관을
무릅쓰고 자기 자신들에 대하여, 그리고 다산, 번영, 장수의 단순재(單純
財)에 대하여 놀라울 정도의 낙천적인 확신을 가지고 살아왔다.

　인도에서 탐닉해온 풍부한 음식물과는 대조적으로, 중국인의 부엌은
처음에는 다소 빈약하게 보이지 않을까 하는 우려가 든다. 그러나 식사
코스가 계속되고나서 오래지 않아 화려한 연회가 마련되는 것을 독자들
은 보게 될 것이다. 중국인들은 식습관뿐만 아니라 사고 방식에서도 기
이할 정도로 종잡을 수 없는 태도를 지니고 있다. 나는 그들의 신화를
드러내려고 온갖 노력을 다하였지만, 그 과정에서도 그들의 종잡을 수
없는 방식은 계속 튀어나왔다. 이제 우리는 그 이상한 길의 첫번째 단계
인 중국의 신화적 과거에 서 있다. 이 신화적 과거는 철저하게 난파된
초기 및 중기 주나라 신화의 표류하는 잡동사니 속에 드러나 있으며, 공
자 이후의 문헌들 속에 널리 산재하고 있는 단편들을 통해서만 전하여져
왔다. 독자들은 어떠한 우주 기원론이나 세상의 시작도 여기에는 없음을
알게 될 것이다. 세상은 이미 발밑에 확고하게 존재하고 있으며, 시작하
여야 할 것은 중국을 건설하는 것이다.

최초 인간의 시기

　1. 새 둥지의 주인 : 당시 사람들은 땅 위에서 자신들을 위협하는 위험
을 피하기 위하여 나무에 있는 새 둥지에서 살았다.

　2. 불을 다루는 자 : 날 음식을 먹은 사람들의 위가 상하였다. 어떤 성
인들이 불을 발명하여 요리하는 방법을 가르쳐주었다.

　3. 공공(共工)의 대홍수 : "'불을 다루는 자'의 시대 다음에 '공공'이 왕
이 되자, 땅의 7할은 물로 채워졌고 3할은 마른땅이었다. 그는 자연 환경
을 이용하였고 제한된 공간에서 제국을 지배하였다."[12]

　여기에 이미 제국이 나타나고 있음을 주목해야 한다. 대홍수도 보이고
있다. 그리고 공공이 "자연 환경을 이용하였다"는 마지막 문장에 중국인

의 근본 주제가 선언되어 있다. 덕(德)은 이러한 자연 환경을 살피는 데에 존재하며, 능력은 그것을 이용하는 곳에 존재한다.

후대의 역사서인 『서경(書經)』은 중국 고전 사상의 기본 서적 가운데 하나인데, 거기에서는 이러한 최초 인간의 시대가 완전히 무시되어 있다. 좋은 일은 모두 요순 황금기(438-439쪽 참조)와 더불어 시작한다. 공공은 고의적으로 그 시대로 옮겨진 다음, 무능력하다는 이유 때문에 추방된 인물로 변형되어 등장한다.

최고덕의 시대

이 시기에는 이름 그 자체가 고대 신화에서 커다란 중요성을 가지고 있었음에 틀림없다. 현존하는 문헌에는 남아 있는 이름들이 거의 없지만, 몇몇 왕의 이름은 보이고 있다. 그중 용성(容成)은 달력의 창시자로 나타나며, 축융(祝融)은 불의 신으로 등장하고 있다. 칼그렌 박사에 의하면, 이 희미한 시기의 왕들의 이름은 "우리에게 말해주는 것이 거의 없지만, 주나라 시대에 태고적 영웅에 관한 많은 신화가 분명히 존재하였음"[13]을 보여주는 중요한 배경이 된다.

요, 순, 우왕으로 절정에 달하는 위대한 10인의 시기

초기 주나라 신화에서는 대홍수로 막이 내리는 이 중요한 시기에 10명의 황제 이름이 등장하고 있다. 여기에 등장하고 있는 이름들은 고대 수메르 왕의 명단이 지역적 변형을 거쳐 나타난 것일지도 모른다.* 나는 여기서 10명의 신화적 군주의 이름과 그들의 전설로부터 나온 몇 가지 이야기를 보여주려고 한다. 이 이야기들은 나의 메소포타미아 기원설을 지지하는 듯이 보일 것이다. 여기서 나는 이러한 이야기들이 중국에서 독특하게 변형된 모습도 함께 보여줄 것이다. 그것은 다음과 같다.

---

* 140쪽 참조.

1. 복희(伏羲), 2. 신농(神農). 주나라 전설에서는 이 두 황제가 별로 중요하지 않은 역할을 담당하였지만, 후대의 "변화의 책"(『역경』)에서 이 둘은 매우 중요한 인물로 등장하였다. 복희는 사냥과 낚시에 그물을 사용하는 방법을 가르쳤을 뿐만 아니라 역의 기초가 되는 상징물을 발명하였다고 하며(467-468쪽 참조), "17세대 동안 세상을 다스렸다"는 신농은 쟁기를 발명하고 시장을 세웠다고 한다.*[14]

3. 염제(炎帝). 신농의 장기 통치 뒤에 염제가 짧은 기간 동안 지배하였는데, 자신의 유명한 동생 "황제"에 의해서 정복당하였다.

4. 황제(黃帝). 이 중요한 신화적 인물은 25명의 아들을 가졌다고 하며, 주나라의 12개 봉건 가문은 자신들이 그들의 후손이라고 주장하였다. 칼그렌에 의하면, "황제에 대한 제사는 왕실에 한정된 것이 아니라 봉건 제후들 사이에서도 널리 퍼져 있었음에 틀림없다."[15] 황제는 불을 다루는 법(이미 "불을 다루는 자"에 의해서 발명된)을 발명하여 언덕의 숲을 태웠고 자잘한 숲을 개간하였으며, 습지를 태우고 야생 짐승을 몰아냈다. 이렇게 해서 목축이 가능하게 되었다. 그의 덕에 감화를 받은 네 변방의 오랑캐는 복종하게 되었다. 그들 중 어떤 자는 가슴에 구멍이 있었고, 긴 팔을 가진 자도 있었으며, 눈이 푹 패인 자도 있었다. 황제는 현자와 상의하였으며, 영대(靈臺)에서 깊은 생각에 잠기곤 하였다. 그는 조율관(調律管)을 만들게 하고, "5음을 조화시키기 위해서" 12개의 종으로 된 연주대(console)를 설치하도록 하였다. 그는 성산인 태산에 정령들을 집합시키려고 6마리의 용이 끄는 상아색 마차를 몰면서 간 적이 있다. 그때 풍신(風神)은 미리 달려가 청소를 하였고, 우신(雨神)은 길에 물을 촉촉이 뿌렸으며, 호랑이와 늑대는 앞에서 전속력으로 달렸고, 정령들은 뒤에서 힘을 불어넣었으며, 뱀들은 땅바닥을 기어 전속력으로 질주하였고, 불사조들은 위에서 날아 다녔다.[16]

---

* 19세기의 서구 학자들은 대부분 중국 학계와 마찬가지로 이 전설적 왕들이 실제 군주였다고 믿었다. 복희의 연대는 기원전 2953-2838년, 신농의 연대는 기원전 2838-2698년으로 간주되었다(E. T. 베르너의 *A Dictionary of Chinese Mythology*〔Shanghai : Kelly and Walsh, 1932〕 참조).

여기서 주목할 만한 것은 내가 **신화적 민족학**(*mythic ethnology*)이라고 부르는 사고 유형이다. 이는 중국 철학에만 해당하는 것이 아니라 모든 고대적 사상 체계에 전형적으로 나타나고 있다.* 중국의 경계 너머에는 인간이라고는 할 수 없는 오랑캐들이 있고, 중국은 이들을 통제하여야 할 우주적 사명을 지니고 있다는 사고이다. 1795년 청나라 황제가 영국의 조지 3세에게 보낸 아래의 충고 메시지에 그러한 태도가 잘 나타나 있다.

광대한 세계를 지배하면서 짐은 단 하나의 목적을 염두에 두고 있소. 이는 나라를 온전히 통치하고 국가의 의무를 완수하는 것이오. 이상하고 값비싼 물건들에는 관심이 없소. …… 짐은 당신 나라의 제품에 대해서 아무런 필요성을 느끼지 못하오 …… 그대는 짐의 기분을 존중하고 또 미래에 더 큰 충성을 보여주어야 할 의무가 있소이다. 우리의 왕권에 영구히 복종함으로써 귀국은 장차 평화와 안정을 보장받을 것이오 …… 우리의 천상 제국은 모든 것을 풍부하게 가지고 있고 우리 영토 안에는 어떠한 물건도 부족하지 않소. 그래서 우리 물건과 교환하기 위하여 오랑캐의 물품을 수입할 필요가 없소. …… 짐은 바다 황무지에 의해서 세계로부터 단절되어 있는 그대 섬나라의 외로운 고립감을 잊지 않고 있소. 그리고 짐은 우리 천상 제국의 관례를 알지 못하는 그대의 변명 가능한 무지도 모르는 바가 아니오. 삼가 복종하고 어떠한 무지도 보이지 마시오.[17]

…… 허허!

5. 소호(少昊). 오늘날 우리가 살펴볼 수 있는 경전에서는 그가 단지 7년 동안(국왕 살해 의례의 모티브?) 통치하였다는 사실 이외에는 그 어떠한 사항도 찾아볼 수 없다. 그러나 위대한 10명의 계보가 이제 요순의 고전 황금 시기로 다가감에 따라, 문헌은 좀더 풍부해지고 뼈에 살이 붙기 시작한다.

6. 전욱(顓頊) : 고양(高陽)으로도 알려짐. 고양에게는 8명의 재능 있는

---

* 263~264쪽 B에 있는 인도적 견해와 비교해보라.

아들이 있었으며, 그중 곤(鯀, "거대한 물고기")은 우왕의 아버지였다. 곤은 치수(治水) 사업을 성공적으로 해결하지 못한 자였다(항목 8번을 볼 것).[18]

7. 곡(嚳). 이 왕에게는 강원(姜原)과 간적(簡狄)이라는 두 아내가 있었는데, 둘 다 이적(異蹟)에 의해서 임신을 하였다. 첫 아내는 신(神)의 발자국 중 엄지발가락을 밟았을 때 임신을 하였다. 그녀는 "파열이나 찢김 없이" 후직(后稷)을 낳았는데, 그는 순 임금 때 농업을 관장하는 장관이 되었다. "그를 좁은 길가에 놓아두자, 소와 양들이 자신들의 다리 사이에 놓고 길렀다.[19] 그를 찬 얼음 위에 놓자, 새들이 덮어주고 보호해 주었다(처녀 출생, 유아 방기, 동물 양부모 : 농경신의 영웅화〔euhemerization〕. 그리스도의 출생 및 구유와 비교하라). 두번째 임신은 두 젊은 부인이 쾌락의 9층탑에서 포도주와 달콤한 고기와 음악을 즐기고 있을 때에 일어났다. 신은 그들에게 노래하는 제비를 보냈고 둘은 새를 잡으려고 서로 다투었다. 그들은 소쿠리로 새를 씌웠으며, 잠시 후 그것을 들어올렸다. 그러자 새는 날아가 버렸다. 그렇지만 그 안에 알 2개가 남아 있었다. 그들은 서로 한 알씩 삼켰다. 이렇게 해서 간적은 임신을 하였다. 그가 낳은 아이는 몇 세기 후 등장한 상 왕조의 창시자의 아버지가 되었다.[20] (여기서 숫자 9를 주목할 필요가 있다. 9는 단테의 저작에 나오는 베아트리체의 신비스러운 숫자이며,[21] 신을 찬양하는 천사 합창단의 숫자이며, 성령에 의한 마리아의 그리스도 수태를 축하하는 안젤루스 종소리의 숫자이다. 또 레다와 백조의 이야기〔제우스는 백조로 변신하여 레다와 사랑을 나누었다/역주〕와도 비교하라.)

8. 요(堯). 중국 황금시대의 가장 유명한 군주인 신성한 제요(帝堯)는 모든 시대에 걸친 성인의 모범이다. 『서경』은 그의 덕과 통치를 찬미하면서 시작한다.

"요 임금을 상고하면 이름은 방훈(放勳)이라 하셨다. 공손하옵시고 밝으시며 의젓하고 우아하시고 사려가 깊으셨다. 대하는 사람마다 그의 온화한 인품에 포근한 정을 느끼었다. 참으로 공손하시고 겸양하신 그의 덕은 빛과 같이 온 누리에 가득하시어 하늘과 땅도 모두 그 덕에 감동할

지경이었다. 이같이 지고 지대한 덕을 펴시어 부모 형제 및 친족을 화목하게 하셨다. 부모 형제 및 친족이 화목하게 지내니, 백성이 평온한 나날을 누릴 수 있게 되었다. 백성이 밝은 나날을 보낼 수 있게 되니, 천하의 모든 나라가 서로 협조하고 평화를 누리게 되었다. 그리하여 미개인인 여민(黎民)까지도 놀랍게 변하여 평화스러운 날을 보내게 되었다."[22]

(曰若稽古帝堯 曰 放勳 欽明文思 安安 允恭克讓 光被四表 格于上下 克明峻德 以親九族 九族旣睦 平章百姓 百姓昭明 協和萬邦 黎民 於變 時雍)

그러나 요의 위대한 덕과 성인의 품성이 미친 우주적 영향에도 불구하고, 그의 시대에 모든 것이 완벽하였던 것은 아니다. 대홍수의 범람이 일어났을 때, 아무도 그것을 막을 수는 없는 것처럼 보였다. 약속을 많이 하였던 공공(共工)도 대책을 마련하지는 못하였다.

요 임금께서 말씀하셨다. "그 누구를 이때에 등용할만하오?"

방제(放齊)는 말하였다. "맏아드님 단주(丹朱)가 총명하다고 하겠습니다."

요 임금께서 말씀하셨다. "아! 자기가 한 말에 책임을 질 줄 모르고 입씨름만 좋아하는데 그 일에 적합하겠소?"

요 임금께서 다시 말씀하셨다. "그 누가 나를 위하여 이 위기 상황에 적합한 인물을 찾아줄 것인가?"

환두(驩兜)가 말하였다. "네, 공공(共工)이 인심도 얻고 많은 공을 세웠습니다."

요 임금께서 말씀하셨다. "아! 그의 말은 아름답지만 실제 행동과는 다르다오. 겉으로는 공손하나 속마음은 매우 거만하오."

요 임금은 총리를 향하여 말씀하셨다. "아! 사악(四岳)이여! 넘실거리는 홍수는 넓은 땅을 뒤덮고 물결은 산을 잠기게 하고 구릉 위로 오르고 있으며, 그 거친 기세는 하늘로 치닫고 있소. 아래로 백성들은 이를 한탄하고 있는데 누가 능히 이 홍수를 다스릴 수 있겠소?"

모두 이구 동성으로 말하였다. "곤이 있지 않습니까?"

(帝曰 疇咨若時 登庸 放齊曰 胤子朱啓明 帝曰 吁 嚚訟 可乎 帝曰 疇

吝若予采 驩兜曰 都 共工 方鳩屛功 帝曰 吁 靜言庸違 象恭滔天 帝曰 咨
四岳 湯湯洪水方割 蕩蕩懷山襄陵 浩浩滔天 下民其咨 有能俾乂 僉曰 於
鯀哉)

앞에서 본 것처럼, 곤은 후에 우왕이 된 청년의 아버지이고, 그 이전의
왕 (6) 전욱의 재능 있는 8명의 아들 중에 하나였다.

요 임금께서 말씀하셨다. "아, 안되오. 그는 명을 거역하여 백성을 해치게
되오."

사악이 말하였다. "한번 시험해서 쓸만하면 등용하십시오."

마침내 곤은 등용되었다. 요 임금께서 말씀하셨다. "가서 정성껏 일을 해
보시오." 곤은 9년간 열심히 일을 하였지만 성공하지 못하였다.

요 임금께서 사악에게 말씀하셨다. "아, 사악이여, 짐이 재위하는 70년간
그대가 명을 받들어 일을 잘 하였으므로 짐은 제위를 그대에게 양보하고자
하노라."

사악이 말하였다. "저는 덕이 없어서 제위를 욕되게 할 것입니다."

요 임금께서 말씀하셨다. "그러면 숨은 자와 미천한 자를 가리지 말고,
덕성이 밝고 어진 이를 천거해보시오."

거기에 있던 모든 신하가 요 임금께 말씀을 드렸다. "백성들 가운데 홀아
비가 한 사람 있습니다. 이름은 우순입니다."

요 임금께서 말씀하셨다. "옳도다! 나도 들었소. 그는 어떤 사람이오?"

사악이 말씀을 드렸다. "장님의 아들인데, 아비는 어리석고 어미는 간악
하며 동생 상(象)은 오만합니다. 그러나 효성으로 가정을 화목하게 하고 지
극한 정성으로 집안을 다스리어 간악한 집안 사람이 모두 크게 감동하였다
고 합니다."

요 임금께서 말씀하셨다. "내가 그를 시험해보겠노라. 그에게 딸을 시집
보내어 그의 행동을 관찰해보겠도다."

마침내 두 딸을 규수(潙水)의 물가로 보내어 우씨의 며느리로 삼았다.
그리고 딸들에게 이렇게 말씀하셨다. "남편을 잘 받들어라."[23]

(帝曰 吁 弗哉 方命圮族 岳曰 异哉 試可 乃已 帝曰 往欽哉 九載績用
弗成 帝曰 咨四岳 朕在位七十載 汝能庸命 巽朕位 岳曰 否德 忝帝位 曰

明明揚側陋 師錫帝曰 有鰥在下 曰 虞舜 帝曰 俞 予聞 如何 岳曰 瞽子
父頑 母嚚 象傲 克諧以孝 烝烝乂 不格姦 帝曰 我其試哉 女于時 觀厥刑
于二女 釐降二女于嬀汭 嬪于虞 帝曰 欽哉)

　　이렇게 하여 새로운 제(帝), 즉 새로운 신-왕을 선택하고 그를 등극시
키는 순간에 이르렀다. 여기서 중요한 점은 제의 계승과 가치가 혈통이
아니라 도의에 입각하였다는 점인데, 이는 지극히 유교적이다. 더구나 이
러한 점은 천자의 아들과 젊은 순의 부모에게 악한 성격이 부여됨으로써
더욱 강조되었으며, 순이 우주적 축의 자격을 얻는 데에 요구되었던 유
일한 표시는 효심이었다. 내가 알기로는, 인도에는 이것과 비견될 수 있
는 것이 없다. 거기서는 출생을 강조하기 때문이다.

　　이렇듯 자신의 왕위를 신분과 관계 없이 백성 중에서 가장 훌륭한 사
람에게 양위하는 아주 독특한 중국적 모티브는 초기 모가장제의 잔재일
수도 있고, 프레이저가 『황금가지』에서 다룬 늙은 왕의 살해 모티브와
같은 폭력적인 것일 수도 있다. 우리가 본 것처럼 요는 — 다소 무모하
게 — 자신의 두 딸을 순에게 주었기 때문이다. 어떤 고서에는 그러한
살해적 음조를 띠는 글이 보이기도 한다. "순이 요를 밀어내고 우가 순
을 밀어냈다."[24] 그러나 후대의 고전에서는 고대적 모티브가 — 만약 이
런 것이 있었다면 — 도덕적 주장으로 변용되었다. 고전 속에는 선왕, 성
왕, 그리고 성인의 품성에 관한 중국적 이상의 핵심이 놓여 있다.

　　요는 여러 가지 방법으로 순을 시험하였다. 예를 들면, 그를 거친 산기
슭에 있는 숲속으로 보낸 적이 있는데, 거센 바람과 천둥과 비 속에서도
순은 길을 잃지 않았다.[25] 여기서 다시 한번 원시적인 주제가 나타난다.
북아메리카 신화에서 공통적으로 나타나는 시험하는 자, 곧 도깨비 장인
의 주제가 한 예이다. 그렇지만 이 중국의 도덕은 다시 한번 유교적이다.
숲속의 폭풍과 천둥과 비 속에서 받은 순의 고난은 자이나교의 구세주
파르슈바나타의 고난과 비교해볼 수 있다.* 그러면 인도의 절대적 초탈
의 논리와, 건설적 참여의 능력을 강조하는 유교적 논리 사이의 대조점

* 253-254쪽 참조.

이 아주 생생하게 드러난다.

"역산(歷山)의 농부는 지경을 침범하고 있었는데, 순이 가서 밭을 가니 1년 만에 밭이랑과 밭 사이의 도랑이 반듯해졌다. 뇌택(雷澤)에서 고기를 잡던 어부들은 자리를 잡기 위하여 다투고 있었는데, 순이 가서 고기잡이를 하자 1년 만에 늙은 분에게 자리를 사양하게 되었다. 옹기장이들은 그릇을 조잡하게 만들었는데, 순이 가서 옹기를 만들자 1년 만에 그릇이 튼튼해졌다."[26]

제요는 그후 3년을 더 재위하였고 순을 불러 왕위를 넘겨주려고 하였다. 물론 이 훌륭한 젊은이는 왕위를 거절하였다. 『서경』에는 "그럼에도 불구하고 정월 초하룻날 순은 종묘에서 양위를 받았다"(正月上日 受終于文祖)[27]라고 쓰여 있다(한해가 시작될 때 거행되는 파라오의 세드 축제와 비교해보라!). 순의 통치가 28년째 되던 해에 101세였던 요는 변방의 여덟 오랑캐 부족을 교화하기 위해서 북쪽을 여행하던 도중에 죽었다. 그는 북쪽에 있는 성산의 북편에 무덤도 없이 간소하게 묻히었다.[28]

9. 순. 28년 동안 섭정으로 있었던 순은, 그 동안 이미 모든 중요한 제사를 드렸고, 5년마다 사방으로 시찰 여행을 하면서 산에 제물을 바쳤으며, 사문(四門)에서 4년마다 사방의 제후들의 내방을 받고는 그들의 활동을 조사하여 임명장을 수여하였고, 도량형을 바로잡았으며, 영토를 12개 지방으로 나누었고, 형법을 제정하였으며, 벌을 받아야 하는 자들을 처벌하였다.[29] 그는 또 아낌없이 상을 주었다. 일례로 용을 기르는 사람인 동보(董父)가 용이 좋아하는 음식을 이용하여 용들을 곳간으로 유인하는 전문가임이 증명되자, 순은 너무 고마워하면서 그에게 성씨를 하사하고 봉토를 주었으며 대가문의 조상으로 삼았다.[30]

그러나 여전히 중요한 사안은 홍수였다. 곤의 치수 사업은 완전히 실패하였다. 『서경』에 따르면, 그가 일을 하면서 자연을 거역하는 실수를 저질렀기 때문이다. "그는 범람하는 물에 댐을 쌓아서 오행(五行)의 배열을 망가뜨렸다. 이에 화가 난 천제는 그에게 홍범 구주(洪範九疇)를 주지 않았다. 그리하여 천도(天道)의 불변하는 원리들이 파괴되고 말았다. 곤은 죽을 때까지 죄인이 되었고,[31] 그의 아들 우가 일어나 부친의 임무를 떠맡았다."

10. 우. 우리의 문헌은 이렇게 계속되고 있다. "하늘은 우 대왕께 홍범 구주를 주었다. 그 안에서는 천도의 불변하는 원리들이 적절한 순서로 배열되어 있다."[32] 이러한 방법은 우의 아버지가 하였던 방법과는 정반대이다. 『맹자』에서 알수 있듯이 "우왕이 구하(九河)를 소통하고 제수(濟水)와 탑수(漯水)를 소통하여 바다로 주입하시며, 여수(汝水)와 한수(漢水)를 트고 회수(淮水)와 사수(泗水)를 배수하여 양자강으로 주입하시니, 그런 뒤에 중국이 곡식을 먹을 수가 있었다."(禹疏九河 瀹濟漯而注諸海 決汝漢 排淮泗而注之江 然後 中國 可得而食也)[33]

우의 목은 길고 입은 갈가마귀 주둥이 같았으며 얼굴도 매우 못생겼다. 그러나 세상은 그를 성인으로 생각하며 따랐는데, 이는 배움에 대한 그의 열정 때문이다.[34] 황제의 시녀가 맛이 아주 뛰어난 포도주를 만들어 우에게 가져왔다. 술을 맛본 황제는 그 술이 좋다는 것을 알고 그녀를 쫓아냈다. 그는 "나중에 술 때문에 자신의 나라를 잃는 사람들이 많이 있을 것이다"라고 말하였다. 그후 그는 철저하게 금주를 하였다. 평생을 일하는 데에 바친 그는 자연 환경과 조화를 이루면서 일을 하였다. 벌거벗은 사람들이 사는 땅에 갔을 때에는 그 토착민의 관습에 따라 자신도 옷을 벗었다. 그리고 땅 끝까지 가서도 일을 하며 살았다. 그가 도달한 동쪽 끝의 지역에는 어떤 나무가 있었는데, 거기서는 10개의 태양이 목욕을 하고, 앉고, 다시 떠올랐다. 최남단에는 옻나무, 붉은 곡식, 온천수, 9가지 찬란함을 지니고 있는 산, 날개 달린 사람들, 벌거벗은 사람들, 그리고 불멸의 땅이 있었으며, 서쪽 끝에는 이슬을 마시고 공기를 먹고 사는 사람들, 마법사의 산, 금으로 뒤덮인 산, 그리고 얼굴이 3개이고 팔이 1개인 사람들이 사는 땅이 있었다. 최북단에는 온갖 오랑캐, 엄청나게 비축된 물, 북부의 성산, 돌무더기 산이 있는 나라[35]가 있었다. 이런 지역들에서 일이 끝나자 우는 순 앞으로 돌아 왔다. 『서경』에는 이렇게 쓰여 있다.

순 임금께서 말씀하셨다. "우여, 그대도 훌륭한 말을 해보아라."

우는 절을 올리고 말하였다. "아, 제왕이시여! 제가 무엇을 말하겠습니까? 저는 매일 부지런히 일하는 것만 생각할 따름입니다."

고요가 말하였다. "오, 무슨 일입니까?"

우가 말하였다. "홍수가 하늘이 낮다는 듯이 출렁거리고 커다란 물줄기는 산을 잠기게 하고 언덕을 뒤덮었습니다. 이와 같은 상태에서 백성들은 어찌할 바를 몰라 하다가 물에 빠지고 큰물에 휩쓸려 떠내려갔습니다. 저는 4가지 탈것을 바꾸어가면서 사방을 살폈으며, 산에 이르게 되면 나무를 베어 길을 내고 일을 하였습니다. 그리고 익(益, 7번 항목을 보라)과 함께 백성에게 물고기와 짐승을 잡아먹는 여러 방법을 가르쳐주었으며, 아홉 곳의 강물을 터서 바다로 빠지게 하였고, 도랑과 내를 파서 고인 물이 강으로 빠지게 하였습니다. 또 직(稷)과 함께 물고기와 짐승을 잡는 방법만이 아니라 씨를 뿌리고 나물 같은 험한 음식을 구하는 방법을 가르쳐주었습니다. 그리고 가지고 있는 물건과 가지고 있지 못한 물건을 서로 교환하는 방법을 가르쳐주었고, 저장해두었던 물건을 처분하는 방법을 가르쳐주었습니다. 이렇게 하여 수많은 백성은 쌀밥을 먹을 수 있게 되고, 온 세상은 잘 다스려졌습니다. ……"

"저는 도산에 장가를 들었을 때에도 나흘만 처가에서 지냈을 뿐이며, 아들이 앙앙 울어대는 소리를 듣고도 아들을 돌보지 못하고 오직 치산 치수의 대사업에만 전념하였습니다."[36]

(帝曰 來禹 汝亦昌言 禹拜曰 都帝 予何言 予思日孜孜 皋陶曰 吁 如何 禹曰 洪水滔天 浩浩懷山懷陵 下民昏墊 予乘四載 隨山刊木 暨益奏庶鮮食 予決九川距四海 濬畎澮距川 暨稷播奏庶難食鮮食 懋遷有無化居 蒸民乃粒 萬邦作乂 …… 娶于塗山 辛壬癸甲 啓呱呱而泣 予弗子 惟荒度土功)

또 다른 문헌에서는 "10년 동안 우는 자신의 집을 돌보지 않았다. 손에서는 손톱이 자라지 않았고, 정강이에서는 털이 자라지 않았다. 몸 반쪽이 쪼그라드는 병에 걸렸기 때문에 걸을 때에는 다리를 서로 스쳐 걸을 수 없었다. 사람들은 이러한 걸음을 '우보(禹步)'라고 하였다."[37] 기원전 541년경 유(劉)나라의 왕 정공(定公)은 "우가 없었다면 우리 모두는 물고기가 되지 않았겠는가?"[38]라고 말하였다.

이러한 이야기는 중국의 위대한 황금 시기에 대한 것으로서, 50년 전까지만 해도 학자들, 심지어 서구 학자들도 중국의 상고성을 입증하는 것으로 진지하게 받아들였다.

잠시 몇 가지 사실을 주목해보자.

첫번째는 이미 살펴본 것처럼, 10명의 수메르 왕, 성서의 족장, 중국의 군주 사이의 명백한 유사성이고, 또 이 시리즈들의 마지막 인물이 대홍수를 극복한다고 하는 전설이 공유되고 있다는 점이다. 중국 시리즈에서 나타나는 10이라는 숫자는 단지 우연의 일치에 불과하다고 볼 수도 있다. 그러나 이러한 우연성을 주장하는 데에는 많은 어려움이 있다. 예를 들면, 대홍수가 일어났을 때 노아와 우 대왕이 일을 하다가 모두 불구가 되었다는 사실은 놀랍지 않은가? 유대인의 민간 전설에서는 성서의 영웅이 대단한 술책을 지니고 있는 사자(태양의 야수) 때문에 다쳤다고 한다. "어느 날 노아가 방주에서 사자에게 먹이 주는 것을 잊어버리자 배고픈 야수는 매우 난폭하게 발로 그를 찼다. 그후 노아는 영원히 절름발이가 되었으며, 불구가 된 그에게 사제직 수행은 허락되지 않았다."[39] 바로 이러한 이유 때문에, 뭍으로 온 후 노아 가족이 황소 1마리, 양 1마리, 염소 1마리, 거북비둘기 2마리, 그리고 비둘기 2마리를 바칠 때, 사제직을 수행한 이는 노아가 아니라 아들 셈이었다.

로버트 그레이브스의 『하얀 여신(The White Goddess)』에는 초기 레반트, 크레타, 그리스, 켈트 그리고 게르만 신화 및 전설에 나타나 있는 절름발이 왕에 관한 장이 있다. 그 장은 이러한 맥락에서 읽을 필요가 있다. 거기에는 개울에서 천사와 씨름한 후 절뚝거리게 된 야곱(「창세기」 32 : 24-34), 디오니소스 신의 황소-발, 절름발이 대장장이 헤파이스토스, 역시 절름발이 대장장이인 빌란트가 언급되고 있다. 그는 십자가를 짊어진 그리스도가 계속하여 넘어지는 장면도 상기시키고 있다. 내가 그의 논점을 바르게 읽었다면, 이는 과거의 의례에서는 살해되었던 왕이 후대의 의례에서는 절름발이와 성불구로 변형되어 나타났다는 관념에 근거하고 있다.[40]

불구자 왕에 대한 신화적 이미지는 달과 연관되어 있다. 앞에서 살펴보았듯이, 달은 희생되었다가 부활한 황소-왕을 천상에서 드러낸다. 달은 절름발이이다. 처음에는 한쪽이 다음에는 반대편이 이그러지며, 만월일 때조차도 어둠이라는 천연두에 의해서 훼손된다. 『신의 가면 : 원시 신화』에서 나는 아름다우면서도 동시에 썩어 있는 신 및 생명 나무의 이미지들을 수집해보았다.[41] 보름 주기로 떠오르는 만월은 일몰의 궤도와 직접 접한다. 그 순간 태양의 직사광선이 달에게 상처를 주며, 달은 기울기 시작한다. 사자도 대홍수의 절정의 순간에 노아에게 상처를 입혔으며, 그때 노아는 만월처럼 높은 파도를 타고 있었다. 더구나 달은 신들이 마시는 향기로운 술을 담는 하늘의 술잔이다. 알다시피 우왕과 노아(「창세기」 9 : 21)는 둘 다 취하였던 것이다.

어쨌든 이제 우리 앞에는 신화 시대의 열번째 군주가 직면하였던 대홍수의 본질과 의미에 대한 서로 다른 3가지 관점이 놓여 있다. 첫번째는 고대 수메르의 우주적 영겁 회귀인데, 이것은 수학적 필연성을 지니며 우주의 소멸로 종언을 고한다. 두번째는 자유로운 의지를 지닌 신에 의해서 일어나는 우주적인 파국이다. 이것은 신성으로부터의 분리와 신성에 대립하는 죄의식을 지닌 셈 족 특유의 태도를 반영하는 것 같다(이것과 대립하는 것은 악마에 의해서 일어나는 베다의 가뭄에 관한 아리안의 믿음인데, 거기서는 신들이 인간의 편에 서 있다). 마지막으로 중국에서는 재앙이 우주적 사건에서 하나의 국지적 사건으로 축소되며, 죄의식이나 수학이 이 사건을 합리화시키기 위해서 등장하지 않는다. 칼그렌 박사는 "이는 무엇보다도 영웅 전설이다. 여기서 가장 중요한 주제는 범람의 재앙이라기보다는 이를 극복하는 영웅과 홍수의 관련성이다"[42]라고 말하였다. 그리고 올바른 행위에 대한 중국인의 기본 정신 — 서주 시대에 이미 형성되었지만 확실히 유교적인 — 속에는 영웅의 덕이 자연 질서에 일치하며, 그렇기 때문에 영웅은 자신의 과제를 수행할 때에 하늘의 명령과 하늘이 계시한 홍범 구주의 도움을 받는다.

전설적인 하(夏) 왕조 시대

대홍수에서 살아 남은 노아가 구시대의 종언과 새로운 시대의 시작을 나타내듯이, 우 대왕도 그러한 역할을 한다. 성서와 고대 수메르 왕의 목록에 나오는 대홍수 이후 시대가 점차로 역사의 평면으로 진입하듯이, 우 대왕 이후의 중국의 연대기도 그러하다. 우 대왕은 전설적인 하 왕조를 세운 자로 여겨지고 있다. 상당수의 진지한 학자들은 아직도 그것을 증명할 수 있는 가시적인 증거들이 발견될 것이라고 믿고 있다. 그러나 아직 아무런 증거도 나오지 않았기 때문에 그 시대는 아직 전설적인 것으로 여겨진다. 하 왕조가 세워진 연대는 기원전 2205년경, 우 왕이 죽은 시기는 2197년경이며,[43] 17명의 왕이 471년간 혹은 600년간(이와는 상당히 다른 기록들도 있다) 연속하여 통치하였다고 한다. 하 왕조의 몰락 후에는 고고학적으로 상당한 타당성을 지닌 상 왕조가 등장하였다. 요, 순, 우왕이 중국의 문학에서 선왕의 성품을 지닌 모델로 등장한 반면, 하 왕조의 마지막 전설적 군주인 걸(桀)은 악한 왕의 모델이었다.

걸은 악의 표본이다. 그는 겨울에 다리를 세우지 않고 여름에는 뗏목을 만들지 않은 채 백성들이 꽁꽁 얼거나 물에 빠지는 것을 구경할 뿐이었다. 시장에 암호랑이를 풀어 놓고 백성들이 달아나는 것을 구경하였다. 또한 3만 명의 여자 악사에게 밤새도록 노래하고 악기를 연주하도록 하였다. 거리에서는 이들의 소리가 들렸으며 이들은 모두 수놓은 비단옷을 입고 있었다.[44]

그는 특히 여자에게 약하였다. 그가 유시(有施) 땅을 침략하였을 때 사람들이 말희(妹嬉)라는 여자를 보내자 화가 풀렸으며, 그녀는 즉시 총애를 받을 수 있었다. 유민(有緡) 땅을 공격하였을 때에는 그곳의 제후가 완(琬)과 염(琰)이라는 두 여자를 보내자 이 여자들의 이름을 유명한 비취에 새겨넣었다. 이때 걸에게 버림받은 말희는 낙수(洛水) 가로 추방되어 그곳에서 뼈저린 복수심을 키웠다.

전설에 의하면 또 다른 외로운 익명의 여인이 이수(伊水) 가에 살고 있었다. 임신한 사실을 깨달은 날 밤, 그녀는 한 정령이 자신에게 이렇게 말하는 꿈을 꾸었다. "물이 회반죽에서 나올 때 동쪽으로 뛰기 시작하라, 그리고 뒤를 돌아보지 말아라". 다음날 물이 회반죽에서 나오자 그녀는 이웃 사람들에게 이 사실을 알려서 피하게 하고는 급히 동쪽으로 뛰어갔다. 그러나 잠시 멈추어 뒤를 돌아보고 말았다. 그러자 마을은 물에 잠기었고 그녀는 뽕나무로 변하였다.

이 사건은 롯의 아내에 대한 전설을 연상시킨다. 천사는 롯과 그의 아내와 두 딸에게 "온 힘을 다하여 달리고, 뒤를 돌아보지 마라." 하고 말하였다. 그러나 그녀는 뒤를 돌아보고 말았으며, 하느님이 소돔과 고모라에 불과 유황불을 비처럼 퍼붓는 것을 보았다. 이 도시들은 지금 사해의 밑에 있다. 그리고 그녀는 소금 기둥으로 변하였다(「창세기」19 : 17-26).

사악한 군주 걸의 몰락에 관한 전설에 이제 세번째의 외로운 여자가 등장한다. 그녀는 어떤 변방 제후의 딸이었는데, 뽕잎을 따려고 나왔다가 속이 텅 빈 뽕나무에서 사내아이를 발견하였다. 그 아이를 집으로 데려와서 아버지에게 보여주자, 아버지가 다시 그를 성안의 요리사(남자)에게 주었다. 그 아이는 이(伊)라는 강의 이름을 따서 이윤(伊尹)이라고 불리었다. 그는 아주 총명하게 자랐으며, 상나라의 떠오르는 가문의 제후인 탕에게까지 명성이 알려졌다. 탕은 사절을 보내서 그 아이를 자신에게 달라고 요청하였다. 그러나 변방 제후는 그 신동을 보내려고 하지 않았다. 그러자 상의 군주는 그 변방 제후에게 자신의 아내가 될 여자 하나를 부탁하였으며, 이윤은 그녀를 호위하는 자격으로 함께 오게 되었다. 그가 도착하자 탕은 그를 사당에서 정화시키고 성스러운 불로 비추었으며 성스러운 돼지 피를 그에게 발랐다. 다음날 조정의 한 신하로 임명하여 그의 알현을 받았다.[45]

하나라의 군주 걸과는 대조적으로 상나라의 군주 탕은 왕의 덕을 갖춘 모범적인 군주였다. 그는 곡식을 비축하여 굶주린 백성을 구제하였고, 추위에 떠는 사람들을 위해서 옷을 마련해주었다. 광물을 캐어 동전을 만들고 그것으로 궁핍한 부모들이 팔았던 아이들을 구제하였다.[46] 심한 가뭄이 왔을 때에는 홀로 성스러운 뽕나무 숲으로 가서 상제에게 기도하며 자신의 몸을 성스러운 제물로 바쳤다.[47]

상 왕실의 등장과 하 왕실의 몰락에서 자주 등장하는 뽕나무에 관한 주제는 잠재하여 있는 식물 신화를 강하게 암시하고 있다. 칼그렌 박사에 의하면, 위대한 10명의 왕 시리즈에서 두 군주 —— 다섯번째의 소호와 여섯번째의 전욱 —— 는 "속이 빈 뽕나무(空桑)"라고 불리는 곳에 거주하였으며, 그 마을 이름은 "오늘날에도 흔히 행하는 제사에서 중심 장소가 되는 어떤 유명하고 오래된 뽕나무"에서 유래하였다.[48] 비가 내리도록 하기 위해서 덕 있는 군주 탕이 그러한 밭에서 기꺼이 자기 몸을 바치는 전설은 프레이저의 『황금가지』에 나타나는 세상 회복을 위한 국왕 살해 의례와 관련이 있다(〈그림 17〉의 인더스 계곡의 인장과 비교해보라). 뽕나무 밭과 속이 빈 나무는 로마 제국 내에 있던 네미(Nemi) 지역의 의례의 숲과 거기에 있는 다이아나(Diana)의 성스러운 떡갈나무와 완전히 대응한다.[49] 뽕나무 밭에서의 탕의 상징적인 자기-희생과 속이 빈 뽕나무(空桑)에서의 이윤의 처녀 출생을 합해보면, 성스러운 나무(聖樹)에서의 죽음과 부활의 신화에 관한 모든 요소들이 그대로 드러난다(십자가 위의 그리스도와 비교해보라).

나일 강(이강〔伊江〕과 비교해보라)으로 던지어져서는 정류(檉柳)나무 상자에서 누이이자 신부인 여신 이시스에 의해 발견된 오시리스가 생각난다. 오시리스와 탐무즈의 그리스-시리아 대응물인 아도니스의 전설도 있다. 아도니스는 나무에서 태어났는데, 그 나무는 미르하(Myrrha)라고 불리는 아가씨였다. 그녀는 아버지에게 욕망을 가지고 있었으며, 마침내 아버지를 유혹하여 임신을 하였다. 그러나 곧 그녀는 미르하 나무로 변하여버렸다. 오비드는 그녀의 이야기를 이렇게 쓰고 있다. "그 나무는 쪼개어졌고 껍질은 산산히 찢기었으며, 거기에서 삶의 굴레, 즉 울부짖는 사내아이가 태어났다." 출산의 여신 루시나가 그 아이를 손으로 받아냈다.[50] 요정 다프네도 태양-신 아폴로에게 쫓기자 나무로 변하였다. 롯의 이야기도 생각난다. 뒤를 돌아보았던 롯의 아내가 소금 기둥으로 변하자, 딸들은 아버지를 취하게 만들어 유혹하였다. 그리고 아버지와 관계하여 임신하였다. 두 도시가 파괴되고 남아 있는 사람은 자신들과 홀로된 아버지뿐이라고 생각하였기 때문이다. 이는 대홍수와 그로 인하여 새로운 세계를 시작하는 문제와 같다.

칼그렌 박사는 "나무로 변한 여자들의 이야기(필레몬과 바우시스, 다프네)는 초기 헬레니즘의 영향인 것 같다"[51]고 쓰고 있다.

그러나 이러한 주제는 에온의 종말과 새로운 시작이라고 하는 하나의 근본 신화에 속한다고 보아야 할 것이다. 이러한 근본 신화는 문명 자체의 중요한 유산으로서, 초기의 신화 형태 속에서는 오시리스와 탐무즈의 의례로 나타났고, 후대의 헬레니즘적인 문학적 신화 양식에서는 다프네와 미르하 등의 이야기로 나타났으며, 성서 및 중국의 유사 역사적 연대기 속에서는 노아와 롯의 전설, 우 대왕과 경이로운 이윤의 전설 ── 5천 마일 떨어진 곳에서 ── 로 등장한 것이다.

이 전설의 절정에 해당하는 부분에서 선사 시대의 사실적인 메아리를 들을 수 있다. 청동기를 지닌 상나라 사람들이 초기 앙소와 용산의 신석기 마을 및 도시 국가와 싸워 승리를 거둘 때였다. 덕 있는 탕은 정승 이윤을 첩자로 보냈다. 이윤은 걸의 사악한 통치 하에서 백성들이 당하는 비참함뿐만 아니라 낙수 가에 있는 여인의 질투에 대해서도 알았다. 공격할 때가 다가오자 하늘이 자신의 의지를 드러냈다. 그러자 해와 달은 뜨고 지는 자신들의 고유한 시간을 잃어버렸다. 추위와 더위가 뒤범벅이 되었다. 오곡은 타서 죽었다. 귀신은 땅에서 으르렁거리고 학은 열흘이 넘게 울었으며, 신의 축복의 표시인 구정(九鼎)은 하 왕조에서는 사라지고 상나라에서 나타났다. 낙수 가의 여인 말희는 정승 이윤에게 궁중 안의 기류와 사건에 대해서 모두 말해주었다. 황제 걸이 꿈을 꾸었는데, 꿈속에서 동쪽의 해와 서쪽의 해가 서로 다투다가 서쪽의 해가 이겼다. 말희는 그러한 꿈의 내용을 탕에게 알려주었다. 탕왕은 그의 시대가 떠오르고 있음을 간파하였다. 그때 어떤 목소리가 들려왔다. "공격하라! 그대에게 필요한 모든 힘을 주겠다. 나는 그대를 도우라는 하늘의 위임(천명)을 받았기 때문이다." 덕 있는 상의 군주 탕은 야생 거위 모습을 한 90대의 전차와 죽음을 불사하는 6천 명의 병사를 파견하였다.

사악한 걸은 수많은 거인을 거느리고 있었는데, 그들은 살아 있는 코뿔소나 호랑이를 찢어 죽일 수 있고, 손가락 하나로 사람을 죽일 수도 있었다. 그러나 걸은 신들의 징벌을 피할 수 없었다. 불의 신 축융은 도시의 북서쪽 구석에 불을 내동댕이쳤다. 탕의 마차가 공격하였고 병사들이 그를 따랐다. 걸은 500명의 무리와 도망을 쳤으며 마침내 쫓겨나고 말았다. 덕의 위대한 모델인 탕은 왕좌를 맡을 자격이 있다고 판단되는 자에게는 누구에게나 왕좌를 제의하였다. 이러한 제의에 감히 응한 자는 아무도 없었다. 마침내 그는 왕위를 이어 위대한 역사적 왕조인 상을 세웠다.[52]

3. 중국의 봉건 시대 : 기원전 1500-500년경

상(商) 왕조 : 기원전 1523-1027년경

1928년에서 1938년 사이에 중국 최초의 역사적 왕조인 상의 왕릉이 일련의 발굴 작업을 통해서 드러났다. 안데르손이 안양(安陽)에 있는 고대 상 왕조의 수도를 발견하면서 발굴 작업이 본격화되었다. 이보다 15세기나 빨리 세워진 아비도스에 있는 이집트 제1왕조의 무덤처럼, 이 무덤들 역시 신화적 황금 시기의 철학적 사유와는 전적으로 다른 영적 질서를 보여주고 있다. 상 왕조의 무덤은 전반적으로 커다란 구덩이 형태로 되어 있으며, 세로 50피트, 가로 40피트, 깊이 15피트이다. 구덩이 한가운데에서 15피트 더 들어간 곳에 중앙 무덤이 있고, 그 밑으로 8피트 더 들어간 곳에 또 다른 무덤이 있다. 이 마지막 무덤 밑에서는 한 사람의 무장 병사가 편안히 누울 수 있는 정도의 넓이를 가진 움푹 파인 장소가 발견되었다. 통나무를 배열하여 만든 그곳은 제왕의 무덤답게 장식되어 있었다. 무덤은 모두 약탈되었지만 매장의 순서를 보여주는 흔적이 적지않이 남아 있다. 구덩이의 가장 깊은 곳에는 미늘창(창 끝이 둘 혹은 세 가닥으로 갈라져 있는 창/역주)을 가진 병사가 있고, 바로 위에는 목관(木棺)이 있으며, 큰 방에는 청동 제기, 비취, 깎은 뼈, 무기 등이 있다. 경사로와 출입구의 바닥에는 말과 마차, 개와 사람이 수없이 많이 묻혀 있으며, 가장 큰 무덤에는 이집트에서처럼 궁중 시종과 시녀들의 해골이 있다. 그곳은 모두 고운 흙으로 메꾸어져 있었는데, 이 흙 속에는 이집트의 진기함을 능가하는 수백 개의 인간 두개골과 동물 ── 개, 사슴, 원숭이 등 ── 의 해골이 산재하여 있었다.[53] 이러한 무덤들에 보존된 고대 신화의 무언극이 공자의 시대에는 사라졌을 것이라고 생각해서는 안 된다. 기원전 420년경에도 도덕주의자 묵자는 당대 왕실의 장례 의식에 대해서 불만을 토로하고 있었다.

이 보편적 사랑(겸애[兼愛]/역주)의 철학자는 이렇게 말하였다. "일반인이 죽을 때조차도 장례 비용이 너무 들어서 남은 가족은 거지가 될 정도이다. 지배자가 죽을 경우에는 막대한 양의 금과 비취, 진주와 귀석을 시신 옆에 놓고, 질이 좋은 천으로 시신을 감고, 마차와 말을 무덤 안에 함께 묻고, 덮개와 차양 밑에는 삼발이와 북, 식탁과 작은 탁자 위에는 단지와 그릇을 놓으며, 그리고 미늘창, 검, 깃털로 만든 현수막과 깃발, 상아와 가죽으로 만든 물품을 필요한 만큼 만든다. …… 국고는 완전히 고갈되었다. 제왕이 죽었을 경우에는 수백 명, 적어도 20-30명의 시종이 함께 살해되었다. 장군이나 총리가 죽었을 경우에는 20-30명이 살해되는 것이 보통이고, 4-5명 이하로 내려가는 경우는 결코 없었다."[54]

이 점을 너무 장황하게 서술할 필요는 없다. 중국 고고학은 앞에서 살펴본 1. 초기 신석기의 조잡한 토기, 2. 앙소의 세련된 채색 토기, 3. 용산의 세련된 흑색 토기, 4. 상의 세련된 백색 토기, 청동, 그리고 무덤의 가구를 순서대로 보여주고 있다. 이는 근동에서는 이미 오래전에 나타났던 문화 변천의 과정이 극동에서는 늦게 출현하였음을 보여주는 명백한 증거이다. 또한 지금까지 전해져온 초기 중국 신화의 단편들은 후대의 학자들에 의해서 탈신화화되고(euhemerized : 신을 역사적 영웅의 신격화의 산물로 해석하는 관점/역주) 도덕화되었지만, 서에서 동으로 향하는 문화적 흐름을 아주 선명하게 보여준다.

또 다른 중국 문화의 층을 드러내는 분명한 사실들이 있다. 이 문화적 층은 상나라의 무덤이 만들어지던 시대, 혹은 그보다 좀더 오래된 것 같다. 인도에서처럼 여기에도 어떤 대항 문화의 흔적이 보이며, 이것은 앞에서 언급하였던 북극 주변의 몽골 중심지에서 나온 것 같다.* 예를 들면, 상당수의 상나라 청동기는 도자기를 모방한 것 같은 원형이 아니라 나무를 모방한 상자 형태를 취하고 있다. 이러한 사각형의 장식은 서쪽 지역에 알려진 것들과는 다르다. 이제 박사는 이렇게 말하고 있다. "각이 진 형태의 청동기는 나무 본래의 형태를 취하였을 뿐만 아니라 목각 장식의 방법도 사용하였다. 이와 달리 도자기 전통 이후에 형성된 둥근 모양의 청동 제품은 그보다 훨씬 뒤에 그 자체의 장식을 채택하였다."[55]

더욱이 상나라의 장식과 남북아메리카의 많은 부족에서 나타나는 예술 양식 사이의 유사성이 주목되어왔다. 특히 북서 해안 수렵인의 토템 기둥과 마야-아즈텍의 기념비가 주목할 만하다(〈그림 22〉와 〈그림 23〉). 이러한 환태평양 양식이 공유하는 가장 현저한 특성은 유사한 형태의 것들을 수직으로 계속 쌓아 올리는 것(토템 기둥의 원리), 뒤쪽이건 앞쪽이건 동물 형상을 쪼개어 이를 책처럼 펴는 것(이중적 분리), 관절과 손 위에 있는 눈과 얼굴, 그리고 각이 있는 나선과 미로를 조직하는 특별한 방식 등이다.

로버트 하이네-겔던 교수는 이러한 복합물을 지칭하기 위해서 "고태평양 양식(Old Pacific Style)"이라는 용어를 창안하였다. 이제 우리는 그것이 북극 지역 몽골인의 민속과 어떤 방식으로 연관되어 있다고 추정해볼 수 있다. 조지프 니담 교수와 왕링 교수는 백과 사전적 저술인 『중국의 과학과 문명(Science and Civilization in China)』에서 이렇게 말하였다. "북극권 아래에 있는 북위도 지역, 곧 북아시아와 북아메리카의 광대한 문화 공동체를 가로지르는 어떤 특질들이 발견된다. 이 지역 전체를 샤머니즘 지대라고 부를 수 있을 것이다."

(그들은 이렇게 쓰고 있다.) 이 광활한 지대에서 공통적으로 나타나는 전형적인 도구는 직사각형 혹은 반월형의 돌칼이다. 이 돌칼은 유럽이나 중동의 것과는 완전히 다르다. 중국과 시베리아에서 이 돌칼이 발견되듯이 에스키모와 아메리카 인디언에게서도 발견된다. …… 그러한 칼은 상 왕조에서

는 흔하였으며, 중국에서는 최근까지도 (철로) 계속 만들어왔다. 이러한 북부 문화 지역의 또 다른 특성은 움집이다. 벌집처럼 생긴 이 집의 형태는 돈황의 프레스코에 나타난 당나라의 농가에까지 이어졌다. 건(腱)을 섞어 만든 복합궁(復合弓)은 이 지역의 발명품인 것 같다. 만일 신석기 초기에 이주민들이 베링 해협을 건너면서부터 아메리카 대륙에 사람이 살기 시작하였다면, 아메리카 인디언과 동아시아 문명 사이에 존재하는 몇몇 이상한 유사성은 설명 가능할 것이다. 그러나 이는 매우 어려운 문제이다. ……[56]

아주 잘 보존되어 있는 상나라의 왕릉 예술에는 두 문화적 파도 사이의 상호 작용이 엿보인다. 서양에서 온 첫번째 파도는 청동기 시대에 뿌리를 두고 있다. 이 파도는 신석기 토기인(앙소, 용산)의 초기 물결에 의하여 전해졌으며, 호머-아리안과 명백한 친화성을 지니고 있는 후대의 전사 부족에 의하여 전해졌다. 두번째 파도는 남쪽으로 흐르는 북극 지역의 "샤머니즘적" 물결과 다양한 몽골 계통의 물결이다.

샤머니즘은 중국과 티벳의 종교 생활만이 아니라 불교와 일본 신도의 매우 현저한 특성이다. 상나라 시대에 이미 샤머니즘의 힘은 도철(饕餮)이라고 불리는 귀신 같은 동물 가면 모티브에서 보이고 있다. 도철은 주로 청동기에 나타나고 있다. 〈그림 22〉에 새겨진 다섯 부분의 뼈 문양 중 세 부분에서 도철 가면이 나타나고 있으며, 그 시리즈의 다른 두 부분에서는 괴물이 웅크리고 앉아 있다. 르네 그루세는 『중국의 예술과 문화(Chinese Art and Culture)』에서 이렇게 쓰고 있다. "동물 형상을 한 다른 괴물의 경우와 마찬가지로 도철의 아래턱 부분은 없다. 그러한 괴물 형상은 주술사가 춤을 출 때 위장하기 위해서 사용하는 동물 가죽으로 만든 것이기 때문일 것이다. 머리 가죽을 샤먼의 머리에 '덮어씌우기' 위해서는 머리 가죽의 윗쪽 부분만 남기고 아래턱 부분은 잘라야만 하였던 것이다."[57] "발톱이 동물 머리의 아래 부분을 양쪽에서 공격하고 있는 모습도 보인다. 그래서 그 동물은 뛸 준비를 하면서 기어가는 것 같다. 도철은 처음에는 아주 사실적인 동물이었다. 상나라 청동 용기에 새겨진 여러 개의 도철은 황소, 숫양, 호랑이, 혹은 부엉이(수사슴인 경우는 매우

〈그림 22〉 고태평양 양식 : 왼쪽의 것은 뼈로 만든 손잡이, 중국(상왕조), 기원전 1200년경 ; 오른쪽의 것은 토템 기둥, 북아메리카(북서해안), 최근의 것.

드물다)의 얼굴임이 분명하다."[58] 마르셀 그라네는 『고대 중국의 춤과 전설(*The Dances and Legends of Ancient China*)』에서 이렇게 말하고 있다. "비록 이름 때문에 부엉이로 보이기는 하지만, 그것은, 인간의 머리와 호랑이 이빨과 인간의 손톱을 지니고 겨드랑이 안에는 눈이 달린, 숫양을 닮고 있다."[59] 이외에도 상나라의 어떤 청동 용기와 유카탄 및 멕시코의 예술에서 짐승의 머리를 인간(사제 혹은 병사)의 머리 위에 덮어쓴 샤머니즘적 모티브가 나타나고 있음을 주목해야 한다.[60]

〈그림 23〉 고태평양 양식 : 위의 것은 북아메리카(북서해안), 최근의 것 ; 아래의 것은 멕시코(타진 양식), 200-1000년경.

그리스 여신 아테네도 아름다운 머리 위에 가면 같은 모자를 높이 쓰고 있으며, 그녀의 방패에는 메두사의 고르곤 가면이 그려져 있다. 그러므로 샤머니즘이 북극 부근의 몽골 족에서 최고로 발달하기는 하였지만,

실제로는 구석기 시대 이래 광범위하고도 기나긴 역사를 지니고 있음을 기억할 필요가 있다.[61] 따라서 상나라 장식의 명백한 독특성 속에서 당시의 동아시아나 태평양 문화 중심지 — 그렇지 않았더라면 보존되지 않았을 — 의 영향을 인정할 수 있지만, 이러한 예술에 나타난 실제적인 신화적 모티브가 서양으로부터 오지 않았다고 단언할 수는 없다. 뱀이건, 호랑이이건, 사슴이건, 용이건, 도철이건 간에, 상나라의 모티브는 — 상나라의 양식은 아니라 하더라도 — 전세계적으로 광범위하게 분포하고 있기 때문이다.

점복 기술의 경우에도 같은 말을 할 수 있다. 상나라 시대의 점복을 기록한 갑골문(甲骨文)에 적지 않은 증거가 남아 있다.

무오(戊午) 날에 점을 치면서,
각(殼)이 물었다.
"우리는 구(龜) 지방으로 사냥을 갈 것입니다. 어떤 것이 잡히겠습니까?"

이날 사냥에서 실제로 잡은 것은 다음과 같다.
호랑이 1마리
사슴 40마리
여우 164마리
뿔 없는 사슴 159마리 ……[62]

니담 교수는 이렇게 말한다. "점을 치는 뼈가 '갑골점(甲骨占)'에서 사용되었다. 갑골점은 이 문화권의 독특한 것으로 보이며, 상나라가 등장하기 얼마 전에 생겨났을 것이다. 갑골점에서는 타오르는 석탄이나 붉게 달구어진 청동 부지깽이로 포유 동물의 어깨뼈나 거북이의 갑각을 구워 점을 치며, 신의 응답은 뼈의 갈라진 모양이나 방향으로 나타난다. …… 점을 칠 때의 물음은 몇 가지 유형으로 분류되었다. 그중 가장 중요한 것은, (a) 어떤 신에게 어떤 희생 제물을 드려야 하는가, (b) 여행의 방향과 머물러야 할 곳, 그리고 소요되는 시간, (c) 사냥과 낚시, (d) 추수,

(e) 날씨, (f) 질병과 회복 등이다."[63)]

여기서 다시 우리는 중국의 독특한 양식을 보게 된다. 그러나 이러한 점복 기술은 이미 근동 중심부에서 오랫동안 발달되어온 하나의 기술이다. 메소포타미아에서는 점복에 대한 관심이 대단하였다. 신화의 형태에서처럼, 조짐에 의해서 하늘의 의지를 측정할 때에도 초기 중국은 수메르와 특히 밀접한 관련성을 보여준다.

초기와 중기의 주 왕조 : 기원전 1027-480년경

상 왕조의 몰락과 주 왕실의 등장에 관한 전설은 하의 몰락 및 상의 등장과 유사한 모티브를 반복하고 있다. 『서경』에 의하면, 주 왕조의 덕망 있는 건국자 무왕(武王)이 승리한 후 2년째 되던 해에 중병에 걸리자, 젊은 동생인 주공(周公)은 그를 대신하여 죽으려는 생각을 품고 있었다. 주공이 가문의 조상에게 드린 제의는 상당히 홍미롭다.

주공은 한 곳을 정결히 한 후에 3개의 제단을 세웠다. 그리고 그 3개의 제단 남쪽에 다시 자기가 설 제단을 마련하고 북쪽을 향하여 섰다. 벽기(璧器)는 단 위에 놓고 규(珪)를 두 손으로 받쳐 들고 선대의 태왕과 왕계 그리고 문왕에게 빌었다. 사관은 미리 마련하였던 축문으로 하늘에 기도를 올렸다.

"당신들의 자손인 무왕은 지금 아주 위중한 병에 걸려 목숨이 경각에 달려 있습니다. 당신들 세 임금님께서는 하늘나라에서 응당 자손을 보호할 책임이 있으니 이 단(旦)을 왕의 몸 대신으로 거두어주십시오. 저는 어질고 효성심이 많으며 다재 다능하여 신령이신 임금님들을 더욱 잘 받들 것입니다. 당신들의 장손은 저보다 재주와 예능이 못하여 신령님인 당신들을 잘 받들지 못합니다. 당신들의 장손은 하늘나라에서 명령을 받아 천하를 두루 다스리고 있으며, 그리하여 이 세상에 있는 당신들의 자손들을 안정시킬 수 있었습니다. 또 천하의 백성들은 당신들의 장손을 한결같이 공경하며 그의 위엄을 두려워하고 있습니다. 아아! 당신들께서는 하늘이 내리신 우리 나라의 운명이 사라지지 않도록 하여야 합니다. 그래야 선대의 임금님들께서도 영구히 의지할 곳이 있게 됩니다."

"이제 이 몸은 곧 큰 거북의 명을 듣고자 하오니 그대들께서 저의 청원을
받아주신다면 이 몸은 삼가 옥으로 만든 벽과 규를 바치고 돌아가서 당신들
의 명이 내리기를 기다리겠습니다. 당신들께서 이 몸의 청원을 들어주시지
않는다면 저는 이 귀중한 벽과 규를 거두어 들이고 바치지 않겠습니다."

그리하여 세 거북에게 점을 쳐본 결과 한결같이 길하다는 결과가 나타났
다. 복점의 조짐을 설명한 죽간(竹簡)의 책을 펴서 대조해보아도 틀림없이
길하다는 결과였다. 주공은 안심하였다. "거북점의 조짐으로 볼 때 임금님에
게는 아무런 재난이 없을 것 같소. 이 몸이 새로이 선대의 세 분 임금님으
로부터 방금 명을 받았는데, 세 분 선왕께서도 무왕이 이 나라를 영구히 번
영시키도록 하고 있소. 이제 우리는 이곳에서 명을 기다려봅시다. 세 분 선
왕께서는 이 몸을 보살펴주실 것이오"

이리하여 주공은 돌아가서 기도문이 실린 간책을 쇠줄로 묶은 나무 궤짝
속에 간수하였는데, 그 이튿날 무왕은 자리에서 일어날 수 있었다.[64]

(周公 爲三壇同墠 爲壇於南方 北面 周公立焉 植璧秉珪 乃告太王王季
文王 史乃冊祝曰 惟爾元孫某 遘厲瘧疾 若爾三王 是有丕子之責于天 以旦
代某之身 予仁若考能 多才多藝 能事鬼神 乃元孫不若旦多才多藝 不能事
鬼神 乃命于帝庭 敷佑四方 用能定爾子孫于下地 四方之民 罔不祗畏 嗚呼
無墜天之降寶命 我先王亦永有依命 今我卽命于元龜 爾之許我 我其以璧與
珪歸 俟爾命 爾不許我 我乃屛璧與珪 …… 乃卜三龜 一習吉 啓籥見書 乃
幷是吉 公曰 體王其罔害 予小子新命于三王 惟永終是圖 玆攸俟 能念予一
人 公歸 乃納冊于金縢之匱中 王翌日乃瘳)

『시경』에 있는 305편의 시는 봉건 시대의 의례 전승과 시를 보존한
것이다. 이중 상당수의 시는 시기적으로나 감각적으로 볼 때 중국판 베다
이다. 5편은 상 왕조를 묘사하는 것이고 나머지는 주나라의 것이다. 마지
막 시는 주나라의 왕 정(定, 기원전 606-586년)의 통치를 칭송한 것이다.

얼마나 찬탄할 만한가! 얼마나 완벽한가!

(赫赫厥聲 濯濯厥靈)

상나라 시리즈의 첫번째는 다음과 같이 시작한다.

아아, 아름다워라, 나의 쇠북과 큰북 늘어놓고
북을 둥둥 울리니 우리의 공 있는 조상도 즐거워하시리.
탕의 후손이 풍악을 아뢰니 내 뜻을 평안히 이루게 하소서.
쇠북소리 큰북소리 둥둥 울리고 피리소리 화락하게 어우러지니
그 소리 평화롭고 옥경소리 또한 잘 어울리네.
아아, 빛나는 탕왕의 후손이여, 아름답도다 풍류 소리.
쇠북소리, 큰북소리 울려 퍼지니 방패 들고 춤을 추네.
제사 도우러 온 손님들도 진심으로 즐거워하네.
아득하게 멀고먼 옛날부터 조상님이 정하신 법을 따라
아침 저녁 변함 없이 공경하며 삼가고 받들며 섬기나니,
우리 제사 받으소서, 탕의 자손이 삼가 받드나이다.[65]
(猗與那與 置我鞉鼓 奏鼓簡簡 衎我烈祖 湯孫奏假 綏我思成 鞉鼓淵淵
嘒嘒管聲 既和且平 依我磬聲 於赫湯孫 穆穆厥聲 庸鼓有斁 萬舞有奕 我
有嘉客 亦不夷懌 自古在昔 先民有作 溫恭朝夕 執事有恪 顧予烝嘗 湯孫
之將)

오늘날까지도 일본의 신사에서는 이 놀라운 북소리, 날카로운 피리소리, 큰 종소리가 들리며, 장엄한 춤이 펼쳐진다. 여기에는 샤머니즘적 요소가 우아하게 절제되어 있다. 귓가에 들리는 그때의 소리와 함께 낭송되는 이 오래된 찬가는, 후대의 도덕화된 유교의 이적(異蹟) 일화들이 지닌 기이성보다 더 깊고 더 확실한 힘의 외침을 수 세기의 간격을 뚫고 보낸다. 그 어느 것과도 비교할 수 없는 고상함을 지닌 아름다운 청동 제기들은 이 시대의 사라진 장엄함을 말해주고 있다.

상나라의 전승을 지닌 또 다른 찬가가 있다. "순수한 신령들이 우리의 제기 속에 있고, 우리의 뜻을 실현하도록 허락하였습니다."

아아, 탕왕께서는 언제나 변함 없이 큰 복을 내리사,
거듭 다함이 없이 님에게 내리시네.

맑고 맑은 이 술 바치오니 우리에게 복을 내리소서.
고깃국은 제맛이 나고 경건한 마음으로 모두 모여서,
제물 올릴 때 말함이 없고 떠드는 이 없으니,
이 몸에게 오랜 수명 내리사 끝없도록 해주소서.
가죽 감은 속바퀴에 무늬 새긴 재갈, 8개 방울 딸랑거리고,
제후들이 이르러 제사지내니 받으신 천명 넓고 커서,
하늘에서 큰 복 내리사 오곡도 풍성하도다.
신령이여, 강림하사 흠향하시고 끝없이 넓고 큰 복 내리소서.
우리가 드리는 제사를 돌보시니 탕왕의 자손이 제물 바치나이다.[66]
(嗟嗟烈祖　有秩斯祜　申錫無彊　及爾斯所
　旣載淸酤　賚我思成　亦有和羹　旣戒旣平
　鬷假無言　時靡有爭　綏我眉壽　黃耇無彊
　約軧錯衡　八鸞鶬鶬　以假以享　我受命溥將
　自天降康　豊年穰穰　來假來饗　降福無彊
　顧予烝嘗　湯孫之將)

주 나라의 시에서 뽑은 것들이 여기 있다.

제복은 산뜻하고 머리에 쓴 관 의젓하기도 하네.
당에서 내려와 문전으로 가 양과 소 살펴본 뒤
크고 작은 솥도 둘러보셨네, 구부정한 뿔잔에
맛있고 향기로운 술 있고 시끄럽지도 오만하지도 않으니
장수의 복 받으시리.[67]
(絲衣其紑　戴弁俅俅　自堂徂基　自羊徂牛
　鼐鼎及鼒　兕觥其觩　旨酒思柔　不吳不傲　胡考之休)

*　　*　　*

풀 베고 나무뿌리 뽑아 밭을 갈아 일구었네.
많은 사람들이 짝을 지어 새로 일군 밭과 묵은 밭으로 김매러 가네.
주인과 맏아들과 종숙과 숱한 자제들

그리고 일손 도우러 온 사람들이 즐겁게 들점심 먹는데,
어여쁜 며느리가 시중드네, 씩씩하고 믿음직한 젊은이들
저마다 날카로운 보습 들고 남쪽 밭에서 일을 시작하네.
온갖 곡식 씨 뿌리면 씨가 부풀어 싹이 나오고
넓은 땅에 쑥쑥 잘 자라 소담스러운데,
가지런한 그 싹들 다칠세라 구석구석 풀을 뽑아 주네.
많은 일꾼들 나서서 추수하니 높게 쌓아올린 노적가리
헤아릴 수 없이 많기도 하네.
이제 술을 빚고 단술 만들어 조상의 사당에 삼가 바치고
온갖 예의 다 갖추네, 향기로운 그 냄새 번져가듯이
이 나라의 영광 더욱 빛나고 향기로운 그 냄새 속에는
장수의 큰 복이 서려 있네.
여기서만 이러한 것이 아니며 올해에만 이랬던 것이 아니라
예부터 해마다 이렇게 내려왔다네.[68]
(載芟載柞 其耕澤澤 千耦其耘 徂隰徂畛
 候主候伯 候亞候旅 候彊候以 有嗿其饁
 思媚其婦 有依其士 有略其耜 俶載南畝
 播厥百穀 實函斯活 驛驛其達 有厭其傑
 厭厭其苗 綿綿其麃 載穫濟濟 有實其積
 萬億及秭 爲酒爲醴 烝畀祖妣 以洽百禮
 有飶其香 邦家之光 有椒其馨 胡考之寧
 匪且有且 匪今斯今 振古如茲)

*   *   *

나무 찍는 소리 쩡쩡 울리고 새들은 사이좋게 지저귀며
산골짜기에서 훨훨 날아와 높은 나뭇가지에 올라앉네.
끊임없이 지저귀는 새소리는 벗을 부르는 소리로다.
저 날아가는 새들도 벗을 부르며 울거늘
어찌 사람으로서 벗을 구하지 않을손가.
신령께서 내 노래 들으시거든 우리에게 화평을 내려주소서.[69]
(伐木丁丁 鳥鳴嚶嚶 出者幽谷 遷于喬木

嚶其鳴矣 求其友聲 相彼鳥矣 猶求友聲
矧伊人矣 不求友生 神之聽之 終和且平)

베다와 대조적으로 여기서는 목축이 아니라 농경이 지배적이고, 제사는 자연 세계의 힘이나 신들이 아니라 조상에게 드리고 있다. 의례를 주관하는 것은 사제가 아니라 왕이며, 조상의 후손인 왕이 축문을 담당하였다.

『서구의 몰락』에서 슈펭글러는 운명의 전개에 근거한 "시간적 사고"와 무시간적인 자연 법칙에 근거한 "공간적 사고"를 대비시켰다. 전자는 정치적 재능이 있는 사람 곧 가능성에 대한 감각을 가진 자에 의해서 주로 대변되며, 그 자신이 운명의 주체가 되려고 한다. 후자는 사제적 혹은 과학적 지식을 가진 자에 의해서 대변되며, 그는 영구히 타당한 법을 적용함으로써 효과를 거두려고 한다. 슈펭글러가 사유와 행위의 양식에 관하여 언급한 주요 내용들 속에서 중국과 인도를 대비하면 그 차이가 확연하게 드러난다. 문명에 서명을 하는 자가 중국에서는 정치가였고, 인도에서는 사제였기 때문이다. 한쪽에서는 정치적 성취를 목적으로 변화하는 운명, 즉 도(道)를 탐구하는 점복을 매우 강조하고, 다른 한쪽에서는 영원한 진리로 간주되는 지식의 공식 안에 응축되어 있는 불변하는 법칙의 체계, 즉 다르마(dharma)를 강조한다. 한쪽에는 역사 의식이 있고, 다른 한쪽에는 어떠한 역사 의식도 존재하지 않는다. 중국에서는 조상 숭배(시간 안의 방향)가 지배적이고 인도에서는 땅과 대기와 하늘의 신(공간의 장)이 지배적이다. 한편에서는 인간의 최고 목적이 의미 있는 참여 의식이고 다른 한편에서는 초탈 의식이다.

그러나 이 두 문화 세계가 서로 비교될 수 있는 변동의 시대를 거의 동시에 거치고 있었음은 놀라운 일이다. 아리안이 인도로 들어온 시기와 상나라의 전사들이 중국에 들어온 시기는 거의 같았다. 봉건적 베다 시대는 기원전 8세기경 군소 도시 국가가 등장하는 시기에 끝나고, 중국도 그 무렵에 이와 본질적으로 동일한 격심한 변동의 시기에 접어들었다.

기원전 776년 8월 29일, 중국인 일관들이 일식(日蝕)을 하늘의 전조

464

로 관찰하였고, 그것은 이미 다가온 불운의 시대로 해석되었다. 『시경』의 후반부는 새로운 시의 양식, 곧 염세주의적인 애도의 문학을 보여주고 있다.*

시월달로 접어들어 초하룻날 신묘일에
일식이 일어나니 이 무슨 변괴인가.
지난번엔 월식이고 이번엔 일식이라니,
지금 세상 모든 백성들 매우 슬퍼하고 있네.
해와 달이 모두 흉사를 알리려고 제 궤도를 돌지 않으니,
천하의 정치는 어지러워지고, 어진 사람 쓰지 않는 까닭이라네.
지난번의 월식은 으레 그러려니 하겠지만,
이번에 일식이 일어나니 이 무슨 불길한 조짐인가.[70]
(十月之交 朔日辛卯 日有食之 亦孔之醜
 彼月而微 此日而微 今此下民 亦孔之哀
 日月告凶 不用其行 四國無政 不用其良
 彼月而食 則維其常 此日而食 于何不臧)

＊　　＊　　＊

하늘은 공평하지 못하여 지독한 재난을 내리시고,
하늘은 은혜롭지 못하여 크나큰 변괴를 내리셨네.
윗사람이 올바르면 흉흉한 인심도 가라앉고,
윗사람이 공정하게 처리하면 쌓였던 원망도 풀어지리.
무정한 하늘이여 굽어 살피소서, 나라의 어지러움 가라앉지 않고
갈수록 더욱 어지러워지니, 백성들 마음 편할 날이 없다오.
근심하는 마음 술에 취한 듯한데, 나라의 대권 쥔 사람 누구이길래
스스로 국사를 돌보지 않아 끝내 백성들만 괴롭히는가.

네 필 말이 끄는 수레를 타니 말들의 목 굵기도 하네.
동서남북 아무리 둘러보아도 작게 줄어들어 달려갈 곳이 없구나.

* 161-170쪽 참조.

미운 생각 복받쳐오를 때에는 조급히 창으로 손이 가지만,
마음 풀려 즐거운 날이 오면 곧 술잔을 주고받으리.

하늘이 공평하지 못하니 우리 임금도 편안치 못하리.
그래도 마음 고치지 않고 도리어 충언을 원망하네.
마침내 가보(家父)가 이 노래 지어 재앙의 원인 캐보려 하는데,
이는 그대가 마음 고쳐 온 천하 편히 살게 하기를 바라서라네.[71]
(昊天不傭 降此鞠訩 昊天不惠 降此大戾
　君子如屆 俾民心闋 君子如夷 惡怒是違
　不弔昊天 亂靡有定 式月斯生 俾民不寧
　憂心如酲 誰秉國成 不自爲政 卒勞百姓
　駕彼四牡 四牡項領 我瞻四方 蹙蹙靡所騁
　方茂爾惡 相爾矛矣 旣夷其懌 如相酬矣
　昊天不平 我王不寧 不懲其心 覆怨其正
　家父作誦 以究王訩 式訛爾心 以畜萬邦)

　중국에서 봉건제가 해체되고 서로 경쟁하는 제후 국가가 등장하는 시대는 춘추 시대(기원전 771-480년)로 알려져 있다. 이미 앞에서 인용하였지만, 당시의 장례식에 대한 묵자의 서술 속에는 제후들이 지녔던 경건성이 어느 정도 암시되어 있다. 전통적으로 그 시대는 유왕(幽王)이 서쪽에 있는 자신의 가신(家臣)에 의해서 살해를 당한 해로부터 시작한다. 그의 후임자 평왕(平王)이 수도를 동쪽에 있는 낙양으로 옮기자, 그 후 서쪽에 남아 있는 유일한 중심 세력은 상대적으로 야만적이었던 진(秦)나라였다. 진나라는 공자 시대 이후에 중국 전역을 지배하게 되었으며, 중국 최초의 군사 제국을 건설하고 만리 장성을 세웠다. 또한 철학자들의 책을 불에 태웠으며, 전제주의 정치를 장엄하게 시작하였다. 때로는 노골적으로, 때로는 가면을 쓴 채로 진행된 전제 정치는 그 이후의 중국사에서 천명의 도구로 작용하였다.
　우리는 뒤에서 덕의 여러 측면을 찬미하는 아주 멋있는 구절들을 읽게 될 것이다. 그렇지만 중국의 실제 역사에서는 전적으로 대립하는 종류의

철학이 중요한 구조적 힘으로 작용해왔음을 알아야 한다. 통치술에 관한 진나라의 고전인 『상군서(商君書)』에 나타나는 노골적인 잔인함은 인도의 『아르타샤스트라(*Arthashastra*)』와 맞먹거나 약간 뒤질 뿐이다. 후자는 (현대 인도의 정치가이자 철학자인 파니카의 찬미를 인용하자면) "마키아벨리의 제한된 상상력을 훨씬 넘어서며, 힌두 사상가로 하여금 순수하게 세속적인 국가 이론을 전개할 수 있도록 하였다. 이 이론의 유일한 토대는 힘이다."[72] 그러나 중국 역시 아래의 간략한 예들에서 잘 드러나듯이 과거에는 힘의 정치를 배경으로 하고 있었다.

문제의 고전은 주 왕조의 마지막 몇 년을 증언하고 있다.

(이렇게 쓰여 있다.) "만약 한 국가가 강하면서도 전쟁을 일으키지 않는다면 그 내부에는 악이 극성할 것이며 6가지 종류의 이(육슬[六蝨])— 예와 악(樂), 시와 역사 ; 덕과 효와 연장자에 대한 존경심의 함양 ; 신실함과 진실함 ; 순수함과 고결함 ; 친절과 도덕 ; 전쟁을 비난하고 전쟁에 참여하는 것을 부끄러워 하는 것 — 로 가득 찰 것이다. 이러한 12가지가 존재하는 나라의 통치자는 백성들을 농경이나 전쟁에 참여시킬 수 없으므로, 결국 그의 힘은 약하게 되고 영토는 줄어들 것이다."[73]

"그러므로 나는 백성들에게 이렇게 말하였다. 경작에 의해서만 이윤을 얻을 수 있고, 싸움을 통해서만 두려운 해악을 피할 수 있다. 그러므로 나라 안에 사는 모든 백성들은 먼저 경작과 전쟁에 스스로 투신하지 않는다면 어떠한 행복도 얻지 못할 것이다. 나의 말을 따르면 나라는 작을지라도 곡물 생산은 많을 것이다. 백성의 수는 적지만 군사력은 강하여질 것이다. 이 2가지 목적에 전념하는 나라는 멀지 않아 모든 나라를 지배하거나 정복하게 될 것이다."[74]

"덕이 있는 자가 사악한 자를 지배하는 나라는 무질서로 고통받고 마침내 해체될 것이다. 그러나 사악한 자가 덕이 있는 자를 다스리는 나라는 질서가 잡혀 결국 강성하게 될 것이다. ……"

명예만큼 하찮은 것은 없다. "적들이 부끄러워서 하지 않을 그러한 일을 스스로 행한다면 유리한 결과를 얻을 것이다."[75]

4. 위대한 고전의 시대 : 기원전 500-기원후 500년경

주 왕조 후기(東周) : 기원전 480-221년(戰國時代)

중국 고전 사상은 정치적 개혁에 최고의 관심을 두고 있다. 따라서 사회적이고 우주적인 해탈이 최고의 관심사인 인도 사상과 대조를 이룬다. 중국적 맥락에서 중심 문제가 되는 것은 이 세상의 권세와 권력의 바른 소재에 관한 것이다. 앞에서 인용한, 하늘을 힐난하는 애도의 시는 실제로는 황제를 향한 비난이다. 중국 신화에 따르면, 하늘, 땅, 인간 사이에는 상호 작용이 이루어지고 있다. 인간의 영역 안에서 권세와 권력의 핵심 원천은 황제이며, 그는 신화적 종속의 정신 속에서 스스로를 하늘의 아들로 여길 수 있다. 그러나 황제는 천명을 잃을 수도 있다. 따라서 최후의 사회적 질문은 천자의 천명을 유지하는 덕에 관한 것이다.

그러한 문제는 복잡하지만 대체로 2가지 면에서 살펴볼 수 있다. 1. 시간의 대우주적 질서의 측면 : 계절의 본성, 그리고 시간의 요구와 가능성이 길조와 흉조에 의해서 결정된다는 것. 2. 인간의 소우주적 질서의 측면 : 개인의 성품 속에 있는 가장 효과적인 힘을 지상의 생명의 조화를 위해서 인식하고 사용하는 것. 아서 웨일리는 『도덕경』을 멋지게 소개하는 글에서 "모든 중국 철학은 본질적으로 인간이 조화롭고 훌륭한 질서 속에서 어떻게 하면 함께 살 수 있는가에 관한 탐구이다"라고 쓰고 있다. "모든 중국 철학은 추상적 이론이 아니라 통치의 기술이다."[76] 그리고 이러한 질서의 모델은 모든 학파들이 사실로 받아들이고 해석한 요, 순, 우 왕의 신화적 황금 시대이다.

이 문제의 첫번째, 곧 대우주적 측면에 관한 중국의 주요한 문헌은 『역경(易經)』이다. 이 책은 실용적인 면에서는 점복의 백과 사전이며, 모든 중국 사상의 근본이 되는 신화적 우주관에 근거하고 있다. 이 책의 기원에 관한 전설에 따르면, 전설적인 10명의 황제 중 첫번째인 복희씨(382쪽의 1을 보라)가 역의 기본 요소를 발견하였다. 이 요소는 2가지이다. 끊어지지 않은 선(━)은 남성적 양의 원리와 관련되어 있으며 하늘(밝고, 마르고, 따뜻하고, 능동적인)을 의미하고, 끊어진 선(--)은 여성적 음의 원리와 관련되며 땅(어둡고, 습하고, 차갑고, 수동적인)을 의미한다. 원래 양과 음이라고 하는 말은 개울, 산, 거리의 양지와 음지를 지칭한다. 천막을 펼치고 그 밑으로 뛰어들면 땅의 음(--)의 성질을 경험할 것이다. 거기서 뛰어나오면 태양 가득한 하늘의 양(━)의 성질을 느낄 것이다. 만물 안에는 정도의 차이는 있지만 음과 양이 항상 함께 작용하고 있다. 『역경』의 목적은 음양의 관계 방식에 관한 백과 사전을 제공하는 것이다.

가장 단순한 결합은 4가지 결합 양상(═══ ══ ══ ═══)을 보여준다. 이를 사상(四象)이라고 한다. 복희씨는 3개의 효(爻)로 이루어진 일련의 괘를 배열한 것 같다. 그가 이름을 붙이고 배열하며 해석한 팔괘(八卦)는 다음과 같다.

이름	속성	심상	가족의 유비
1. 건(═══), 창조적인 것	강함	하늘	아버지
2. 곤(══), 수용적인 것	헌신, 양보	땅	어머니
3. 진(══), 일어나는 것	자극하는 운동	천둥	장남
4. 감(══), 끝없이 깊은 것	위험	물	차남
5. 간(══), 고요하게 있는 것	휴식	산	삼남
6. 손(══), 온화한 것	침투	바람, 숲	장녀
7. 리(══), 변화하는 것	빛을 줌	불	차녀
8. 태(══), 즐거운 것	기쁨에 넘침	호수	삼녀

리처드 빌헬름은 이 시리즈를 해석하면서 다음과 같이 말하였다. "아들은 여러 국면에 속하여 있는 운동의 원리, 즉 운동의 시작, 운동 속의 위험, 운동의 휴지와 완성을 표상한다. 그리고 딸은 다양한 국면에 있는 헌신, 즉 부드러운 침투, 맑음과 융통성, 유쾌한 고요함을 표상한다."[77]

이 기호를 더욱 발전시키고 그 미묘함을 더 풍요하게 한 사람은 문왕(文王, 주 왕실을 세운 무왕의 아버지)이다. 그는 효를 서로 결합시켜 64

괘를 만들었다. 문왕의 어린 아들 주공(앞에서 보았듯이, 자신의 형을 대신하여 스스로를 희생물로 드린 젊은이)은 모든 결합물 안에 있는 각 선의 힘을 분석하는 문헌을 구성하였다고 한다. 공자도 주석을 하였다고 전해진다. 시간이 흐르면서 더 많은 주석이 쓰여졌다. 기원전 213년 분서갱유의 대참사가 일어났을 때, 이 특별한 서적은 변덕 때문이 아니라 실용적인 이유로 보존되었다. 따라서 이 책은 모든 학파에 영향을 미치게 된다.

점을 치는 방법은 시초(蓍草)를 6번 던진 다음, 막대기가 떨어지는 방식에 따라서 밑에서부터 한줄씩 표시하는 것이다. 그 다음, 백과 사전을 참조하여 예언을 한다. 일례를 들어보면 다음과 같다.

7. 사(師) : 군대

≡≡ 위 : 곤, 수용적, 땅(제2괘)
≡≡ 아래 : 감, 끝없이 깊은 것, 물(제4괘)

이 괘는 물을 나타내는 감괘와 땅을 나타내는 곤괘로 이루어졌으므로 땅에 저장된 지하수를 상징한다. 이것은 군사력 — 평화 시에는 보이지 않지만 항상 힘의 원천으로 사용될 준비가 되어 있는 — 이 사람의 무리 속에 비축되어 있는 것과 같다. 이 두 괘의 속성은 안에서는 위험으로 존재하지만 밖에서는 복종으로 존재한다. 이것은 군대의 본질로서 군대는 안에서는 위험하지만 외부에서는 규율에 복종해야 한다. ……
　　단(彖) : 군대는 인내와 강한 사람을 필요로 한다. 책망이 없는 행운. ……
　　상(象) : 땅의 가운데에 물이 있다. 이것이 군대의 형상이다. 그러므로 군자는 백성에게 관용을 베풀어 무리를 증가시킨다. ……[78]

점의 결과를 구하는 자는 이 모든 설명과 자신의 상황 사이의 어떠한 상응 관계를 찾아야 한다. 이러한 사유 방식은 광범위하게 흩어져 있는 관념을 연합시키는 방법이다. 이러한 비밀 속으로 들어가기 위해서는 사유가 아니라 느낌을 가져야 하며, 각 상징이 이러한 관념 연합의 우주

속으로 들어가도록 해야 한다. 이러한 모든 것에는 음양 변증법의 근본 원리가 작용하고 있다. 음과 양은 어떤 측면에서는 인도의 링감과 요니의 관계와 유사하다. 그러나 인도에서는 링감과 요니의 성적 측면을 강력하게 암시하는 데 비하여 중국에서는 추상적인 수학적(기하학적) 양식의 상징화 경향이 나타나고 있다. 이러한 대조적 경향은 이 두 지역의 신화 전체에 채색되어 있다. 인도의 신화는 술에 취하고 관능적이고 혹은 그와 정반대로 철저하게 금욕적인 데 비하여, 중국의 신화는 무미 건조할 정도로 실용적이거나 익살스러운 상징일 뿐, 결코 극단적이지 않다.

그럼에도 불구하고 두 신화 체계는 근본적인 면에서 서로 일치한다. 예를 들어 "스스로를 분화시키는 자아"에 관한 인도의 신화적 이미지와 역의 계사전(繫辭傳)에 나오는 다음과 같은 상징, 혹은 이 책의 24쪽에 있는 도의 상징을 비교해보자.

"태극이 있고 그것이 양의(兩儀)를 낳는다. 양의는 사상을 낳고 사상은 팔괘를 낳는다. 팔괘는 길흉을 결정하며, 길흉은 큰 사업을 낳는다." (易有太極 是生兩儀 兩儀生四象 四象生八卦 八卦定吉凶 吉凶生大業)[79]

한마디로 『역경』은 일종의 신화의 기하학으로서, 특히 직접적 현재 ── 시초를 던지는 순간 ── 에 대하여 언급하고 있다. 그것은 시간의 준비에 대해서 말하며, 파도에 흔들리면서 그 조수와 함께 움직이는 기술에 대해서 말한다. 그 책은 고대 중국 사상에서 개인을 외부 세계의 질서와 관련시키는 현존하는 가장 중요한 진술서이다.

이제 내부 세계의 질서, 즉 개인의 능력 안에서 지상에서의 조화로운 삶을 실현시키기 위한 가장 효과적인 힘의 문제로 돌아가보자. 거기에는 (이미 언급하였던 『상군서』를 제외하면) 3가지의 견해가 눈에 뜨인다. 공자, 묵자, 그리고 도가의 견해가 그것이다. 이들은 서로 구별되지만 중국의 전형적인 관점을 공유하고 있다. 그 관점은 신화를 우주론적으로 보는 것이 아니라 심리학적으로 본다.

공자(기원전 551-478년). 알면 알수록 더 신기루처럼 되어버리는 인물이 공자이다. 그는 모든 위대한 경전을 편집하였다고 간주되었다. 그러나 풍우란(馮友蘭) 박사가 지적하듯이, "공자는 어떠한 경전도 저술하거나 주석하지 않았으며, 심지어 편집하지도 않았다."[80] 그의 손을 거쳐서 어떤 작품들이 나왔다고도 한다. 그러나 풍우란이 다시 지적한 것처럼, "그 당시에는 공식적인 것이 아니라 사적으로 책을 저술하는 관행이 아직 없었으며, 그러한 관행이 나타난 것은 공자 이후의 시대이다."[81] 그 성인에 대한 최초의 방대한 전기는 『사기(史記)』 제47장에서 나타난다. 이 책은 중국 최초의 왕조 연대기로서, 기원전 86년에 완성되었다.[82] 그러므로 공자가 실제로 살던 시대(기원전 551-478년)와 그에 관한 최초의 전기 사이의 시간적 간격은 붓다의 생애(기원전 563-483년)와 그의 가르침을 최초로 기록한 방대한 팔리 경전(기원전 80년경) 사이의 간격과 같다.

공자에 관한 전설을 간추려보면 이렇다. 그는 약소국인 노(魯)나라에서 태어났으며 상 왕실에서 내려오는 귀족 가문 출신이었다(붓다의 가계가 아리안 이전으로 올라가듯이 그의 가계는 주나라 이전으로 거슬러 올라간다). 그가 3살 되던 해에 군인 장교였던 아버지가 돌아가자 공자는 홀어머니 밑에서 자라났다(홀어머니 아들의 모티브 : 이는 출생을 영웅화시키는 동정녀 출생 설화의 민속적 변형이다).* 공자는 19세에 결혼하였으며, 노나라의 관직에 나아가 50세경에 재상이 되었다. 그러나 자신의 제후가 시간을 낭비하면서 국정을 소홀히 하고 이웃 군주가 선물로 보낸 궁녀들과 예인들에 빠져 있는 것을 알게 되었다. 이에 실망한 공자는 관직을 사임하고(심야의 환상 : 위대한 출발), 제자들을 이끌고 각국을 찾아다니면서 가르침을 폈다(방황하는 성자). 노나라에 돌아온 그는 생애의 마지막 3년을 저술 작업에 바쳤으나 그의 삶은 분명히 실패로 끝났다. 그는 붓다와는 달랐다. 공자의 욕망은 세상의 수호를 다른 사람에게 위임하는 것*이 아니라 요, 순, 우 황금 시대의 선정을 회복하는 제후의 자문관이 되는 데에 있었기 때문이다.

공자는 스스로를 창안자가 아니라 전달자로 불렀다.[83] 그의 이름이 붙어 있는 가르침을 경전에서 어느 정도 발견할 수 있지만, 그 경전들 자

---

* 파르지팔과 트리스탄을 비교해보라.
* 312-313쪽 참조.

체가 대체로 후대의 유가들에 의해서 개작된 것이므로, 유교가 먼저인지 공자가 먼저인지 구별하는 것은 불가능하다. 그와 그보다 연장자인 노자의 대화에 관한 잘 알려진 일화는 요즈음은 부정되는 경향이 있다. 노자라는 인물은 완전히 허구적인 존재이고 그의 이름에 귀속시켜온 철학은 기원전 6세기가 아니라 기원전 4-3세기경의 것에 속하기 때문이다. 『논어(論語)』에서 공자의 말로 간주되는 부분 —— 그가 몇 년을 더 살 수 있었다면 『역경』을 연구하는 데에 50년을 보냈을 것이고, 그렇게 하였다면 중대한 실수를 피할 수 있었을 것[84]이라는 문장 —— 도 받아들일 수 없다. 그 부분은 후대에 변조된 것이기 때문이다.[85] 공자의 사상을 알려주는 핵심 저작인 『논어』도 그가 직접 쓴 것이 아니다.[86] 따라서 오늘날 그의 가르침을 이해하려고 할 경우, 우리가 보고 있는 것은 공자가 아니라 유교라는 사실에 만족해야 한다.

유교는 "인(仁)"을 이 세상에서 삶의 조화를 실현하는 데에 가장 효과적인 힘으로 간주한다. 따라서 유교는 중국 사상사에서 농경과 투쟁의 철학에 정면으로 대립하는 지점에 서 있다. 농경과 투쟁의 철학에서는 예와 악, 시와 역사, 덕의 함양, 효 등이 국가적 생명체를 부패하게 만드는 구더기들이기 때문이다. 상형 문자인 인(仁)은 두 요소로 이루어져 있는데, 한 요소는 "사람"을 의미하고 다른 요소는 "둘"을 의미한다. 이것은 대체로 자애 혹은 인간의 감정으로 번역된다. 그리고 인은 관계, 곧 사람 사이의 자애롭고 진실하고 상호 존중하는 관계를 의미한다. 유교 문헌에서는 5가지 관계가 나타나고 있다. 군주와 신하, 아버지와 아들, 남편과 아내, 형과 동생, 친구 사이의 관계이다.

『논어』에서 "중궁(仲弓)이 인(仁)을 묻자, 공자께서는 말씀하였다. '문을 나갔을 때에는 큰 손님을 뵈온 듯이 하며, 백성에게 일을 시킬 때에는 큰 제사를 받들 듯이 하고, 자신이 하고자 하지 않는 것은 남에게 베풀지 말아야 하니, 이렇게 하면 나라에도 원망함이 없으며 집안에도 원망함이 없을 것이다.'"(仲弓問仁 子曰 出門如見大賓 使民如承大祭 己所不欲而勿施於人 在邦無怨 在家無怨)[87]

관계의 질서에 따르면, 유교의 첫번째 덕목은 인이고, 그러한 관계가 인정되기 위해서는 두번째 덕목이 필요하다. 그것은 정명(正名)이라고 불리는 덕목이다.

"공자께서 말씀하셨다. '반드시 명분을 바로잡겠다. …… 명분이 바르지 못하면 말이 이치에 순하지 못하고, 말이 이치에 순하지 못하면 일이 이루어지지 않고, 일이 이루어지지 않으면 예악이 일어나지 않고, 예악이 일어나지 못하면 형벌이 알맞지 못하고, 형벌이 알맞지 못하면 백성들이 손발을 둘 곳이 없어진다. 그러므로 군자가 이름(명분)을 붙이면 반드시 말할 수 있으며, 말할 수 있으면 반드시 행할 수 있는 것이니, 군자는 그 말에 대하여 구차히 함이 없을 뿐이다.'"(子曰 必也正名乎 …… 名不正則言不順 言不順則事不成 事不成則禮樂不興 禮樂不興則刑罰不中 刑罰不中則民無所措手足 故君子名之必可言也 言之必可行也 君子於其言 無所苟而已矣)[88]

"제경공(齊景公)이 공자에게 정사(政事)의 의미를 묻자, 공자께서 말씀하셨다. '임금은 임금 노릇하며, 신하는 신하 노릇하며, 아비는 아비 노릇하며, 자식은 자식 노릇하는 것입니다.'"(齊景公 問政於孔子 孔子對曰 君君 臣臣 父父 子子)[89]

풍우란은 이 말에 대해서 다음과 같은 주석을 달고 있다. "다른 말로 하면, 각 이름은 그것이 가리키는 사물의 본질을 의미한다. 그러므로 각 사물은 이러한 이상적 본질에 일치해야 한다."[90]

이러한 관념은 사트(sat, "존재"), 사탸(satya, "진리"), 그리고 이 둘과 영원한 다르마 — 세계를 지탱하는 — 의 관계에 대한 인도적 시각과 정확히 일치한다. 하인리히 치머는 『인도의 철학(*Philosophies of India*)』에서 이렇게 지적한다. "일자는 '존재하거나(sat)' '존재하지 않는다(a-sat)'. 일자의 다르마는 시간 안에서 나타난 일자의 존재(*is*)의 형식이다." "수많은 카스트와 직업의 규범은 인간의 영역 안에 나타난 자연적인 질서의 반영이다. 그러므로 이러한 규범을 준수할 때에는 다양한 계급이 서로 명백하게 갈등을 겪고 있는 경우조차도 서로 협동하고 있는 것으로 느낀다. 각자에게 주어진 고유한 의무를 따르는 종족과 계급은 우주의 일을 함께 하고 있는 것이다. 이러한 봉사를 통하여 개인은 자신의 독특성의 한계를 넘어서 우주적 힘의 도관으로 들어간다. …… 깨끗한 직업과 더러운 직업이 존재하지만 그것은 함께 '신성한 힘'에 참여한다. 그러므로 '덕'은 각자에게 주어진 역할을 완전하게 수행하는 것과 사실상 동일한 의미이다."[91]

『중용(中庸)』으로 알려진 유교 경전은 공자의 손자인 자사(子思)의 저작으로 간주되지만, 아마도 진나라나 한나라의 작품일 것이다.[92] 그 책에는 이러한 말이 있다. "하늘이 부여하는 것을 성(性)이라고 하고, 이 성을 따르는 것을 도(道)라고 한다. 이 도를 닦는 것을 교(敎)라고 한다."(天命之謂性 率性之謂道 修道之謂敎)[93]

한발 더 나아가면, "성(誠)은 하늘의 도이고 성을 이루는 것은 인간의 도이다."(誠者天之道也 誠之者人之道也)[94]

"세상에서 가장 완전한 성(誠)을 가지고 있는 자만이 자신의 본성을 온전히 실현시킬 수 있고, 자신의 본성을 온전히 실현시킬 수 있는 자만이 다른 사람의 본성에 대해서 같은 일을 할 수 있다. 다른 사람의 본성을 온전히 실현시킬 수 있는 자만이 동물과 사물의 본성에 대해서 같은 일을 할 수 있다. 동물과 사물의 본성을 온전히 실현시킬 수 있는 자만이 천지의 변화시키고 기르는 힘을 도울 수 있다. 천지의 변화시키고 기르는 힘을 도울 수 있는 자는 천(天), 지(地)와 함께 삼재(三才)를 이룬다."(唯天下至誠 爲能盡其性 爲能盡其性則能盡人之性 能盡人之性則能盡物之性 能盡物之性則可以贊天地之化育 可以贊天地之化育則可以與天地參矣)[95]

그러므로 이러한 성품을 닦는 중국의 사유 체계에서는 4개의 주요 덕목이 본질적인 것으로 자리를 잡는다. 인(仁), 관계의 질서에 대한 존중, 관계를 인식하기 위하여 이름을 바르게 하는 것(正名), 이름을 바로 잡음으로써 드러나는 내적 본성을 철저히 지키는 성(誠)이 그것이다.

이것들로부터 3가지 중요한 덕목이 나오게 된다.

1. "군자는 자신의 처지에 맞는 행동을 하지, 그의 처지를 넘어가 행동하려고 하지 않는다. 부귀를 지니고 있을 때에는 부귀에 맞는 행동을 한다. 가난하고 미천한 처지에 있을 때에는 가난하고 미천한 처지에 맞는

행동을 한다. 오랑캐의 무리 속에 살고 있을 경우에는 오랑캐에 맞는 행동을 한다. 환난에 처하여 있을 때에는 그 상황에 맞는 행동을 한다. 군자는 그 자신이 놓여 있어서는 안되는 상황에서는 결코 그 자신을 드러내지 않는다."(君子素其位而行 不願乎其外 素富貴 行乎富貴 素貧賤 行乎貧賤 素夷狄 行乎夷狄 素患難 行乎患難 君子無入而不自得焉)[96]

2. "공자께서 말씀하셨다. '마음을 움직이는 것은 시이며, 덕성을 확립하는 것은 예이며, 마무리를 하는 것은 악(樂)이다.'"(子曰 興於詩 立於禮 成於樂)[97]

"천명을 알지 못하면 군자가 될 수 없으며, 예를 알지 못하면 덕성을 함양할 수 없으며, 말의 힘을 알지 못하면 사람을 알 수 없다."(不知命 無以爲君子也 不知禮 無以立也 不知言 無以知人也)[98]

3. 그리고 마지막으로, "군자는 의(義 : 상황의 '당위성')에 밝고 소인은 이익에 밝다."(君子喩於義 小人喩於利)[99]

보답을 바라지 않는 의무의 수행(산스크리트의 카르마-요가), 사회 질서는 각자의 본성을 실현하는 데에 완전한 길잡이를 제공한다는 관념(산스크리트의 다르마), 그러한 것을 실현시키는 덕은 우주 질서의 실재의 덕에 참여한다는 믿음(산스크리트의 사탸) : 이것들은 본질적으로 초기 사제 국가의 가르침이다. 이러한 관점에서 볼 때, 마누와 공자, 인도와 중국의 주요한 차이는 덕이 있는 자가 강조하는 의무의 지역적 특성, 곧 인도의 카스트 규정과 공자의 오륜에 있을 뿐, 두 체계의 형이상학은 동일하다.

묵자(墨子, 기원전 480-400년). 공자의 사상 체계에 대한 첫번째의 심각한 철학적 도전은 보편적 사랑의 가르침을 설파한 주창자로부터 나왔다. 우리는 이미 그 당시 제후의 장례식에 대하여 그가 불평하였음을 살펴보았다. 묵자는 공자가 죽을 무렵에 태어난 것이 분명하며, 기원전 480-400년 무렵이 그의 전성기였다고 한다.

이 도전자는 이렇게 말하였다. "오래 사는 사람도 유학에서 요구하는 모든 가르침을 다 배울 수는 없다. 젊음의 힘을 가진 사람도 의식의 모든 의무를 수행할 수는 없다. 부를 축적한 사람도 음악을 다 행할 여유가 없다. 유가들은 사악한 예술의 미를 증가시키고 그들의 백성을 오도한다. 그들의 가르침은 시대의 필요를 충족시킬 수 없고, 그들의 학문은 사람을 교육시킬 수 없다."[100]

"묵자가 한 유가에게 이렇게 물었다. '음악을 하는 이유는 무엇이지요?' 유가는 이렇게 대답하였다. '음악 그 자체를 위해서 연주합니다.' ('음악'을 의미하는 악(樂)은 '즐거움'을 의미하기도 한다. 여기에는 묵자가 알아챌 수 없는 말 장난이 숨어 있다.) 묵자는 말하였다. '당신은 나의 물음에 답하지 않는군요. 왜 집을 짓는가라고 내가 물었다고 합시다. 이때 당신이 겨울에 추위를 막고, 여름에 더위를 막으며, 또 남자와 여자를 분리하기 위해서라고 답하였다고 합시다. 그 경우 당신은 집을 짓는 이유에 대해서 나에게 충분히 답한 것입니다. 지금 왜 음악을 연주하는가라고 나는 묻고 있습니다. 이에 대해서 당신은 음악 자체를 위해서 연주한다고 대답하고 있습니다. 이것은 왜 집을 짓는가 하는 물음에 대해서 집을 위해서 집을 짓는다고 대답하는 것과 같습니다.'"[101]

풍우란 박사는 묵자의 견해에 대해서 다음과 같은 주석을 달고 있다. "음악은 실용적 가치가 없으므로 폐기해야 하고 모든 형태의 미술도 역시 폐기해야 한다. 감정의 산물인 음악과 미술은 이러한 감정에만 호소할 수 있다. …… 그의 실증주의적 공리주의에 따르면, 인간의 수많은 감정은 어떠한 실용적 가치도 없고 어떤 중요성도 지니고 있지 않다. 따라서 그것들은 인간의 행동에 장애가 되지 않기 위해서 폐기되어야만 한다."[102]

"유가들은 어떤 행동이 이익이 되는가를 생각하는 대신 의에 충실하고자 하였으며, 그것이 물질적 보답을 가져올 것인가를 생각하지 않고 그들의 원칙에 충실하고자 하였다. 이와 달리 묵자의 학파는 '이윤(利)'과 '성취(功)'에 최고의 강조점을 두었다."[103] "어떤 것이 가치를 지니기 위해서는 먼저 그것이 나라와 백성에 이로워야 한다. 묵자는 한 나라에 가장 커다란 이로움이 되는 것은 그 나라의 부와 많은 인구라고 믿었다."[104]

사회 질서와 그 질서를 구조화하는 힘의 문제는 공자의 경우처럼 묵자에게도 여전히 남아 있다. 그러나 묵자는 본성을 활성화시키고 계발시키는 예절, 예술, 의례의 힘에 대한 믿음을 상실하였다. 더구나 본성 자체에 대한 믿음도 잃었다. 유가의 경우에는 본성이 하늘에 의해서 각자에게 부여되고 각자의 마음속에 봉인되어 있으며, 시, 의례, 예절 등의 영향에 의해서 그 본성은 도와 조화를 이루며 자연적으로 만개한다. 그러나 묵자에게는 그러한 희망이 없었다.

(묵자는 이렇게 말한다.) 아주 오랜 옛날 인간이 처음 태어나서 아직 천자나 제후와 같은 통치자가 없었을 때에는 "각자 자신의 주의(主義)에 따라서"라는 관습이 있었다. 한 사람이 있을 때에는 1가지 주의가 있었고, 두 사람이 있을 때에는 2가지의 주의가 있게 되었으며, 열 사람이 되자 10가지의 주의가 있게 되었다. 사람이 늘어날수록 주의 주장이 그만큼 많아졌다. 사람들은 제각기 자기의 주의를 옳다고 하고 남의 주의를 그르다고 하였으니, 자연히 서로 헐뜯고 비난할 수밖에 없었다. 결국 집안에서는 아버지와 아들이, 형과 아우가 서로 미워하고 원망하다가 끝내 화합하지 못하고 갈라서게 되었으며, 세상은 온통 물길을 끊거나, 불로 들이치거나, 또는 독약을 쓰거나 해서 사람들이 서로 해치는 판국이 되었다. 그래서 일하고 남은 힘이 있어도 약한 사람을 도우려고 하지 아니하였고, 먹고 남은 재물을 썩히면서도 굶주리는 사람에게 나누어주는 일이 없었으며, 도덕이 있는 사람은 그 좋은 덕행을 감추어서 남을 가르쳐 선도하려고 하지 않았다. 천하가 어지러워진 꼴이 마치 금수의 세계나 다를 것이 없었다. 이와 같이 천하가 어지러워진 까닭은 그 많은 사람들의 서로 다른 주의를 하나로 통일할 통치자가 없었기 때문이다. 그래서 천하의 어진 이를 가려 천자의 자리에 앉혔다. ……

천자는 온 천하에 법령을 내렸다. "착한 일이나 착하지 못한 일을 듣고 알았을 때에는 모두 상부에 신고하라. 상부에서 옳다고 하는 것은 백성들도 반드시 옳다고 해야 할 것이요, 상부에서 그르다고 하는 것은 역시 다 같이 그르다고 해야 할 것이다."[105]

(子墨子言曰 古者民始生 未有刑政之時 蓋其語人異義 是以一人則一義 二人則二義 十人則十義 其人玆衆 其所謂義者亦玆衆 是以人是其義 以罪人之義 故交相非也 是以內者父子兄弟作怨惡 離散不能相和合 天下之百姓 皆以水火毒藥相虧害 至有餘力 不能以相勞 腐朽餘財 不以相分 隱匿良道

478

不以相敎 天下之亂 若禽獸然 夫明虖天下之所以亂者 生於無政長 是故選
天下之賢可者 立以爲天子 ……

天子發政於天下之百姓 言曰 聞善而不善 皆以告其上 上之所是 必皆是
之 所非必皆非之)

내적 본성에 대한 믿음이 사라지자 유일한 의지처로 남은 것은 천명으
로 감상화된 전제주의였으며, 그것의 대행자는 음악이 아니라 정탐, 처벌
에 대한 두려움, 그리고 보상욕이었다.

시험삼아 한 가장을 시켜 그 가인에게 이런 명령을 내리게 했다고 하자.
"우리 일가를 사랑하고 이익되게 하는 사람이 있거든 반드시 내게 알려라.
그리고 우리 일가를 미워하고 해를 끼치는 사람도 내게 꼭 알려라. 만일 우
리 일가를 사랑하는 사람을 보고서 내게 알려준다면 알려준 사람도 함께 상
을 줄 것이니, 이때는 다 같이 칭찬해주도록 하라. 한편 우리 일가를 미워하
고 해롭게 하는 사람을 보고도 알리지 않는 사람이 있다면 이는 우리 일가
를 미워하는 사람과 똑같이 벌을 줄 것이니 이때는 모두 이들을 비난해주도
록 하라"라고.
이런 경우 이 일가의 가인들은 모두가 가장으로부터 상받기를 원하고 벌
받기를 두려워하여 착한 사람이건 착하지 못한 사람이건 보는 대로 다 말해
줄 것이다. 여기서 가장은 착한 사람과 난폭한 사람을 분명히 가려내어 상
과 벌을 그에 알맞게 내려줄 것이니, 이렇게만 된다면 이 일가는 반드시 잘
다스려질 것임에 틀림없다. 이 일가가 이와 같이 잘 다스려지는 이유는 어
디에 있을까? 오직 윗사람의 뜻에 동조하고 윗사람의 주의와 하나가 된다
는 방침 아래 일가를 다스렸기 때문이다.[106]
(試用家君 發憲布令其家 曰 若見愛利家者 必以告 若見惡賊家者 亦必
以告 若見愛利家以告 亦獨愛利家者也 上得且賞之 衆聞則譽之 若見惡賊
家不以告 亦猶惡賊家者也 上得且罰之 衆聞則非之 是以徧若家之人 皆欲
得其長上之賞譽 辟其毁罰 是以善言之 不善言之 家君得善人而賞之 得暴
人而罰之 善人之賞 而暴人之罰 以家必治矣 然計若家之所以治者 何也 唯
以上同一義爲政故也)

이 모든 것 가운데 묵자의 유명한 보편적 사랑의 원리를 어디서 발견
할 것인가?

    어진 사람으로서 할 일은 반드시 천하의 이익이 되는 일을 일으키는 동시
에 천하의 모든 해독을 제거하는 것이다. 그러면 오늘날 천하의 손해가 되
는 것 가운데 어느 것이 가장 클까? 큰 나라가 작은 나라를 공격하는 일, 대
가문이 소가문을 어지럽히는 일, 강자가 약자를 협박하는 일, 부자가 가난한
사람을 업신여기는 일, 다수가 소수를 괴롭히는 일, 간사한 사람이 어리석은
사람을 속이는 일, 귀한 사람이 천한 사람 앞에 오만을 부리는 일이다. ……
    이토록 많은 해독이 도대체 어디서부터 생기는가? 그 원인을 캐보자. 그
것은 남을 사랑하고 남을 이익되게 하는 데서 생긴다고 말할 수 있을까?
절대로 그런 것이 아니다. 그것은 반드시 남을 미워하고 남을 해롭게 하는
데서 생기는 것이다. 그러면 남을 미워하고 남을 해롭게 하는 것은 겸애(兼
愛)와 별애(別愛) 가운데 어느 것에 속할까? 말할 것도 없이 그것은 별애
이다. 사람이 서로 별애한다는 것은 이 세상에서 가장 큰 해독의 근원이 되
는 것이다. 그러므로 그것은 그른 것이다. 사람으로서 다른 사람이 별애하는
것을 보고 그르다고 할 때는 반드시 그 그릇된 것을 올바른 것으로 고쳐야
한다. 그렇게 하지 않는다면 …… 아무 소용이 없다. 그러므로 별애를 겸애
로 바꾸어야 한다.[107]

    (仁人之事者　必務求興天下之利　除天下之害　然當今之時　天下之害孰爲
大　曰若大國之攻小國也　大家之亂小家也　强之劫弱　衆之暴寡　詐之謀愚　貴
之放賤　此天下之害也 ……

    姑嘗本原若衆害之所自生　此胡自生此愛人利人生與　則必曰非然也　必曰
從惡人賊人生　分名乎天下　惡人而賊人者　兼與別與　則必曰別也　然則之交
別者　果生天下之大害者與　是故別非也　非人者必有以易之　若非人而無以易
之 ……　其說將必無可焉　是故　兼以易別)

그렇지만, 모든 것을 포용하는 이러한 사랑의 원리라는 미명 하에 전
쟁은 양심의 가책도 없이 무제한적으로 수행될 수 있다.

    (이러한 기록이 있다.) 난폭하고 잔악한 나라가 있었는데, 성인이 세상을

위하여 모든 해악을 없애고자 군사를 일으켜 이를 주벌하여 이겼다고 생각
해보자. 이 경우, 유가의 말대로 군사들에게 명령하기를 "달아나는 적병을
뒤쫓지 말며 갑옷을 벗은 이에게 활을 쏘지 말며, 적의 짐수레를 도와주도
록 하라"고 한다면, 그 난폭하고 잔악한 무리들은 살길을 얻게 되어 세상의
모든 해악은 영원히 제거할 수 없을 것이다. 이것은 곧 많은 부모들에게 해
를 끼쳐 세상을 깊이 해롭게 하는 일이 되니, 불의 치고 이보다 더 큰 불의
는 없다.[108]

　(意暴殘之國也　聖將爲世除害　興師誅罰　勝將因用儒術令士卒曰　毋逐奔
捨函勿射　施則助之脊車　暴亂之人也得活　天下害不除　是爲羣殘父母　而深
賤世也　不義莫大焉)

　묵자의 추종자들은 그들 자신의 논리에 입각하여 군사적 행동을 할 수
있고 엄격한 규율을 지닌 단체를 조직하였다. 그들의 지도자는 "거자(鉅
子)"라고 불리었으며 묵자 자신이 첫번째 거자였다. 그는 "180명의 제자
를 거느렸고, 그들에게 불에 뛰어들거나 칼날 위에 서도록 명할 수 있었
으며, 심지어 죽으라는 명령을 내릴 수도 있었다"고 한다.[109]

　도교　기원전 400년경 이후. 한편에는 부당하게 다스려지는 "저급한"
피착취 대중이 있고, 다른 한편에는 통치 능력이 없는 혼란스러운 상류
층의 폭군 ── 공자마저도 그 구제 가능성을 포기할 정도로 방종한 무리
이거나, 독선적이고 폭력적인 공리주의에 근거한 묵가 집단 ── 이 존재
하는 사회의 질서를 생각해보라. 기원전 4-3세기경이 바로 이러한 상황
이었다. 이때 예민한 감각을 지닌 많은 수의 중국 지성인이 숲으로 은거
한 것은 놀라운가? 그 시대는 그보다 3세기 혹은 4세기 전에 해당하는
인도의 숲의 철학자들의 시대를 닮고 있으며, 적어도 그 시대를 연상시
키고 있다. 당시의 인도에서도 초기의 봉건 질서가 와해되고 있었다. 유
교 철학자인 맹자(孟子)는 사회에 참여하지 않는 이러한 산악의 성인들
중에서 가장 유명한 사람에 대하여 다음과 같이 말하고 있다. "양주(楊
朱)의 원리는 '각기 자신만의 이익을 위해!'이다. 그는 한 올의 털을 뽑
음으로써 제국 전체를 이롭게 할 수 있음에도 불구하고 그것을 하지 않

을 사람이다."[110] 저자를 알 수 없는 3세기경의 저작 『한비자(韓非子)』에
는 그 평화로운 무리 전체가 "그들 자신이 다른 사람들과는 다르다고 자
부하면서 군중으로부터 떨어져 걷는 사람들"이라고 묘사되어 있다.

그 저자는 계속하여 말한다. "그들은 정적주의의 교의를 가르치고 있
지만 그에 대한 설명은 혼란스럽고 신비로운 용어로 되어 있다. …… 인
간의 의무는 자신의 제후에게 복종하고 부모를 봉양하는 것인데, 정적
(靜寂)의 태도로는 그 어느 것도 행할 수 없다. 더구나 충성과 신실한
믿음을 다하고 국법을 지키는 것은 모든 가르침 속에 존재하는 인간의
의무이다. 모호하고 신비스러운 용어로는 이것을 실현할 수 없다. 정적주
의자의 가르침은 거짓된 것이며 백성들을 잘못 인도할 수 있다."[111]

물론 자기 자신의 독단적 양심에 근거하여 통치 질서에 반대하거나 그
것으로부터 도피하려고 한 모든 위대한 청산주의자들이 그러하였던 것처
럼, 숲속에 거주하는 자의 길은 실제로는 인류, 특히 예절의 이상에 대하
여 책임을 느끼고 있었다.

법가(法家)라고 불리는 강경한 학파의 또 다른 철학자는 이렇게 말하
고 있다. "통치자는 자기 자신의 의견을 가지고 있는 사람이나 개인의 중
요성을 신봉하는 사람의 말에 귀를 기울여서는 안 된다. 그러한 가르침
은 사람들을 고요한 곳으로 물러나게 하거나 동굴이나 산속으로 숨게 만
든다. 그들은 은둔하면서 현정부를 비난하고 권위를 지닌 자를 조소하며,
지위와 봉급의 중요성을 경시하고 관직을 지닌 모든 사람을 멸시한다."[112]

그럼에도 웨일리는 다음과 같은 사실을 잘 보여준다.

그러한 사람들이 관직에서 나오는 봉급을 거부하고 그들 자신의 노동에
근거한 자급 생활을 주장한 실제 이유는 별도로 있었다. 이들은 사회가 스
스로를 완성시키는 각 개인들로 이루어져야 한다는 생각을 가지고 있었다.
공동체의 고통받는 사람들의 머리로부터 뽑힌 '머리털'로 생계를 유지하는
것은 그들의 양심에 배치되었다. 진중(陣仲)이라고 하는 사람은 이러한 부
류에 속한 열정적인 은둔자였다. 그는 제(齊)나라 땅(오늘날 산동의 일부)
의 중요한 가문 출신이었으며, 조상은 대대로 고위 관직에 종사하였고, 형은

10,000종(鍾)의 수입이 나오는 봉토를 운영하고 있었다.* 그러나 부정한 이득으로 사는 것이 자신의 원칙에 위배된다고 판단하자, 즉시 형의 집을 떠나 오릉(於陵)이라고 불리는 오지에 정착하였다. 거기서 삼으로 신발을 만들면서 생계를 유지하였고, 그의 아내는 삼으로 실을 짰다. 그들의 생계는 매우 불안정하였고, 3일 동안 아무 것도 먹지 못하는 경우도 있었다.[113]

　더구나 이 은둔자들은 내적 실현을 위한 다양한 규율을 지키면서 인류의 복지에 큰 힘이 될 것이라고 여긴 어떠한 것을 생각해냈다. 그것은 산악의 은둔자들 자신이 어느 정도 포기하였던 의식주 — 묵가가 덕의 근본으로 간주한 — 보다 더 큰 힘이었으며, 그러한 물질적 재료를 모든 사람에게 제공할 수 있는 경찰력이나 군사력보다 더 큰 힘이었다. 그들의 경험에 의하면, 심오하고 놀라운 도의 실현 속에 존재하는 힘과 경험은 모든 사물, 모든 존재, 그리고 진실한 인간성의 실제적 토대였다.

　웨일리는 이렇게 말하고 있다. "그리스도가 출현하기 3-4세기 전, 중국에는 다양한 정적주의 학파가 존재하였다. 그들의 문헌 중 일부가 남아 있다."[114] 이 운동이 형성되던 기원전 4세기에는 외부의 영향이 작용하고 있었던 것 같다. 그는 이러한 사실이 아직 증명되지는 않았지만 그 가능성은 충분히 있다고 본다. 다음 세기에 접어들면 "그러한 영향은 눈에 뜨일 정도로 큰 중요성을 가지기 시작하였다."[115] 철의 사용과 기병을 이용한 전쟁, 비중국적인 복장의 채택, 새로운 형태의 장례 의식에 대한 숙달,[116] 그리고 중국의 저작 속에 등장하는 인도적 모티브 등을 종합하여 보면, 그 시기에는 상당한 정도로 이국적 관념이 유입되고 있었음을 알 수 있다. 웨일리는 이렇게 말한다. "오늘날 모든 학자들은 인도에서 들어온 지리적, 신화적 요소가 3세기의 문헌에 가득 차 있음을 인정하고 있다. 열자(列子)가 기술한 '성스러운 산악인(신선〔神仙〕)'이 인도의 리시라는 사실은 전혀 의심할 수 없다. 『장자(莊子)』에서, 도가가 힌두 요가의 아사나와 매우 유사한 운동을 하는 것을 보면, 리시가 사용한 이러한 요가 기술이 중국으로 들어왔을 가능성이 있다."[117]

---

* 재상 수입의 1/10(웨일리의 주석).

인도와 비교할 때 중국 정적주의 운동의 궁극적인 힘과 방향은 매우 다르다. 앞에서 보았듯이, 인도 요가의 금욕주의자는 자신의 내부에서 모든 종류의 주술적 효과를 가져올 수 있는 어떤 "힘(시디〔siddhi〕)"을 계발시킬 수 있다. 그러나 인도 요가의 참된 목표는 이러한 힘을 넘어서는 데에 있다. 인도의 문헌에는 이러한 시디의 행사를 보여주는 예들이 가득 차 있지만, 지배적인 영적 전통은 그러한 것에 대한 관심을 철저하게 포기하도록 요구하고 있다. 예를 들면, 베단타 학파의 기본 문헌인 15세기의 『베단타사라(*Vedantasara*)』에는 요가의 깨달음을 추구하는 후보자가 초기의 훈련 단계에서 미리 갖추어야 할 4가지 필요 조건이 다음과 같이 제시되고 있다. 1. 영원한 것과 일시적인 것의 구별. 2. 이 세상과 다음 세상에서 행위의 보답을 포기할 것. 3. 6가지의 영적 보물 : 외적 성향의 통제, 외적 기관의 규제, 지정된 일의 중지, 열과 추위, 칭찬과 비난, 그리고 모든 다른 형태의 대립물에 대한 무관심, 마음의 집중, 영적 가르침과 과제에 대한 믿음. 4. 해탈에 대한 깊은 열망.[118] 이와는 달리 중국에서는 관심의 대상이 바로 힘(덕)이다. 웨일리는 "덕은 잠재적인 힘, 어떠한 것에 내재한 '덕'을 의미한다"[119]고 말한다. 그러므로 도덕은 "길, 질서, 우주(도)의 잠재적 힘(덕)"이며, 정적주의자들은 외부에서만이 아니라 내부에서도 이러한 힘을 추구한다. 그 힘은 "만물의 어머니"이다.

> 계곡의 신은 결코 죽지 않습니다.
> 그것은 신비의 여인,
> 여인의 문은 하늘과 땅의 근원.
> 끊길 듯하면서도 이어지고,
> 써도 써도 다할 줄 모릅니다.[120]
> (谷神不死 是謂玄牝 玄牝之門 是謂天地根 綿綿若存 用之不動)

중국의 도에 대한 철학의 고전은 "길(道)의 힘(德)의 책(經)"인 『도덕경』이며, 그러한 종류의 도 철학에서는 다음과 같은 주장이 나온다. 즉 도에 관한 고요한 명상은 "외부 세계에 대한 힘을 불러일으킨다. 인도인은 이를 시대라고 말하고 중국인은 덕이라고 부르는데, 물질을 두고 서로 다투는 물질의 노예들은 결코 꿈꿀 수 없는 힘이다."[121] 도가의 확고한 신념에 따르면, 황금 시대의 군주들이 사회와 세계의 질서를 형식상 유지한 것은 오직 도에 대한 그들 자신의 내적 경험의 힘(덕)을 통해서였다.

도를 체득한 훌륭한 옛사람은
미묘 현통하여 그 깊이를 알 수 없습니다.

그 깊이를 알 수 없으니
드러난 모습을 가지고 억지로 형용을 하라고 한다면
겨울에 강을 건너듯 머뭇거리고,
사방의 이웃 대하듯 주춤거리고,
손님처럼 어려워하고,
녹으려는 얼음처럼 맺힘이 없고,
다듬지 않은 통나무처럼 소박하고,
계곡처럼 트이고,
흙탕물처럼 탁합니다.

탁한 것을 고요히 하여 점점 맑아지게 할 수 있는 이
누구겠습니까?
가만히 있던 것을 움직여 점점 생동하게 할 수 있는 이
누구겠습니까?

도를 체득한 사람은 채워지기를 원하지 않습니다.
채워지지를 원하지 않기 때문에
멸망하지 않고 영원히 새로워집니다.[122]

(古之善爲士者 微妙玄通 深不可識 夫唯不可識 故强爲之容 豫焉 若冬涉川 猶兮 若畏四隣 儼兮 其若客 渙兮 若氷之將釋 敦兮 其若樸 曠兮 其若谷 混兮 其若濁 孰能濁以靜之徐淸 孰能安以久動之徐生 保此道者不欲盈 夫唯不盈 故能蔽不新成)

*   *   *

완전한 비움에 이르십시오.
참된 고요를 지키십시오.
온갖 것 어울려 생겨날 때
나는 그들의 되돌아감을 눈여겨 봅니다.

온갖 것 무성하게 뻗어가나
결국 모두 그 뿌리로 돌아가게 됩니다.
그 뿌리로 돌아감은 고요를 찾음입니다.
이를 일러 제 명(命)을 찾아감이라 합니다.
영원한 것을 아는 것이 밝아짐(明)입니다.

영원한 것을 알지 못하면 미망으로 재난을 당합니다.
영원한 것을 알면 너그러워집니다.
너그러워지면 공평해집니다.
공평해지면 왕같이 됩니다.
왕같이 되면 하늘같이 됩니다.
하늘같이 되면 도같이 됩니다.
도같이 되면 영원히 사는 것입니다.
몸이 다하는 날까지 두려울 것이 없습니다.[123]
    (致虛極 守靜篤 萬物竝作 吾以觀復 夫物芸芸 各復歸其根 歸根曰靜 是
謂復命 復命曰常 知常曰明 不知常 妄作凶 知常容 容乃公 公乃王 王乃天
天乃道 道乃久 沒身不殆)

　　도가의 현인 장자(기원전 300년경에 활약)에 관한 일화가 있다. 아내
가 죽었을 때에 논리학파인 혜시(惠施)가 장례식에 참석하러 왔다가 장
자가 무릎에 사발을 엎어 놓고 두들기면서 노래하는 것을 보았다. 혜시
는 놀라서 말하였다. "자네는 아내와 살면서 아이들을 기르고 이제 늙은
처지일세. 아내가 죽었는데 곡을 하지 않는 것도 너무한 일인데, 거기다
질그릇을 두드리며 노래까지 하다니 너무 심하지 않은가?"(與人居 長子

老 身死不器 亦足矣 又鼓盆而歌 不亦甚乎)

장자는 이렇게 대답하였다. "그렇지 않네. 아내가 죽었을 때 나라고 어찌 슬퍼하는 마음이 없었겠나? 그러나 그 시작을 곰곰이 생각해보았지. 본래 삶이란 게 없었네. 본래 삶이 없었을 뿐만 아니라 본래 형체도 없었던 것이지. 본래 형체만 없었던 것이 아니라 본래 기(氣)가 없었던 것이지. 그저 흐릿하고 어두운 속에 섞여 있다가 그것이 변하여 기가 되고, 기가 변하여 형체가 되었네. 이것은 마치 봄 여을 가을 겨울 사철의 흐름과 맞먹는 일일세. 아내는 지금 '큰방'에 누워 있지. 내가 시끄럽게 따라가며 울고불고 한다는 것은 스스로 운명을 모르는 일이네. 그래서 울기를 그만 둔 것이지."(不然 是其始死也 我獨何能无槪然 察其始 而本无生 非徒无生也 而本无形 非徒无形也 而本无氣 雜乎芒芴之間 變而有氣 氣變而有形 形變而有生 今又變而之死 是相與爲春秋冬夏四時行也 人且偃然寢於巨室 而我噭噭然 隨而哭之 自以爲不通乎命 故止也)[124]

웨일리는 이 장면에 대해서 이렇게 쓰고 있다. "장자에서 반복하여 나타나는 죽음에 대한 이러한 태도는 보편적인 자연 법칙에 대한 일반적인 태도의 한 부분이다. 이러한 태도는 단순한 체념이나 순응의 자세가 아니라 도교 문헌에서 가장 감동적인 어떤 구절들을 불러일으킨 서정적이고 황홀한 수용의 자세이다. 생성하고 해체하는 자연의 권리를 의심하고 자연이 우리에게 부여하지 않은 역할을 추구하는 것은 무익할 뿐만 아니라 도교의 본질인 '정신'의 평정에 해가 된다. 더구나 우리의 완전한 무력함을 고려할 때, 이러한 행위는 희극적이고 은혜롭지 못한 어리석음을 초래할 뿐이다."[125]

전반적으로 볼 때, 공자와 도가는 세계를 형성하는 힘의 자리를 인간 자신 안에 위치시키는 데에 동의한다. 그러나 그 자리의 깊이와 그 힘을 일깨우는 방식에 대해서는 다른 태도를 취하였다.

도가는 "마음을 비우고 앉아" "다듬지 않은 통나무의 상태로 돌아가는" 내향화된 명상의 방법을 선호하였다. 그러한 마음의 상태는 이름이 붙은 것, 형태가 있는 것, 명예로운 것, 거부된 것보다 더 깊이 위치하고 있는 것으로 여겨진다. "주장하지 않고 강요하지 않음"을 의미하는 무위

(無爲)는 그들의 표어였으며, 역설의 방법(반언〔反言〕)이 그들의 가르침
이었다.

> 휘면 온전할 수 있고,
> 굽으면 곧아질 수 있고,
> 움푹 파이면 채워지게 되고,
> 헐리면 새로워지고,
> 적으면 얻게 되고,
> 많으면 미혹을 당하게 됩니다.
>
> 그러므로 성인은 '하나'를 품고 세상의 본보기가 됩니다.
> 스스로를 드러내려 하지 않기에 밝게 빛나고,
> 스스로 옳다 하지 않기에 돋보이고,
> 스스로 자랑하지 않기에 그 공로를 인정받게 되고,
> 스스로 뽐내지 않기에 오래 갑니다.
> 겨루지 않기에 세상이 그와 더불어 겨루지 못합니다.
> 옛말에 이르기를 휘면 온전할 수 있다고 한 것이 어찌 빈말이겠습니까?
> 진실로 온전함을 보존하여 돌아가십시오.[126]
> (曲則全 枉則直 窪則盈 敝則新 少則得 多則惑 是以聖人抱一爲天下式
> 不自見故明 不自是故彰 不自伐故有功 不自矜故長 不唯不爭 故天下莫能
> 與之爭 古之所謂曲則全者 豈虛言哉 誠全而歸之)

　이와 달리 공자는 외향적 길을 가르쳤다. 그는 음악, 시, 의례에 관한
지식, 그리고 예절에 대한 진지한 관심을 친절함, 온화함, 혹은 어짐(仁)
의 감정을 회복하는 방법으로 제시하였다. 이러한 감정들은 본래적으로
주어진 것이지만 인간 관계에 의하여 얻어지는 것으로 간주되었다.
　공자와 도가는 우주적 자리에서건 인간의 내적 자리에서건 인간의 본
성을 신뢰하고 있다. 이점에서 이들은 『상군서』에 나타난 묵자나 법가
혹은 현실주의자의 사유 방식과는 정면으로 대립한다. 후자의 경우에는
권력만이 효과적인 힘이었고, 필요한 재화는 식량과 주거와 세속 법규

였다. 이들은 "하나를 품으라"라는 도가의 공리에서 그 형이상학적 의미를 제거시키고, 그것을 단지 정치적으로만 받아들였다.[127] 그리고 다듬지 않은 통나무의 원리는 칼로 반듯하게 깎은 나무 조각의 원리로 변화되었다.

진(秦) 왕조 : 기원전 221-207년

소국 노나라만큼 도덕과 예절에 관한 유가의 가르침을 전폭적으로 받아들인 나라는 없었다. 그러나 기원전 249년 노나라는 공격을 받고 멸망하였다.[128] 기원전 318년에는 아직도 인신 공희를 행하고 있던 비철학적 국가인 진나라가 주변 국가들의 연맹을 격파하였다. 312년에는 도가들이 거주하는 남동쪽의 초(楚)나라가 결정적으로 패하였다. 292년에는 한(韓)나라와 위(魏)나라가 대패하였으며, 기원전 260년에는 조(趙)나라가 대패하였다. 256년에는 주 왕실의 보유지가 완전히 포위되었다. 기원전 246년에 정(政)이 진나라의 옥좌를 획득하였으며, 230년에는 한나라를 병합하였다. 그는 228년에 조, 226년에 초, 225년에 위, 222년에 제(齊)를 멸망시켰으며, 그리고 221년에는 마침내 중국의 최초 황제로서 진시황제라는 이름을 얻었다.[129] 그는 자신과 같은 야만족의 침략을 방어하기 위해서 곧바로 만리 장성의 건설에 들어갔으며, 213년에는 책을 불태우라는 칙령을 내렸다.

고전을 읽고 토론하다가 발각된 학자들의 운명은 죽음이었다. 금서 명령이 내린 지 30일이 지난 후에도 책을 가지고 있다가 발각된 자들은 낙인이 찍힌 채 4년간의 만리 장성 노역에 동원되었다. 수많은 사람이 산 채로 매장되었다.[130] 210년 시황제가 죽고 207년에는 진 왕조가 무너졌다(그의 이력은 동시대의 인물인 아쇼카의 이력과 대비된다). 206년에는 수도가 붕괴되고 왕궁이 석 달 동안 불에 탔으며, 시황제의 도서 검열 위원들이 간과하였던 책들은 불의 신 축융(祝融)에 의해서 소각되었다.

한(漢) 왕조 : 기원전 202-기원후 220년

  헬레니즘의 영향 하에 있던 박트리아, 불교가 번성하던 인도, 조로아스터교의 지배 하에 있던 파르티아, 그리고 로마로 이어지는 옛 비단길은 기원전 100년에 시작되었다. 이때부터 유럽, 레반트, 인도, 그리고 극동의 네 지역 사이에 관념의 교류가 계속적으로 증대하였으며, 유라시아 대륙을 통하여 서로 어휘를 공유하는 신화 체계를 발전시켰다. 그러나 이 어휘들은 각 지역의 고유한 사유 및 감정 양식에 적응하였는데, 이러한 양식들은 서로간에 소통될 수 없었으며 지워질 수 있는 것도 아니었다. 이는 오늘날의 상황과 유사하다. 오늘날 서구의 제도, 말, 이념은 아프리카와 아시아로 확산되었으며, 낯선 전통의 힘이 작용하는 그 현장 속에서 그곳의 정치적 관행, 감정의 방식, 사회적 목적 ── 그 용어들과 도구들이 원래 속하였던 서구적 상황과는 정반대이거나 전적으로 무관한 경우도 많다 ── 에 적응하고 있다. 로마, 파르티안 페르시아, 카니슈카의 인도, 그리고 한나라 당시의 중국도 이와 마찬가지였다. 이들의 신화적 모티브를 비교 문화적으로 검토해보면 서로 공유하고 있는 근본적인 주제의 보고(寶庫)가 나타난다. 그러나 네 지역은 오늘날까지도 분명하게 지속되고 있는 토착적인 양식, 감정, 그리고 논리의 행태를 그 당시에도 가지고 있었다.

  사르트르의 희곡 『밀실』이 기억난다. 지옥의 한 방. 그 방은 비어 있다. 한 사람이 사환의 안내를 받으면서 들어온다. 다음에 어떤 여자가 나타난다. 또 다른 여자가 들어온다. 그것이 전부이다. 그들은 영원히 그곳에 있다. 그 지옥은 그들 중 어느 누구도 변화시킬 수 없다. 남자는 공감적 이해를 요구한다. 두 여자 중에서 나이 든 여자가 그러한 것을 제공할 수 있었으나, 그녀는 남자를 경멸하고 더 젊은 여자로부터 어떤 것을 요구하는 레즈비언이다. 젊은 여자의 눈은 단지 그 남자만을 쳐다보고 있으나, 그녀는 그 남자를 도저히 이해할 수가 없다. 그리고 그 남자를 자기 도취로부터 벗어나게 해줄 수도 없다. 희곡의 후반부에서 문이 잠시 열린다. 그들은 스스로 만들고 있는 지옥으로부터 자유롭게 도망을 칠 수 있게 된다. 그러나 밖에는 공허 이외에는 아무 것도 보이지 않는다. 그들은 모두 자기 방어적이므로 누구도 감히 알려지지 않은 세계로 나가려고 하지 않는다. 문이 닫히고 그들은 그곳에 그대로 남아 있다. 마치 우리가 여기 이 지구 —— 유럽(지금은 북미와 오스트레일리아를 포함), 레반트(현재는 러시아를 포함), 인도, 극동, 그리고 이제는 남미와 아프리카 —— 상에 있는 것처럼 말이다. 모든 사람이 도착하였다. 방은 꽉 찼다. 모두가 유럽의 옷을 입고 있다. 그러나 그 안에는 얼마나 다양한 인간학(anthropologies)이 있는가!

　5대 원소에 관한 신화적 개념이 어디에서 최초로 등장하였는가를 밝힌 사람은 아직 없다. 나는 그 증거들이 언제인가는 수메르와 아카드의 점토판에서 출현할 것이라고 확신한다. 지금까지 알려진 5대 원소에 관한 최초의 그리스적 신화 체계는 아낙시만드로스(Anaximander, 기원전 611-547년)가 남긴 단편에서 보이고 있다. 그는 이 원소들을 불, 공기, 흙, 물, 그리고 무한자로 명명하고 있다. 인도의 경우에는 그 신화 체계의 성립 연대가 확인되지 않았으나 『타이티리야 우파니샤드(*Taittiriya Upanishad*)』 (기원전 600년경?)에 그 시리즈가 나타나고 있다.

> 자아(아트만(ātman))에서 대공(大空)이 생겨났고,
> 대공에서 바람,
> 바람에서 불,
> 불에서 물,
> 물에서 땅,
> 그리고 땅에서 풀, 풀에서 음식 ……[131]

카필라의 상캬 사상에서는 5대 원소가 5감과 연관되어 있다. 대공과 에테르는 청각, 바람과 공기는 촉각, 불은 시각, 물은 미각, 땅은 후각에 각각 관련된다.
　이에 상응하는 중국의 신화 체계는 한대의 학문에서 처음 출현하였으

며 그 체계들은 각기 다르면서도 서로 연결되어 있다. 최초의 신빙성 있
는 증거는 "홍범(洪範)"이라고 알려진 『서경』의 한 장에서 나타나고 있
다. 이것은 몰락한 상 왕실의 기자(箕子)가 주 왕실의 창시자인 무왕에
게 고대의 지식을 전달하는 과정으로 보인다. 물론 기자는 그 지식의 기
원을 우왕에게 돌리고 있다. 그러나 풍우란에 의하면, "현대 학문은 '홍
범'의 실제 연대를 기원전 4-3세기에 두는 경향이 있다."[132]

중국에서의 5대 원소는 물, 불, 나무, 쇠, 흙이다. "물의 본성은 젖어
있고 내려가는 것이다. 불의 본성은 타고 올라가는 것이다. 나무의 본성
은 구부러지고 펴지는 것이다. 쇠의 본성은 내어주고 변화하는 것이다.
반면 흙의 본성은 경작하고 수확하는 데에 있다. 젖어 있고 내려가는 것
은 짠맛이 된다. 타고 올라가는 것은 쓴맛이 된다. 구부러지고 펴지는 것
은 신맛이 된다. 내어주고 변화하는 것은 매운 맛이 된다. 경작과 수확에
서는 단맛이 나온다."[133]

한대의 철학자들은 이러한 5대 원소의 기초 체계를 많이 만들고 그 위
에 일종의 관념의 탑을 세웠다. 그 모든 관념들은 5대 원소와 연결되어
있다. 예를 들면 다음과 같다.

원소 :	나무	불	쇠	물	흙
방향 :	동	남	서	북	중(中)
계절 :	춘	하	추	동	전부
색깔 :	녹	홍	백	흑	황
덕목 :	인	예	의	신	지
음계 :	각	치	상	우	궁(중국의 오음계의 음)
신(神) :	구망(句芒)	축융	욕수(蓐收)	현명(玄冥)	후토(后土)
제(帝) :	태호(太皞)	염제	소호(少昊)	전욱	황제[134]

여기서 우리는 중국의 신화적 사유의 창조적 시대는 과거였고, 지금
행해지고 있는 일은 시인이나 사제가 아니라 학자 관료의 체계화 작업임
을 분명하게 알 수 있다. 이 학자 관료들은 과거의 단편들 —— 깨진 비취

와 깨진 보석 ─ 을 규칙에 따라 일정한 양식으로 조합한다. 그들의 질서 원리는 유비에 의한 관계(correlation)이며, 그 배후에 있는 이론은 동일한 범주의 사물은 서로를 강화한다는 논리이다. 인도의 경우와 마찬가지로, 여기에서도 현상의 배후에 창조자를 설정할 필요는 없다. 그들의 관점은 유기체적이다. 각 사물의 내부에는 그것의 생명이자 그것에 활력을 주는 도가 존재한다. 그리고 공명에 의하여 만물의 생명 원리가 상호 작용하듯이 우주 전체에 놀라운 조화가 일어나므로, 음악의 법칙과 같은 법칙이 고요한 경이 속에서 드러난다. 그리고 우리는 이러한 것을 경험할 수 있다. 더구나 현명한 자 ─ 제국의 행정가이건, 검의 주조자이건, 시인이건, 연인이건, 운동가이건, 건축가이건 ─ 가 솜씨 있게 연주하는 이 법칙들은 생생하게 살아 있으므로 의도한 일은 저절로 풀려간다. 더구나 그 일의 형태 그 자체가 이 법칙들의 현현이다. 그러므로 중국에서는 자연과 예술, 건축, 정원, 행정의 세계가 하나의 정신 속에 존재하였다.

사실상 폭력에 의하여 성립한 제국은 이제 학문에 의해서 그 모든 외양을 도의 질서에 맞추어야 하였다. 이러한 질서의 원리들은 옛날에 발견되었으나 이제 공식적으로 적용시킬 수 있었다. 이렇게 해서 풍요하고 장엄한 군사 제국 한나라(이 나라는 순식간에 성립하였는데, 장군 출신인 한나라의 건국자 유방[劉邦]은 자신의 주요 경쟁자인 항적[項籍, 항우를 말함]과 협정을 맺어서 포로로 잡힌 자신의 아버지와 아내를 돌려받을 수 있었지만, 그들이 안전하게 돌아오자마자 조약을 파기하고 그를 급습하여 정복하였다)는 하나의 일치 개념을 공유하는 경건하고 근면한 수많은 손들에 의해서 매우 조화로운 문명을 형성할 수 있었다. 따라서 이 문명은 믿을 수 없을 정도의 비인간적인 힘과 잔인한 폭력에 근거한 통치를 하였음에도 불구하고 우주의 흔들리지 않는 축, 곧 중국(Middle Kingdom)으로 계속 존재할 수 있었다.

칼그렌 박사는 이 시대의 전체 구조를 아래와 같은 멋진 문장으로 표현하고 있다.

기원전 200년이라는 중요한 연대를 지나면 상황이 급격하게 달라진다. 천 년 동안 번성한 봉건 왕조 체제가 완전히 무너졌다. 여러 문화 중심지 사이의 정치 경제적 장벽이 제거되고, 새로 건설된 큰 도로들이 중국의 각 지역을 서로 연결시켰으며, 농민과 상인으로 이루어진 평민 계급은 봉건 시대와는 전적으로 다른 삶의 상황에 처하게 되었다. 몇 개의 독립적인 소국들로 이루어진 연맹이 강력한 중앙 집권 국가에 의해서 대체되며, 지방적 차이를 제거하고 지역적 관습과 신앙을 파괴하는 평준화 과정(nivellation)이 급격하게 진행되었다. 봉건 영주의 사당은 더 이상 의례와 문화의 중심이 아니었고, 독서 계급이 봉건 영주의 후원에서 벗어나 독자적인 사회 계급을 이루었으며, 주 시대의 문학은 유명한 분서 갱유로 인하여 심각한 타격을 입었고, 봉건 왕조의 전통과 의례는 더 이상 살아 있는 실재가 아니라 하나의 기억에 불과하였다. 소수의 학자들은 그 시대의 전통과 의례를 애호하였지만, 수도에 있는 중앙 황실에서 파견된 유력자인 서민 계층의 대표자들은 그러한 전통과 의례를 망각하고 경멸하였다. 기원전 250년의 저자들은 아직 그들이 목격한 의례를 살아 있는 실재로 묘사할 수 있었지만, 기원전 100년이 되면 221-211년 대파국 이전의 상황이 어떠하였는가를 이야기하여야만 하였다(그들 자신의 시대의 의례는 새로운 것들이 혼합된 것이었으며, 그중 상당수는 황실의 명령에 의해서 새롭게 제정된 것이었다). 동시에 외국의 영향도 증대하였다. 서아시아에 대한 지식이 급증하였으며, 무엇보다도 한 왕조의 사람들은 북부와 북서 지역의 유목민과 밀접한 관련을 가지면서 관념과 관습을 교류하였다. 현재의 중국 남부에 해당하는 지역과도 교류하였다. 양자강의 남쪽에 위치한 이 지역에 대한 중국인의 침투와 식민화는 2세기 동안 비약적으로 발전하였다. 그러므로 한나라의 전통은 주나라의 전통보다 덜 동질적이고 덜 중국적인 혼합적 요소를 지니고 있었다.

그러나 초기의 한 왕조와 기원후 2세기의 한 왕조 사이에는 커다란 간격이 존재하였다. 처음 3세기 동안 한나라의 통치는 중국인의 삶과 사상을 혁명적으로 변화시켰을 뿐만 아니라 후기 한나라와는 또 다른 중요한 차이점을 가지고 있었다. 한나라의 첫 세기에 활동한 학자들은 시간적으로 아직 봉건 시대와 멀리 떨어져 있지 않았다. 그들의 스승의 스승은 봉건 시대의 말기에 살았으며, 전통적 관습과 의례가 몹시 흔들리고 상당한 정도로 폐기되었음에 틀림없지만, 그것들에 관한 지식은 초기 한나라 학자 집단에서는 상당한 정도로 살아 있었기 때문이다. 그러나 2세기가 지난 뒤에 위대한 학자들 —— 정중(鄭衆), 복건(服虔), 허신(許愼), 가규(賈逵), 마융(馬融), 정

494

현(鄭玄), 하휴(何休), 그리고 그 밖의 많은 학자가 있다 —— 의 시대가 되면, 그러한 지식은 많은 세대의 사슬을 거쳤기 때문에 더 이상 최근의 기억이 아니라 고대의 전통에 근거하여야만 하였다.[135]

육조(六朝) 시대 : 기원후 190/221-589년

불교는 한나라 시대에 중국에 들어왔다. 그 연대는 아마 서기 67년경일 것이다. 그러나 불교가 중국의 신화적 사유와 문명에 미친 영향은 한나라 황실 몰락 이후의 무질서 시대에 증가하였다. 한나라의 몰락 이후 거의 400년간 지속된 전쟁과 참화로 인하여 이 기간은 기나긴 역사의 대부분 동안 중국적 실재들을 근거짓는 실재(the Chinese reality of realities)로 존재하게 되었다. 봉건 질서의 몰락기에 등장한 내부의 보다 깊은 "실재"에 대한 진지한 탐구가 이 시기에 다시 시작되었던 것이다. 준치로 다카쿠수 교수가 『불교철학의 본질(The Essentials of Buddhist Philosophy)』에서 제시한 중국 불교의 10개 종파가 모두 이 시기에 "경전을 번역하고 소개한 유능한 사람들"[136]에 의해서 창시되었다는 점은 흥미롭다. 우리는 이미 기원후 399-414년 사이에 법현이 인도를 순례한 것을 살펴보았으며, 운강에서 중국 불교의 석굴 작업이 시작된 것은 그가 귀향하던 해였다는 사실도 언급하였다.

이 시기에는 도교 사상의 세계에도 활력이 넘쳤다. 독서 계급의 마음을 지배한 유교의 영향력은 국가의 관료 체계 —— 고전에 대한 소양에 의해서 출세와 위신이 결정되는 —— 가 무너짐에 따라 약화되었다. 과거 제도도 더 이상 유지되지 않았고, "현학(玄學)"이라는 새로운 용어가 사용되기 시작하였다. 이 용어는 유교적 지식이 주로 언급하는 이름과 형식을 넘어서는 도교적 지식을 지칭한다.

이 시기의 한 도교 문헌(『열자[列子]』, 3세기)에는 이러한 말이 있다. "사람을 평화롭지 못하게 하는 4가지가 있다. 첫째는 장수이고, 둘째는 명성이며, 셋째는 지위이고, 넷째는 부이다. 이러한 것을 소유하고 있는 자들은 귀신을 두려워하고 사람을 두려워하고 권세를 두려워하고 처벌을 두려워한다. 그들은 도망자라고 불린다. …… 그들의 삶은 외적인 것에 의해서 조종된다. 그러나 자신의 운명을 따르는 자는 장수를 바라지 않는다. 명예를 좋아하지 않는 자는 명성을 바라지 않는다. 권세를 원하지 않는 자는 지위를 바라지 않는다. 탐욕스럽지 않은 자는 부를 바라지 않는다. 이러한 종류의 사람들은 그들의 본성에 따라 산다고 할 수 있다. …… 그들은 자신의 삶을 내적인 것에 의해서 규제한다."[137]

서기 3-4세기의 이러한 스승들은 "제도와 도덕"을 의미하는 명교(名敎)가 아니라 "스스로 그러함, 자발성, 자연적인 것"을 의미하는 자연(自然)이라는 원리에 따라 인생을 살아야 한다고 주장하였다.[138]

귀가 듣고 싶어하는 것은 음악이고, 음악을 듣는 것을 금하는 것은 귀의 장애물이라고 불린다. 눈이 보고 싶어하는 것은 아름다움이고, 아름다움을 보는 것을 금하는 것은 시력의 장애물이라고 불린다. 코가 냄새를 맡고 싶어하는 것은 향기이고, 향기를 맡는 것을 금하는 것은 냄새의 장애물이라고 불린다. 입이 말하고 싶어하는 것은 옳고 그름이고, 옳고 그름에 대하여 말하는 것을 금하는 것은 이해의 장애물이라고 불린다. 몸이 즐기고 싶은 것은 풍부한 음식과 좋은 옷이고, 이것을 즐기는 것을 금하는 것은 신체 감각의 장애물이라고 불린다. 마음이 가지고 싶은 것은 자유스러움이고, 이러한 자유를 금하는 것은 자연의 장애물이라고 불린다.

이러한 모든 장애물이 삶을 괴롭히는 주요 원인이다. 이러한 원인들을 제거하고, 죽을 때까지 1일, 1개월, 1년, 혹은 10년 동안 스스로 즐기는 것, 바로 그것이 내가 삶을 가꾸는 것이라고 부르는 것이다. 이러한 원인들에 집착하여 그것들을 제거하지 못하고 기나긴 슬픈 삶을 백 년, 천 년, 심지어 만 년 동안 사는 것, 이것은 내가 삶을 가꾸는 것이라고 부르는 것이 아니다.[139]

이제 이러한 원리가 작용하는 한 방식을 예로 들어보자.

"왕희지(王羲之, 기원후 388년경에 죽음)는 산음(山陰, 지금의 항주〔杭州〕근처)에 살고 있었다. 어느 날 밤 폭설이 내리는 바람에 잠이 깨었다. 창문을 열고 보니 주위가 모두 하얗게 빛났다. 갑자기 친구인 대규(戴逵)가 생각이 나서 그를 만나러 배를 타고 떠났다. 대규의 집에 도달하는 데 하룻밤이 걸렸다. 그는 문을 두들기려다가 갑자기 멈추고는 집으로 돌아왔다. 어떤 사람이 그 이유를 묻자, 이렇게 대답하였다. '나는 흥에 이끌려서 갔고, 지금은 그 흥이 다하였으므로 집으로 돌아온 것이다. 왜 내가 굳이 대규를 보아야만 하는가?'"[140]

이러한 도가들의 오래된 방랑주의는 죽림 칠현(竹林七賢)의 하나로 알려진 현인 유영(劉伶, 221-300경)의 일화에서도 잘 나타나고 있다. 그는 자신의 방에 있을 때에는 벌거벗고 있기를 좋아하였다. 어떤 방문객이 이러한 행위를 비판하자 이렇게 답하였다. "나는 천지를 집으로 삼고 이 방을 내 옷으로 삼고 있다. 왜 당신은 나의 옷 속으로 들어오는가?"[141]

이 시기에는 또 다른 도가의 길이 발전하고 있었다. 이미 후한대에 도가의 목적의 하나로 등장한 것은 신화적 불멸의 존재인 "산(山) 사람(人)", 즉 "선(仙)으로의 변형"을 추구하는 기적이었다. 달리 말하면, 한쪽 방향(철학자들이 쓰고 싶어하는 측면)에서는 도의 모티브에 따라 목적 없이 자연적으로 산다고 하는 놀라운 교훈이 가르쳐지고 있었던 반면, 대나무 숲의 다른 쪽 구석에서는 진사(辰砂)로 된 불멸의 약을 주조하는 작업을 하는 사람들이 있었던 것이다.

위대한 도가 갈홍(葛洪, 400년경)은 이렇게 쓰고 있다. "3파운드의 진짜 진사와 1파운드의 흰 꿀을 취하라. 그리고 그것을 섞어라. 섞은 것을 햇빛에 말려라. 다음에 그것을 환약 모양으로 만들 수 있을 때까지 불에 구워라. 매일 아침 대마씨 크기의 그 환약을 10개씩 먹어라. 그러면 1년 내에 흰머리가 검게 되고 썩은 이가 다시 자라고 몸에서 광채가 날 것이다. 만일 노인이 이 약을 오래 복용하면 젊은이가 될 것이다. 그 약을 계속 먹는 자는 영원한 삶을 즐기고 결코 죽지 않을 것이다."[142]

그는 다시 이렇게 쓰고 있다. "자신의 특수한 비법에만 의존하는 것은 삶을 사랑하는 사람에게는 역시 위험하다. 『현녀경(玄女經)』과 『소녀경(素女經)』의 기술을 아는 자는 '방의 기술(방중술[房中術]/역주)'만이 구원으로 인도한다고 말할 것이다. 호흡 훈련(조식[調息]/역주)의 방법을 아는 자는 활력을 채우는 것만이 생명을 연장시킬 수 있다고 말할 것이다. 구부리고 펴는 방법(도인[導引]/역주)을 아는 자는 육체적 훈련만이 노화를 방지할 수 있다고 말할 것이다. 약초의 처방법(벽곡[辟穀]/역주)을 아는 자는 약만이 생명을 무한히 연장시킬 수 있다고 말할 것이다. 그러나 그들은 한쪽으로 치우쳐 있기 때문에 도를 추구하는 데에 실패하고 있다. 피상적인 지식을 가지고 있는 자는 단지 1가지 방법을 알고 있음에도 스스로가 충분한 지식을 가지고 있다고 생각한다. 참된 구도자는 어떤 훌륭한 처방을 얻은 이후에도 계속하여 다른 처방을 구한다. 그들은 이 사실을 깨닫지 못한다."[143]

동양에서는 종종 나타나지만, 이처럼 2개의 정반대되는 목적 ─ 한편에서는 장생에 대한 욕망의 부재, 다른 한편에서는 바로 그 장생에 대한 욕망 ─ 이 하나의 운동에 포함되어 있었던 것이다.

더구나 이 시기에는 조직을 갖춘 종교적 도교가 발전하고 있었다. 이것은 천사(天師)라고 하는 최고 지도자를 지닌, 사실상 하나의 교단이었다. 이 운동의 창시자는 2세기의 인물인 장릉(張陵)이었다. 그는 추종자들로부터 십일조로 다섯 되의 쌀을 받았기 때문에 그의 가르침은 "오두미도(五斗米道)"라고 불리었다. 거의 같은 시기에 위백양(魏伯陽, 활동기는 147-167년)은 『참동계(參同契)』("황제, 노자, 『역경』의 3가지 길 : 역에서 통일되고 조화된")라는 책에서 도교 철학과 연금술 그리고 『역경』을 종합하려고 하였다. 그리고 마지막으로 갈홍 ─ 그의 진사 처방에 대하여 방금 전에 살펴보았다 ─ 은 이러한 모든 것을 약간의 유교 윤리 및 인도의 사상과 결합시켰다.

천지는 모든 것 중에서 가장 위대하기 때문에, 보편적 원리의 관점에서 볼 때 그것이 영적인 힘을 가지는 것은 자연스럽다. 영적인 힘을 지니고 있기 때문에, 그것이 선에 보답하고 악을 처벌하는 것은 당연하다. …… 도교 서적들을 살펴보면, 불멸을 추구하는 자는 공덕을 쌓고 선행에 전념해야 한다. 그들은 항상 친절한 마음을 지녀야 한다. 그들은 자신을 대하듯이 다른 사람을 대해야 하며, 곤충에게조차도 인(仁)을 확대시켜야 한다. …… 만일 그들이 선을 증오하고 악을 사랑한다면, "인간 운명의 주재자"가 악의 무게에 따라 3일 단위 혹은 300일 단위로 그들의 수명을 단축시킬 것이다. 그렇게 하여 모든 날들이 없어지게 되면 그들은 죽을 것이다. ……

지상의 불멸자(地仙)가 되고자 열망하는 자는 300가지의 선행을 쌓아야 하고 천상의 불멸자(天仙)가 되고자 하는 자는 1,200가지의 선행을 쌓아야 한다. 만일 1,199번째 선행을 쌓은 다음 악을 행한다면 모든 공덕이 사라져서 다시 처음부터 시작해야 한다. 선행이 많은가 악행이 적은가 하는 것은 중요하지 않다. 만일 어떤 사람이 악을 전혀 행하지 않고 자신의 선행에 대해서만 말하고 그 자선에 대한 보상을 요구한다면, 그의 다른 선한 행위들은 영향을 받지 않겠지만, 그러한 행위의 선함은 무효로 될 것이다.[144]

그 책은 계속해서 이렇게 말한다. "만일 선행을 충분히 쌓지 않는다면 불멸의 약을 먹어도 소용이 없다."

진영첩(陳榮捷) 교수는 이러한 신앙에 대하여 다음과 같이 논하고 있다.

도교는 대중의 종교이며 …… 이 세상에서 가장 많은 신으로 이루어진 만신전을 가지고 있다. 그 신들은 자연의 대상, 역사적 인물, 여러 직업, 관념, 그리고 심지어는 인간 신체 전체와 신체의 부분을 표상하고 있다. 거기에는 수많은 신선과 신령만이 아니라 점복, 예언, 점성술과 같은 광범위한 체계가 포함되어 있다. 따라서 도교는 풍부한 미신의 보고이다. 도교는 장생을 추구하면서 정교한 연금술 체계를 발전시키는 과정에서 중세 중국의 물질 문화와 과학 발전에 상당한 기여를 하였다. 그리고 사원과 상, 사제의 서열, 수도원주의, 그리고 천당과 지옥 등의 면에서는 불교를 전적으로 모방하였다. 그 종교는 혼합주의적 종파나 비밀 결사에 종종 연루되어 민중 봉기에서 중요한 역할을 하기도 하였다. 오늘날 종교적 도교는 급속히 쇠퇴하고 있으며, 많은 사람들의 눈에는 실제로 소멸한 것으로 보인다. 그러나 도교는 지상에서의 선한 삶에 대한 강조, 육체적, 정신적 건강에 대한 존중, 자연과의 조화에 대한 가르침, 단순성, 자연스러움, 마음의 평화, 그리고 정신의 자유를 강조함으로써 지속적으로 중국 예술에 영감을 주고 중국적 사유와 행동을 교화시켜왔다. 비록 조직화된 교단으로서 존속할 수는 없었지만 도교는 신선 숭배가 지닌 낭만적이고 태평스럽고 쾌활한 카니발의 정신으로 중국의 축제를 풍부하게 하였으며, 그것의 예술 상징, 의식, 민속을 통하여 중국인의 삶에 특수한 색깔과 매력을 부여하였다.[145]

이렇게 해서, 불교가 중국의 토양에서 단단한 기반을 확보하기도 전에 그 낯선 중도(中道)에 대립하여 하나의 경쟁자 — 불교의 형식을 서투르게 모방하는 방식으로 — 가 등장한 것이다.

구겸지(寇謙之, 432년 사망)는 그 종파의 규약과 의식을 정리하였으며, 의무 조항을 확립하고 신학을 정립하였다. 그의 영향 아래에서 440년에 도교는 국가 종교로 되었으며, 불교는 얼마간 억압을 받았다.[146]

그러나 이번에도 중국 불교는 자신의 어휘들을 도가의 대나무 숲에서 취하였다. 따라서 산스크리트에서는 "그렇게 온" 자를 의미하는 타타가타(tathāgata)로 알려진 붓다의 가르침이 중국어로는 자연스러움 자체를 의미하는 "자연"이 되었으며, 중도로서의 "붓다의 길"은 정확히 "도"로 이해되었다.

5. 위대한 신앙의 시대 : 500-1500년

불교, 도교, 유교의 영역 내에서 이루어진 학파의 분화 과정을 여기서 체계적으로 조사할 수는 없다. 우리의 과제는 인류의 신화적 유산에 나타난 주요한 흐름과 시대를 개략적으로 제시하는 것이다. 그러나 한 영역에서 다른 영역으로 전파된 감정과 관념의 영향에 관한 문제는 우리의 연구에서 근본적인 중요성을 지니고 있다. 중국 불교의 정착에 관한 연대기에 이러한 과정이 잘 나타나 있으므로, 여기서 잠시 살펴보는 것이 좋을 것이다.

로마가 선물한 물품들이 굽타 왕실에 미친 영향, 그 결과 이미 진행되고 있던 인도 토착 에너지의 분출, 이국적 착상의 수용, 그 결과 실제의 원-역사(source-history)를 각색시키고 이국적 영향은 부정하여버리는 신화적 과거의 발명 등, 이 시기의 인도에는 문화와 문화 사이의 충격 및 반응 양상에 관하여 언급할 사항들이 많다. 거의 같은 시기의 중국에서도 인도 불교의 기여와 관련하여 인도의 상황과 비견될 수 있는 발전이

500

나타나고 있었다. 우리는 테오도시우스 1세(379-395년), 찬드라굽타 2세 (378-414년), 법현의 인도 여행(399-414년)의 연대에 대하여 언급한 적 이 있다. 중국에서도 이 시대는 놀랄만한 중요성을 지닌 시기였다.

니담 교수는 이렇게 말한다. "304년에서 535년 사이에 북부에서는 17 개의 '왕조'가 서로 투쟁하고 있었다. 이중에서 4개의 왕조는 훈 족, 4개 의 또 다른 왕조는 투르크(돌궐), 6개의 왕조는 몽골 족(선비)이었고, 단 지 3개의 왕조만이 한족의 가문에 의하여 통치되고 있었다. 그럼에도 불 구하고 이 시기를 통하여 북중국이 야만화되었다기 보다는 '오랑캐'가 더 중국화되었다고 할 수 있다. 유목민의 복장이 광범위하게 채택된 것은 틀림없지만, 전반적으로 중국의 농업과 행정은 지속되었고 오랑캐의 관 습이 그것에 동화되었다. 종족간의 결혼이 보편적이었고 권유되었으며, 심지어 오랑캐 지도자의 다음절(多音節) 이름도 한자로 바뀌었다."[147]

이와 마찬가지로, 이미 약 5세기 동안 중국 땅에서 정착해온 외래 종 교인 불교도 토착화를 통하여 철저하게 중국적인 2가지 현상을 보여주었 다. 하나는 앞에서 언급한 대중적인 도교를 패러디한 것이다. 그 과정에 서 불교의 매우 조잡한 민간신앙적인 측면이 중국적 체계 안에서 재형성 되었다. 다른 하나는 선(禪, 일본의 "젠":"명상하다"를 의미하는 산스크 리트 dhyana에서 나옴)으로 알려진 극동의 불교 종파이다. 선불교는 분 명히 도교적인 사상과 감정을 수입된 불교 용어로 번역한 것이다.

이 흥미로운 종파는 어떤 인도 승려(아마도 전설적인)의 중국 방문에 서 시작되었다. 그는 정통 불교 종단의 제28대 종정으로 간주된다. 28명 의 이름은 다음과 같다.[148]

1. 고타마 샤카무니
2. 마하카슈야파
3. 아난다
4. 사나바사
5. 우파굽타
6. 드리타카
15. 카나데바
16. 아랴 라홀라타
17. 삼가난디
18. 삼가야사스
19. 쿠마라타
20. 자야타

7. 미차카	21. 바수반두
8. 붓다난디	22. 마누라
9. 붓다미트라	23. 하클레나야사스
10. 빅슈 파르샤	24. 빅슈 심하
11. 푸냐야사스	25. 바사시타
12. 아슈바고샤	26. 푸냐미트라
13. 빅슈 카피말라	27. 프라즈나타라
14. 나가르주나	28. 보디다르마

전설에 의하면, 520년 중국에 도착한 보디다르마 —— 그 자신도 왕의 아들이었다 —— 는 양(梁)나라 무제(武帝)의 초대를 받고 남경(南京)에서 알현하게 되었다.

무제 : "짐은 즉위한 이래 많은 절을 세웠고 많은 경전을 옮기어 쓰도록 하였소. 또 수많은 비구와 비구니에게 많은 재물을 주었소. 내가 쌓은 공덕이 얼마나 되는지요?"

보디다르마 : "아무런 공덕도 없습니다."

무제 : "어째서 그런지요?"

보디다르마 : "그것들은 부차적인 행위입니다. 그러한 행동은 천상이나 지상에서의 유복한 출생을 가져올 수 있을지 모르지만, 세상에 속하기 때문에 그림자처럼 그들의 대상을 따라다닙니다. 그것들은 존재할 수 있지만 실체가 아닙니다. 참된 공덕의 행위는 인간의 지력이 파악할 수 없는 완전하고 신비스러운 순수 지혜에 속합니다."

무제 : "그러면 최상의 의미에서 성스러운 진리란 무엇인지요?"

보디다르마 : "그것은 공(空)입니다. 거기에는 성스러운 어떠한 것도 없습니다."

무제 : "그렇다면 지금 나와 대면하고 있는 당신은 누구인지요?"

보디다르마 : "나도 모르겠습니다."

우주의 중심인 왕이 문제의 본질을 파악하지 못하자 그 성인은 양자강을

502

건너 위(魏)나라의 수도인 낙양으로 향하였다. 소림사로 간 그는 9년 동안 벽을 향한 채 그대로 앉아 있었다. 유교 선비인 혜가(慧可)가 와서 가르침을 요청하였으나 아무런 대답도 듣지 못하였다. 혜가는 몇 일간 아무런 결과도 얻지 못한 채 서 있었다. 눈이 내렸다. 그의 무릎 위까지 눈이 쌓였다. 그는 자신의 진지함을 보여주기 위해서 칼로 자신의 팔을 잘랐다. 그때 보디다르마가 돌아섰다.

혜가 : "저는 붓다의 가르침을 배우고 싶습니다."

보디다르마 : "그것은 달리 발견될 수 있는 것이 아니다."

혜가 : "간청하오니, 부디 저의 마음을 평화롭게 해주십시오"

보디다르마 : "그 마음을 가져오라. 그러면 내가 그렇게 해주겠다."

혜가 : "저는 수 년간 그것을 찾아서 헤매었지만 발견할 수 없었습니다."

보디다르마 : "자, 이제 내가 이미 너의 마음을 평안하게 해주었다."

이렇게 가르침을 받은 혜가는 극동의 선불교에서 제2대 조사(祖師)가 되었다. 제1대 조사(보디다르마)가 떠나려고 할 때 제자들이 모였다.

보디다르마 : "떠날 시간이 되었다. 너희들의 이해 수준을 시험해보겠다."

도부(道副) : "진리는 긍정과 부정을 초월합니다. 진리는 그렇게 움직입니다."

보디다르마 : "너는 나의 피부를 얻었다."

비구니 총지(摠持) : "진리는 아촉불(阿閦佛)의 국토에 대한 아난다의 견해와 같습니다. 그것은 일단 보여지면 다시는 보여지지 않습니다."

보디다르마 : "너는 나의 살을 얻었다."

도육(道育) : "4대 요소(흙, 물 ,불, 바람/역주)는 텅 비어 있습니다. 형체(色), 감각(受), 개념(想), 사고(行), 의식(識)의 5가지 요소(오온[五蘊]/역주)도 역시 텅 비어있습니다. 실재하는 것은 아무 것도 없습니다."

보디다르마 : "너는 나의 뼈를 얻었다."

그러나 혜가는 스승에게 절을 하고는 한마디도 없이 그냥 서 있었다.

보디다르마 : "너는 나의 골수를 얻었다."[149]

붓다 자신이 신화적인 영취산(靈鷲山)에서, 이러한 수수께끼적인 방식으로 가르침을 행한 첫번째 사람으로 간주되어왔다. 브라마 신이 그가 앉아 있는 곳으로 와서 쿰발라 꽃을 주며 거기에 모인 모든 사람에게 설법해줄 것을 부탁하였다. 사자석에 오른 붓다는 그 꽃을 높이 들었다. 그때 가섭(迦葉) 존자만이 미소를 지었다. 붓다가 말하였다. "가섭아, 너에게 진리의 눈(법안〔法眼〕)의 가르침이 수여되었다. 그것을 받아 전하여라."[150]

이처럼 침묵하는 일련의 조사들이 지금까지 전해온 가르침의 본질은 다음과 같다.

> 경전 밖의 특별한 가르침(敎外別傳),
> 말이나 문자에 의존하지 않음(不立文字).
> 사람의 마음을 곧바로 직시하는 것(直指人心).
> 자기 자신의 본성을 보는 것. 불성을 깨닫는 것(見性成佛).[151]

그러면 보디다르마가 벽에서 떠났을 때 그는 어떻게 되었는가?
아무도 모른다.

수(隋) 왕조 : 581-618년

오랫동안 지속되었던 정치적 분열의 역사는 수 왕조(581-618년)에 의해서 마감되었다. 수 왕조는 단명하였지만 상당한 능력을 발휘한 왕조였다. 수 왕조의 두번째 황제이자 마지막 왕이기도 하였던 양제(陽帝)는 황하와 양자강을 잇는 운하를 완성한 것으로 특히 유명하다. 명대의 한 작가는 "그는 무자비하게 다스렸다"[152]라고 쓰고 있다.

니담 교수는 다음과 같이 말한다. "15세에서 50세 사이의 모든 평민을 포함하여 약 550만 명의 노역자들이 5만 명의 경찰의 감시 하에서 일하였다. 다섯 가정 중 한 가정은 음식을 마련하고 준비하는 일에 1명씩 보내야 하였다. 자신에게 부과된 요구에 응할 수 없거나 응하지 않은 사람은 모두 '채찍질과 교수형에 의해서 처벌되었다'. 따라서 어떤 사람들은 자식을 팔아야 하였고, 200만 명 이상이 '실종되었다'고 한다."[153]

"숟가락을 지닌 100만 명"으로 이루어진 이 위대한 중국의 기계는 잘 작동하여 도약의 발판을 마련하였다. 그러나 황제가 투르크 군대와의 전투에서 사로잡히는 바람에 수 왕조는 무너졌다. 그럼에도 불구하고, 진(秦)의 야만성이 한(漢)의 문명에 의해서 계승되었듯이, 수(隋)의 야만성도 당(唐)의 문명에 의해서 계승되었다. 니담은 "대부분의 중국 및 서양의 역사가들은 당을 중국의 황금 시대로 간주하였다"라고 말한다.[154]

당(唐) 왕조 : 618-906년

매우 국제적이던 이 시기의 전반부는 중국 불교의 전성기였지만, 후반부는 쇠퇴기였다. 침묵의 종파인 선종은 불교 교리의 중국화에서 선도적인 역할을 하였다. 그러나 841-845년 사이에 유교-도교가 반격하면서 4천6백 개가 넘는 사찰이 파괴되고, 26만 명이 넘는 비구와 비구니가 환속되고, 약 4만 개의 사원과 사당이 철거되었으며, 1백 만 에이커나 되는 기름진 사찰 부속 토지가 몰수되고, 그리고 사찰과 사원에 소속된 15만 명의 노예가 해방되었다.[155]

선불교의 가장 위대한 스승으로서 선종의 제6대조이자 마지막 조사가 된 혜능(慧能)이 인도적 영성과 중국적 영성의 절묘한 종합을 표상하는 깨달음을 성취한 것은 황매(黃梅)현의 조용한 산사에서였다. 그의 시대를 거치면서 극동의 조사의 계보는 다음과 같이 이어져 왔다.

1. 보디다르마 : 520년
2. 혜가(慧可) : 486-593년
3. 승찬(僧璨) : 606년 사망
4. 도신(道信) : 580-651년
5. 홍인(弘忍) : 601-674년
6. 혜능(慧能) : 638-713년

혜능은 남중국의 신주(新州) 출신이었다. 어렸을 때에 아버지가 죽었기 때문에 나무를 팔면서 어머니를 돌보았다. 어느 날 대문 앞에 서 있다가 『금강경(金剛經)』을 읽는 소리를 들었다.

> 붓다가 말하였다 : "오, 수보리(順菩提)여, 무엇을 생각하는가? 여래는 하나의 몸으로 간주되어야 하는가?"
> "아닙니다, 세존이시여. 그는 몸으로 간주될 수 없습니다. 왜냐하면, 그의 가르침에 따르면 몸은 몸이 아니기 때문입니다."
> 붓다가 수보리에게 말하였다. "형태를 지닌 모든 것은 환상이다. 모든 형태는 형태를 지니고 있지 않다는 것을 깨달을 때에 여래가 보인다."[156]

어린 나무꾼 혜능은 갑자기 어떤 생각이 떠오르자 어머니를 떠나 한 달 동안을 걸었다. 황매사에 도착하자 500명의 승려를 거느리고 있는 지도자 홍인이 그를 맞이하였다.

> 홍인 : "너는 어디에서 왔으며 무엇을 바라는가?"
> 혜능 : "나는 신주의 농부 출신이며 붓다가 되고 싶습니다."
> 홍인 : "남쪽 사람들은 불성을 가지고 있지 않다."
> 혜능 : "사실 남방인과 북방인 사이에 차이가 있을 수 있습니다. 그러나 불성에 관한 한, 어떻게 그 안에서 그러한 구별을 할 수 있습니까?"

이에 기뻐한 조사는 그를 부엌으로 보내서 동료 승려들의 식사를 위하여 쌀을 빻는 일을 시켰다. 혜능이 여덟 달을 그곳에서 보내는 동안 늙은 조사가 후계자에게 상징적인 의발(衣鉢 : 가사와 바리때)을 넘겨주어야 할 시간이 왔다. 후보 지원자들은 선원의 벽에 불법에 대한 자신들의 견해를 시로 써야 하였다. 가장 뛰어난 시를 쓴 것으로 판명된 자 ── 모든 사람들이 기대한 대로 ── 는 불법의 훌륭한 제자 신수(神秀, 706년 사망)였다. 그는 이렇게 썼다.

> 이 몸은 보리수요,   身是菩提樹
> 마음은 맑은 거울과 같다.   心如明鏡臺

| 늘 부지런히 닦아라, | 時時勤拂拭 |
| 먼지가 일지 않도록. | 勿使惹塵埃 |

　그러나 문맹의 범부에 지나지 않았던 그 부엌데기는 그날 밤 동료에게 신수의 시를 읽어달라고 한 다음, 그 시 옆에 다음과 같이 써달라고 부탁하였다.

보리수는 본래 없었고,	菩提本無樹
맑은 거울도 없었네.	明鏡亦非臺
본디 아무 것도 존재하지 않는데,	本來無一物
어디에 먼지가 일겠는가?	何處惹塵埃

　다음날 승려들이 이 시를 보았다. 이 익명의 도전장으로 인하여 사원은 혼란의 도가니가 되었다. 조사는 몹시 화를 내면서 신발을 벗어 그 시를 지워버렸다. 그러나 다음날 밤 그는 부엌데기를 방으로 불러 자신의 의발을 수여하였으며, 몰래 떠날 것을 부탁하였다. 조사는 그 부엌데기에게 다시 나타나도 되는 시간이 무르익을 때까지 숨어 있도록 말한 것이다. 그때 이후로는 의발을 전수하는 일이 더 이상 없었다. 이 범부의 통찰력으로 인하여 승원의 생활 의식(儀式)이 극복되었기 때문이다.[157]

　혜능이 도망을 쳤다는 소식이 퍼졌다. 얼마 안 있어 그는 산 계곡에서 잡혔다. 이때 혜능은 가사를 바위에 놓고서는 자신을 잡으러온 혜명(惠明)에게 이렇게 말하였다. "여기에 우리 신앙의 상징물이 있다. 이것은 힘으로 빼앗을 수 없다. 원한다면 한번 집어보아라."
　그것을 집어 올리려고 하였을 때 그는 그것이 산처럼 무겁다는 것을 느꼈다. 그는 얼굴을 떨어뜨리고 말하였다. "나는 신앙을 위해서 온 것이지 가사를 찾으러 온 것이 아닙니다."
　제6대 조사인 혜능은 이렇게 말하였다. "만약 네가 원하는 것이 신앙이라면 욕망을 포기하여라. 선이나 악에 대해서 생각하지 말아라. 지금

당장 너 자신의 본래 얼굴을 찾으라. 그 얼굴은 네가 태어나기 전에 있었던 너 자신의 얼굴이다."

혜명이 말하였다. "이 말씀의 숨겨진 의미 외에 더 알아야 할 어떤 다른 비밀이 있습니까?"

혜능이 대답하였다. "내가 말한 것에는 어떠한 감추어진 의미도 없다. 안을 보아라. 세상보다 먼저 있는 너 자신의 참된 얼굴을 찾아라. 유일한 비밀은 너 자신 안에 있다."[158]

그러나 이 가르침은 도교의 가르침이 아닌가?

『도덕경』에서 우리는 "다듬지 않은 통나무"에 대해서 본 적이 있다. 도를 아는 자는 "무로 돌아가며" "다듬지 않은 통나무의 상태로 돌아간다."[159]

> '도'는 영원한 실재,
> 이름 붙일 수 없는 무엇.
> 다듬지 않은 통나무처럼 비록 보잘것없어 보이지만,
> 이를 다스릴 자 세상에 없습니다.
> ......
> (다듬지 않은 통나무가) 마름질을 당하면
> 이름이 생깁니다.[160]
> (道常無名 樸雖小 天下莫能臣也
> ...... 始制有名)

웨일리는 이렇게 쓰고 있다. "도는 '저절로 있는' 것이고 어떤 '그러한' 원인을 가지고 있지 않으며, 그 자체가 항상-그러한 것이고, 불변하고, 조건지어지지 않은 것이다. 개인의 도는 다듬지 않은 통나무, 즉 어떠한 인상도 새기지 않은 의식이며, 우주의 도는 명백한 다양성의 배후에 있는 근원적 통일성이다. 도에 가장 가까운 것은 어린아이다. 맹자의 사상체계에서는 양심과 시비에 대한 분별력이 도의 개념을 대체하고 있다. '도덕적으로 위대한 사람'은 평생을 통해서 '어린아이의 마음'을 지키고 있는 자라고 맹자는 말한다. 이러한 관념은 3세기(기원전)의 문헌들에서 일관되게 흐르고 있다."[161]

기원후 8세기가 되면 이러한 관념은 열반의 복음과 결합한다. 앞에서 보았듯이, 붓다의 깨달음에 표현된 이중 부정, 곧 절대적 의미에서는 어떤 것과 동일시될 대상도 주체도 없다는 논리는 무조건적 긍정으로 나아갔기 때문이다. 모든 "그대는 해야 한다"의 살해, 황금 비늘을 가진 용의 살해, 어린이의 해방, 저절로 구르는 바퀴, 불성 혹은 여래(단지-그러함).* 이처럼 도의 가르침에서는 욕망의 사유가 부과한 자의적 "장애물"이 제거될 때에 스스로-그러함(자연)이 분명하게 드러난다. 이제 이 2가지, 곧 여래와 자연은 하나로 간주되었다.

그러나 스스로-그러함은 항상 부드러운 것은 아니다. 때로 그것은 스스로 도를 실현한 성인들의 삶과 행적에서 드러나듯이 거칠거나 단순히 별나거나 장난기가 있기도 하다.

840년에 황제 문종(文宗)의 죽음으로 중국 황실의 옥좌가 비게 되자(음모를 두려워 한 그가 일찍이 그의 아들인 황태자를 죽였기 때문이다), 가장 강력한 환관 중의 하나이자 좌가공덕사(左街功德使)로서 막강한 힘을 지니고 있던 구사량(仇士良)이 죽은 군주의 동생인 무종(武宗)의 왕권 장악을 도왔다. 기록에 의하면, 무종은 천자로 등극하자마자 "이전 황제 시대의 특권층 4천 명 이상"[162]을 살해하였다. 이듬해에는 불교 승려보다 도교 승려를 우대하기 시작하였다. 842년에는 자신의 성스러운 땅에서 이방의 빛을 끄기 위한 활동을 열정적으로 시작하였다.

한 칙령이 반포되었다. 그것은 불교 사원은 더 이상 새로운 승려를 받아들일 수 없으며, 이미 국가에 등록되지 않은 남녀 승려는 사원에서 추방되어야 한다는 내용이었다. 같은 해에 나온 두번째 칙령에 따라서, 의심스러운 거동을 한 모든 비구와 비구니는 세속 생활로 돌아가야 하였고, 돈과 곡식과 전답을 소유한 승려는 이를 모두 국가에 기부해야 하였다.

---

* 319-331쪽 참조.

수도에 있던 사원은 문을 걸어 잠그어야 하였고 남녀 승려는 그 안에 머물러 있어야만 하였다. 더구나 비구 1인당 1명의 남자 노예, 비구니 1인당 3명의 여자 노예만이 허용되었다. 그 밖의 다른 노예들은 모두 각자의 집으로 돌려보내야 하였고, 만일 돌아갈 집이 없다면 국가에 팔아야만 하였다.[163] 843년에는 더욱 잔혹한 칙령이 나왔다. 궁궐에 있는 불교 경전을 소각하고, 붓다, 보살, 사천왕 — 붓다에게 4개로 된 바리때를 준 — 의 상을 모조리 매장하라는 내용이었다. 그후 도시의 여러 곳에서 불이 났으며 드디어 공포의 계절이 시작되었다.

이 무렵 일본의 불교 승려 엔닌(圓仁)이 우연히 중국에 오게 되었다. 그의 일기 — 그것을 번역한 라이샤우어가 말하듯이 — 를 보면 당시 중국에서 불교가 널리 침투하고 있었음을 확실하게 알 수 있다.

라이샤우어는 이렇게 쓰고 있다. "그 땅의 모든 도시와 산채(山砦)에는 경제적으로 풍요하고 지적으로 활기찬 승려 공동체가 있었다. 불교 행사에는 도시의 군중들이 북적거렸으며, 재가 신자들은 종교적 강연과 의식에 열심히 참여하였다. 승려와 재속 신자들은 바위로 뒤덮인 순례의 길에 함께 올랐다. 한때 정부는 불교에 많은 지원을 해주었으므로, 몇 세기 후에는 인도 종교가 최고의 대중적 지지를 얻을 수 있었다. 엔닌이 중국에 왔을 무렵에는 이미 널리 확산된 대중 신앙과 지배 계급의 강력한 지적 신앙이 서로 결합된 중국 불교가 절정에 달하고 있었다."[164]

엔닌은 일본 천태종의 승려였다. 천태(天台)라는 이름은 그 종파의 창시자인 지의(智顗, 531-597년)가 살면서 가르친 남중국의 산 이름에서 나온 것이다. 그러나 엔닌은 순례하면서 다른 많은 불교 중심지도 방문하였다. 그중에서 가장 위대한 곳은 오늘날 산서성(山西省)의 최북단에 있는 오대산(五臺山)이었다. 이곳은 문수(文殊) 보살을 모신 곳이다. 엔닌은 이러한 이야기를 들었다. 옛날 문수 보살이 승려 차림으로 황제 앞에 나타났다. 그는 자신이 앉을 거적 만큼의 땅을 황제에게 부탁하였다. 자신의 제안이 받아들여지자, 그 승려는 500리(약 160마일)를 덮는 거적을 펼쳤다. 황제가 간교하게도 그곳에 부추씨를 뿌리자, 승려는 난초씨 같은 것을 뿌려 냄새를 제거하면서 맞대응하였다. 그래서 엔닌의 시대에는 높은 곳이면 어디서나 난초같이 생긴 꽃과 냄새 없는 부추를 볼 수 있었다. 그 주위의 산에는 독을 지닌 500마리의 용이 살고 있었는데, 이들은 여행자들이 결코 "오랫 동안의 맑음" — 엔닌이 묘사하였듯이 — 을 즐길 수 없도록 하기 위해서 날씨를 흐리게 만들었다. 그러나 이 용들은 사람들에게 위험하지는 않았다. 그들은 문수 보살에 의해서 불교 신앙으로 개종한 용왕의 신하들이었기 때문이다.

순례자 엔닌은 또 이렇게 들었다. 옛날에 붓다팔라라는 이름을 가진 인도의 승려가 문수 보살의 명성에 이끌리어 이곳에 왔다. 그는 오는 도중에 한 노인을 만났는데, 그 노인은 그에게 인도로 되돌아가 비밀 문헌을 가져오도록 하였다. 문수 보살 자신이었던 그 노인은 돌아온 그를 작은 동굴로 인도하여 그곳에 들어가도록 명하였다. 그는 시키는 대로 동굴로 들어갔다. 그러자 동굴의 문이 닫히고 그는 계속 그곳에 남아 있게 되었다. 일본인 순례객은 이렇게 묘사하였다. "그 바위 벽은 단단하고 노란색이다. 동굴의 입구가 있을 것으로 추정되는 곳에 높은 탑(뒤에 낭떠러지가 있는)이 있다. 동굴의 입은 탑의 바닥이지만 아무도 그곳을 볼 수 없다."[165] 그는 또 다음과 같은 이야기를 듣고 그대로 믿었다. 그 동굴 내부에는 인도 승려 붓다팔라 이외에도 어떤 성인이 7가지 종류의 귀금속으로 만든 3천 가지 종류의 악기가 있었다. 그뿐 아니라 120부셸의 양을 담을 수 있는 종이 있었는데, 그 종소리를 들은 자는 누구나 깨달음의 첫번째 단계의 네 과실을 얻었다. 8만 4천 가지 음을 지닌 은(銀) 하프도 있었는데, 각 음은 사람들의 세속적 욕망을 치료해주었다. 더구나 1천3백 층으로 된 보물탑도 있었다. 그리고 중국의 은종이와 여러 대륙에서 온 10억 가지 형태의 종이 위에는 황금 글씨가 쓰여 있었다.[166]

그 순례객은 자신의 일기에 이렇게 쓰고 있다. "이 문수 보살의 지역에 들어갈 때에는 매우 미천한 사람을 만나더라도 감히 경멸감을 가지지 못한다. 당나귀를 만나면 혹시 그가 문수 보살의 현현이 아닐까 생각하게 된다. 눈앞에 있는 모든 것이 문수의 현현일 것이라는 생각이 든다. ……"[167]

이렇게 대중적 신앙을 통하여 "모든 것은 붓다이다"라는 불교의 지혜가 널리 퍼졌다.

그 동안 궁정에서는 폭풍이 일어나고 있었다. 노부(潞府, 산서성의 남동부)의 절도사(節度使)가 반란을 일으켰기 때문에 그 지역으로 군대가 파견되었다. 그런데 그 절도사가 도망하여 승려로 위장하였는 소문이 돌자 300명의 승려가 체포되어 처형되었으며 절도사의 아내와 자식들의 목이 잘렸다. 황실에서는 칙령을 내려서 오대산과 그 밖의 곳에서 붓다의 유해를 숭배하는 축제에 더 이상의 순례객이 들어갈 수 없도록 하였다. 그곳에서 예물을 드리는 자는 누구나 등에 20대의 매를 맞아야 하였으며, 거기에서 적발된 비구와 비구니도 마찬가지로 매를 맞아야 하였다. 그 장소에 있던 승려들은 조사를 받았고 자격증명서가 없는 자들은 현장에서 처형되었다. 이는 도망간 노부의 절도사가 거기에 숨어 있을 것이라는 두려움 때문이었다.

중국의 황제는 우주의 유일한 축이었다. 그는 광기 어린 공상에 빠져서 그 어떠한 것보다도 자신의 신성한 몸을 보호하는 데에 더 급급하였으며, 81명의 도교 사제를 불러 궁궐 마당에 구천(九天)이라는 제단을 마련하였다. 엔닌은 이렇게 기록하였다. "80개의 상(床)을 높이 쌓았으며 그것들을 우아한 색깔의 천으로 덮었다. 밤낮을 쉬지 않고 의식을 거행하였으며 천상의 신들에게 희생 제물을 드렸다. …… 그러나 제단은 건물 안에 있지 않았고 의례는 트여 있는 마당에서 거행하였기 때문에, 날씨가 맑을 때에는 햇빛이 사제들을 강하게 내리쬐었고, 비가 올 때에는 그들의 몸을 흠뻑 적시었다. 따라서 81명의 사제들 중 많은 사람이 병들게 되었다. ……"[168]

그 동안 노부의 반군과 싸우고 있던 군인들은 별다른 성공을 거두지 못하였다. 황제가 성과를 보여달라고 다그치자, 군인들은 그 지방의 농민들과 목동들을 붙잡아 그들을 사로잡힌 반군이라고 속여서 수도로 보냈다. 엔닌은 말한다. "황제가 의식용 칼을 군인들에게 주고는 거리에서 죄수들을 세 토막을 내어 죽이라고 하니, 군인들이 그 죄수들을 포위하고 도살하였다. 이러한 방식으로 군인들은 죄수들을 계속 수도로 보냈으며 군대의 행렬은 그 끝을 몰랐다. 도살된 시체들로 인하여 길은 계속해서 혼잡하였으며, 시체에서 피가 계속 흘러나와 땅이 피로 이겨진 진흙으로

되었다. 구경꾼이 길을 메웠으며 황제도 때때로 구경하러 나왔다. 거기에
는 깃발과 창이 막 섞여 있었다. …… 군인들은 사람을 죽일 때마다 눈
과 살점을 도려내어 먹었으며, 감옥에 있는 자들은 이구 동성으로 금년
에는 장안의 사람들이 인육을 먹고 있다고 말하였다."[169]

 (엔닌은 계속하여 쓰고 있다.) 또 다른 황실 칙령이 반포되었다. 이 칙령
은 전국의 산악에 위치한 사원, 일반적인 불당, 그리고 마을의 공동 우물에
있는 공식적으로 등록되지 않은 아주 작은 크기의 재당(齋堂)을 모두 파괴
하고, 거기에 있는 남녀 승려들도 모두 환속해야 한다고 명하고 있었다.
…… 장안 시내에는 300개 이상의 불당이 있다. 거기에 있는 불상과 불탑
등은 법도에 어긋남이 없이 훌륭하며, 그것들은 모두 유명한 예술가들의 작
품이다. 거기에 있는 하나의 불당은 지방에 있는 거대한 사원의 가치와 맞
먹는다. 그러나 칙령에 따라 그것들은 지금 파괴되고 있다. ……
 또 다른 칙령은 국자감(國子監)의 학사(學士), 진사시(進士試)에 급제한
사람, 그리고 학자들이 모두 도교를 받아들이도록 요구하였으나, 지금까지
한 사람도 그것에 응하지 않았다. ……
 금년(844년) 초부터 비가 계속 내리지 않자, 황실의 명을 받은 관리가
불교 및 도교 사원의 사제들에게 비가 내릴 수 있도록 경전을 읽고 기도할
것을 통보하였다. 마침내 비가 내리자 도교 사제들만이 포상을 받았을 뿐,
불교의 비구와 비구니들은 아무런 보상도 받지 못하고 무시되었다. 성안의
사람들은 웃으면서 이렇게 말하였다. 비가 내리도록 기도할 때에는 불교 승
려들을 괴롭히지만, 일단 그 결과를 얻게 되면 단지 도교 사제들만 보상을
받는다.[170]

 황제는 몹시 아름다운 여사제가 거처하고 있는 도관(道觀)으로 갔다.
그리고 그 여자를 자신의 처소로 불러들여 천 필의 비단을 하사하였다.
그후 그 도관을 왕실과 맞닿는 곳에 재건할 것을 명하였다. 그리고 어떤
도교 사원으로 가서는 또 천 필의 비단을 하사하고 그곳에 자신의 청동
상을 안치하였다.[171]
 스즈키 박사의 다음과 같은 말은 참으로 맞는 이야기이다. "인간의 인

습과 인위적이고 세련된 위선에 의해서 전혀 방해받지 않는 자연스러움 속에는 신적인 어떠한 것이 있다. 인간적인 것에 의해서 제약되지 않는 이러한 것 속에는 직접적이고 신선한 그 무엇이 있으며, 그것은 신적인 자유와 창조성을 암시한다."

순례자 엔닌은 운명적인 해인 844년에 이렇게 기록하였다. "8월에 황태후가 죽었다. …… 그녀는 종교적이었고 불교를 신봉하였기 때문에 남녀 승려들이 단속될 때마다 황제에게 그러지 말라고 충고하였다. 마침내 황제는 그녀에게 독이 든 술을 먹여서 죽였다."

"의양전(義陽殿)의 황후 소씨(蕭氏)는 황제의 모후(母后)이며 매우 아름다웠다. 황제는 그녀를 배우자로 명하였으나 그녀가 거부하였다. 그러자 황제는 그녀를 화살로 쏘았다. 그 화살은 그녀의 가슴을 뚫었고 그녀는 죽었다."[172]

위대한 환관 구사량은 이미 죽었으나 그의 양자가 어느날 술에 취한 채 이렇게 떠들었다. "황제는 매우 존경받고 고귀하지만 그를 왕위에 세운 것은 나의 아버지였다." 이 이야기가 소문으로 퍼지자마자 무종은 그를 때려죽였다. 또 그의 아내와 그 집안의 여자들을 체포하여 추방하고 그들의 머리를 깎아 황실의 무덤을 지키도록 하는 칙명을 내렸다. 궁정 관리(中官)들은 그 가족의 재산을 몰수하라는 명을 받았다. 그의 방에는 코끼리 엄니가 가득 차 있었으며, 보석, 금, 은이 창고를 완전히 메우고 있었다. 그리고 지폐, 비단, 물건은 그 수를 헤아릴 수 없었다.[173]

위대한 동양은 전제 군주의 신성을 통제하고 판단하고 비판할 수 있는 어떤 사회 제도나 매우 인간적인 윤리적 가치를 지닌 질서를 만들어내는 데에 실패하였다. 이는 광인 무종이 통치하던 시대에 잔인할 정도로 분명하게 드러나고 있다. 동양 세계는 자애나 자비가 우주에서 저절로 실현된다는 주술적 개념을 가지고 있었기 때문에 기원전 2850년경 나르메르 팔레트 시대에 이집트가 서 있던 바로 그곳에 머물러 있었던 것이다. 선과 악을 넘어서는 신비주의자의 경건은 거대한 사회 정치적 지평에서는 별 쓸모가 없었다. 사회와 정치의 장에 적용된 경건성은 모든 현상을 신화론적 진부함으로 지지하거나 금욕적 진부함으로 저주할 뿐이었다. 그때 채택되는 언표 양식이 긍정적인 것인가 부정적인 것인가에 따라서 그 모든 현상은 신성한 것으로 지지되거나 단지 물질적인 것으로 저주되었다. 따라서 모든 것은 붓다이고 모든 것은 브라만이고 모든 것은 환상이고 모든 것은 마음에 속하는 것이었다.

유교적 형태를 취한 수많은 정치 철학들도 어떠한 근본적인 변혁을 가져오지는 못하였다. 무종 자신의 시대에 유교의 중요한 부흥이 있었다는 것은 아이러니이다. 이때 본성(性), 감정(情), 성인(聖), 자기 수양, 자기 노력, 그리고 우주에 미치는 덕의 영향에 관한 훌륭한 저작들이 많이 쓰여졌다. 신유학자인 한유(韓愈, 768-824년)와 이고(李翶, 844년 사망)의 저작이 대표적이다. 반면 무시무시한 사실의 거친 평면에서는, 우주의 복지는 아니라고 할지라도 최소한 중국인의 복지가 당대 군주의 성향이나 황실 군사력 ── 그를 쫓아낼 수도 있는 ── 의 존재 여부에 최종적으로 달려 있었다. 황제의 힘을 천명에서 나온 것 혹은 천명을 대변하는 것으로 찬양하던 고대의 신화는 그의 인간적 의지를 보다 비인간적인 것으로 만드는 데에 기여하였을 뿐이다. 황제는 위대하였다. 그것이 전부였다. 황제는 법을 넘어서는 "신의 대행자"였지만, 그 법의 원천, 지지자, 그리고 그 법 자체이기도 하였다. 따라서 그는 말 한마디로 무엇이든지 할 수 있었다.

도교가 승리하던 844년 9월, 도교 교단의 유식한 사제가 다음과 같은 「이교도에 대한 반론」과 교단 차원의 상주서(上奏書)를 올렸다.

붓다는 서쪽의 오랑캐 지역에서 태어났고 "불생(不生)"을 가르쳤습니다. "불생"은 죽음에 불과합니다. 그는 사람들을 열반으로 안내하였지만, 열반은 죽음입니다. 그는 무상(無常), 고(苦), 공에 대하여 많은 말을 하였는데, 그것들은 기묘한 교리들입니다. 그는 무위자연의 이치를 이해하지 못하였습니다.

우리는 최고의 존재인 노자가 중국에서 태어났다고 알고 있습니다. 그는 대라천(大羅天)에서 배회하다가 저절로 변화되었습니다. 노자는 불사약을 만들어 먹고는 불멸을 얻어서 신선들이 사는 세계의 일원이 되었으며, 엄청나게 많은 이로움을 만들어냈습니다.

우리는 선대(仙臺)를 궁궐에 세울 것을 요구합니다. 그러면 우리는 거기서 몸을 정화하고 천상의 안개 속으로 올라가 구천을 배회하며 사람들에게 복을 주고 황제를 장수하게 하면서 오랫동안 불멸의 기쁨을 보존할 수 있을 것입니다.[174]

이렇게 해서 이해에 중국적인 변태의 마지막 광기가 나타나게 된 것이다. 옌닌은 이렇게 이야기하고 있다.

10월에 황제는 두 군대에 명하여 궁궐에 선대를 짓도록 하였다. 그것의 높이는 150자였다. …… 그것을 세우기 위해서 매일 3천 명의 군사들이 흙을 운반하여야만 하였다. 최고 감독관들이 몽둥이를 쥐고 공사를 감독하였다. 황제가 공사를 감시하러 갔을 때 궁궐의 관리들에게 몽둥이를 쥐고 있는 자들이 누구인가 하고 물었다. 대답을 들은 후 황제는 이렇게 말하였다. "짐은 너희들이 몽둥이를 쥐고 감독하는 것을 원하지 않는다. 너희들도 흙을 날라야 한다. 그리고 그들에게 흙을 운반하도록 시켰다. 얼마 후 황제는 선대가 세워지고 있는 곳으로 가서 화살을 잡아 빼고는 아무런 이유도 없이 최고 감독관 하나를 쏘았다. 그것은 매우 무도하기 짝이 없는 행위였다. ……"

선대의 높이는 150자였다. 그것의 꼭대기는 평평하였으며 7칸짜리 전(殿)을 세우기에 충분하였다. 거기에 5개의 봉우리가 달린 탑이 올라가고 있었으며, 마당의 안과 밖 어디에서나 보일 정도로 그 탑은 홀로 높이 치솟고 있었다. 종남산(終南山)으로부터 둥근 돌을 가져와서 사방에 작은 동굴과 바윗길이 있는 벼랑을 만들었다. 그것은 최고로 아름답게 가꾸었으며 그 위에 소나무와 측백나무, 그리고 그 밖의 희귀한 나무들을 심었다. 황제는 매우 기뻐하였으며, 7명의 도교 사제에게 불사약을 만들어 그 선대 위에서 불멸을 추구하라는 황실 칙령을 내렸다. ……[175]

황제는 선대의 꼭대기에 2번 올라갔다. 첫번째 올라갔을 때에는 거기서 사람이 떨어지는 것을 보고 싶었다. 그때 거기서 떠밀려 떨어지기로 된 사람이 안 떨어지려고 저항하였기 때문에 20대의 매를 맞았다. 두번째 올라갔을 때에는 도교 사제들을 의심하면서 이렇게 말하였다. "우리는 2번이나 여기에 올라왔다. 그런데 너희 중 한 사람도 아직 불멸에 이르지 못하였다. 이것은 무엇을 의미하는가?"

그때 재치 있는 도교 사제들이 대답하였다. "이 나라에서는 불교가 도교와 함께 존재하기 때문에 불멸의 길을 가로막는 이(理, '고통')와 기(氣, '숨')가 넘치고 있습니다. 그래서 불멸에 이르는 것이 불가능합니다."[176]

황제가 그때 이렇게 선언하였다. "(선대를 짓기 위하여) 땅을 판 구덩이가 매우 깊을 뿐만 아니라 사람들을 무섭게 하고 불안하게 만들고 있다. 그것을 채울 수 있었으면 한다. 선대에 희생제의를 드리는 날이 다가오면, 선대를 위하여 축제가 열린다고 소문을 내어라. 그리고 고기는 쓰지 않는다고 거짓말을 퍼뜨려라. 그렇게 해서 시내에 있는 모든 남녀 승려들을 모은 다음 그들의 머리를 베어 구덩이에 채워라."

그러나 한 자문관이 이렇게 말하였다. "비구와 비구니들은 본래 나라의 백성들입니다. 그들이 세속 생활로 돌아가서 생업에 종사한다면 국가에 이득이 될 것입니다. 그들을 사멸시킬 필요가 없다고 봅니다. 그 일을 담당하는 관리들을 시켜서 승려들을 평상 생활로 돌아가게 하고, 그들이 원래 살던 지역의 부역에 종사하도록 명하시기 바랍니다."

황제는 머리를 끄덕이고는 잠시 후 "네가 말한 대로"라고 중얼거렸다.

일본인 엔닌은 이렇게 썼다. "여러 사원의 승려들이 이 소식을 들었을 때, 그들은 정신이 아찔하였으며, 어떻게 하여야 할지 알지 못하였다."[177]

이러한 잔인한 소극은 계속되었지만, 엔닌은 천신 만고 끝에 마침내 고향으로 향하였다. 그가 배를 타고 떠나는 것을 본 한 제자가 이렇게 말하였다. "불교는 더 이상 이 나라에서는 존재하지 않습니다. 불교는 동쪽으로 흘러갑니다. 옛부터 그런 말이 있었습니다. 당신의 나라에 도착하여 그곳에서 힘껏 불교를 전파하기 바랍니다. 당신의 제자인 저는 다행스럽게도 당신을 여러 번 뵐 수 있었습니다. 오늘 우리는 헤어집니다. 이번 생에서는 아마도 다시 만나지 못할 것입니다. 성불하였을 때에 당신의 제자를 버리지 마시옵소서."[178]

황제는 얼마 후에 불사약을 과다하게 복용하여 죽은 것으로 알려지고
있다.

송(宋) 왕조 : 960-1279년

중국 불교는 841-845년의 타격에서 결코 회복되지 못하였다. 그것은
더 이상 발전하지 못한 채 대체로 조야한 민속 종교의 수준에서 민간 도
교와 함께 잔존하였다. 그러면서 그 나름의 방식으로 가족과 공동체 생
활의 영원한 욕구들을 충족시키는 데에 기여하였을 뿐이다. 불교는 출생,
혼인, 죽음의 상황에 대한 다양한 의식, 계절의 변화와 특질을 알려주는
상징적인 놀이, 슬프고 지친 자들을 위한 위안, 이곳에서 아무 것도 지니
지 못한 자를 위한 저곳에서의 신화적 목표, 존재의 신비에 관한 소박한
물음의 고대적 해답, 기이한 일에 관한 문학, 그리고 부모와 정부의 권위
에 대한 초자연적 지지를 마련해주었다.

중국 불교의 이러한 행동은 청동기 시대의 배경에서 나온 것이고, 그
의미에서, 이것은 참으로 현대 세계에서 5천 년의 과거를 —— 인도와 함
께 —— 재현하고 있다고 할 수 있다. 그 기저에는 근면한 땅에서 나온 땀
흘리는 아름다운 "하층"민이 있다. 그러나 인도의 농민이나 유럽의 대다
수 농민과는 달리 중국의 농민은 깊은 과거 속에 있는 땅의 사람들이 아
니다. 그들은 거주 가능한 최북단의 극지방에서 (분명히) 발전해온 유목
민이었고, 빙하 시대 이후에 남하하였으며, 그들보다 먼저 살고 있던 사
람들이 만들어 놓은 모든 것을 대체하였다. 그들의 의례에서는 신석기적
다산 의례의 요소 및 조상 숭배가 샤머니즘적인 요소와 흥미로우면서도
독특하게 결합되어 있다. 빙의 현상은 몽골 인종이 존재하는 곳에는 사
적 의례와 공적 의례에서 모두 현저하게 나타난다. 그것은 보이지 않는
존재자의 의지를 아는 —— 심지어 그것에 영향을 미치는 —— 수단인 점복
을 보완한다. 그것은 가정에서의 조상 제사를 보완하기도 하는데, 제사를
주관하는 자는 근본적으로 샤먼이 아니라 가장이다. 중국 사상에서는 조
상의 관념이 한편에서는 제(帝), 상제(上帝), 천(天) —— 이것들은 일반

적으로 "유일신"으로 번역된다 —— 과 같은 고귀한 용어들과 연결되어 있고, 다른 한편에서는 신(神), "정령", 귀(鬼, "유령")와 같은 용어들과 관련되어 있다. 샤먼의 영역은 본래 후자이다. 가장의 제사는 자신의 조상에 대한 가족 제사를 중심으로 하고 있다. 황실 제사의 영역은 가족 제사에서 발전한 것이며, 여기에 샤머니즘적 제사로부터 어떤 요소들이 첨부되었다. 즉 황제(천자)의 조상이 "위(上)의 신적 존재(帝)"인 상제와 실제적으로 동일시된 것이다.

출생 및 죽음의 의례와 관련해서 영혼과 비슷한 2개의 원리를 볼 수 있다. 첫번째의 원리인 백(魄 : "하양"을 의미하는 글자와 "귀신"을 의미하는 글자의 합성어로서 "하얀 귀신"으로 쓰여진다)은 수태 시에 생겨나고, 두번째의 혼(魂 : "구름"을 의미하는 글자와 "귀신"을 의미하는 글자의 합성어로서 "구름 귀신"으로 쓰여진다)은 출생의 순간에 백과 결합하며, 그때 빛의 세계에 어둠이 들어온다. 후기 사상에서 백은 음, 혼은 양과 동일시되었다. 사람이 죽을 때 백은 시체와 함께 무덤에 3년 동안 남아 있으며(이집트의 바[Ba]와 비교해보라), 그후 황천으로 내려간다. 만일 백이 편안하게 모셔지지 않으면 유령, 곧 귀로 되돌아올 수 있다. 이와 달리 빛의 원리에 참여하는 혼은 하늘로 올라가서 정령, 곧 신이 된다.

상제(위의 군주)와 천(하늘)이라는 용어는 각각 상 왕조와 주 왕조에서 나온 것으로 간주된다. 전자는 인격성을 암시하며 후자는 비인격적인 경향이 있다. 그러나 모두 하나의 의지, 곧 하늘의 의지를 함축하고 있다. 사제 국가의 공식에 따르면, 이 의지는 수학적으로 구조화된 우주적 질서(마트, 메, 르타, 다르마, 도)로 드러난다. 그리고 중국 사상사와 문명사가 보여주듯이, 이 질서의 실현은 국가가 출현한 이래로 중국(Middle Kingdom)의 주요 관심사였다. 요컨대 개인(소우주, microcosm), 사회(중우주, mesocosm), 천지우주(대우주, macrocosm)는 서로 뗄래야 뗄 수 없는 하나의 단위를 이루고 있으며, 이 모든 것의 복지는 그들 상호간의 조화에 달려 있다는 것이다. 인도와 마찬가지로 중국에서도 절대적인 세계 창조라는 관념은 없다. 그러나 해체-재창조의 모티브가 강조되는 인도와는 대조적으로 중국의 주요 사상은 세계의 현재적 측면을 강조한다.

점차 악화되면서 반복되는 4가지 시대의 체계적 연속 대신에, 중국은『역경』에서 현재적 계기의 심오한 의미에 대한 길잡이를 제공한다. 따라서, 키타가와 교수가 간명하게 지적하고 있듯이, "무엇이 도인가?"보다는 "도를 실현하는 방법"이 중국인 — 미신적인 대중과 고고한 철학자들 모두 — 의 주요 관심사를 이루어온 문제이다.[179]

여기서 다시 한번 인도와 대조되는 점을 살펴보자. 이론적으로 정적인 카스트 제도가 우주적 질서의 사회적 측면을 재현하고 개인은 그의 광범위한 카스트의 자양분(alignment)에 의해서 자신의 의무로 향하는 인도와는 대조적으로, 중국에서는 가족과 직계 친족의 자양분이 지배하며 신에 대한 봉헌이 아니라 효가 그 제도의 핵심적 감정이다.『효경(孝經)』에는 이렇게 쓰여있다. "어버이를 사랑하는 자는 감히 남을 미워하지 아니하고, 어버이를 공경하는 자는 감히 남에게 오만하지 아니하다."(愛親者 不敢惡於人 敬親者 不敢慢於人)[180] 차등 없는 보편적 사랑을 외친 묵자의 철학은 이러한 감정과 반대 방향으로 달리고 있다. 따라서 1950년대 공산주의자들 — 이들의 관점과 묵자의 철학은 잘 어울린다 — 에 의해서 부활될 때까지 묵자는 한나라 이후 중국 문명을 유지시켜 온 감정 체계를 형성하는 데에 상대적으로 미약한 역할밖에 하지 못하였다. 심지어 군주조차도 효의 감정에 규제되었던 것으로 보인다.

『효경』은 계속해서 이렇게 말하고 있다. "어버이를 모시는 천자의 사랑과 공경이 이처럼 극진하면, 그의 덕의 가르침은 모든 백성에게 미치어 사해의 모범이 될 것이다. 이것이 천자의 효이다."[181]

그러므로 중국 종교 — 다시 한번 키타가와 교수를 인용하자면 — 는 성과 속의 차이를 결코 만들지 않았다. 그는 이렇게 쓴다. "의식(儀式) 활동의 중요성이 무시되어서는 안되지만, 중국인의 종교적 에토스는 의식 활동보다는 일상 생활 속에서 발견되어야만 한다. 중국인은 삶의 의미를 종교적이라고 불리는 삶의 어떤 한 부분에 한정시켰던 것이 아니라 삶 전체에서 찾았다."[182]

그러나 앞에서 보았듯이 천자가 효의 자세를 잃어버렸을 때, 그것에 대하여 왈가왈부할 수 있는 자는 아무도 없었다. 그때는 자연성이 척도가 되었다. 그래서 어떤 결과가 나타나게 되었는가! 사회학적으로 보면, 중국인은 다시 한번 이의 없이 5천 년의 시대를 주장할 수 있게 되는 것이다.

무종의 광란 이후에 중국 불교는 서서히 건강을 찾기 시작하였다. 그래서 어떻든 중국의 신화적 질서의 최종적인 형태라고 부를 수 있는 것이 발전하였다. 군주들 자신이 신화적 성인인 노자의 후손이라고 생각한 당 왕조는 906년에 붕괴하였다. 50년에 걸친 전쟁 군주의 시대(이른바 오대[五代]) 이후에는, 정치적으로는 약하지만 문화적으로는 놀라운 수준을 지닌 송 왕조(960-1279년)가 등장하였다. 송나라의 창시자는 최초로 중국 불교 경전의 인쇄 작업을 후원하였으며, 두번째 군주는 수도에 거대한 불탑을 세웠다. 선불교 ── 혜능의 영감을 받은 지파는 수도원의 이상으로부터 뛰쳐나왔다 ── 는 중국의 독서 계급에 중요한 영향을 미쳤으며, 마침내 불교, 도교, 유교 어휘를 종합한 신유교가 등장하였다.

풍우란 박사는 이렇게 말하고 있다.

> 불교의 궁극적인 목적은 불성을 획득하는 방법을 가르쳐주는 것이다. …… 신유교의 궁극적인 목적은 유교적 성현이 되는 방법을 가르치는 것이다. 불교의 붓다와 신유교의 성인 사이의 차이는, 붓다가 영적 수양을 사회와 인간 세계 밖에서 증진해야 하는 반면 성인은 인간의 유대 안에서 그렇게 해야 한다는 데에 있다. 중국 불교의 가장 중요한 발전은 근본 불교의 피안성을 평가 절하하려는 시도에서 나타났다. 이러한 시도는 선사들이 "물을 긷고 장작을 패는 가운데 놀라운 도가 있다"라고 말할 때 성공에 이르는 듯하였다. 그러나 …… 그들은 이러한 관념을 논리적 결론으로까지 밀고 가지는 못하였다. 그들은 자신의 가정과 국가에 봉사하는 데에도 놀라운 도가 놓여 있다고 말하지는 못하였던 것이다.[183]

전한 시대의 두 지도적 유가인 맹자(기원전 372?-289년?)와 순자(기원전 298-238년경)의 시대에 이미 중국의 완성된 문명(무시무시한 역사와는 대립되는)이 기초할 근본 원리들이 잘 확립되어 있었다.

1. 맹자 : "만물이 모두 나에게 갖추어져 있으니, 몸을 돌이켜보아 성실하면 즐거움이 이보다 더 클 수 없고, 서(恕)를 힘써서 행하면 인(仁)을 구함이 이보다 가까울 수 없다."(萬物皆備於我矣 反身而誠 樂莫大焉 强恕而行 求仁 莫近焉)[184]

2. 순자 : "제사라고 하는 것은 죽은 사람에 대한 애틋한 마음과 사모하는 정이 겉으로 넘쳐흐른 것이요, 충신과 애경하는 마음의 극치이며, 예절과 수식을 성대하게 한 것으로, 참으로 성인이 아니면 알 수 있는 것이 아니다. 성인은 제사의 의의를 명확하게 알고 사군자는 조용히 이것을 실천해나가고, 일반 벼슬아치들은 어김없이 이것을 지키며, 모든 백성들은 이것을 하나의 습속으로 하고 있다. 그런데 군자는 제사를 다만 사람으로서 마땅히 하여야 할 일로 생각하는데, 일반 백성들은 그것을 죽은 사람의 혼령을 섬기는 일로 여긴다. ……

죽은 사람 섬기기를 산 사람 섬기듯 하고, 이제는 가고 없는 사람 섬기기를 눈앞에 있는 사람을 섬기듯 하며, 형체도 그림자도 없는 곳에 마음에 사모하는 분의 모습을 보는 듯이 그려서, 여기에 인도(人道)로서의 수식을 이룩하는 것이다."(祭者志意思慕之情也 忠信愛敬之至矣 禮節文貌之盛矣 苟非聖人莫之能知也 聖人明知之 四君子安行之 官人以爲守 百姓以成俗 其在君子以爲人道也 其在百姓以爲鬼事也 …… 事死如事生 事亡如事存 狀乎無形影 然而成文)[185]

풍우란은 이렇게 말한다. "이러한 해석에서, 장례와 제사는 종교적인 것이 아니라 완전히 시적인 것이 되었다."[186]

따라서 내가 문명이라고 부르는 평면 위에서는 종교의 길과 예술의 길이 서로 이어지고 있다고 할 수 있다.

제8장 일본 신화

1. 선사 시대의 기원

일본으로 눈을 돌리면 4가지 사실이 곧바로 드러난다. 첫번째는 불교의 도래 시기, 그리고 불교와 함께 발달한 문명의 기술이 도래한 시기가 게르만 유럽의 기독교화 시기와 거의 일치한다는 점이다. 그래서 인도와 중국은 내적으로 완성되고, 소진되었으며, 슈펭글러가 부르듯이 농민으로 간주될 수 있는 데 비하여, 일본은 젊고, 아직 꿈꾸고 있으며, 니체가 말하듯이, "춤추는 별을 낳을 수" 있다.

두번째 점은 이 젊음 때문에 전통적인 일본에서는 이집트, 메소포타미아, 인도, 그리고 중국에서 보았던 사회적 또는 우주적 탈환상화같은 근본적인 경험이 결코 존재하지 않았다는 점이다. 그래서 불교가 도래하였을 때에 "삶 자체가 괴로운 것이다"라는 첫번째 고귀한 진리가 귀에는 들렸겠지만 결코 가슴속까지 닿지는 못하였다. 일본은 붓다의 복음에서 완전히 다른 어떤 것을 들었다.

세번째 점은 비교적 원시적인 민족이었던 일본인들은 역사의 무대로 들어갈 때에도 아직 모든 것에서 근원적인 누미누스의 감정 — 루돌프 오토가 종교의 고유한 정신적 상태라고 이름지은 — 을 느끼고 있었다는 것이다.*

  네번째 사실은 영국처럼 섬나라인 일본에서는 사회 질서의 꼭대기에서부터 밑에 이르기까지 하나의 근본적인 교감(rapport)이 존재한다는 점이다. 대륙에서는 인종, 문화, 그리고 상대를 배려하지 않는 계급 사이의 충돌이 사회사의 규범으로 실제 나타나고 있었던 반면, 일본에서는 가장 잔인한 무질서의 시기에도 제국이 하나의 유기적 단위로 기능하였다. 그래서 우리는, 오늘날 세계 그 어느 곳에서도 찾아볼 수 없는, 명예심을 동반한 본질적으로 영웅적이고 귀족적인 정신이 일본 사회의 곳곳에 스며 있는 것을 느낄 수 있다. 이러한 정신은 위로부터 아래에까지 침투하고 있다. 그리고 세련된 선진 문명에서는 일반적으로 상실된 누미누스적인 경이감과 환희가 일본인의 삶의 구조 안에 중요하게 남아 있으며, 이는 서민들의 감수성에 의해서 아래로부터 떠받쳐지고 문화 스펙트럼을 통해서 위에까지 스며들고 있다.

  일본 고고학의 영역은 5가지로 나누어진다. 첫번째는, 대체로 가설적이기는 하지만, 북경원인과 자바원인의 시기에 해당하는 구석기 수렵인의 단계이다. 기원전 40만 년경에 해당하는 이 시기의 일본 열도는 대륙과 연결되어 있었던 것 같다. 도끼 모양의 연장과 자바원인류의 골반으로 추정되는 뼛조각에 관한 발굴 보고서들이 나와 있다. 더 많은 발견이 기대되지만 구체적인 유물이 나타나기 전까지는 일본에서의 간빙기의 인류에 대하여 이 이상으로는 말할 수 없다.[1]

  두번째의 선사 시대 역시 가설적이지만 중석기 수렵인의 단계에 해당하며, 시기적으로는 기원전 3천 년경 이후에 시작되는 것으로 추정된다. 혼슈에서 약간의 작은 유물들이 발견되었는데, 이것들을 세석기로 간주하는 학자들도 있지만 이 주장은 아직 확정적인 것으로 받아들여지지 못하고 있다. 어떻든 이는 우리의 현재 관심사와는 관련이 없다.[2]

  그렇지만 세번째 영역은 상당히 중요하다. 조몬(繩文, "줄무늬")으로 알려진 이 시기는 그 이름이 가리키는 대로 토기가 거칠고 손처럼 생긴

---

* 46–48쪽, 58쪽 참조.

줄무늬 모습이 그 특징이다. 연대는 기원전 2500년에서 기원전 300년 사이이며 이는 다시 1. 원 조몬 시대, 2. 초기 조몬 시대, 3. 중기 조몬 시대, 4. 후기 조몬 시대, 5. 최종 조몬 시대의 5단계로 나누어진다. 이 문화를 최초로 이식한 무리는 코카서스 인으로 추정된다. 그들의 후손으로 추정되는 아이누는 오늘날 북쪽의 홋카이도에서 살고 있지만, 한때는 혼슈의 전부 혹은 대부분에 걸쳐 살고 있었다. 고기잡이와 바다의 포유 동물을 사냥하는 것이 북쪽 사람들의 생업이었다. 남쪽 사람들은 조개류, 사슴, 도톨이를 주식으로 하고 있었다. 뼈로 만든 낚시, 마제 석기, 반지하 형태의 집, 거주지 안이나 부근에 시체를 구부려 매장하는 풍습, 그리고 농경의 부재는 이 조몬 시대의 처음 3단계를 특징짓는다. 네번째 단계에서는 도기로 만든 작은 입상, 그리고 멋진 상상력과 리듬을 동원한 도자기 도안이 나타나는데, 여기에는 대륙 청동기 문화의 영향이 보인다. 마지막 단계에서는 정착 마을이 형성되고, 소와 말의 외양간과 아울러 메밀, 삼, 팥, 참깨 농사가 발달하였다.[3]

야요이(彌生) 시대로 불리는 네번째 영역의 연대는 기원전 300-기원후 300년경에 해당한다. 이 시기에 일본 고유 문화의 토대가 형성되었다. 발굴지가 큐슈와 남부 혼슈에 국한되어 있는 것으로 보아서 이 문화는 한국을 경유하여 들어왔음을 알 수 있다. 발굴된 문화의 품목들은 상 왕조 이전의 중국(용산 : 기원전 1800년경의 흑색 토기)을 암시하지만, 당시 일본의 연대는 중국의 진한 시대에 해당한다. 계단식 벼농사, 도공의 녹로 위에서 도는 도자기, 받침대가 달린 용기, 그리고 2개의 단지를 놓고 쌀을 찌는 방법 — 초기 중국에서 행해진 — 등은 이러한 문화 복합의 두드러진 특징이다. 반달 모양의 칼(북극 주변의 물품), 네모꼴의 까뀌(흑해에서 하와이에 걸쳐서 분포하는), 나무로 만든 삽, 괭이, 절구, 그리고 높은 단층 마룻대가 있는 집도 보이고 있다. 구리와 청동 주형의 무기도 이 시대의 중후반기에 알려졌고, 소량이기는 하지만 철도 나타났다. 요컨대 이 문화의 단계는 기본적으로 중기 신석기 시대의 양식을 보여주고 있지만, 시기적으로는 중국의 한 왕조와 로마 제국의 시대에 해당한다.

다섯번째 영역은 기원후 300년경에 시작되는 야마토(大和) 시대에 해당한다. 이 시기에 중앙아시아인이 한국에서 큐슈를 거쳐 혼슈로 들어왔음을 알 수 있다. 흙으로 덮인 등성이 모양의 무덤이 원형, 사각형, 혹은 열쇠 구멍의 모습으로 언덕이나 논 가운데에 놓여 있으므로 이 문화는 "고분 문화"라는 명칭으로 불리게 되었다. 400년경에 이르면 무덤은 어마어마하게 커진다. 전통적으로 닌토쿠(仁德) 천황 —— 원문대로 하자면 그의 생존 연대는 257-399년이다[4] —— 의 무덤으로 간주되어온 고분은 80 에이커 정도의 땅에 걸쳐 있는데, 높이는 90피트, 길이는 400야드이며 꼭대기에는 사당과 건물이 있다. 기원후 297년에 쓰여진 중국 문헌에는 피미코(일본어로 히미코[卑彌呼], 즉 "태양의 딸")라는 이름을 가진 여왕의 이야기가 있다. 그 책에 의하면 그녀는 238년 중국 사신의 방문을 받았으며 그녀가 죽자 "지름이 100보가 넘는 거대한 무덤이 세워졌고, 100명이 넘는 시종과 시녀가 그녀의 시신을 따라 무덤으로 들어갔다."[5] 또 다른 중국 기록(445년경)에 의하면 "그녀는 결혼하지 않은 채 마술과 요술에 탐닉하였고 백성을 미혹시켰다. 그래서 그녀에게 왕위가 수여되었다. 천 명의 시녀가 있었지만 그녀를 본 자는 거의 없었다. 남자는 단 1명이 있었는데, 그녀의 의상과 식사를 담당하였으며 영매 역할도 하였다. 그녀는 탑과 방책으로 둘러싸인 궁전에서 무장 경호원의 보호를 받으며 살았다. 법과 관습은 엄격하고 가혹하였다."[6] 조지프 키타가와 교수가 지적하듯이 이 여왕은 무당이었다.[7]

중국측 사서에는 다음과 같은 기록이 나온다. 일본 사람은 뼈를 태워서 점을 치며, 점쟁이는 머리를 빗거나 벼룩을 잡지 않고 옷을 빨거나 고기를 먹지 않으며 여자를 가까이 하지 않는 남자이다. 사람이 죽었을 때에는 언제나 열흘 이상 애도 기간을 지키고, 그 기간 중에는 어떠한 고기도 먹지 않는다. 친구들이 노래하고 춤추며 음주하는 동안 상주는 울부짖으며 슬퍼한다. 장례식이 끝나면 유족은 몸을 정화하기 위하여 물가로 간다.[8]

여러 곳에서 발굴된 하니와(埴輪, "토용[土俑]")의 무더기에서 이 시기의 성격을 비추어주는 자료들이 나타났다. 속이 빈 테라코타로 만든 무장 병정과 안장을 얹은 말이 무덤 등성이 둘레에 열을 지어 있었는데, 이것들은 3천 년 전 이집트 무덤의 입상들처럼 살아 있는 "죽음의 추종 자들(death followers)"의 대체물이었다. 이 활력 있는 작은 형상들은 칼, 투구, 판석(板石)과 누비로 만든 갑옷, 중앙아시아의 활과 화살, 안장, 반 지 모양의 등자쇠, 그리고 고삐를 가지고 있다. 더구나 실제로 사용되는 철제 무기, 철제 장식품, 철제 갑옷의 부착물들도 발견되었다.

나는 『신의 가면 : 원시 신화』에서 아이누의 샤머니즘, 곰, 불, 산악 숭 배, 장례와 정화 의식에 대해서 논의하였다. 문화적으로 볼 때, 이러한 요소들과 일본 신도의 한층 원시적인 측면은 아주 잘 어울린다. 두 민족 의 근원지는 동북아시아와 중앙아시아 북부이며, 이곳으로부터 많은 사 람들이 북아메리카로 흘러들어갔다. 그리고 같은 북아시아의 극지방으로 부터 많은 물품이 계속해서 북유럽으로 흘러들어갔기 때문에, 일본의 토 착 전승은 아일랜드, 캄챠카, 캐나다 북동부처럼 아주 멀리 떨어진 곳의 신화와 놀라운 유사성을 도처에서 보여주고 있다. 영국에서는 기원전 450년경 켈트 족의 침입과 함께 철기 시대가 시작되었으며, 기원전 250 년경에는 두번째 파도가 일었다. 후자의 경우에는 영웅 무덤, 전차, 언덕 위의 요새, 석탑 등을 동반한 발달된 라 텐(La Tène : 할슈타트 시대 이 후의 유럽의 철기 시대, 기원전 5-기원후 1세기/역주) 유형의 철제 장식 이 그 특징을 이루고 있었다. 시기적 측면이나 문화적 요소를 고려해볼 때, 이러한 것들은 야마토 시대의 일본을 연상시킨다.

이처럼 일본의 주요한 원시 전승은 북쪽 지역과 연결 고리를 가지고 있다. 그러나 일본의 신화에는 폴리네시아와 해안 어로 부족을 암시하는 많은 요소가 포함되어 있다. 북아시아의 수렵인, 해안의 어로 부족, 변경 의 신석기 농경민과 청동기 시대의 후기 물결, 마지막으로 철기 시대의 전사 부족이 일본의 신화 복합의 요소를 이루고 있다. 야마토 부족은 부 족 전쟁과 아이누(아마 야요이도 마찬가지로)에 대한 점차적인 압박을 통해서 400년경에 한국으로 향하는 통로를 지배하게 되었다. 중국 문명 의 혜택이 5세기와 6세기에 실제적으로 들어오게 된 것은 이러한 과정을 통해서였다.

2. 신화적 과거

야마토 지배층은 중국 문화가 제공하는 영감에 반응하면서 그들 자신의 과거를 발명하였다. 그 과정에서 지역 신화들은 하나의 세계사 안에서 배열되었다. 그러나 먼지처럼 건조한 유학자들 — 신화를 비신화화하는 면에서는 상당히 성공하였지만, 그것을 그 밖의 다른 것으로 변화시키는 데에는 실패한 — 과는 대조적으로 신선한 깃털을 지닌 일본의 지식 계급은 아직도 젊음의 이슬을 지니고 있었다. 일본 지식인이 모델로 삼은 것은 수메르에서 처음 만들어진 것과 같은 종류의 전설적인 중국의 연대기였다. 이러한 연대기에서는 먼저 우주의 기원과 신들의 시대, 그 다음에는 초인간적인 왕들의 시대, 마지막으로 우리 자신의 시대에 근접하는 영웅들의 시대가 등장한다. 그러나 그들이 이러한 골격에 옷으로 입혔던 재료는 약간 유치한 모습을 보여주기는 하지만 그들 자신의 민간 전승이었다. 그 결과 우리의 주제에 관한 문헌 중에서 가장 놀라운 동화로서의 세계사(history of world-as-fairytale)가 등장하였다. 이는 어떤 의미에서 일본인의 정신에 잘 어울린다. 『신의 가면 : 원시 신화』의 초반부("가면의 교훈"에 관한 장)에서 언급한 것처럼, 일본에서는 삶의 이상이 지닌 비상한 진지성과 심오한 무게가, 모든 것은 장난일 뿐이라는 유행성 허구에 의해서 감추어지기 때문이다.

중국이 일본에 미친 가장 중요한 영향은 유교였다. 유교는 4세기 무렵에 들어온 것 같으며 5세기에는 분명히 들어와 있었다. 그러나 가장 중요한 연대는 6세기에 속하는 552년이다. 이 해에 백제의 왕이 킴메이(欽明) 천황에게 몇 권의 경전과 황금 불상을 선물하였다. 이렇게 해서 문명의 예술이 이 나라로 쏟아져 들어왔으며, 그후 300년 동안 탐욕적인 동화 작용이 점진적으로 이루어졌다. 그러한 과정은 나라 시대(奈良, 710-794년)에 절정에 이르렀는데, 이 시대에 2가지 상징적 사건이 일어났다. 불교에서는 오늘날까지 세계의 불가사의의 하나로 남아 있는 거대한 청동 불상의 봉안이 있었고, 토착 신도에서는 2개의 황실 계보가 척령에 의해서 편찬되었다. 이것이 『고사기(古事記)』(712년)와 『일본서기 (日本書紀)』(720년)이다. 책 제목에서 드러나듯이 이 두 책은 구전으로 내려오던 토착 전승을 기록한 것이다. 그러나 모델로 삼은 중국의 연대 기와는 대조적으로 이 두 책은 세상의 등장 이전부터 이야기를 시작한다. 두 책은 신화적 분위기를 철저하게 유지하면서, 처음에는 신과 같고 후 기에는 인간과 같은 위대한 과거의 영웅들에 대하여 이야기 한다. 그 책 의 저자들은 왕권을 하늘로부터 야마토 가문으로 끌어내리고 자신들이 살던 몇십 년 전의 시대까지 이야기를 전개하고 있다.

여기서 『고사기』에 나오는 1. 세계의 최초 시대, 2. 일본으로 내려온 왕권 하강에 관한 전설을 소개하겠다.

정령들의 시대

이제 혼돈이 응축되기 시작하였다. 그러나 힘과 형태가 아직 분명하게 드러나지 않았고 어떠한 것도 이름이 부여되지 않았으며 어떠한 것도 행 해지지 않았다. 그럼에도 불구하고 하늘과 땅이 갈라지고 세 신이 일을 시작하였다.

1. 하늘의 중심인 주재신(天之御中主神),
2. 고귀하고 놀랍게 생산하는 신(高御産巣日神),
3. 놀랍게 생산하는 조상신(神産巣日神).

이 신들은 각기 홀로 나타났다가 곧 몸을 감추었다. 국토가 아직 형성 되지 않은 채 떠다니는 기름처럼 표류하고 있을 때, 어린 갈대싹처럼 생 긴 것이 튀어 나왔는데 거기에서 두 신이 나왔다.

4. 쾌활하고 연륜이 있는 갈대-싹-왕자(宇麻志阿斯訶備比古遲神),
5. 하늘에 영원히 서 있는 신(天之常立神).

이들도 각기 홀로 나타났다가 곧 사라졌다.

이 다섯 신이 하늘과 땅을 분리한 신들이다.

얼마 후에 또 다른 신들이 쌍을 지어 태어났다. 이들도 홀로 나타났다 가 잠시 후에 몸을 감추었다.

6. 땅에 영원히 서 있는 신(國之常立神)과 풍요를 가져 오는 주신(豐雲野神),

7. 진흙의 주(宇比地邇)와 그의 누이인 진흙의 여신(須比智邇),

8. 어린 싹을 키우는 신(朴角)과 그의 누이인 생명을 키우는 여신(活朴),

9. 위대한 장소의 연장자 신(意富斗能地)과 그의 누이인 위대한 장소의 여신(大斗乃辨),

10. 완전한 외부의 신(宇母陀琉)과 그의 누이인 무서운 여신(阿夜訶志古泥),

11. 초대하는 남신(이자나기, 伊邪那岐)과 그의 누이인 초대하는 여신(이자나미, 伊邪那美).

그때 천상에 있던 이 모든 신들이 마지막 1쌍의 신(이자나기와 이자나미/역주)에게 표류하고 있는 일본 국토를 단단하게 만들라고 명령하였다. 그러면서 그들에게 보석 창을 주었다. 떠 있는 천상의 다리 위에 서 있던 두 신은 그 창을 가지고 휘젓기 시작하였다. 바닷물이 "응고될" 때까지 휘저은 다음 창을 들어 올렸다. 그러자 창 끝에서 떨어진 응고된 바닷물이 "쌓이면서 스스로 응고된 섬(淤能碁呂島)"이라고 불리는 섬으로 되었으며, 두 신은 그 섬 위로 내려왔다.

두 신은 천상의 장엄한 기둥(天之御柱)과 팔심전(八尋殿)을 세웠다. 그후 이자나기가 이자나미에게 "당신의 몸은 어떻게 되어 있소?"라고 물었다. 그녀는 "나의 몸은 잘 자라고 있는데 한 곳이 전혀 자라지 않아요"라고 대답하였다. 이자나기는 그녀에게 "나의 몸도 잘 자라고 있는데 한 곳이 지나칠 정도로 자라고 있소. 그러니 내 몸에서 지나치게 자라는 부분을 당신 몸에서 전혀 자라지 않은 부분에 집어넣어 영토들을 낳는 것이 좋지 않겠소?"라고 말하였다.

그녀는 "좋아요"라고 대답하였다. 그러자 이자나기는 이렇게 말하였다. "자, 그러면 천상의 장엄한 기둥 옆으로 가서 우리의 몸을 장엄하게 결합합시다." 그녀가 허락하자 그는 "당신은 기둥의 오른쪽으로 돌고 나는 왼쪽으로 돕시다"라고 말하였다. 그들은 돌기 시작하였으며 서로 마주쳤다. 그때 이자나미가 "아! 아름다운 남자여!"라고 말하자, 이자나기도

"아! 아름다운 여자여!"라고 말하였다.

그러나 이렇게 한마디씩을 주고받았을 때 이자나기가 그의 누이에게 이렇게 말하였다. "부인이 먼저 말한 것은 부부의 도에 맞지 않소."

그렇지만 그들은 그곳에서 거머리(水蛭子)라고 불리는 아들을 낳았으며, 갈대로 만든 배에 실어 떠내려 보냈다. 다음에는 거품의 섬(淡島)을 낳았다. 이 섬 역시 실패작이기 때문에 그들의 후손으로 여기지 않았다.

이 두 신은 상담하기로 하였다. "우리가 낳은 자식들은 마음에 들지 않아요. 천상에 우리의 뜻을 아뢰는 것이 좋겠소." 그들은 천상으로 올라 갔다. 천상의 신들에게 아뢰자 신들은 점을 쳐서 그 문제를 해결하고는 돌아갈 것을 명하였다. "여자가 먼저 말을 하였기 때문에 자식들이 좋지 않다. 다시 돌아가서 말의 순서를 바꾸어라."

이자나기와 이자나미는 하강하여 전처럼 기둥을 다시 돌았다. 이번에는 이자나기가 먼저 "아! 아름다운 여자여!"라고 말하자, 이자나미가 "아! 아름다운 남자여!"라고 외쳤다. 그들은 이렇게 말의 순서를 바꾸고는 다시 결합하였다.

이렇게 해서 아이들을 낳았으며 각각의 이름을 지어주었다. 그들이 일본의 8도가 되었다. 그 다음에 또 30명의 아이들을 낳아서 이름을 지어주었다. 이들은 땅, 바다, 계절, 바람, 나무, 산, 황무지, 그리고 불의 신이었다. 그러나 마지막 신인 빠르게 불타는 신(火之夜藝速南神)이 태어날 때에 자기 어머니의 생식기를 그을리는 바람에 이자나미가 아파서 자리에 눕게 되었다.

그녀가 토한 것에서 쇠로 된 산의 왕자(金山比古神)와 쇠로 된 산의 공주(金山比賣神)가 태어났고, 그녀의 얼굴에서는 끈끈한 진흙 왕자(波邇夜須毘古神)와 끈끈한 진흙 공주(波邇夜須毘賣神)가 태어났으며, 그녀의 오줌에서는 물의 공주신(彌都波能賣神)과 젊고 놀라운 생산신(和久産巢日神)이 나왔다. 그러고 나서 마침내 이자나미는 물러났다.

이자나기는 이렇게 말하였다. "아! 내 사랑하는 누이여! 슬프도다! 이한 아이와 당신을 바꾸고 말았으니!"

그가 그녀의 베게와 발에 엎드려 울고 있을 때, 눈물로부터 신이 태어났다. 그 신은 외치며 우는 여신(泣澤女神)이라는 이름을 가지고 있으며, 향기로운 산(香山)의 경사지에 있는 나무 밑에 거주하고 있다. 이자나기는 신답게 퇴거한 그의 누이를 이즈모(出雲)와 하오키(伯耆)의 국경에 있는 히바(比婆) 산에 묻었다.

이자나기는 허리에 차고 있던 십권(十拳)의 칼을 빼어 들어올렸다. 그 칼로 아들인 빠르게 불타는 남신의 머리를 잘랐다. 칼끝에 묻어 있던 핏방울이 바위 덩어리에 튕겼으며, 거기서 세 신이 나왔다. 칼의 윗부분에 있던 피가 다시 수많은 바위 덩어리에 튕기면서 거기서 다시 세 신이 나왔다. 칼자루에 고여 있다가 그의 손가락 사이로 흐른 피에서는 두 신이 나왔다. 그래서 모두 8명의 신이 생겨났다. 살해된 불의 신의 8가지 신체 부위에서도 신들이 생겨났다. 즉 머리, 가슴, 배꼽, 생식기, 왼손과 오른손, 그리고 왼발과 오른발에서 신들이 나왔다. 그 칼 자체의 이름은 늘어난 천상의 칼날 끝(天之尾羽張)이었다.

이자나기는 자신의 누이를 다시 보고 싶어서 밤의 땅(黃泉國)으로 내려갔다. 그곳의 궁전에 있던 그녀가 문을 들어올리고 나왔을 때, 이자나기는 이렇게 말하였다. "오, 내 사랑스러운 누이여! 나와 네가 만든 나라는 아직 완성되지 않았다. 누이여, 함께 돌아가자꾸나!"

이자나미는 이렇게 대답하였다. "당신이 빨리 오지 않은 것이 참 안타까울 뿐이예요. 나는 이곳의 음식을 이미 먹었어요. 그렇지만 나의 멋진 오빠가 이렇게 직접 와주셨으니 얼마나 영광이예요. 나는 돌아가고 싶어요. 이 문제를 이곳의 신들과 상의하겠어요. 그렇지만 나의 모습을 제발 쳐다보지 마세요". 그러고 나서 그녀는 되돌아갔다.

그녀가 너무 오랫동안 나오지 않자 이자나기는 더 이상 기다릴 수 없었다. 그는 자신의 왼쪽 머릿단에 박혀 있던 빗 끝의 한 이를 부러뜨린 다음 그것에 불을 붙여서 궁전 안으로 들어갔다. 그가 본 것은 썩고 있는 이자나미의 몸이었다.

구더기가 그녀의 몸에서 우글거렸다. 그녀의 머리에는 커다란 천둥(大雷), 가슴에는 불의 천둥(火雷), 배꼽에는 땅의 천둥(土雷), 왼팔에는 어린 천둥(若雷), 오른팔에는 검은 천둥(黑雷), 왼발에는 산의 천둥(鳴雷),

532

오른발에는 달의 천둥(伏雷), 그리고 생식기에는 찢어지고 있는 천둥(坼雷)이 있었다. 모두 8개의 천둥신이었다.

이자나기는 무서워서 뒷걸음을 쳤다. 누이 이자나미는 오빠에게 이렇게 말하였다. "당신은 나를 부끄럽게 만들었어요!" 그가 도망가자 이자나미는 "황천국의 못생긴 여자(豫母都志許賣)"를 시켜 추격하도록 하였다. 이자나기는 검은 머리 장식물을 벗어 뒤로 던졌다. 그것은 즉시 포도로 변하였다.* 그녀가 그것을 집어서 먹는 동안 이자나기는 도망을 쳤다. 그녀가 다시 추격하자 오른쪽 머릿단에 꽂혀 있던 빗을 부러뜨려 뒤로 던졌다. 그것은 곧 대나무 순으로 변하였다. 그녀가 그것을 먹는 동안 이자나기는 또 도망을 쳤다.

그러자 이자나미는 1500명의 황천국 병사와 8명의 천둥신을 보내서 그를 추격하도록 하였다. 이자나기는 허리에 차고 있던 십권검을 꺼내서 뒤로 휘두르며 도망을 쳤다. 그래도 따라오자 산 자와 죽은 자의 경계 지역에 있던 평원(坂本)의 큰 복숭아 나무 밑에 몸을 숨겼다. 황천군이 다가 오자 그들을 향해서 3개의 복숭아를 내던졌다. 그러자 모두 도망을 쳤다.

이자나기는 복숭아들에게 이렇게 외쳤다. "너희가 나를 도와주었듯이, 갈대 평야의 가운데에 있는 나라(葦原中津國) 사람들이 곤경에 처하여 있을 때에도 도와주어야 한다." (이것이 복숭아로 악귀를 쫓아내는 풍습의 기원이다.) 그리고 그 복숭아들에게 "위대한 신적 과일(意富加牟豆美神)"이라는 이름을 주었다.

마침내 이자나미는 몸소 추격하기 시작하였다. 그러자 이자나기는 바위 — 이것을 들기 위해서는 1000명이나 필요하다 — 를 들어 가운데에 놓았다. 그러자 황천국의 수평 갱도가 막혀버렸다. 두 사람은 바위의 양쪽에서 작별 인사를 나누었다.

이자나미가 외쳤다. "사랑하는 오빠! 만일 오빠가 이런 식으로 한다면 나는 매일 오빠 나라의 사람을 1000명씩 목을 졸라서 죽일 거예요."

* 말 장난을 하자면, '구로-미-가츠라'는 '머리 장식물'이고 '에비-가츠라'는 '포도'이다.

이자나기가 대꾸하였다. "사랑스러운 누이여! 네가 그런 식으로 한다면 나는 매일 1500명의 여자들이 아이를 낳도록 할 것이다."

그러므로 이자나미는 "황천의 위대한 신"으로 불린다. 오빠를 추격하였기 때문에 "길을 달리는 위대한 여신"이라고도 불린다. 그리고 이자나기에 의해서 황천길을 막게 된 바위는 "뒤돌아가는 길의 위대한 신"이라 불리고, 혹은 "황천문의 위대한 수호신"으로 불린다.[9]

일본 국토로 내려온 왕권

이러한 무시무시한 모험 다음에는 이자나기가 강가에서 목욕하여 스스로를 정화시키는 이야기가 나온다. 그가 목욕할 때 강둑에 던진 옷 조각에서 신들이 생겨났다. 마찬가지로 몸의 각 부분에서도 신들이 나왔다. 이들 중에서 가장 중요한 3명의 신이 있다. 그가 왼쪽 눈을 닦을 때 태어난 태양여신 아마테라스 오미카미(天照大御神)와 오른쪽 눈을 닦을 때 나온 달의 신 츠키요미-노-미코토(月讀), 그리고 코를 닦을 때 태어난 매우 고집스러운 폭풍의 신 스사노-오-노오-미코토(建速須佐之男)가 그 3명의 신이다.[10]

어느 날 스사노-오가 자신의 누나인 아마테라스 오미카미에게 무례하게 굴었다. 화가 몹시 난 그녀가 동굴 속으로 숨어버리자, 천지가 컴컴해졌다. 그녀를 동굴로부터 끌어내기 위하여 고천원(高天原)의 800만 신들이 보석 장식을 하고 동굴 앞에 모였다. 그들은 동굴 앞에 나뭇가지를 모아놓고 화톳불을 질렀으며, 우즈메라는 여신이 귀에 거슬리는 무곡을 연주하자 시끄럽게 큰 소리로 비웃었다. 그러자 동굴 속에 있던 여신은 호기심이 생겨서 문을 열고 내다보았다. 모여 있던 신들은 그녀 앞에 거울을 놓았다. 그것을 처음 본 그녀는 동굴 밖으로 나오게 되었다. 그래서 세상은 다시 밝아졌다.

범죄자 스사노-오는 무례함의 대가로 천상의 평원에서 땅으로 추방되었다. 그래서 이즈모에 있는 히(肥) 강의 상류 부근으로 내려왔다. 그때 강 위에서 젓가락이 떠다니는 것을 보고는 상류 지역에 사람이 살고 있을 것이라고 생각하였다. 그는 사람을 찾아서 올라가다가 어떤 노부부를 발견하였다. 그들 가운데에서 어린 딸이 울고 있었다. 그는 예를 갖추어 그들이 누구인지 물어보았다.

노인은 이렇게 대답하였다. "나는 땅의 신이고, 이름은 발로 차는 자 (足名椎)입니다. 내 아내의 이름은 손으로 치는 자(手名椎)입니다. 내 딸의 이름은 머리 빗의 여자(櫛名田比賣)입니다."

"그런데 왜 울고 있는 것입니까?" 하고 스사노-오가 물었다.

노인은 대답하였다. "우리에게는 한때 8명의 딸이 있었습니다. 그런데 8개의 갈퀴를 가진 뱀이 해마다 와서 1명씩 잡아먹었습니다. 그가 올 때 가 다시 되었습니다. 그래서 울고 있는 것입니다."

추방된 스사노-오는 물었다. "그 뱀은 어떤 모습을 하고 있습니까?"

"눈은 겨울 벗나무처럼 붉고, 8개의 머리와 꼬리를 가지고 있습니다. 몸에는 이끼와 구과(毬果) 식물이 자라고 있습니다. 뱀의 길이는 8개의 언덕과 8개의 계곡에 뻗칠 정도입니다. 배꼽에서는 계속 피가 흐르며 불 이 타오르고 있습니다."

스사노-오가 물었다. "당신의 딸을 나에게 줄 수 있습니까?"

노인은 대답하였다. "황공하지만, 저는 당신의 이름을 알지 못합니다."

"나는 천조신의 동생인데, 하늘에서 이곳으로 내려 왔습니다."

"그렇다면 내 딸은 당신 것입니다."

스사노-오는 그녀를 얻자마자, 수많은 살이 조밀하게 달려 있는 빗으 로 변화시켰다. 그녀를 머릿단에 꽂은 다음 노부부에게 이렇게 말하였다. "8번이나 정제한 강한 술을 만드십시오. 그런 다음 주위에 울타리를 치 고 8개의 문을 만드십시오. 문마다 하나씩 하여 8개의 단을 세우십시오. 각 단에 술단지를 올려놓고 단지마다 8번 정제한 강한 술을 부어주십시 오. 그리고 뱀이 올 때까지 기다리십시오."

노부부는 시키는 대로 하였다. 마침내 뱀이 와서 술단지마다 머리를 집어넣었다. 심하게 취한 뱀은 8개의 머리를 각기 땅에 떨군 채 잠에 빠 졌다. 그때 스사노-오가 허리에 차고 있던 십권검을 꺼내서 잠자고 있는 뱀의 여덟 머리를 조각조각 잘랐다. 그는 이즈모 국(出雲國)에 궁궐을 세우고 나이 든 발로 차는 자를 총관리인으로 임명하였다. 거기서 스사노-오는 아이들을 낳았으며, 그 아이들이 또 자식들을 낳아서 모두 합하여 80명에 이르렀다. 그중 1명을 제외하고는 모두 멀리 떨어진 나라의 어떤 유명한 공주에게 청혼하기 위하여 길을 떠났다.[11]

남아 있던 손자의 이름은 큰 나라의 주(大國主)였으며, 많은 아내를 두고 수많은 자손을 낳았다. 천조대어신이 자신의 손자를 파견하여 평정하려고 생각한 것은 바로 이 시끄럽고 호전적으로 된 자손들이었다. 그 손자의 이름은? 참된 정복자이자 정복을 정복하는 자이고 위대하고 위대한 천상의 빠른 이삭(我御子正勝吾勝勝速日天忍穂耳)이다. 그는 천상에 떠 있는 다리에서 아래를 내려다 보며 이렇게 외쳤다. "찬란한 갈대의 평원이자 1천 번의 가을이 신선한 벼이삭을 산출하는 나라에서 신음소리가 나는구나." 이렇게 소리친 다음 곧바로 다시 위로 올라갔다.[12]

태양 군주가 내려오도록 수습하기 위하여 3명의 천상 사절이 지상으로 파견되었다. 그러나 그들 모두는 이러저러한 방식으로 꾀임에 빠졌다. 이즈모의 대국주를 굴복시키기 위해서는 네번째의 사절이 필요하였다. 네번째의 사절은 마침내 대국주로부터 항복을 받아냈다. 대국주는 자신을 위한 궁전을 위에 세워주고 자신을 지속적으로 모셔준다면 부당한 왕권을 포기할 것에 동의하였던 것이다.[13]

천조대신 아마테라스 오미카미는 "위대하고 위대한 벼이삭"을 "명백한 통치자"로 임명하였다. 그러나 그는 이렇게 대답하였다. "당신의 종인 내가 이러한 준비를 하는 동안 저에게는 아들이 생겼습니다. 그의 이름은 풍요한 하늘이자 풍요한 땅이며 높은 천상의 태양이며 풍요한 붉은 벼이삭의 왕자(天邇岐支國邇岐志天津日子番能邇邇藝)입니다. 통치를 위해서 파견되어야 할 자는 바로 이 아이입니다."

그 이야기를 들은 젊은 왕자는 이렇게 대답하였다. "당신의 명령에 따라 저는 내려갈 것입니다". 천상의 바위 자리(天之石位)를 포기한 왕자는 널리 퍼져 있는 8겹의 구름을 헤치고 길을 가르면서 떠다니기 시작하였다. 마침내 "천상의 떠있는 다리"에서 문을 닫고는 남쪽에 위치한 큐슈의 어떤 산 정상(북쪽의 이즈모에 있는 것이 아님)으로 하강하였다.

그 나라에 있는 왕궁에 정착한 그는 카사사(笠沙)라고 하는 동굴에서 아름다운 여자를 만났다. 그녀의 딸에게 말을 걸자, 그 딸은 이렇게 대답하였다. "나는 위대한 산신(大山津見神)의 딸이고 이름은 나무의 꽃처럼 찬란하게 피는 공주(木花佐久夜比賣)입니다."

그가 물었다. "그대는 남자 형제나 여자 자매를 가지고 있는가?"

그녀는 대답하였다. "언니가 하나 있습니다. 그녀의 이름은 바위처럼 오래 사는 공주(石長比賣)입니다."

그가 말하였다. "나는 그대와 함께 눕고 싶다. 어떻게 생각하는가?"

그녀는 이렇게 대답하였다. "나는 말할 수 없고 나의 아버지인 위대한 산신이 대답할 것입니다."[14]

그래서 그녀를 그녀의 아버지에게 보냈다. 그 아버지는 기뻐하면서 그녀와 그녀의 언니인 바위처럼 오래 사는 공주를 함께 보냈다. 그뿐 아니라 100가지 종류의 먹을 음식과 마실 것을 식탁과 함께 보냈다. 그런데 언니는 추한 모습을 하고 있었다. 그녀를 보는 순간 놀란 그는 그녀를 돌려보냈다. 그날 밤은 동생하고만 밤을 보냈다.

바위처럼 오래 사는 공주가 되돌아온 것을 본 아버지는 모욕감을 느끼며 왕자에게 전갈을 보냈다.

"내가 두 딸을 함께 보낸 이유는 이렇다. 천신의 후손은 언니인 바위처럼 오래 사는 공주의 덕에 의해서 지속적인 바위처럼 파멸되지 않고 — 눈이 오나 바람이 불어도 — 영원히 살아야 하며, 동생인 나무의 꽃처럼 찬란하게 피는 공주의 덕에 의해서 나무에서 피는 꽃처럼 번성하여야만 하기 때문이다. 그러나 당신은 나무의 꽃처럼 찬란하게 피는 공주만을 취하고 바위처럼 오래 사는 공주를 돌려보냈기 때문에 천조대신의 후손은 나무의 꽃처럼 유한한 생명을 가질 것이다."

우리의 천황의 생명이 길지 않은 것은 이 때문이다.[15]

3. 신들의 길

1958년 제9차 국제 종교 학회가 도쿄에서 열렸을 때 재미있는 이야기가 학자들 사이에서 떠돌았다. 사실이건 아니건 그 이야기는 어떤 본질적인 경험의 영역에서 동양과 서양을 분리하고 있는 깊은 간극을 보여준다. 그 이야기는 두 지식인, 곧 서구 사회학자와 신도 사제 사이에 있었던 일화이다. 학회에서 논문을 발표한 그 두 사람은 모두 자연, 역사, 그리고 인류의 본질적인 문제에 대해서 지식을 가지고 있다고 생각하였으며, 모두 자기 자신을 중국어로 치엔(겸〔鶼〕) ── 한쪽 눈과 한쪽 날개만을 가지고 있는 전설적인 새로서, 날기 위해서는 2마리가 반드시 합쳐져야 한다[16] ── 이라고 불리는 새로 여기지 않았다.

이 농담에 따르면, 그 박학한 서구 새는 지구의 각 지역에서 파견된 다른 새떼 ── 놀랍게도 일본 조직 위원회는 모든 중요한 신도 사원과 불교 사찰을 구경시켜주었다 ── 와 함께 예닐곱 차례에 걸쳐서 신도 의례를 지켜보았으며, 많은 신도 사원을 유심히 관찰하였다. 예배 장소에는 신상이 없었고 건물은 소박하였으며 아름다운 지붕은 종종 선홍색을 띠고 있었다. 하얀 옷을 입고 정결하게 보이는 사제들은 검은 머리 장식을 하고 있었으며, 크고 검은 나막신을 신고 위엄 있는 풍채로 대오를 지어 움직이고 있었다. 갈대피리 소리처럼 기이하고 음산한 음악 소리가 흘렀으며, 가끔 무겁고 가벼운 북장단과 큰 징 소리가 그 흐름을 멈추기도 하였다. 혼을 부르는 고토(거문고) 소리도 간혹 끼어들었는데, 그것은 마치 하프를 뜯는 소리 같았다. 얼마 뒤에 우아하고 인상적인 남녀 무용수들이 무거운 의상을 하고 나타났다. 그들 중에는 가면을 쓴 자도 있었고 쓰지 않은 자도 있었다. 그들은 마치 꿈을 꾸거나 황홀경에 빠진 것처럼 무당 춤을 추면서 천천히 움직였다. 기도문이 낭독되는 동안 그 무용수들은 관중들의 눈앞까지 와서 잠시 멈추었다가 곧 물러섰다. 우리는 2천 년을 거슬러 올라갔다. 일본의 소나무, 바위, 숲, 산, 공기, 그리고 바다가 이 소리에 잠이 깨어 신들을 보냈다. 자연은 이 소리들을 잘 듣고 느낀다. 춤추는 자들이 물러나고 음악이 멈추었을 때 의례는 끝났다. 사람들은 돌아서서 다시 바위, 소나무, 공기와 바다를 본다. 그들은 이전처럼 고요하게 서 있다. 이제 비로소 사람들이 거기에 살게 되고, 우리는 우주의 경이를 새롭게 깨닫는다.

그럼에도 불구하고 어떤 사고 유형의 사람에게는 이러한 예술을 통하여 드러난 세계를 경험하는 것이 어려운 것 같다. 나는 이러한 글을 읽은 적이 있다. "세계의 위대한 종교들과 비교할 때, '신도'는 풍부한 문헌 기록을 가진 종교 중에서 아마도 가장 초보적인 종교로 간주되어야만 한다. 그것은 조잡한 다신교를 넘어서지 못하였고, 인격화 작업도 애매하고 미약하다. 신 개념도 거의 없으며, 도덕 법전을 형성하지도 못하였다. 미래의 상태를 사실상 인정하지 않으며, 전반적으로 볼 때 깊은 사유나 열정적인 헌신을 보여주는 증거가 없다."[17]

여하튼, 우리의 친구 사회학자가 그의 친구 신도 사제를 넓은 일본식 정원에서 열린 파티에서 만났다. 이곳에는 바위 사이로 길이 나있고, 예측하지 못한 조경, 자갈이 있는 잔디밭, 바위 호수, 석등, 이상한 모양의 나무, 탑 등이 있었다. 우리의 친구 사회학자는 자기 친구인 신도 사제에게 이렇게 말하였다. "알다시피 저는 많은 신도 사원을 가보았고, 적지 않은 의례를 보았으며, 그에 관한 것들을 읽었고 또 생각도 많이 해보았지요. 그렇지만 그 이데올로기는 모르겠어요. 당신의 신학을 알 수가 없어요."

그때 그 정중한 일본 신사는 — 마치 외국 학자의 심오한 질문을 존중하는 것처럼 — 잠시 생각에 잠긴 듯 침묵하였다. 그러고는 웃으면서 친구에게 이렇게 말하였다. "우리는 이데올로기가 없습니다. 신학도 없지요. 우리는 춤을 출 뿐입니다."

바로 이 점이 중요하다. 신도는 근본적으로 설교의 종교가 아니라 경외의 종교이기 때문이다. 이 경외감은 말을 만들어낼 수도 있고 그렇지 않을 수도 있지만, 어떠한 경우이건 말을 넘어선다. "신 개념의 파악"이 아니라 신의 편재성을 느끼는 것이 신도의 본래 목적이다. 이 목적이 놀라운 방식으로 표현되어 있기 때문에 신도에서는 인격화 작업이 "애매하고 미약하다." 이 인격화된 존재들은 "가미"라고 불리는데, 이 용어는 "신" ── 가장 일반적으로 번역되는 용어 ── 이나 "정령" ── 앞의 『고사기』 인용에서 내가 사용한 ── 으로 잘못 번역되고 있다.

황태자 다카히토 미카사는 학회에 참석한 사람들에게 다음과 같은 이야기를 하였다. "머무시는 동안 일본의 종교에 대하여 많이 들을 것입니다. 그때 일본의 독특한 종교 의식의 대상인 '가미'라는 용어가 영어 단어 '신(god)'이나 '신들(gods)'로 어쩔 수 없이 번역되어 사용되고 있음을 알게 될 것입니다. 그리고 여러분은 일본어 '가미'와 영어의 '신'은 그 근본이 전적으로 다르다는 것을 알게 될 것 입니다.

일본 불교인의 예배 대상은 '호토케(붓다)'이며 불교는 수입된 종교이므로, '호토케'와 '가미'는 완전히 다르다고 생각하는 것이 논리적일 것입니다. 그럼에도 불구하고 일본인들은 이 둘을 습관적으로 연결시켜 왔으며, '가미호토케'라는 용어도 일반적으로 사용되고 있습니다. 이론적으로는 이 두 개념이 분리되어야 하지만, 이런 결합에 어떠한 모순도 느끼지 않을 뿐 아니라, 심지어 아주 천연덕스럽게 '가미'와 '호토케'에 동시적으로 기도할 수 있는 일본인도 있습니다. 이러한 현상은 합리적인 것보다는 정서적인 것을 선호하는 경향을 지닌 일본인의 심리에 의해서 부분적으로 설명될 수 있습니다. 일본인은 분위기를 느끼는 데에서 즐거움을 찾으므로 환경에 의하여 쉽게 동요되는 경향이 있습니다.

여기에 아주 자유롭게 번역된 고대 일본의 시(詩) 한 수가 있습니다.

여기에 사는 것이 무엇인지 나는 모르네.
덧없음과 고마움으로 눈물이 흐르네.

이 시구는 작가가 이세(伊勢)의 대신사(神社)에서 예배를 드릴 때에 지은 것이라고 전하여집니다. 저는 이 시가 많은 일본인의 종교적 감정을 적절하게 반영한다고 생각합니다."[18]

따라서 우리는 신도 의례를 존재의 원천과 본질에 대하여 감사함을 느끼게 하고 그것에 대한 경외감을 불러일으키는 하나의 장치라고 정의할 수 있다. 그 의례 자체는 일종의 예술(음악, 조경, 건축, 무용 등)로서 감수성에 전달되는 것이지 명확성을 추구하는 정의의 능력(faculities of definition)에 전달되는 것은 아니다. 따라서 살아 있는 신도(神道)는 고정된 도덕적 규범을 따르는 것이 아니라 사물의 신비 속에서 감사와 경외의 감정으로 살 것을 촉구한다. 이러한 감각을 유지하기 위해서는 마음이 열려 있고 깨끗하며 순수해야 한다. 그것이 정화 의례의 의미이다. 이세 신궁의 외궁 사제들이 편집한 13세기의 한 문서에는 "가미는 덕과 신실함으로 즐거워한다"라고 쓰여 있다. "선을 행하는 것은 순수한 것이다. 악을 저지르는 것은 순수하지 못한 것이다."[19]

그러므로 신도가 도덕 관념을 결여하고 있다고 말하는 것은 잘못이다. 도덕의 근본 관념에 의하면 자연의 과정은 악할 수 없다. 순수한 마음은 자연의 과정을 따른다. 자연적 존재인 인간은 본래적으로 악한 것이 아니라 그의 순수한 마음과 자연적 상태에서 신적인 존재이다. "밝은 마음(아카키 고코로)", "순수한 마음(기요키 고코로)", "정확한 마음(다다시키 고코로)" 그리고 "곧은 마음(나오키 고코로)"은 신도의 기본 용어들이다. 첫번째 것은 태양처럼 밝게 빛나는 마음의 특질을 나타내고, 두번째 것은 하얀 보석같이 깨끗한 마음, 세번째 것은 정의를 향하는 마음, 그리고 마지막 것은 잘못된 성향이 없는 사랑스러운 마음을 지칭한다. 이 4가지는 세이메이신(淸明心), 곧 순수하고 밝은 영혼으로서 서로 결합한다.[20]

더구나 주요 신사의 내부 신전에는 유사 시대 훨씬 이전부터 3가지의 상징적 부적이 보존되어 왔다. 그것들은 왕권이 일본으로 내려왔을 때, 손자인 "풍요한 하늘이자 풍요한 땅이며 높은 천상의 태양이며 풍요한 붉은 벼이삭의 왕자"에 의해서 땅에 내려왔다. 이것들이 바로 거울(순수함), 신검(용기), 보석 목걸이(자애)이다.

요컨대 신도의 주요 관심은 루돌프 오토가 종교의 유일한 본질로 규정한 그 감정을 헌신적으로 계발하는 데에 있다. 이 감정은 "논의할 수는 있지만 엄격하게 정의할 수는 없다." 이 감정이 바로 누미누스 감정이다.[21] 신도는 여기서 두려움이나 혐오나 해방적 욕구의 특수한 변형이 아니라 누미누스의 신비에 대한 감사의 경험을 특수하게 변형시키고 있다. 그래서 다시 한번, "여기에 사는 것이 무엇인지 나는 모르네." 어디에 사는지, 우리의 관심이 무엇인지 모르겠다는 것이다. "눈물이 흐르네." 내가 실제로 감동을 받았기 때문이다. "덧없음으로부터." 우리의 마음이 완전히 깨끗한 것은 아니기 때문이다. "그래서 감사."

15세기의 어느 학식 있는 학자-관료의 주석에 이러한 말이 있다. "아마테라스 오미카미는 고천원(高天原)에서 금욕하며 어떤 가미를 숭배하고 있는가? 그녀는 내적 순수에 의하여 그녀 자신의 몸안에 있는 신적 덕성을 계발하려고 하면서 가미 자체인 그녀의 내부에 있는 자신의 '자아'를 섬기고 있다. 그렇게 하여 그 가미와 하나가 되려고 한다."[22]

이제 마지막으로 신도의 현실적인 기능에 관해서 살펴보자. 고대 일본의 신도는 네 영역에서 작용하고 있다. 1. 가정 신도 : 우물, 문, 가정, 정원 등의 가미에 감사하며, 또한 (랭던 워너를 인용하자면) "취사용 불과 가마 속에 있으면서 비공식적으로 인정되는 정령들, 가정의 오이 단지나 맥주의 효모 안에 거주하면서 나이 먹는 과정을 주관하는 신비한 수호신들"[23]에게도 감사한다. 더구나 부모와 조상(여기에 유교의 영향이 나타나고 있다)에게 감사하며, 부모가 자식에게 감사하기도 한다. 2. 지역 공동체 신도 : 자연 현상과 죽어서 존경받는 지역 인사, 우치가미(씨신[氏神], "지역의 조상")에 대하여 감사한다. 3. 장인 집단의 신도 : 일하는 과정에서 연장과 재료 등에 깃든 신비와 힘을 존중하며 그것들에 감사한다(여자 재봉사들은 잃어버렸거나 부러진 바늘에 대해서 위령제를 지내고, 일본 진주 산업의 창시자인 고키치 미키모토[1858-1955년]는, 살아 있을 때 그에게 행운을 가져다준 굴들을 위해서 위령제를 지냈다는 사실을 기억할 필요가 있다). 마지막으로 4. 국가 신도 : 궁궐, 즉 "경외의 집"에 사는 천황과, 세계를 보존하는 조상들, 곧 『고사기』의 위대한 가미에 대하여 감사한다. 이 가미들 중에서 가장 위대한 자 —— "초대하는 남자"의 왼쪽 눈에서 우주의 빛으로 태어난 그는 불순성을 정복한다 —— 는 지상에 있는 이세 신궁에서 그 모습이 특별하게 비추어지고 있다. 화살같이 곧고 큰 침엽수와 커다란 바위들로 이루어진 웅장한 숲을 따라서 한참

오르면 그 꼭대기에 이 신궁이 나타나는데, 신자들은 자연적 지구라트에 오르듯이 넓고 거대한 돌계단을 따라서 그곳에 올라간다.

4. 붓다의 길

552년에 백제에서 들어 온 금동불이 곧바로 평화의 선발대가 된 것은 아니다. 그것을 보낸 왕은 깃발(幡)과 일산(天蓋), 불교 경전을 담은 선물 꾸러미에 흥미로운 쪽지(상표문)를 함께 넣어서 보냈다. "이 교리는 모든 가르침 중에서 가장 훌륭한 것입니다. 하지만 설명하기도 어렵고 이해하기도 어렵습니다. 주공(周公)과 공자조차도 이 지식을 얻지 못하였습니다. …… 마음속에 보물을 가지고 있는 사람을 상상해보십시오. 그는 그 보물을 쓰는 만큼 자신의 모든 소망을 만족시킬 수 있을 것입니다. 이 놀라운 교리의 보물도 마찬가지입니다. 모든 소망이 이루어지고 어떠한 것도 부족하지 않게 됩니다. …… 그러므로 백제의 왕 명(明)은 기록된 붓다의 말씀 '나의 법은 동쪽으로 퍼질 것이다'를 이루기 위하여 예를 갖추어 가신을 파견합니다."[24]

킴메이(欽明) 천황은 기뻐서 날뛰었다. 그러나 어떻게 하여야 할지 몰랐다. 그래서 "붓다의 용모는 심히 위엄이 있다. 경배하여야 할 것인가? 아니하여야 할 것인가?"라고 조정 대신들에게 물었다.

소가씨(蘇我氏)의 이나메(稻目)가 대답하였다. "서쪽의 변경 지역에서는 모두 붓다에게 경배를 드린다고 합니다. 어찌 야마토만 거부할 수 있겠습니까?"

그러나 모노노베씨(物部氏)와 나카토미씨(中臣氏)의 지도자들은 불교 거부를 강경하게 주장하였다. "이 왕국을 통치한 사람들은 춘하추동 언제나 지역과 곡물의 가미 외에도 180위(位)의 천지 대신을 경배해왔습니다. 만약 우리가 그 가미들 대신에 외래 가미를 모시기 시작한다면 토착 가미의 분노를 일으킬까 두렵습니다."

이처럼 붓다는 불교적 관점이 아니라 신도적 관점에서 해석되고 있었다. 단순한 시각을 지닌 천황은 이렇게 결정하였다. "붓다를 이나메에게 주어라. 그는 그것을 그토록 받고 싶어하였다. 먼저 그가 시험 삼아 그것에 경배하도록 하라."

이나메는 너무나 기뻐서 무릎을 꿇었다. 그는 금동불을 집에 안치하였으며, 세상을 등지고 자신의 집을 정화한 다음 절로 만들었다. 그때 전염병이 돌았다. 많은 사람이 죽어갔으나 치료책은 나오지 않았다. 시간이 갈수록 상황은 악화되었다. 그러자 불상이 압수되어 도랑 속에 던져졌고, 사원은 불태워졌다. 그후 하늘에서 구름이 걷히고 비가 내리지 않았으며 가뭄이 계속되었다. 갑자기 궁궐의 큰 방이 화염에 휩싸여 사라졌다. 어느 날 밤 바다에서 장뇌로 만든 큰 통나무가 밝게 빛나면서 떠다니는 것이 목격되었다. 황제는 이 통나무로 빛이 나는 큰 불상 2개를 만들게 하였다. 그러자 불가사의한 일이 일어났다. 재앙도 나타나고 상서로운 일도 나타났다. 사원들이 위로 올라갔다가 다시 무너졌다. 소가씨와 모노노베씨 사이의 증오는 점증하였다.[25]

그후 30년 동안 두 씨족 사이의 투쟁이 지속되다가 587년 이나메의 아들이 모노노베 가문의 전 가족을 살해하였다. 그후 불교 사원은 증대하였다. 5년후에 그는 천황 스슌(崇峻)을 죽이고 천황의 미망인 — 그녀는 원하지 않았지만 — 을 천황에 옹립하였다. 여천황 스이코(推古, 재위 기간 593-628년)는 남편의 동생을 섭정관에 임명하였다. 기대되었던 새로운 법의 축복이 나타나기 시작한 것은 바로 이때부터였다. 이 쇼토쿠 태자(聖德太子, 573-621년)는 가장 위대하고 고귀한 통치자로 판명되었기 때문이다.

태자의 어머니는 궁궐 안을 시찰하다가 아무런 고통도 없이 그를 낳았다고 한다. "그녀가 마부(馬部)에 와서 마굿간 앞에 막 이르렀을 때에 아무런 노력도 없이 그를 낳았다.* 태자는 태어나자마자 말을 할 수 있었으며, 자라나면서 너무나 지혜로웠기 때문에 열 사람의 송사(訟事)에

---

* 227쪽의 논의와 비교해보라.

544

동시에 참여하여 아무런 실수 없이 판결을 내렸다. 그는 내적 가르침(불교)을 배우고 외적 고전(유교)을 연구하여 두 분야에서 두각을 발휘하였다."[26] 또 문학과 예술을 사랑하였으며 최초의 일본 역사서(유실됨)를 준비하였고, 법률과 궁정의 관위(官位)도 제정하였다. 심지어 살아 있는 동안에도 많은 사람들로부터 보살로 존경받았다. 씨족의 종교였던 불교는 그의 통치 하에 제국의 종교가 되었다. 중국에서처럼 일본에서 선호된 불교의 가지는 대승(大乘)이었다.

태자는 이렇게 썼다. "대승과 소승의 차이에 대하여 : 대승에서는 해탈을 추구하지 못하는 사람에 대해서 먼저 생각하며, 모든 사람을 불교의 목표로 이끌어 그들을 똑같이 도우려고 한다. 이와 반대로 소승에서는 자기 자신만의 해탈을 추구하고, 전염병을 피하듯이 다른 사람을 가르치는 것을 피하며, 거짓된 열반에서 기뻐한다."[27]

621년 2월 15일 밤, 쇼토구 태자는 죽었다. 왕궁에 슬픔이 흘렀고 마을에서도 슬픔이 넘쳤다. 노인들은 사랑하는 자식을 잃은 것처럼 더 이상 음식의 맛을 보지 않았으며, 젊은이들은 고아가 된 것처럼 비탄의 소리로 길을 메웠다. 농부들은 쟁기를 놓았으며 절구질하는 여인들은 절구 공이를 놓았다. 모든 사람은 이구 동성으로 외쳤다. "태양과 달이 빛을 잃었다. 하늘과 땅이 무너졌다. 이제 누구를 믿을 것인가?"[28]

나라(奈良) 시대 : 710-794년

일본 불교는 아직 어떤 참다운 토착 사상도 만들어내지 못하였다. 단지 여러 가지를 혼합하고 병존시키는 단계에 머물러 있었다. 그 무렵에 일본 땅의 가미들은 낯선 기원을 가진 국제적인 만신전에 접하게 되었다. 이 새로운 만신전은 가미들이 표상해왔던 그 어떠한 것보다도 더 세련되었으며, 당시 야마토 정신이 필요로 한 그 어떠한 것보다 더 정교하였다. 궁정에서는 새로운 신앙이 주로 대륙 문명의 전달자로서 그곳의 삶에 새로운 유행의 색조를 제공한 반면, 백성들 사이에서는 위안의 도구로 작용하였다. 우리가 주목하여야 할 것은, 이 시기에 이슬람이 근동을 넘어서 유럽에까지 열광적인 공격을 개시하였으며(페르시아는 650년에 붕괴되고 스페인은 711년에 함락됨), 그보다 피를 덜 흘리기는 하였지만 그에 못지 않게 열광적이었던 초기 기독교 선교(732년, 마인츠의 첫번째 대주교였던 보니파체)에 의해서 고대 게르만의 성스러운 사당과 숲이 베어지고 있었다는 점이다. 이러한 초기 기독교의 선교 활동은 서투른 교육에 근거하고 있었으며, 오늘날까지 우리에게 깊숙이 남아 있는 신화적 정신 분열증(Insania germanica : "아, 나의 가슴에 2개의 정신이 살고 있다!")을 유럽인의 심리 속에 심어 놓았는데, 나는 다음에 나올 책에서 이것을 분석할 것이다. 반면 8세기의 일본에서는 보살이 자비의 정신 — 레반트의 종교에서 행동으로 표출되기 보다는 말로만 표현되었던 — 으로 서로 도우면서 국가의 소박한 정신에 합류하였다.

이러한 합일은 4단계로 진행되었다.

1. 나라(奈良) : 일본 최초의 불교 도시이자 수도의 시대 : 710-794년. 이 시대에는 중국의 불교 예술과 사상이 힘차게 들어오고 있었다. 그중 중요한 상징적 사건은 거대한 동대사(東大寺)의 건립과 752년 그곳에서 행해진 거대한 청동 불상의 개안식(開眼式)이었다. 이 불상이 놓여진 청동 연화대의 둘레는 68피트였으며, 그 꽃잎들의 길이는 각각 10피트, 불상 자체의 높이는 53½피트, 무게는 452톤, 한 눈의 길이는 약 4피트, 그리고 손의 길이는 약 7피트였다. 오른손은 두려움을 없애는 모양(시무외인〔施無畏印〕: 다섯 손가락을 가지런히 펴고 손바닥을 밖으로 향한 채 어깨 높이로 올린 모양/역주)을 하고, 왼손은 축복을 내리는 모양(여원인〔與願印〕: 손의 모양은 시무외인과 같지만, 방향은 반대로 아래를 향한다. 동대사의 대불〔大佛〕은 왼손이 무릎에 올려져 있다/역주)을 취하고 있었는데, 이는 인도 불상의 모습에서 따온 것이다.

2. 그리고 3. 두번째의 불교 수도인 헤이안(平安, 현재의 교토) : 794-1185년 : 첫 시기(794-894년)에는 중국의 영향이 계속되고 있었으나 새로운 전환이 있었다. 일본의 승려인 전교 대사(傳敎大師, 767-822년)와 홍법 대사(弘法大師, 774-835년)의 가르침 속에서 일본의 가미가 지역 보살로 인정되었기 때문이다. 더구나 후자의 학파는 인도의 나란다 대학에서 새

로이 형성된 밀교 교의를 소개하였다. 당시 전성기를 구가하고 있던 이 대학은, 전교 활동 속에서 신적 힘이 펼쳐진다는 선진적 교리를 북으로는 티벳, 남으로는 인도네시아, 동으로는 중국과 일본에 전파하고 있었다.

다음 시기(894-1185년)는 헤이안에서 계속되었는데, 이 시기에는 당나라와의 외교적, 문화적 교류가 단절되었다. 무라사키(紫式) 부인의 소설 『겐지모노가타리(源氏物語)』(헤이안 시대의 궁중 생활을 소재로 한 장편 소설로서, 모두 54권으로 되어 있다/역주)에서 아름답게 묘사된 당시의 후지와라 궁정은 에로틱한 꽃놀이를 즐기고 있었는데, 이는 12세기 음유 시인의 행위와 매우 비슷하였다. 대륙으로부터 단절된 일본인들은 이제 그들 자신의 불교를 발전시키게 되었다. 다음 시대인 카마쿠라 막부의 통치 하에서 일본 불교는 성숙하게 된다.

4. 카마쿠라(鎌倉) 시대 : 1185-1392년 : 이 시대에는 후지와라 시대의 여인과 귀족의 미세한 감수성과 미적 에로티시즘으로부터 벗어나려는 강한 움직임이 있었다. 그 결과 4개의 강력하면서도 매우 일본적인 불교 종파가 개창되었다. 호넨(法然, 1133-1212년)에 의해서 창건된 정토종(淨土宗)과 그의 제자 신란(親鸞, 1173-1262년)에 의해서 창시된 진종(眞宗)은 모두 아미타 종파였고, 선종(禪宗, 중요한 창건자는 에이사이〔榮西〕, 1141-1215년)은 혜능의 중국 선종에서 연유하였지만 새로운 목적을 가미하였으며, 마지막으로 어부의 아들 니치렌(日蓮, 1222-1282년)에 의해서 세워진 종파는 몹시 인격적이면서도 국수주의적이었다.

인도에서는 불교가 초연의 교리로 존재하였지만, 일본에서는 참여, 감사, 경외의 교리로 변형되었다. 그 변화 과정을 자세히 살펴보는 것은 흥미로울 것이다. 그러나 여기서는 거시적인 흐름만을 개관해보겠다.

앞에서 말한 것처럼, 이 과정의 첫번째 단계는 동대사의 대불에서 상징적으로 나타나고 있다. 거기에 안치된 불상은 인도의 고타마 샤카무니가 아니라 시간과 공간과 인종을 초월한 명상하는 붓다이다. 그는 5선정불(禪定佛)의 하나이며, 그 붓다들은 인과 세계의 여러 측면을 표상하고 있다. 붓다, 보살, 그리고 가시적인 우주의 모든 존재는 그러한 세계로부터 나오며, 마음이 그러한 존재들의 힘의 영역으로 들어갈 때에 그 존재

들이 마음속에 나타난다. 이 특별한 붓다를 지칭하는 산스크리트 용어가
비로자나("태양에 속하고 태양으로부터 나오는", 일본어로는 "大日佛"을
뜻하는 다이니치뇨라이)이다. 이 붓다 안에는 이란의 태양 숭배의 흔적
이 들어 있다고 볼 수도 있다. 그러나 이란이나 위대한 문화적 동-서 경
계선의 서쪽에 있는 그 어떤 곳에서도 비로자나불의 비전을 지닌 이데올
로기나 사상은 결코 존재하지 않았다.

　이 거대한 불상은 붓다의 깨달음의 한 측면을 나타내고 있는데, 이와
같은 가르침은 화엄경(華嚴經, 일본어로는 "화환"을 뜻하는 게곤)과 보
로부두르에 있는 자바 인의 거대한 불탑(기원후 8세기)에서도 마찬가지
로 나타나고 있다.[29] 이 가르침은 고타마 붓다가 깨달음 직후에 설법한
것이라고 한다. 아무도 그의 깨달음의 내용을 이해할 수 없었기 때문에
붓다는 새롭게 다시 시작해서 보다 단순한 이원론적 소승법을 가르쳤다.
때가 되면 사람들이 소승법을 통하여 대승법을 이해하게 될 것이라고 보
았기 때문이다. 실제로 때가 되어 수다나(善財童子)라는 이름을 지닌 젊
은이가 나타났다. 그는 구도의 순례(보로부두르 불탑에 있는 두번째 및
세번째 회랑의 패널에 묘사되어 있다)를 떠났으며, 그 과정에서 53명의
위대한 스승(선지식[善知識]/역주)을 만났다. 스승 중에는 선남 선녀도
있었고 선정불도 있었다. 그가 배운 것은 이 놀라운 화엄의 가르침이었다.

　그 가르침은 모든 일본 불교 종파에서 중심 위치를 차지하고 있으므
로, 적어도 그것의 한두 가지 요점을 살펴볼 필요가 있다. 화엄의 교리는
앞에서 언급한 12연기설에 요약되어 있는 붓다의 근본 가르침을 현실에
더 철저하게 적용하고 있다. 그 근본 교리는 1. 무지(無明)로부터 시작
하여, 2. 행위(行), 3. 새로운 경향, …… 11. 재생(生), 12. 늙음과 질병
과 죽음(老病死)으로 이어지는 연쇄 고리였음이 기억날 것이다.* 이 법
칙에 따르면 모든 존재는 스스로를 만들어내고 있다. 재생(11)은 무지
(1)의 산물로 간주되기 때문이다. 이 12가지 연쇄 고리에서 드러나듯이,
붓다의 가르침은 시간적 계기의 관념을 강조하고 있다. 처음에는 이것,

---

* 317쪽 참조.

다음에는 저것, 그리고 그 다음에는 또 다른 것이라는 관념, 또는 이른바 "선행하는 것으로부터의 파생"이라는 관념이 강조되고 있다. "화엄" 안에서 이 가르침이 더욱 확대되면 공간 안에서의 상호 의존 관념이 생겨난다. 그러면 우주는 상보적이고 총체적으로 상호 연관을 맺으며 "연기(緣起)한다." 어떤 존재도 홀로 존재할 수 없다. 준치로 다카쿠수 교수의 말에 의하면, "우리는 그것을 모든 존재의 공동적 행위-영향에 의한 인과 관계라고 부른다."[30]

이제 인과의 문제는 시간과 공간의 관점에서 동시적으로 읽혀진다. 이른바 여래장(如來藏, 타타가타 가르바[tathāgata garbha])은 이러한 배경에서 등장한다. 여래장은 사물의 존재 방식이며, 그 자신 안에 붓다, 곧 여래를 감추는 동시에 드러낸다. 이것이 꽃들의 둥그런 원인 화엄이며, 그 안에 거대한 태양불이 앉아 있다. 그 붓다는 한손으로는 "두려워 말라"고 손짓하며 다른 손으로는 모든 축복을 내리고 있다. 사원으로 몰려가서 붓다를 향하여 겸허하게 절을 하고, 감사의 마음으로 원을 그리며 돌고 다시 밖으로 나오는 일본인들 자신이 바로 정원의 꽃이다. 붓다는 그 꽃들 사이에 감추어져 있는 동시에 드러나 있다.

이러한 가르침은 "연기무애법문(緣起無礙法門)"이라고 불리며, 그 통찰력을 설명하기 위하여 "십현문(十玄門)"이 제시되었다. 그중에서 4가지를 살펴보도록 하겠는데, 우리의 현재 관점을 정리하는 데에는 이 4가지로 충분할 것이다.

1. 상호 관련 교의(동시구족상응문[同時具足相應門]) : 이 교의에 따르면 모든 존재는 공존하며 동시적으로 일어난다. 더구나 그것들은 공간적으로만이 아니라 시간적으로도 공존한다. 과거, 현재, 미래는 서로를 포함하기 때문이다. "그것들은 서로 구별되고 시간 속에서 분리되어 있는 것처럼 보이지만, 보편적 관점에서 보면, 모든 존재는 하나의 실체를 이루기 위해서 통합된다."[31]

2. 완전한 자유의 교의(일다상용부동문[一多相容不同門]) : 이 교의에 의하면, 크고 작은 모든 존재는 서로 아무런 장애 없이 교호 작용을 한다. 그러므로 각 존재의 힘은 모든 존재의 힘에 참여하고, 그 과정은 끝

이 없다. "심지어 머리카락 하나에도 셀 수 없을 만큼 많은 황금 사자들이 존재한다."[32] 아무리 미미한 행동이라도 모든 행동을 포함한다.

5. 상보성의 교의(비밀은현구성문[祕密隱顯俱成門]) : 이 교의에 의하면, 감추어진 것과 드러난 것은 상호간의 강화 작용에 의해서 전체를 구성한다. "만일 하나가 안에 있다면 다른 것은 밖에 있을 것이며, 그 역도 마찬가지이다."[33] 상보성에 의해서 그것들은 하나의 단일체를 구성한다.

10. 공동 덕목 완성의 교의(인타라망경계문[因陀羅網境界門]) : 이 교의에 의하면, 지도자와 추종자, 주인과 시종은 상호 조화의 관계 속에서 밝은 마음으로 함께 일한다. "하나-안의-만물 그리고 만물-안의-하나라는 이론에 따라서 그들은 실제로 하나의 완전한 전체를 형성하고 있다."[34] 그들은 서로를 비추면서 상호 침투하고 있다.

이것이 일본에서 게곤으로 알려진 화엄의 놀라운 가르침이며, 그 경전은 각각의 붓다를 에워싸고 있는 화환처럼 모든 존재의 통일을 이루려고 한다. 그 모든 존재에 대한 느낌은 명상하는 마음속만이 아니라 활동하는 신체 속에도 존재한다. 따라서 종교의 실천은 삶 자체이다. 그러나 이것을 실현하기 위해서는 2가지의 것이 필요하다. 하나는 보살 서원(프라니다나[praṇidhāna])으로서 모든 존재 — 자기 자신도 포함하여 — 로 하여금 불성을 깨닫도록 끊임없이 인도하는 것이며, 다른 하나는 자비(카루나[karunā])이다.[35]

헤이안(平安) 시대 : 794-1185년

일본 고유의 불교를 형성하기 위한 두번째의 중요한 발걸음은 804년 전교 대사(767-822년)와 홍법 대사(774-835년)가 중국으로 향하면서 시작되었다.

전교 대사가 중국에서 돌아와 세운 종파는 천태종(天台宗)이라고 불린다. 이 종파는 지의(智顗, 531-597년)가 남중국의 산악에서 창건한 사찰 이름에서 나온 것이다.* 지의는 보디다르마의 제자로 알려져 있지만, 보디다르마 — 그가 역사적 인물이라면 — 는 520-528년 사이에 중국에

550

머물렀다(!).

천태종의 기본 교리는 불심이 만물 안에 깃들어 있다는 가르침이다. 물론 우리는 지금까지 이러한 가르침을 수천 번 들어왔다. 그러나 이 종파가 독특한 특성을 지니고 후기 일본의 대중 불교로 발전하는 데에 중요한 힘으로 작용한 것은 연화경, 혹은 "묘법 연화경(삿다르마푼다리카〔Saddharmapuṇḍarīka〕)" 그 자체가 붓다라는 주장이다. 붓다는 살아 있는 동안 다양한 집단에게 아주 다양한 방식으로 가르쳤다. 그는 무한한 보시의 길, 소승의 길, 위대한 환희의 길, 그리고 말년에는 가장 심오한 묘법 연화를 가르쳤다. 더구나 그는 죽을 때에 옆에 있던 제자들에게 이렇게 말하였다 "'우리의 스승이 돌아가시다니!' 하면서 슬퍼하지 말라. 내가 죽은 다음에는 내가 가르친 것이 너희의 스승이 될 것이다. 너희들이 나의 가르침을 지키고 실천한다면 나의 법신이 여기에 영원히 남아 있는 것과 같지 않겠는가?"[36] 그러나 최고의 가르침인 묘법 연화는 그 모든 가르침의 요약이다. 따라서 연화경은 붓다의 법신이다.

그러나 여기에 1가지 사상을 덧붙여야 한다. 곧 영원과 시간 — 법신과 현상적 몸, 그것과 이것 — 사이에는 어떠한 차이도 없다는 사상이다. 어느 곳엔가 고정 불변한 붓다의 실체가 있고 그 주위에서 실재의 성질들이 움직이며 변화하고 있다고 생각해서는 안 된다. 이와 반대로, 어떠한 상태도 아닌 "참된" 상태는 현상적인 "이 상태"와 반대되는 것이라고 잠정적으로 말할 수 있다. 그러나 중간이 맞는 말이다. 중도는 그 둘을 넘어서 있다. 아니 중도는 그 둘과 동일하다.

살아 있는 붓다와 그의 법신은 서로 다르지 않다. 법신은 연화경과 다르지 않다. 동일한 사물에 대해서 같은 관계에 있는 것은 서로 같다. 따라서 연화경은 살아 있는 붓다이다.

두번째 항해자이자 중국에서 "진언"(산스크리트로는 만트라, 한자로는 眞言, 일본어로는 싱곤)으로 알려진 인도의 신비적인 탄트라를 공부한 홍법 대사의 귀국과 함께 이보다 더 복잡한 사상이 등장하였다. 여기서

* 509쪽 참조.

의 근본 개념은 로마 가톨릭의 미사 개념과 비교할 수 있다. 가톨릭에서는 사제가 거룩한 축성의 말을 적절하게 선포함으로써 빵과 포도주를 그리스도의 몸과 피로 실제적으로 변화시킨다. 이때 외양은 그대로 남아 있지만 실체는 신으로 변화한다. 불교–힌두 탄트라 종파에서도 "진언"은 그러한 효과를 가져온다는 관념이 유포되어 있다. 그러나 여기에는 모든 동양 사상에 본질적으로 나타나는 하나의 관념이 덧붙어 있다. 즉 신성의 영역과 붓다의 영역은 의례 집전자 자신 안에 존재한다는 사상이다. 기적은 의례 집전자 내부에서 일어나기 때문에 실제로 변화하는 것은 그 혹은 그녀이다.

그러므로 집전자는 불성이 일어나도록 하는 자세를 취하여야만 한다. 그는 생각(디야나〔dhyāna〕), 말(만트라〔mantra〕), 몸짓(무드라〔mudrā〕)의 영역에서 모두 그 원리에 따라 행동한다. 이렇게 해서 우리의 몸은 붓다가 된다.

더구나 신적 현현의 수많은 등급, 질서, 형태에 관한 힌두–불교 개념에 조응하여 수많은 상징적 이미지가 나타났다. 이러한 이미지들은 만트라와 관련된 마음가짐에 모범적인 길을 제공하는데, 그 이미지는 크게 2가지 범주로 나눌 수 있다. 1. 금강석이나 번개 본체(바지라〔vajra〕)의 원을 상징하는 이미지. 이러한 이미지는 파괴될 수 없는 상태, 참된 상태, 혹은 금강석 상태를 표상한다. 이중 가장 핵심적인 이미지는 자신의 현현에 의하여 에워싸인 위대한 태양불, 곧 비로자나이다. 2. 자궁(가르바〔garbha〕)의 원(태장계〔胎藏界〕)의 이미지. 이러한 이미지는 앞에서 여래장으로 불렀던 변화하는 세계의 질서를 상징하며, 인도 불교 예술에서는 세계의 여신–연꽃으로 나타난다.*

홍법 대사는 자기 나라의 가미를 태장계의 구성원으로 편입시켰다. 이전에는 붓다가 가미로 간주되었으나 이제는 가미가 붓다의 하나로 간주되었다. 이렇게 해서 양방향의 상호 작용이 이루어진 것이다. 인도의 밀교 주술과 일본의 샤머니즘 전통도 서로 결합하면서 상호 작용이 나타났

* 346–347쪽 참조.

다. 엘리트적일 뿐만 아니라 대중적인 이 강력한 이원적 질서는 료부신도(兩部神道), 곧 "두 방면의 신도"로 알려지게 되었다. 천태종은 이 운동에 가담하여 자신의 접근 태도를 이치지츠 신도(一實神道), 곧 "하나의 참된 신도"라고 불렀다. 이렇게 해서 중국과의 상호 작용이 끊어지기도 전에 일본은 불교를 그 자신의 것으로 만들기 시작하였던 것이다.

그러나 새롭게 동화된 고등 문화 단계의 모든 측면이 일본의 독특한 양식으로 나타나기 시작한 것은 헤이안 시대의 두번째 단계에서였다. 랭던 워너 교수는 이렇게 지적하고 있다. 10세기와 11세기에 "갑자기, 그리고 그 이전의 회화 유파에 확실히 빚을 지지 않고, 일본인은 세계 역사상 유례가 없는 이야기가 담긴 긴 수평적 두루마리 문서들을 만들어내고 있었다. 이 수십 년간 혹은 그후에, 중국인은 자연에 민감한 인간들에게 자연이 의미할 수 있는 모든 것으로 가득 찬 풍경과 날씨의 분위기를 제공한 반면, 일본인은 사람들로 이루어진 비할 것 없는 이야기들을 보여주었다. ……"

그는 이렇게 결론을 짓는다. "그 중요한 차이는 중국인이 대체로 철학의 문제에 관심을 가진 반면, 일본인은 인간을 강조하고 특정한 시대에 물질 세계에서 일어난 것에 강조점을 두었다는 것이다."[37]

중국의 도교는 도(道)의 개념을 천지의 자연 질서와 결합시킨 종교임을 이미 살펴보았다. 그러므로 신화적인 신비주의자인 노자가 행한 것처럼, 이상적인 성인은 사회적 영역으로부터 자연으로 도피하여 자신의 본성을 산, 물, 나무, 놀라운 안개의 숭고한 영향 하에서 발현시킨 인간이다. 이러한 자연 속에서는 『역경』에서 선포된 모든 신비가 곳곳에 다양하게 나타나며, 영적 공명의 원리에 의하여 그곳에 있는 자의 본성도 자연성을 회복한다. 이와는 달리, 인도에서는 그 이상적인 목적이 인간의 영역뿐만 아니라 우주적 영역으로부터의 해방(목샤〔mokṣa〕)이었다.

도쿄 대학의 저명한 동양 철학 교수인 나카무라 하지메(中村元) 박사는 1955년 랭군에서 행한 강연에서 매우 중요한 점을 언급하였다. 그는 중국과 일본에서 자유의 개념이 동일한 두 표의 문자인 자(自)와 유(由)로 구성되어 있음(그 의미는 자기-원인, 자기-동기화, 혹은 자연성일 것이다)을 지적하였다. 그는 이렇게 말하였다. "중국에서는 '자유'가 인간 관계로부터의 해방(예를 들면, 계속 종을 울리면서 광인처럼 행동하는 푸-화는 바보 성인이었다)을 의미하였지만, 일본에서는 자유가 인간 관계에의 순응 ── 세속 활동에의 헌신을 통한 ── 을 의미하였다."[38]

우리는 인도 불교의 해방의 교리가 중국에서 자연성의 교리로 변형되는 ── 혜능의 선종의 교리 안에서 ── 과정을 추적해왔다. 이제 우리는 일본에서 "인간의 세계"와 "세계의 인간"으로 그 강조점이 더 이동하는 것을 주시해야 한다. 앞에서 이미 그러한 강조점의 이동을 보았다. 쇼토쿠 태자의 말 속에서 이미 주음(主音)이 울리는 것을 들었던 것이다. "연기무애법문"이라는 전체-안의-하나 그리고 하나-안의-전체의 교리에서 이 음은 협주곡으로 발전하였으며, 그 소리는 매우 강하고 크게 확장되었다. 이제 이렇게 말하기만 하면 된다. 일본 불교의 나머지 역사는 대체로 이 교리가 적용된 다양한 인간 관계의 반사 작용이었다.

인도 불교는 우주에서 환멸을 느끼고 중국 불교는 사회에서 환멸을 느꼈지만, 일본 불교는 전혀 환멸을 느끼지 않았다. 그러므로 인도인은 무(無)로 물러나고 중국인은 가정이나 자연으로 은거하였음에 비하여, 일본인은 은거하지 않고 그가 있던 자리에 정확하게 서 있었다. 일본인은 단지 가미를 붓다 속으로 확장시키고, 기이함과 슬픔만이 아니라 즐거움을 가지고 이 세상 자체를 지금 여기에 있는 연화장세계(蓮華藏世界)로 보았다.

황금 연꽃의 빛을 취한 일본에서 헤이안 왕조의 궁궐 세계는 처음으로 다양한 인간 관계를 보여주었다.

(마사하루 아네사키 교수는 이렇게 쓰고 있다.) 그 시기는 황궁의 낭만적이고 인위적인 환경 속에서 돌아다니는 "구름 사나이들"과 "꽃 부인들", 다시 말해서 호사스러운 귀족과 귀부인의 시대였다. 당시는 탐미주의와 감성주의의 시대였고, 약간 기력을 빼앗는 제국 수도의 분위기에 의해서 세련된 감정의 고삐들이 자유롭게 풀렸다. 이 그림 같은 사회의 남자와 여자들은 모두 시인이었고, 자연의 유혹에 민감하였으며, 모든 감정을 시로 표현하려

고 애썼다. 인간 심중의 다양한 정서와 자연에 대한 친근한 감정은 아와레라는 말로 표현되었는데, 이것은 "연민"과 "동정"을 의미하였다. 이 감정은 당시의 부드러운 낭만주의에 그 기원을 두고 있다. 그것은 존재의 하나됨, 다시 말해서 다양한 존재를 함께 결합시키며 윤회를 통해서도 지속되는 개인의 근본적 통일성에 관한 불교의 가르침에도 빚을 지고 있다. 이번 존재와 다음 존재에서의 삶의 지속성에 대한 그러한 확신은 감상적인 음조를 심화시키고 아와레 감정의 범위를 확대시켰다. 아와레 감정의 지배 하에 현실 생활과 그 시대의 이야기들 속에서 많은 사랑의 로맨스가 산출된 것은 이상하지 않다.[39]

서양의 독자는 아와레에서 12세기 궁정 음유시인의 이상, 즉 순수하고 고상한 사랑의 감정에 쉽게 넘어가는 온화한 마음의 이상과 비교할 수 있는 특성을 발견할 것이다. 그러나 아네사키 교수가 지적하듯이 일본에서는 그 감정이 자연과 우주 전체를 포함할 정도로 넓게 열려 있다.

그는 이렇게 쓰고 있다. "불교는 그 시대의 '구름 사나이들'과 '꽃 부인들'의 마음에 삶의 하나됨의 감정을 새겨놓았다."

그들의 아와레 감정은 궁정 시절에 죽음을 깨달은 젊은 왕자 고타마의 비통함을 부드럽게 메아리 치고 있다. 모노 노 아와레 워 시루("존재의 연민을 알아라")라는 구절이 있다. 그러나 후지와라 시대의 삶의 정원에 있는 사나이들과 여인들은, 세상 안에서 심야의 환상을 보는 대신에, 떨어지는 꽃들이 지닌 아름다움의 축제를 보았다.

가마쿠라(鎌倉) 시대 : 1185-1333년

이치노타니에서 공격을 받은 헤이케 씨족의 귀족과 신하들이 배를 타고 해안가로 도망을 치려고 할 때였다. 말을 탄 쿠마가이 나오자네가 그 씨족의 지도자 중 하나를 잡으려고 좁은 길을 따라서 해안으로 왔다. 거기서 그는 말을 타고 있는 한 사람을 발견하였는데, 그 병사는 앞바다에 있는 배를 타려고 가는 중이었다. 그 병사의 말은 얼룩이 박힌 회색이었으며, 안장은 황금 장식으로 빛났다. 쿠마가이는 그가 주요 지도자의 한 사람이라고 확신하고 전쟁 부채로 신호를 보내면서 외쳤다. "부끄럽도다! 적에게 등을 보이다니. 돌아서라! 돌아서라!"

그 병사는 말을 돌려 바닷가로 왔다. 쿠마가이는 목숨을 걸고 싸움을 하였다. 곧바로 그를 넘어뜨린 쿠마가이는 적의 몸 위에 올라가서 목을 베기 위하여 투구를 찢었다. 그런데 상대의 얼굴을 보니 16세나 17세 정도의 젊은이였다. 얼굴에는 미세하게 분을 칠하였으며 검은 이빨을 가지고 있었다. 자신의 아들 나이로 보인 적의 얼굴은 매우 잘 생겼다. 쿠마가이가 물었다. "너는 누구인가? 너의 이름을 말하라. 너를 살려주고 싶기 때문이다."

젊은이가 대답하였다. "아닙니다. 당신이 누구인지 먼저 말해주십시오."

"나는 무사시의 쿠마가이 나오자네이며 특별히 중요한 사람은 아니다."

"그렇다면 당신은 대단한 포로를 잡은 것입니다."라고 젊은이가 말하였다.

"나의 머리를 베어 나의 편에 보여주시오. 그러면 내가 누구인지 그들이 말해줄 것입니다."

쿠마가이는 잠시 생각에 잠겼다. "그가 지휘자 중의 하나일지라도, 그를 죽인다고 승리가 패배로 변하지는 않을 것이다. 그리고 그를 살려준다고 해서 패배가 승리로 되지는 않을 것이다. 오늘 아침 아들 코지로가 이치노타니에서 약간 상처를 입었을 때 나는 고통스럽지 않았던가? 이 젊은이가 죽었다는 소식을 들었을 때 그 아버지는 얼마나 슬퍼하겠는가! 그를 살려주어야겠다."

바로 그때였다. 뒤를 보니 도이와 카지와라가 50명의 기병을 끌고 오고 있었다. 쿠마가이는 눈물을 흘리면서 외쳤다. "아뿔사! 저기를 보게. 내가 너의 목숨을 살려준다고 하더라도 이 지역 전체에 우리의 병사가 우글거리고 있기 때문에 그들을 피할 수 없을 것이네. 네가 죽어야만 한다면 내 손에 죽도록 하라. 그러면 네가 천당에서 태어나도록 기도를 해주겠다."

그 젊은 병사는 말하였다. "제발 그렇게 해주십시오 즉시 저의 목을 쳐주십시오."

쿠마가이는 불쌍한 감정에 압도되어 칼을 휘두를 수 없었다. 눈물이 넘쳐 나왔으며 어떻게 하여야 할지 몰랐다. 그러나 방법이 없었다. 비통하게 울면서 소년의 목을 내리쳤다. 쿠마가이는 눈물을 흘리면서 소리쳤다. "아! 군인의 삶만큼 괴로운 삶이 어디 있는가? 단지 병사 가문에서 태어났기 때문에 이 고통을 감수해야 하는구나! 그처럼 잔인한 행동을 해야 하는 것은 얼마나 슬픈 일인가!" 그는 갑옷의 깃을 얼굴에 갖다 대고 비통하게 울었다. 죽

은 자의 머리를 싸면서 갑옷을 벗기는데 병사의 주머니에서 피리 하나가 나
왔다. 쿠마가이는 소리쳤다. "아! 오늘 아침 성안에서 음악으로 자신들을 위
로하고 있던 자들이 이 젊은이와 그의 동료들이었구나. 동쪽에서 온 우리
병사들 중에서 피리를 가지고 있는 자가 한 사람이라도 있는지 의심스럽구
나. 이 조신들의 삶의 방식은 얼마나 멋있는가!"

쿠마가이가 사령관에게 피리를 가져가자 그것을 본 자는 모두 눈물을 흘
렸다. 그때 그 소년의 이름이 아츠모리이며 츠네모리의 막내 아들로서 16세
라는 것을 알게 되었다. 이때부터 쿠마가이의 마음은 종교 생활로 돌아섰다.[40]

이 사건은 1184년에 미나모토(겐지)가 타이라(헤이케) 씨족을 소멸시
킨 이야기의 한 부분이다. 그 시대는 그후 4세기가 조금 넘는 기간 동안
지속되는 봉건 투쟁의 서막이며, 유럽에서는 찬란한 제3차 십자군으로부
터 스코틀랜드 메리 여왕의 살해에 이르는 시대에 해당한다. 당시의 감
정은 "아, 슬프다!"를 의미하는 아와레이다.

이 무렵 이슬람의 전사들은 인도를 해체하고 있었으며, 몽골의 군대는
중국에 있었고, 황금 유목민(Golden Horde)이라고 불리는 타타르 군대는
러시아에 있었다. 일본의 동쪽에 있는 태평양에서는 폴리네시아의 전사
왕들이 광활한 바다에 있는 모든 야자수 지역(circle of palms)에 대한
지배권을 강화하고 있었다. 태평양 건너에서는 두 군사적 사제 제국인
잉카와 아즈텍이 부수어진 뼈와 살 위에 세워지고 있었다. 이 시대의 종
교는 해자(垓字)를 두른 사치스러운 궁전과 무장한 군대, 농민의 오두막
과 문맹 마을, 주술적 사원과 성당 — 이 시기에 장엄한 도상학이 절정
에 이른다 — 그리고 점차 커지고 시끄러워지는 마을로 특징지어진다.
당시에는 유럽과 마찬가지로 일본에서도 여성에 대한 무사의 정중한 태
도, 산적, 아와레와 온화한 마음, 승병, 명상 수도원, 그리고 베개용 책을
가진 여인이 발견된다.

이 시기에는 샌들과 남루한 옷을 입고 돌아다니면서 가난한 자를 종교
적으로 돌보는 새로운 종류의 탁발 수도사도 나타났다. 유럽에는 도미니
크(Dominic, 1170-1221년)와 프란시스(Francis, 1182-1226년), 일본에는

호넨(法然, 1133-1212년)과 신란(親鸞, 1173-1262년)이 있다.

　일본 불교의 성숙기에 해당하는 가마쿠라 시대(1185-1333년)의 불교
는 2가지 경향을 지니고 있었다. 하나는 "자신의 힘, 자기-의존"을 의미
하는 지리키(自力)이고, 다른 하나는 "다른 사람의 힘, 중재에 의한 구
원"을 의미하는 다리키(他力)였다. 후자는 주로 아미타 종파에 의해서
대표되었으며, 전자는 선(禪)에 의해서 대변되었다. 선의 주요 스승은 성
인 호넨과 신란이었고, 아미타 종파의 스승은 에이사이(榮西, 1141-1215
년)와 도겐(道元, 1200-1253년)이었다. 아미타 신앙이 번성한 사회 영역
은 주로 상류층 부인의 방과 하층민의 마을이었고, 선의 경우는 주로 남
성 병사의 진영이었다.

　아미타를 부르는 단순한 행위는 일본에서 오랫동안 알려져왔다. 중국
에서의 불교 박해에 관한 일기 — 앞에서 인용하였던 — 의 저자 엔닌
(圓仁)은 일본에 돌아올 때 아미타의 헌신자였고 전파자였다. 마을을 돌
아 다니는 많은 승려들도 아미타의 이름을 가르쳤다. 그러나 대승의 품
안에서 그 자신의 비구, 비구니, 사원을 지닌 하나의 독자적인 교단 종교
로서 정토종이 공식적으로 성립한 것은 성인 호넨에 의해서였다. 호넨은
가난한 자를 축복하는 붓다의 메시지를 지니고 다녔다. 나무아미타불(南
無阿彌陀佛, "아미타불에 귀의합니다")은 경건한 열망의 표현으로서 촛
불, 종, 향 등으로 분위기를 고양시킨 특별한 종교 행사에서만이 아니라
어떠한 환경에서도 반복적으로 등장하였다. 이러한 염불은 그의 포교 활
동에 의해서 일본인의 종교 생활에 방대한 영향을 미친 근본적인 전통으
로 확립되었다. 염불의 목적은 지상에서 불성이나 깨달음을 얻는 데에
있는 것이 아니라 내세의 축복에 있었다. 그리고 사람들은 언젠가는 그
러한 과정을 통해서 열반을 성취할 수 있다고 믿었다. 그 방법은 어떠한
자기 의지적 훈련이 아니라 붓다의 서원에 의지한 세심하고 경건한 기원
이었다. 누구나 쉽게 행할 수 있는 이처럼 단순한 종교적 실천이 가져오
는 지상적 축복은 마음의 변화였다.

　호넨이 8세일 때 그의 아버지가 살해되었다. 아버지는 죽으면서, 아들
이 원수에게 복수하는 대신 붓다를 찾기를 원하였다. 그해 소년 호넨은

천태종의 교단에 들어갔다. 42세의 나이에 그는 아미타의 이름을 부르는 염불에 사로잡혔으며, 그 뒤로는 평생 그 메시지를 가지고, 살해나 전쟁의 함성으로 위협당하는 사람들과 각지의 영웅을 찾아다녔다.

그러나 아미타가 일본인의 세속적인 삶 속으로 완전히 들어온 것은 그의 중요한 제자 신란에 의해서였다. 신란은 3세 때 아버지를 여의고 8세 때 어머니를 잃고는 천태종의 동자승이 되었다. 28세 때에 호넨을 만났는데, 호넨은 신란이 39세 되던 해에 죽었다. 신란은 아미타 신앙에서 2가지 혁신을 단행하였다. 우선 그는 수도원적 이상이 일본의 상황에는 맞지 않는다고 하면서 사원을 떠났으며, 재가 신자의 입장에서 결혼을 하였다. 이러한 그의 행위는 신앙이란 특별한 과제나 길이 아니라 삶과 공존하는 것이며, 어떠한 일상적인 과제와도 동일한 것이라는 교훈을 가르쳐주었다. 둘째로 그는 아미타의 서원이나 축복이 아니라 숭배자 자신 안에서 일어나는 결정적 계기를 강조하였으며, 이를 "신앙의 일어남(起信)"이라고 불렀다. 그 의미는 하나가 전체이고 전체가 하나라는 화엄 진리의 실재를 실제로 깨닫는 것(그러나 이것은 자신의 생각, 말, 행동의 모든 측면을 변형시키는 동안에는 무의식으로 남아 있을 수 있다)이었다. 세계에 대한 감사는 이러한 신앙의 일어남과 동시에 나타난다. 따라서 이름을 부르는 것은 감사의 행위이다. 이제 종교 생활의 방법은 호넨의 정토종에서처럼 이름을 부르는 것이 아니라 감사의 태도로 삶을 살고 그 가르침에 귀기울이며 태양불 아미타상에서 상징적으로 나타난 신비 안에서 신앙을 계발하는 것이다. 그 신앙의 일어남은 노력을 통해서가 아니라 저절로 되는 것이다.[4]

다른 한편, 일본에 들어와서 사무라이의 불교가 된 선에서는 깨달은 삶(the illuminated life)에 대하여 본질적으로 비신학적인 견해를 취한다. 모든 것이 붓다이다. 붓다는 안에 있다. 안을 보라, 그러면 붓다가 발견될 것이다. 이러한 방향으로 행동하면 불성이 작용할 것이다. 자유("자기-동기화", "자발성")는 태양불의 나타남 자체이며, 이기심, 걱정, 두려움, 강요, 추리 등이 이를 방해하고 왜곡하고 막을 수 있다. 인도의 파탄잘리 요가에서는 요가의 목적이 "마음의 자발적인 활동을 의도적으로 중지하는 것"이다.* 이와 반대로 선의 목적은 마음이 그 자체의 운동성 속에서 자발적으로 흐르도록 내버려두는 것이다.

고요히 앉아서, 아무 것도 하지 않고 있으면,
봄이 오고, 풀이 저절로 자란다.

앨런 와츠가 말하듯이, "이러한 '저절로'는 마음과 행위의 자연스러운 방식이고, 이는 마치 눈이 저절로 보고 귀가 저절로 듣고 입이 손가락에 의해서 억지로 열리는 것이 아니라 저절로 열리는 것과 같다."[42]

병법의 영역에서도 마찬가지이다. 유진 헤리겔은 『궁술의 선(Zen in the Art of Archery)』에서 이렇게 썼다. "마음이 나와 너, 적과 그의 검, 자기 자신의 검과 그것을 휘두르는 방법, 심지어 삶과 죽음에 대한 생각으로 더 이상 구애되지 않을 때, 검술의 완전함에 도달한다. '모든 것이 공이다. 당신 자신의 자아, 번쩍이는 검, 그리고 그것을 휘두르는 팔도 공이다. 공에 대한 생각마저도 더 이상 존재하지 않는다.' 타쿠안은 이러한 절대적 공으로부터 '가장 놀라운 행동이 나온다'고 말한다."[43]

위대한 운동 선수나 연기자는 이 마지막 말을 이른바 "컨디션이 좋은"이라는 뜻으로 받아들일 것이다. 선은 어느 상황에서나 항상 "컨디션이 좋은" 기술이라고 할 수 있다. 거기에는 막힘이 없다. 모든 것이 완벽하게 흐른다. 어떠한 이기성이 들어와서 작용하지 않는 한, 불성은 그 안에 있다. 이기성은 신참자, 비전문가, 서투른 자에게만 작용한다. 완벽하게 훈련된 전문가의 경우에는 이기성이 존재하지 않는다. 그러므로 선에서 이른바 예능의 불성(佛性)을 발견하게 된다. 사무라이의 기예에서는 그것이 병술에 적용되었다. 후대의 일본에서는 그러한 불성의 원리가 모든 기예에 적용되었다. 사원에서는 명상의 기술, 다실에서는 차를 준비하는 기술, 그리고 회화와 서예 등에서는 "컨디션이 좋은" 행위에 적용되었다.

이제 마지막으로 중요한 운동을 하나 더 주목해보겠다. 그것은 한 어

---

* 38쪽 참조.

560

부의 아들로서 불 같은 열정을 지녔던 니치렌(日蓮)의 운동이다. 그는 15세에 "무엇이 붓다에 의해서 가르쳐진 진리인가"라고 스스로 물었다. 그 물음에 대한 답을 추구하던 중에 천태 불교의 부흥이 그 진리에 가장 근접할 것이라고 단정하였다. 천태 불교에서는 영원한 불성의 궁극적인 원리를 강조하기 때문이다. 거기서는 영원한 붓다가 깨달음을 주는 자로서 지속적으로 활동하며, 역사적 붓다, 명상불, 보살 등은 모두 그 붓다의 현현에 지나지 않는다. "본지(本地)"와 "수적(垂迹)"이라고 하는 용어가 그러한 구분을 잘 보여주고 있다. 니치렌은 다른 종파의 가르침을 모두 단순한 흔적에 대한 기만적 봉헌이라고 비난하였다. 그것들은 우파야(upāya), 곧 "접근들", "가면들" 혹은 "편법들"의 영역에 속하는 반면, 연화경 후반부의 마지막에서 가르친 "모든 것을 위한 하나의 탈것(一乘)"은 본래의 영역(본지) 자체의 가르침이라는 것이다.

니치렌은 호넨을 모든 붓다, 경전, 성인, 그리고 사람들의 영원한 적이라고 비난하였으며, 정부에 그 이단을 소멸시킬 것을 요청하였다. 그에 의하면 정토는 지옥이고 선(禪)은 악마이고 진언은 국가적 폐해였다. 니치렌 자신은 한때 습격당하여 유배되기도 하였으나 다시 귀환하였다. 그는 일본을 불교의 부흥과 세계의 광명을 위한 불교적 운명의 땅이라고 보았다. 그 무렵 중국의 몽골 왕조는 일본을 침략하려고 위협하고 있었다. 이름이 태양(日, 니치) 연꽃(蓮, 렌)을 의미하는 니치렌은 자신의 종교 개혁이 그 싸움을 승리로 이끌 것이라고 선언하였으며, "나는 일본의 기둥이 될 것이다. 나는 일본의 눈이 될 것이다. 나는 일본의 배가 될 것이다"라고 말하였다. 그는 스스로를 붓다가 진리 수호의 과업을 맡긴 비시슈타차리타(Vishishtacharita, "뛰어난 행동") 보살이라고 생각하기 시작하였다.[44]

천태 불교에서처럼 니치렌의 종파에서도 숭배의 대상은 연화경이고, 북소리 ─ 돈돈 돈도코 돈돈 ─ 에 맞추어 반복하여 외치는 기도는 "진리의 법인 연화경에 귀의!"라는 뜻을 지닌 "나무 묘호렝게-쿄(南無妙法蓮華經)"이다. 그는 산의 암자에 홀로 있으면서 이렇게 썼다. "나는 나의 가슴이 모든 붓다가 명상에 잠겨 있는 장소임을 안다. 그들이 진리의 바퀴를 나의 혀 위에서 돌리는 것을 안다. 나의 목구멍은 붓다들을 낳고 있다. 그들은 나의 입에서 최고의 깨달음을 얻고 있다. …… 진리가 고귀하듯이 그것을 체현한 사람도 고귀하다. 사람이 고귀하듯이 그가 있는 장소도 고귀하다."[45]

오늘날 일본에서 지금까지 살펴본 종파들의 신자라고 고백하는 사람들의 수는 다음과 같다.[46] 아미타(진종과 정토종) 13,238,924명, 일련종 9,120,028명, 진언종 7,530,531명, 선종(임제종과 조동종) 4,317,541명, 천태종 2,141,502명, 화엄종 57,620명, 기타 불교 종파 608,385명이다.

5. 영웅들의 길

"초대를 받은 우리는 의식이 거행될 사원의 혼도(本堂)로 일본인 증인들을 따라갔다. 그것은 장엄한 광경이었다." 일본의 자살 의례에 대한 미트포드의 설명은 이렇게 시작한다.

큰 방이었다. 그 방은 검은 나무 기둥으로 지탱한 높다란 지붕을 가지고 있었다. 천장에는 불교 사원에 고유한 커다란 황금색 등과 장식물이 수없이 많이 매달려 있었다. 약간 높은 곳에 위치한 제단 앞에는 진홍색 펠트로 된 깔개가 놓여 있었다. 제단을 받치고 있는 마루는 아름다운 하얀 매트로 덮여 있고 바닥보다 3-4인치 높았다. 일정한 간격으로 놓여 있는 촛대들에서 희미하고 신비스러운 불빛이 나왔으나 너무 어두컴컴하여 행렬이 간신히 보일 정도였다. 7명의 일본인은 약간 높은 마루의 왼쪽에 앉았고 7명의 외국인은 오른쪽에 앉았다. 그 외에는 아무도 없었다.
몇 분간의 불안한 긴장이 흐른 후 32세의 건장하고 기품있는 타키 젠자부로가 의식용 옷을 입고 큰 방으로 걸어왔다. 그 옷은 큰 행사가 있을 때에 입는 삼옷이었다. 가이샤쿠(介錯)와 3명의 무관이 그를 따라 들어왔다. 그들은 모두 도금된 짐바오리(陣羽織, 전쟁용 갑옷)를 입고 있었다. 가이샤쿠라는 말은 사형 집행인(executioner)이라는 용어로 번역하기는 어렵다. 그

562

직무는 무사의 일이다. 대부분의 경우 그 역할은 유죄 판결을 받은 자의 친척이나 친구가 수행한다. 그들 사이의 관계는 희생자와 처형자의 관계라기보다는 결투의 당사자와 보조자의 관계이다. 이번에는 가이샤쿠가 타키 젠자부로의 제자였다. 타키 젠자부로의 친구들이 그의 제자들 중에서 검술이 뛰어난 자를 선출한 것이다.

왼손으로 가이샤쿠를 붙잡고 타키 젠자부로는 천천히 일본인 증인들 앞으로 나아갔으며, 그 두 사람은 증인들 앞에서 절을 하였다. 다음에는 외국인들 앞으로 나아가 같은 방식으로 인사를 하였는데, 이번에는 좀더 경의를 표하는 것 같았다. 증인들은 의례적으로 응답의 인사를 하였다. 유죄 판결을 받은 자는 위엄을 지키며 약간 올라온 마루로 천천히 올라가서 높은 제단 앞에서 2번 부복하였다. 그리고 제단에서 등을 돌린 채로 펠트 양탄자 위에 앉았다. 가이샤쿠는 왼쪽에 쪼그리고 앉았다. 그때 3명의 수행 무관 중 하나가 사원의 헌물 시간에 사용되는 얹음대(臺)를 가지고 앞으로 나왔다. 거기에는 일본인의 단도인 아키자시가 종이에 쌓인 채 놓여 있었다. 길이는 9인치 반이고, 칼끝과 날은 면도칼처럼 날카로웠다. 그가 부복하면서 유죄 선고를 받은 자에게 칼을 주었다. 정중하게 칼을 받은 타키 젠자부로는 두 손으로 칼을 머리 위에 올린 다음 자신의 몸 앞에 놓았다.

다시 한번 큰절을 한 타키 젠자부로는 고통스러운 고백을 하고 있는 자로부터 나오는 것 같은 감정과 머뭇거림의 목소리로, 그러나 얼굴과 태도에는 아무런 표시도 없이, 다음과 같이 말하였다.

"나, 나 홀로, 고베에 있는 외국인들의 집에 불을 지르라는 부당한 명령을 내렸습니다. 그들이 도망려고 하자 나는 다시 한번 그러한 명령을 내렸습니다. 이 죄의 대가로 나는 할복하려고 합니다. 여기에 계신 여러분들은 나의 행동을 증언하여 주시기 바랍니다."

다시 한번 절을 한 그는 웃옷을 허리까지 빨리 내린 후에 가만히 있었다. 그는 뒤로 넘어지는 것을 막기 위하여 관습에 따라 신중하게 소매를 무릎 아래에 밀어넣었다. 품위 있는 일본인은 앞으로 넘어져서 죽어야 하기 때문이다. 떨리지 않는 손으로 자신의 앞에 놓여 있던 단도를 집었다. 탐내는 듯이, 애정을 가진 듯이, 그 칼을 바라보았다. 그리고 그 칼로 허리 왼쪽 밑부분을 깊숙이 찌르고 그 상태에서 서서히 오른쪽으로 칼을 끌어당겼다. 다시 칼을 약간 돌리더니 위쪽으로 가볍게 상처를 냈다. 이 넌더리나는 고통의 순간에 그는 한번도 얼굴을 찡그리지 않았다. 뱃속에서 칼을 꺼낸 후 앞으로 쓰러지면서 목을 쭉 펼쳤다. 처음으로 고통의 표현이 그의 얼굴을 스쳤으나 아무런 소리도 내지 않았다. 그때 그의 옆에 쪼그리고 앉아서 그의 일거수 일투족을 예의 주시하던 가이샤쿠가 다가와서 자신의 칼을 공중으로 잠시 올렸다. 섬광이 있었고 육중하고 불쾌한 쿵하는 소리와 함께 무엇인가 떨어졌다. 단칼에 할복자의 머리가 몸뚱이에서 떨어져 나간 것이다.

죽음의 침묵이 흘렀고, 우리 앞에 있는 생명이 사그라든 머리 — 바로 얼마 전에는 용감하고 기사도적인 사람이었던 — 에서 피가 고동치는 혐오스러운 소리가 들렸다. 무시무시한 광경이었다.

가이샤쿠는 낮게 절을 하고 준비한 종이로 그 칼을 닦은 다음, 마루에서 물러났다. 그리고 다른 자가 처형의 증거인 피 묻은 단도를 죽은 자의 몸에서 장엄하게 뽑았다.

그때 황실의 두 대표자가 자리를 차고 일어나 외국인들이 앉아 있는 곳으로 왔다. 그들은 우리에게 타키 젠자부로에 대한 처형이 적절하게 이루어졌음을 증언하도록 요청하였다. 의식은 이렇게 끝났으며 우리는 사원을 떠났다.[47]

우리는 사제 국가와 우르의 왕릉 시대 이후 먼 길을 거쳐왔다. 그러나 사실은 그렇지 않다. 거기에서처럼 지금 여기에서도 개인과 그에게 부여된 사회적 역할의 완전하고 장엄한 동일화가 근본 원리로 작용하고 있기 때문이다. 문명 속에서 살아가는 삶은 세계 무대에서 상연되는 웅장하고 고귀한 연극이며, 각자의 직무는 인격의 어떤 결함에서 나오는 장해 없이 자신의 역할을 수행하는 것이다. 타키 젠자부로는 한때 잘못 연기하였다. 그러나 그가 무대로부터 공식적으로 퇴장할 수 있는 기회가 부여되었다. 이는 그의 근본적인 정체성이 그 사건에 책임을 지는 인격(자유롭게 행위하는 개인으로서의 그 자신)에 있는 것이 아니라 그의 배역에 있음을 분명하게 증명하는 기회였다. 일본 사료에는 이와 같은 정신에 입각하여 자신의 배역에 따라 기꺼이 죽음을 맞이하는 지극히 용감한 남녀 인물들의 이야기가 많이 있다. 가장 인상적인 것은 죽음을 따르는 준시(殉死)라고 알려진 의례이다.

야마토 시대의 고분 주위에서 발견된 하니와는 살아 있는 희생자를 대체하는 물품이었다. 그러나 산 자가 죽은 자를 따르는 관습이 일본에서는 최근까지 계속되어왔다. 봉건 전쟁의 시대에는 그 관습이 강제로 부흥되어, 다이묘가 죽었을 때에 15-20명의 가신이 할복하곤 하였다. 그후 수 세기 동안 구(舊)학파의 영웅적 연기자들은 도쿠가와 막부의 강력한 통치(1603-1868년)에 저항하면서까지 그러한 연기를 계속할 것을 주장하였다. 예를 들면, 17세기 후반 자신의 영주인 오쿠다우라 다다마사가 죽었을 때, 우에몬(右衛門) 소속의 어떤 가신은 국가의 명령에 거역하면서 할복하였다. 그러자 정부는 즉시 그 가문의 토지를 몰수하고 그의 두 아들을 처형하였으며, 나머지 식구들은 유형(流刑)에 처하였다. 영주가 죽자 다른 추종자들도 스스로 머리를 깎고 불교 승려가 되었다.[48] 지금으로부터 그리 멀지 않은 시대인 1912년, 아서(Arthur) 항구의 영웅이자 백작인 노기 장군은 메이지 천황이 땅에 묻히는 바로 그 시간에 자살하였으며, 그의 아내도 남편을 따라 자살하였다.[49]

그러한 경우, 여자는 자신의 두 다리를 끈으로 묶은 다음 스스로 목을 베는 것이 바람직한 행위로 간주되었다. 그래야 죽는 순간의 고통이 아무리 크다 하더라도 몸이 가지런한 채로 남아 있기 때문이다.[50]

노기 백작의 자살을 경하하는 흥미로운 짧은 시가 있는데, 이 시는 『요로조 초호』 신문의 편집인인 루이코 무로이와가 쓴 것이다.

나는 그를 늙은 군인이라고
잘못 생각했네.
오늘, 나는 그를 인간의 몸으로 태어난 신이라고
고백한다.[51]

"무사(武士)의 길(道)"인 무사도는 일본의 영혼이라고 부른다. 보다 큰 견지에서 보면 무사도는 동양의 영혼이라고 말할 수 있다. 이보다 더 큰 시각에서 보면 그것은 고대 세계의 영혼이다. 그것은 거대한 연극을 향한 사제적 이상이기 때문이다.

6. 차의 길(茶道)

기원전 2500년경의 메소포타미아에서는 신화적 분리의 심리학이 인간과 신성의 동일성이라는 오래된 주술을 깨뜨렸으며, 그러한 분리의 심리학은 후기 서구의 신화 체계에서 계승되었다. 그렇지만 이러한 분리 현상은 이집트나 이란의 동쪽에 있는 오리엔트에서는 일어나지 않았음을 이미 살펴보았다. 일본은 오리엔트의 체계에 참여하고 있으며, 사실상 현대 세계에서 가장 활발한 대표자이다.

그러나 일본이 서구와 공유하는 중요한 어떤 것이 있는데, 나는 이를 지리학보다는 시간의 관점에서 묘사하고자 한다. 일본과 서유럽은 아시아 대륙의 정반대편에 있지만, 거의 동시에 같은 속도로 성숙하였기 때문이다. 야요이 시대(기원전 300-기원후 300년)는 유럽 켈트 족의 시대, 야마토 시대는 게르만 민족의 대이동 시대와 비교할 수 있다. 한국으로부터 선물을 받은 이래 당나라(552-894년)와 교류를 단절하기까지의 시기, 즉 불교 도입 및 초기 전파 시대는 유럽의 메로빙거-카롤링거 시대(500-900년)와 비교할 수 있다. 이와 마찬가지로 헤이안 궁중 탐미주의의 세기는 유럽의 궁중 연애 예술의 번성과 여러 면에서 비교될 수 있으며, 13세기에는 두 지역에서 모두 절정에 달하는 많은 종교 운동이 나타나고 있다(호넨, 신란, 에이사이 : 도미니크, 프란시스, 아퀴나스). 그후 일본에서는 1638년, 유럽에서는 1648년에 이르기까지 봉건적 유대가 해체되고 점차 강력한 정치적 투쟁과 종교적 투쟁이 빈발하였다.

심지어 14세기의 일본, 즉 1339-1392년에는 강력한 봉건 가문에 의해서 각각 지지되는 2명의 미카도(천황)가 있었으며, 1378-1418년의 유럽에서는 서로를 파문하는 2명의 교황이 있었는데, 마침내는 3명의 교황이 존재하게 되었다. 랭던 워너는 14세기 후반 및 15세기 초반의 일본 예술과 삶에서 새로운 "반(半)세속적 경향"을 발견하였다. "유럽의 르네상스처럼 거기에서도 모든 예술은 본질적으로 종교의 시녀라고 하는 고대 전통이 끝났기 때문이다."[52] 그러한 유사성을 지적한 서구 학자는 워너만이

566

아니다. 약 50년 전에 프랑스의 관찰자 마젤리에르는 다음과 같이 언급하였다.

16세기 중반까지 일본의 모든 영역, 곧 정부, 사회, 종교는 혼돈에 빠져 있었다. 그러나 내전, 야만주의로 회귀하려는 관습들, 각자가 정의를 실현하려는 필요성 등으로 인하여 일본인은 16세기의 이탈리아 인과 비슷하게 되었다. 텐느는 당시의 이탈리아 인을 "원기 왕성한 독창력, 성급한 결단의 습관, 필사적인 시도, 행동하고 고통받는 당당한 능력"을 지닌 사람이라고 칭송한다. 이탈리아에서처럼 일본에서도 "중세의 거친 태도는 인간을 철저하게 군사적이고 오로지 저항적인 최고의 동물로 만들었다." 이것이 16세기에 일본인의 중요한 특성, 즉 기질의 차이만이 아니라 심성의 그 거대한 다양성이 최고조로 발현된 이유이다. 인도와 중국에서는 사람들 사이의 차이점이 주로 기력이나 지능의 정도에 있는 반면, 일본에서는 성격의 독특성에 의해서 사람들 사이에 차이가 난다. …… 니체의 용어와 비슷한 표현을 쓰자면, 아시아 대륙에서 인간성에 대하여 말하는 것은 그것의 평야에 대하여 말하는 것인 반면, 유럽에서처럼 일본에서는 무엇보다도 그것의 산들에 대하여 말하는 것이다.[53]

또 일본은 유럽과 마찬가지로 거대한 비인간적인 황무지를 가지고 있지 않다는 점을 지적할 필요가 있다. 아시아의 거대한 황무지는 인간에 대한 우주의 숭고한 무관심으로 인간 정신을 각인하고 있다. 그러나 인간을 즐겁게 하기 위하여 스스로를 드러내는, 일본의 사계절 — 가을 단풍과 그 모든 것 — 이 지닌 부드럽고 매력적인 풍경은 인간성에 어울리는 세계를 암시하고 있다. 그 세계는 인간성을 인간화하는 능력을 지니고 있다. 따라서 일본인은 중국의 위대한 장인들의 자연 풍경화로부터 벗어나 사람으로 가득 찬 시골, 살아 있는 도시와 읍의 풍경으로 초점을 쉽게 이동시킬 수 있었다. 일본에서는 인간의 길과 자연의 길 사이의 간격이 중국에서처럼 그렇게 크거나 큰 것으로 느껴지지 않는다.

어떻든지 일본 신화의 기능과 변형에 관한 이 간략한 검토에서 내가 지적하고 싶은 최종적인 점은 다음과 같다. 봉건 사회가 해체되는 4세기 동안의 잔인한 과정 속에서 뜨거운 불가마에서 나온 유리처럼 몹시 단단하면서도 매우 매서운 문명이 산출되었다. 그 문명 속에서 극동의 종교적 유산 전체가 세속적인 목적으로 변형되었다. 자연의 과정은 악할 수 없다는 신도의 세계 감정, 순수성에 대한 신도의 열정, 그리고 그러한 과정이 방해받지 않고 드러날 수 있는 깨끗한 마음과 깨끗한 집. 작은 것 안에서 말로 표현할 수 없는 경이감을 느끼는 것, 그리고 전체는 하나이며 하나는 전체로서 상호 작용한다는 불교의 화엄 교리는 신도의 신비에 장엄함을 덧붙여준다. 자연의 질서에 대한 도교의 감정, 인간 관계 안에 나타난 도에 대한 유교의 감정, 그리고 만물은 이미 그 자체 안에 존재하는 불성으로 나아간다는 하나의 길에 대한 불교의 감정. 지도자와 그의 가신에 대한 관념, 폭력적 혐오감(소승)이 아니라 긍정적 자비, 공감, 연민의 태도로 슬픔을 인정하는 불교, 그리고 "사물의 덧없음에 대한 인식."[54] 일본을 위한 길은 금욕주의가 아니라 화엄의 실재 안에서 저절로 발생하는 신앙의 일어남에 마땅히 감사하며 사는 세속인의 삶이라는 신란의 가르침, 그리고 행동에서 순수한 자발성을 얻기 위하여 불굴의 훈련을 더욱 강조하는 선불교. 이러한 모든 것을 통해서 무사도의 근본적인 영웅적 덕목, 곧 용기를 동반한 충성, 진실, 자기-통제, 그리고 삶의 가면 무도회에서 자신에게 주어진 역할을 충실히 수행하려는 의지가 동반된 자애심이 배양된다. 이러한 덕목들은 뒤섞여 있기는 하지만, 일본인이 확고하게 종합한 신화적 유산으로부터 추출된 지속적인 교훈들이다.

14세기부터 이러한 덕목들은 서로를 풍부하게 하는 다양한 세속적인 엘리트 예술과 서민 예술을 산출하였다. 이러한 과정을 통해서 매혹적인 미적 질서가 지배하게 되었다. 따라서 자연 자체를 다양한 상징적 놀이로 끌어들여 만든 정원은 단지 자연의 극장이 아니라 매순간 인간성과 그 밖의 어떤 것 ── 인간성과 동일하지만 ── 을 환기시키는 활동적인 참여자로서 존재한다. 멀리 떨어진 마을에서도 커다란 정원이 보이고, 그 집의 대문 안에는 작은 정원들이 가꾸어져 있다. 아래 선시의 맛을 느껴보자.

긴 것은 붓다의 긴 몸이고
짧은 것은 붓다의 짧은 몸이네.[55]

고상한 양식의 연극이 수없이 많이 등장하였으며, 새로운 예술, 놀이, 축제 방식도 많이 나타났다. 일본에서 번성한 마력적인 게이샤(藝者)의 세계는 삭발한 인도 승려들이 거의 주목하지 않았던 점을 일본 사회에 상기시켜 주었다. 붓다가 80세가 되어 마지막으로 바이샬리의 우물 도시를 떠나서 사라질 무렵, 고대 리차비 가문의 왕자가 작별 만찬으로 그를 대접하고자 하였다. 그러나 그 도시의 가장 우아한 고급 매춘부가 먼저 초대장을 보냈다. 그 무렵 붓다는 사촌 아난다와 함께 그 도시를 떠나서 근처의 언덕에서 휴식을 위하여 잠시 멈추었다. 수많은 성소들, 성스러운 나무들, 사당들을 지닌 그 아름다운 광경을 뒤돌아보면서 아난다에게 말하였다. "인도는 찬란하고 풍요하고 빛나고 매혹적이구나. 인생은 사랑스럽고 매혹적이다."[56]

그러나 이 모든 도시적 영성의 중심 규율은 차(茶)였다. 차를 마시는 행위는 친구와 함께 방에 앉아 있는 것처럼 세속적이고 흔한 일상사이기 때문이다. 그러나 차를 마시는 행위의 각 측면에 철저하게 주목할 때에 무슨 일이 일어나는가를 생각해보라. 친구와 함께 방에 앉아서, 가장 적합한 찻잔을 선택하고, 그것을 가장 알맞은 방식으로 내려놓으며, 재미있게 생긴 다기를 사용하고, 가장 친한 친구 몇몇과 함께 차를 마시며, 그들에게 구경거리를 제공하는 장면을 생각해보라. 각자의 아름다움으로 빛나는 동시에 함께 묶여 빛을 발하는 완벽하게 배치된 약간의 꽃. 그 분위기에 맞게 조화를 이룬 하나의 그림. 어느 방향에서나 열고 닫고 들여다 볼 수 있는 재미있게 생긴 작은 상자. 차를 준비하고 나누어주고 마실 때, 참석한 모든 사람이 즐길 수 있도록 각각의 단계가 기능적인 방식으로 우아하게 행해진다면, 일상사가 시의 경지로 승화되었다고 할 수 있을 것이다. 사실 소네트를 쓸 때에는 매우 일상적이고 세속적이고 평범한 도구인 말을 사용한다. 차의 경우도 시의 경우와 마찬가지이다. 오랜 경험의 결과, 어떤 규칙과 방식이 발전하였고, 이러한 것들에 숙달함으로써 극도로 고양된 표현력을 얻는 것이다. 예술이 작업 방식에서 자연을 모방하듯이 차도 마찬가지이다. 자연의 방식은 자발성이지만, 동시에 조직화의 방식도 취한다. 자연은 단순한 원형질이 아니다. 조직화가 복합적일수록 자발성의 범위와 힘의 드러남도 그만큼 더 크다. 그러므로 다도에 정통한 것은 몹시 복합적이고 유리처럼 단단하고 규칙에 구속되는 문명 안에서 자유의 원리(자기-동기화)를 정복한 것이다. 누군가 1명의 사람으로서 살고자 한다면, 그 각각의 우연성에 대하여 오로지 감사함을 느껴야 할 것이다.

제9장 티벳 : 붓다와 새로운 행복

「종교 제도에 속한 기만적 반동분자의 사악함은 도저히 용서할 수 없다」라는 제목의 글에는 붓다의 삶에 대해서 이러한 설명이 나오고 있다.

"그 당시 인도에는 많은 왕국이 있었는데, 석가모니가 태어난 왕국은 가장 크고 잔인한 나라였다. 그 왕국은 항상 이웃의 작은 왕국들을 억압하였다. 석가모니가 통치할 당시 그 왕국의 백성들은 모두 그에게 반대하였다. 얼마 후 이웃 왕국이 석가모니 치하의 백성들과 연합하여 그에게 항거하였다. 석가모니는 패배하였으며 그를 에워싼 적들로부터 도망을 쳤다. 갈 곳이 없던 그는 숲속의 은둔지로 피난하였고, 그곳에서 명상하면서 불교라는 종교를 만들었다. 이렇게 해서 그는 사람들의 강인한 마음속에 후회의 감정과 연약함을 불어넣었다. 그리고 백성들에게 자신의 권위를 강요하면서 돌아왔다. 이것이 종교의 시작이다."[1]

이 개정판의 저자는 본래 티벳의 승려였으나, 중국으로 추방되어 현대의 객관적인 과학적 연구의 빛에 접하게 되었다고 한다. 그는 자신의 신조를 표명하는 끝 부분에서 자부심을 가지고 이렇게 말하고 있다. "만약 신에 대해서 왈가왈부하는 사람이 있다면, 내가 믿는 신은 공산주의이다. 공산주의는 우리에게 행복한 삶을 제공할 것이기 때문이다. 그러므로 변경 지대의 이러한 반동적인 사원 세력을 일소하고, 나는 평생 동안 공산주의를 계속 따를 것이다."[2]

　그에 대한 더욱 깊은 이해를 위해서 그의 스승을 살펴보자.

　"신들? 물론 우리의 예배를 받을 가치가 있겠지요. 그러나 농민 연맹이 없고 칸 왕이나 자비의 여신만 있다면, 우리가 지역 불량배나 악덕 상류층을 때려눕힐 수 있었을까요? 신과 여신은 실로 한심합니다. 그들은 수백 년 동안 숭배받았지만, 여러분을 위해서 단 1명의 지역 불량배나 악덕 상류층을 때려눕힌 적이 없습니다!"

　"자, 여러분은 지대(地代)를 낮추기를 원합니다. 나는 묻고 싶습니다. 여러분은 그것을 어떻게 낮출 것입니까? 신을 믿을 것입니까, 아니면 농민 연맹을 믿을 것입니까?"[3]

　결국은 모택동만이 있을 뿐이다.

　　변증법적 세계관은 이미 고대 중국과 고대 유럽에서 출현하였다. (모택동은 『모순론(矛盾論)』에서 그렇게 썼다.) 그러나 고대의 변증법은 다소 자연발생적이고 소박한 측면을 지니고 있었다. 당시의 사회적, 역사적 조건에 근거한 변증법은 충분한 이론으로 발전하지 못하였다. 그것은 세계를 완전히 설명할 수 없었다. 후에 형이상학이 이를 대체하였다. 18세기 후반에서 19세기 초반에 살았던 독일의 유명한 철학자 헤겔은 변증법의 발전에 매우 중요한 공헌을 하였지만 그의 변증법은 관념적이었다. 인간 지식의 역사에서 위대한 혁명이 일어난 것은 프롤레타리아 혁명의 위대한 인물 마르크스와 엥겔스에 이르러서였다. 그들은 인간 지식의 역사에서 긍정적 성과들을 종합하였고, 특히 헤겔 변증법의 합리적인 요소를 비판적으로 흡수하여 변증법적 유물론과 역사적 유물론을 만들었다.

　　후에 레닌과 스탈린이 이 위대한 이론을 더욱 발전시켰다. 중국에 소개된 이 이론은 즉각적으로 중국 사상계에 엄청나 변화를 가져왔다.

　　변증법적 세계관은 다양한 사물 안에서 진행되는 대립물의 운동을 정확하게 관찰하고 분석하는 방법을 가르친다. 그리고 이러한 분석을 토대로 하여 모순을 해결하는 방법을 가르쳐준다. 요컨대 사물에 내재하는 모순의 법칙을 구체적으로 파악하는 것이 가장 중요하다.[4]

여기서 신화학도들에게 재미있는 첫번째 점은 고대 중국의 음양 이원론과 마르크스의 변증법적 유물론 사이의 관련성이다. 현대 동양의 많은 현상이 보여주듯이 동양적 정신에는 마르크스주의와 깊은 친화성을 보이는 점이 적지 않다. 이는 다음의 사실에 근거하고 있다. 역행할 수 없는 역사 법칙에 관한 마르크스주의 교의는 마트(maat), 메(me), 다르마(dharma), 도(道)의 개념을 지상의 인간 질서에 적용하였다. 마르크스주의는 우주 법칙의 관념을 부적절한 것으로 규정하여 제거하지만, 인간 역사에 작용하는 법칙 개념은 유지한다. 인간 역사의 법칙은 개인적 선택이나 자유로운 결정의 필연성 혹은 그 가능성에 관계 없이 파악될 수 있고 준수되어야 하는 것으로 간주한다. 과거에는 법을 알고 가르친 사람이 별의 해석자인 사제였지만, 이제는 사회학도가 그를 대체하고 있다. 그러므로 동양 사회는 서양 사회가 지녔던 중요한 문제 —— 융 박사는 개성화(individuation)라고 불렀으며, 보다 전통적인 용어로는 자유 의지(복종하는 것이 아니라, 판단하고 결정하는 각 개인의 책임성)의 문제 —— 에 봉착함이 없이, 현대 사회로 직접 이행할 수 있는 가능성을 지닌 것으로 보인다.

인도의 성인 라마크리슈나(Ramakrishna)는 이렇게 말하였다. "영국인은 자유 의지에 대하여 말한다. 그러나 신을 깨달은 자는 자유 의지가 하나의 단순한 외양에 불과하다는 것을 안다. 실제로 인간은 기계이고 신은 그것의 작동자이다. 인간은 탈것이고 신은 운전자이다."[5]

동양의 신화에는 이름과 형식으로 이루어진 법칙-구속적인 세계 질서의 저편에, 영원한 속성과 가치를 지닌 초월적이고 선험적인 개인성의 자리가 존재하지 않는다. 단지 비어 있는 도의 다른 얼굴인 비이원적인 텅빈 브라만이 있을 뿐이다. 달리 표현하자면, 동양에서는 그러한 독특한 실체성을 결코 인정하지 않는다. 존재하는 것은 신이 아닌 인간이다. 그럼에도불구하고 인간은 영원한 가치를 지닌다. 아니 인간 일반이라기 보다는 지금 이곳의 특정한 남자와 여자가 존재할 뿐이다. 자유로운 상태에 처한 이러한 존재들은 우주적 자발성의 단순한 나타남이 아니라 그것의 주체이고 주창자이다. "당신이 태어나기 이전의 당신 얼굴을 보여달라!"라는 이야기가 있다. 우리는 이러한 이야기를 동양에서 들었다. 다듬지 않은 통나무의 이야기가 그것이다. 그러나 지금 유례없는 창조적 결정을 통하여 다듬어지고 있는 통나무의 경우는 어떠한가?

오늘날 세계 무대에서 가장 중요한 사실의 하나는 신화적으로 조건 지어져 있다. 그것은 다음과 같다. 개인적인 자유를 향한 서양의 모든 외침이 동양인의 귀에는 악마(세계를 창조한 '나'를 의미하는 아함〔aham〕. 실제로 그것은 세계를 창조하였다!)의 선전처럼 들리는 반면, 마르크스주의 화관(Marxian Flower Wreath)의 노래는 오랫동안 존중되어온 — 매우 영적이고 신비스럽고 성스러운 것으로 — 주제의 필연적인 현대적 변형처럼 들린다. 마르크스주의에는 스스로 원하는 어떤 종류의 세계도 인간이 결정할 수 있고 그것을 실현할 수 있다는 관념이 존재하지 않는다.

오늘날 잘 알려져 있다시피, 모든 인간 정신이 그것에 따라야 하는 하나의 최고법 관념이 새롭게 발전하였다. 이러한 관념은 최근 10년 사이에 티벳에 전해졌다. 티벳에서는 지구상의 그 어느 곳보다도 오래된 동양적 방식이 아직 그 형태를 보존하고 있다. 그것은 깨어지기 쉽고 낡았고 노쇠하지만, 여전히 활기 찬 상태를 유지하고 있다. 독자들은 마르코 펠리스가 『정상과 라마(*Peaks and Lamas*)』[6]에서 대재앙 앞에 서 있는 티벳인의 삶에 대하여 서술한 것을 찾아볼 수 있을 것이다. 혹은 1960년 제노바에서 출간된 국제사법 조사협회 소속 법사 위원회의 매우 세심한 티벳 평가서의 관점을 검토해보기를 바란다. 그 문서에는 이렇게 쓰여 있다. "티벳인에 대한 인상은 …… 이웃 나라와 평화롭게 살고 있는 억세고 밝고 자신감 있는 나라이며, 티벳 외부에서는 거의 알려지지 않은 신앙과 신비주의를 상당한 정도로 발전시키고 있다."[7]

티벳 불교는 10-12세기의 인도 대승 불교를 대체로 따르고 있으며, 인간의 심리를 매우 정교하게 묘사하는 진언(眞言) 종파로부터 발전하였다. 저 경이적인 「티벳 사자의 서」를 약간만 살펴보아도 이러한 사실을 잘 알 수 있을 것이다.[8]

그런데 갑자기 이 사람들에게 "분노하는 신들의 지옥(Hell of the Wrathful Deities)"이라는 영적 무대가 들이닥쳤다. 이는 계기적으로 발생하는 모든 존재와 사물과 행동 안에서 부처의 현존, 곧 여래(如來)를 깨닫는 대승 불교의 명상의 힘을 마지막으로 시험하는 것처럼 보인다. 그러나 이는 불교 세계가 과거에 이미 겪었던 시험이다. 감히 말하자면, 이러한 시험으로부터 불교 세계는 태어난 것이다. 그 장면들은 믿을 수 없는 것처럼 보이지만, 대체로 이미 예행된 — 예를 들면, 844년의 계절 (중국에서의 대대적인 불교 박해의 시대/역주)에 — 모티브들이 현대의 옷을 입고 재생한 것이다.

냐롱 마을의 트라샤크에서 네팔로 도망을 쳐온 37세의 승려가 증언을 하였다. 그의 증언에 의하면, 1955년 3월 그의 마을에 살던 모든 사람과 승려가 소집되었으며, 그들은 자신들의 지도자들이 어디에서 재산을 획득하였는가, 그리고 지도자들이 그들을 심하게 다루지 않았는가 하는 심문을 받았다.

그들은 자신들 중 어느 누구도 부당한 대우를 받지 않았으며, 지도자에 대한 불만도 가지고 있지 않다고 대답하였다. 중국인들은 군비와 군수품에 대하여 물었다. 그리고 승려들에게 어떤 종류의 수확물과 재산, 부를 가지고 있는지를 묻고, 누가 좋은 지도자이고 누가 나쁜 지도자인지 답할 것을 요구하였다. 승려들은 자신들의 지도자가 훌륭하고 친절하게 대해 주었다고 대답하였다. 그러자 중국인들은 승려들이 모두 버릇이 없다고 말하면서 모두 결혼할 것을 명령하였다. 결혼을 거부하는 승려는 투옥되었다. 그 자신은 두 라마승, 곧 다와와 나덴이 못에 박혀 고통을 당하면서 죽어가는 것을 보았다고 한다. 구미-체링이라는 이름을 가진 라마승은 송곳처럼 생긴 손가락 두께의 날카로운 도구로 허벅지가 뚫렸다. 종교에 반대하는 설교를 거부하였기 때문에 이러한 고문을 당하였던 것이다. 중국인들은 고문당한 자의 동료 라마와 승려들을 불러 그를 데려가라고 명령하였다. 그 동료들 역시 고문에 참여하였으며 마침내 그 승려는 죽었다. 그들이 강요에 의해서 동료를 고문한 것인지의 여부는 확인되지 않았다. 이 사건 직후에 많은 승려와 주민이 도망을 쳤다. 정보 제공자에 의하면, 결혼에 동의한 승려는 아무도 없었고, 다른 12명이 고문을 당하였다. 사원에서도 박해가 대대적으로 행해졌다. 무슨 일이 일어났는지 알아보기 위해서 도망자들이 밤에 돌아 왔을 때,

그는 이 사실에 대하여 듣게 되었다. …… 사원 안에는 중국인들이 많이 있었으며, 그들이 말들을 가지고 가는 것을 보았다고 한다. 중국인들은 여자들을 데려왔지만 승려들은 여자를 거부하였다. 이 여자들은 캄바의 무리로서, 무장 중국인들이 호위하여 데려온 것이다. 경전은 매트리스로 변하였고 화장실 휴지로 사용되는 경우도 있었다. 투루쿠-숭그라브라는 이름의 승려가 중국인에게 그러한 행위를 그만두라고 요청하였다가 팔꿈치 밑의 팔이 잘려나갔다. 그는 신이 자신의 팔을 돌려줄 것이라고 말하였다. 중국인들은, 종교 따위는 존재하지 않으며 종교의 실천은 인생과 시간의 낭비라고 그들에게 말하였다. 종교 때문에 사람들이 일을 하지 않는다는 것이다.[9]

52세의 바-제우바 출신 농부는 형의 집에서 시끄러운 소리가 나는 것을 듣고는 창문을 내다보았다. 그에 의하면 "형수가 수건으로 입이 틀어막힌 채 소리를 지르고 있었다. 두 중국인이 그녀의 손을 꽉 잡고 있고 다른 자가 강간을 하였다. 다른 두 사람도 차례로 돌아가면서 강간을 하였다". 1954년,* 이 마을에 있던 1세 미만의 유아 48명이 중국으로 끌려갔다.

중국인들은 부모가 더 많은 일을 할 수 있게 하기 위해서 아기를 데려간 것이라고 말하였다. 많은 부모는 아기를 데려가지 말라고 간청하였다. 몇 명의 티벳인 부역자와 함께 온 2명의 군인과 2명의 민간인이 집으로 들어와서 부모로부터 아기들을 강제로 빼앗았다. 그리고 저항하는 15명의 부모를 강가에 던졌으며, 그중 1명이 자살하였다. 그 아기들은 모두 중상류층 출신이었다. …… 그 어린이들은 부모가 중국의 방식에 따르지 않을 때에는 부모를 경멸하고 비판하도록 배웠다. 세뇌 교육이 시작되었다. 세뇌당한 한 젊은 이는 기도 바퀴와 묵주를 가지고 있는 아버지를 보자 발로 차고 욕을 하였다. 아버지가 소년을 때리자 소년은 다시 아버지와 싸웠고, 싸움을 말리기 위해서 많은 사람이 몰려왔다. 3명의 중국 군인이 와서 싸움을 말리는 사람들을 오히려 제지하였다. 그러면서 그 소년은 싸울 권리를 충분히 가지고 있다고 말하였다. 그 소년이 아버지를 계속 욕하며 때리자 아버지는 강물로

---

* 「티벳과의 교역에 관한 중국-인도 협정」의 날짜와 「평화 공존을 위한 5개조 서약」의 날짜를 비교해보라. 311쪽 참조.

576

뛰어들어 자살하였다. 그 아버지의 이름은 아흐추였고 소년의 이름은 아흐
살루였는데, 나이는 18-19세 정도였다. ……

1953년 파통 아흔가에서 부유한 집안의 한 남자가 처형되었다. 이 정
보 제공자는 같은 마을 출신이었기 때문에 강제로 소환되어 그 장면을
목격하여야만 하였다.

밑에서 불이 타올랐고 그는 자신의 몸이 타는 것을 직접 보았다. 25명의
부유층 인사가 모두 처형되었으며, 그는 그들의 처형 장면을 다 보았다.
1960년 1월, 그가 티벳을 떠났을 때에도 트룽기에서는 투쟁이 계속되고 있
었다. …… 이 무렵 그 지역에 있던 사원들은 종교 기관으로서의 기능을 완
전히 상실하였다. 사원은 중국 군대의 막사로 사용되었고, 아래층은 마구간
으로 사용되었다. 어린이들이 중국으로 보내진 뒤에도, 제우바에서 25명의
사람이 눈에 못이 찔린 채 죽었다. 이 장면을 보도록 많은 사람이 증인으로
소환되었다. 처형된 사람들은 중산층이었다. 중국인들은 그들이 공산주의 건
설에 참여하지 않았고, 그 사업에 거부감을 표시하였으며, 자녀를 학교에 보
내지도 않았기 때문에 처형한 것이라고 말하였다.[10]

모택동은 "모든 권력은 농민 연맹으로!"라고 썼다.

농민은 지역 불량배와 악덕 지배층과 탈법적 지주를 주요 목표물로 삼으
면서, 가부장적 이념과 제도, 도시의 부패한 관리, 지방의 악습을 공격한다.
힘과 기동력의 측면에서 그 공격은 폭풍이나 태풍과 같다. 그것에 복종하는
사람은 살고 저항하는 사람은 죽는다. 그 결과 봉건 지주가 수천 년 동안
누리던 특권은 산산조각이 나고 있다. 지주의 위엄과 위신은 실추되고 있다.
지주의 권위 추락과 함께 농민 연맹은 권력의 유일한 기관이 되고, 이른바
"모든 권력은 농민 연맹으로"라는 구호가 실현되었다. 남편과 아내 사이의
다툼처럼 사소한 것도 농민 연맹에서 해결해야 한다. 연맹 소속의 사람이
부재할 경우에는 어떠한 문제도 해결할 수 없다. 농촌 지역에서는 연맹이
실질적으로 모든 문제를 지시하며, "연맹이 말하는 것은 무엇이든 다 실현
된다"라는 구호는 문자 그대로 사실이다. 군중은 연맹을 오직 찬양만 할 수

있고 비난해서는 안 된다. 지역 불량배와 악덕 지배층과 탈법적 지주는 자신들의 견해를 말할 권리를 완전히 박탈당하였으며, 아무도 감히 "아니다" 라고 말하지 못한다.[11]

"1959년 리탕 사원에서 특별 의식이 거행되는 동안 중국인들이 그 사원을 포위하였다. 목격자(라와에서 온 40세의 유목민으로서 그때 자신의 마을을 하루 동안 떠나 여행하고 있었다)는 다른 외부인들과 함께 사원 안에서 그 의식에 참여하고 있었다. 중국인들은 승려들에게 오직 2가지 선택, 곧 사회주의 혹은 낡은 봉건 제도만이 있을 뿐이라고 말하였다. 그리고 사회주의에 모든 재산을 헌납하지 않으면 사원은 완전히 파괴될 것이라고 말하였다. 그러나 승려들은 거부하였다. …… 64일 동안 사원은 포위당한 채로 있었으며, 목격자들은 그 안에 함께 있었다. 중국인들은 벽에 총을 겨누었고, 승려들은 활과 창으로 싸웠다. 64일째 되는 날, 비행기가 폭탄을 터뜨리고 사원에 기계총을 쏘아댔다. 사원의 본당만 남기고 외곽 건물은 모두 공격하였다. 그날 밤 약 2천 명이 도망을 쳤으며 2천 명 정도는 사로 잡혔다. ……" 한 라마는 학대를 당하였으며, 다른 라마는 불에 타서 죽었으며, 또 다른 두 라마는 총에 맞고 부상을 당하였다. 그중 한 사람은 끓는 물을 뒤집어 쓴 채 목이 졸려 죽었으며, 다른 사람은 돌에 맞고 도끼에 머리가 찍혔다.[12]

바-낭상에서 온 촌장은 개혁을 거부하던 사람들에게 어떤 일이 일어났는가를 보기 위해서 민야라는 마을에 머물렀다. 거기서 이러한 이야기를 들었다. "왕톡이란 사람이 체포되어 큰 방으로 끌려갔다. 거기에는 티벳인들이 무슨 일이 일어날 것인지를 보기 위하여 모여 있었다. 중국 군인들 ─ 원래 거지였다가 군대에 들어왔다 ─ 이 그를 몽둥이로 때리고 머리에 뜨거운 물을 부었다. 그는 아홉 부대의 금을 가지고 있다고 자백하였다(하지만 목격자들에 의하면 금은 발견되지 않았다). 군인들은 그의 엄지손가락과 엄지발가락을 묶은 채 매달았다. 그는 밑에서 짚이 타는 동안 금의 소재를 밝히라는 심문을 받았다. 그렇지만 대답할 수 없었다.

목격자에 따르면 그는 금을 가지고 있지 않았기 때문이다. 붉게 달군 구리못이 앞이마에 박혔는데, 못의 길이는 3/4인치 혹은 1인치나 되었다. 그는 트럭에 실려서 끌려갔다. 중국인들은 그를 북경으로 보냈다고 말하였다.[13]

리탕의 주지승인 라마 캉사르는 두 발이 함께 묶인 채 팔과 가슴 사이에 장대를 끼고 있었다. "그 다음에 두 팔이 꽁꽁 묶였다. 사람들이 그의 석방을 애원하였지만 중국인들은 그의 목에 무거운 줄을 감은 채 매달았다. 그리고 우자(기도 암송자)도 체포하여 발가벗기었고, 두 손가락 정도 굵기의 붉게 달군 쇠로 그의 허벅지와 가슴과 겨드랑이를 지졌다. 고문은 사흘 동안 계속되었는데, 그 사이사이에 연고를 바르기도 하였다. 나흘이 지나고 목격자들이 떠날 때에도 우자는 살아 있었다."[14]

시킴 근처의 사캬 사원에서는 붉은 모자를 쓰는 종파(이 종파는 승려의 결혼을 허용한다)에 속한 한 라마승의 장모가 사람들이 보는 앞에서 머리카락을 뜯기었다.[15] 데르지 드종사르에서는 40세 정도 되는 촌장의 딸이 인민의 착취자라고 비난받았다. 중국인들은 그녀의 입에 건초를 쑤셔넣고 몸에 마구와 안장을 얹었다. 하층민이 등에 올라타자 그녀는 사방으로 기어다녔다. 그 다음에는 중국인들이 타고 같은 짓을 하였다.[16] 리공에 있는 암도 지역의 한 마을에서는 지도자들이 죽는 광경을 보기 위해서 마을 사람이 모였다. "무대 위에서 한 남자가 총에 맞은 채 몸을 움직이고 있었는데, 그러한 무대는 9개나 되었다. 어떤 사람은 선 채로 죽고 싶은가 누워서 죽고 싶은가 하는 심문을 받았다. 그는 서서 죽기를 원하였다. 그러자 구덩이를 파고 그를 집어넣었다. 그러고는 진흙으로 구덩이를 메우고 다졌다. 그가 죽은 후에도 눈이 머리에서 튀어나올 때까지 이 과정은 계속되었다. 마침내 중국인들이 그 눈을 잘라냈다. 4명의 다른 사람은 부모의 잘못, 예를 들면, 자신들의 부모가 종교에 헌신하였음을 상세히 고백하여야만 하였다. 그런 다음 이 4사람의 뒤에서 총을 쏘았다. 뇌가 튀어나오자 중국인들은 그 모습을 꽃이 피고 있는 것이라고 불렀다."[17]

"모든 꽃이 만발하고 모든 사상 학교가 서로 경쟁하도록 만들자"[18]라고 모택동은 썼다.

"동일성, 단일성, 일치, 상호 침투, 상호 의존(또는 존재를 위한 상호 의존), 상호 관련이나 협동. 서로 다른 이 용어들은 모두 동일한 것을 의미하며, 다음의 2가지 조건을 가리킨다. 먼저 사물의 발전 과정에서 모순의 두 측면은 상대편에서 자기 존재의 전제를 발견하며, 두 측면은 한 실체 안에서 공존한다. 두번째로 두 모순되는 측면은 주어진 조건 하에서 각각 그 자신을 다른 것으로 변화시키는 경향이 있다. 이것이 동일성이 의미하는 것이다."[19]

"우리가 이룩한 농민 혁명은, 땅을 소유하고 있던 지주 계급이 자신의 땅을 빼앗기게 되고 땅을 빼앗겼던 농민 계급이 소토지 보유자가 되는 하나의 과정 안에 이미 존재하며, 그러한 과정 안에 존재하게 될 것이다. 가진 자와 가지지 못한 자, 이익과 손실은 어떤 모순 때문에 서로 연결되어 있다. 거기에 양 측면의 동일성이 존재하는 것이다. 사회주의 하에서 농민의 사적 소유제는 사회주의 농업의 공공 재산이 될 것이다. 이는 이미 소련에서 일어났고 전세계적으로 확산될 것이다. 사유 재산과 공유 재산 사이에는 한곳에서 다른 곳으로 이르는 다리가 있는데, 이는 철학에서 동일성 혹은 상호 변형, 또는 상호 침투라고 부른다."[20]

리공에 있는 암도 지역에서 또다시 3명의 고위 라마승이 군중들 앞에서 머리가 뽑히고 신발이 벗겨지고 매를 맞은 다음에 자갈밭에서 무릎을 꿇어야 하였다.

"그들은 이렇게 심문하였다. '그대들은 라마이기 때문에 체포당할 것이라는 사실을 알지 못하였는가?' 그런 다음 세 구덩이를 파고 라마들을 그 안에 집어넣었다. 그때 군중은 구덩이를 향하여 오줌을 누라는 명령을 받았다. 그런 다음 중국인들은 라마들을 꺼내어 감옥에 쳐넣었다. 거기에서도 그들은 목에 밧줄이 묶인 채 똥통을 지고 다녀야만 하였다."[21]

암도 지역의 도이-두라에서 온 22세의 남자는 중국인으로부터 치료를 받아야 한다는 말을 들었다. 더욱 지적으로 되기 위해서는 치료가 요청된다는 것이었다. 당시 중국인들은 티벳인이 어리석고 열등한 종족이므로 러시아 인이나 중국인으로 대체되어야 한다고 말하였다. 중국인들은

580

이 사람과 그의 아내, 그리고 다른 많은 사람들의 혈액을 검사하였다. 티
벳의 여러 곳에서 이와 유사한 보고서가 많이 나와 있다. 이 보고서들은
이 젊은이와 그의 아내가 다음날 받도록 되어 있는 일종의 수술 과정을
자세히 기록하고 있다. 두 사람 모두 병원으로 갔다. "그가 완전히 옷을
벗은 채 의자에 앉자 의사는 그의 생식기를 조사하였다. 그 다음에는 손
가락으로 직장 검사를 하면서 막 휘저었다. 희멀건 액체가 분비되자 몇
방울을 유리 슬라이드에 떨어뜨려서 가지고 갔다. 다음에는 가위처럼 생
긴 길고 뾰족한 도구를 그의 요도 속에 집어넣었다. 그러자 그는 심한
고통으로 기절하고 말았다. 정신이 들자 의사는 하얀 약을 주면서 힘이
생길 것이라고 말하였다. 의사는 음낭과 만나는 남근의 밑부분에 주사를
놓았다. 주삿바늘은 아팠지만 주사는 아프지 않았다. 주삿바늘이 뽑힐 때
까지 얼마 동안 그 부분이 마비되는 것을 느꼈다. 그는 10일 동안 병원
에 있었고, 집에서 한 달간 누워 있었다. …… 그는 결혼한 지 2년밖에
안 되었으며, 이 치료를 받기 전에는 매우 왕성한 성적 욕구를 지니고
있었다. …… 그 뒤로는 전혀 성적 욕구를 느끼지 못하였다. ……"

그 동안 그의 아내는 "옷을 벗고 누웠다. 다리를 올린 채 바깥으로 벌
렸다. 심한 고통을 주는 아주 차가운 것이 생식기 안으로 들어왔다. 고무
튜브가 부착된 고무 풍선이 보였다. 그것의 끝이 생식기 안으로 들어왔
다. 풍선을 누르자 아내는 뭔가 차가운 것이 몸속으로 들어오는 것을 느
꼈다. 아프지는 않았지만, 풍선이 아니라 튜브가 삽입되었던 것이다. 그
녀의 의식은 계속 살아 있었다. 그후 침대로 옮기어졌다. 똑같은 절차가
1주일 내내 계속되었다. 그후 집으로 돌아와서 3주일 동안 계속 누워 있
었다." 그 뒤로는 성욕도 생리도 없었다.[22]

"투흘룽의 지방 공무원이 도주하였다가 이틀 후에 붙잡혔다. 입술이
잘리고 몸이 묶인 그는 발가벗긴 상태로 투흘룽에 다시 돌아왔다. 중국
인은 그의 거동에 만족하지 못하였다. 몸이 비대하여 그가 빨리 걸을 수
없었기 때문이다. 그래서 총검으로 찔러서 걸음을 빠르게 하였다. 목격자
들에 의하면 그는 총검 자국으로 뒤덮였다고 한다. 중국인들은 그를 나
무에 묶고서 티벳인들을 불러 때리도록 하였다. 그리고 그의 잔혹성을

비난하라고 명령하였다. 그렇지만 그를 때려죽이지는 말라고 하였다. 죽는 것이 그에게는 이득이라고 생각하였기 때문이다. …… 그는 중국인들에게 맞은 다음 8일 후에 죽었다. 그는 고문보다는 총으로 죽고 싶다고 간청하였다가 입술이 잘려나갔다."[23]

마지막으로 — 보고서는 계속되지만 — 45세의 유목민에 관한 이야기가 있다. 천막 거주자였던 그는 한때 20-30마리의 들소를 소유하고 있었다. 그는 동료 두 사람이 군중이 지켜보는 가운데 산 채로 불타는 것을 보았다. 또 캄 지역의 모든 부자들이 처형되는 것을 보았고, 라마들과 승려들의 처형 장면도 보았다. 마지막으로 사원에서 나온 약 1천 명의 사람이 공개적으로 처형되는 것을 보았다. 그 정보 제공자는 숨어 있던 언덕 등성이에서 그 광경을 똑똑이 보았다. "5명이 밧줄에 의해서 질식당하고 있었는데, 그 밧줄은 질식시키기에 적합한 무게가 나가는 거대한 불상에 연결되어 있었다. …… 그리고 캄 지역에서 가장 유명한 라마 중의 하나인 드조르첸 림포체가 4곳의 말뚝에 묶인 채로 있었으며, 사방에서 당기는 힘에 의해서 그의 복부가 완전히 찢겨졌다. 그 라마에 대한 비난은 모두 인민을 기만하고 속이는 것이었다."[24] 1955년에 암도의 도이에서는 승려들이 "들판으로 끌려가서 두 사람씩 멍에를 지고 쟁기를 끌었으며, 중국인들이 채찍을 들고 감시하였다."[25]

「티벳 사자의 서」에서는 천상이건 지옥이건 라마가 항상 영혼을 수행한다. 라마는 영혼의 앞에 나타난 모든 형상이 그의 의식의 투사물임을 간파하도록 권유한다. 지옥의 무대에서는 라마가 이렇게 말한다. "두려워 마라! 두려워 마라! 오, 고귀하게 태어난 이여! '죽음의 주의 분노'가 당신의 목에 밧줄을 걸고 당신을 끌고갈 것이다. 머리를 베고 심장을 빼내고 내장을 잡아 빼며 뇌를 모조리 핥아먹고 피를 마시고 살을 먹고 뼈를 갈아 먹을 것이다. 그러나 실제로 당신의 몸은 공의 본성을 가지고 있다. 따라서 당신은 두려워 할 필요가 없다. ……"[26]

"공포에 떨지 말라. 무서워 말라. 신적 형상과 광채로 빛나는 모든 현상이 지성의 유출물임을 간파한다면, 바로 그 순간 불성을 얻을 것이다. …… 만일 하나의 중요한 행위와 한마디 말로 자신의 사유-형식을 간파한다면 불성을 얻을 것이다."[27]

이렇게 전체에 대한 비전이 냉정하면서도 무시무시하게 실현되었으므로, 다시 말해서 신화가 삶 안에서 물질화되었으므로, 나는 이제 침묵으로 모든 논의를 마치려고 한다. 어떠한 서양 지성인도, 동양 자체에 고유한 관점으로, 하나의 위대한 동양이 지닌 이러한 두 측면을 논할 수 없기 때문이다. 선구적인 현대의 몇몇 동양 지성이 말하는 것처럼, 동양은 이러한 두 측면에 대해서 다소 자부심을 느끼며 희망을 걸고 있다.

"두 동반자의 비밀"에 관한 고대 이집트의 교리, 공(空), 연기(緣起), 화엄(華嚴)에 관한 대승의 가르침, 음양의 상보성에 관한 도교의 가르침, 상호 침투에 관한 중국 공산주의의 교의, 그리고 각 존재 안에 천상과 지옥의 층에 있는 모든 신과 악마가 현존한다는 탄트라 전승. 이것들은 다양한 방향을 취하며 다양하게 표현되고 있지만, 영원한 생명에 관한 하나의 무시간적 교리를 표현하고 있는 것 같다. 이 영원한 생명은 서양인, 적어도 대다수의 서양인이 먹는 데에 실패한 동산에 있는 나무 열매의 신주(神酒)이다.

주

제1부 동양과 서양의 분리

제1장 위대한 네 문명의 서명

1) Sir James George Frazer, *The Golden Bough*(New York : The Macmillan Company, 단권판, 1922), p. 264 이하.

2) Sir Charles Leonard Woolley, *Ur of the Chaldees*(London : Ernest Benn Ltd., 1929), p. 33 이하, *The Masks of God : Primitive Mythology*(New York : Viking, 1959), pp. 405-411 에서 인용하고 논의하였다. 울리 경은 그 유물의 연대를 기원전 3500년경으로 잡았으나, 요즈음에는 그것의 실제 연대가 그보다 1천 년 늦은 기원전 2500년경으로 추정되고 있다.

3) Duarte Barbosa, *Description of the Coasts of East Africa and Malabar in the Beginning of the Sixteenth Century*(London : The Hakluyt Society, 1866), p. 172 ; Frazer, 앞의 책, pp. 274-275와 Joseph Campbell, *The Masks of God : Primitive Mythology*, pp. 165-166에서 인용.

4) E. A. Gait, "Human Sacrifice (Indian)", James Hastings (편), *Encyclopaedia of Religion and Ethics*(New York : Charles Scribners' Sons, 1928), Vol. VI, pp. 849-853.

5) 같은 책.

6) *Kalika Purana*, Rudhiradhyaya ; W. C. Blaquiere, *Asiatic Researches*, Vol. V, 1797, pp. 371-391와 Gait(앞의 책)의 번역을 따랐다.

7) *Bhagavad Gita* 2 : 22.

8) 기원전 1천 년경으로 보는 입장과 그에 대한 전반적 논의를 살펴보기 위해서는 G. B. Gray and M. Cary, *The Cambridge Ancient History*, vol. IV(Cambridge : The University Press, 1930), pp. 206-207과 pp. 616-617을 참조하라 ; 기원전 550년경으로 보는 입장에 대해서는 A. T. Olmstead, *History of the Persian Empire*(Chicago : The University of Chicago Press, Phoenix Books, 1948), p. 94 이하를 참조하라.

9) *Yasna* 44 : 3.

10) *Yasna* 30 : 9.

11) Rabbi Bahia ben Asher, *Commentary on the Pentateuch*(Warsaw, 1853), on Genesis 2 : 9 ; Louis Ginzberg, *The Legends of the Jews*(Philadelphia : The Jewish Publication

584

Society of America, 1925), Vol. V, p. 91에서 인용.

12) *Brhadaranyaka Upanisad* 1.4-5.

13) 「창세기」 2 : 21-22.

14) 「이사야」 2 : 20.

15) 같은 책, 8 : 9-10.

16) *Svetasvatara Upanisad* 6 : 20.

17) 「이사야」 40 : 5

18) *Kena Upanisad* 1.3.

19) *Brhadaranyaka Upanisad* 1.4.7.

20) 「창세기」 3 : 8.

21) *Kena Upanisad* 1.

22) *Chandogya Upanisad* 6.11.

23) C. G. Jung, *Das Unbewusste im normalen und kranken Seelenleben*, 초판 1916, 2판 1918, 3판 : Rascher Verlag, Zurich, 1926 ; *Two Essays on Analytical Psychology*(London : Bailliere, Tindall and Cox, 1928 ; New York, The Bollingen Series XX, *The Collected Works of C. G. Jung*, Vol. 7, 1953)으로 재판되었다.

24) Sigmund Freud, *Jenseits des Lustprinzips*(Leipzig, Wien, Zurich : Internationaler Psychoanalytischer Verlag, 1920).

25) *Jataka* 1.68-71, Henry Clarke Warren, *Buddhism in Translations*(Cambridge, Mass. : Harvard University Press, 1922), pp. 75-76의 번역을 약간 수정하였다.

26) Asvaghosa, *Buddhacarita* 13-14(축약본), E. B. Cowell, *Sacred Books of the East*, Vol. XLIX(Oxford : The Clarendon Press, 1894), pp. 137-158의 번역을 대체로 따랐다.

27) 『도덕경』 1.1-2. James Legge, *The Sacred Books of the East*, Vol. XXXIX(Oxrford : The Clarendon Press, 1891) ; Paul Carus, *The Canon of Reason and Virtue*(La Salle, Illinois : The Open Court Publishing Co., 1913) ; Dwight Goddard, *Laotzu's Tao and Wu Wei*(New York : Brentano's, 1919) ; Arthur Waley, *The Way and Its Power*(New York : The Macmillan Company, London : George Allen and Unwin, Ltd., 1949).

28) Waley, 앞의 책, p. 30.

29) Marcel Granet, *La Pensée chinoise*(Paris : La Renaissance du Livre, 1934), p. 280, 주석 2.

30) 『도덕경』 1.3.

31) 『관자』 편12, 서두(Waley의 주석)

32) 같은 책, 편36, 서두(Waley의 주석)

33) 같은 책, 편36(Waley의 주석)

34) Waley, 앞의 책, pp. 46-47.

35) 『본생담』 1.76.

36) Sir Monier-Willians, *A Sanskrit-English Dictionary*(Oxford : The Clarendon Press, 1888), p. 528.

37) James Haughton Woods, *The Yoga System of Patañjali*(Cambridge, Mass. : The Harvard University Press, 1927), p. xx에서는 기원후 650-850년을 제안하고 있다. 그러나 M. Winternitz 박사는 *Geschichte der indischen Litteratur*, Vol. III(Leipzig : C. F. Amelangs Verlag, 1920), p. 461에서 그것에 심각한 의문을 제기하며, 기원후 350-650년을 더

설득력 있는 연대로 제안하고 있다.

38) Woods, 앞의 책, pp. xxi-xxii.

39) Winternitz, 같은 곳에서 인용.

40) Woods, 앞의 책, p. xix.

41) *Yogasūtras* 1.2.

42) 『장자』, Book VI, Part I, Section VI.2-3 ; James Legge 역, 앞의 책, pp. 238-239.

43) 『도덕경』 25.5-6 ; Legge, 앞의 책, pp. 67-68.

44) *Aṣṭavakra-saṁhitā* 19.3.

45) *Symposium* 189D 이하 ; Benjamin Jowett 역, *The Dialogues of Plato*(Oxford : The Clarendon Press, 1871).

46) F. M. Cornford, *Greek Religious Thought from Homer to the Age of Alexander*(London : J. M. Dent and Sons, Ltd. ; New York : E. P. Dutton and Co., 1923), pp. xv-xvi.

47) 「욥기」 2 : 3.

48) 「욥기」 40 : 4 ; 42 : 4 그리고 6.

49) Aeschylus, *Prometheus* 11.938-939, Seth C. Benardete 역, David Green and Richmond Lattimore 편, *The Complete Greek Tragedies*(Chicago : The University of Chicago Press, 1959), Vol. I, p. 345.

50) Friedrich Nietzsche, *Menschliches Allzumenschliches : Ein Buch für freie Geister*, Nietzsche's *Werke*, Bd. II(Leipzig : Alfred Kroner Verlag, 1917), Aphorism No. 23.

51) 같은 책, Vorrede 2(p. 5).

제2장 신의 도시

1) Rudolf Otto, *The Idea of the Holy*, John W. Harvey 역(London : Oxford University Press, 1925).

2) 같은 책, p. 4.

3) *The Masks of God : Primitive Mythology*, 제3장과 제10장, pp. 140-144와 pp. 402-404 에서 논의하였다.

4) H. R. Hall, *A Season's Work at Ur, al-'Ubaid, Abu Shahrain(Eridu), and Elsewhere* (London : Methuen and Co., 1919) ; H. R. Hall and C. Leonard Woolley, *Ur Excavations I, Al-'Ubaid*(London : Oxford University Press, 1927) ; P. Delougaz, "A Short Investigation of the Temple at Al-Ubaid", *Iraq*, V, Part 1(1938), pp. 1-12.

5) Julius Jordan, Arnold Nöldeke, E. Heinrich 외, "Voläufige Bericht über die von der Not-gemeinschaft der duetschen Wissenschaft in Uruk-Warka unternommenen Ausgrabungen", *Preussische Akademie der Wissenschaften zu Berlin. Abhandlungen, 1929*, Nr. 7 ; *1930*, Nr. 4 ; *1932*, Nr. 2와 Nr. 6 ; *1933*, Nr. 5 ; *1935*, Nr. 2와 Nr. 4 ; *1936*, Nr. 13 ; *1937*, Nr. 11 ; *1939*, Nr. 2.

6) Hall, 앞의 책, pp. 187-228 ; Seton Lloyd and Fuad Safar, "Eridu", *Sumer*, III, No. 2 (1947), pp. 85-111 ; IV, No. 2(1948), pp. 115-127 ; VI, No. 1(1950), pp. 27-33.

7) Henri Frankfort, "Preliminary Reports on Iraq Expeditions", *Chicago University, Oriental Insititute. Communications*, Nos. 13, 16-17, 19-20(1932-1936) ; 또 Delougaz, 앞의 책,

p. 10, 〈그림 1〉.

8) Seton Lloyd and Fuad Safar, "Tell Uqair", *Journal of Near Eastern Studies*, II, No. 2 (1943), pp. 132-158.

9) M. E. L. Mallowan, *Twenty-five Years of Mesopotamian Discovery(1932-1956)*(London: The British School of Archaeology in Iraq, 1956), pp. 27-31.

10) André Parrot, *Ziggurate et Tour de Babel*(Paris : Albin Michel, 1949), p. 167.

11) H. R. H. Prince Peter of Greece and Denmark, "The Calf Sacrifice of the Todas of the Nilgiris(South India)", *Selected Papers of the Fifth International Congress of Anthropological and Ethnological Sciences*, Philadelphia, 1956(Philadelphia : University of Pennsylvania, 1960), pp. 485-489.

12) "세계 통치자(*Bhuvaneśvarī*)"의 면모를 지닌 여신에 대한 찬가의 일부이다. 출전은 *Tantrasāra*, Arthur and Ellen Avalon, *Hymns to the Goddess*(London : Luzac and Co., 1913), pp. 32-33인데, 참조하기 바란다.

13) Henri Frankfort, *Cylinder Seals*(London : The Macmillan Company, 1939), p. 17.

14) Ernest de Sarzec, *Découvertes en Chaldée*(Paris : Ernest Leroux, 1884-1912), Vol. I (*Texte*), pp. 319-320 ; Vol. II(*Planches*), Pl. 30 bis, No. 21.

15) 뉴기니아 마린드-아님(Marind-anim) 족이 성관계를 맺으면서 제의적 살해를 하고 그 인육을 먹는 식인 관습과 비교하라. 이에 관한 것은 *The Masks of God : Primitive Mythology*, pp. 170-171에 기술되어 있다.

16) 이 맥락에서는 전갈이 〈그림 2〉의 뱀 및 〈그림 4〉의 무기를 가진 사람과 동일한 원리, 곧 죽음의 원리를 표상한다고 보는 것이 더 좋을지도 모른다.

17) 연대 문제에 관해서는 Alexander Scharff and Anton Moortgat, *Ägypten und Vorderasien im Altertum*(Munich : Verlag F. Bruckmann, 1950, 1959)을 따랐다.

18) Gudea, Cylinder B, 5, 11 이하. Sarzec, 앞의 책, Pl. 37에서 다시 게재되었다.

19) Frankfort, 앞의 책, pp. 75-77.

20) 같은 책, p. 77.

21) *The Masks of God : Primitive Mythology*, pp. 405-411. 이 부분은 Sir Charles Leonard Woolley, *Ur of the Chaldees*(London : Ernest Benn Ltd., 1929), pp. 46-65를 인용하였다.

22) Scharff and Moortgat, 앞의 책, p. 214.

23) Otto, 앞의 책, p. 7.

24) Carl G. Jung, Stanley M. Dell 역, *The Intergration of the Personality*(New York and Toronto : Farrar and Rinehart, 1939), p. 59.

25) Otto, 앞의 책, p. 8.

26) E. A. Wallis Budge, *Osiris and the Egyptian Resurrection*(London : Philip Lee Warner ; New York : G. P. Putnam's Sons, 1911), Vol. I, pp. xiv-xv와 여러 곳 ; 또 *The Gods of the Egyptians*(London : Methuen and Co., 1904), Vol. I, pp. xiv-xv, 7 이하 등.

27) John A. Wilson, *The Culture of Ancient Egypt*(Chicago : University of Chicago Press, 1951), p. 27과 pp. 22-23.

28) J. E. Quibell, *Hierakonpolis*, Egyptian Research Account No. 4(London : Bernard Quaritch, Part I, 1900 ; Part II, 1902), Part II, pp. 20-21 그리고 Plate LXXV.

29) George Andrew Reisner, *The Development of the Egyptian Tomb down to the Accession of Cheops*(Cambridge, Mass. : Harvard University Press, 1936), p. 1.

30) 같은 책, p. 13.

31) Quibell, 앞의 책, p. 20.

32) Helene J. Kantor, "The Chronology of Egypt and Its Correlation with That of Other Parts of the Near East in the Periods before the Late Bronze Age", Robert W. Ehrich (편), *Relative Chronologies in Old World Archeology*(Chicago : University of Chicago Press, 1954), p. 6.

33) Sethe와 Garstang가 이러한 제안을 처음으로 하였다(*Denkmäler Narmers : Hierakon-polis* ; Capart 또한 보기 바란다). Eduard Meyer도 그것을 부정하지는 않았다(*Kultur-geschichte des Altertums*, Vol. I, Part 2, Section 208, 주석). 그리고 Henri Frankfort도 이를 인정하고 있다. *Ancient Egyptian Religion*(New York : Columbia University Press, 1948), p. 159.

34) 나는 Alexander Scharff와 Anton Moortgat(앞의 책, p. 38)의 연대법을 따른다. 기원전 3100년 설은 Wilson, 앞의 책, p. 319를 참조하라. 기원전 3000년 설은 Samuel A. B. Mercer, *The Pyramid Texts*(New York, London and Toronto : Longmans, Green, 1952), Vol. IV, p. 225를 참조하라 ; 기원전 2400년 설은 P. van der Moer, *Orientalia Neelandica* (1948), pp. 23-49를 참조하라. 제1왕조 무덤에 대한 탄소-14 연대 측정에서는 기원전 3010±260년 그리고 2852±260년(W. F. Libby, *Radiocarbon Dating*[Chicago : University of Chicago Press, 1952], pp. 70-71), 다시 말해서 기원전 3250년경으로부터 2592년경에 이르는 모든 시대가 가능하다는 결론이 나왔다.

35) Herodotus II. 99.

36) Henri Frankfort, *Kingship and the Gods*(Chicago : University of Chicago Press, 1948), p. 171.

37) W. Max Müller, *Egyptian Mythology. The Mythology of All Races*, Vol. XII(Boston : Marshall Jones Company, 1918), pp. 38-39.

38) Frankfort, *Kingship and the Gods*, 같은 곳에서 인용.

39) Thomas Mann, "Freud and the Future", *Life and Letters Today*, Vol. V, No. 5, 1936, pp. 90-91.

40) Frankfort, *Kingship and the Gods*, p. 18.

41) Frankfort, *Kingship and the Gods*, p. 51, A. H. Gardiner, *Proceedings of the Society of Biblical Archaeology*, London, XXXVIII, p. 50을 인용함.

42) Henri Frankfort, *The Birth of Civilization in the Near East*(London : Williams and Norgate, 1951), p. 102.

43) Oswald Spengler, Charles Francis Atknson 역, *The Decline of the West*(New York : Alfred A. Knopf, 1926 그리고 1928), Vol. II, p. 16.

44) 같은 책, Vol. I, pp. 166-167.

45) 같은 책, Vol. II. p. 163.

46) Auguste Mariette, *Catalogue général des monuments d'Abydos*(Paris : Imprimerie Nationale, 1880) ; Emile Amelineau, *Les Nouvelles Fouilles d'Abydos*(Paris : Ernest Leroux, Vol. I, 1895-96[1899], Vol. II, 1896-97[1904]) ; W. M. Flinders Petrie, *The Royal Tombs of the First Dynasty*(London : The Egypt Exploration Fund, Part I, 1900, Part II, 1901).

47) Petrie, 앞의 책, pp. 5-7 그리고 Plate LIX.

48) 같은 책, p. 5 그리고 Meyer, 앞의 책, Vol. I, Part 2, p. 132 ; 또 Scharff and Moortgat, 앞의 책, pp. 40-41.

49) Petrie, 앞의 책, Part II, p. 24.

50) Meyer, 앞의 책, Vol. I, Part 2, p. 208.

51) George A. Reisner, *Excavations at Kerma*, Harvard African Studies, Vol. V(Cambridge, Mass. : Peabody Museum of Harvard University, 1923), pp. 65-66.

52) 같은 책, pp. 68-70.

53) Kewal Motwani, *India : A Sythesis of Cultures*(Bombay : Thacker and Company, 1947), p. 253.

54) *Rg Veda* 1.153.3 ; 8.90.15 ; 10.11.1.

55) A. A. Macdonell, *Vedic Mythology, Grundriss der Indo-Arischen Philologie und Altertumskunde*, III Band, 1. Heft A(Strassburg : Karl J. Trubner, 1897), p. 122.

56) *Rg Veda* 1.136.3.

57) 같은 책, 5.46.6.

58) 같은 책, 8.25.3 ; 10.36.3 ; 10.132.6.

59) 같은 책, 4.18.10 ; 10.111.2.

60) Heinrich Zimmer(Joseph Campbell 편), *The Art of Indian Asia*(New York : Pantheon Books, The Bollingen Series XXXIX, 1955), Vol. II, Plates 294-295.

61) Heinrich Zimmer(Joseph Campbell 편), *Philosophies of India*(New York : Pantheon Books, The Bollingen Series XXVI, 1951), p. 133 그리고 주석을 참조하라.

62) Reisner, *Excavations at Kerma*, pp. 70-71.

63) The Rev. William Ward, *A View of the History, Literature, and Religion of the Hindoos*(초판 Serampore : The Baptist Mission Society, 1815 ; 개정증보판, London : Black, Parbury and Allen, Booksellers to the Hon. East India Company, Vol. I(1817), pp. lxxi-lxxiii, 주석.

64) Reisner, *Excavations at Kerma*, pp. 99-102.

65) 같은 책, pp. 78-79.

66) *The Masks of God : Primitive Mythology*, 제4장과 제5장 그리고 제10장.

67) *The Masks of God : Primitive Mythology*, pp. 406-409, Sir Charles Leonard Woolley, *Ur of the Chaldees*, p. 57에서 인용.

68) British Museum No. 29, 777 ; E. A. Wallis Budge, *Osiris and the Egyptian Resurrection* (London : Philip Lee Warner ; New York : G. P. Putnam's Sons, 1911), Vol. I, p. 13에 게재됨 ; 또 Joseph Campbell, *The Hero with a Thousand Faces*, Bollingen Series XVII (New York : Pantheon Books, 1949), p. 54에도 실려 있다.

69) Henri Frankfort, "Gods and Myths on Sargondi Seals", *Iraq*, Vol. I. No. 1(1934), p. 8 ; *The Masks of God : Primitive Mythology*, pp. 411에서 인용.

70) Petrie, 앞의 책, Part II, pp. 16-17.

71) Reisner, *The Development of the Egyptian Tomb down to the Accession of Cheops*, p. 354.

72) Petrie, 앞의 책, Part I, pp. 14-16.

73) Walter B. Emery, "Royal Tombs at Sakkara", Archaeology, Vol. 8, No. 1(1955), p. 7.

74) Frazer, 앞의 책, p. 286.

75) *The Masks of God : Primitive Mythology*, pp. 144-150.
76) Supra, p. 5, and *The Masks of God : Primitive Mythology*, pp. 144-169.
77) *The Masks of God : Primitive Mythology*, pp. 144-169를 볼 것.
78) Petrie, 앞의 책, Part I, p. 22.
79) Frankfort, *Kingship and the Gods*, p. 79.
80) *The Masks of God : Primitive Mythology*, pp. 151-169.
81) Frankfort, *Kingship and the Gods*, p. 85.
82) Frankfort, *Kingship and the Gods*, p. 86.
83) Petrie, 앞의 책, Part I, p. 86.
84) Frankfort, *Kingship and the Gods*, p. 83-87.
85) Joseph Campbell, *The Hero with a Thousand Faces* 참조.
86) 축제의 내용을 자세히 알기 위하여 Frankfort, *Kingship and the Gods*, p. 85-88에서 재구성된 것을 따랐다.
87) Spengler, 앞의 책, Vol. I. p. 12.
88) Petrie, 앞의 책, Part I, p. 31.
89) Frankfort, *Kingship and the Gods*, pp. 21-22.
90) James Henry Breasted, "The Philosophy of a Memphite Priest", *Zeitschrift für ägyptische Sprache und Altertumskunde*, Vol. XXXIX, 39.
91) G. Maspero, "Sur la toute puissance de la parole", Transactions of the Ninth International Congress of Orientalists, London, 1891 ; Vol. III.
92) Adolf Erman, "Ein Denkmal memphitischer Theologie", Sitzungsbericht der Königlichen Preussischen Akademie, 1911, XLIII, pp. 916-950.
93) Meyer, 앞의 책, Section 272, p. 245 ; Frankfort, *Kingship*, 제2장의 주석, pp. 352-353 ; John A. Wilson, "Egypt", Henri Frankfort 외, *The Intellectual Adventure of Man*(Chicago : University of Chicago Press, 1946) ; Pelican Books 판 ; *Before Philosophy*, 1949, p. 65.
94) Pyramid Text 1248 ; Samuel A. B. Mercer 역, *The Pyramid Texts*(New York, London, Toronto : Longmans, Green, 1952), Vol. I, p. 206.
95) Pyramid Text 1652(Mercer, 앞의 책, I, p. 253).
96) Pyramid Text 447b(같은 책, p. 100).
97) Pyramid Text 1655(같은 책, p. 253).
98) James Henry Breasted, *Development of Religion and Thought in Ancient Egypt*(London : Hodden and Stoughton, 1912), p. 45, 주석 2.
99) Breasted, *Development*, pp. 44-46 ; Frankfort, *Kingship*, pp. 29-30 ; 그리고 John A. Wilson, "The Memphite Theology of Creation", James B. Pritchard(편), *The Ancient Near East*(Princeton : Princeton University Press, 1958), pp. 1-2의 번역에 의존하였다.
100) Meyer, 앞의 책, Vol. I, Section 272, p. 246.
101) "The Destruction of Men", E. Naville, *Transactions of the Society of Biblical Archaeology*, Vol. IV(1876), pp. 1-19 ; Vol. VIII(1885), 412-420. 또 von Bergmann, *Hieroglyphische Inschriften*, Plates LXXVLXXVII.
102) Reisner, *Development*, p. 122.
103) 위의 책, p. 348.
104) Meyer, 앞의 책, Section 230, p. 169.

105) Cecil M. Firth and J. E. Quibell, *Excavations at Saqqqra : The Step Pyramid*(Cairo : Imprimerie de l'Institut Français d'Archéologie Orientale, 1936), Vol. I의 여러 곳에서 인용.

106) Meyer, 앞의 책, Vol. I, Sections 233과 247, pp. 177과 200 ; Reisner, *Development*, p. 357.

107) Meyer, 앞의 책, Vol. I, Section 236, p. 182.

108) 같은 책, Section 234, p. 178.

109) 같은 책, Section 248, p. 200.

110) 같은 책, Section 219, p. 152.

111) Abdel Moneim Abuvakr, "Divine Boats of Ancient Egypt", *Archaeology*, Vol. 8, No. 2, 1955, p. 97.

112) Meyer, 앞의 책, Vol. I, Section 238, pp. 185-186.

113) Sir G. Maspero, *Popular Stories of Ancient Egypt*(London : H. Grevel and Co. ; New York : G. P. Putnam's Sons, 1915), pp. 36-39.

114) Meyer, 앞의 책, Section 252, pp. 207-208.

제3장 인간의 도시

1) Wilson, *The Culture of Ancient Egypt*, p. 160.

2) Morris Jastrow, Jr., *Aspects of Religious Belief and Practice in Babylonia and Assyria* (New York and London : G. P. Putnam's Sons, 1911), pp. 143-264.

3) Samuel Noah Kramer, *Sumerian Mythology*(Philadelphia : The American Philosophical Society, 1944), pp. 8-9.

4) Parrot, *Ziggurat et Tour de Babel*, pp. 148-155.

5) H. V. Hilprecht, *Die Ausgrabungen im Bêl-Tempel zu Nippur*(Leipzig : J. C. Hinrich'sche Buchhandlung, 1903)를 참조하라.

6) W. Andrae, *Das Gotteshaus und die Urformen des Bauens um althen Orient*, Studien zur Bauforschung, Heft 2(Berlin : Hans Schoetz und Co., 1930).

7) Stephen Henry Langdon, *Semitic Mythology. The Mythology of All Races*, Vol. V (Boston : Marshall Jones Company, 1931), pp. 103-106.

8) Samuel Noah Kramer, *From the Tablets of Sumer*(Indian Hills, Colorado : The Falcon's Wing Press, 1956), pp. 172-173 ; Langdon, 앞의 책, pp. 194-195.

9) Kramer, *From the Tablets of Sumer*, pp. 77-78.

10) Hesiod, Theogonia 176.

11) Kramer, *From the Tablets of Sumer*, pp. 101-144 ; 또 Kramer, *Sumerian Mythology*, pp. 68-72 ; Thorkild Jacobsen, "Mesopotamia", Henri Frankfort 외, *Before Philosophy* (Harmondsworth : Penguin Books, 1949), pp. 175-178과 pp. 202-207.

12) Pyramid Text 1(Mercer, 앞의 책, Vol. I, p. 20).

13) Pyramid Text 842(같은 책, Vol. I, p. 156).

14) Pyramid Text 2171(같은 책, Vol. I, p. 315).

15) Pyramid Text 1321(같은 책, Vol. I, p. 215).

16) Pyramid Text 1142(같은 책, Vol. I, p. 194).

17) Kramer, *From the Tablets of Sumer*, p. 77.

18) 같은 책, p. 177 ; Arno Poebel, *Historical Texts*(University of Pennsylvania, Philadelphia ; The University Museum : Publications of the Babylonian Section, Vol. IV, No. 1, 1914), p. 17.

19) Kramer, *From the Tablets of Sumer*, pp. 92-93.

20) Ananda K. Coomaraswamy, *The Transformation of Nature in Art*(Cambridge, Mass. : Harvard University Press, 1934), p. 31.

21) Dante Alighieri, *Divina Commedia ; Paradiso* I, pp. 103-105.

22) Thomas Aquinas, *Summa Theologica*, I-II, Question 21, Article 4, Reply 1, 영국 도미니크 관구(管區) 역(London : Burns, Oates and Washbourne, 1914), Vol. 6, p. 276.

23) *Grimnismol* 23 ; Henruy Adams Belloqs 역, *The Poetic Edda*(New York : The American-Scandinavian Foundation, 1923), p. 93.

24) *Mahābhārata* 3.188.22 이하, 그리고 12.231.11 이하 ; 또한 *Mānava Dharmaśāstra* 1.69 이하도 참조. H. Jacobi, "Ages of the World(Indian)", Hastings (편), 앞의 책, Vol. I, pp. 200-201.

25) J. L. E. Dreyer, *A History of the Planetary Systems from Thales to Kepler*(Cambridge, England : Cambridge University Press, 1906), pp. 203-204. 세차 운동은 실제로 매년 50" 2015±15" 3695의 한계 내에서 변화한다(같은 책, p. 330).

26) H. V. Hilprecht, *The Babylonian Expedition of the University of Pennsylvania, Series A : Cuneiform Texts*, Vol.XX, Part I(Philadelphia : University of Pennsylvania, University Museum, 1906), p. 31.

27) Alfred Jeremias, *Das Alter der babylonischen Astronmie*(Leipzig : J. C. Hinrech'sche Buchhandlung, 2판, 1909), p. 68, 주석 1.

28) 같은 책, pp. 71-72.

29) V. Scheil, *Revue d'assyriologie et d'archéologie orientale*, Vol. 12, 1915, p. 195 이하를 주목하라.

30) Erich F. Schmidt, *University of Pennsylvania, The Museum Journal*, Vol. 22(1931), p. 200 이하.

31) E. Heinrich, "Vorläufige Bericht über die von der Notgemeinschaft in Uruk-Warka unternommenen Ausgrabungen", *Preussische Akademie der wissenschaften zu Berlin. Abhandlungen 1935*, Nr. 2, Tafel 2.

32) Sir Charles Leonard Woolley, *Ur of the Chaldees*(Harmonsworth : Penguun Books, 1929), pp. 17-18.

33) L. C. Watelin and S. Langdon, "Excavations at Kish IV", *Field Museum-Oxford University Joint Expedition to Mesopotamia, 1925-1930*, pp. 40-44. 또 Jack Finegan, *Light from the Ancient Past*(Princeton University Press, 1959), pp. 27-28을 보라.

34) 이것들은 각각 Arno Poebel, *Historical Texts*(Philadelphia : University of Pennsylvania, 1914), The University Museum Publications of the Babyonian Section, Vol. LV, No. 1, p. 17, 그리고 Langdon, 앞의 책, p. 206에서 나온 것이다. 이 줄에 대한 세번째 해석은 Kramer의 것이다. "나는 나의 피조물을 돌려줄 것이다. …… 닌투에게." Kramer, *From the Tablets of Sumer*, p. 177.

35) Poebel과 Langldon, 그리고 Kramer, 앞의 책의 같은 곳에서 인용.

36) 나는 일차적으로 Poebel, 앞의 책, pp. 17-20을 따랐지만, Langdon, 앞의 책(후기의 판본), pp. 206-208과 Kramer, *From the Tablets of Sumer*, pp. 179-181에서도 상당한 도움을 받았다.

37) Kramer, *From the Tablets of Sumer*, p. xix : "기원전 2천 년대의 전반부."

38) Poebel, 앞의 책, p. 70.

39) 사망 기사, *Journal of the Royal Asiatic Society*, 1906, pp. 272-277.

40) Julius(Jules) Oppert, "Die Daten der Genesis", *Königliche Gesellschaften der Wissenschaften zu Göttingen*, Nachrichten, No. 10(1877년 봄), pp. 201-223.

41) 같은 책, p. 209.

42) Daisetz T. Suzuki, "The Role of Nature in Zen Buddhism", *Eranos-Jahrbuch 1953* (Zurich : Rhein-Verlag, 1954), p. 294와 p. 297.

43) Thorkild Jacobsen, *The Sumerian King List*(University of Chicago, 1939), pp. 77-85.

44) Edward J. Harper, *Die babylonischen Legenden von Etana, Zu, Adapa, und Dibbara* (Leipzig : August Pries, 1892), pp. 4-10 ; Morris Jastrow, Jr., "Another Fragment of the Etana Myth", *Journal of the American Oriental Society*, Vol. XIII, 1909-10, pp. 101-129; Stephen H. Langdon, 앞의 책, pp. 168-173.

45) Jastrow, "Another Fragment of the Etana Myth", pp. 127-128.

46) 같은 책, p. 126.

47) 같은 책, p. 128.

48) 같은 책, p. 129.

49) *Bhagavad Gītā* 2 : 20.

50) Wilson, *The Culture of Ancient Egypt*, pp. 78-79.

51) Breasted, *Development of Religion and Thought in Ancient Egypt*, p. 188. 이 책은 중 왕국 파피루스를 번역하고 있는 Adolf Erman, "Gespräch eines Lebensmüden mit seiner Seele", *Abhandlungen der königlichen Preussischen Akadamie*, 1896, Berlin P. 3024를 따르고 있다 ; 여기서 몹시 축약하였다.

52) Aquinas, *Summa Contra Gentiles*, Book III, Chapter XLVIII, Paragraph I.

53) Nietsche, *Also Sprach Zarathustra*, Part I, Ch. 3.

54) 기원전 2350년경 수메르 어와 아카드 어를 이중으로 사용하는 역사적 기록. George A. Barton, *The Royal Inscriptions of Sumer and Akkad*(New Haven : Yale Universtiy Press, 1929), pp. 101-105.

55) (축약) 번역은 Morris Jastrow, "A Babylonian Parallel to Job", *Journal of Biblical Literature*, Vol. XXV, pp. 135-191 ; 또 François Martin, "Le juste souffrant babylonian", *Journal Asiatique*, 10 series, Vol. xvi, pp. 75-143 ; 그리고 Simon Landersdorfer, "Eine babylonische Quelle für das Buch Job?" *Biblische Studien*, Vol. xvi, 2를 따랐다. 이 권 위자들의 의견을 따르면서 나는 마지막 절에 엔릴의 이름을 복귀시켜놓았다. 그런 데 이 마지막 절은 후대의 문서가 후기 바빌론 도시 신인 마르둑(Marduk)을 위치 시켰던 곳이다. 왕 자신의 이름인 Tabi-utul-Enlil은 이러한 복귀의 타당함을 큰소리 로 외치고 있다.

56) Allan H. Gardiner가 "The Counsels of King Intef"를 번역하였는데, 이 글은 Charles F. Horne (편), *The Sacred Books and Early Literature of the East*(New York and Lon-

don : Parke, Austin and Lipscomb, 1917), Vol. II, "Egypt", pp. 98-99에 실려 있다.

제2부 인도의 신화

제4장 고대 인도

1) Ananda K. Coomaraswamy, *Yakṣas, Part II*(Washington, D. C. : Smithsonian Instituion Publication 3059, 1931), p. 14.

2) Donald E. McCown, "The Relative Stratigraphy and Chronology of Iran", Enrich (편), *Relative Chrinologies in Old World Archeology*, p. 59와 p. 63 ; Stuart Piggott, *Prehistorc India*(Harmondsworth : Penguin Books, 1950), p. 72 이하.

3) V. Gordon Childe, *New Light on the Most Ancient East*(New York : D. Appleton-Century Company, 1934), p. 277.

4) Robert Geine-Geldern, "The Origin of Ancient Civilization and Toynbee's Theories", *Diogenes*, No. 13(1956년 봄), pp. 96-98.

5) Piggot, 앞의 책, pp. 126-127.

6) Walter A. Fairservis, Jr., *Natural History*, Vol. LXVII, No. 9.

7) Piggot, 앞의 책, p. 127.

8) *The Masks of God : Primitive Mythology*, pp. 360-365와 pp. 392-394를 보라.

9) Piggot, 앞의 책, p. 33. 나의 책이 의존하고 있는 석기 시대 유물에 관한 개요를 pp. 22-41에서 각주 및 참고 문헌과 함께 볼 수 있을 것이다.

10) Leo Frobenius, *Monumenta Terrarum*(Frankfurt am Main : Frankfurter Societäts-Druckerei, 2판, 1929), pp. 21-25.

11) Leo Frobenius, *Indische Reise*(Berlin : Verlag von Reimar Hobbing, 1931), pp. 221-222.

12) W. Norman Brown, "The Beginnings of Civilization in India", *Supplement to the Journal of the American Oriental Society*, No. 4, 1939년 12월, p. 44.

13) Kewal Motwani, *Manu Dharma Śāstra : A Sociological and Historical Study*(Madras : Ganesh and Co., 1958), pp. 223-229.

14) Sri Aurabindo, *On the Veda*(Pondicherry : Srī Aurabindo Āsram, 1956), p. 11 ; Motwani, 앞의 책, p. 215에서 인용.

15) Sir Mortimer Wheeler, *Early India and Pakistan*(New York : Frederick A. Praeger, 1959), p. 98.

16) 같은 책, pp. 109-110.

17) Piggot, 앞의 책, pp. 146-147.

18) 같은 책, p. 148.

19) Jules Bloch, "Le Dravidien", A. Meillet and Marcel Cohn (편), *Les Langues du monde* (Paris : Centre National de la Recherche Scientifique, 1952), pp. 487-491.

20) Piggott, 앞의 책, pp. 145-146.

21) *Ṛg Veda* 7.21.5.

594

22) Wilhelm Koppers, "Zum Ursprung des Mysterienwesens in Lichte von Völkerkunde und Ethnologie", *Eranos-Jahrbuch 1944*(Zurich : Rhein-Verlag, 1945), pp. 215-275.

23) Frazer, 앞의 책, pp. 435-437.

24) G. E. R. Grant Brown, "Human Sacrifices near the Upper Chindwin", *Journal of the Burma Research Society*, Vol. I ; Gait, 앞의 책, 같은 곳에서 인용.

25) *The Masks of God : Primitive Mythology*, 특히 pp. 176-183.

26) *The Gospel of Srī Ramakrishna*(New York : Ramakrishna-Vivekananda Center, 1942), pp. 135-136. Swami Nikhilananda가 서문을 쓰고 영어로 번역하였다.

27) Sir John Marshall (편), *Mohenjo-Daro and the Indus Civilization*(London : Arthur Probesthain, 1931), Vol. I, p. 52.

28) Marshall, 앞의 책, Vol. I, pp. 61-63.

29) Piggott, 앞의 책, p. 132 이하 ; Marshall (편), 앞의 책, p. 93 이하 ; Ernest Mackay, *The Indus Civilization*(London : Lovat Dickson and Thompson, Ltd., 1935), p. 21 이하.

30) *The Masks of God : Primitive Mythology*, p. 199 ; Ananda K. Coomaraswamy, *The Rg Veda as Lānd-Nāma-Bok*(London : Luzac and Co., 1935)를 인용.

31) Sir Leonard Woolley, *Ur : The First Phases*(London and New York : The King Penguin Books, 1946), p. 31.

32) Childe, 앞의 책, pp. 181-182.

33) Harold Peake and Herbert John Fleure, *The Horse and the Sword. The Corridors of Time*, Vol. VIII(New Heaven : Yale University Press, 1933), pp. 85-94.

34) *Rg Veda* I. 제35장의 1, 2, 9, 3, 그리고 11절 ; Arthur Anthony Macdonell 역, *A Vedic Reader*(London : Oxford University Press, 1917), pp. 10-21을 인용.

35) C. C. Uhlenbeck, "The Indogermanic Mother Language and Mother Tribes Complex", *American Anthropologist*, Vol. 39, No. 3(1937), pp. 391-433.

36) 이 문장들에 나타나고 있는 베다의 구절은 Macdonell, *Vedic Mythology*, pp. 22-27 에서 찾아볼 수 있다.

37) Herman Oldenberg, *Die Religion des Veda*(Stuttgart and Berlin : J. G. Cotta'sche Buchhandlung Nachfolger, 3판과 4판, 1923), pp. 195-197.

38) Nikhilananda(역자), 앞의 책, p. 136.

39) *Rg Veda* V. 제80장의 2, 5, 6절.

40) *Rg Veda* VIII. 제48장의 1, 3, 5, 6절 ; Macdonell, *A Vedic Reader*, pp. 157-158.

41) *Rg Veda* I. 32A, 3절.

42) *Rg Veda* I. 32A 7절과 8절.

43) Winternitz, 앞의 책, Vol. I, p. 70 ; *Rg Veda* III. 14. 1-2.

44) *Mahābhārata* 12.281.1에서 282.20까지.

45) *Māṇḍūkya Upaniṣad* 1.

46) *Aitareya Brāhmana* 3.3, Arthur Berriedale Keith 역, *Rigveda Brahmanas* ; Harvard Oriental Series, Vol. 25(Cambridge, Mass. : Harvard University Press, 1920), pp. 166-167, 축약본.

47) 같은 책, 2.37.

48) *Śatapatha Brāhmana* 2.2.2.6 ; 4.3.4.4.

49) 같은 책, 12.4.4.6.

50) *Mānavadharma Śāstra* 9.319.

51) *Aitareya Brāhmana* 5.28.

52) Frazer, 앞의 책, pp. 11-37.

53) *Taittirīya Saṁhitā* 7.4.5.1. ; J. J. Meyer, *Trilogie altindischer Mächte und Feste der Vegetation*(Zurich ḥ Leipzig ; Max Niehans Verlag, 1937), Part III, pp. 238-239.

54) K. Geldner, "Aśvamedha", Hastings (편), 앞의 책, Vol. II, p. 160.

55) *Śatapatha Brāhmana* 13.2.1.2-5 ; *Taittirīya Brāhmana* 3.8.14 ; *Apastmba Śrautasūtra* 20.10.5. 등등 ; Meyer, 앞의 책, Part III, pp. 239-240.

56) *Ṛg Veda* I.162.2-4 ; 163.12 ; Oldenberg, 앞의 책, p. 472 주석 1.

57) *Mahābhārata* 14.88.19-36(축약판).

58) 이 의례에 필요한 산스크리트 자료들은 *Śatapatha Brāhmana* 13.1-5 ; *Taittirīya Brāhmana* 3.8-9 ; 그리고 the *Śrautasūtra* of Katyāyana 20. Apastamba 20. Aśvalāyana 10.6 이하, Sānkhyāna 16이다. 나는 앞에서 인용한 Meyer의 책 Part III, pp. 241-246에 나타난 해석에 따랐다. *Śatapatha* 텍스트의 다양한 해석에 관해서는 Julius Eggeling, *The Śatapatha Brāhmaṇa*, Sacred Books of the East, Vols. XII, XXVI, XLI, XLIII, Clarendon Press, 1882-1900), Vol. XLIV, pp. 321-322, 주석 3을 참조하라.

59) 같은 책, p. 246.

60) 같은 책, p. 248.

61) *Ṛg Veda* IV. 39.6.

62) *Ṛg Veda* X. 9.1-3.

63) *Mahābhārata* 14.89.2-6(약간 축약됨).

64) Uno Holmberg, *Finno-Ugric Mythology. The Mythology of All Races*, Vol. IV, Part I (Boston : Marshall Jones Company, 1927), pp. 265-281.

65) E. J. Rapson, "Peoples and Languages", E. J. Rapson (편), *The Cambridge History of India*, Vol. I, *Ancient India*(New York : Macmillan, 1922), p. 46.

66) A. Berriedale Keith, "The Age of the Rigveda", Rapson (편), 앞의 책, p. 81.

67) *Brhadāraṇyaka Upanisad* 2.1.

68) *The Masks of God : Primitive Mythology*, p. 424.

69) *Chāndogya Upaniṣad* 5.3-10 축약본 ; Robert Ernest Hume, *The Thirteen Principal Upanishads*(London and New York : Oxford University Press, 1921), pp. 230-234.

70) 그 밖에도 브라민을 가르치는 왕족 출신의 구루로는 Ashvapati Kaikeya 왕(*Chāndogya Upaniṣad* 5.11-24), Atidhanvan 왕(?)(같은 책, 1.9.3), 그리고 전설적인 학생-성인 Narada를 가르친 신화적 Sanatkumara(같은 책, 7.1-25)가 있다.

71) Paul Deussen, *Die Philosophie der Upanishad's*(Leipzig, F. A. Brockhaus ; 초판, 1899; 4판, 1920), p. 19.

72) *Kena Upaniṣad* 3.1에서 4.1까지 ; Zimmer, *The Art of Indian Asia*, Vol. I, pp. 108-109에서 인용.

73) *Kena Upaniṣad* 4.2.

74) Zimmer, *The Art of Indian Asia*, Vol. I, pp. 109-110.

75) Zimmer, *Philosophies of India*.

76) *Atharva Veda*의 여러 곳에서 인용하였다.

77) Mircea Eliade, *Yoga : Immorality and Freedom*(New York : Pantheon Books, The Boll-

596

ingen Series LVI, 1958), pp. 337-339.

78) Oldenberg, 앞의 책, p. 64.

79) Macdonell, *Vedic Mythology*, p. 34는 Yāksa(700-500년경?)를 인용함 ; J. Muir, *Original Sanskrit Texts*, Vol. V(London : Trübner and Co., 1870), p. 165도 Yāksa, *Nirukta* 10.31을 인용함. Lakshman Sarup, *The Nighantu and the Nirukta*(London : Oxford University Press, 1921), 영역판과 주석, p. 164를 참조하라.

80) *Ṛg Veda* I.35.6.

81) 같은 책, I.35.5.

82) *Ṛg Veda*의 안내로는 Macdonell, *Vedic Mythology*, pp. 32-35를 참조하라.

83) *Ṛg Veda* II.33.3.

84) *Ṛg Veda* I.154.3 그리고 5 ; Macdonell, *A Vedic Reader*, p. 33과 p. 35에서 인용.

85) *Mahā-Vagga* 1.21.1-2.

86) *Taittirīya Upaniṣad* 3.10.6 ; Hume, 앞의 책, p. 293에서 인용.

87) *Bṛhadāraṇyaka Upaniṣad* 1.1.1.

88) *Mahā-Vagga* 1.21.2-4 ; Henry Clarke Warren 역, *Buddhism in Translations*, Harvard Oriental Series, Vol. III(Cambridge, Mass. : Harvard University Press, 1896), pp. 352-433.

89) *Arthasāstra*, Book XIV, "Secret Means", Chapter III, "The Application of Medicines and Mantras", Item 418 ; R. Shamasastry 역(Mysore : Sri Raghuveer Printing Press, 4판, 1951), p. 450에서 인용함.

90) 같은 책, Item 422 ; Shamasastry, p. 453.

91) *Viṣṇu Purāna* 4.2-3 ; H. H. Wilson 역, *The Vishnu Purāna*(London : The Oriental Translation Fund of Great Britain and Ireland, 1840), pp. 363-368.

92) Zimmer, *Philosophies of India*, p. 183.

93) Mrs. Sinclair Stevenson, *The Heart of Janism*(London : Oxford University Press, 1915), pp. 272-274 ; Hermann Jacobi, "Jainism", Hastings (편), 앞의 책, Vol. VII, p. 466 ; *Philosophies of India*, pp. 182-83 ; Helmuth von Glasennapp, *Der Jainismus*(Berlin : Alf Hager Verlag, 1925), p. 244 이하 ; A. Guerinot, La religion djaina(Paris : Paul Geuthner, 1926), pp. 140-141 등을 참조하라.

94) Monier-Williams, 앞의 책, p. 823을 참조하라.

95) 자이나교에서의 영혼의 질서에 대한 이러한 설명은 주로 Guérinot, 앞의 책, pp. 186-205에 의존하였다.

96) Monier-Williams, 앞의 책, p. 448과 p. 1168을 참조하라.

97) Spengler, 앞의 책, Vol. I, p. 57과 p. 63, 그리고 p. 83.

98) *Uttarādhyayana Suūtra* 30.5-6 ; Hermann Jacobi, *The Gaina Sūtras*, Part II, Sacred Books of the East, Vol. XLV(Oxford : The Clarendon Press, 1895), p. 174.

99) Kunda-kunda Acharya, *Pravacana* III.2-3, 7-9, 20 ; Barend Faddegon 역, F. W. Thomas (편), Jain Literature Society Series, Vol. I(Cambridge University Press, 1935), pp. 152-155 ; 157-59 ; 165.

100) *Tātparya-vṛtti* III.24b, 4-5, 7-8 ; Faddegon 역, Thomas (편), 앞의 책, p. 202.

101) *Pravacana-sāra* I.44 ; 같은 책, p. 27.

102) Parshva의 생애에 대하여 알기 위해서는 Maurice Bloomfiendl, *The life and Stories of the Jaina Savior Parçvanātha*(Baltimore : The Johns Hopkins Press, 1919)를 보라 ;

또 Zimmer, *Philosophies of India*, p. 181 이하를 보라. 그 구도 과정의 단계를 보기 위해서는 Stevenson, 앞의 책을 보라. Bloomfield가 사용한 원자료는 Bhavadevasuri의 *Parśvanātha Carita*(Shravak Pandit Hargoviddas and Shravak Pandit Bechardas 편, Benares, 1912)이다 ; Zimmer의 책은 부분적으로 *Uttarādhyayana-sūtra*(Calcutta, 1878), p. 682 이하에 대한 Laksmivallabha의 주해서이다.

제5장 불교 인도

1) Miguel Asīn y Palacios, *La Escatologia musulamana en la Divina Gomedia*(Madrid : Imprenta de Estanislao Maestre, 1919 ; 2판, Madrid-Granada : Escuelas de Estudios Árabes, 1943).
2) 같은 책(1943), pp. 166-168.
3) Langdon, *Semitic Mythology*, pp. 94-102와 pp. 161-162.
4) Zimmer, *Philosophies of India*, pp. 237-138.
5) *Yasna* 30 : 2 ; L. H. Mills 역, *The Zend Avesta*, Part III, Sacred Books of the East, Vol. XXXI(Oxford : The Clareddon Press, 1887), p. 29.
6) *Vendidad* 4.47-49. James Darmestetter 역(*Sacred Books of the East*, Vol. IV, *The Zend-Avesta*, Part I ; Oxford : The Clarendon Press, 1880), pp. 46-47.
7) Darmestetter, 앞의 책, p. lxxvi.
8) N. G. L. Hammond, *A History of Greece to 322 B.C.*(Oxford : The Clarendon Press, 1959), p. 75.
9) *Rg Veda* 2.12.4.
10) Wheeler, 앞의 책, p. 117과 p. 125.
11) 같은 책, pp. 26-28.
12) 같은 책, p. 132.
13) 같은 책, pp. 132-133.
14) *Timaeus*. 30.D.
15) "신화발생적 지대"라는 용어는 *The Masks of God : Primitive Mythology*, p. 387에서 정의하였다.
16) Karl Kerényi, "Die Orphische Kosmogonie and der Ursprung der Orphik", *Eranos-Jahrbuch* 1949(Zurich : Rhein-Verlag, 1950), p. 64.
17) Matthew 16 : 23 ; *Mahāparinibbāna-Sutta* 61.
18) Sānkhya-sūtras 4.1(Zimmer 역, *Philosophies of India*, pp. 308-309).
19) *Mahābhārata* 3.107.
20) Vijñānabhiksu(*Sāṅkhyasūtra* I.146의 주해서)가 Richard Garbe, *Die Samkhya-Philosophie* (Leipzig : H. Haessel Verlag, 2판, 1917), p. 387에서 인용되었다.
21) Vijñānabhiksu(*Sāṅkhyasūtra* II.34의 주해서)가 같은 책, 같은 곳에서 인용되었다.
22) Nietzsche : *Die Geburt der Tragödie*, p. 7, 마지막 문장 부근.
23) Asvaghosa, *Buddhacarita*, Books 2-15, 몹시 축약되었음.
24) *Dīgha-nikāya* II.55.
25) Arrian, *Anabasis of Alexander*, VII.2.4. ; Strabo, *Geography*, XV, c.714 이하. 그리고

598

Plutarch, *Alexander* 65 ; E. R. Bevan, "Alexander the Great", Rapson (편), 앞의 책, pp. 358-359에 인용됨.

26) Arrian VII.3 그리고 Strabo XV, c.717 ; Bevan, 앞의 책, p. 381.

27) *Tattvārthadhigama Sūtra* 4(Sacred Books of the Jaina, Vol.II), pp. 6-7.

28) *Thera-gāthā* 62(Vajji-putta) ; Mrs. Rhys Davids 역, *Psalms of the Early Buddhists II* ── *Psalms of the Brethren*, Pali Text Society(London : Henry Froude, 1913), p. 63.

29) Rapson, "The Scythian and Parthian Invaders", Rapson (편), 앞의 책, pp. 581-582(기원후 78-123년) 그리고 H. G. Rawlinson, *India : A Short Cultural History*(New York and London : D. Appleton-Century, 1938), pp. 93-94를 비교하라.

30) Aśvaghosa, *Buddhacarita* 16.57-129(축약판).

31) Hpe Aung, "Buddhist Ehtics, Buddhist Psychology, and Buddhist Ppilosophy, from Buddhadesana", *Proceedings of the IXth International Congress for the History of Religions*, Tokyo and Kyoto, 1958(Tokyo : Maruzen, 1960), pp. 311-313.

32) *Vajracchedikā*(The Diamond-Cutter), 5 그리고 6.

33) *Yoga Sūtras* 4.34.

34) Friedrich Nietzsche, *Also sprach Zarathustra*, Part I, Zarathustra's Speeches, Section One, Walter Kaufmann 역, *The Portable Nietzsche*(New York : The Viking Press, 1954), pp. 137-139.

35) Albert Schweitzer, Mrs. Charles, E. B. Russsell 역, *Indian Thought and Its Development*(London : Hodder and Stoughton, 1936), p. 13.

36) *Aṣṭavakra Saṁhitā* 제18장, 57절과 49절.

37) 신세계의 발전 국면은 이렇다. 중앙아메리카에서는 마야 문명 이전의 Chicanel(기원전 424-기원후 57년), 초기 마야 문명 Tzakol(57-373년), 후기 마야 문명 Tepeuh (373-727년)이며, 페루에서는 Salinar과 Gallinazo(기원전 500-300년경), Moche, Nezca, 그리고 Early Tiahuanaco(기원전 300-기원후 500년경)이다. *The Masks of God : Primitive Mythology*, p. 213을 보라.

38) Rapson (편), 앞의 책, pp. 467-473.

39) Wheeler, 앞의 책, pp. 172-173. 또 E. Diez, *Die Kunst Indiens*(Potsdam : Akademische Verlagsgesellschaft Athenaion, 연대 불명), p. 11, 그리고 Benjamin Rowland, *The Art and Architecture of India : Buddhist, Hindu, Jain. The Pelican History of Art*(London, Melbourne, Baltimore : Penguin Books, 1953), pp. 44-45를 보라. 그림을 보기 위해서는 Zimmer, *The Art of Indian Asia*, Vol. I, Plates B7a 와 b, 그리고 Vol. II, Plate 4 ; 또는 Rowland, 앞의 책, Plates 8, 9, 10, 11을 보라.

40) Zimmer, *The Art of Indian Asia*, Vol. I, p. 257 그리고 Plate B4c.

41) A. Dupont-Sommer, "Une inscription greco-araméenne du roi Asoka récemment découverte en Afghanistan", *Proceedings of the IXth International Congress for the History of Religions, Tokyo and Kyoto 1958*(Tokyo : Maruzen, 1960), p. 618.

42) 같은 책.

43) Matthew 5 : 39 ; 8 : 22.

44) Rock Edict XIII ; Vincent A. Smith, *The Edicts of Asoka*(Broad Campden : Essex House Press, 1909), p. 21.

45) Rock Edict IX ; Smith, 앞의 책, p. 15.

46) Minor Rock Edict I(Rupuath Text) ; Smith, 앞의 책, p. 3.

47) Rock Edict VI ; Smith, 앞의 책, p. 12.

48) Rock Edict XIII ; Smith, 앞의 책, pp. 20-21.

49) Rock Edict XII ; Smith, 앞의 책, p. 17.

50) Rock Edict XII ; Smith, 앞의 책, p. 20.

51) R. E. M. Wheeler, "Brahmagiri and Chandrawelli 1947 : Megalithic and Other Cultures in the Chitaldrug District, Mysore State", *Ancient India*, No. 4, pp. 181-310.

52) Kautilya's *Arthaśāstra*. Kautilya는 찬드라굽타 마우리야의 자문관이자 고관이었던 것으로 추정된다. ; Zimmer, *Philosophies of India*, pp. 87-139를 참조하라.

53) Zimmer, *Philosophies of India*, pp. 530-504는 Rapson (편), 앞의 책, p. 540 이하를 인용하고 있다.

54) E. J. Rapson, "The Successors of Alexander the Great", Rapson (편), 앞의 책, p. 540 이하.

55) 같은 책, p. 551.

56) Winternitz, 앞의 책, Vol. II, pp. 140-141. IV-VII권은 317-420년 사이에 번역된 한 역본에는 없기 때문에 후대의 것으로 추정된다.

57) *The Questions of King Milinda*, T. W. Rhys Davids 역, *Sacred Books of the East*, Vol. XXXV과 Vol. XXXVI(Oxford : The Clarendon Press, 1890, 1894).

58) 78-123년 사이의 연대에 대해서는 Rapson, "The Scythian and Parthian Invaders", Rapson (편), 앞의 책, pp. 582-583을 참조하고, 120-162년 사이의 연대에 대해서는 H. G. Rawlinson, *India : A Short Cultural History*(New York and London : D. Appeleton Century, 1938), pp. 93-94를 참조하라.

59) Zimmer, *The Art of Indian Asia*, Vol. II, Plate 61.

60) D. C. Sircar, "Inscriptions in Sanskritic and Dravidian Languages", *Ancient India*, No. 9, 1953. p. 216.

61) Zimmer, *The Art of Indian Asia*, Vol. II, Plate 9.

62) 같은 책, Plate 11b.

63) *Sutta Nipāta* 5.7.8.

64) Zimmer, *The Art of Indian Asia*, Vol. II, Plates 62-67.

65) 같은 책, Plates 71-73.

66) 같은 책, Vol. I, p. 340.

67) Edward Conze, *Buddhism, Its Essence and Development*(New York : Philosophica Library, 연대 불명), p. 58에 나온 승단의 규칙(계율)에서 인용함.

68) Zimmer, *The Art of Indian Asia*, Vol. II, Plate 27.

69) 같은 책, Plate 12.

70) 같은 책, Plates 9, 15, 22.

71) *Aṣṭasāhasrikā Prajñāpāramitā* 1 ; Zimmer, *Philosophies of India*, p. 485.

72) K. L. Reichelt, *Truth and Tradition in Chinese Buddhism*(Shanhai : Commercial Press, 1927), pp. 9-12.

73) *Buddhacarita* 15.11-12.

74) *Amitāyur-dhyāna Sūtra*, Part III, Paragraph 22는 Junjiro Takakusu 역, *Buddhist Mahā-yāna Texts*, Sacred Books of the East, Vol. XLIX(Oxford : The Clarendon Press, 1894),

Part II, p. 188을 따르고 있다.

75) *Amitāyur-dhyāna Sūtra*, Part III, Paragraph 30 ; Takakusu, 앞의 책, pp. 197-199.

76) Marie-Thérèse de Mallmann, *Introduction à l'étude d'Avalokiteçvara*(Paris : Civilizations du Sud, 1948), pp. 90-91.

77) Pierre Lanbrecht, *Contributions à l'étude des divinités celtiques*(Brugge : Rijksuniversiteit te Gent, 1942), pp. 56-60에 있는 이 그림에 대한 논의를 보라.

78) *Amitāyur-dhyāna Sūtra*, Part I, paragraphs 1-7 ; Takakusu, 앞의 책, pp. 161-167.

79) 같은 책, Part II, Paragraphs 1-12 ; Takakusu, 앞의 책, pp. 169-173.

80) 같은 책, Part II, Paragraphs 17 ; Takakusu, 앞의 책, p. 178.

81) Zimmer, *The Art of Indian Asia*, Vol. I, p. 343.

82) Heinrich Zimmer, *Kunstform und Yoga im indischen Kultbild*(Berlin, Frankfurter Verlags-Anstalt, 1926), p. 12.

83) *Amitāyur-dhyāna Sutra*, II.17 ; Takakusu, 앞의 책, pp. 178-179.

84) 같은 책, 19 ; Takakusu, 앞의 책, pp. 181-185.

85) *Vajracchedikā* 31과 32.

86) L. de la Vallee Poussin, *Boudhisme*(Paris : Gabriel Beauchesne, 3판, 1925), p. 403 ; Albert Grünwedel, *Mythologie des Buddhismus in Tibet und der Mongolei*(Leipzig : F. A. Brockhaus, 1900), p. 142에 인용됨.

제6장 인도의 황금 시대

1) Fa-hsien(Fa Jian), *Fo-kwo-ki*, Samuel Beal 역, *Travels of Fah-Hian and Sung-Yun* (London : Trubner and Co., 1869), pp. 55-58.

2) Goethe, *Sämtliche Werke, Jubiläumsusgabe*(Stuttgart and Berlin : J. G. Cotta'sche buchhandlung Nachfolger, 1902-1907), Vol. I, p. 258.

3) Pliny, *Natural History*, VI.26, 101 ; Wilfred H. Schoff, *The Perplus of the Erythraean Sea : Travel and Trade in the Indian Ocean by a Merchant of the First Century*(New York : David McKay Company, 1916)(그리스 어로부터 번역하고 주석을 달음), p. 219 에 인용.

4) 같은 책, IX.57, 114 ; Schoff, 앞의 책, p. 240에서 인용.

5) Schoff, 앞의 책, p. 220.

6) *Periplus*, paragraphs 54와 56 ; Schoff, 앞의 책, pp. 44-45.

7) 같은 책, paragraph 49 ; Schoff, p. 72.

8) 같은 책, paragraph 50 ; Schoff, 앞의 책, p. 43.

9) Wheeler, Ghosh and Deva, 앞의 책(*Ancient India*, No. 2, 1946), p. 17.

10) Herman Goetz, "Imperial Rome and the Genesis of Classical Indian Art", *East and West*, New Series, Vol. 10, Nos. 3-4, 1959년 9월-12월, p. 180.

11) Rawlinson, 앞의 책, p. 98.

12) Geotz, 앞의 책, p. 262.

13) 같은 책, p. 264.

14) 같은 책, p. 264.

15) 같은 책, p. 265.
16) 같은 책, p. 262 그리고 pp. 264-268.
17) A. Berriedale Keith, *The Sāṁkhya System*, The Heritage of India Series(Calcutta : Association Press ; London : Oxford University Press, 연대 불명), p. 30.
18) *Maāabhārata* 1.63. 1-85. 축약본.
19) 같은 책, 1.100.40-101, 축약본.
20) 같은 책, 1.101-106, 축약본.
21) Millar Burrows, *The Dead Sea Scrolls*(New York : The Viking Press, 1953), pp. 222-223.
22) *Maāabhārata* 1.
23) 같은 책, 12.333.
24) 같은 책, 3.33.2.
25) *Samyutta-nikāya* 2.43.
26) *Prayñāpāramitā-sūtra*.
27) *Kaṭha Upaniṣad* 3.12 ; Hume, 앞의 책, p. 352.
28) *Bhagavad Gītā* 6.6.
29) 같은 책, 3.35.
30) Rawlinson, 앞의 책, p. 111.
31) 같은 책, pp. 199-200.
32) Geotz, 앞의 책, pp. 262-263.
33) Zimmer, *The Art of Indian Asia*, Vol. II, Plates 348-375.
34) P. N. Chopra, "Rencontre de l'Inde et de l'Islam", *Cahiers d'histoire mondiale*, Vol. VI, No. 2(1960), pp. 371-372.
35) H. Goetz, "Tradition und schöpferische Entwicklung in der indischen Kunst", *Indologen-Tagung*, 1959, Verhandlungen der Indologischen Arbeitstagung in Essen-Bredeney, Villa Hügel(Göttingen : Vandenhoeck und Ruprecht, 1959), p. 151.
36) 같은 책, p. 152.
37) *Viṣṇu Purāna* 5.13, 약간 축약함 ; Wilson, 앞의 책, pp. 531-535에서 인용.
38) *Harivaṁsa* 75.
39) *Bhagavatā Purāna* 10.29.46.
40) 같은 책, 10.29.39-40.
41) 같은 책, 10.30-31.
42) 같은 책, 10.32.
43) 같은 책, 10.33.
44) *Mādhyamika Śāstra* 25.20(티벳어 판).
45) 같은 책, 25.24. Max Walleser, *Die Mittlere Lehre des Nāgārjuna, nach der tibetnischen Version übertragen*(Heidelberg : Carl Winter's Universitätsbuchhandlung, 1911), pp. 163-164.
46) *Hevajra Tantra*(Calcutta : Manuscript in library of Royal Asiatic Society of Bengal), p. 36(B) ; Shashibhusan Dasgupta, *Obscure Religious Cults as Background of Bengali Literature*(University of Calcutta, 1946), p. 90에서 인용됨.
47) Dasgupta, 앞의 책, p. 91.

48) 같은 책, p. 94, Saraha-pāda, *Dohākoṣa*를 인용.

49) 같은 책, p. 93, 같은 내용을 인용.

50) 같은 책, p. 93, 같은 내용을 인용.

51) 같은 책, p. 95, 같은 내용을 인용.

52) 같은 책, p. 97, 같은 내용을 인용.

53) 같은 책, p. 100, Tillo-pāda, *Dohākoṣa*를 인용.

54) Jayadeva, *Gītāgovindakāvyam*, 상당히 축약됨 ; C. Lassen 편(Bonn, 1836).

55) Winternitz, 앞의 책, Vol. III, p. 127.

56) Dasgupta, 앞의 책, p. 164.

57) A. Barth, J. Wood 역, *The Religions of India*(Boston : Houghton, Mifflin and Company, 1882), pp. 205-206.

58) *Syāma Rahasya* ; H. H. Wilson, "Essays on the Religion of the Hindus", *Selected Works* (London : Trubner and Company, 1861), Vol. I, p. 255, 각주 1에 인용된 것과 같다.

59) 같은 책 ; Wilson, "Essays on the Religion of the Hindus", p. 256, 각주 1에 인용된 것과 같다.

60) Wilson, "Essays on the Religion of the Hindus", pp. 258-259, 각주 1 ; *Devī Rahasya* 를 인용.

61) 같은 책, p. 257.

62) 같은 책, p. 265.

63) 같은 책, p. 264, 각주 1. Ānandagiri, *Savikara Vijāya*를 인용.

64) 같은 책, p. 262, 각주 1. *Syāma Rahasya*를 인용.

65) 같은 책, p. 263.

66) Dasgupta, 앞의 책, p. 166, *Candidas*를 인용.

67) *Brahmavaivarta Purāna*, Kṛṣṇa-janma-khaṇḍa, 28.12-82.

68) 같은 책, 28.84-181 ; 그리고 29와 30.

69) Sir H. M. Elliot(J. Dowson 편), *The History of India as Told by Its Own Historians*; 8 vols.(London : Trubner and Co., 1867-1877), Vol. II, p. 26 ; Rawlinson, 앞의 책, pp. 206-207에서 인용.

70) Elliot, 앞의 책, Vol. IV, pp. 180-183 ; Rawlinson, 앞의 책, pp. 208-209에서 인용.

71) Rawlinson, 앞의 책, pp. 277-278.

제3부 극동의 신화

제7장 중국 신화

1) Li Chi, *The Beginnings of Chinese Civilization*(Seattle : University of Washington Press, 1957), pp. 3-4.

2) 같은 책, p. 12.

3) 독자들은 Herbert Wendt의 생동감 넘치는 책에서 이러한 기획이 아주 잘 요약되어

있음을 볼 수 있을 것이다. 그의 독일어 책은 James Cleugh에 의해서 *In Search of Adam* (Boston : Houghton Mifflin, 1956)으로 영역되었다. 이 책의 pp. 455-466 참조.

4) J. G. Andersson, "Researches into the Prehistory of the Chinese", *Bulletin of the Museum of Far Eastern Antiques*, No. 15, 1943. p. 25.

5) *The Masks of God : Primitive Mythology*, pp. 360-361과 pp. 392-395.

6) Andersson, 앞의 책, p. 24.

7) 같은 책, p. 23.

8) 같은 책, p. 30.

9) Walter A. Fairservis, Jr., *The Origins of Oriental Civilization*(New York : The New American Library of World Literature, Inc. ; A Mentor Book, 1959), pp. 73-76, 축약본.

10) Andersson, 앞의 책, pp. 296-297.

11) Edgar Allan Poe, *Works*(New York : Thomas Nelson and Sons, 1905), Section, Part IV, pp. 27-28.

12) Bernard Karlgren, "Legends and Cults in Ancient China", *Bulletin of the Museun of Far Eastern Antiquities*, No. 18, 1946, pp. 218-219. 『관자(管子)』를 인용.

13) 같은 책, p. 221.

14) 같은 책, p. 212와 pp. 276-277, 『여씨춘추(呂氏春秋)』를 인용.

15) Karlgren, 앞의 책, p. 278.

16) 같은 책, pp. 278-280 ; 『관자』, 『여씨춘추』, 그리고 『한비자』를 인용.

17) E. T. Backhouse and J. O. P. Baland, *Annals and Memoirs of the Court of Peking* (London : W. Heinemann, 1914), p. 322 ; Adda B. Bozeman, *Politics and Culture in International History*(Princeton University Press, 1960), pp. 145-146에서 인용.

18) Karlgren, 앞의 책, p. 211 ; 『좌전』을 인용.

19) 같은 책, p. 257, 각주 1, 『시경』 245번째 시를 인용.

20) 같은 책, p. 211, 『여씨춘추』를 인용.

21) Dante, *Vita Nuova*, 2, 3, 6.

22) 『서경』 ; James Legge, *The Sacred Books of China : The Texts of Confucianism, Part I*, Sacred Books of the East, Vol. III(Oxford : The Clarendon Press, 제2판, 1899), pp. 32-33에 따랐다.

23) 『서경』 1.3 ; Legge, 앞의 책, pp. 34-36에서 인용.

24) 『한비자』, Karlgren, 앞의 책, p. 295에서 인용.

25) 『서경』 2.1.2 ; Legge, 앞의 책, p. 38.

26) 『한비자』 「難一篇」, Karlgren, 앞의 책, p. 297에서 인용.

27) 『서경』 2.1.2 ; Legge, 앞의 책, p. 38.

28) Karlgren, 앞의 책, pp. 292-293, 『묵자』를 인용.

29) 『서경』 2.1.3 ; Legge, 앞의 책, pp. 38-40.

30) Karlgren, 앞의 책, p. 298, 『좌전』을 인용.

31) 『서경』 5.4.1 ; Legge, 앞의 책, pp. 139-140.

32) 같은 곳에서 인용.

33) 『맹자』 3.1.4.7 ; Karlgren, 앞의 책, p. 303에서 인용.

34) Karlgren, 앞의 책, p. 306, 『사기』를 인용.

35) 같은 책, p. 305, 『여씨춘추』를 인용.

604

36) 『서경』 2.4.1 ; Legge, 앞의 책, pp. 57-60에서 인용.

37) Karlgren, 앞의 책, p. 303, 『사기』를 인용.

38) 같은 곳에서 인용함. 『좌전』을 인용.

39) Louis Ginzberg, 앞의 책, Vol. I, pp. 163-166 ; 그리고 Vol. V. p. 187.

40) Robert Graves, *The White Goddess*(New York : Creative Age Press, 1948), p. 272.

41) *The Masks of God : Primitive Mythology*, pp. 118-122.

42) Karlgren, 앞의 책, pp. 303-304.

43) E. T. Werner, *A Dictionary of Chinese Mythology*(Shanghai : Kelly ḥ Walsh, 1932), p. 597.

44) Karlgren, 앞의 책, pp. 326-327. 『관자』를 인용.

45) 같은 책, p. 329, 『여씨춘추』를 인용.

46) 같은 책, p. 327, 『관자』를 인용.

47) 같은 책, p. 328, 『여씨춘추』를 인용.

48) 같은 책, p. 329, 각주 1.

49) Frazer, 앞의 책, pp. 1-2, 그리고 여러 곳.

50) Ovid, *Metamorphoses* X, 512-513행.

51) Karlgren, 앞의 책, p. 329, 각주 1.

52) 같은 책, pp. 331-333, 대체로 묵자를 인용.

53) Fairservis, 앞의 책, pp. 127-128.

54) Arthur Waley가 번역한 *Three Ways of Thought in Ancient China*(New York : The Macmillan Company, 1939 ; Garden City, N. Y. : Doubleday Anchor Books, 1956), pp. 123.

55) Li Chi, 앞의 책, p. 32.

56) Joseph Needham and Wang Ling, *Science and Civilization in China*(Cambridge, England : Cambridge University Press, 1954), Vol. I, p. 81.

57) Rene Grousset, Haakon Chevalier가 불어를 영어로 번역, *Chinese Art and Culture* (New York : The Orion Press, 1959), p. 17.

58) 같은 책.

59) Marcel Granet, *Danses et legendes de la Chine ancienne*(Paris : Felix Alcan, 1926), p. 491, 각주 2 ; Grousset, 앞의 책, p. 18, 각주 37에서 인용.

60) 예를 들면, Miguel Covarrubias, *The Eagle, the Jaguar, and the Serpent*(New York : Alfred A. Knopf, 1954), pp. 48-49에 있는 그림 시리즈를 보라.

61) *The Masks of God : Primitive Mythology*, p. 229 이하.

62) Li Chi, 앞의 책, p. 23.

63) Needham and Wangling, 앞의 책, Vol. I, p. 84.

64) 『서경』 5.6.1 ; Legge, 앞의 책, pp. 152-154.

65) 『시경』 「商頌」 1 ; Legge, 앞의 책, pp. 304-305를 따르고 있다.

66) 『시경』 「商頌」 2 ; Legge, 앞의 책, p. 306.

67) 『시경』 「周頌」 3권 중 일곱번째 시 ; Legge, 앞의 책, p. 334.

68) 『시경』 「周頌」 3권 중 여섯번째 시 ; Legge, 앞의 책, pp. 331-332.

69) 『시경』 「小雅」, 1권 중 다섯번째 시의 처음 절 ; Legge, 앞의 책, p. 347.

70) 『시경』 「小雅」, 4권 중 아홉번째 시(일부분) ; Legge, 앞의 책, p. 355.

71) 『시경』 「小雅」, 4권 중 일곱번째 시(축약함) ; Legge, 앞의 책, p. 353.

72) K. M. Pannkkar, *Indian Doctrines of Politics*, "First Annual Lecture at the Harold Laski Institute of Political Science at Ahmedabad, July 22, 1955 ; Bozeman, 앞의 책, p. 264 에서 인용되었다. 인도의 고전 정치 철학을 깊이 이해하기 위해서는 Zimmer, *Philosophies of India*, pp. 87-127을 참조하라. 중국의 고전 정치 철학의 경우에는 Waley, *Three Ways of Thought in Ancient China*, pp. 152-188을 참조하라. 아시아의 정치 사상사와 관련하여 이러한 견해들을 개관하기 위해서는 Adda B. Bozeman, *Politics and Culture in International History*(Princeton University Press, 1960), pp. 118-161를 참조 하라.

73) 『상자(商子)』 8.2a와 13.8b ; Waley, *Three Ways of Thought in Ancient China*, pp. 167-168, 그리고 J. J. L. Duyvendak, *The Book of the Lord Shang : A Classic of the Chinese School of Law*(London : Arthur Probstaain, 1928), p. 236과 p. 256에서 인용.

74) 같은 책, 25.11b(Duyvendak, 앞의 책, p. 326) ; Waley, 앞의 책, p. 167에서 인용.

75) 같은 책, 4.11a와 b(또한 20.3b) ; Duyvendak, 앞의 책, p. 196과 pp. 199-200(또한 p. 305) ; Waley, 앞의 책, p. 173.

76) Arthur Waley, *The Way and Its Power*, p. 64와 p. 41.

77) Richard Wilhelm, Cary F. Baynes 역, *The I ching or Book of Changes*(New York : Pantheon Books, Bollingen Series, 1950), Vol. I, p. xxxi.

78) 같은 책, Vol. I, pp. 32-34, 축약본.

79) 『역경』「계사전」 ; James Legge 역, *The Sacred Books of China : The Texts of Confucianism, Part II, The Yi King. Sacred Books of the East*, Vol. XVI(Oxford : The Clarendon Press, 1899), p. 12와 p. 373.

80) Fung Yu-lan, *A Short History of Chinese Philosophy*, Dirk Bodde 편(New York : The Macmillan Company, 1948), p. 39.

81) 같은 책, p. 40.

82) 같은 책, p. 38.

83) 『논어』 7.1.

84) 같은 책, 7.16.

85) Needham and Wangling, 앞의 책, Vol. II, p. 307.

86) Fung Yu-lan, 앞의 책, p. 39.

87) 『논어』 12.2 ; Legge, *The Four Books*, p. 157.

88) 같은 책, 13.3 ; Legge, *The Four Books*, p. 176.

89) 같은 책, 12.11 ; Legge, *The Four Books*, pp. 165-166.

90) Fung Yu-lan, 앞의 책, p. 41.

91) Zimmer, *Philosophies of India*, pp. 162-163.

92) Fung Yu-lan, *A History of Chinese Philosophy*(Princeton University Press, 1952), Vol. I, p. 370.

93) 『중용』 1.1 ; Legge, *The Four Books*, p. 349.

94) 같은 책, 20.18 ; Legge, *The Four Books*, p. 394.

95) 같은 책, 22 ; Legge, *The Four Books*, pp. 398-399.

96) 같은 책, 14.1-2 ; Legge, *The Four Books*, p. 367.

97) 『논어』 8. 8 ; Legge, *The Four Books*, p. 100.

98) 『논어』 20.3 ; Legge, *The Four Books*, p. 306.

99)『논어』4.16 ; Legge, *The Four Books*, p. 44, 그리고 Fung Yu-lan, *A Short History*, p. 42.

100)『묵자』39 ; Fung Yu-lan, *A Short History*, p. 52에서 인용.

101)『묵자』48 ; Fung Yu-lan, *A History of Chinese Philosophy*, Vol. I, p. 86에서 인용.

102) Fung Yu-lan, *History*, Vol. I, p. 90.

103) 같은 책, p. 84.

104) 같은 책, p. 87.

105)『묵자』11 ; Fung Yu-lan, *History*, Vol. I, p. 100.

106)『묵자』13 ; Fung Yu-lan, *History*, Vol. I, pp. 101-102.

107)『묵자』16 ; Fung Yu-lan, *A Short History*, p. 54에서 인용.

108)『묵자』9.39 ; Waley, *Three Ways of Thought*, p. 131에서 인용.

109) Fung Yu-lan, *A Short History*, pp. 50-51.

110)『맹자』7.26.1 ; Legge 역, *The Four Books*, p. 956.

111)『한비자』51 ; Waley, *The Way and Its Power*, p. 43에서 인용.

112)『관자』65 ; Waley, 앞의 책, p. 37에서 인용.

113) Waley, *The Way and Its Power*, pp. 37-38,『맹자』3.2.10을 인용 ; Legge, *The Four Books*, pp. 681-685를 참조하라.

114) Waley, *The Way and Its Power*, p. 46.

115) 같은 책, p. 114.

116) 같은 책, p. 52.

117) 같은 책, pp. 114-115.

118) Vedāntasāra 15-25.

119) Waley, *The Way and Its Power*, p. 32.

120)『도덕경』6 ; Waley, *The Way and Its Power*, p. 149에서 인용.

121) Waley, *The Way and Its Power*, p. 45-46.

122)『도덕경』15 ; Waley, p. 160.

123)『도덕경』16 ; Waley, p. 162.

124)『장자』18.2 ; Waley, *The Way and Its Power*, pp. 53-54에서 인용.

125) Waley, *The Way and Its Power*, pp. 54-55.

126)『도덕경』22 ; Waley, *The Way and Its Power*, p. 171.

127) Waley, *The Way and Its Power*, p. 84.

128) 같은 책, p. 72.

129) Needham and Wangling, 앞의 책, Vol. I, pp. 97-98.

130) Legge, *The Sacred Books of China : The Texts of Confucianism*, pp. 6-7.

131) *Taittiriya Upanisad* 2.1.

132) Fung Yu-lan, *A History of Chinese Philosophy*, pp. 131-132.

133)『서경』5.4 ; Legge, *The Sacred Books of China : The Texts of Confucianism*, pp. 139-141.

134) Karlgren, 앞의 책, p. 222 ; Fung Yu-lan, *A History of Chinese Philosophy*, Vol. II, pp. 7-30.

135) Karlgren, 앞의 책, pp. 200-201.

136) Junjiro Takakusu, *The Essentials of Buddhist Philosophy*, ed. W. T. Chan and Charles

A. Moore(Honolulu : University of Hawaii, 1947, 제2판, 1949), pp. 14-16.

137) 『열자』양주 편, Fung Yu-lan, *A Short History*, pp. 232-233에서 인용.

138) Fung Yu-lan, *A Short History*, p. 233.

139) 『열자』같은 곳에서 인용 ; Fung Yu-lan, *A Short History*, pp. 234에서 인용.

140) 『시소(詩疏)』23 ; Fung Yu-lan, *A Short History*, pp. 235-236에서 인용.

141) 『시소』23 ; Fung Yu-lan, *A Short History*, p. 235에서 인용.

142) 『갈홍』(『포박자』라고도 불림)「내편」, 7, Obed Simon Johnson, *A Study of Chinese Alchemy*(Shanghai, 1928), p. 63에서 인용.

143) 『포박자』6.42 ; Wm. Theodore de Bary, Wing-tsit Chan, and Burton Watson, *Sources of Chinese Tradition*(New York : Columbia University Press, 1960), p. 301에서 인용.

144) 같은 책, 6.5b-7a and 3.10a-b ; *Sources*, pp. 302-304.

145) Wing-tsit Chan, *Sources*, p. 298.

146) 같은 책, p. 297.

147) Needham and Wangling, 앞의 책, Vol. I, p. 119.

148) Daisetz Teitaro Suzuki, *Essays in Zen Buddhism(First Series)*(New York, London, etc. : Rider and Company, 연대 불명), p. 168.

149) Suzuki, 앞의 책, pp. 186-189 ; Takakusu, 앞의 책, p. 159 ; 도원(道原), 『전등록(傳燈錄)』(기원후 1004년 편집).

150) Suzuki, 앞의 책, p. 165 ; Takakusu, 앞의 책, pp. 158-159.

151) Suzuki, 앞의 책, p. 174 ; Alan W. Watts, *The Way of Zen*(New York : Panteeon Books, 1957), p. 88.

152) Yu Shen-Hsing, Fu Tse-Hung, *Golden Mirror of the Flowing Waters*(Hsing Shui Chin Chien), 92에서 인용된 것 ; Needham and Wang Ling, 앞의 책, Vol. I, p. 123에서 인용.

153) Needham and Wang Ling, 앞의 책, Vol. I, pp. 123-124.

154) 같은 곳에서 인용.

155) Edwin O. Reischauer, *Ennin's Travels in T'ang China*(New York : 판권 1955, The Ronald Press Company), p. 227.

156) *Vajracchedikā* 5.

157) Suzuki, 앞의 책, pp. 203-206 ; Watts, 앞의 책, pp. 91-92.

158) Suzuki, 앞의 책, pp. 208-209.

159) 『도덕경』28.

160) 같은 책, 32, 축약본 ; Waley, *The Way and Its Power*, p. 183에서 인용.

161) Waley, *The Way and Its Power*, p. 55.

162) Reischauer, 앞의 책, p. 235.

163) 같은 책, pp. 238-239.

164) 같은 책, p. 211.

165) Edwin O. Reischauer, *Ennin's Travels in T'ang China*(New York : 판권 1955, The Ronald Press Company), pp. 246-247.

166) 같은 책, pp. 247-248.

167) Reischauer, *Ennin's Travels in T'ang China*, p. 196.

168) Reischauer, *Ennin's Diary*, p. 341.

169) 같은 책, p. 345.
170) 같은 책, pp. 347-348.
171) 같은 책, pp. 343-344.
172) 같은 책, pp. 347-348.
173) 같은 책, pp. 350-351.
174) 같은 책, pp. 351-352.
175) 같은 책, pp. 352-353.
176) 같은 책, p. 357.
177) 같은 책, pp. 358-359.
178) Reischauer, *Ennin's Travels in T'ang China*, p. 262.
179) Joseph M. Kitagawa, *Religions of the East*(Philadephia : The Westminster Press, 1960), p. 44.
180) 『효경』 2 ; Legge 역, *The Sacred Books of China : The Texts of Confucianism*, Part I, p. 467.
181) 같은 곳에서 인용.
182) Kitagawa, 앞의 책, p. 50.
183) Fung Yu-lan, *A Short History of Chinese Philosophy*, p. 271.
184) 『맹자』 7.1.4 ; Fung Yu-lan, *A Short History*, p. 77 ; Legge, *The Four Books*, pp. 935-936에서 인용.
185) 『순자』 19 ; Fung Yu-lan, *A Short History*, pp. 149-150에서 인용.
186) Fung Yu-lan, 같은 곳에서 인용.

제8장 일본 신화

1) Fairsevis, 앞의 책, pp. 145-146, J. Maringer, "Einige faustkeilartige Geräte von Gongen-yama(Japan) und die Frage des Japanischen Paläolithikums", *Anthropos*, VI, 1956, pp. 175-193 ; 같은 책, "A Core and Flake Industry of Paleolithic Type from Central Japan", *Artibus Asiae*, Vol. XIX, 2, pp. 111-125 ; 그리고 R. K. Beardsley, "Japan Before Prehistory", *Far Eastern Quarterly*, Vol. XIX, 3, 1955, p. 321.
2) 같은 책, p. 146, J. E. Kidder, "Recontruction of the Pre-pottery Culture of Japan", *Artibus Asiae*, XVII, 1954, pp. 135-143에서 인용.
3) 같은 책, pp. 148-150, J. E. Kidder, *The Jomon Pottery of Japan*, Supplement 17, *Artibus Asiae*, 1957, pp. 150-151.
4) *The Japan Biographical Encyclopedia and Who's Who*(Tokyo : The Rengo Press, 1958), p. 1050.
5) 『위지(魏志)』, Ryusaku Tsunoda and L. Carrington Goodrich, *Japan in the Chinese Dynastic Histories*, Perkins Asiatic Monograph No. 2(South Pasadena : P. D. and Ione Perkins, 1951), pp. 8-16에서 인용.
6) 『후한서(後漢書)』, Tsunoda and Goodrich, 앞의 책, p. 3.
7) Joseph M. Kitagawa, "Japan : Religion", *Encyclopedia Britannica*, 1961.
8) 『후한서』와 Kitagawa, 같은 곳에서 인용.

9) 『고사기(古事記)』 1, 서문 그리고 1-9 ; Basil Hall Chamberlain, *Ko-ji-ki : "Records of Ancient Matters"*, Supplement to Vol. X, *Transactions of the Asiatic Society of Japan*, pp. 1-41을 대본으로 하였으나 Post Wheeler, *The Sacred Scriptures of the Japanese* (New York : Henry Schuman, Inc., 1952), pp. 1-17의 내용을 참조하여 축약하고 수정하였다.

10) 『고사기』 1.10.

11) 같은 책, 1.18-21 ; Chamberlain, 같은 책, pp. 71-81.

12) 같은 책, 1.26-30 ; Chamberlain, 같은 책, pp. 98-113.

13) 같은 책, 1.31-32 ; Chamberlain, 같은 책, pp. 114-128.

14) 같은 책, 1.33-34 ; Chamberlain, 같은 책, pp. 128-138.

15) 같은 책, 1.37 ; Chamberlain, 같은 책, pp. 140-143.

16) *Mathews' Chinese-English Dictionary*, revised Amercian edition(Cambridge, Mass : Harvard University Press, 제2판, 1960), p. 114, 833번째 항목.

17) W. G. Alton, "Shinto", in Hastings 편, 앞의 책, Vol. XI, p. 463.

18) 황태자 Takahito Mikasa가 제9회 국제종교학회에서 행한 연설(*Proceedings of the IXth International Congress for the History of Religions*, Tokyo and Kyoto, 1958), pp. 826-827.

19) *Shinto Gobusho* ; Genchi Kato, *What is Shinto?*(Tokyo : Maurzen Company, 1935), p. 45와 p. 43.

20) *An Outline of Shinto Teachings*, 제9회 국제종교학회 신도위원회 편(Tokyo, 1958), p. 31 ; 그리고 같은 위원회가 편집하고 출판한 *Basic Terms of Shinto*, p. 52.

21) Otto, 앞의 책, p. 7.

22) Ichijo Kaneyoshi(1402-1481), *Nihonshoki Sanso* ; Kato, 앞의 책, p. 46에서 인용.

23) Langdon Warner, *The Enduring Art of Japan*(New York : Grove Press, 1952), p. 18.

24) 『일본기』 19.34-35 ; W. G. Aston, *Chronicles of Japan : From the Earliest Times to A. D. 697*(London : George Allen and Unwin, 1956 ; reprint from Supplement to Transactions and Proceedings of the Japan Society, 1896), Part II, p. 66.

25) 같은 책 19.35-38 ; Aston, 앞의 책, Vol. II, pp. 60-68.

26) 같은 책 22.2 ; Aston, 앞의 책, Part II, p. 122.

27) 聖德太子, 『승만경의소(勝鬘經義疏)』 ; Shinsho Hanayama 역, "Japanese Development of Ekayana Thought", *Religious Studies in Japan*, Japanese Association for Religious Studies and Japanese Organizing Committee of the Ninth International Congress for the History of Religions 편(Tokyo : Maurzen Company, Ltd., 1959), p. 373을 따랐다.

28) 『일본기』 22.32-33 ; Aston, 앞의 책, Part II, p. 148.

29) 보로부두르 시리즈에 대한 연구 현황을 살펴보기 위해서는 Zimmer, *The Art of Indian Asia*, Vol. I, pp. 301-312와 Vol. II, Plates 476-494를 참조하라.

30) Takakusu, 앞의 책, p. 114.

31) 같은 책, p. 120.

32) Philipp Karl Eidmann, "The Tractate of the Golden Lion", 번역 및 해석(미출판).

33) Takakusu, 앞의 책, p. 120.

34) 같은 책, p. 121.

35) 나는 교토의 치오닌과 서본원사(西本願寺)에서 신야 가스가이 및 Karl Philipp

Eidmann 교수와 5개월 동안 토론할 수 있었던 것에 대하여 감사하고 싶다.

36) 『열반경』, Takakusu, 앞의 책, pp. 127-128.

37) Warner, 앞의 책, pp. 29-30.

38) Hajime Nakamura, "The Vitality of Religion in Asia", in *Cultural Freedom in Asia*, Proceedings of a Conference Held at Rangoon, Burma, Feb. 17-20, 1955(Rutland, Vermont, and Tokyo : Charles E. Tuttle Company, 1956), p. 56.

39) Masaharu Anesaki, *Japanese Mythology. The Mythology of All Races*, Vol. VIII, Part II (Boston : Marshall Jones Company, 1928), p. 296.

40) 『平家物語』, A. L, Sadler 역, Donald Keene(편), *Anthology of Japanese Literature*, UNESCO Collection of Representative Works(New York : Grove Press, 1955), pp. 179-181.

41) Philipp Karl Eidmann 외, *The Lion's Roar*, Vol. 1, No. 3(April, 1958)의 여러 곳, 그리고 Takakusu, 앞의 책, pp. 166-175.

42) Alan W. Watts, *The Way of Zen*(New York : Pantheon Books, 1957), p. 134.

43) Eugen Herrigel, *Zen in the Art of Archery*(New York : Pantheon Books, 1953), p. 104.

44) Takakusu, 앞의 책, pp. 176-184.

45) Masaharu Anesaki, *Nichiren, the Buddhist Prophet*(Cambridge, Mass. : Harvard University Press, 1916), p. 129.

46) *Religions in Japan at Present*(Tokyo : Institute for Research in Religous Problems, 1958), p. 54.

47) A. B. Mitford, *Tales of Old Japan*(London : Macmillan and Co., 1871), pp. 232-236 ; Inazo Nitobé, *Bushido : The Soul of Japan*(Tokyo : Teibi Publishing Company, 제17판, 수정증보판, 1911), pp. 106-111에서 인용.

48) Lafcadio Hearn, *Japan*(New York : Grosset and Dunlap, 1904), pp. 313-314.

49) *The Masks of God : Primitive Mythology*, p. 419에서 인용.

50) Nitobe, 앞의 책, pp. 129-130.

51) Gench Kato, *Shinto in Essence, as Illustrated by The Faith in a Glorified Presonality* (Tokyo : The Noki Shrine, 1954), p. 12.

52) Warner, 앞의 책, p. 58.

53) Nitobe, 앞의 책, pp. 19-20에서 인용.

54) 이러한 특별한 아이디어에 대해서는 Allan W. Watts에게 감사한다(개인적인 교류에서 이러한 아이디어를 얻었다).

55) Zenrin verse, Watts, 앞의 책, p. 126에서 인용.

56) Zimmer, *The Art of Indian Asia*, pp. 189-190.

제9장 티벳 : 붓다와 새로운 행복

1) *Tibet and the Chinese People's Republic*, A Report to the International Commission of Jurists by Its Legal Inquiry Committee on Tibet(Geneva : International Commission of Jurists, 1960), p. 59.

2) 같은 책, p. 63.

3) Mao Tse-tung, *Selected Works*, Vol. I(New York : International Publishers, 1954), p. 49.

4) Mao Tse-tung, *On Contradiction*(New York : International Publishers, 1953), p. 14.

5) Nikhilananda, 앞의 책, pp. 379-380.

6) Marco Pallis, *Peaks and Lamas*(London : Cassell, 1939 ; New York : Alfred A. Knopf, 1949).

7) *Tibet and the Chinese People's Republic*, p. VIII.

8) W. Y. Evans-Wentz, *The Tibetan Book of the Dead*(New York : Oxford University Press, A Galaxy Book, 1960).

9) *Tibet and the Chinese People's Republic*, Statement No. 45, p. 278.

10) 같은 책, Statement No. 1, pp. 222-223.

11) Mao Tse-tung, *Selected Works*, Vol. I, p. 23.

12) *Tibet and the Chinese People's Republic*, Statement No. 26, p. 254.

13) 같은 책, Statement No. 11, p. 235.

14) 같은 곳에서 인용.

15) 같은 책, Statement No. 4, p. 225.

16) 같은 책, Statement No. 5, p. 226.

17) 같은 책, Statement No. 7, p. 229.

18) Mao Tse-tung, *Let a Hundred Flowers Bloom*(New York : The New Leader, 1958), G. F. Hudson 편, p. 44.

19) Mao Tse-tung, *On Contradiction*, p. 42.

20) 같은 책, pp. 44-45.

21) *Tibet and the Chinese People's Republic*, Statement No. 7, pp. 229-230.

22) 같은 책, Statement No. 2, p. 223. 이외에 다른 예들이 많이 있다. Statement No. 7 (p. 230), 10(p. 234), 36(p. 267), 37(p. 269), 38(p. 269), 39(p. 271), 44(p. 277) 등등.

23) 같은 책, Statement No. 32, p. 260.

24) 같은 책, Statement 44, p. 276.

25) 같은 책, Statement 35, p. 266.

26) Evans-Wentz, 앞의 책, p. 166.

27) 같은 책, p. 147.

역자 후기

얼마 전까지만 해도 우리 사회에서는 신화에 대한 관심이 그다지 크지 않았다. 거기에는 나름대로 이유가 있었다. 2가지의 강력한 힘이 신화에 대한 관심을 가로막았다. 하나는 신학적 근본주의이고 다른 하나는 계몽주의적 합리주의이다.

교조적 근본주의는 자기 경전 속의 이야기는 절대적 '진리'의 영역에 넣고 타종교의 경전에 나오는 이야기는 '신화'의 범주에 넣는다. 자기 종교의 이야기는 '사실'로서의 진리로 주장되며 타종교의 이야기는 '허위'로서의 신화로 간주된다. 이러한 시각에서는 진리의 '말씀'에서 벗어난 거짓 이야기에 불과한 신화에 관심을 가질 까닭이 없다. 신화에 관심을 가지는 자는 참 신앙을 위협하는 '요주의' 인물로 지목될 것이다.

얼마 전까지 우리 사회의 진보 진영에 이념적 무기를 제공해왔던 세계관은 계몽주의적 합리주의라고 할 수 있다. 경험적 실증주의에 기초한 계몽주의적 합리주의는 비논리적이고 증명될 수 없는 이야기를 논의의 장에서 배격한다. 초자연적인 신비의 이야기로 가득 차 있는 신화의 세계는 당연히 배격의 대상이다. 기만적이고 환상적인 세계관의 산물, 기껏해야 유치한 사고의 잔존물에 불과한 신화는 합리적 사고와 합리적 개혁의 적이다. 과학과 사실적 역사에 입각하여 이러한 비합리적 이야기를 하루빨리 청산해야 하는 것이 그들의 과제이다.

614

교조적 근본주의와 계몽주의적 합리주의는 서로 배치되는 세계관이지만, 신화에 대해서는 동일한 기반에 서 있다. 신화는 '참 신앙'을 위협하는 거짓 이야기이거나 '참 과학'의 장애 요인으로 보여지기 때문이다. 그 동안 우리 사회에서는 '참 신앙'을 강요하는 근본주의 신앙과 '참 과학'을 외치는 계몽주의적 실증주의의 목소리가 너무나 컸다. 그 틈바구니 속에서 신화는 움추린 채 억눌려 있었던 것이다.

최근에 들어와 서점가에서는 신화에 관련된 책이 잘 팔린다는 소리가 들린다. 종교계에서는 교세 성장의 둔화와 그에 따른 위기 의식이 팽배하여 있다고 한다. 진보 진영에서는 사회주의 사회의 몰락에 따라 이념적 정체성을 상실하고 심각한 고민에 빠져 있다. 신화에 대한 관심의 증대와 이러한 사회 문화적 현상이 매우 밀접한 관련을 가지고 있음을 금방 눈치챌 수 있을 것이다.

'사실'과 '허위'의 단순한 이분법으로는 포착되지 않는 신화가 자신의 고유한 언어인 상징과 이미지를 통하여 다양한 목소리를 내고 있다. 욕망, 광기, 악마, 성, 환상의 이름으로 신화가 수면 위로 부상하고 있다. 그 동안 간과되어온 삶의 중요한 영역에 관심을 가지도록 촉구하고 있다. 이제 삶의 문제에 진지한 관심을 가지고 있는 사람이라면 누구나 신화의 목소리에 귀를 기울이지 않을 수 없게 된 것이다.

조지프 캠벨은 새삼스러이 소개할 필요가 없는 널리 알려진 비교신화학자이다. 이미 국내에도 그의 저서가 여러 권 번역되어 있는데, 『세계의 영웅신화』(이윤기 옮김, 대원사, 1989 : *The Hero with a Thousand Faces*, 1949) ; 『신화의 힘』(이윤기 옮김, 고려원, 1992 : *The Power of Myth*, 1988) ; 『신화의 세계』(과학세대 옮김, 까치, 1998 : *Transformations of Myth Through Time*, 1990) 등이 그것이다.

이번에 번역한 책은 조지프 캠벨의 주저이자 비교신화학의 고전이라고 일컬어지는 *Masks of God*이다. 이 책은 4부작으로 되어 있는데, *Masks of God : Primitive Mythology*(1959), *Masks of God : Oriental Mythology*(1962), *Masks of God: Occidental Mythology*(1964), *Masks of God: Creative My-*

thology(1968)의 순으로 출판되었다. 『신의 가면 : 동양 신화』에서 다루고 있는 중심 내용은 중동(이집트, 메소포타미아), 인도, 극동(중국, 일본)의 신화이다.

캠벨은 인류의 생물학적 통일성만이 아니라 정신사적 통일성을 굳게 믿고 있다. 따라서 세계 각 지역에서 나타나는 신화는 그 구조적 통일성을 가지고 있다고 본다. 그렇다고 해서 모든 지역의 신화가 완전히 동일한 내용과 형식으로 되어 있다는 것은 아니다. 캠벨은 모티브와 양식(스타일)을 구별하고 있다. 모티브란 신화를 형성하는 신화적 동기 혹은 신화적 주제를 의미한다. 인종이나 지역에 관계없이 모든 인류는 정신 구조상 동일한 신화적 모티브를 공유하고 있다는 것이다. 그렇지만 그러한 신화적 모티브는 지역마다 다른 양식으로 나타난다. 이 책에서는 그것을 각 지역의 독특한 서명(signature)이라고 부르고 있다.

캠벨은 이러한 신화적 양식 혹은 서명을 다음과 같이 크게 4가지로 구별하고 있다. 유럽에서는 인간 이성과 책임적 개인, 레반트 지역에서는 초자연적 계시와 신이 지배하는 하나의 참된 공동체, 인도에서는 위대한 내재적 텅 빔(空) 상태에서의 요가적 통제, 극동에서는 천지의 도와 자발적으로 일치하는 것. 그리고 이러한 4가지 전통을 각기 대표하는 전형적 인간상으로 프로메테우스, 욥, 눈을 감고 앉은 붓다, 눈을 뜨고 소요하는 현자를 제시하였다. 이러한 4가지 전통을 장엄함의 측면만이 아니라 유치함의 측면에서, 그리고 몰입이나 경멸의 태도 없이, 아주 냉정하게 살펴보는 것이 자신의 작업이라고 말한다.

캠벨은 총체적 신화학의 과제를 3가지로 설정하고 있다. 첫째로 고등 문명의 근본이 되는 신화적 유산의 기원과 전파를 분석하는 것, 둘째로 다양한 지역의 신화적 양식의 발생, 성숙, 쇠퇴를 살펴보는 것, 마지막으로 단일한 인류사의 맥락 속에서 각 지역적 양식의 힘을 측정하는 것이라고 본다. 캠벨은 이 3가지 작업을 각기 다른 작업이라고 보면서도, 이 책에서 그 모든 측면을 고려하면서 서술하고 있음을 엿볼 수 있다.

동과 서, 아득한 과거와 현재를 가로지르며 수많은 이야기를 뿜어내는

616

대가의 저작을 번역하는 것은 역시 쉽지 않았다. 그러나 그 과정에서 얻은 것도 그만큼 적지 않았다고 생각한다. 세월이 지나도 항상 찾게 되는 책만을 골라 번역해내는 까치에 먼저 고마움을 표하고 싶다. 바쁜 와중에서도 번역 원고를 꼼꼼하게 읽고 수정해준 임현수 학형에게도 감사드린다. 유난히 무더운 여름에 비지땀을 흘리며 원고 교정과 교열에 힘써준 이경희 씨에게는 오로지 송구스럽고 감사할 따름이다.

1999년 9월 5일 옮긴이

색인

622

630

ㅍ

ㅎ